완역 성리대전 ❶

이 저서는 2010년 정부(교육과학기술부)의 재원으로 한국연구재단의 지원을 받아 수행된 연구임(NRF-2010-322-A00065)

완역

성리대전 ❶

윤용남·이충구·김재열·윤원현
추기연·이철승·심의용·김형석
이치억·김현경 역주

太極圖
通書
西銘

學古房

역주자 서문

성리대전性理大全의 모든 출판 준비를 마치고 인쇄만을 앞둔 지금 서문을 쓴다. 2010년 9월 한국연구재단으로부터 지원 과제로 선정되어 정부의 지원을 받아 5년간 연구를 진행하고, 다시 근 3년간의 교정과 출판 준비 기간을 거쳐 드디어 대장정의 끝에 와 있다.

성리대전과 처음 인연을 맺은 뒤 38년여의 세월이 흘렀다. 대학 3학년이던 당시 두꺼운 책을 들고 다니며 도서관에서 씨름하던 기억이 지금도 생생하다. 그러던 1993년 초 어느 날, 고故 정병련鄭炳連(전남대) 교수님께서 공부 모임을 갖자며 주역전의대전周易傳義大全을 읽으면 어떻겠냐고 하셨다. 이에 10년 이상을 공부하려면 성리대전이 좋겠다고 하였고, 교수님께서 흔쾌히 받아들여 성리대전으로 결정하였다. 이후 한중철학회韓中哲學會를 창립하여 매주 금요일마다 연중무휴로 대우재단빌딩에서 모임을 갖고 강독해 나갔다. 그러저러 또 세월이 흘러 당시 막내였던 본인이 회장을 맡게 되었다. 그때 회원들을 중심으로 한국연구재단에 번역과제를 신청하게 되었고, 그 결과가 오늘에 이르렀다.

성리대전은 철학인 성리학은 물론 문학, 역사, 역학易學, 예학禮學, 음악, 교육학, 국어학, 정치학, 천문학 등이 총망라된 매우 난해한 책이다. 학회에서 20년 가까운 세월 동안 끊임없이 강독해온 내공內功과 난상 토론에 단련된 공력功力이 아니면 번역하기 어려운 책이다. 또한 문학, 역사, 철학 등을 전공한 학자가 함께 모이지 않으면 읽기 어려운 책이다. 그런데 우리 연구진은 이런 여러 조건을 비교적 잘 갖추었다. 학회에서 여러 해 동안 성리대전을 함께 읽었고, 읽으면서 서로 상대의 잘못을 기탄없이 지적하면서 절차탁마하였다. 이런 힘으로 이 책을 번역하는 동안 함께 강독하면서 공동번역을 진행하였다. 시간 관계상 전체를 모두 함께하지는 못했지만 상당히 많은 부분, 그리고 난해한 부분은 반드시 함께 고민하였다. 하지만 부족한 부분이 여전히 많다. 조금 여유 있는 시간을 가지고 더 노력을 했다면, 당연히 더 나은 결과를 낼 수 있었겠지만, 주어진 조건이 만족할 만하지 못했다는 핑계를 댈 수밖에 없다.

공자께서 말씀하셨다. "아는 것을 안다고 하고, 알지 못하는 것을 알지 못한다고 하는 것이 아는 것이다." 젊을 때 이 글을 보고 너무 싱거운 말이라고 생각했다. 그런데 이번 번역을 하면서 깨달았다. 우리는 무엇을 알고 무엇을 모르는지도 구분하지 못한 채 번역을 하고 있었다. 공자께서는 이런 사람이 있을 것을 미리 예상하고 경계하신 것이니, 공자의 혜안이 참으로 두렵다. 2천 5백여 년 전의 공자 말씀이나 8백여 년 전의 주자朱子 말을 우리는 안다고 생각하며 번역하지만 정말로 아는 것인지, 모르면서 안다고 착각하는 것인지 알 길이 없다. 처음에는 모르는 것만을 가지고 함께 토론하면 될 거라고 생각했다. 그런데 막상 번역하다 보니 이런 지경이었다. 또 저울의 형평衡平을 경험하지 못했고, 맷돌도 돌려보지 못했으며, 굴건屈巾도 구경하지 못한 세대가 성리대전을 번역하는 것은 매미가 겨울을 이야기하는 것이나 마찬가지다. 그래도 이런 것은 형이하形而下의 것이니, 생각해보고 그림도 찾아 볼 수 있다. 형이상形而上의 철학은 더욱 상상하기 힘들다.

현대인들은 어린 시절부터 서양의 세계관을 배우며 자란다. 나我에서 시작하여 인간으로 확장하다가, 급기야는 신神의 존재를 요청하기도 한다. 그런데 동양철학은 나는 물론 아무것도 없는 까마득한 태초의 우주에서부터 시작한다. 태초의 아기우주로부터 현생의 우주까지, 황량하고 적막한 지구로부터 온갖 것들이 와글거리는 현재의 우주까지 정합적 이론 체계로 설명하려 한다. 그런데 오늘날 우리는 그런 사유세계를 배운 적이 없고, 표현도 그런 식으로 하지 않는다. 성리대전에서는 하늘이 조물주造物主이고 주인이고 주어主語인데, 현재의 우리는 사람이 중심이고 주인이며, 그중에서도 내가 주인이요 주어라는 생각을 무의식중에 갖고 있으니, 내용은 이상하고 이해도 잘 안된다. 그것을 현대식으로 번역하려니 더욱 어색하다.

언젠가 양초를 만든 적이 있다. 그리고 어두운 밤에 불을 켜려다가 매우 당황스런 상황이 벌어졌다. 이 양초가 자기는 자아를 실현하겠다며 불 켜기를 거부하고, 늘씬한 자태를 뽐낼 수 있게 장식장 위에 놓아달라고 떼를 쓰는 것이었다. 양초야! 나는 밤을 밝히려고 너를 만들었단다. 너는 네 몸에 불을 켜고 있을 때가 더 아름답단다. 불을 켜고 사그라져가는 네가 나는 한없이 고맙단다. 그리고 너는 네 몸을 불살라 밤을 밝히는 것이 너의 소명이란다. 그러니 고집부리지 말고 불을 켜자. 아무리 구슬리며 달래도 막무가내莫無可奈다. 그렇지! 인간은 조물주가 만들었는데, 조물주의 뜻은 무시하고 자아를 찾겠다고 애쓰는 인간, 인간중심주의를 외치는 사람을 보면 조물주도 이런 느낌이 아닐까?

서양철학은 인간중심철학이다. 모든 것을 인간의 입장에서 재정의하고, 만물을 인간을 위한 존재로 본다. 여기서 나아가 개인을 중심으로 하고, 모든 것은 나를 위해 존재한다고 생각한다. 이런 이기심이 오늘의 서양 문명을 일궜다. 그 무력武力의 힘으로 지금 세계를 호령하고 있다. 그런데 물어보자. 문명의 발달로 얼마나 더 여유로워졌는가? 지금 우리는 행복한가? 세상은 평화로워졌는가? 성리학은 과거로 흘러간 사상이 아니다. 어느 날 우리가 진정한 행복을 꿈꾼다면 다시 돌아보아야 할 것이다. 만물은 우주로부터 각자 할 일을 부여받아 생겨났고, 그 명령대로 존재하고 살아간다. 만물은 자신을 위해 생겨나지 않았고, 나는 나를 위해서가 아니라 우리를 위해 태어났다. 그것이 타고난 분수分數이고, 그 속에 행복이 있다. 우리 조상은 지금의 우리보다 더 행복해 보인다. 가족 간에 우애하고, 이웃이 사촌처럼 다정하게 살았다. 나의 이익을 앞세우지 않고 우리를 먼저 생각했다. 우주를 정복하기 보다는 우주의 품에 안겨 모든 미물들과 모든 사람들이 사이좋게 어울려 살기를 바랐다. 그런 세상을 맛보고 싶으면 어찌해야 하는가? 지금과는 다른 세상을 살고 싶으면 누구에게 물어야 하는가?

그 답은 성리대전에 있다. 세상을 어떻게 바라보아야 하는지, 나라는 어떻게 다스려야 하는지, 인간관계는 어떻게 풀어가야 하는지, 역사는 어떻게 보아야 하는지, 무엇을 느끼고 어떻게 표현해야 하는지, 교육은 어떻게 해야 하는지 등……. 성리대전은 처음에 사서오경을 이해하는 데 보탬을 주려고 편찬하였지만, 어떤 사람들은 사서오경보다 성리대전을 더 애독할 정도였다. 그만큼 사서오경 등의 경전經傳보다 성리대전에 그것들이 잘 요약되어 있기 때문이다. 성리대전은 대유학자 121명의 학설을 13개 대주제로 나누고, 이것을 다시 130여 개 소항목으로 나누어 편집하였기 때문에 관심이 있는 분야를 찾아서 연구할 수 있고, 처음부터 차례대로 공부할 수도 있어 매우 편리하다. 또 같은 주제에 대한 여러 학자의 이론을 나란히 소개하고 있어 다양한 의견을 검토하기에 매우 편리하다.

『세종실록』 '세종 18년 8월 8일 신미辛未' 조條에 나라 안에 도둑이 많아져 이를 규제하는 법을 만들면서 성리대전 권69의 주자朱子와 오봉 호씨五峰胡氏, 예장 나씨豫章羅氏의 주장을 차례로 인용하여 논한 사례가 있다. 이처럼 성리대전은 세종 1년(1419년)에 전래되어 조선조 내내 '유교儒敎 사용설명서'로서 애독되고 연구되었다. 특히 세종은 조선조 초기 유교 국가의 기틀을 마련하기 위해 성리대전을 중국에서 구해오고, 경연에서 공부하고, 선비들이 읽을 수 있도록 보급하는 데 심혈을 기울였다. 세종의 여러 가지 업적이 여기에서 힘입은 바 매우 크다. 세종의 한글 창제는 권7~13 황극경세서皇極經世書와 권14~17 역학계몽易學啓蒙에서, 아악雅樂 정리는 권22~23 율려신서律呂新書에서, 오례의五禮儀는 권18~21 가례家禮에서, 천문지리天文地理는 권27 리기理氣 편篇에서, 통치체제는 권65~69 군도君道 · 치도治道에서 이론을 가져온 것이다. 또 세종 15년 8월 13일의 경연에서 성리대전 권51의 "소반이나 그릇 등에도 모두 교훈을 새겼다."라는 구절을 강론하다가, 자손들이 농사일의 어려움을 알지 못하는 것을 걱정하며 교육할 방도를 찾으라고 한다.

조광조趙光祖는 『중종실록』 '중종 13년 11월 4일 경자庚子' 조條에서 "성리대전은 체體와 용用을 완비하였고, 근본과 말단을 다 갖추었으니, 천문天文과 지리地理, 예악과 법제法制, 성명性命 · 도덕의 이치, 역대 임금과 신하의 현명성賢明性 여부 등 갖추어지지 않은 것이 없다. 진실로 여기에 밝다면 세상을 다스리는 방도는 다른 것을 더 보탤 것이 없다."라고 하였다.

성리대전이 세종을 비롯한 여러 임금에게 많은 영향을 끼쳤고, 그 후 많은 학자들도 이를 통해 성리학을 공부하였고, 거기서 자기의 처신이나 앞에 놓인 일처리에 대한 길을 찾았다. 이에 새로운 세상을 꿈꾸는 많은 사람들이 여기에서 길을 찾을 수 있을 것이다. 연구진은 이러한 꿈을 꾸며 나름대로 열심히 하였지만, 많은 오역이 있을 것이다. 이에 대한 질정이나 고견은 인터넷 사이트 http://www.uri42.net에 있는 문답게시판에 올려 주시면 적극적으로 수용하여 고쳐나갈 것을 약속드리며, 강호 제현의 기탄없는 질책과 애정 어린 가르침을 기다린다.

책을 내면서 그동안 동고동락했던 모든 연구진께 먼저 고마운 마음을 전한다. 때로는 힘들고 언짢은 경우도 많았겠지만 모두 삭이고 공동 작업에 매진해 주신 점에 고개 숙여 경의를 표한다.

1993년부터 지금까지 한중철학회韓中哲學會가 매주 모여서 공부할 수 있도록 장소를 제공해 주신 재단법인 대우재단 및 한국학술협의회 관계자 여러분께도 심심한 감사를 드린다. 대우재단이 20여 년 동안 끊임없이 지원해주지 않았더라면 이 사업은 아마 태동하기 어려웠을 것이다. 아울러 20여 년 동안 한중철학회를 이끌었던 회장님들과 회원 여러분께도 이 자리를 빌려 감사드린다.

이 사업이 이루어질 수 있도록 재정적인 지원을 해준 한국연구재단과 정부에 감사하며, 이 사업의 중요성을 인정하고 선정해 주신 심사위원들께도 감사한다.

순수학술도서의 열악한 시장 상황에도 불구하고 흔쾌히 출판을 맡아주신 도서출판 학고방學古房의 하운근河雲根 사장님과 2년여 동안 거질巨帙의 원고를 꼼꼼하게 다듬어주신 조연순 팀장님을 비롯한 편집실 여러분께도 감사를 드린다.

2018년 6월 하짓날

성리대전 연구번역 연구책임자
성신여자대학교 윤리교육과 교수
前 한중철학회 회장
동양철학연구회 회장
尹用男 쓰다

일러두기

1. 본서는 공자문화대전孔子文化大全 『성리대전性理大全』(山東友誼書社, 中國山東省濟南市, 1989. 4冊)을 저본으로 국역한 것이다. 단 서울대 규장각 소장 『성리대전서性理大全書』(卞季良 跋, 세종 9년〈1427〉)본과 복각본으로서 내용이 완전히 일치한다.
2. 원문을 번역문과 함께 제시하였는데, 원문을 앞에 번역문을 뒤에 제시하였다.
3. 번역은 직역을 원칙으로 하고, 필요한 경우 의역하였다.
4. 원문은 현대적 표점標點을 하였다. 단 한문의 문리文理보다는 우리말 번역에 따라 표점을 달리 하였다.
5. 원문의 오자, 탈자, 연자衍字 등은 각주로 밝혔다.
6. 원문이 긴 경우에는 적당한 길이로 문단을 나누어 번역하였다.
7. 번역 본문에서는 한글을 사용하되 필요한 경우 한자를 병기하였다.
8. 인용한 선유先儒 표기를 원문에서는 대두하여 한번만 표기하였으나 번역문에서는 일일이 괄호 안에 보충하였다.
9. 경어는 사용하지 않는 것을 원칙으로 하되, 제자의 질문은 부득이 경어를 사용하였다.
10. 도량형度量衡의 단위는 원음原音을 그대로 살리되, 한글로 푸는 것은 간주間註로 처리한다. 면적은 평방平方, 부피는 입방立方 다음에 단위를 썼다.
11. 원문과 번역문의 문단모양은 원서와 유사하게 하였다. 단 현대식으로 문단별 첫 글자 들여쓰기는 하지 않았다.
    - 원서에서 인용한 경문이나 원저자의 글처럼 맨 위에 대자大字로 올려 쓴 글은 번역에서도 맨 앞으로 내어 쓰고 글자도 가장 크게 하였다.
    - 대자大字로 한 글자 내려쓴 대주大註는 번역에서 두 글자 정도 들여쓰기 하였다.
    - 작은 글자로 두 글자 내려쓴 소주小註는 번역에서 세 글자 정도 들여쓰기 하였다.
    - 작은 글자로 된 소주小註 중에서 원저자의 본주本註는 별도로 일련번호를 붙이지 않고 대자大字 원문에 붙여서 번역하였다.
12. 원문에는 권별로 [1-2-3]이나 [1-2-3-4] 형식의 일련번호를 붙였다.
    - 맨 앞의 숫자는 성리대전의 권수(1~70)를 표시한다.
    - 두 번째 숫자는 원서에 편장 표시가 있는 경우 그를 따르고, 없는 경우는 내용 분류 등에 따라 임의로 숫자를 배당하였다.
    - 세 단위 숫자로만 된 것은 원서에서 대자大字로 되어 있는 것이고, 네 단위 숫자로 된 것은 소주小註임을 표시한다.
    - 숫자 '-0-'이나 '-0', '-01' 등은 해당 원문에서 본문이 시작하기 전의 주석이나, 대자大字로 되어 있음을 표시하는 등 특수한 의미를 갖는다.

참고문헌

1. 『性理大全書』 판본

『性理大全』, 孔子文化大全編輯部, 山東友誼書社, 1989.(저본임)
『性理大全書』, 서울대 규장각 소장본, 卞季良 跋, 세종 9년(1427)
『性理大全』, 光成文化社, 1975.
『性理大全書』(一, 二), 商務印書館, 1983.
『性理大全書』, 한국정신문화연구원, 2004
『文淵閣 四庫全書』

2. 주요 번역서

곽신환 · 윤원현 · 추기연 역, 『태극해의』, 소명출판사, 2009.
권정안 · 김상래 역, 『통서해』, 청계출판사, 2000.
김상섭 역, 『역학계몽』, 예문서원, 1994.
김진근 역, 『완역 역학계몽』, 청계, 2008.
노영균 역, 『황극경세서』, 대원출판, 2002.
류풍연, 『역주 주자가례』, 태을문화사, 2010.
윤상철 역, 『황극경세서』, 대유학당, 2002
임민혁, 『주자가례』, 예문서원, 1999.
장윤수 역, 『정몽』, 책세상, 2002.
정해왕 역, 『완역 정몽』, 명문당, 1991.
최봉수 역, 『역판 성리대전』, 이화문화사, 1996.

3. 『성리대전』 관련 주요 자료

『乖崖集』
『九經圖述』
『龜山集』
『九章算術』
『東萊集』
『禮記』
『魯齋全書』
『勉齋集』
『木鐘集』
『默堂集』
『文定集』
『范文正公集』
『北溪字義』
『四書大全』
『四書訓詁』
『上蔡語錄』
『書經』
『西山文集』
『性理羣書句解』
『性理群書集覽』
『性理大全書節要』
『性理大中』
『性理備要』
『性理三書圖解』
『性理精義』
『性理正宗』
『性理抄』
『性理會通』
『詩經』
『易學啓蒙通釋』
『延平文集』
『五經大全』
『吳文正集』
『五峰集』
『龍川文集』
『二程文集』
『張栻全書』
『張子全書』
『張子正蒙注』
『周易傳義大全』
『朱子成書』
『朱子語類』
『注解正蒙』
『朱熹集』
『槎溪集』
『春秋』
『太極三圖』
『漢上易傳』
『洪範解』
『和靖集』
『皇極經世索隱』
『皇極經世書解』

성리대전 총목차

性理大全書目錄 성리대전서 목록

6

御製性理大全書序 永樂帝의 『성리대전서』 서문

朕惟昔者，聖王繼天立極，以道治天下. 自伏羲·神農·黃帝·堯·舜·禹·湯·文·武相傳授受，上以是命之，下以是承之，率能致雍熙悠久之盛者，不越乎道以爲治也. 下及秦·漢以來，或治或否或久或近，率不能如古昔之盛者，或忽之而不行，或行之而不純. 所以天下卒無善治，人不得以蒙至治之澤，可勝歎哉!

짐[1]이 생각하건대 옛날 성왕聖王들은 하늘의 뜻을 계승해 천하에 표준을 세우고[2] 도道로 천하를 다스렸다. 복희·신농·황제·요·순·우·탕·문·무로부터 서로 이 도를 전하여 주고받으며 군주는 이 도를 가지고 신하에게 명하고 신하는 이 도로 군주의 명령을 받들어, 모두가 화락하고 평화로운 훌륭한 시대를 유구히 이룬 것은 도를 가지고 다스림을 삼았기 때문이다. 진秦나라와 한漢나라 이후로 내려오면서는 어떤 때는 다스려지다가 어떤 때는 그렇지 못하고 혹 오래 이어지다가 혹 짧게 끝나면서 예전의 훌륭했던 시절만 같지 못한 것은, 혹 이 도를 소홀히 하고 행하지 않거나 혹 행하면서도 순수하지 않아서이다. 이것이 천하에 끝내 좋은 정치가 이루어지지 않아 백성들이 바로잡힌 정치의 은택을 입지 못하였으니 탄식을 가눌 길 있겠는가!

夫道之在天下，無古今之殊，人之稟受於天者，亦無古今之異，何後世治亂得失，與古昔相

1 짐: 이 서문의 저자는 명나라 3대 황제인 成祖이다. 태조의 넷째 아들로 이름은 朱棣, 시호는 文帝이다. 燕王에 봉해졌다가 조카 惠帝가 즉위하자 군대를 일으켜 도성을 함락시키고 제위에 올랐다. 그의 연호를 따서 永樂帝로 호칭되기도 한다. 재위기간은 22년(1403~1424)이다. 『明史』 권5~7.

2 하늘의 뜻을 계승해 천하에 표준을 세우고: 이 말은 제왕의 책임을 요약한 말이다. 하늘이 이땅에 수많은 생명을 잉태시켰으나 직접 그것들이 편안하게 살아가게 할 수 있는 방법은 없다. 따라서 이러한 일을 수행할 훌륭한 제왕이 나타나 이들 여러 생명들을 통치하기를 기다릴 수밖에 없다. 그리하여 군주는 하늘의 이러한 기대에 부응하기 위해 군주와 스승이라는 두 가지 책무를 지게 된다. 군주로서는 천하의 백성을 하늘을 대신하여 편안하게 다스리고, 스승으로서는 천하에 백성들이 지켜야할 도리를 솔선수범하여 확립시키는 일이 그것이다. 제왕에게 이러한 책무가 있기에 하늘이 백성을 사랑하는 마음을 이어받아 백성들을 편안하도록 이끌어야 하고 스승으로써 표준을 천하에 세워야 하는 것이다. 이를 宋代의 학자 朱子는 『大學』「大學章句序」에서, "一有聰明睿智能盡其性者, 出於其間, 則天必命之, 以爲億兆之君師, 使之治而敎之, 以復其性, 此伏羲神農黃帝堯舜, 所以繼天立極."이라 하였고, 표준을 세우는 일에 대해서는 『朱子語錄』 권14 「大學」1, 序에서 '繼天立極'은, "천지의 도를 조절하여 성공시키고 천지의 마땅한 일들을 보조하는 일들이 그에 해당한다.(天只生得許多人物, 與你許多道理. 然天却自做不得, 所以必得聖人爲之修道立敎, 以敎化百姓, 所謂'裁成天地之道輔相天地之宜' 是也.)"고 하였다.

距之遼絶歟? 此無他, 道之不明不行故也. 道之不明不行, 夫豈道之病哉! 其爲世道之責, 孰得而辭焉! 夫知世道之責在己, 則必能任斯道之重而不敢忽. 如此則道豈有不明不行, 而世豈有不治也哉!

저 도가 천하에 있는 것은 예나 지금이 다를 바 없고 사람이 하늘에서 이를 받는 것도 예나 지금이 다를 바 없는데, 무엇 때문에 후세에 이르러 안정과 혼란, 잘함과 잘못함이 예전과 요원한 차이가 나는 것일까? 이는 다름이 아니다. 도가 세상에 밝아지지 않고 시행되지 않아서이다. 그러나 도가 세상에 밝아지지 않고 시행되어지지 않은 것이 어찌 도의 병통이겠으며, 세상 도를 만들어가는 책임을 누군들 사양할 수 있겠는가! 세상 도를 밝히는 책임이 자신에게 있음을 안다면 반드시 이 도의 무거운 책무를 잘 맡아 감히 소홀히 하지 못할 것이다. 이같은 생각을 지닌다면 도가 어찌 밝아지지 않고 시행되지 않으며 세상이 어찌 다스려지지 않음이 있겠는가!

朕纘承皇考太祖高皇帝鴻基, 卽位以來孶孶圖治, 恒慮任君師治敎之重, 惟恐弗逮. 切思帝王之治, 一本於道. 所謂道者, 人倫日用之理, 初非有待於外也. 厥初聖人未生, 道在天地, 聖人旣生, 道在聖人, 聖人已往, 道在六經, 六經者聖人爲治之迹也. 六經之道明, 則天地聖人之心可見, 而至治之功可成, 六經之道不明, 則人之心術不正, 而邪說暴行, 侵尋蠧害. 欲求善治, 烏可得乎?

짐이 아버지 태조 고황제太祖高皇帝[3]의 큰 업적을 이어받아, 즉위한 이래 부지런히 정치에 힘을 쏟으며 늘 군주로서 다스리고 스승으로서 교화하는 일의 막중함을 생각하여, 행여 아버지의 업적에 미치지 못할까 두려웠다. 그리하여 골똘히 제왕의 정치를 생각해보니 하나같이 도道에 근원하였다. 그리고 그 도는 사람들이 날마다 생활하는데 쓰이는 도리이지 애초에 그 밖에 있는 것이 아니었다. 지난날 성인이 아직 태어나지 않았을 초기에는 도는 천지에 있었고, 성인이 태어난 뒤에는 도는 성인에게 있었으며, 성인이 이미 떠난 뒤에는 도가 육경六經[4]에 있었다. 육경은 성인이 행한 정치의 자취이다. 육경의 도가 밝아지면 천지와 성인의 마음을 볼 수 있어 지극히 잘 다스려진 공훈과 사업을 이룰 수 있으나, 육경의 도가 밝아지지 않으면 사람 마음이 바르지 못하여, 바르지 아니한 말과 포악한 행동이 조금씩 세상에 해를 입히게 된다. 선한 치세를 구현하고자 한들 어찌 가능하겠는가?

朕爲此懼, 乃者命儒臣編修五經四書, 集諸家傳註而爲大全, 凡有發明經義者取之, 悖於經旨者去之. 又輯先儒成書及其論議格言, 輔翼五經四書, 有裨於斯道者, 類編爲帙, 名曰性理大全書. 編成來進, 總二百二十九卷.

짐이 이를 두렵게 생각하고 지난번에 유신儒臣[5]에게 오경五經[6]과 사서四書를 편수하도록 명하여 여러

3 太祖高皇帝 : 명나라를 건국한 朱元璋을 이른다. 태조는 그의 廟號이고 고황제는 그의 謚號이다.
4 六經 : 儒家의 기본 경전인 『詩經』·『書經』·『易經』·『禮記』·『春秋』·『樂經』을 이른다.
5 儒臣 : 武臣에 상대하여 학문을 바탕으로 벼슬에 진출한 사람이나 문학 관계의 벼슬에 종사하는 신하를 이른

학자들의 전주傳註를 모아 대전大全[7]을 만들도록 하면서, 오경과 사서의 뜻을 드러내어 밝힌 것은 취하고 오경과 사서의 뜻에 거스른 것은 버리게 하였다. 또 선유先儒가 남긴 서적과 그들이 논의한 격언格言을 모으도록 하면서, 오경과 사서에 도움을 주고 사도斯道[8]에 도움이 될 만한 것들을 분류별로 편집하여 책을 만들게 하여 『성리대전서性理大全書』[9]라고 명명하였다. 편집을 마치고 올라온 것이 총229권[10]이었다.

朕間閱之, 廣大悉備, 如江河之有源委, 山川之有條理. 於是聖賢之道, 粲然而復明. 所謂考諸三王而不繆, 建諸天地而不悖, 質諸鬼神而無疑, 百世以俟聖人而不惑. 大哉聖人之道乎! 豈得而私之. 遂命工, 悉以鋟梓, 頒布天下.

짐이 틈틈이 펼쳐보니, 광대하게 모두 갖추어진 것이 마치 강하江河에 시작과 끝이 있고 산과 시내에 갈피가 있는 것과 같았다. 이에 비로소 성현의 도가 다시 찬란히 밝아졌다. 이른바 '삼왕三王에 고증하여 보아도 틀림이 없고 천지天地에 정립시켜도 거스름이 없고 귀신鬼神에게 질정하여도 의아할 것이 없고 백세 후대의 성인을 기다려도 의혹될 것이 없다.'[11]는 것이었다. 광대하도다! 성인이 남기신 도여! 이를 어찌 사사로이 혼자서만 볼일이랴. 마침내 장인匠人에게 명을 내려 이 모두를 판각板刻하여 천하에 반포하게 하였다.

使天下之人, 獲覩經書之全, 探見聖賢之蘊. 由是窮理以明道, 立誠以達本, 修之於身, 行之於家, 用之於國, 而達之天下. 使家不異政, 國不殊俗, 大回淳古之風, 以紹先王之統, 以成熙皞之治, 將必有賴於斯焉. 遂書以爲序.

永樂十三年十月初一日.

천하의 백성이 경서가 가진 전체 뜻을 얻어 보고 성현이 간직한 깊은 온축을 더듬어, 이를 통해 이치를 궁구하여 도를 밝히고 성심을 다해 근본 이치를 깨쳐, 이것으로 몸을 닦고 집안에 행하고 나라에 적용하고 천하에 미쳐나가게 해야 할 것이다. 집안을 다스리는 기본 도리가 서로 다르지

다. 특별히 여기서는 영락대전으로 운위되는 대전본 편찬에 종사한 胡廣을 필두로 42명의 신하들을 이른 듯하다.

6 오경 : 『詩經』·『書經』·『易經』·『禮記』·『春秋』를 이른다.

7 大全 : 永樂大全)으로 일컬어지는 책들을 이른다. 내용은 다음에 이어지는 「進書表」 참고.

8 斯道 : 孔子의 가르침에 관계되는 말들을 이르는 말. 斯文이라 쓰기도 한다.

9 『性理大全書』 : 이 책은 『性理大全書』와 『性理大全』으로 호칭된다. 우선 이 글의 제목이 『성리대전서』의 서문이고 『明史』 권98 예문지 3에는 이책을 소개하며 『性理大全』 70권이라 싣고 있다. 이에 따라 이글도 혹 名曰性理大全, 書編成來進으로 보는 견해도 있으나 따르지 않았다.

10 권229 : 『明史』 권96 「藝文志」 1에 의거해 살펴보면 『周易』 권24, 『書傳』 권10, 『詩傳』 권20, 『禮記』 권30, 『春秋』 권37, 『四書』 권3 등이고, 권98 「藝文志」 3에는 『性理大全』 권70이라고 하여 도합 권227이다. 글에서 말하고 있는 권수와 2권의 차이를 보이고 있다.

11 三王에 … 의혹될 것이 없다. : 이 말은 『中庸』 제29장의 말이다.

않고 나라의 풍속이 서로 다르지 않도록 하여, 순수한 옛 풍속을 완전히 되돌려서 이것으로 선왕이 남긴 전통을 잇고 이것으로 화락한 정치를 이루는 일이 반드시 이 책을 힘입게 될 것이다. 마침내 이러한 뜻을 기록하여 서문으로 삼는다.

영락永樂 13년(1415) 10월 초하룻날에 쓴다.

進書表『성리대전서』를 올리며 올리는 표문

翰林院學士兼左春坊大學士奉正大夫臣胡廣，奉政大夫右春坊右庶子兼翰林院侍講臣楊榮，奉直大夫右春坊右諭德兼翰林院侍講臣金幼孜等，玆者，伏蒙皇帝陛下命臣等文學之臣，編輯五經四書大全及性理大全書．今編輯已成，謹謄寫總二百二十九卷．裝潢成帙進呈，臣廣等誠惶誠恐稽首頓首上言．
한림원학사 겸좌춘방태학사 봉정대부 신臣 호광胡廣, 봉정대부 우춘방우서자 겸한림원시강 양영楊榮, 봉직대부 우춘방우유덕 겸한림원시강 신 김유자金幼孜 등은 지난번 황제폐하께서 신 등 문학에 종사하는 신료들에게 오경 사서의 대전과 『성리대전서』를 편집하라 내리신 명령을 삼가 받았습니다. 지금 이미 편집을 완성하여 삼가 베껴내니 총 229권이었습니다. 이를 제본하여 책갑에 넣어 올리면서 신 광廣 등은 참으로 황공하여 머리를 깊숙이 숙여 땅에 조아리고서 말씀을 올립니다.

伏以六經之道，昭如日星，經緯乎天地，貫徹乎古今．放之則彌六合，卷之則退藏於密．用之於身而身修，行之於家而家齊，推之於國而國治，施之於天下而天下平．蓋世必窮經而後道明，未有舍經而能治理者也．是以聖王垂憲，必資道以開人，賢哲肇基，必稽古以作範，故伏羲則河圖而演畫，大禹因洛書而錫疇，孔子刪詩書修春秋，寓一王之法，周公陳王業制禮樂，弘百世之規．況乎精一執中之傳尤重．丁寧告戒之旨如斯，顯迹昭然可觀!
삼가 생각하건대 육경의 도는 해와 별처럼 밝아 천지의 씨줄과 날줄을 이루고 예와 지금을 관통하고 있습니다. 그 도는 펼치면 천지와 사방에 꽉 차고 거두어들이면 은밀한 곳으로 물러나 갈무리됩니다. 그 도는 몸에 행하면 몸이 닦이고 집안에 시행하면 집이 가지런해지며 나라에 확대하면 나라가 다스려지고 천하에 베풀면 천하가 평안해집니다. 세상은 반드시 힘을 다해 육경을 연구한 뒤에 도가 밝아졌으니, 육경을 놓아두고 세상이 잘 다스려진 경우는 없습니다. 이러하므로 성왕이 법을 만들어 펼 적에는 반드시 도에서 취하여 백성을 인도하고, 현명하고 지혜로운 사람이 공훈과 사업의 기반을 시작할 적에는 반드시 옛날에서 살펴 규범을 만들었습니다. 그러므로 복희씨는 「하도」를 본받아 삼획괘三畫卦를 연역演繹하였고 대우大禹[12]는 「낙서」에 의거하여 구주九疇[13]를 만들어 전하였으며,

자는 『시경』과 『서경』을 산정刪定하고 『춘추』를 손질하여 한 왕조가 근간으로 지킬 법도를 담았고, 주공周公은 왕조의 업무를 펼쳐 말하고 예악을 제정하여 1백세에 지킬 법도를 확장시켰습니다. 더욱이 정일집중精一執中[3]의 전수는 더욱 소중합니다. 곡진하게 일러주고 경계시킨 뜻이 이와 같고 그 현연한 자취를 환히 살펴 볼 수 있습니다.

自王道旣衰, 異說蠭起, 燔烈秦火之餘, 穿鑿漢儒之弊, 其間存者不絶如絲, 莫能究其旨歸, 一切趨於苟且貪緣, 故習鮮克正之. 於乎! 聖人之道不行, 而百世無善治, 聖人之學不傳, 而千載無眞儒. 遂令往轍之難尋, 益發前修之永嘆.

왕도가 쇠퇴한 뒤 이설異說이 벌떼처럼 일어나고, 진秦나라에 의해 불살라진 여파[4]와 한漢나라 선비의 천착[5]에 의한 폐단으로, [도는] 그 사이에 한 올의 실낱처럼 보존되며, 도가 가진 궁극의 뜻이 궁구되지 못하고 모든 것들이 구차하게 옛 습속만을 따르려한 때문에 예전의 잘못된 버릇이 거의 바로잡히지 않았습니다. 아아! 성인의 도가 행해지지 않아 백세에 훌륭한 정치가 없고, 성인의 학문이 전해지지 않아 천년을 내려오며 참된 선비가 없게 되었습니다. 마침내 지난 자취조차 찾기 어려워지며 더더욱 지난날 현자賢者의 긴 탄식이 터져 나왔습니다.

1 大禹 : 夏나라의 우임금을 이르는 말. 『書經』「大禹謨」의 "대우의 덕을 살펴본다면(曰若稽考大禹.)"의 孔穎達傳에 "우임금에게 대자를 붙이는 것은 그 공이 커서이다.(禹稱大, 大其功.)"라고 하였다.

2 九疇 : 세상의 기본 질서를 이루는 아홉 가지 큰 법을 이른다. 자세한 내용은 『書經』「洪範」에 실려 있다.

3 精一執中 : 이 말은 『書經』「大禹謨」편에 있는 말로 道統의 傳授心法을 이르는 말이다. 이를 주자가 『中庸』의 「中庸章句序」에서 인용하여, "상고시대 성스럽고 신명한 군주가 하늘을 이어 인류의 표본을 세우면서 도통을 전하는 말이 내려오기 시작하였다. 그것이 경서에 나타난 것으로는 '참으로 그 중용의 도를 잡아야 한다.'는 말은 요임금이 순임금에게 건네 준 말이고 '인심은 위태롭고 도심은 은미하니 정밀하게 분석하고 한결같이 꼭 잡아 지켜 참으로 그 중용의 도를 잡아야한다.'는 말은 순임금이 우임금에게 건네 준 말이다.(蓋自上古聖神繼天立極, 而道統之傳有自來矣. 其見於經, 則允執厥中者, 堯之所以授舜也. 人心惟危, 道心惟微, 惟精惟一, 允執厥中者, 舜之所以授禹也.)" "요임금과 순임금과 우임금은 천하의 위대한 성인이고 천자의 자리를 전하는 일은 천하에서 가장 큰 일이다. 천하의 위대한 성인이 천하의 큰일을 행하면서 전하고 전해 받는 그 사이에 간곡하게 일러준 말씀이 이에 불과하였으니, 천하의 이치가 어찌 이보다 더하겠느냐? 이로부터 성인과 성인이 서로 이으니 성탕·문왕·무왕이 천하의 왕이 되어 다스리고 고요·이윤·부열·주공·소공이 신하가 되어 신하의 직분을 수행할 적에 모두 이말로써 도통의 전함을 이었다(夫堯舜禹, 天下之大聖也, 以天下相傳, 天下之大事也. 以天下之大聖, 行天下之大事, 而其授受之際, 丁寧告戒, 不過如此, 則天下之理, 豈有以加於此哉. 自是以來, 聖聖相承, 若成湯·文·武之爲君, 皐陶·伊·傅·周·召之爲臣, 旣皆以此而接夫道統之傳.)"라고 하였다.

4 秦나라에 의해 불살라진 여파 : 秦始皇 때 저질러진 焚書坑儒의 사건을 이른다. 진시황이 천하를 통일하고서 자신의 정치에 대해 경전의 성인 말씀을 근거로 시비하려 드는 선비들이 싫어 승상 李斯의 進言에 따라 실생활에 직접 관련 되지 않은 모든 책을 모아 불사르게 하였다. 이에 천하의 책들은 거의 완본이 없이 사라졌다. 『史記』「秦始皇本紀」 6.

5 漢나라 선비들의 천착 : 한나라 시대 진나라에 의해 불탄 서적을 복원하는 과정에서 생성된 훈고학을 견강부회한 학문으로 이른 말인 듯하다.

夫否必有泰，晦必有明. 繇夫濂·洛·關·閩之學興，而後堯·舜·禹·湯之道著，悉掃蓁蕪之蔽，大開正學之宗. 不幸屢阨狂言，旣揚復抑. 又因循數百年之間，卒莫能會其說于一，蓋必有待於今日者矣.

막히면 반드시 통하고 어두우면 반드시 밝아집니다. 저 염·락·관·민濂洛關閩의 학문[6]이 비로소 일어난 뒤에 요·순·우·탕의 도가 드러나면서 모든 어지럽게 가려졌던 것들이 일소되고, 정학正學의 종지宗旨가 크게 열렸습니다. 그러나 불행히도 여러 차례 미치광이 말의 횡액을 겪으며[7] 살아났던 기풍이 다시 억눌렸습니다. 또다시 수백 년을 그럭저럭 흘러오는 사이 끝내 염락관민의 말을 한데 모아 엮지 못하였으니, 아마도 이는 반드시 오늘을 기다렸던 것 같습니다.

天啓聖明，誕膺景運，太祖高皇帝，天縱之聖，以武功定天下，以文教興太平. 首建學校，頒賜書籍，作養人材，茂隆致治，四海內外翕然同風. 欽惟皇帝陛下，文武聖神，聰明睿知，纘承大統，紹述鴻勳. 成功盛德，雖三皇而無以加，事業文章，與二儀而同其大. 治已至而猶以爲未至，功已成而猶以爲未成，體道謙冲，游心高遠.

하늘의 화평한 시대가 열리며 더없이 좋은 운세에 호응하여 태어난 태조고황제는 하늘이 내린 무한한 성덕聖德을 지녀 무공으로 천하를 평정하고 문교로 태평시대를 일으켰습니다. 맨 먼저 학교를 세우고, 서적을 나누어 하사하고, 인재를 기르고, 정치를 융성하게 하여, 천하의 안과 밖이 화평하게 동일한 풍속[8]을 이루었습니다. 공손히 생각하건대 황제폐하는 문덕文德과 무략武略이 넘치고 성명聖明하고 신령스러우며, 총명하고 밝은 지혜를 지녀 대통을 계승하고 큰 업적을 이어 발전시켰습니다. 이루신 공과 훌륭한 덕은 삼황三皇이라도 나음이 없을 것이며, 세우신 사업이며 전장 제도는 천지와 그 위대함을 함께할 것입니다. 정치가 이미 지극한 경지에 이르렀건만 아직 지극하지 않은 것으로 생각하고, 공훈이 이미 이루어졌건만 아직 이루어지지 않은 것으로 생각하여 도를 본받기에 겸허하고 마음을 높고 원대한 곳에 두고 계십니다.

乃者渙起宸斷，修輯六經，恢拓道統之源流，大振斯文之委靡，發舒幽賾，鉤纂精玄. 博采先儒之格言，以爲前聖之輔翼. 合衆塗於一軌，會萬理於一原，地負海涵，天淸日皦. 以是而興

6 濂洛關閩의 학문: 宋代 理學을 일으킨 네 사람의 학문을 이르는 말. 곧 濂은 濂溪(지금의 湖南省 道縣에 있는 시내)에 살았던 周敦頤, 洛은 洛陽에 살았던 程子(형 程顥: 호는 明道)와 (아우 程頤: 伊川), 關은 關中: 지금의 陝西省 渭河 지역 일대)에 살았던 張載(호는 橫渠), 閩은 閩中: 지금의 福建省 일대)에 살았던 朱熹를 이른다.

7 여러 차례 미치광이 말의 횡액을 겪으며: 이는 宋代에 程伊川이 蘇軾과의 불화로 벼슬이 삭탈되고 涪州로 귀양 간 일과, 朱子가 寧宗의 연호인 慶元연간에 재상 韓侂冑가 주동이 되어 주자의 道學에 찬동한 사람들을 僞學으로 몰아 파직시키고 벼슬에 등용되는 길을 금한 사건을 이른다. 『宋史』「程頤傳」

8 동일한 풍속: 천하가 통일되어 한 왕조가 정한 전장 문물을 천하가 준수하는 것을 이르는 말. 곧 태조고황제가 천하를 통일하여 새로운 왕조를 설립하였음을 이른다.

敎化，以是而正人心，使夫已斷不續之墜緖，復屬而復聯，已晦不明之蘊微，復彰而復著．肇建自古所無之制作，纘述自古所無之事功．非惟備覽於經筵，實欲頒布於天下，俾人皆由於正路，而學不惑於他岐，家孔孟而户程朱，必獲眞儒之用，佩道德而服仁義，咸趨聖域之歸．頓回太古之淳風，一洗相沿之陋習，煥然極備，猗歟盛哉！

지난번 폐하께서 결단을 내려 육경을 정리하여 편집하게 하니 도통의 원류가 회복되어 넓혀지고 위축되었던 사문斯文(儒學)이 크게 떨쳐지며, 깊고 정미한 말들이 발휘되고 정미하고 현묘한 것이 찾아 편찬되었습니다. 예전 선비들의 격언이 널리 채집되어 옛 성인의 학문에 도움이 되었습니다. 여러 학술을 하나의 궤도에 통합하고 온갖 이치를 하나의 근원으로 모으니 땅이 모든 만물을 싣고 바다가 온갖 시내의 물을 담음[地負海涵]이며 하늘이 맑아지고 해가 밝아짐입니다. 이로써 교화를 일으키고 이로써 사람의 마음을 바로잡아, 이미 끊어져 이어지지 못한 실추된 실마리를 다시 잇고 다시 연속되게 하였으며, 이미 어두워져 분명하지 않은 심오하고 은미한 이치를 다시 현창하고 다시 드러냈습니다. 예전에 없던 저작을 비로소 이루었으며 예전에 없던 사업을 이어 펼쳤습니다. 경연經筵에만 비치해 보실 것이 아니라 실지 천하에 반포하여, 사람들마다 모두 바른 길을 따르게 하고 학자마다 다른 길에 현혹되지 않게 하여, 공자와 맹자를 집으로 삼고 정자와 주자를 문호門戶로 삼아, 기필코 참된 선비의 쓰임이 되게 하고, 도덕을 마음에 새기고 인의를 준수하여 모두 성인의 가르침에 귀의하는 길로 나아가게 해야 할 것입니다. 태고의 순후한 풍속을 단번에 되돌리고 서로 답습해온 비루한 습속을 한꺼번에 씻어낼 수 있는 것들이 환하게 모두 갖추었으니 아름답고 훌륭합니다.

竊嘗觀之，周衰道廢，汲汲皇皇以斯道維持世敎者，惟師儒君子而已．未有大有爲之君，能倡明六經之道，紹承先聖之統如今日者．此皇帝陛下所以卓冠百王，超越千古者也．臣廣等一介書生，粗知章句，大學賢關，渾未造其閫奧，圓冠方屨，固慚列於章縫．幸逢熙洽之時，謬忝校讎之任，每受成於指敎，亦何假於施爲？樂覩就編，豈勝歡慶？與天下而同惠，於萬古而有光．尊所聞行所知，求不負於敎育，正其誼明其道，期補報於昇平，無任瞻天仰聖激切屛營之至，謹奉表隨進以聞．

적이 살피건대 주나라가 쇠해지며 도가 폐하여졌으나 황급하게 사도로 세상 교화를 보존해 붙잡고자 한 사람은 오직 유자儒者나 도통을 전승한 학자 정도였습니다. 큰 업적을 남길 수 있는 군주가 오늘날처럼 육경의 도를 앞장서 밝히고 옛 성인의 도통을 계승한 사람은 없었습니다. 이것이 황제폐하가 모든 군왕들 중에서 높이 우뚝하고 천고에 뛰어나신 까닭입니다. 신 호광胡廣 등은 일개 서생으로 대충 장구나 알 정도[9]이고, 현사賢士의 관문인 태학太學은 그 깊은 학문의 경지에 있어 전연 조예가 없으며, 원관圓冠이나 방구方屨[10]는 갖추고 있으나 진실로 선비들 반열에 서는 것은 부끄럽기만

9 장구나 알 정도 : 글에 함축된 큰 뜻은 알지 못하고 겨우 장구나 분석하여 알 정도라는 뜻으로 학문이 깊지 못함을 겸손하게 이르는 말이다. 章은 전체 글 중 한 단락을 이르고, 句는 문장을 이루는 한 구절을 이른다.

10 圓冠이나 方屨 : 선비들의 복장을 이르는 말. 원관은 선비들이 쓰는 둥근 관으로 圜冠으로 쓰기도 하며, 방구

합니다. 다행히도 안락하고 화락한 시대를 만나 잘못 교감의 책임을 졌으나 매번 이미 성안成案된 지침을 받았을 뿐 또한 어느 겨를에 그것을 다 시행해 낼 수 있었겠습니까? 그러나 편집이 잘 마무리됨을 즐겁게 보게 되니 기쁘고 경사스러운 마음을 어찌 견디겠습니까? 천하가 함께 은혜로워하고 만고에 길이 영광이 있을 것입니다. 들은 것을 높이고 알게 된 것을 행동으로 옮겨[11] 교화하고 육성하려하신 마음을 저버리지 않을 것이며, 그 의리를 바로잡고 그 도를 밝혀 태평 세상을 이루는 데에 보탬이 되기를 기약하렵니다. 하늘과 황제폐하를 우러르니 감동이 끓어오르며 황공하고 두려운 마음이 그지없어 가눌 길이 없사옵니다. 삼가 표문을 책에 따라 받들어 올리며 아뢰옵니다.

永樂十三年九月十五日, 翰林院學士兼左春坊大學士奉政大夫臣胡廣等, 謹上表
영락 13년(1415) 9월 15일 한림원학사 겸좌춘방태학사 봉정대부 신 호광등은 삼가 표문을 올립니다.

는 선비들이 신는 신으로 신코에 실끈을 장식한 모나게 만들어진 신이다. 모두 선비들의 복장인 데에서 선비를 지칭하는 말로 쓰인다.

11 들은 것을 높이고 알게 된 것을 행동으로 옮겨 : 자신이 배워서 알게 된 것들을 마음으로 신봉하고 행동으로 옮겨 따른다는 말로, 후생들이 선현의 학설을 깊이 믿고서 그대로 수행하는 것을 이른다.

先儒姓氏

周子 惇頤 濂溪 茂叔
邵子 雍 康節 堯夫
安定胡氏 瑗 翼之
眉山蘇氏 軾 子瞻 東坡 轍 子由 潁濱
滎陽呂氏 希哲 原明
王氏 巖叟
廣平游氏 酢 定夫
鄒氏 質夫
藍田呂氏 大忠 進伯 大臨 與叔
蘇氏 昞 季明
龜山楊氏 時 中立
壽安張氏 繹 思叔
華陽范氏 祖禹 淳夫
永嘉劉氏 安節 元承
東平馬氏 伸
河間邢氏 恕 和叔
致堂胡氏 寅 明仲
陳氏 恬 叔易
馮氏 忠恕
呂氏 稽中
呂氏 本中
張氏 嵲
豫章羅氏 仲素
韋齋朱氏 松 喬年
朱子 熹 晦菴 元晦
南軒張氏 栻 敬夫
默齋游氏 九言
勉齋黃氏 榦 直卿
雲莊劉氏 爚 晦伯

程子 顥 伯淳 明道 頤 正叔 伊川
張子 載 橫渠 子厚
涑水司馬氏 光 溫公 君實
山谷黃氏 庭堅 魯直
嵩山晁氏 以道 說之
元城劉氏 安世 器之
上蔡謝氏 良佐 顯道
李氏 端伯
京兆呂氏 大鈞 和叔
范氏 育
河東侯氏 仲良 師聖
和靖尹氏 焞 彥明
河間劉氏 立之 安禮
河南朱氏 掞 光庭
邵氏 伯溫
武夷胡氏 安國 文定 康侯
五峯胡氏 宏 仁仲
陳氏 淵
祁氏 寬
呂氏 堅中
章氏 憲
歐陽氏 棐
延平李氏 侗 愿中
屛山劉氏 子翬
樂菴李氏 衡 彥平 江都
象山陸氏 九淵 子靜
東萊呂氏 祖謙 伯恭
三山陳氏 祥道
西山蔡氏 元定 季通

節齋蔡氏 淵 伯靜
觀物張氏 行成 文饒
果齋李氏 方子 正叔
盤澗李氏 銖 叔重
范陽張氏 九成 子韶
吳氏 壽昌
慈湖楊氏 簡 敬仲
鶴山魏氏 華父 了翁
彭山 長庚
進齋徐氏 幾 子與
覺軒蔡氏 模 仲覺
天台謝氏 無椒
雙峯饒氏 魯 仲元
李氏 士英
臧氏 格
魯齋彭氏
庸齋許氏 仲翔
鍾氏 過
黃氏 瑞節
魯齋許氏 衡 平仲
董氏 訒
陳氏 協
高氏
周氏 坦
劉氏 璋
李氏 希濂
元氏 明善
揭氏 傒斯
耶律氏 有尙
陳氏 剛
九峯蔡氏 沈 仲默
北溪陳氏 淳 安卿
潛室陳氏 埴 器之
北山陳氏 孔碩 膚仲
廖氏 子晦
山陽度氏 正 性善
西山眞氏 德秀 景元
平菴項氏 安世 平甫
祝氏 涇
思齋翁氏 泳 永叔
萍鄉胡氏 安之 叔器
平巖葉氏 采 仲圭
楊氏 復
建安熊氏 剛大 勿軒
孟氏 康
習軒吳氏
長樂陳氏 櫟
黃氏 巖孫
謝氏 方叔
玉齋胡氏 方平
吳郡李氏 韶
雙湖胡氏 一桂 庭芳
鄭氏
劉氏 玹孫
臨川吳氏 澄 草廬 幼淸
牧菴姚氏 燧
邵菴虞氏 集 伯生
古洲馬氏
圭齋歐陽氏 玄 元功
黃氏 溍 晉卿

1. 인용된 선유 성씨

주자周子. 이름 돈이惇頤, 호 염계濂溪, 자 무숙茂叔.
정자程子. 이름 호顥, 자 백순伯淳, 호 명도明道.
이름 이頤, 자 정숙正叔, 호 이천伊川.
소자邵子. 이름 옹雍, 시호 강절康節, 자 요부堯夫.
장자張子. 이름 재載, 호 횡거橫渠, 자 자후子厚.
안정 호씨安定胡氏. 이름 원瑗, 자 익지翼之.
속수 사마씨涑水司馬氏. 이름 광光, 봉호封號 온공溫公, 자 군실君實.
미산 소씨眉山蘇氏. 이름 식軾, 자 자첨子瞻, 호 동파東坡.
이름 철轍, 자 자유子由. 호 영빈穎濱.
산곡 황씨山谷黃氏. 이름 정견庭堅, 자 노직魯直.
형양 여씨滎陽呂氏. 이름 희철希哲, 자 원명原明.
숭산 조씨嵩山晁氏. 이름 이도以道, 자 열지說之.
왕씨王氏. 이름 암수巖叟.
원성 유씨元城劉氏. 이름 안세安世, 자 기지器之.
광평 유씨廣平游氏. 이름 작酢, 자 정부定夫.
상채 사씨上蔡謝氏. 이름 양좌良佐, 자 현도顯道.
유씨鏐氏. 질부質夫.
이씨李氏. 이름 단백端伯.
남전 여씨藍田呂氏. 이름 대충大忠, 자 진백進伯.
이름 대림大臨, 자 여숙與叔.
경조 여씨京兆呂氏. 이름 대균大鈞, 자 화숙和叔.
소씨蘇氏. 이름 병昞, 자 계명季明.
범씨范氏. 이름 육育.
구산 양씨龜山楊氏. 이름 시時, 자 중립中立.
하동 후씨河東侯氏. 이름 중량仲良, 자 사성師聖
수안 장씨壽安張氏. 이름 역繹, 자 사숙思叔.
화정 윤씨和靖尹氏. 이름 돈焞, 자 언명彥明.
화양 범씨華陽范氏. 이름 조우祖禹, 자 순부淳夫.
하간 유씨河間劉氏. 이름 입지立之. 자 안례安禮.
영가 유씨永嘉劉氏. 이름 안절安節, 자 원승元承.

하남 주씨河南朱氏. 이름 섬掞, 자 광정光庭.
동평 마씨東平馬氏. 이름 신伸.
소씨邵氏. 이름 백온伯溫.
하간 형씨河間邢氏. 이름 서恕, 자 화숙和叔.
무이 호씨武夷胡氏. 이름 안국安國, 시호 문정文定, 자 강후康侯.
치당 호씨致堂胡氏. 이름 인寅, 자 명중明仲.
오봉 호씨五峯胡氏. 이름 굉宏, 자 인중仁仲.
진씨陳氏. 이름 염恬, 자 숙이叔易.
진씨陳氏. 이름 연淵.
풍씨馮氏. 이름 충서忠恕.
기씨祁氏. 이름 관寬.
여씨呂氏. 이름 계중稽中.
여씨呂氏. 이름 견중堅中.
여씨呂氏. 이름 본중本中.
장씨章氏. 이름 헌憲.
장씨張氏. 이름 민㟭.
구양씨歐陽氏. 이름 비棐.
예장 나씨豫章羅氏. 이름 중소仲素.
연평 이씨延平李氏. 이름 통侗, 자 원중愿中.
위재 주씨韋齋朱氏. 이름 송松, 자 교년喬年.
병산 유씨屛山劉氏. 이름 자휘子翬.
주자朱子. 이름 희熹, 호 회암晦菴, 자 원회元晦.
낙암 이씨樂菴李氏. 이름 형衡, 자 언평彦平, 강도江都.
남헌 장씨南軒張氏. 이름 식栻, 자 경부敬夫.
상산 육씨象山陸氏. 이름 구연九淵, 자 자정子靜.
묵재 유씨默齋游氏. 이름 구언九言.
동래 여씨東萊呂氏. 이름 조겸祖謙, 자 백공伯恭.
면재 황씨勉齋黃氏. 이름 간榦, 자 직경直卿.
삼산 진씨三山陳氏. 이름 상도祥道.
운장 유씨雲莊劉氏. 이름 약爚 자 회백晦伯.
서산 채씨西山蔡氏. 이름 원정元定, 자 계통季通.
절재 채씨節齋蔡氏. 이름 연淵, 자 백정伯靜.
구봉 채씨九峯蔡氏. 이름 침沈, 자 중묵仲默.
관물 장씨觀物張氏. 이름 행성行成, 자 문요文饒.
북계 진씨北溪陳氏. 이름 순淳, 자 안경安卿.

과재 이씨果齋李氏. 이름 방자方子, 자 정숙正叔.
잠실 진씨潛室陳氏. 이름 식埴, 자 기지器之.
반간 이씨盤澗李氏. 이름 수銖, 자 숙중叔重.
북산 진씨北山陳氏. 이름 공석孔碩, 자 부중膚仲.
범양 장씨范陽張氏. 이름 구성九成, 자 자소子韶.
요씨廖氏. 자 자회子晦 : 이름 덕명德明
오씨吳氏. 이름 수창壽昌.
산양 도씨山陽度氏. 이름 정正, 자 성선性善.
자호 양씨慈湖楊氏. 이름 간簡, 경중敬仲.
서산 진씨西山眞氏. 이름 덕수德秀, 자 경원景元.
학산 위씨鶴山魏氏. 자 화보華父, 이름 료옹了翁.
평암 황씨平菴項氏. 이름 안세安世, 자 평보平甫.
팽씨彭氏. 이름 장경長庚.
축씨祝氏. 이름 경涇.
진재 서씨進齋徐氏. 이름 기幾, 자 자여子與.
사재 옹씨思齋翁氏. 이름 영泳, 자 영숙永叔.
각헌 채씨覺軒蔡氏. 이름 모模, 자 중각仲覺.
평향 호씨萍鄕胡氏. 이름 안지安之, 자 숙기叔器.
천태 사씨天台謝氏. 이름 무무無楙.
평암 섭씨平巖葉氏. 이름 채采, 자 중규仲圭.
쌍봉 요씨雙峯饒氏. 이름 노魯, 자 중원仲元.
양씨楊氏. 이름 복復.
이씨李氏. 이름 사영士英.
건안 웅씨建安熊氏. 이름 강대剛大, 호 물헌勿軒.
장씨臧氏. 이름 격格.
맹씨孟氏. 강康.
노재 팽씨魯齋彭氏.
습헌 오씨習軒吳氏.
용재 허씨庸齋許氏. 이름 중상仲翔.
장락 진씨長樂陳氏. 이름 역櫟.
종씨鍾氏. 이름 과過.
황씨黃氏. 이름 암손巖孫.
황씨黃氏. 이름 서절瑞節.
사씨謝氏. 이름 방숙方叔.
노재 허씨魯齋許氏. 이름 형衡, 자 평중平仲.

옥재 호씨玉齋胡氏. 이름 방평方平.
동씨董氏. 이름 인訒.
오군 이씨吳郡李氏. 이름 소韶.
진씨陳氏. 이름 협協.
쌍호 호씨雙湖胡氏. 이름 일계一桂, 자 정방庭芳.
고씨高氏.
정씨鄭氏.
주씨周氏. 이름 탄坦.
유씨劉氏. 이름 해손垓孫.
유씨劉氏. 이름 장璋.
임천 오씨臨川吳氏. 이름 징澄. 호 초려草廬. 자 유청幼淸.
이씨李氏. 이름 희렴希濂.
목동 요씨牧菴姚氏. 이름 수燧.
원씨元氏. 명선明善.
소암 우씨邵菴虞氏. 이름 집集, 자 백생伯生.
게씨揭氏. 이름 해사傒斯.
고주 마씨古洲馬氏.
야율씨耶律氏. 이름 유상有尙.
규재 구양씨圭齋歐陽氏. 이름 현玄, 자 원공元功.
진씨陳氏. 강剛.
황씨黃氏. 이름 진溍, 자 진경晉卿.

一 今奉勅纂修

翰林院學士兼左春坊大學士奉正大夫臣胡廣
奉政大夫右春坊右庶子兼翰林院侍講臣楊榮
奉直大夫右春坊右諭德兼翰林院侍講臣金幼孜
翰林院修撰承務郎臣蕭時中
翰林院修撰承務郎臣陳循
翰林院編脩文林郎臣周述
翰林院編脩文林郎臣陳全
翰林院編脩文林郎臣林誌
翰林院編脩承事郎臣李貞
翰林院編脩承事郎臣陳景著
翰林院檢討從仕郎臣余學夔
翰林院檢討從仕郎臣劉永清
翰林院檢討從仕郎臣黃壽生
翰林院檢討從仕郎臣陳用
翰林院檢討從仕郎臣陳璲
翰林院五經博士迪功郎臣王進
翰林院典籍脩職佐郎臣黃約仲
翰林院庶吉士臣涂順
奉議大夫禮部郎中臣王羽
奉議大夫兵部郎中臣童謨
奉訓大夫禮部員外郎臣吳福
奉直大夫北京行部員外郎臣吳嘉靜
承直郎禮部主事臣黃裳
承德郎刑部主事臣段民
承直郎刑部主事臣洪順
承直郎刑部主事臣沈升

承德郎刑部主事臣章敞
承德郎刑部主事臣楊勉
承德郎刑部主事臣周忱
承德郎刑部主事臣吾紳
文林郎廣東道監察御史臣陳道潛
承事郎大理寺評事臣王選
文林郎太常寺博士臣黃福
脩直郎太醫院御醫臣趙友同
迪功佐郎北京國子監博士臣王復原
泉州部儒學教授臣曾振
常州府儒學教授臣廖思敬
蘄州儒學學正臣傅舟
濟陽縣儒學教諭臣杜觀
善化縣儒學教諭臣顔敬守
常州府儒學訓導臣彭子斐
鎭江府儒學訓導臣留季安

1. 지금 칙서를 받들어 『성리대전서』를 편찬하고 정리한 사람들

한림원학사 겸좌춘방태학사 봉정대부翰林院學士兼左春坊大學士奉正大夫 신臣 호광胡廣
봉정대부 우춘방우서자 겸한림원시강奉政大夫右春坊右庶子兼翰林院侍講 신 양영楊榮
봉직대부 우춘방우유덕 겸한림원시강奉直大夫右春坊右諭德兼翰林院侍講 신 김유자金幼孜
한림원수찬 승무랑翰林院修譔承務郎 신 소시중蕭時中
한림원수찬 승무랑翰林院修譔承務郎 신 진순陳循
한림원편수 문림랑翰林院編脩文林郎 신 주술周述
한림원편수 문림랑翰林院編脩文林郎 신 진전陳全
한림원편수 문림랑翰林院編脩文林郎 신 임지林誌
한림원편수 승사랑翰林院編脩承事郎 신 이정李貞
한림원편수 승사랑翰林院編脩承事郎 신 진경저陳景著
한림원검토 종사랑翰林院檢討從仕郎 신 여학기余學夔
한림원검토 종사랑翰林院檢討從仕郎 신 유영청劉永淸
한림원검토 종사랑翰林院檢討從仕郎 신 황수생黃壽生

한림원검토 종사랑翰林院檢討從仕郎 신 진용陳用
한림원검토 종사랑翰林院檢討從仕郎 신 진수陳璲
한림원오경박사 적공랑翰林院五經博士迪功郎 신 왕진王進
한림원전적 수직좌랑翰林院典籍脩職佐郎 신 황약중黃約仲
한림원서길사翰林院庶吉士 신 도순涂順
봉의대부 예부낭중奉議大夫禮部郎中 신 왕우王羽
봉의대부 병부낭중奉議大夫兵部郎中 신 동모童謨
봉훈대부 예부원외랑奉訓大夫禮部員外郎 신 오복吳福
봉직대부 북경행부원외랑奉直大夫北京行部員外郎 신 오가정吳嘉靜
승직랑 예부주사承直郎禮部主事 신 황상黃裳
승덕랑 형부주사承德郎刑部主事 신 단민段民
승직랑 형부주사承直郎刑部主事 신 홍순洪順
승직랑 형부주사承直郎刑部主事 신 심승沈升
승덕랑 형부주사承德郎刑部主事 신 장창章敞
승덕랑 형부주사承德郎刑部主事 신 양면楊勉
승덕랑 형부주사承德郎刑部主事 신 주침周忱
승덕랑 형부주사承德郎刑部主事 신 오신吾紳
문림랑 광동도감찰어사文林郎廣東道監察御史 신 진도잠陳道潛
승사랑 대리시평사承事郎大理寺評事 신 왕선王選
문림랑 태상시박사文林郎太常寺博士 신 황복黃福
수직랑 태의원어의脩直郎太醫院御醫 신 조우동趙友同
적공좌랑 북경국자감박사迪功佐郎北京國子監博士 신 왕복원王復原
천주부 유학교수泉州部儒學教授 신 증진曾振
상주부 유학교수常州府儒學教授 신 요사경廖思敬
기주 유학학정蘄州儒學學正 신 부주傅舟
제향현 유학교유濟陽縣儒學教諭 신 두관杜觀
선화현 유학교유善化縣儒學教諭 신 안경수顏敬守
상주부 유학훈도常州府儒學訓導 신 팽자비彭子斐
진강부 유학훈도鎮江府儒學訓導 신 유계안留季安

性理大全書卷之一
성리대전서 권1

太極圖 태극도

太極圖
태극도

[1-0-0-1]

朱子曰: "太極圖者, 濂溪先生之所作也. 先生姓周氏, 名惇實, 字茂叔, 後避英宗舊名, 改惇頤. 家世道州營道縣濂溪之上. 博學力行, 聞道甚早. 遇事剛果, 有古人風, 爲政精密嚴恕, 務盡道理. 嘗作太極圖通書易通數十篇.[1] 襟懷飄灑, 雅有高趣, 尤樂佳山水. 廬山之麓有溪焉, 先生濯纓而樂之, 因寓以濂溪之號, 而築書堂於其上."[2]

주자朱子가 말했다. "『태극도』는 염계濂溪 선생이 지은 것이다. 선생의 성은 주씨周氏이고, 이름은 돈실惇實이고, 자는 무숙茂叔인데, 나중에 영종英宗의 옛 이름[3]을 피해서 돈이惇頤(1017~1073년)로 바꿨다. 집안 대대로 도주道州 영도현營道縣 염계濂溪[4] 근처에 살았다.

널리 배우고 힘써 행하였으며, 도를 들은 것이 매우 일렀다. 일을 할 때에는 강직하고 과감하여 옛사람의 풍모가 있었고, 정사를 하는 데에는 매우 정밀・엄격하면서도 너그러웠으며, 도리를 다하려고 힘썼다. 일찍이 『태극도』, 『역설』, 『역통』[5] 수십 편을 지었다. 마음은 얽매임이 없이 자연스러웠고, 평소 고상한 흥취가 있었으며, 특히 아름다운 산수山水를 좋아하였다. 여산廬山[6] 기슭에 시내가 있었는데, 선생은 갓끈을 빨며[7] 즐겼다. 이에 (옛 고향에 있던 염계를 생각하며) '염계'라고 이름을

---

1 通書 : 『朱文公文集』 권98 「濂溪先生事實記」에 '易說'로 되어 있다.

2 『朱文公文集』 권98 「濂溪先生事實記」

3 영종英宗의 옛 이름 : 중국 宋나라 5대 황제 趙曙(재위 1063~1067)의 옛 이름은 趙宗實이다.

4 염계濂溪 : 지금의 湖南省 道縣에 있는 냇물

5 『역설』, 『역통』 : 『朱文公文集』 권76 「再定太極通書後序」 참조. "「易通」은 의심컨대 바로 「통서」이다. 「易說」은 이미 경에 의지하여 뜻을 해석하였고, 이것은 그 큰 뜻을 통론하고 經과 연결하지 않았다. 다만 '易'이란 말을 제거한 현재의 이름은 언제 시작되었는지 모르겠다.(易通疑卽通書. 蓋易說, 旣依經以解義, 此則通論其大旨而不繫於經者也. 特不知其去易而爲今名, 始於何時爾.)" / 또 『朱文公文集』 권75 「周子太極通書後序」 참조. "潘公이 말한 「易通」은 곧 「通書」인 것으로 의심되나, 「易說」은 유독 볼 수 없다.(潘公所謂易通疑卽通書, 而易說獨不可見.)"

6 여산廬山 : 지금의 江西省 九江市에 있는 산

붙이고,[8] 그 옆에 서당을 지었다."

又曰: "先生之學, 其妙具於太極一圖, 通書之言, 亦皆此圖之蘊. 而程先生兄弟語及性命之際, 亦未嘗不因其說. 觀通書之誠動靜理性命等章, 及程氏書李仲通銘程邵公志顔子好學論等篇, 則可見矣. 潘淸逸誌先生之墓, 敍所著書, 特以作太極圖爲稱首. 然則此圖當爲先生書首不疑也. 然先生旣手以授二程, 本因附書後, 傳者見其如此, 遂誤以圖爲書之卒章, 不復釐正, 使先生立象盡意之微指, 暗而不明. 而驟讀通書者, 亦復不知有所總攝, 此則諸本之失也.[9]

(주자가) 또 말했다. "선생의 학문은 그 묘함이 『태극도』 하나에 갖추어져 있으니, 『통서』의 말도 다 이 그림에 온축되어 있다. 정程선생 형제가 성명性命을 언급할 때에도 역시 그 이론을 따르지 않은 적이 없다. 『통서』의 「성誠」·「동정動靜」·「리성명理性命」 등의 장[10]과 정씨의 저서 「이중통명李仲通銘」,[11] 「정소공지程邵公志」,[12] 「안자호학론顔子好學論」[13] 등의 편을 보면 알 수 있다. 반청일潘淸逸[14]이 지은 「염계선생묘지명濂溪先生墓志銘」에 저서를 열거할 때 특히 『태극도』를 첫째로 꼽았다.[15] 그러므로 이 그림이 선생의 글 중에서 으뜸인 것은 의문의 여지가 없다. 그러나 선생이 손수 이정二

7 갓끈을 빨며: 원문 '濯纓'은 『孟子』「離婁上」의 "창랑의 물이 맑으면 내 갓끈을 빨 수 있고, 창랑의 물이 흐리면 나의 발을 씻을 수 있다.(滄浪之水淸兮, 可以濯我纓. 滄浪之水濁兮, 可以濯我足.)"에서 유래한 것으로, 시냇물이 매우 맑았음을 의미한다.

8 '염계'라고 이름을 붙이고: 이에 대하여는 『宋史』 권427 「周敦頤列傳」에 자세하다.

9 『朱文公文集』 권75 「周子太極通書後序」

10 『통서』의 … 장: 1장 「誠上」, 2장 「誠下」, 16장 「動靜」, 22장 「理性命」 등이다.

11 「이중통명李仲通銘」: 『朱子大全箚疑』에 "仲通의 이름은 敏之이다. 명도선생이 그 묘지명을 지어 말하기를, '두 기가 교차·운행하며 오행이 차례로 베풀어지며, 剛柔가 섞이고 美醜가 가지런하지 않다.(明道先生作墓銘曰 '二氣交運, 五行順施, 剛柔雜糅, 美惡不齊.')"고 하였다. 『이정집』 권4 「明道先生文4」에 있는 이 글의 원제명은 「李寺丞墓誌銘」이다.

12 「정소공지程邵公志」: 『朱子大全箚疑』에 "邵公은 明道의 아들인데 5세에 죽었다. 소공은 어릴 때의 이름이다.(明道之子, 五歲而死, 邵公其幼名也.)"고 하였고, 또 "명도가 지은 묘지명에 '동정은 음양의 근본이다. 그리고 다섯 기운이 교차하고 운행하면 더욱 들쑥날쑥하여 가지런하지 않을 것이다. 생명을 받은 것들은 당연히 섞인 것은 많고 정밀하고 순일한 것은 간혹 만난다.(明道所作墓誌銘 '動靜者陰陽之本. 況五氣交運則益參差不齊矣. 賦生之類, 宜其雜糅者衆, 而精一者間或値焉.)'"라고 하였다. 『이정집』 권4 「明道先生文4」에 있는 이 글의 원제명은 「程邵公墓誌」이다.

13 「안자호학론顔子好學論」: 『朱子大全箚疑』에 "이천선생이 안자호학론에서 이르기를, '천지가 精을 저장하는데 오행의 빼어난 것을 얻은 자가 사람이 된다. 그 근본은 참되고 평안한 것이니, 그 미발에는 오성이 갖춰져 있다.(伊川先生顔子好學論云 天地儲精, 得五行之秀者爲人. 其本也眞而靜, 其未發也, 五性具焉.)'"고 하였다. 『이정집』 권8 伊川先生文四에 있는 이 글의 원제명은 「顔子所好何學論」이다.

14 반청일潘淸逸: 約1023~1100. 이름은 興嗣이고, 자는 延之이다.

15 첫째로 꼽았다.: 반청일이 『周元公集』 권4 「濂溪先生墓誌銘」에서 "더욱 性理를 잘 말하였고, 역학에 깊어서 「태극도」, 「易說」, 「易通」 등 수십 편을 지었다.(尤善談性理, 深於易學, 作太極圖易說易通數十篇.)"고 하였다.

程에게 줄 때 이미 원래 『통서』 뒤에 붙어 있었기 때문에 전하는 사람이 이것을 보고 『태극도』를 결국 『통서』의 마지막 장章으로 오인하고 다시 고치지 않아서, 상象을 통해서 의미를 다하려는 선생의 깊은 뜻이 어두워져 불분명해졌다. 『통서』를 속독速讀하는 사람도 역시 총괄하는 것이 있는 줄 몰랐으니, 이것이 여러 판본의 잘못이다.

又嘗讀朱內翰震 進易說表，謂此圖之傳，自陳摶种放穆脩而來．而五峰胡氏作序，又以爲先生非止爲种穆之學者，此特其學之一師耳，非其至者也．夫以先生之學之妙不出此圖．以爲得之於人，則決非种穆所及．以爲非其至者，則先生之學又何以加於此圖哉？是以竊嘗疑之，及得誌文攷之，然後知其果先生所自作，而非有受於人者．二公蓋有未嘗見此誌而云云耳．[16]"[17]
또 주내한 진朱內翰震[18]의 「진역설표進易說表」[19]를 읽은 적이 있는데, '이 그림은 진단陳摶[20], 충방种放[21], 목수穆脩[22]를 거쳐 전해내려 왔다.'고 하였다. 그러나 오봉 호씨五峰胡氏[23]가 지은 서문[24]에서는 '선생이 겨우 충방과 목수를 계승한 학자는 아니며, 이는 단지 그 학문 일부의 스승일 뿐이요, 그 지극한 것은 아니다.'라고 여겼다. 대저 선생 학문의 오묘함은 이 그림을 벗어나지 않는다. 다른 사람에게서 얻은 것이라고 한다면 결코 충방이나 목수가 미칠 바가 아니며, 지극한 것이 아니라고 한다면 선생의 학문에서 또한 무엇이 이 그림보다 더할 것인가? 그러므로 가만히 의심하였는데, 묘지문墓誌文을 얻어 상고해 본 뒤에야 과연 선생이 자작한 것이고 남에게서 받은 것이 아님을 알았다. 두 공은 아마 모두 이 묘지문을 본적이 없어서 이렇게 말한 것뿐일 것이다."

16 蓋有未嘗見：『朱文公文集』 권75 「周子太極通書後序」에 '蓋皆未見'으로 되어 있다.
17 『朱文公文集』 권75 「周子太極通書後序」
18 주내한 진朱內翰震：朱震(1072~1138). 字는 子發이고, 호는 漢上이다. 內翰은 翰林의 별칭이다.
19 진역설표進易說表：漢上 朱氏는 『漢上易傳』「漢上易傳表」에서 "진단이 「선천도」를 충방에게 전했고, 충방은 목수에게 전했으며, 목수는 이지재에게 전했고, 이지재는 소옹에게 전했다. 충방은 「하도」와 「낙서」를 이개에게 전했고, 이개는 허견에게 전했으며, 허견은 범악창에게 전했고, 범악창은 유목에게 전했다. 목수는 「태극도」를 주돈이에게 전했고, 주돈이는 정이와 정호에게 전했다.(陳摶以先天圖傳种放，放傳穆修，修傳李之才，之才傳邵雍．放以河圖洛書傳李漑，漑傳許堅，堅傳范諤昌，諤昌傳劉牧．修以太極圖傳周敦頤，敦頤傳程頤程顥.)"고 하였다.
20 진단陳摶：871~989. 자는 圖南이고, 호는 扶搖子이며, 賜號는 白云先生, 希夷先生이다.
21 충방种放：955~1015. 자는 明逸이고, 호는 云溪醉侯이다.
22 목수穆脩：979~1032. 자는 伯長이다.
23 오봉 호씨五峰胡氏：胡宏(1102~1161). 자는 仁仲이고, 호는 五峰이다.
24 서문：오봉 호씨의 「周子通書序」(『五峰集』 권3)를 말함. 서문에 "그 도학의 유래를 미루어 보면 혹은 '목수에게서 「태극도」를 전해받았고, 목수는 충방에게서 「선천도」를 받았고, 충방은 진단에게서 받았다.'고 말하지만, 이것은 겨우 그 학문 一部의 스승일 뿐이지, 지극한 것은 아니다.(推其道學所自，或曰，傳太極圖于穆脩也，脩傳先天圖于种放，放傳于陳摶．此殆其學之一師歟，非其至者.)"고 하였다.

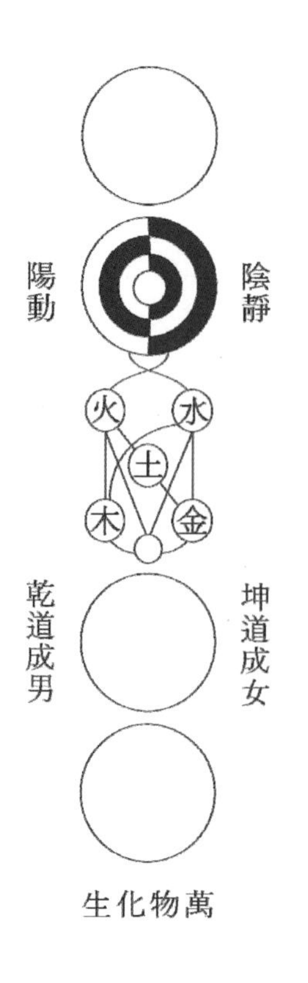

[1-0-1]

○此所謂無極而太極也, 所以動而陽, 靜而陰之本體也. 然非有以離乎陰陽也, 卽陰陽而指其本體不雜乎陰陽而爲言耳. ◎此○之動而陽靜而陰也. 中○者, 其本體也. ☾者, 陽之動也, ○之用所以行也. ☽者, 陰之靜也, ○之體所以立也. ☽者, ☾之根也, ☾者, ☽之根也. 此陽變陰合而生水火木金土也. ㇏者, 陽之變也, ㇒者, 陰之合也. ㊌陰盛, 故居右, ㊋陽盛, 故居左. ㊍陽穉, 故次火. ㊎陰穉, 故次水. ㊏冲氣, 故居中. 而水火之乂交系乎上, 陰根陽, 陽根陰也. 水而木, 木而火. 火而土, 土而金, 金而復水, 如環無端, 五氣布四時行也. ○◎五行一陰陽, 五殊二實無餘欠也. 陰陽一太極, 精粗本末 無彼此也. 太極本無極, 上天之載無聲臭也. 五行之生, 各一其性, 氣殊質異, 各一其○, 無假借也. ○此無極二五所以妙合而無間也. ○乾男坤女, 以氣化者言也. 各一其性, 而男女一太極也. ○萬物化生, 以形化者言也. 各一其性, 而萬物一太極也. 此以上引說解剝圖體. 此以下據圖推盡說意.

○(太極) 이것은 이른바 '무극이면서 태극이다.'라는 것이니, 움직여 양이 되게 하고, 가만있어 음이 되게 하는 본체이다. 그러나 음양을 떠나서 있는 것이 아니고, 음양에서 그 본체가 음양에 섞이지 않은 것을 가리켜 말했을 뿐이다. ◎(陰靜陽動) 이것은 ○(太極)이 움직여 양이 되고, 가만있으면서

음이 되는 것이다. 가운데 ○(太極)은 그 본체이다. ◐(陽動)은 양이 동하는 것이니 ◯(太極)의 용用이 행하는 것이다. ◑(陰靜)은 음이 가만있는 것이니 ◯(太極)의 체體가 선 것이다. ☽(陰中陽)은 ◐(陽動)의 뿌리이고, ☾(陽中陰)은 ◑(陰靜)의 뿌리이다. ⊗(五行) 이것은 양이 변하고 음이 합하여 수화목금토를 생하는[25] 것이다. ╲(陽變)은 양이 변하는 것이고, ╱(陰合)은 음이 합하는 것이다. ㊌(水)는 음이 성함으로 오른쪽에 있고, ㊋(火)는 양이 성함으로 왼쪽에 있다. ㊍(木)은 양이 어리므로 화 다음이고, ㊎(金)은 음이 어리므로 수 다음이다. ㊏(土)는 충기沖氣[中氣]이므로 가운데에 있다. 수와 화의 ╳(根陰根陽)은 위로 교차하여 매여 있으니, 음은 양에 뿌리를 두고, 양은 음에 뿌리를 둔 것이다. 수에서 목, 목에서 화, 화에서 토, 토에서 금, 금에서 다시 수가 되니 고리처럼 끝이 없으며, 오기五氣가 분포하고 사시四時가 운행한다. ◯◎⊗(太極陰靜陽動五行)에서 오행은 하나의 음양이니, 다섯 가지의 다름은 두 개의 실實함인데 남거나 부족함이 없다. 음양은 하나의 태극이니, 정밀함과 거침, 근본과 말단에 피차彼此가 없다. 태극은 본래 무극이니, '상천上天의 일은 소리도 냄새도 없다.'[26]는 것이다. 오행이 생함에 각각 그 성을 하나씩 지니니, 기氣와 질質이 서로 다르지만 각각 그 ○(太極)을 하나씩 가졌으므로 빌려옴이 없다. ⋙○(眞精妙合) 이것은 무극과 음양·오행이 묘하게 합하여 틈이 없는 것이다. ◯(乾道成男坤道成女)는 건은 남성이고 곤은 여성이니, 기화氣化로 말한 것이다. 각각 그 성性을 하나씩 지녔으나, 남녀가 하나의 태극이다. ◯(萬物化生)은 만물이 변화하여 생긴 것이니, 형화形化로 말한 것이다. 각각 그 성을 하나씩 지녔으나, 만물은 하나의 태극이다. 이 이상은 「태극도설」을 인용하여 「태극도」를 분석하였다. 이 이하는 「태극도」에 근거해서 「태극도설」의 뜻을 상세히 밝힌다

惟人也, 得其秀而最靈, 則所謂人◯者於是乎在矣. 然形, ◑之爲也, 神, ◐之發也. 五性, ⊗之德也. 善惡, 男女之分也, 萬事, 萬物之象也. 此天下之動所以紛綸交錯, 而吉凶悔吝所由以生也. 惟聖人者又得夫秀之精一, 而有以全乎◯之體用者也. 是以一動一靜各臻其極, 而天下之故, 常感通乎寂然不動之中. 蓋中也, 仁也, 感也, 所謂◐也, ◯之用所以行也. 正也, 義也, 寂也, 所謂◑也, ◯之體所以立也. 中正仁義, 渾然全體, 而靜者常爲主焉,

25 생하는 : '生'자가 타동사로 쓰였을 때, '낳다'로 번역하면 편리하다. 그러나 낳다는 어미의 배 속에서 밖으로 내어놓는 것이므로 어미가 있는 경우에만 가능한 번역이고, 어미가 없는 경우는 곤란하다. 마찬가지로 '태어나다' 역시 어미의 胎에서 나오는 것이므로 '낳다'와 같은 문제가 있다. '생기다'는 자동사로서 목적어를 두기 곤란하다. 또 이는 주로 피동형으로 사용하기 때문에 이를 능동형으로 바꾸기 위해서 '생기게 하다'라고 하면 두 단어가 되어 번거로울 때가 많다. 마지막으로 '나다'라고 번역하는 것이 가장 가깝지만 이는 활용할 때 받침 없는 외자가 되어 '날다[飛]'와 혼동되는 등 의미 전달을 어렵게 할 때가 많다. 이에 부득이 '생하다'로 번역한다. 단 '生'이 피동형 자동사로 쓰였을 때는 '생기다'로도 번역한다.

26 상천上天의 … 없다 : 『詩經』「大雅 文王」에 "상천의 일은 소리도 없고 냄새도 없다.(上天之載, 無聲無臭.)"고 하였다.

則人◯於是乎立. 而◯◎⊕天地日月四時鬼神, 有所不能違矣. 君子之戒愼恐懼, 所以脩此而吉也. 小人之放僻邪侈, 所以悖此而凶也. 天地人之道, 各一◯也. 陽也, 剛也, 仁也, 所謂☾也, 物之始也. 陰也, 柔也, 義也, 所謂☽也, 物之終也. 此所謂易也, 而三極之道立焉, 實則一◯也. 故曰'易有太極',[27] ◎之謂也.

오직 사람만이 그 빼어난 것을 얻어서 가장 신령神靈하니, 이른바 사람의 ◯(極)이 여기에 있다. 그러나 형질은 ☽(陰)이 하는 것이고, 정신精神은 ☾(陽)이 발하는 것이고, 오성은 ⊕(五行)의 덕이다. 선악은 남성과 여성의 구분이고, 만사는 만물의 상象이다. 이것은 천하의 움직임이 어지러이 왕래하는 까닭이며, 길흉회린吉凶悔吝이 생기는 이유이다. 오직 성인은 또 빼어난 것 중의 정밀・순수한 것을 얻어서 ◯(太極)의 체・용을 온전하게 한다. 그러므로 한 번 움직임과 한 번 가만있음이 각각 그 극치에 이르고, 천하의 일은 항상 고요하고 움직이지 않는 속에서 감통感通한다. 대개 중中과 인仁과 느낌[感]은 이른바 ☾(陽)이고, ◯(太極)의 용이 유행하는 것이다. 정正과 의義와 적寂은 이른바 ☽(陰)이고, ◯(太極)의 체가 선 것이다. 중・정・인・의中正仁義가 온전한 전체이지만, 가만있음[靜]이 항상 위주가 되면 사람의 ◯(極)이 여기에서부터 선다. ◯◎⊕(太極陰陽五行)에는 천지, 일월, 사시, 귀신이 어길 수 없는 것이 있다. 군자가 경계하고 두려워함은 이것을 닦아서 길한 것이고, 소인이 방자, 편벽, 사특, 사치함은 이것을 어겨서 흉한 것이다. 하늘과 땅과 사람의 도가 각각 하나의 ◯(極)이다. 양陽과 강剛과 인仁은 이른바 ☾(陽)이니, 사물의 시작이다. 음陰과 유柔와 의義는 이른바 ☽(陰)이니, 사물의 끝이다. 이것이 이른바 역易이고, 삼극三極(天, 地, 人 三才)의 도가 여기에서 서지만, 실은 하나의 ◯(太極)이다. 그러므로 '역에 태극이 있다.'고 하였으니, ◎(陰陽)을 말함이다.

[1-0-1-1]

朱子曰: "太極圖只是一箇實理, 一以貫之."[28]

주자가 말했다. "「태극도」는 하나의 실리가 하나로 관통할 뿐이다."

[1-0-1-2]

"太極一圈, 便是一畫, 只是撒開了, 引教長一畫."[29]

(주자가 말했다.) "태극을 나타내는 한 개의 원圓(고리)은 바로 한 획인데, 다만 풀어서 한 획을 길게 늘였을 뿐이다."[30]

27 易有太極 : 『周易』「繫辭上」

28 『朱子語類』 권94, 3조목

29 『朱子語類』 권94, 2조목

30 『朱子語類考文解義』의 다음 글 참조. "그 원은 본래 하나의 긴 획이 둘러싸서 만든 것인데, 그 네 주위를 둘러싼 원을 다시 푼 다음 굳이 이를 늘여서 하나의 긴 획을 만들려고 하는 것은 '하나가 둘을 생하는 의미'를 상징하게 하려는 것이니, 이로부터 음양 둘을 생하기 때문이다.(其圈本是一長畫圍而爲圈, 今只宜散開其四圍之圈而引伸之, 使爲一長畫也, 蓋欲象一生二之義, 自此以生陰陽之二也.)"

[1-0-1-3]

"'無極而太極', 上一圈則是太極, 但挑出在上."[31]

(주자가 말했다.) "'무극이면서 태극이다.'에 해당하는 맨 위에 있는 한 개의 원圓은 태극인데, 다만 빼내져 위에 있는 것뿐이다."[32]

[1-0-1-4]

"'無極而太極', 此五字添減一字不得."[33]

(주자가 말했다.) "'무극이면서 태극이다.[無極而太極]'라는 말은 한 글자도 더하거나 뺄 수 없다."

[1-0-1-5]

"'無極而太極', 不是太極之外別有無極, 無中自有此理. 無極而太極, 此'而'字輕, 無次序故也."[34]

(주자가 말했다.) "'무극이면서 태극이다.'는 태극 외에 별도로 무극이 있는 것이 아니고, 없는 가운데 본래 이 이치가 있는 것이다. '무극이면서 태극이다.[無極而太極]'에서 '이면서[而]'라는 말은 뜻이 가벼우니, 차례가 없기 때문이다."

[1-0-1-6]

"'無極而太極', 只是說無形而有理. 所謂太極者, 只二氣五行之理, 非別有物爲太極也."[35]

(주자가 말했다.) "'무극이면서 태극이다.'는 다만 형체는 없으나 이치는 있다는 말이다. 이른바 태극은 다만 두 기와 오행의 리이고, 별도로 물건이 있어서 태극이 되는 것은 아니다."

- 刁包(조포: 清 1603~1669, 자는 蒙吉, 호는 潛室)의 『易酌』 권1의 다음 주석 참조. "가만히 생각하건대 복희의 한 획은 원래 곧은 것이다. 곧으면 굽음이 없으니, 옛날이나 지금이나 만물만사를 모두 꿰뚫어서 그 밖에 있는 것을 빠뜨리는 것이 없다. 풀어서 한 획을 길게 한 것은 바로 둥글었던 것이다. 둥글면 남거나 새는 것이 없으니, 옛날이나 지금이나 만물만사를 모두 싸안아서 그 안에 있는 것을 빠뜨리는 것이 없다. 곧은 것도 이 한 획이며, 둥근 것도 이 한 획이니, 두 획이 있는 것은 아니다.(竊意伏羲一畫, 原是直的. 直則無回曲, 古若今萬物萬事, 都貫徹的去, 未有遺乎其外者也. 撒開了教長一畫, 便是圓的. 圓則無剩漏, 古若今萬物萬事, 都包括的來, 未有遺乎其內者也. 直的也是這一畫, 圓的也是這一畫, 非有兩畫也.)"

31 『朱子語類』 권94, 1조목

32 『朱子語類考文解義』의 다음 글 참조. "위에 있는 빈 圓은 바로 아래에 있는 음양태극의 원인데, 다만 빼내져 위에 있는 것뿐이지 둘이 있는 것은 아니라는 말이다. 당시 사람들이 혹 빈 원은 무극이고 아래 원은 태극이라고 의심하는 사람이 있어서 이렇게 말해서 밝혔다.(謂上空圈卽是下陰陽太極之圈, 但挑在上層, 非有二也. 時人或有疑空圈是無極, 下圈是太極, 故言此以辨之.)"

33 『朱子語類』 권94, 68조목

34 『朱子語類』 권94, 16조목

35 『朱子語類』 권94, 8조목

[1-0-1-7]

“以理言之，則不可謂之有．以物言之，則不可謂之無．”[36]

(주자가 말했다.) “리로써 말하면 있다고 할 수 없고, 물건으로써 말하면 없다고 할 수 없다.”

[1-0-1-8]

“‘無極而太極’，正謂[37]無此形狀，而有此道理耳．”[38]

(주자가 말했다.) “‘무극이면서 태극이다.’는 바로 ‘이런 모양은 없으나 이런 도리가 있다.’고 말하는 것이다.”

[1-0-1-9]

“無極而太極，正[39]恐人將太極做一箇有形象底看，[40] 故又說無極，言只是此理也．”[41]

(주자가 말했다.) “‘무극이면서 태극이다.’는 바로 사람들이 태극을 하나의 형상이 있는 것으로 간주할까 염려하여 또 무극을 말했으니, 단지 이 리일 뿐임을 말한 것이다.”

[1-0-1-10]

“無極而太極，只是一句．如冲漠無朕，畢竟是上面無形象，然却實有此理，圖上自分曉．”[42]

(주자가 말했다.) “‘무극이면서 태극이다.’는 다만 한 구절일 뿐이다.[43] 예를 들어 ‘텅 비어 조짐이 없는 곳’,[44] 거기에는 필경 형상은 없지만 도리어 실제로 이 리가 있는 것이니, 그림에서 저절로 분명하다.”

[1-0-1-11]

問：“無極且得做無形無象說．”

曰：“雖無形，却有理．”

又問：“無極太極只是一物．”

曰：“本是一物，被他恁地說，却似兩物．”[45]

36 『朱子語類』 권94, 8조목
37 正謂：『朱子語類』 권94, 5조목에 ‘蓋云’으로 되어 있다.
38 『朱子語類』 권94, 5조목
39 正：『朱子語類』 권94, 7조목에 ‘蓋’로 되어 있다.
40 底看：『朱子語類』 권94, 7조목에 ‘底物看’으로 되어 있다.
41 『朱子語類』 권94, 7조목
42 『朱子語類』 권94, 6조목
43 무극이면서 … 뿐이다.：『朱子語類考文解義』에 “연결하여 하나의 의미가 되고, 태극 위에 별도로 무극이 있는 것이 아니라는 것이다.(謂連爲一意，非太極之上別有無極也.)”고 하였다.
44 ‘텅 비어 … 곳’：『二程遺書』 卷15. “冲漠無朕，萬象森然已具，未應不是先，已應不是後.”
45 『朱子語類』 권99, 8조목

물었다. "무극은 우선 형상이 없다고 말할 수 있습니다."
(주자가) 답하였다. "비록 형상은 없으나 도리어 리는 있다."
또 물었다. "무극과 태극은 다만 한 물건일 뿐입니다."
(주자가) 답하였다. "본래 한 물건인데, 그렇게 말하니 도리어 두 물건인 것 같다."

[1-0-1-12]

"無極是有理而無形, 如性何嘗有形. 太極是五行陰陽之理皆有, 不是空底物事. 若是空時, 如釋氏說性相似."[46]

(주자가 말했다.) "무극은 리는 있지만 형상은 없는 것이니, 예컨대 성性이 언제 형상이 있었는가! 태극에는 음양오행의 리가 다 있으니, 빈 물건이 아니다. 만약 빈 것이라면 석가釋迦가 말하는 성[47]과 같다."

[1-0-1-13]

"極是道理之極至. 總天地萬物之理, 便是太極."[48]

(주자가 말했다.) "극極은 도리가 지극한 것이다. 천지 만물의 리를 총괄한 것이 바로 태극이다."

[1-0-1-14]

問: "無極而太極固是一物, 有積漸否?"
曰: "無積漸."
曰: "上言無極, 下言太極, 竊疑上言無窮無極,[49] 下言至此方極."
曰: "無極者無形, 太極者有理也, 周子恐人把作一物看, 故云無極."
曰: "太極旣無形,[50] 氣象如何?"
曰: "只是理."[51]
물었다. "'무극이면서 태극이다.'는 본래 한 물건인데, 점차 변해가는 것입니까?"

46 『朱子語類』 권94, 15조목
47 『朱子語類』 권126, 58조목 참조. "釋氏는 오로지 作用을 性으로 여긴다. 예컨대 어떤 국왕이 어떤 尊者에게 물었다. '무엇이 부처입니까?' 답하였다. '性을 보는 것이 부처입니다.' 물었다. '어떤 것이 性입니까?' 답하였다. '作用이 性입니다.'(釋氏專以作用爲性. 如某國王問某尊者曰: '如何是佛?' 曰: '見性爲佛.' 曰: '如何是性?' 曰: '作用爲性?')" / 권126, 59조목 참조. "'作用은 性이니, 눈에 있어서는 보는 것이고, 귀에 있어서는 듣는 것이고, 코에 있어서는 향기를 맡는 것이고, 입에 있어서는 담론하는 것이고, 손에 있어서는 잡는 것이고, 발에 있어서는 달리는 것이다.'는 곧 告子가 '살아있는 것을 性이라고 한다.'라는 말이다.('作用是性: 在目曰見, 在耳曰聞, 在鼻齅香, 在口談論, 在手執捉, 在足運奔', 卽告子'生之謂性'之說也.)"
48 『朱子語類』 권94, 44조목
49 無窮無極: 『朱子語類』 권94, 10조목에 '無極無窮'으로 되어 있다.
50 無形: 『朱子語類』 권94, 10조목에 '無氣'로 되어 있다.
51 『朱子語類』 권94, 10조목

(주자가) 답하였다. "점차 변해가는 것은 없다."
물었다. "앞에서는 무극을 말하고 뒤에서는 태극을 말한 것은, 앞에서는 '무궁하고 끝이 없다.'고 말하고 뒤에서는 '여기에 이르러서 비로소 끝[極]이다.'고 말한 것으로 가만히 의심해 봅니다."
(주자가) 답하였다. "무극은 형상이 없다는 것이고, 태극은 리가 있다는 것인데, 주자周子는 사람들이 (태극을) 물건으로 여길까 봐서 무극이라고 하였다."
물었다. "태극은 형기形氣가 없는데 그 기상은 어떻습니까?"
(주자가) 답하였다. "리일 뿐이다."

[1-0-1-15]

"太極只是極至,[52] 更無去處了. 至高至妙, 至精至神, 是没去處.[53] 濂溪恐人道太極有形, 故曰'無極而太極', 是無之中, 有箇極至之理.[54]"[55]
(주자가 말했다.) "태극은 다만 지극하여 더 갈 곳이 없다. 지극히 높고, 지극히 묘하고, 지극히 정밀하고, 지극히 신묘하여 더 갈 곳이 없다. 염계는 사람들이 태극에 형상이 있다고 말할까 염려하였으므로 '무극이면서 태극이다.'라고 하였으니, 없는[無] 가운데 지극한 리가 있는 것이다."

[1-0-1-16]

問: "無極而太極, 因而字, 故生陸氏議論?"
曰: "而字自分明. 下云'動而生陽, 靜而生陰', 說一生字, 便見其自太極來.[56] 今曰'而', 則只是一理."[57]
물었다. "'무극이면서 태극이다.'에서 '이면서[而]'라는 말 때문에 육씨陸氏의 의론[58]이 생겼습니다."
(주자가) 답했다. "'이면서[而]'라는 말은 분명하다. 그 아래에 이르기를, '움직이면서 양을 생하고, 가만있으면서 음을 생한다.'에서 그 '생하다'라고 말한 것은 그것이 태극에서 온 것임을 보여준다. 지금 '이면서[而]'라고 말하였으니 마찬가지일 뿐이다."

[1-0-1-17]

"老子之言有無, 以有無爲二, 周子之言有無, 以有無爲一."[59]
(주자가 말했다.) "노자가 말한 유有와 무無는 유와 무를 둘로 여긴 것이고, 주자周子가 말한 유와

52 太 : 『朱子語類』 권94, 18조목에 '無'로 되어 있다.
53 是 : 『朱子語類』 권94, 18조목에 '更'으로 되어 있다.
54 極至 : 『朱子語類』 권94, 18조목에 '至極'으로 되어 있다.
55 『朱子語類』 권94, 18조목
56 便 : 『朱子語類』 권94, 17조목에 '便是'로 되어 있다.
57 『朱子語類』 권94, 17조목
58 육씨의 의론 : '無極而太極'에 대한 朱子의 해석에 陸九韶와 陸九淵 형제가 제기한 의론
59 『朱文公文集』 권36 「答陸子靜」

무는 유와 무를 하나로 여긴 것이다."

[1-0-1-18]

"謂之無極, 正以其無方所形狀.[60] 以爲在無物之前, 而未嘗不立於有物之後, 以爲在陰陽之外, 而未嘗不行於陰陽之中, 以爲通貫全體無乎不在, 則又初無聲臭影響之可言也."[61]

(주자가 말했다.) "무극이라고 말한 것은 바로 위치나 모양이 없기 때문이다. 물건이 있기 이전에 있는 것으로 여기지만 물건이 있은 다음에도 있지 않은 적이 없고, 음양의 밖에 있는 것으로 여기지만 음양 속에서 운행하지 않은 적이 없고, 전체를 관통하여 없는 곳이 없는 것으로 여긴다면, 또한 애당초 말할 만한 소리나 냄새 같은 것은 없다."

[1-0-1-19]

"不言無極, 則太極同於一物, 而不足爲萬化之根, 不言太極, 則無極淪於空寂, 而不能爲萬物之根.[62] 只此一句, 便見其下語精密微妙無窮. 而向下所說許多道理, 條貫脈絡, 井井不亂, 只今便在目前, 而亘古亘今攧撲不破."[63]

(주자가 말했다.) "무극을 말하지 않으면, 태극이 하나의 물건과 같아져서 모든 조화의 근원이 될 수 없고, 태극을 말하지 않으면, 무극이 공적空寂한 데에 빠져서 모든 조화의 근원이 될 수 없다. 다만 이 한 구절(無極而太極)에서 표현이 정밀・미묘하여 영원하리라는 것을 본다. 그 뒤에 말한 많은 도리는 조리와 맥락이 정연하고 어지럽지 않기가 지금 바로 눈앞에 있는 듯하니, 오랫동안 아무리 메쳐도 깨지 못할 것이다.[64]"

[1-0-1-20]

"天地之間, 只有動靜兩端循環不已, 更無餘事, 此之謂易. 而其動其靜, 則必有所以動靜之理, 是則所謂太極者也."[65]

(주자가 말했다.) "하늘과 땅 사이에는 다만 움직임動과 가만있음靜의 두 끝이 있어서 순환하기를 그치지 않을 뿐 더 이상 다른 일은 없으니, 이것을 역易이라 한다. 그 움직임과 가만있음에는 반드시 움직이고 가만있게 하는 리理가 있으니, 이것이 이른바 태극이다."

60 形狀 : 『朱文公文集』 권36에 '無形狀'으로 되어 있다.

61 『朱文公文集』 권36 「答陸子靜」

62 萬物 : 『朱文公文集』 권36 「答陸子美」에 '萬化'로 되어 있다.

63 『朱文公文集』 권36 「答陸子美」

64 메쳐도 … 것이다. : 『朱子大全箚疑』 권30, 29板 참조. "攧韻書作搷, 急擊, 如投擲之勢, 撲亦投打也. 攧撲不破, 言牢固也."

65 『朱文公文集』 권45 「答楊子直」

[1-0-1-21]

"無極而太極, 人都想象有箇光明閃爍底物在那裏,[66] 却不知本是說無這物事, 只是有箇理能如此動靜而已."[67]

(주자가 말했다.) "'무극이면서 태극이다.'를 사람들은 모두 빛나고 번쩍이는 것이 그 속에 있는 것으로 상상하며, 도리어 본래 '이런 것은 없고 다만 리가 있어서 이렇게 동정하게 한다.'고 말한 것을 알지 못한다."

[1-0-1-22]

"動靜非太極, 而所以動靜者, 乃太極也. 故謂非動靜外別有太極則可. 謂動靜便是太極之道則不可."

(주자가 말했다.) "동정은 태극이 아니고, 동정하게 하는 것이 곧 태극이다. 그러므로 '동정 밖에 별도로 태극이 있는 것은 아니다.'고 하면 괜찮으나, '동정이 바로 태극의 도이다.'고 하면 안 된다."

[1-0-1-23]

問: "太極動而生陽, 是有這動之理, 便能動而生陽否?"

曰: "有這動之理, 便是動而生陽. 有這靜之理, 便是靜而生陰.[68] 既動, 則理又在動之中. 既靜, 則理又在靜之中."

曰: "動靜是氣也. 有這理爲氣之主, 氣便能如此否?"

曰: "是也. 既有理, 便有氣. 既有氣, 則理又在乎氣之中."[69]

물었다. "'태극이 동動하여 양陽을 생한다.'는 이 동하는 리가 있어서 바로 동해서 양을 생할 수 있는 것입니까?"

(주자가) 답했다. "이 동의 리가 있으면 바로 동하여 양을 생한다. 이 정靜의 리가 있으면 바로 정하여 음을 생한다. 이미 동하였으면 리는 또 동하는 속에 있다. 이미 정하였으면 리는 또 정한 속에 있다."

물었다. "동정은 기氣입니다. 이 리가 있어서 기의 주인이 되면, 기가 바로 이와 같을 수 있습니까?"

(주자가) 답했다. "그렇다. 이미 리가 있으면 바로 기가 있다. 이미 기가 있으면 리는 또 기 속에 있다."

[1-0-1-24]

"太極生陰陽, 理生氣也. 陰陽既生, 則太極在其中, 理復在氣之內也."[70]

66 想象 : 『朱子語類』 권116, 30조목에 '想像'으로 되어 있다.
67 『朱子語類』 권116, 30조목
68 是 : 『朱子語類』 권94, 37조목에 '能'으로 되어 있다.
69 『朱子語類』 권94, 37조목
70 明 呂柟, 『朱子抄釋』 권2

(주자가 말했다.) "태극이 음양을 생하는 것은 리가 기氣를 생하는 것이다. 음양이 이미 생겼으면, 태극은 그 속에 있고, 리는 다시 그 기 속에 있다."

[1-0-1-25]

"所謂太極者, 便只在陰陽裏. 所謂陰陽者, 便只在太極裏. 今人說是陰陽上別有一箇無形無影底是太極,[71] 非也."[72]

(주자가 말했다.) "이른바 태극은 곧 다만 음양 속에 있다. 이른바 음양은 곧 다만 태극 속에 있다. 지금 사람들이 '음양 위에 어떤 형체나 그림자가 없는 것이 따로 있는데 이것이 태극이다.'고 말하는 것은 잘못이다."

[1-0-1-26]

"太極是箇藏頭物事.[73] 動時屬陽, 而未動時又屬陰了."[74]

(주자가 말했다.) "태극은 머리를 감춘 것이다.[75] 동할 때는 양에 속하나, 아직 동하지 않았을 때는 또 음에 속한다."

[1-0-1-27]

"太極無方所, 無形體, 無地位可頓放. 若以未發時言之, 未發却只是靜. 動靜陰陽, 皆只是形而下者. 然動亦太極之動, 靜亦太極之靜, 但動靜非太極耳. 故周子以無極言之."[76]

(주자가 말했다.) "태극은 위치도 없고, 형체도 없고, 차지하는 자리도 없다. 만일 미발未發일 때로 말하면 미발은 정靜일 뿐이다. 동정과 음양은 모두 형이하자形而下者일 뿐이다. 그러나 동動도 태극이 동하는 것이고, 정도 태극이 정하는 것이지만, 다만 동정은 태극이 아니다. 그러므로 주자周子가 무극으로 표현하였다."

[1-0-1-28]

"謂'太極含動靜',[77] 以本體而言也. 謂'太極有動靜',[78] 以流行而言也. 若謂太極便是動靜, 則是形而上下者不可分, 而'易有太極'之言亦贅矣."[79]

71 無影底 : 『朱子語類』 권95, 81조목에 無影底物로 되어 있다.
72 『朱子語類』 권95, 81조목
73 物事 : 『朱子語類』 권94, 28조목에 '底'로 되어 있다.
74 『朱子語類』 권94, 28조목
75 머리를 … 것이다. : 『朱子語類考文解義』에 "藏頭는 渾淪(온전한 한 덩어리로 잘 섞여있는 모양)하여 고정된 모양이 없는 것을 일컫는다.(藏頭, 謂渾淪無定形.)"고 하였다.
76 『朱子語類』 권94, 19조목
77 動靜 : 『朱文公文集』 권45에 '動靜' 뒤에 '則可' 두 자가 더 있다.
78 動靜 : 『朱文公文集』 권45에 '動靜' 뒤에 '則可' 두 자가 더 있다.
79 『朱文公文集』 권45 「答楊子直」

(주자가 말했다.) "'태극이 동정을 머금는다.'고 말한 것은 본체로써 말하는 것이다. '태극에 동정이 있다.'고 말한 것은 유행流行으로써 말하는 것이다. 만일 태극이 바로 동정이라고 하면 형이상자와 형이하자가 나뉘지 않고, '역易에 태극이 있다.'는 말도 군더더기일 것이다."

[1-0-1-29]

"太極分開, 只是兩箇陰陽, 括盡了天下物事."[80]

(주자가 말했다.) "태극이 나뉘면,[81] 음과 양 둘이 천하의 물건을 다 포괄할 뿐이다."

[1-0-1-30]

問: "陰陽便是太極否?"

曰: "某解圖云, '然非有以離乎陰陽也, 卽陰陽而指其本體不雜乎陰陽而爲言耳', 此句當子細看. 今於某解說句尙未通, 如何論太極?"[82]

물었다. "음양이 바로 태극입니까?"

(주자가) 답했다. "나의 『태극도설해』에 이르기를, '그러나 음양을 떠나서 있는 것은 아니고 음양에서 그 본체가 음양에 섞이지 않은 것을 가리켜서 말한 것일 뿐이다.'[83]라고 하였는데, 이 구절은 마땅히 자세히 보아야 한다. 그런데 내가 해설한 구절에 대해서도 오히려 아직 이해하지 못했으면서, 어떻게 태극을 논하겠는가?"

[1-0-1-31]

問: "'卽陰陽而指其本體不雜乎陰陽而言之', 是於道有定位處指之否?"

曰: "然. '一陰一陽之謂道', 亦是此意."[84]

물었다. "'음양에서 그 본체가 음양에 섞이지 않은 것을 가리켜서 말하면'이라는 이것은 도道에 정해진 자리가 있는 것을 가리킨 것입니까?"

(주자가) 답했다. "그렇다. '한 번 음하고 한 번 양하는 것을 도라고 한다.'[85]는 것도 이런 뜻이다."

80 『朱子語類』 권94, 4조목

81 태극이 나뉘면: 『朱子語類考文解義』에 "이것은 「태극도」의 두 번째 원을 가리키는 것으로 한쪽의 음과 한쪽의 양이 합하여 하나의 圓이 되므로, 나누면[分開] 이렇다고 한 것이다.(此指太極第二圈, 一邊陰, 一邊陽, 合而爲一圈, 故云分開, 則是如此.)"고 하였다.

82 『朱子語類』 권94, 17조목

83 그러나 … 뿐이다.: 이 글은 『태극도설해』의 "○(태극) 이것은 이른바 무극이면서 태극이다. 움직여 양이 되고, 가만있으면서 음이 되게 하는 본체이다.(○此所謂無極而太極也. 所以動而陽靜而陰之本體也.)"라는 문장 뒤에 연결된 것이다.

84 『朱子語類』 권94, 26조목

85 한 번 음하고… 한다.: 『周易』「繫辭上」 5장

[1-0-1-32]

"性猶太極也，心猶陰陽也．太極只在陰陽之中，非能離陰陽也．然至論太極，則太極自是太極，陰陽自是陰陽．惟性與心亦然．所謂一而二，二而一也．"[86]

(주자가 말했다.) "성性은 태극과 같고, 심心은 음양과 같다. 태극은 다만 음양 속에 있을 뿐이니 음양을 떠날 수 있는 것이 아니다. 그러나 태극을 논하는 데 이르면, 태극은 태극이고 음양은 음양이다. 성과 심도 그렇다. 이른바 하나이면서 둘이고, 둘이면서 하나이다.[87]"

[1-0-1-33]

"纔說太極，便帶著陰陽，纔說性，便帶著氣．不帶著陰陽與氣，太極與性那裏收附？然要得分明，又不可不拆開說．"[88]

(주자가 말했다.) "태극을 말하자마자 곧 음양을 대동帶同하고, 성을 말하자마자 곧 기氣를 대동한다. 음양과 기를 대동하지 않으면, 태극과 성이 어디에 달라붙겠는가? 그러나 분명하게 하려고 하면, 또 갈라서 말하지 않을 수 없다."

[1-0-1-34]

問："孟子言性與伊川如何？"

曰："孟子是剔出言性之本，伊川是兼氣質而言．要之不可離也．所以程子云，'論性不論氣不備，論氣不論性不明．' 而某於太極圖解亦云，'所謂太極者，不離乎陰陽而爲言，亦不雜乎陰陽而爲言．'"[89]

물었다. "맹자가 성을 말한 것과 이천伊川이 말한 것이 어떻습니까?"

(주자가) 답했다. "맹자는 성의 본원을 발라내어서 말했고, 이천은 기질을 겸하여 말하였다. 요컨대 분리分離할 수 없다. 그러므로 정자가 말하기를, '성을 논하고 기를 논하지 않으면 미비한 것이고, 기를 논하고 성을 논하지 않으면 분명하지 않다.'[90]고 하였으니, 나는 『태극도해』에서 역시 이르기를, '이른바 태극은 음양과 분리되지 않은 것으로 말하였고, 또한 음양과 섞이지 않은 것으로도 말하였다.'고 하였다."

[1-0-1-35]

"無極只是無形狀，太極只是至理．理不外乎氣，若說截然在陰陽五行之先，及在陰陽五行之中，便是理與氣判爲二物矣．"[91]

86 『朱子語類』 권5, 43조목
87 하나이면서 … 하나이다 : 『二程全書』 권25. "一而二, 二而一."
88 『朱子語類』 권94, 23조목
89 『朱子語類』 권4, 48조목
90 『河南程氏遺書』 권6 「二先生語」6
91 『性理大全』 권26에 "理不外乎氣, 若說截然在陰陽五行之先, 及在陰陽五行之中, 便成理與氣爲二物矣."가 北溪

(주자가 말했다.) "무극은 모양이 없는 것일 뿐이고, 태극은 지극한 리理일 뿐이다. 리는 기를 벗어나지 않는데, 만일 뚜렷이 음양오행의 앞에 있다거나, 음양오행 속에 있다고 말하면 바로 리와 기가 분명히 두 가지가 될 것이다."

[1-0-1-36]

"兩邊生者, 卽是陰根陽, 陽根陰, 這箇有對. 從中出者無對.[92]"[93]

(주자가 말했다.) "양쪽 가[兩邊]에서 생긴 것[94]은 음은 양에 뿌리를 두고, 양은 음에 뿌리를 두었으니, 이것은 상대가 있다. 가운데에서 나온 것은 상대가 없다."

[1-0-1-37]

問: "太極兼動靜而言."

曰: "不是太極兼動靜, 太極有動靜也."[95]

물었다. "태극은 동정을 겸해서 말한 것입니다."

(주자가) 답했다. "태극이 동정을 겸한 것이 아니라, 태극에 동정이 있다."

[1-0-1-38]

問: "動靜是太極動靜, 是陰陽動靜?"

曰: "是理動靜."

曰: "如此則太極有模樣."

曰: "無."[96]

물었다. "동정은 태극이 동정하는 것입니까, 음양이 동정하는 것입니까?"

(주자가) 답했다. "리가 동정하는 것이다."

물었다. "그렇다면 태극에 모양이 있습니다."

(주자가) 답했다. "없다."

[1-0-1-39]

問: "南軒云'太極之體至靜', 如何?"

陳氏의 說로 되어 있고, 같은 내용이 『北溪字義』「補遺」편에 있다. 明 胡居仁의 『易像鈔』 권1에 "理不外乎氣~"가 동일하게 실려 있는데 여기서는 누구의 설인지 불분명하게 되어 있어, 朱子說로 혼동한 것 같다. 또 맨 앞의 '無極' 이하 두 구절은 찾지 못하였다.

92 者 : 『朱子語類』 권65, 58조목에 '卽'으로 되어 있다.

93 『朱子語類』 권65, 58조목

94 양쪽 … 것 : 『朱子語類考文解義』에 "先天圖 圓의 좌우를 가리킨다.(指圓圖左右.)"고 하였다.

95 『朱子語類』 권94, 30조목

96 『朱子語類』 권94, 43조목

曰: "不是."

問: "又云'所謂至靜者貫乎已發未發而言', 如何?"

曰: "如此却成一不正當尖斜太極.[97]"[98]

물었다. "남헌南軒[99]이 '태극의 체體는 지극히 정靜하다.'라고 말한 것은 어떻습니까?"

(주자가) 답했다. "옳지 않다."

물었다. "또 '이른바 지극히 정靜한 것은 이발已發과 미발未發을 관통하여 말한 것이다.'라고 말한 것은 어떻습니까?"

(주자가) 답했다. "그렇게 하면 도리어 반듯하지 못하고 삐뚤어진 태극이 된다."

[1-0-1-40]

問: "太極理也, 理如何動靜? 有形則有動靜, 太極無形, 恐不可以動靜言."

曰: "理有動靜, 故氣有動靜. 若理無動靜, 則氣何自而有動靜乎?"[100]

물었다. "태극은 리인데, 리가 어떻게 동정합니까? 형체가 있으면 동정이 있지만, 태극은 형체가 없으니 동정으로 말할 수 없을 것 같습니다."

(주자가) 답했다. "리에 동정이 있으므로 기에 동정이 있다. 만일 리에 동정이 없다면, 기는 어떻게 해서 동정이 있겠는가?"

[1-0-1-41]

"未發者, 太極之靜, 已發者, 太極之動."[101]

(주자가 말했다.) "미발은 태극이 정靜한 것이고, 이발은 태극이 동動하는 것이다."

[1-0-1-42]

"未發之前, 太極之靜而陰也. 已發之後, 太極之動而陽也. 其未發也, 敬爲之主, 而義已具, 其已發也, 必主於義, 而敬行焉, 則何間斷之有哉!"[102]

(주자가 말했다.) "미발未發하기 이전은 태극이 정靜하면서 음陰인 것이고, 이발已發한 뒤는 태극이 동하면서 양陽인 것이다. 미발에서는 경敬이 주가 되고 의義가 이미 갖추어져 있으며, 이발에서는 반드시 의를 주로 하고 경이 그 속에서 행行하니, 어찌 끊어짐이 있겠는가!"

97 却: 『朱子語類』 권94, 43조목에는 앞에 '則'자가 더 있다.

98 『朱子語類』 권94, 43조목

99 남헌南軒: 張栻(1133~1180)의 호이며, 자는 敬夫·欽夫이다.

100 『朱文公文集』 권56 「答鄭子上」

101 『朱文公文集』 권48 「答呂子約」 "以未發爲太極~" 아래의 주석

102 『朱文公文集』 권40 「答何叔京」

[1-0-1-43]

"太極只是天地萬物之理. 未有天地之先, 畢竟先有此理. 動而生陽, 亦只是理, 靜而生陰, 亦只是理."[103]

(주자가 말했다.) "태극은 다만 천지 만물의 리일 뿐이다. 아직 천지가 있기 이전에 필경 먼저 이 리가 있었다. 동하여 양을 생하는 것도 리일 뿐이고, 정하여 음을 생하는 것도 리일 뿐이다."

[1-0-1-44]

"無極者, 只是說這道理當初元無一物, 只是有此理而已. 此箇道理便會動而生陽靜而生陰."[104]

(주자가 말했다.) "무극은 다만 이 도리에는 당초 원래 한 물건도 없고, 단지 이 리가 있을 뿐이라고 말한 것이다. 이 도리는 곧 동하여 양을 생하고, 정하여 음을 생할 수 있다."

[1-0-1-45]

問: "先有理, 抑先有氣?"

曰: "理未嘗離乎氣. 然理形而上者, 氣形而下者, 自形而上下言, 豈無先後? 理無形, 氣便有查滓.[105]"

물었다. "리가 먼저 있습니까, 아니면 기가 먼저 있습니까?"

(주자가) 답했다. "리는 기를 떠난 적이 없다. 그러나 리는 형이상자이고, 기는 형이하자이니, 형이상과 형이하로 말하면 어찌 선후가 없겠는가? 리는 형체가 없고, 기는 곧 찌꺼기가 있다."[106]

[1-0-1-46]

問: "理在先, 氣在後."

曰: "理與氣本無先後之可言. 但推上去時, 却如理在先氣在後相似."

又問: "理在氣中, 發見處如何?"

曰: "如陰陽五行錯綜不失端緒便是理.[107] 若氣不結聚時, 理亦無所附著."[108]

물었다. "리는 먼저이고, 기는 나중입니다."

(주자가) 답했다. "리와 기는 본래 선후를 말할 수 없다. 다만 미루어 올라가면, 결국 리가 먼저이고, 기가 나중인 것 같다."

또 물었다. "리가 기 가운데 있는데, 발현하는 곳에서는 어떻습니까?"

(주자가) 답했다. "예컨대, 음양오행이 가로세로로 짜일 때 질서를 잃지 않는 것이 곧 리이다. 만일

103 『朱子語類』 권1, 1조목
104 元 王申子, 『大易緝說』 권2
105 氣便有查滓 : 『朱子語類』 권1, 10조목에는 '有'자 앞에 '粗'자가 더 있다.
106 『朱子語類』 권1, 10조목
107 端緒 : 『朱子語類』 권1, 12조목에는 '端'이 '條'로 되어 있다.
108 『朱子語類』 권1, 12조목

기가 모여 엉키지 않을 때는 리도 붙을 곳이 없다."

[1-0-1-47]

問: "'太極動而生陽靜而生陰', 見得理先而氣後."

曰: "二者有則俱有.[109]"

又問: "未有一物之時如何?"

曰: "是有天下公共之理, 未有一物所具之理."[110]

물었다. "'태극이 동하여 양을 생하고, 정하여 음을 생하는 곳'에서 리가 먼저이고 기가 나중인 것을 알 수 있습니다."

(주자가) 답했다. "두 가지는 있으면 함께 있다."

또 물었다. "아직 물건이 하나도 없을 때는 어떻습니까?"

(주자가) 답했다. "천하 공공公共의 리는 있지만, 어떤 하나의 물건이 갖춘 리는 아직 없다."

[1-0-1-48]

"'動而生陽, 靜而生陰', 動卽太極之動, 靜卽太極之靜, 動而後生陽, 靜而後生陰, 生此陰陽之氣. 謂之動而生, 靜而生, 則有漸次也."[111]

(주자가 말했다.) "'동하여 양을 생하고, 정하여 음을 생한다.'에서 동은 태극이 동하는 것이고, 정은 태극이 정하는 것인데, (이것은) 동한 뒤에 양을 생하고, 정한 뒤에 음을 생하는 것이니, (태극이) 이 음양의 기를 생하는 것이다. 이를 동하여 생하고, 정하여 생한다고 말하면 차례가 있다.[112]"

[1-0-1-49]

"'太極動而生陽, 靜而生陰', 不是動後方生陽. 蓋纔動便屬陽, 纔靜便屬陰. 動而生陽, 其初本是靜, 靜之上又須動矣, 所謂'動靜無端'. 今且自動而生陽處看去."[113]

(주자가 말했다.) "'태극이 동하여 양을 생하고 정하여 음을 생한다.'는 동한 뒤에 비로소 양을 생하는

109 俱: 『朱子語類』 권94, 31조목에는 '皆'로 되어 있다.

110 『朱子語類』 권94, 31조목

111 『朱子語類』 권94, 16조목

112 차례가 있다.: 『朱子語類考文解義』 권94에 다음과 같이 말하였다. "이 조와 아래 可學錄條에 모두 말하기를, '태극이 음양을 생하는 데는 절차가 있다.'고 하였는데, 이것은 우선 본문의 어세에 근거하여 말하였을 뿐이다. 사실 理·氣 둘은 있으면 함께 있으니 절차를 말할 수 없다. 그러므로 아래 조에도 말하기를 '일제히 그 속에 있다.'고 하였고, 또 그 10여 조 아래의 德明이 기록한 것 이후부터는 다 '꼭 선후를 나눌 필요 없으니 있으면 다 있다. 동은 곧 양이고 정은 곧 음이다.'는 등의 말을 하였으니, 선생의 定論을 알 수 있다. (此與下條可學錄, 皆云: '太極之生陰陽, 有節次.' 此且据本文語勢而言之耳. 其實理氣二者, 有則俱有, 不可以節次爲說. 故下條又曰: '一齊在中'. 又下十德明錄以下, 皆言'不須分先後, 有則皆有. 動卽陽, 靜卽陰'等, 可見先生之定論也.)"

113 『朱子語類』 권94, 34조목

것은 아니다. 왜냐하면 동하자마자 바로 양에 속하고, 정하자마자 바로 음에 속하기 때문이다. 동하여 양을 생하는 것은 그 처음에는 본래 정이고, 정 이전에는 또 반드시 동일 것이니, 이른바 '동정에 끝이 없다.'[114]는 것이다. 지금 우선 동하여 양을 생하는 곳에서 본 것이다."

[1-0-1-50]

問: "動然後生陽, 則是以動爲主矣."

曰: "纔動便生陽, 不是動了而後生. 這箇只得且從動上說起, 其實此之所以動, 又生於靜, 上面之靜, 又生於動. 此理只循環生去."[115]

물었다. "동動한 후에 양을 생한다는 이것은 동을 위주로 한 것입니다."

(주자가) 답했다. "동하자마자 바로 양을 생하는 것이지, 다 동한 다음에 생하는 것은 아니다. 이것은 부득이 우선 동에서 말을 시작한 것이니, 사실 이것이 동한 것은 또 정에서 생긴 것이고, 앞에 있는 정은 또 동에서 생겼다. 이 리가 다만 순환적으로 계속 생한다."

[1-0-1-51]

"太極自是函動靜之理, 却不可以動靜分體用. 蓋靜卽太極之體也, 動卽太極之用也."[116]

(주자가 말했다.) "태극은 본래 동動과 정靜의 리를 포함하였으니, 도리어 동과 정으로 체용體用을 나눌 수 없다. 대개 정은 태극의 체이고, 동은 태극의 용이다."

[1-0-1-52]

"太極未動之前便是陰. 陰靜之中自有陽之根,[117] 陽動之中又有陰之根.[118] 動之所以必靜者, 根乎陰故也, 靜之所以必動者, 根乎陽故也."

(주자가 말했다.) "태극이 아직 동하기 이전은 음이다. '음정陰靜'[119] 속에 본래 양의 뿌리가 있고, '양동陽動' 속에 또 음의 뿌리가 있다. 동이 반드시 정하는 이유는 음에 뿌리를 두었기 때문이고, 정이 반드시 동하는 이유는 양에 뿌리를 두었기 때문이다."

[1-0-1-53]

"陰陽只是一氣, 陰氣流行卽爲陽, 陽氣凝聚卽爲陰, 非眞有二物相對也. 此理甚明."[120]

---

114 동정에 … 없다. : 『程氏經說』 권1 「易說・繫辭」에 "도는 한 번 음하고 한 번 양한다. 동정에 끝이 없고 음양에 시작이 없으니 도를 아는 이가 아니면 누가 이해할 수 있겠는가?(道者, 一陰一陽也. 動靜無端, 陰陽無始, 非知道者, 孰能識知?)"라고 되어 있다.

115 『朱子語類』 권94, 33조목

116 『朱子語類』 권94, 29조목

117 陽 : 『朱子語類』 권94, 46조목에는 뒤에 '動'자가 더 있다.

118 陰 : 『朱子語類』 권94, 46조목에는 뒤에 '靜'자가 더 있다.

119 음정陰靜 : 태극도 두 번째 원에 있는 '陰靜'과 '陽動'을 가리킨다.

(주자가 말했다.) "음양은 한 개의 기일 뿐이니, 음기陰氣가 유행하면 바로 양이 되고, 양기陽氣가 엉겨 붙으면 바로 음이 되는 것이지, 참으로 두 가지가 상대하고 있는 것은 아니다. 이 이치는 매우 분명하다."

[1-0-1-54]

問: "陽何以言變, 陰何以言合?"

曰: "陽動而陰隨之, 故言變合."[121]

물었다. "양은 어째서 변한다고 하고, 음은 어째서 합한다고 합니까?"

(주자가) 답했다. "양이 동함에 음이 이를 따른다. 그러므로 '변한다, 합한다'고 말하였다."

[1-0-1-55]

"'陽變陰合', 初生水火. 水火氣也, 流動閃爍, 其體尙虛, 其成形猶未定. 次生木金, 則確然有定形矣. 水火初是自生, 木金則資於土. 五行之屬,[122] 皆從土中旋生出來."[123]

(주자가 말했다.) "'양이 변하고 음이 합하여' 처음으로 수水와 화火를 생한다. 수와 화는 기이니, 흘러 움직이고 번쩍거리며, 그 몸체는 오히려 비어 있고, 그 모양을 이루는 것조차도 아직 정해지지 않았다. 다음으로 목木과 금金을 생하면, 확연히 정해진 모양이 있다. 수・화水火는 처음에 자생하고, 목・금은 토土에 의지한다. 오금五金[124] 등속等屬은 모두 토土 속에서 뒤미처 생겨난다.[125]"

[1-0-1-56]

"天地生物, 先其輕淸以及重濁. '天一生水, 地二生火', 二物在五行中是輕淸. 金木又重於水火,[126] 土又重於金木."[127]

(주자가 말했다.) "천지가 만물을 생하는 데는 가볍고 맑은 것을 먼저 하고 무겁고 탁한 것을 다음에 한다. '천天은 일一로써 수水를 생하고, 지地가 이二로써 화火를 생하니',[128] 이 두 가지는 오행 중에서 가볍고 맑은 것이다. 금・목은 수・화보다 더 무겁고, 토는 금・목보다 더욱 무겁다."

---

120 『朱文公文集』 권50 「答楊元範」
121 『朱文公文集』 권49 「答林子玉」
122 五行: 『朱子語類』 권94, 57조목에는 '行'이 '金'으로 되어 있다.
123 『朱子語類』 권94, 57조목
124 오금五金: 다섯 종류의 금속. 金, 銀, 銅, 鐵, 錫 등이며, 금속 전체를 가리키기도 한다.
125 뒤미처 생겨난다: 旋生은 '그 뒤를 잇달아 생기다.'는 뜻으로 꼬리에 꼬리를 물고 이어서 생김을 의미한다.
126 又: 『朱子語類』 권94, 83조에는 '復'으로 되어 있다.
127 『朱子語類』 권94, 83조목
128 천天은 … 생하니: 『尙書大傳』 권2 「洪範五行傳」

[1-0-1-57]

“就原頭定體上說，則未分五行時，只謂之陰陽．未分五性時，只謂之健順．及分而言之，則陽爲木火，陰爲金水．健爲仁禮，順爲義智．”[129]

(주자가 말했다.) “근원의 고정된 형체에서 말하면, 오행이 아직 나뉘지 않았을 때는 단지 음양이라고 한다. 오성五性이 아직 나뉘지 않았을 때는 다만 건健・순順이라고 한다. 나뉘고 나서 말하면, 양은 목木・화火이고, 음은 금金・수水이다. 건은 인仁・예禮이고, 순은 의義・지智이다.”

[1-0-1-58]

問: “陰盛何以居右，陽盛何以居左?”

曰: “左右但以陰陽之分耳．”

又問: “木陽穉故次火，金陰穉故次水，豈以水生木土生金耶?”

曰: “以四時之序推之可見．”[130]

물었다. “음이 왕성한 것은 왜 오른쪽에 있고, 양이 왕성한 것은 왜 왼쪽에 있습니까?”

(주자가) 답했다. “왼쪽과 오른쪽은 다만 음양을 구분한 것뿐이다.”

또 물었다. “목은 어린 양이므로 화 다음이고, 금은 어린 음이므로 수 다음인데, 수가 목을 생하는 것과, 토가 금을 생하는 것은 어떻습니까?”

(주자가) 답했다. “사시四時의 차례로 미루어보면 알 수 있다.”

[1-0-1-59]

“水質陰而性本陽．火質陽而性本陰．水外暗而內明，以其根於陽也．火外明而內暗，以其根於陰也．太極圖陽動之中有黑底，陰靜之中有白底，是也．橫渠言‘陰陽之精互藏其宅’，正此意也．”[131]

(주자가 말했다.) “수水는 질質은 음이고, 성性은 본래 양이다. 화火는 질은 양이고, 성은 본래 음이다. 수가 밖은 어둡고 안은 밝은 것은 양에 뿌리를 두었기 때문이다. 화가 밖은 밝고 안은 어두운 것은 음에 뿌리를 두었기 때문이다. 「태극도」에서 양동陽動 가운데에 검은색이 있고, 음정陰靜 가운데에 흰색이 있는 것이 이것이다. 횡거橫渠가 ‘음양의 정기精氣를 서로 그 (상대의) 집에 저장한다.’[132]라고 말한 것이 바로 이런 뜻이다.”

[1-0-1-60]

“火中有黑，陽中陰也．水外黑而中却明者，[133] 陰中陽也．故水謂之陽亦得．火謂之陰亦得．”[134]

---

129 『朱文公文集』 권62 「答李晦叔」

130 『朱文公文集』 권49 「答林子玉」

131 『文公易說』 권2 / “橫渠” 이하는 『朱子語類』 권1, 61조이다.

132 ‘음양의 … 저장한다.’: 『正蒙』 「參兩篇(삼양편)」

(주자가 말했다.) "화火 가운데에 검은색이 있는 것은 양 중의 음이다. 수水가 밖은 어둡고 가운데는 도리어 밝은 것은 음 중의 양이다. 그러므로 수를 양이라고 하여도 되고, 화를 음이라고 하여도 된다."

[1-0-1-61]

"陰陽氣也, 生此五行之質. 天地生物, 五行獨先. 地卽是土, 土便包容許多金木之類.[135] 天地之間何事而非五行? 五行陰陽七者袞合,[136] 便是生物底材料. 五氣順布, 四時生焉. 金木水火分屬春夏秋冬, 土則寄旺四季. 如春屬木, 而淸明後十八日卽是土寄旺之時.[137] 每季寄旺十八日, 共七十二日. 惟夏季十八日土氣爲最旺. 故能生秋金也. 以圖象攷之, 木生火金生水之類, 各有小畫相牽聯,[138] 而火生土, 土生金, 獨穿乎土之內, 餘則從旁而過, 爲可見矣."[139]

(주자가 말했다.) "음양은 기氣이고 오행의 질質을 생한다. 천지가 만물을 생할 때 유독 오행이 먼저이다. 땅은 즉 토이니, 토는 곧 많은 금·목 등을 포함한다. 천지 사이에 어떤 것이 오행이 아니겠는가? 음양오행 일곱 가지가 화합[袞合]한 것이 바로 물건을 생하는 재료이다. 오기五氣가 차례로 펼쳐지니 사시四時가 거기서 생긴다. 금·목·수·화는 춘·하·추·동에 나누어 배속되고, 토는 네 계절의 끝에 왕성함을 붙인다[寄旺].[140] 예컨대 봄은 목에 속하나, 청명淸明 후 12일부터는 곧 토가 붙어서 왕성한 때이다. 계절마다 왕성함을 붙인 것이 18일이니, 모두 72일이다. 오직 여름 끝의 18일은 토기土氣가 가장 왕성하다. 그러므로 가을의 금金을 생할 수 있다. (태극도의) 도상圖象으로 상고하면, 목이 화를 생하는 것과 금이 수를 생하는 것 등은 각각 가는 선으로 서로 연결되어 있는데, 화가 토를 생하는 것과 토가 금을 생하는 것은 유독 토 속을 꿰뚫고, 나머지는 옆으로 지나가는 것을 볼 수 있다."

[1-0-1-62]

"五行之生非有先後, 如數一二三四五, 自然有先後次序."

133 外黑而中却明者 : 『朱子語類』 권1, 60조목에는 '外黑' 뒤에 '洞洞地' 석 자가 더 있다.
134 『朱子語類』 권1, 60조목
135 容 : 『朱子語類』 권94, 16조목에는 '含'으로 되어 있다.
136 袞 : 『朱子語類』 권94, 16조목에는 '滾'으로 되어 있다.
137 十八 : '八'은 『朱子語類』 권94, 16조목에 '二'로 되어 있다. 淸明 후 12일부터 穀雨까지 3일과 곡우 후 立夏 전까지 15일을 합하면 18일이 된다.
138 聯 : 『朱子語類』 권94, 16조목에는 '連'으로 되어 있다.
139 『朱子語類』 권94, 16조목
140 토는 … 붙인다[寄旺]. : 土는 전담하는 계절이나 정해진 위치가 없어 네 계절에 그 왕성함을 조금씩 나누어 배속해서 곁방살이하듯이 寄生하게 한다는 것이다. 1년을 네 계절로 나누면 각각 90일인데, 이는 다시 木·火·金·水氣가 각각 주관하는 72일과 土氣가 주관하는 18일로 나눌 수 있다. / [1-0-1-92], [1-3-1-10] 참조.

(주자가 말했다.) "오행이 생기는 데는 선후가 있지 않지만, 1, 2, 3, 4, 5와 같은 숫자는 자연히 선후의 차례가 있다."

[1-0-1-63]

"總而言之只是陰陽, 分而言之有五."[141]

(주자가 말했다.) "총괄해서 말하면 음양일 뿐이고, 나누어서 말하면 오행이 있다."

[1-0-1-64]

"五行一陰陽也, 舍五行無別討陰陽處. 如甲乙屬木, 甲便是陽, 乙便是陰. 丙丁屬火, 丙便是陽, 丁便是陰. 不須更說陰陽, 而陰陽在其中矣."[142]

(주자가 말했다.) "오행은 하나의 음양이니, 오행을 버리고 달리 음양을 찾을 데가 없다. 예컨대 갑甲과 을乙은 목에 속하는데 갑은 곧 양이고, 을은 곧 음이다. 병丙과 정丁은 화에 속하는데 병은 곧 양이고, 정은 곧 음이다. 다시 음양을 말하지 않더라도 음양이 그 속에 있다."

[1-0-1-65]

"自見在事物而觀之, 則陰陽函太極, 推原其本, 則太極生陰陽."[143]

(주자가 말했다.) "현재 사물로부터 보면 음양이 태극을 품었고, 그 근본을 캐 들어가면 태극이 음양을 생하였다."

[1-0-1-66]

問: "旣曰太極, 又有箇無極, 如何?"

曰: "太極本無極, 要去就中看得這意出, 方見得."[144]

물었다. "이미 태극이라고 말하였는데, 또 무극을 두는 것은 어째서입니까?"

(주자가) 답했다. "'태극은 본래 무극'이라는 말 속에서 그 뜻을 찾아내려고 해야 비로소 알 수 있다."

[1-0-1-67]

"五行一陰陽, 陰陽一太極[145], 則非太極之後別生二五, 而二五之上先有太極也. 無極而太極, 太極本無極, 則非無極之後別生太極, 而太極之上先有無極也."[146]

(주자가 말했다.) "오행은 하나의 음양이고, 음양은 하나의 태극이니, 태극 다음에 별도로 음양오행

141 『朱子語類』 권94, 199조목
142 『朱子語類』 권30, 52조목
143 『朱子語類』 권75, 83조목
144 『朱子語類』 권94, 14조목
145 五行一陰陽, 陰陽一太極 : 『朱文公文集』 권45에는 '五行陰陽, 陰陽太極'으로 되어 있다.
146 『朱文公文集』 권45 「答楊子直」

을 생하거나 음양오행보다 먼저 태극이 있는 것이 아니다. 무극이면서 태극이고, 태극은 본래 무극이니, 무극 다음에 별도로 태극을 생하거나 태극보다 먼저 무극이 있는 것이 아니다."

[1-0-1-68]

"五行一陰陽也，陰陽一太極也，太極本無極也. 此當思無有陰陽而無太極底時節. 若以爲止是陰陽，陰陽却是形而下者. 若專以理言，則太極又不曾與陰陽相離. 正當沈潛玩索，將圖象意思抽開細看，又復合而觀之. 某解此云，'非有離乎陰陽也，卽陰陽而指其本體不雜乎陰陽而爲言也'，此句自有三節意思，更宜深考. 通書云，'靜而無動，動而無靜，物也，動而無動，靜而無靜，神也.'[147] 當卽此兼看."[148]

(주자가 말했다.) "오행은 하나의 음양이고, 음양은 하나의 태극이며, 태극은 본래 무극이다. 여기서 음양은 있는데 태극이 없는 때는 없다는 것을 생각해야 한다. 만일 음양뿐인 것으로 여기면, 음양은 결국 형이하자이다. 만일 오로지 리로써만 말하면, 태극은 또 음양과 서로 떨어진 적이 없다. (이런 것을) 바로 마땅히 침잠해서 음미하며 도상圖象의 의미를 추려내어 자세히 보고, 또 다시 합해서 보아야 한다. 내가 이를 해석해서 말하기를, '음양과 분리되어 있는 것이 아니라, 음양에서 그 본체가 음양과 섞이지 않은 것을 가리켜 말한 것이다.'라고 하였는데, 이 구절에는 저절로 세 가지 뜻이 있으니, 더 깊이 생각해 보아야 한다. 『통서通書』에 '정함에 동이 없고 동함에 정이 없는 것은 물건이고, 동하여도 동이 없고 정하여도 정이 없는 것은 신神이다.'라고 하였으니, 마땅히 이것도 겸해서 보아야 한다."

[1-0-1-69]

"太極云者，合天地萬物之理而一名之耳. 以其無器與形而天地萬物之理無不在是，故曰'無極而太極'. 以其具天地萬物之理而無器與形，故曰'太極本無極'. 是豈離乎生民日用之常而自爲一物哉?"[149]

(주자가 말했다.) "태극이라는 것은 천지 만물의 리를 합하여 하나로 이름 붙인 것일 뿐이다. 용기容器나 모양이 없으면서도 천지 만물의 리가 여기에 있지 않은 것이 없으므로 '무극이면서 태극이다.'라고 하였다. 천지 만물의 리를 갖추었으면서도 용기나 모양이 없으므로 '태극은 본래 무극이다.'라고 하였다. 이것이 어찌 백성의 일상을 떠나서 홀로 한 물건이 된 것이겠는가?"

[1-0-1-70]

問: "無極太極，本非二物."

曰: "無極而太極，而無極之中萬象森列，不可謂之無矣. 太極本無極，則太極之體沖漠無眹，

147 『通書』「動靜」

148 『朱子語類』 권94, 16조목

149 『朱文公文集』 권78 「隆興府學濂溪先生祠記」

不可謂之有矣."[150]

물었다. "무극과 태극은 본래 두 물건이 아닙니다."

(주자가) 답했다. "'무극이면서 태극'이니, 무극 속에 만 가지 모습이 촘촘히 들어 있으므로 없다[無]고 할 수 없다. '태극은 본래 무극'이니, 태극의 체는 텅 비어 조짐이 없으므로 있다[有]고 할 수 없다."

[1-0-1-71]

問: "先生答書言'陰陽五行之爲性, 各是一氣所稟, 而性則一也.'[151] 兩性字同否?"

曰: "一般."

又曰: "同者理也, 不同者氣也."

又曰: "他所以道'五行之生各一其性'."

又問: "莫是木自是木, 火自是火, 而其理則一?"

曰: "且如這光, 也有在硯蓋上底, 也有在墨上底, 其光則一也."[152]

물었다. "선생이 답한 편지에 '음양오행의 성은 각각 하나의 기가 받은 것이나, 성性이기는 한가지이다.'라고 하셨으니 두 성性 자가 같습니까?"

(주자가) 답했다. "마찬가지이다."

또 (주자가) 말했다. "같은 것은 리이고, 같지 않은 것은 기이다."

또 (주자가) 말했다. "그것이 '오행이 생함에 각각 그 성性을 하나씩 지닌다.'고 말한 까닭이다."

또 물었다. "목은 목이고 화는 화이나, 그 리는 한가지가 아닙니까?"

(주자가) 답했다. "예를 들면 이 빛은 벼루 뚜껑 위에 있는 것도 있고, 또 먹 위에 있는 것도 있으나, 그 빛은 한가지이다."

[1-0-1-72]

"纔生五行, 便被氣質拘定, 各爲一物, 亦各有一性, 而太極無不在也."[153]

(주자가 말했다.) "오행이 생하자마자 바로 기질에 갇혀서 각각 한 물건이 되고, 역시 각각 하나의 성性을 가지지만 태극이 없는 곳이 없다."

[1-0-1-73]

問: "五行之生各一其性, 理同否?"

曰: "同而氣質異."

曰: "旣說氣質異, 則理不相通."

150 『易經蒙引』 권9下
151 『朱文公文集』 권61 「答嚴時亨」
152 『朱子語類』 권1, 49조목
153 『朱子語類』 권9, 41조목

曰: "固然. 仁作義不得. 義作仁不得."[154]

물었다. "오행이 생함에 각각 그 성을 하나씩 가지니, 리는 같습니까?"

(주자가) 답했다. "같으나 기질은 다르다."

물었다. "이미 기질이 다르다고 말하면 리는 서로 통하지 않습니다."

(주자가) 답했다. "진실로 그렇다. 인은 의가 될 수 없고, 의는 인이 될 수 없다."

[1-0-1-74]

問: "'五行之生各一其性, 五性感動而善惡分', 此性字是兼氣稟言之否?"

曰: "性離氣稟不得. 有氣稟, 性方存在裏面. 無氣稟, 性便無所寄搭了. 稟得氣清者, 性便在清氣之中, 這清氣不隔蔽那善. 稟得氣濁者, 性又在濁氣之中, 爲濁氣所蔽. '五行之生各一其性', 這又隨物各具去了."[155]

물었다. "'오행이 생함에 각각 그 성을 하나씩 지니고, 다섯 개의 성이 감지感知·발동發動하여 선악이 나뉜다.'에서 이 성은 기품을 겸하여서 말한 것입니까?"

(주자가) 답했다. "성은 기품을 떠날 수 없다. 기품이 있으면, 성은 바로 그 속에 있다. 기품이 없으면, 성은 곧 붙을 곳이 없다. 받은 기가 맑은 자는 성이 곧 맑은 기 속에 있으므로 이 맑은 기가 그 선을 가리지 않는다. 받은 기가 탁한 자는 성이 또한 탁한 기 속에 있으므로 탁한 기에 가린다. '오행이 생함에 각각 그 성을 하나씩 지닌다.'는 이것은 또 물건마다 각각 갖춰가는 것이다."

[1-0-1-75]

"金木水火土, 雖曰'五行各一其性', 然一物又各具五行之理, 不可不知. 康節曾細推來.[156]"[157]

(주자가 말했다.) "금·목·수·화·토에서 비록 '오행이 각각 그 성을 하나씩 지닌다.'고 하더라도 한 물건은 또 각각 오행의 리를 갖춘다는 것을 알지 않으면 안 된다. 강절康節[158]이 일찍이 자세히 연역했다."

[1-0-1-76]

問: "五行均得太極否?"

曰: "均."

曰: "人具五行, 物只得一行."

曰: "物亦具有五行, 只是得五行之偏者耳."[159]

154 『朱子語類』 권9, 63조목
155 『朱子語類』 권94, 75조목
156 曾細推來: 『朱子語類』 권1, 52조목에는 '却細推出來'로 되어 있다.
157 『朱子語類』 권1, 52조목
158 강절康節: 邵雍(1011~1077)의 謚號이다. 자는 堯夫이다.
159 『朱子語類』 권4, 4조목

물었다. "오행이 균등하게 태극을 얻었습니까?"

(주자가) 답했다. "균등하다."

물었다. "사람은 오행을 다 갖추지만, 물건은 다만 그중에 하나만을 가졌습니다."

(주자가) 답했다. "물건도 오행을 다 갖추었으나, 다만 오행 중 치우친 것을 얻었을 뿐이다."

[1-0-1-77]

"氣是那初稟底，質是成這模子底."[160]

(주자가 말했다.) "기氣는 그 처음에 받은 것이고, 질質은 그 모양을 이룬 것이다."

[1-0-1-78]

"氣質之性，只是此理墮在氣質之中，故隨氣質而自爲一性也,[161] 周子所謂'各一其性'者. 向使元無本然之性，則氣質之性從何處得來?"[162]

(주자가 말했다.) "기질지성은 다만 이 리가 기질 속에 떨어진 것이므로 기질을 따라서 저절로 하나의 성이 되니, 주자周子가 말한 '각각 그 성을 하나씩 지닌다.'는 것이다.[163] 만일 원래 본연지성이 없다면, 기질지성은 어디에서 구해오겠는가?"

[1-0-1-79]

問: "氣之所聚，理亦聚焉[164]，然理終爲主，此卽所謂'妙合'也."

曰: "然."[165]

물었다. "기가 모인 곳에 리가 또한 거기 있지만, 리가 결국 주인이니, 이것이 바로 이른바 '묘하게 합하였다[妙合]'는 것입니다.

(주자가) 답했다. "그렇다."

[1-0-1-80]

"'成男成女，萬物化生',[166] 而無極之妙未嘗不在是焉.[167]"[168]

160 『朱子語類』 권14, 55조목

161 也 : 『朱文公文集』 권58 「答徐子融」에 '正'으로 되어 있다. 이런 경우 '正'은 句讀(구두)를 뒤로 붙여야 한다. 이렇게 고쳐서 번역한다.

162 『朱文公文集』 권58 「答徐子融」

163 '각각 … 것이다. : 『朱子大全箚疑輯補』에 다음과 같이 주석하였다. "이것은 기질지성을 논하면서 '각각 그 성을 하나씩 지닌다.'는 것을 인용하여 말하였다. 대개 한 등급을 높여서 사람과 만물을 상대시켜 말하면서, 그 서로 다른 것을 기질지성으로 삼았을 뿐이다. 程子와 張子가 말한 기질지성이 선악을 겸하여 말한 것과는 같지 않다.(此, 論氣質之性, 而引各一其性爲言. 蓋移上一級, 以人與物對言, 而以其不同者, 爲氣質之性耳. 與程張所謂氣質之性, 兼善惡言之者, 不同.)"

164 理亦聚焉 : 『朱文公文集』 권49 「答王子合」에는 '理卽在焉'으로 되어 있다.

165 『朱文公文集』 권49 「答王子合」

(주자가 말했다.) "(乾道는) 남성을 이루고 (坤道는) 여성을 이루어 만물을 화생하는데, 무극의 미묘함은 여기에 있지 않은 적이 없다."

[1-0-1-81]

問: "'萬物各具一太極', 此是以理言, 以氣言?"

曰: "以理言."[169]

물었다. "'만물이 각각 하나의 태극을 갖추었다.'는 것은 리로써 말한 것입니까, 기氣로써 말한 것입니까?"

(주자가) 답했다. "리로써 말한 것이다."

[1-0-1-82]

"太極非是別爲一物. 卽陰陽而在陰陽, 卽五行而在五行, 卽萬物而在萬物, 只是一箇理而已. 因其極至, 故名曰太極."[170]

(주자가 말했다.) "태극은 별도의 한 물건이 아니다. 음양에서 보면 음양에 있고, 오행에서 보면 오행에 있고, 만물에서 보면 만물에 있지만, 하나의 리일 뿐이다. 지극함 때문에 태극이라고 이름 붙였다."

[1-0-1-83]

問: "太極便是人心之至理."

曰: "事事物物皆有箇極, 是道理之極至."

或曰: "如君之仁, 臣之敬, 便是極."

曰: "此是一事一物之極. 總天地萬物之理, 便是太極."[171]

물었다. "태극은 바로 사람의 심心의 지극한 리입니다."

(주자가) 답했다. "사사물물에 다 극한極限이 있으니, 도리의 지극함이다."

어떤 사람이 물었다. "예컨대 임금의 인仁, 신하의 경敬이 바로 극한입니다."

(주자가) 답했다. "이것은 한 가지 일이나 물건의 극한이다. 천지 만물의 리를 총괄한 것이 곧 태극이다."

[1-0-1-84]

"太極只是箇極好至善底道理. 人人有一太極, 物物有一太極. 周子所謂太極, 是天地人物萬

---

166 萬物化生: 『朱文公文集』 권45에는 '化生萬物'로 되어 있다.
167 未嘗不在是焉: 『朱文公文集』 권45에는 '蓋未始不在是焉'으로 되어 있다.
168 『朱文公文集』 권45 「答楊子直」
169 『朱子語類』 권94, 73조목
170 『朱子語類』 권94, 22조목
171 『朱子語類』 권94, 44조목

善至好底表德."[172]

(주자가 말했다.) "태극은 다만 지극히 좋고 지극히 선한 도리이다. 사람마다 하나의 태극이 있고, 물건마다 하나의 태극이 있다. 주자周子가 말한 태극은 천지와 사람과 만물의 모든 선과 지극히 좋은 것의 별칭이다.[173]"

[1-0-1-85]

問: "自太極以至萬物化生, 只是一箇圈子, 何嘗有異?"

曰: "人物本同, 氣稟有異, 故不同."[174]

물었다. "태극으로부터 '만물이 화생化生한다.'까지 다만 하나의 원圓일 뿐인데, 어찌 다름이 있겠는가?"

(주자가) 답했다. "사람과 만물은 본래 같으나, 기품에 다름이 있으므로 같지 않다."

[1-0-1-86]

問: "靈處是心, 抑是性?"

曰: "靈處只是心, 不是性. 性只是理."[175]

물었다. "허령虛靈한 것은 심心입니까, 성性입니까?"

(주자가) 답했다. "허령한 것은 다만 심일 뿐이고, 성이 아니다. 성은 다만 리일 뿐이다."

[1-0-1-87]

"知覺是心之靈."[176]

(주자가 말했다.) "지각知覺은 심의 허령함이다."

[1-0-1-88]

"'形旣生矣', 形體, 陰之爲也. '神發知矣', 神知, 陽之爲也. 蓋陰主翕, 凡斂聚成就者, 陰爲之也, 陽主闢, 凡發暢揮散者, 皆陽爲之也."[177]

(주자가 말했다.) "'형체가 이미 생겼다.'에서 형체는 음이 하는 것이다. '정신精神이 발동하여 안다.'에서 신神이 아는 것은 양이 하는 것이다. 대개 음은 수렴을 주로 하니, 무릇 모아서 완성하는 것은 음이 하는 것이며, 양은 여는 것闢을 주로 하니, 무릇 시원스레 펴나가는 것은 다 양이 하는 것이다."

172 『朱子語類』 권94, 21조목

173 별칭이다. : 『朱子語類考文解義』에 다음과 같이 주석하였다. "(表德은) 字를 이른다. 옛사람들은 사람의 자를 표덕이라 하였다.(謂字也, 古人謂人之字曰表德.)"

174 『朱子語類』 권59, 13조목

175 『朱子語類』 권5, 23조목

176 『朱子語類』 권5, 24조목

177 『朱子語類』 권94, 74조목

[1-0-1-89]

“在天只是陰陽五行，在人得之，只是剛柔五常之性.[178]”[179]

(주자가 말했다.) “하늘에 있어서는 다만 음양오행일 뿐이고, 사람이 이를 얻으면 강유剛柔와 오상五常의 덕德일 뿐이다.”

[1-0-1-90]

“其氣便是春夏秋冬. 其物便是金木水火土. 其理便是仁義禮智信.”[180]

(주자가 말했다.) “그 기는 바로 춘하추동이다. 그 물건은 바로 금·목·수·화·토이다. 그 리는 바로 인의예지신이다.”

[1-0-1-91]

“仁義禮智信之性，卽水火金木土之理. 木仁，金義，火禮，水智，各有所主. 獨土無位，又爲四行之實. 故信亦無位，而爲四德之實也.”[181]

(주자가 말했다.) “인의예지신의 성은 바로 수화금목토의 리이다. 목은 인이고, 금은 의이고, 화는 예이고, 수는 지이니 각각 주로 하는 바가 있다. 유독 토는 지위가 없으나 또한 사행四行의 바탕[182]이다. 그러므로 신信도 또한 지위가 없으나 사덕四德의 바탕이다.”

[1-0-1-92]

問: “仁義禮智之四德，又添信字謂之五性，如何?”

曰: “信是誠實此四者. 實有此仁，實有此義，與禮智皆然.[183] 如五行之有土，非土則不足以載四者. 又如土於四時各寄王十八日. 或謂王於戊己. 然季夏乃土之本宮，故尤王. 夏末月令載‘中央土’者，以此故也.”[184]

물었다. “인의예지 사덕四德에 또 신信을 추가해서 오성五性이라고 하면 어떻습니까?”

(주자가) 답했다. “신信은 이 네 가지를 성실하게 하는 것이다. 실제로 이 인仁이 있고 실제로 이 의義가 있으며, 예禮와 지智도 다 그러하다. 오행에 토가 있는 것과 같으니, 토가 아니면 이 네 가지를 실을 수 없다. 또 토가 사시四時에 각각 왕성함을 붙인 것이 18일인 것과 같다. 혹은 무기戊己일에 왕성하다[185]고 한다. 그러나 늦여름[未月]은 곧 토의 본궁本宮이므로 더욱 왕성하다. 여름 끝의 월령月

178 性 : 『朱子語類』 권6, 44조목에는 ‘德’으로 되어 있다.
179 『朱子語類』 권6, 44조목
180 『朱子語類』 권94, 62조목
181 『朱文公文集』 권56 「答方賓王」
182 바탕 : 여기서 ‘實’은 ‘알맹이’나 ‘실질’의 의미를 갖는데, 이것이 오행이 오행일 수 있도록 하는 ‘골자’이고 ‘바탕’이라는 것이다.
183 與 : 『朱子語類』 권6, 46조목에는 ‘與’ 자가 없다.
184 『朱子語類』 권6, 46조목

令에 '중앙의 토[中央土]'[186]라고 기재한 것은 이 때문이다."

[1-0-1-93]

"天地之間, 陰陽而已. 以人分之, 則男女也, 以事言之, 則善惡也, 何適而不得其類哉?"[187]

(주자가 말했다.) "천지 사이에는 음양뿐이다. 사람을 분류하면 남자와 여자이고, 일을 가지고 말하면 선과 악이니, 어디선들 그 같은 부류를 만나지 못하겠는가?"

[1-0-1-94]

"或以爲善惡爲男女之分,[188] 或以爲陰陽之事. 凡此兩件相對說者, 無非陰陽之理. 分陰陽而言之, 或說善惡, 或說男女, 看他如何使. 故善惡可以言陰陽, 亦可以言男女."[189]

(주자가 말했다.) "선악을 남녀의 구분으로 여기기도 하고 혹은 음양의 일로 여기기도 한다. 무릇 상대적으로 말하는 두 가지는 음양의 리 아닌 것이 없다. 음양으로 나누어서 말하면 혹은 선악이라고 말하기도 하고, 혹은 남녀라고 말하기도 하니 어떻게 쓰이는지를 보아야 한다. 그러므로 선악은 음양이라고 말할 수도 있고, 남녀라고 말할 수도 있다."

[1-0-1-95]

"吉凶相對, 而悔吝在其中. 悔自凶而趨吉, 吝自吉以向凶.[190]"[191]

(주자가 말했다.) "길吉과 흉凶이 상대하고, 회悔와 린吝이 그 가운데 있다. 회는 흉한 데에서부터 길로 나아가고, 린은 길한 데에서부터 흉으로 향한다."

[1-0-1-96]

"人之所稟, 又有昏明淸濁之異. 故上知生知之資, 是氣淸明純粹, 而無一毫昏濁. 所以生知安行, 不待學而能, 如堯舜是也."[192]

(주자가 말했다.) "사람이 받은 것에는 또한 어두움, 밝음, 맑음, 흐림[昏明淸濁]의 차이가 있다. 그러므로 최상의 지혜로운 자[上知][193]와 나면서부터 아는 자[生知][194]의 자질은 기가 맑고 밝고 순수하여

185 무기戊己일에 왕성하다 : 日辰 중에서 十干 甲乙丙丁戊己庚辛壬癸의 중앙에 있는 戊日과 己日에 토가 왕성하다는 것이니, 결국 매 10일마다 戊己日이 土旺日이 되는 것이다. 1년 중의 戊己日을 모두 합하면 역시 72일이 된다. 四季, 즉 네 계절의 마지막 달 마지막 18일에 寄旺하는 것과 다른 견해임. / [1-0-1-61], [1-3-1-10] 참조.

186 중앙의 토[中央土] : 『禮記』「月令」에 "중앙의 토는 그 날은 戊・己日이다.(中央土, 其日戊己.)"라고 하였다.

187 『朱文公文集』 권44 「答方伯謨」

188 以爲 : 『朱子語類』 권94, 148조목에는 '爲'자가 없다.

189 『朱子語類』 권94, 148조목

190 以 : 『周易本義』「繫辭上」 2장에는 '而'로 되어 있다.

191 『周易本義』「繫辭上」 2장

192 『朱子語類』 권4, 41조목

털끝만 한 어두움이나 흐림이 없다. 그러므로 나면서부터 알고 편안히 행하며, 배우기를 기다리지 않아도 할 수 있으니, 요순과 같은 사람이 이런 경우이다."

[1-0-1-97]

"聖人之生，其稟受渾然，氣質淸明純粹，全是此理，更不待脩爲，而與天爲一[195]."[196]

(주자가 말했다.) "성인은 날 때에 그 나눠 받은 것이 완전하고, 기질은 맑고 밝고 순수하여 이 리가 온전하므로, 다시 수양하기를 기다리지 않아도 하늘과 하나가 된다."

[1-0-1-98]

"聖人表裏精粗，無不昭徹．其形骸雖是人，只是一團天理.[197]"[198]

(주자가 말했다.) "성인은 겉과 속과 정밀한 것과 거친 것에 명석하지 않음이 없다. 그 용모는 비록 사람이나, 한 덩어리의 천리天理일 뿐이다."

[1-0-1-99]

問: "周子言仁義中正亦甚大，今乃自偏言，止是屬於陽動陰靜."

曰: "不可如此看．反覆皆可."[199]

물었다. "주자周子가 '인・의・중・정仁義中正'을 말한 것은 매우 큰데, 지금 이렇게 치우쳐서 말하면 단지 '양동陽動'과 '음정陰靜'에 속할 뿐입니다."

(주자가) 답했다. "그렇게 보아서는 안 된다. 반복反覆하면 다 괜찮다."

[1-0-1-100]

問: "仁義禮智體用之別."

曰: "自陰陽上看下來，仁禮屬陽，義智屬陰．仁禮是用，義智是體．春夏是陽，秋冬是陰．只將仁義說，則春作夏長，仁也，秋斂冬藏，義也．若將仁義禮智說，則春，仁也，夏，禮也，秋，義也，冬，智也．仁禮是敷施出來底，義是肅殺果斷底，智便是收藏底."[200]

193 [上知]:『論語』「陽貨」3 참조. "오직 최상의 지혜로운 자[上知]와 최하의 어리석은 자[下愚]는 변화시킬 수 없다.(唯上知與下愚不移.)"

194 [生知]:『中庸章句』20장 참조. "어떤 사람은 나면서부터 알고, 어떤 사람은 배워서 알며, 어떤 사람은 힘들게 애써서 알지만, 그 앎에 이르러서는 마찬가지다.(或生而知之, 或學而知之, 或困而知之, 及其知之一也.)"

195 與天:『朱子語類』 권64, 27조목에는 '與天' 앞에 '自然' 두 자가 더 있다.

196 『朱子語類』 권64, 27조목

197 只是:『朱子語類』 권29, 101조목에는 '只是' 앞에 '其實' 두 자가 더 있다.

198 『朱子語類』 권29, 101조목

199 『朱子語類』 권94, 87조목

200 『朱子語類』 권6, 54조목

인・의・예・지의 체용體用 구별에 대하여 물었다.

(주자가) 답했다. "음・양에서부터 본다면 인・예仁禮는 양에 속하고, 의・지義智는 음에 속한다. 인・예는 용이고, 의・지는 체이다. 봄과 여름은 양이고, 가을과 겨울은 음이다. 다만 인・의仁義를 가지고 말하면, 봄은 시작하고 여름은 자라나니 인仁이며, 가을은 수렴하고 겨울은 저장하니 의義이다. 만약 인・의・예・지를 가지고 말하면, 봄은 인仁이고 여름은 예禮이고 가을은 의義이고 겨울은 지智이다. 인・예仁禮는 펼쳐내는 것이고, 의義는 싸늘히 과감하게 단절하는 것이고, 지智는 거두어 저장하는 것이다."

[1-0-1-101]

"中正仁義分屬動靜, 而聖人則主於靜. 蓋正所以能中. 義所以能仁. '克己復禮', 義也. 義故能仁. 『易』言'利貞者, 性情也.' 元亨是發用處, 必至於利貞, 乃見乾之實體. 萬物到秋冬, 收斂成實, 方見得他本質, 故曰性情. 此亦主靜之說也."[201]

(주자가 말했다.) "중・정・인・의中正仁義는 동動과 정靜에 분속되지만, 성인은 정靜을 주로 한다. 왜냐하면 정正은 중中할 수 있게 하는 것이고, 의義는 인仁할 수 있게 하는 것이기 때문이다. '자기의 사사로움을 극복하고 예로 돌아옴[克己復禮]'은 의義이다. 의義하므로 인仁할 수 있다. 『역易』에 '이・정利貞은 성정性情이다.'[202]라고 말하였으니, 원・형元亨은 펼쳐 쓰는 것[發用]이고, 반드시 이・정利貞에 이르러서 이에 건乾의 실체를 본다. 만물은 가을・겨울에 이르러 수렴하고 열매를 맺어야 비로소 그 본질을 볼 수 있으므로 성정이라고 말하였다. 이 또한 정靜을 주로 하는 이론이다."

[1-0-1-102]

"'主靜'云者, 以其相資之勢言之, 則動有資於靜, 而靜無資於動. 如乾不專一, 則不能直遂, 坤不翕聚, 則不能發散. 龍蛇不蟄, 則無以奮, 尺蠖不屈, 則無以伸, 亦天理之必然也."[203]

(주자가 말했다.) "'정靜을 위주로 한다.'는 것에 있어서, 그 서로 의지하는 형세로 말하면, 동動은 정靜에 의지함이 있으나 정은 동에 의지함이 없다. 예컨대 건乾이 전일專一하지 않으면 곧게 나갈 수 없고, 곤坤이 닫아서 모으지 않으면 펴나갈 수 없는 것과 같다. 용과 뱀이 칩거하지 않으면 떨쳐 일어날 수 없고, 자벌레가 굽히지 않으면 펼 수 없으니, 역시 천리天理가 반드시 그런 것[必然]이다."

[1-0-1-103]

"太極首言性命之源, 用力處却在脩吉悖凶, 其本則主於靜."[204]

(주자가 말했다.) "『태극도설』 첫머리에 성명性命의 근원을 말하였는데, 힘쓸 곳은 도리어 '닦으면

201 『朱子語類』 권94, 92조목

202 이・정利貞은 성정性情이다. : 『周易』「乾卦・文言」

203 『朱文公文集』 권42 「答胡廣仲」

204 『朱子語類』 권94, 105조목

길吉하고 어기면 흉凶한 데'[205]에 있으며, 그 근본은 정靜을 주로 한다."

[1-0-1-104]

"小而言之, 飢食渴飮, 出作入息. 大而言之, 君臣父子, 夫婦朋友, 無非是天地之事. 只是這一箇道理, 所以君子脩之便吉, 小人悖之便凶. 這物事機關一下撥轉後, 便攔它不住. 如水車相似, 才踏發這機, 便住不得.[206] 所以聖賢一日二日萬機,[207] 兢兢業業, 如臨深淵, 如履薄氷. 只是大化恁地流行, 隨得是便好, 隨得不是便遏他不住.[208] 存心養性, 所以事天也. 夭壽不貳, 脩身以俟之, 所以立命也."[209]

(주자가 말했다.) "작게는 배고프면 먹고 목마르면 마시고 나가서 일하고 들어와 쉬는 것부터, 크게는 군신과 부자, 부부, 붕우에 이르기까지 천지의 일이 아닌 것이 없다. 다만 이 하나의 도리일 뿐이므로 군자는 이를 닦아서 곧 길하고, 소인은 이를 어겨서 곧 흉하다. 이것의 기관機關[210]이 한 번 돌기 시작한 후에는 곧 막을 수 없다. 예컨대 무자위水車처럼 이 고동(여기서는 무자위 바퀴를 돌리는 발판)을 밟자마자 곧 멈출 수 없다. 그러므로 성현은 하루 이틀 사이에 기미幾微가 만 가지나 됨에 삼가고 두려워하기를 깊은 못가에 선 듯이, 살얼음을 밟는 듯이 하였다. 다만 큰 조화造化가 이렇게 흘러가니 옳은 것을 따르면 곧 좋지만, 옳지 못한 것을 따르면 곧 이를 막을 수 없다. '마음을 보존하여 성을 기르는 것[存心養性]이 하늘을 섬기는 것이고, 요절夭折하든 장수長壽하든 번민하지 않으며, 몸을 닦고 기다리는 것은 천명을 세우는 것이다.'[211]"

[1-0-1-105]

"太極只是天地萬物之理. 在天地, 則天地中有太極, 在萬物, 則萬物中各有一太極."[212]

(주자가 말했다.) "태극은 천지 만물의 리일 뿐이다. 천지에서는 천지 속에 태극이 있고, 만물에서는 만물 속에 각각 하나의 태극이 있다."

205 닦으면 … 데 : 『太極圖說』 [1-8] 참조

206 便 : 『朱子語類』 권116, 30조목에는 '更'으로 되어 있다.

207 萬機 : '機'는 『朱子語類』 권94, 111조목에는 '幾'로 되어 있다. 또 『書』「皐陶謨」의 다음 글 참조. "삼가고 두려워하소서. 하루 이틀 사이에 기미가 만 가지나 됩니다.(兢兢業業. 一日二日萬幾)"

208 遏 : 『朱子語類』 권94, 111조목에는 '喝'로 되어 있다.

209 이 조목은 胡廣 등 편집자들이 『朱子語類』 권94, 111조목을 바탕으로 하고, 권116, 30조목을 참조하여 병합·윤문하였다.

210 기관機關 : 機는 쇠뇌의 발사장치로서 기계가 움직이도록 하는 부품이고, 關은 제동장치로서 기계가 멈추도록 하는 부품이다. 이처럼 시동장치와 제동장치가 결합되어 움직이는 기계를 '機關'이라 하는데, 사물이나 조직의 중심이나 핵심이 된다. 증기기관이나 내연기관 등이 이에 속한다.

211 『孟子』「盡心上」1 참조

212 『朱子語類』 권1, 1조목

[1-0-1-106]

問: "仁是柔, 如何屬剛. 義是剛, 如何却屬柔?"

曰: "仁剛陽是一㨾意思, 義柔陰是一㨾意思. 蓋仁本是柔物事, 發出却剛. 但看萬物發生時, 便恁地奮迅出來, 有剛底意思. 義本是剛底物事, 發出來却柔. 但看萬物肅殺時, 便恁地收斂憔悴, 有柔底意思."

又問: "揚子云, '於仁也剛, 於義也柔', 如何?"

曰: "仁體柔而用剛. 義體剛而用柔."

曰: "此豈所謂陽根陰, 陰根陽耶?"

曰: "然."[213]

물었다. "인은 유柔한 것인데 어째서 강剛에 속하고, 의는 강한 것인데 어째서 도리어 유에 속합니까?"

(주자가) 답했다. "인과 강과 양은 같은 뜻이고, 의와 유와 음은 같은 뜻이다. 대개 인은 본래 유한 것이나 발출할 때는 도리어 강하다. 다만 만물이 발생할 때를 보면 곧 이렇게 분출하니 강의 뜻이 있다. 의는 본래 강한 것이나 발출할 때는 도리어 유하다. 다만 만물이 싸늘하게 죽어갈 때를 보면 곧 이렇게 수렴하여 초췌하니 유의 뜻이 있다."

또 물었다. "양자揚子[214]가 '인에서 강하고 의에서 유하다.'[215]는 말은 어떻습니까?"

(주자가) 답했다. "인은 체는 유하나 용은 강하고, 의는 체는 강하나 용은 유하다."

물었다. "이것이 이른바 '양은 음에 뿌리를 두고 음은 양에 뿌리를 둔다.'는 것입니까?"

(주자가) 답했다. "그렇다."

[1-0-1-107]

"極, 至也. 三極, 天地人之至理. 三才各一太極也."[216]

(주자가 말했다.) "극極은 지극이다. 세 개의 극은 천·지·인天地人의 지극한 리이다. 삼재三才가 각각 하나의 태극을 가졌다."

[1-0-1-108]

"易者, 陰陽之變, 太極者, 其理也."[217]

(주자가 말했다.) "역易은 음양의 변화이고, 태극은 그 리이다."

213 『朱子語類』 권77, 32조목

214 양자揚子 : 揚雄(BC 53~18)이고, 자는 子雲이다.

215 '인에서 … 유하다.' : 『法言』「君子篇」의 다음 글 참조. "어떤 이가 군자의 柔와 剛에 대하여 물었다. 답하였다. '군자는 仁에서는 柔하고, 義에서는 剛하다.'(或問 : 君子之柔剛. 曰 : 君子於仁也柔,, 於義也剛.)"

216 『周易本義』「繫辭上」 2장

217 『周易本義』「繫辭上」 11장

[1-0-1-109]

"易有太極者, 象數未形而其理已具之稱, 形器旣具而其理無眹之目."[218]

(주자가 말했다.) "'역易에 태극이 있다.'는 것은 상수象數는 아직 드러나지 않았으나 그 리는 이미 갖추어졌다는 것을 지칭指稱하는 것이고, 형기形器는 이미 갖추어졌으나 그 리는 조짐이 없다는 것을 지목指目하는 것이다."

[1-0-1-110]

"太極之義, 正謂理之極致耳. 有是理卽有是物, 無先後次第之可言. 故曰易有太極, 則是太極乃在陰陽之中, 而非在陰陽之外也."[219]

(주자가 말했다.) "태극의 뜻은 바로 리의 극치를 말한 것뿐이다. 이 리가 있으면 곧 이 물건이 있는 것이니, 말할 만한 선후나 차례가 없다. 그러므로 '역에 태극이 있다.'고 하면, 이는 태극이 곧 음양 속에 있는 것이지, 음양 밖에 있는 것이 아니다."

[1-0-1-111]

"周子說[220]太極, 和陰陽衮說, 易中便擡起說. 周子言'太極動而生陽, 靜而生陰', 動時便是陽之太極,[221] 靜時便是陰之太極. 蓋太極卽在陰陽裏. 如'易有太極是生兩儀', 則先從實理處說. 若論其生則俱生, 太極依舊在陰陽裏. 但言其次序, 須有這實理, 方始有陰陽也, 其理則一."[222]

(주자가 말했다.) "주자周子가 태극을 말할 때는 음양과 섞어서 말하였고, 『역易』에서는 대두擡頭시켜 말하였다. 주자周子가 '태극이 동하여 양을 생하고 정하여 음을 생한다.'고 말하였으니, 동할 때는 바로 양의 태극이고, 정할 때는 바로 음의 태극이다. 왜냐하면 태극이 바로 음양 속에 있기 때문이다. '역易에 태극이 있고, 이것이 양의를 생한다.'[223]의 경우는 우선 실리實理로부터 말한 것이다. 만약 그 생을 논하면, 함께 생하여 태극이 여전히 음양 속에 있다. 그러나 그 차례를 말하면, 반드시 이 실리가 있어야 비로소 음양이 있으니, 그 리는 하나다."

[1-0-1-112]

"易有太極, 便是下面兩儀四象八卦. 自三百八十四爻總爲六十四, 自六十四總爲八卦, 自八卦總爲四象, 自四象總爲兩儀, 自兩儀總爲太極. 以物論之, 易之有太極, 如木之根, 浮圖之

218 『易學啓蒙』 권2 「原卦畫」

219 『朱文公文集』 권37 「答程可久」

220 周子說 : 『朱子語類』 권75, 83조목에는 '周子康節說'로 되어 있다.

221 動時便是陽之太極 : 『朱子語類』 권75, 83조목에는 이 글 앞에 "如言太極動是陽 動極而靜 靜便是陰" 15자가 더 있다.

222 『朱子語類』 권75, 83조목

223 '역易에 … 생한다. : 『周易』「繫辭上」 11장

頂, 是有形之極. 太極却不是一物, 無方所頓放, 是無形之極. 故周子曰無極而太極, 是他說得有功處. 夫太極之所以爲太極, 却不離乎兩儀四象八卦. 如一陰一陽之謂道, 指一陰一陽爲道則不可, 而道則不離乎陰陽也."[224]

(주자가 말했다.) "'역易에 태극이 있는 것'은 바로 아래의 양의·사상·팔괘이다. 384효로부터 총괄하여 64괘가 되고, 64괘로부터 총괄하여 팔괘가 되고, 팔괘로부터 총괄하여 사상四象이 되고, 사상으로부터 총괄하여 양의兩儀가 되고, 양의로부터 총괄하여 태극이 된다. 물건을 가지고 논하면, 역易에 태극이 있는 것은 나무의 뿌리나 불탑佛塔의 꼭대기와 같으니, 이것은 형태가 있는 극極이다. 태극은 도리어 하나의 물건이 아니므로 위치나 차지하는 자리가 없으니, 이것은 무형의 극이다. 그러므로 주자周子가 '무극이면서 태극이다.'라고 하였는데, 이 말에 그의 공로가 있다. 태극이 태극이 된 까닭은 도리어 양의·사상·팔괘를 떠나지 않는 것이다. 예컨대 '한 번 음하고 한 번 양하는 것을 도라 한다.'를 하나의 음과 하나의 양이 도라고 지목하면 안 되지만, 도는 음양을 떠나지 않는다."

[1-0-1-113]

"易, 變易也, 兼指一動一靜已發未發而言之也. 太極者, 性情之妙也, 乃一動一靜未發已發之理也. 故曰易有太極, 言卽其動靜闔闢而皆有此理也."[225]

(주자가 말했다.) "역易은 변역變易이니, 한 번 동하고 한 번 정하는 것과 이발·미발을 겸하여 말한 것이다. 태극은 성정性情의 묘함이니, 곧 한 번 동하고 한 번 정하는 것과 이발·미발의 리이다. 그러므로 '역에 태극이 있다.'고 하였으니, 동정과 열고 닫음에 모두 리가 있다는 말이다."

[1-0-1-114]

或問太極.

"曰: 未發便是理, 已發便是情, 如動而生陽便是情."[226]

어떤 사람이 태극을 물었다.

(주자가 말했다.) "미발은 바로 리이고, 이발은 바로 정情이니, 동하여 양을 생한 것이 바로 정情인 것과 같다."

[1-0-1-115]

勉齋黃氏曰: "極之得名, 以屋之脊棟爲一屋之中居高處, 盡爲衆木之總會, 四方之尊仰, 而舉一屋之木莫能加焉. 故極之義雖訓爲至, 而實則以有方所形狀而指名也. 如北極, 皇極, 爾極, 民極之類, 皆取諸此. 然皆以物之有方所形狀適似於極, 而具極之義, 故以極明之. 以物喩物, 蓋無難曉. 惟大傳以易之至理, 在易之中爲衆理之總會, 萬化之本原, 而舉天下之

224 『朱子語類』 권75, 87조목
225 『朱文公文集』 권42 「答吳晦叔」
226 『朱子語類』 권94, 38조목

理莫能加焉. 其義莫可得名, 而有類於極, 於是取極名之, 而係以太, 則其尊而無對, 又非它極之比也. 然則太極者, 特假是物以名是理. 雖因其有方所形狀以名, 而非有方所形狀之可求. 雖與他書所用極字取義略同, 而以實喩虛, 以有喩無, 所喩在於言外, 其意則異. 周子有見於此, 恐夫人以它書閑字之例求之, 則或未免滯於方所形狀, 而失聖人取喩之意. 故爲之言曰, 無極而太極, 蓋其措辭之法, 猶曰無形而至形, 無方而大方, 欲人知夫非有是極而謂之太極, 亦特托於極以明理耳.

면재 황씨勉齋黃氏[227]가 말했다. "(태극에서) 극極이란 이름을 얻은 것은 가옥의 마룻대[脊棟](上梁)가 한 가옥의 높은 곳에 있으면서 모든 목재가 모이고 사방四方이 우러르는 곳이라서 가옥의 어떤 재목도 이를 능가할 수 없기 때문이다. 그러므로 극極의 뜻이 비록 '지극至極'이기는 하지만 사실은 위치나 모양이 있기 때문에 붙여진 이름이다. 예컨대 북극北極, 황극皇極[228], 이극爾極[229], 민극民極[230] 등도 다 이를 취한 것이다. 그러나 이들은 모두 물건에 있는 위치와 모양이 마치 마룻대[極]와 같고, 지극하다는 뜻을 갖추었기 때문에 극極으로써 설명하였다. 물건을 물건으로 비유하는 것은 아마도 이해하기 어려울 것이 없을 것이다. 오직 『대전大傳』에 있는 역易의 지극한 리는, 역易 속의 뭇 리가 다 모이고 온갖 조화造化의 본원이 되어, 천하의 어떤 리도 이를 능가할 수 없다. 그 의미는 이름을 붙일 수 없으나, 마룻대[極]와 비슷하므로 이에 극極을 취해서 이름 붙이고 '크다[太]'는 말을 추가하였으니, 존귀하여 상대가 없고 또 다른 극이 견줄 바가 아니다. 결국 태극이란 다만 이 물건을 빌려서 이 리에 이름을 붙인 것이다. 비록 위치와 모양이 있는 것으로 이름을 붙이기는 하였지만, 찾을 만한 위치나 모양이 있는 것은 아니다. 비록 다른 책에서 사용한 극과 그 의미는 대략 같지만, 꽉 찬 것으로써 텅 빈 것을 비유하고, 있는 것으로써 없는 것을 비유하여 그 비유한 것이 말 밖言外에 있으니, 그 뜻은 다르다. 주자周子가 이를 보고서, 사람들이 다른 책의 간단한 용례처럼 생각하면 혹 위치와 모양에 얽매여 성인이 비유한 뜻을 놓치지 않을까 두려워하였다. 그러므로 이것에 대해 말하기를 '무극이면서 태극이다.'라고 하였으니, 그 말을 만든 방법이 '모양이 없으면서 지극한 모양이고, 모서리가 없으면서 큰 모서리이다.'고 말한 것과 같으니, 마룻대가 있기 때문에 태극이라고 말한 것이 아니며, 역시 다만 마룻대에 의탁하여 리를 밝혔을 뿐임을 알게 하고자 한 것이다.

又曰, '太極本無極也' 蓋謂之極, 則有方所形狀矣, 故又反而言之謂無極云耳. 本非有極之實, 欲人不以方所形狀求, 而當以意會於此. 其反覆推本聖人所以言太極之意, 最爲明白. 後之讀者, 字義不明, 而以中訓極, 已爲失之. 然又不知極字但爲取喩, 而遽以理言. 故不惟

227 면재 황씨勉齋黃氏 : 黃榦(1152~1221) 자는 直卿이고, 호는 勉齋이다. 朱子의 고족제자이며 사위이다.

228 황극皇極 : 『書經』「洪範」의 다음 글 참조. "다섯째는 세우기를 皇極으로서 함이오.(五曰建用皇極)"

229 이극爾極 : 『詩經』「淸廟之什 · 思文」의 다음 글 참조. "우리 모든 백성에게 쌀밥을 먹게 하신 것은 너의 極이 아님이 없도다.(立我烝民, 莫匪爾極.)"

230 민극民極 : 『書經』「君奭」의 다음 글 참조. "앞 사람이 마음을 펴서 다 너에게 명하여 너를 民極으로 삼으셨다.(前人敷乃心, 乃悉命汝, 作汝民極.)"

理不可無，於周子無極之語有所難通．且太極之爲至理，其辭已足，而加以無極，則誠似於贅者矣．因見象山論無極書，正應不能察此，而輒肆於麤辨．爲之竊歎，故著其說如此云．"[231]
또 '태극은 본래 무극이다.'라고 하였는데, 대개 '극極'이라고 하면 위치와 모양이 있게 되므로 또 반대로 말하여 '무극'이라고 하였을 뿐이다. 본래 실제로 극이 있는 것이 아니므로 사람들이 위치와 모양을 찾지 않고, 꼭 의미로서 이를 이해하도록 하고자 하였다. 성인이 태극이라고 말한 까닭을 반복하여 추리해 보면 가장 명백해질 것이다. 훗날 독자가 글자의 뜻이 분명하지 않아 극을 '가운데[中]'라는 뜻으로 해석한 것은 이미 잘못이다. 그러나 또 극이 다만 비유한 것임을 알지 못하고 갑자기 리라고 말한다. 그러면 리가 없어서는 안 될 뿐만 아니라, 주자周子의 무극이라는 말과도 통하기 어렵게 된다. 또 태극은 지극한 리라는 말만으로도 이미 족한데, 무극을 추가한 것은 진실로 군더더기에 가깝다. 이에 상산象山 육구연陸九淵이 무극을 논한 글이 바로 이를 살피지 못하고 문득 거친 논변을 함부로 하는 것을 보고, 이를 가만히 탄식하면서 그 주장은 이러한 것임을 밝힌다."

[1-0-1-116]

"未有五行，只得喚做陰陽，旣有五行，則陰陽在五行之中矣．"[232]
(면재 황씨가 말했다.) "아직 오행이 있기 전에는 단지 음양이라고 부를 수 있고, 이미 오행이 있으면, 음양은 오행 속에 있다."

[1-0-1-117]

"太極只是極至之理，不可形容，聖賢只說到一陰一陽處住．只是箇一陰一陽底道理，所以天地寒暑晝夜生死，千變萬化都只是一搽．分而言之，則一物各具一陰陽．合而言之，則萬物總具一陰陽耳．"[233]
(면재 황씨가 말했다.) "태극은 지극한 리일 뿐이라서 형용할 수 없으니, 성현은 다만 한 번 음하고 한 번 양하는 곳을 말하고 그쳤다. 다만 한 번 음하고 한 번 양하는 도리일 뿐이므로 하늘·땅, 추위·더위, 밤·낮, 삶·죽음 등 천만 가지 변화가 모두 다만 하나의 모습이다. 나누어 말하면 하나의 물건이 각각 하나의 음양을 갖추었고, 합하여 말하면 만물 전체가 하나의 음양을 갖추었을 뿐이다."

[1-0-1-118]

北溪陳氏曰："所謂'無極而太極'，'而'字只輕接過，不可就此句中間截作兩截看．無極只是說理無形狀，無方體，正猶言無聲無臭之類．太之爲言甚也，太極是極至之甚，無可得而形容，

231 이 글은 『周元公集』「無極而太極辯」에 나오는데, 여기서는 程頤의 저술로 되어 있어 勉齋 黃氏說인지의 여부는 확인하기 어렵다.
232 『四書大全』「大學或問」經一章
233 『勉齋集』 권13 「復甘吉甫」

故以太名之."[234]

북계 진씨北溪陳氏[235]가 말했다. "이른바 '무극이면서 태극이다.'에서 '이면서[而]'라는 말은 가볍게 잇는 것이니, 이 구절 중간에서 둘로 끊어보면 안 된다. 무극은 다만 리에 모양이 없고 방위와 체질이 없다고 말한 것뿐이니, 바로 소리나 냄새가 없다고 말한 것들과 같다. '크다[太]'라는 말은 심하다는 뜻이니, 태극은 지극함이 심한 것이어서 형용할 수 없으므로 '크다[太]'라고 이름 붙였다."

[1-0-1-119]

"太極之所以爲極至者, 言此理至中至正, 至精至粹, 至神至妙, 至矣盡矣, 不可以復加矣. 故強名之曰極."[236]

(북계 진씨가 말했다.) "태극이 지극인 까닭은 이 리가 지극히 중정中正하고, 지극히 정밀순수하고, 지극히 신묘하다고 말한 것이니, 지극하고 극진하여 다시 보탤 것이 없다. 그러므로 억지로 극極이라고 이름 붙였다."

[1-0-1-120]

"未有天地萬物, 先有此理. 然此理不是懸空在那裏. 纔有天地萬物之理, 便有天地萬物之氣, 纔有天地萬物之氣, 則此理便全在天地萬物之中. 周子所謂'太極動而生陽, 靜而生陰', 是有這動之理, 便能動而生陽. 纔動而生陽, 則是理便已具於陽動之中. 有這靜之理, 便能靜而生陰. 纔靜而生陰, 則是理便已具於陰靜之中. 然則纔有理, 便有氣, 纔有氣, 則理便全在這氣裏面. 那相接處全無些小縫罅, 如何分得孰爲先, 孰爲後? 所謂'動靜無端, 陰陽無始'. 分別得先後, 便偏去一邊, 非渾淪極至之物."[237]

(북계 진씨가 말했다.) "아직 천지 만물이 있기 이전에 먼저 이 리가 있다. 그러나 이 리가 공중에 걸려 있는 것은 아니다. 천지 만물의 리가 있자마자 바로 천지 만물의 기氣가 있고, 겨우 천지 만물의 기가 있으면 이 리가 곧 완전히 천지 만물 속에 있다. 주자周子가 말한 '태극이 동하여 양을 생하고, 정하여 음을 생한다.'는 것은 이 동의 리가 있으면 바로 동하여 양을 생할 수 있다는 것이다. 겨우 동하여 양을 생하면 이 리가 곧 이미 '양동陽動' 속에 갖추어진다. 이 정의 리가 있으면 바로 능히 정하여 음을 생할 수 있다. 겨우 정하여 음을 생하면 이 리가 곧 음정陰靜 속에 갖추어진다. 그러면 겨우 리가 있으면 바로 기가 있고, 겨우 기가 있으면 리가 곧 완전히 그 기 속에 있다. 그 서로 이어진 곳에 미세한 꿰맨 자국조차도 없으니, 어떻게 무엇이 먼저이고 무엇이 나중이라고 나눌 수 있겠는가? 이른바 '동과 정에 끝이 없고, 음과 양에 시작이 없다.'는 것이다. 선후를 나눌 수 있으면 곧 한쪽에 치우쳐 버린 것이니 혼륜渾淪하고[238] 지극한 물건이 아니다."

234 『北溪字義』 卷下 「太極」
235 북계 진씨北溪陳氏 : 陳淳(1159~1223)의 자는 安卿이고, 호는 北溪이다.
236 『北溪字義』 卷下 「太極」
237 『北溪字義』 卷下 「太極」

[1-0-1-121]

"分而爲五，非有欠，合而爲一，非有餘."[239]

(북계 진씨가 말했다.) "나누어서 다섯이 되어도 모자라지 않고, 합하여 하나가 되어도 남지 않는다."

[1-0-1-122]

"言太極渾淪之妙用，自無而入於有，自有而復於無，又只是渾淪一無極也."[240]

(북계 진씨가 말했다.) "온전한 태극의 묘용妙用을 말하면, 없음에서 있음으로 들어가고, 있음에서 다시 없음으로 돌아가니, 또 다만 온전한 하나의 무극일 뿐이다."

[1-0-1-123]

"五者謂之五常，亦謂之五性. 然造化上推原來，只是五行之德. 仁，在五行爲木之神，在人性爲仁. 義，在五行爲金之神，在人性爲義. 禮，在五行爲火之神，在人性爲禮. 智，在五行爲水之神，在人性爲智. 人性中只有仁義禮智四位，却無信位. 如五行，木位東，金位西，火位南，水位北，而土無定位，只寄處於四位之中. 木屬春. 火屬夏. 金屬秋. 水屬冬. 而土無專氣，只分王於四季之間. 四行無土，便都無所該載，猶仁義禮智無信，便都不實了，則仁義禮智之實理便是信，信却易曉. 仁義禮智，須逐件看得分明，又要合聚看得脈絡不亂."[241]

(북계 진씨가 말했다.) "다섯 가지를 오상五常이라 하고, 또 오성五性이라고도 한다. 그러나 조화造化로부터 미루어보면 다만 오행의 덕德일 뿐이다. 인仁은 오행에 있어서는 목木의 신神이 되고, 인성에서는 인이 된다. 의義는 오행에 있어서는 금金의 신이 되고, 인성에서는 의가 된다. 예禮는 오행에 있어서는 화火의 신이 되고, 인성에서는 예가 된다. 지智는 오행에 있어서는 수水의 신이 되고, 인성에서는 지가 된다. 인성 중에는 다만 인・의・예・지 네 자리가 있을 뿐이고, 도리어 신信의 자리는 없다. 예컨대, 오행에서 목은 동쪽에 있고, 금은 서쪽에 있고, 화는 남쪽에 있고, 수는 북쪽에 있으나, 토는 정해진 위치가 없고, 단지 사방四方 가운데에 의탁한다. 목은 봄에 속하고, 화는 여름에 속하고, 금은 가을에 속하고, 수는 겨울에 속하나, 토는 전용專用하는 기가 없고, 다만 네 계절 사이사이에 왕성함을 분배한다. 사행四行에 토가 없으면 바로 모두 실을 곳이 없는 것은, 인・의・예・지에 신信이 없으면 바로 모두 부실不實해지는 것과 같으니, 인・의・예・지의 실리實理가 곧 신이다. 이에 신은 도리어 이해하기 쉽다. 인・의・예・지는 반드시 하나하나 분명하게 이해해야 하고, 또

238 혼륜渾淪하고 : 혼륜은 하늘과 땅이 아직 나뉘기 전 여러 氣가 한 덩어리로 섞여 있는 모습이다. 그러나 그 한 덩어리 속에는 부족함이 없이 모든 것이 완전하고 완벽하게 豫備되어 있다. 예를 들어 말하면 精子와 卵子가 만나 이루어진 受精卵은 두 氣가 만났지만 하나로 혼융되어 있으면서도 나중에 아기로 자라나는 데에 전혀 부족함이 없이 온전하고 완전하고 완벽하다. 혼륜은 둘을 머금은 하나의 덩어리인데, 문맥에 따라 전체, 온전히, 온통, 덩어리 등으로 번역하였다. 그렇더라도 여러 의미가 본래 혼융되어 있다.

239 『北溪大全集』 권42

240 『北溪大全集』 권42 「答陳伯藻再問太極」

241 『北溪字義』 卷上 「仁義禮智信」

합쳐서도 맥락이 혼란스럽지 않게 이해해야 한다."

[1-0-1-124]

問: "智是知得確定, 在五行何以屬水?"

曰: "水淸明可鑑似智, 又是造化之根本. 凡天地間萬物, 皆得水方生. 只看地下泉脈滋潤, 何物不資之以生. 亦猶萬事非智不可, 須知得確定方能成. 此水於萬物所以成始而成終, 而智亦萬事之所以成終而成始也."[242]

물었다. "지智는 확실히 아는 것인데, 오행에서 어째서 수水에 속합니까?"

(북계 진씨가) 답했다. "수水는 맑고 밝아서 비춰볼 수 있는 것은 지智와 같고, 또 조화造化의 근본이다. 무릇 하늘과 땅 사이의 만물은 다 수水를 얻어서 비로소 생긴다. 다만 지하수가 풍부하게 흐르는 것을 보면, 어떤 것인들 여기에 의지하지 않고 생겼겠는가. 역시 모든 일이 지智가 아니면 안 되고, 반드시 확실히 알아야 비로소 이룰 수 있는 것과 같다. 이것이 수水가 만물에 있어서 시작을 이루고 끝을 이루는 까닭이고, 지智 또한 모든 일의 끝을 이루고 시작을 이루는 까닭이다."

[1-0-1-125]

"聖人一心, 渾淪太極之全體, 而酬酢萬變, 無非太極流行之用. 學問功夫, 須從萬事萬物中串過, 湊合成一渾淪大本, 中散爲萬事萬物, 使無少窒礙. 然後實體得渾淪至極者在我, 而大用不差矣."[243]

(북계 진씨가 말했다.) "성인의 한 마음[心]은 혼륜한 태극 전체(部分이 아닌)이고, 온갖 변화에 대한 대응은 태극이 유행하는 용用이 아닌 것이 없다. 학문 공부는 반드시 만사만물을 꿰어 모아서 하나의 혼륜한 큰 근본[大本]을 완성하고, 다시 흩어서 만사만물이 될 때에는 조금도 막힘이 없게 해야 한다. 그 후에 혼륜하고 지극한 것(太極)이 나에게 있는 것을 실제로 체득하면 큰 용[大用]이 어긋나지 않을 것이다."

[1-0-1-126]

"太極只是渾淪極至之理, 非可以氣形言. 古經書說太極, 惟見於易繫辭傳曰易有太極. 易只是陰陽變化, 其所以爲陰陽變化之理, 則太極也."[244]

(북계 진씨가 말했다.) "태극은 다만 혼륜하고 지극한 리이니, 형기形氣로써 말할 수 없다. 옛 경서에서 말한 태극은, 오직 『주역』 「계사전」의 '역易에 태극이 있다.'에서 보인다. 역은 다만 음양의 변화일 뿐이고, 음양으로 변화하게 하는 리가 곧 태극이다."

242 『北溪字義』 卷上 「仁義禮智信」
243 『北溪大全集外集』「有宋北溪先生主簿陳公墓誌銘 敍述」
244 『北溪字義』 卷下 「太極」

[1-0-1-127]

"三極之道, 三極云者, 只是三才極至之理. 其謂之三極者, 以是三才之中各具一太極, 而太極之妙無不流行於三才之中也. 外此, 百家諸子都說屬氣形去, 差了. 如漢志謂太極函三爲一, 乃是指做天地人三箇氣形已具, 而渾淪未判底物. 老子說'有物混成, 先天地生', 此正是指太極. 莊子謂'道在太極之先', 所謂太極, 亦是指三才未判渾淪底物. 而道又別是一箇懸空底物在太極之先, 則道與太極分爲二矣, 不知道卽是太極. 道是以理之通行者而言, 太極是以理之極至者而言, 何嘗有二理耶."[245]

(북계 진씨가 말했다.) "삼극三極의 도에서 삼극이라 하는 것은, 다만 삼재三才의 지극한 리일 뿐이다. 삼극이라고 말한 것은 삼재 중에 각각 하나의 태극을 갖추었고, 태극의 묘가 삼재 속에 유행하지 않음이 없기 때문이다. 이 밖에 제자백가가 모두 형기形氣에 소속시켜 말한 것은 잘못이다. 예컨대 『한서漢書』「율력지律曆志」에 '태극이 셋을 머금어서 하나가 되었다.'[246]는 것은 곧 천·지·인 셋의 형기가 이미 갖추어졌으나 아직 나뉘지 않은 덩어리임을 가리킨 것이다. 노자老子가 '어떤 것이 혼돈한데 천지보다 먼저 생겼다.'[247]는 것은 바로 태극을 가리킨 것이다. 장자莊子가 '도가 태극 앞에 있다.'[248]고 한 데서, 이른바 태극은 역시 삼재가 아직 나뉘지 않고 한 덩어리인 것을 가리킨 것이다. 도가 또 허공에 매달려서 태극 앞에 별도로 있다면 도와 태극이 나뉘어 둘이 될 것이니, 도가 바로 태극임을 알지 못한 것이다. 도는 리가 통행하는 것을 말한 것이고, 태극은 리가 지극한 것을 말한 것이니, 어찌 두 리가 있겠는가."

[1-0-1-128]

萍鄕胡氏曰: "先師文公有云, '無極卽是無形, 太極卽是有理.' 今雖多爲之詞, 無以易此言矣. 然則邵子所謂'道爲太極, 心爲太極,' 何耶."

曰: "先師所釋, 以名義言之也, 邵子'道爲太極', 以流行者言之也. '心爲太極', 以統會者言之也. 流行者, 萬物各具一理. 統會者, 萬理同出一原. 不知統會, 無以操存. 不識流行, 無以處物."

평향 호씨萍鄕胡氏[249]가 말했다. "선사先師 문공文公께서 '무극은 곧 무형이고, 태극은 곧 리가 있는 것이다.'[250]고 하셨는데, 지금 비록 많은 말들이 있지만 이 말을 바꿀 것은 없습니다. 그렇다면 소자邵子가 말한 '도가 태극이다. 심心이 태극이다.'[251]는 어떻습니까?"

245 『北溪字義』 卷下 「太極」
246 '태극이 … 되었다.': 『漢書』 권21上 「律曆志」 1上의 다음 글 참조. "태극 원기는 셋을 머금어서 하나가 되었다.(太極元氣函三爲一.)"
247 '어떤 … 생겼다.': 『老子』 25장
248 '도가 … 있다.': 『莊子』 「大宗師」
249 평향 호씨萍鄕胡氏: 胡安之의 자는 叔器이고 萍鄕人이다.
250 '무극은 … 것이다.': 『朱文公文集』 권36 「答陸子美」
251 '도가 … 태극이다.': 『皇極經世書』 권14 「觀物外篇下」

답하였다. “선사께서 해석한 것은 말의 의미를 말한 것이고, 소자의 ‘도가 태극이다.’는 유행하는 것으로써 말한 것이고, ‘심이 태극이다.’는 통회統會(모아서 통솔함)하는 것으로서 말한 것이다. 유행은 만물이 각각 하나의 리를 갖춘 것이고, 통회는 만 가지 리가 하나의 근원에서 같이 나온 것이다. 통회를 알지 못하면 조존操存할 수 없고, 유행을 알지 못하면 만물을 처치할 수 없다.”

[1-0-1-129]

節齋蔡氏曰: “易有太極. 易, 變易也, 夫子所謂無體之易也. 太極, 至極也, 言變易無體而有至極之理也. 先儒皆以太極二字便爲萬化之原, 而於易之一字, 但目爲易書. 故周子太極圖說, 特以無極而太極發明易有太極之旨. 其所謂無極而太極者, 蓋亦言其無體之易而有至極之理也. 是其無極之眞, 實有得於夫子之一言, 而或以爲周子妄加者, 繆也.”[252]

절재 채씨節齋蔡氏[253]가 말했다. “‘역에 태극이 있다.’에서 역은 변역變易이니, 공자가 말한 ‘형체가 없’는[254] 역이다. 태극은 지극이니, 변역하고 형체가 없으나 지극한 리가 있음을 말한 것이다. 선유들 모두가 태극을 만 가지 조화造化의 근원이라고 여겼으나, ‘역’이라는 말에 대해서는 다만 『역』이라는 책으로 지목하였다. 그러므로 주자周子가 『태극도설』에서 다만 ‘무극이면서 태극이다.’라는 말로 ‘역에 태극이 있다.’는 말의 뜻을 밝혔다. 그 이른바 ‘무극이면서 태극이다.’는 대개 형체가 없는 역이면서도 지극한 리가 있음을 말한 것이다. 이것이 ‘무극의 진리’이며, 실로 공자의 한마디에서 얻은 것이니, 혹 주자周子가 망령되게 추가하였다는 생각은 잘못이다.”

[1-0-1-130]

“夫子言‘有’者, 主易而爲言也, 周子言‘無’者, 主太極而爲言也. 主易則易無體, 故曰‘有’. 主太極則太極有眹, 故曰‘無’. 曰有曰無, 由所主不同耳. 然其理未嘗不同也.”[255]

(절재 채씨가 말했다.) “공자가 ‘있다[有]’고 말한 것은 ‘역易’을 주로 하여 말한 것이고, 주자周子가 ‘없다[無]’고 말한 것은 태극을 주로 하여 말한 것이다. ‘역’을 주로 하면 ‘역’에는 형체가 없으므로 ‘있다’고 하고, 태극을 주로 하면 태극에는 조짐이 있으므로 ‘없다’고 한다. ‘있다’ 하고, ‘없다’ 하는 것은 주로 하는 것이 다르기 때문일 뿐이다. 그러나 그 리는 다른 적이 없다.”

或曰: “夫子何爲主易, 而周子何爲主太極?”
曰: “夫子贊易, 則當主易. 周子作太極圖, 則當主太極, 又何疑焉.”
어떤 이가 물었다. “공자는 왜 ‘역易’을 주로 하고, 주자周子는 왜 태극을 주로 하였습니까?”
(절재 채씨가) 답했다. “공자가 『역』을 칭송하려면 당연히 ‘역易’을 주로 해야 하였고, 주자周子가

252 『近思錄』 권1 葉采(섭채) 集解
253 절재 채씨節齋蔡氏: 蔡淵(1156~1236)의 자는 伯靜이고, 호는 節齋이며, 채원정의 아들이다.
254 ‘형체가 없’는: 『易』「繫辭上」 4장의 다음 글 참조. “神은 방향이 없고 易은 형체가 없다.(神無方而易無體.)”
255 宋 史繩祖, 『學齋佔畢』 권1 「無極而太極即易有太極」

「태극도」를 지으려면 당연히 '태극'을 주로 해야 하였을 것이니, 또 어찌 이것을 의심하는가?"

[1-0-1-131]

西山眞氏曰: "無極而太極, 豈太極之上別有所謂無極哉, 不過謂無形無象而至理存焉耳. 蓋極者, 至極之理也. 窮天下之物, 可尊可貴孰有加於此者? 故曰太極也. 世之人以北辰爲天極, 以屋脊爲屋極, 此皆有形而可見者. 周子恐人亦以太極爲一物, 故以無極二字加於其上, 猶言本無一物, 只有此理也. 自陰陽以下, 則麗乎形氣矣. 陰陽未動之前, 則是此理,[256] 豈有物之可名耶? 卽吾一心而觀之, 方喜怒哀樂之未發也, 渾然一性而已. 無形無象之中, 萬理畢具, 非所謂無極而太極乎."[257]

서산 진씨西山眞氏[258]가 말했다. "무극이면서 태극이니, 어찌 태극 위에 별도로 이른바 무극이 있겠는가? 형상이 없으나 지극한 리가 있다고 말한 것에 지나지 않을 뿐이다. 대개 '극'은 지극한 리이다. 온 천하 만물 중에 무엇이 이보다 더 존귀尊貴하겠는가? 그러므로 '태극'이라고 하였다. 세상 사람이 북극을 하늘의 극으로 여기고, 마룻대를 가옥의 극으로 여기는데, 이것은 다 모양이 있어서 볼 수 있는 것이다. 주자周子가 사람들이 또 태극을 한 물건으로 여길까 봐서 무극이라는 말을 그 위에 보탰으니, 본래 한 물건도 없고 다만 이 리가 있을 뿐이라고 말한 것과 같다. 음양 이하는 형기形氣에 걸려 있다. 음양이 아직 동하기 전에는 이 리일 뿐이니, 어찌 이름 붙일 만한 물건이 있겠는가? 곧 나의 한 마음에서 보면 희노애락喜怒哀樂이 미발하여서는 온통 하나의 성性일 뿐이다. 형상이 없는 속에 만 가지 리가 갖추어졌으니, 이른바 '무극이면서 태극'이 아니겠는가?"

[1-0-1-132]

黃氏巖孫曰: "通書云, '水陰根陽, 火陽根陰.' 注, '水陰也, 而生於一, 則本乎陽. 火陽也, 而生於二, 則本乎陰.' 正圖書相表裏之意. 又云, '五殊二實,' 亦當與此參觀."

황씨암손[259]가 말했다. "『통서通書』에 이르기를 '수水는 음으로서 양에 뿌리를 두었고, 화火는 양으로서 음에 뿌리를 두었다.'[260]고 하였다. 주석에 '수는 음인데 일一에서 생하였으니 양에 뿌리를 둔 것이다. 화는 양인데 이二에서 생하였으니 음에 뿌리를 둔 것이다.'[261] 하였으니, 이는 바로 「태극도」와 『통서』가 서로 표리관계라는 뜻이다. 또 이르기를 '다섯 가지가 다름은 두 가지 실함이다.'[262]고 한 것도 역시 이것과 함께 참고해서 보아야 한다."

256 則: 『西山文集』 권31 「問太極中庸之義」에 '只'로 되어 있다.
257 『西山文集』 권31 「問太極中庸之義」
258 서산 진씨西山眞氏: 眞德秀(1178~1235)의 호는 西山이고, 자는 景元이다.
259 황씨암손: 黃巖孫의 자는 景傳이다.
260 '수水는 … 두었다.': 『通書』「動靜」
261 '수는 … 것이다.': 『通書解』「動靜」
262 '다섯 … 실함이다.': 『通書』「理性命」

[1-1]

無極而太極

무극이면서 태극이다.[263]

[1-1-1]

'上天之載, 無聲無臭,' 而實造化之樞紐, 品彙之根柢也. 故曰'無極而太極.' 非太極之外復有無極也.

'하늘의 일은 소리도 냄새도 없으나'[264] 사실은 조화造化의 중추中樞(지도리)이고, 온갖 물건의 뿌리이다. 그러므로 '무극이면서 태극'이라고 하였으니, 태극 이외에 무극이 더 있는 것은 아니다.

[1-1-1-1]

問: "『太極解』引'上天之載, 無聲無臭,' 此'上天之載'只是太極否?"

朱子曰: "蒼蒼者是'上天', 理在載字上."[265]

물었다. "『태극해太極解』에서 '하늘의 일은 소리도 냄새도 없다.'를 인용하였는데, 이 '하늘의 일'은 다만 태극일 뿐입니까?"

주자가 답했다. "푸른 것은 하늘[上天]이고, 리는 '일[載]'에 있다."

[1-1-1-2]

"原極之所以得名, 蓋取樞極之義. 聖人謂之太極者, 所以指夫天地萬物之根也. 周子因之, 而又謂之無極者, 所以著夫無聲無臭之妙也."[266]

(주자가 말했다.) "원래 극極이란 말은 아마 북극성의 의미를 취했을 것이다. 성인이 이를 태극이라고 한 것은 천지 만물의 뿌리임을 가리키려는 것이다. 주자周子가 여기에 또 무극이라고 한 것은 소리도 없고 냄새도 없는 미묘함을 나타내려는 것이다."

[1-1-1-3]

問: "明道言'人生而靜以上不容說', 則周子之所謂無極也不可容言也. 若太極, 則性之謂也, 太極固純是善. 自無極而言, 則只可謂之繼, 明道之言, 所以發明周子之意也."

曰: "周子所謂無極而太極, 非謂太極之上別有無極也, 但言太極非有物耳. 如云'上天之載,

263 무극이면서 태극이다. : 이것은 '극이 없으면서도 큰 극이다.'는 뜻이다. 극이 없는 것과 큰 극이 병행되는 것은 외형상 모순이지만, 이것을 모순이 아닌 상태로 융합하여 이해해야 한다. 이에 역접으로 '극이 없지만 큰 극이다.'로 번역할 수 있다. 李鍾述님도 "朱子는 '무극이로되 태극'이라고 하는 것이 옳은 것으로 말하였다."고 하였다.(『退溪栗谷哲學硏究 I』, 修德文化社, 1997. 95쪽)

264 '하늘의 … 없으나': 『詩經』「大雅 文王」

265 『朱子語類』 권94, 13조목

266 『朱子語類』 권94, 12조목

無聲無臭.' 故下文云'無極之眞, 二五之精', 旣言無極, 則不復別擧太極也. 若如今說, 則此處豈不欠一太極字耶?"267

물었다. "명도明道가 '사람이 나서 가만히 있던 때보다도 더 이전은 말로 설명할 수 없다.'고 하였으니, 주자周子가 말한 무극도 말로 설명할 수 없다. 태극이라면 성性을 말하는 것이고, (그) 태극은 진실로 순전히 선하다. (이를) 무극에서부터 말하면 단지 '이었다[繼]'고 할 수 있으니, 명도의 말은 주자周子의 뜻을 밝힌 것이다."

(주자가) 답했다. "주자周子가 말한 '무극이면서 태극이다.'는 태극 위에 별도로 무극이 있다는 것이 아니라, 단지 태극에 물건이 있지 않다는 것일 뿐이다. '하늘의 일은 소리도 없고 냄새도 없다.'는 말과 같다. 그러므로 아래에서 '무극의 진리와 음양오행의 정기精氣'라고 할 때, 이미 무극을 말하였으므로 다시 태극을 별도로 거론하지 않았다. 만일 지금처럼 말한다면 어찌 여기에 태극이라는 말이 부족하지 않겠는가?"

[1-1-1-4]

問: "'無極而太極', 如何?"

曰: "子細看便見得."

問: "先生之意莫正是以無極太極爲理."

曰: "此非某之說, 他道理自如此, 著自家私意不得. 太極無形象, 只是理, 他自有這箇道理, 自家私著一字不得."268

물었다. "'무극이면서 태극이다.'는 어떻습니까?"

(주자가) 답했다. "자세히 보면 곧 알 수 있다."

물었다. "선생님의 뜻은 바로 무극과 태극을 리로 여기는 것이 아닙니까?"

(주자가) 답했다. "이것은 나의 주장이 아니라, 그 도리가 본래 그러하니 자신의 사사로운 생각을 붙여서는 안 된다. 태극에는 형상形象이 없고 단지 리일 뿐이니, 거기에는 본래 이런 도리가 있으므로 자기가 한 마디 말이라도 사사로이 붙여서는 안 된다."

[1-1-1-5]

問: "無極而太極, 極是極至無餘之謂, 無極是無之至. 至無之中乃至有存焉, 故云'無極而太極'."

曰: "本只是箇太極. 只爲這本來都無物事, 故說無極而太極. 如公說無極, 恁地說却好. 但太極說不去."

曰: "'有'字便是'太'字地位."

曰: "將'有'字訓'太'字不得. 太極只是箇理."

267 『朱文公文集』 권49 「答王子合」

268 『朱子語類』 권94, 14조목

曰: “至無之中乃萬理之至有也.”

曰: “亦得.”[269]

물었다. “‘무극이면서 태극이다.’에서 극極은 지극하여 남음이 없다는 것이며, 무극은 ‘없음[無]이 지극한 것’입니다. 지극히 없음[至無] 가운데 곧 지극히 있음[至有]이 있으므로 ‘무극이면서 태극이다.’라고 하였습니다.”

(주자가) 답했다. “본래 이 태극일 뿐이다. 다만 이것은 본래 전혀 물건이 없기 때문에 ‘무극이면서 태극이다.’라고 말하였다. 가령 그대가 무극을 설명한 것은 그렇게 말하여도 좋지만, 태극은 그렇게 말할 수 없다.”[270]

말했다. “‘있다[有]’는 바로 ‘크다[太]’와 같은 뜻입니다.”

(주자가) 답했다. “‘있다[有]’를 ‘크다[太]’고 해석해서는 안 된다. 태극은 리일 뿐이다.”

말했다. “‘지극한 없음[至無]’ 가운데가 곧 만 가지 리의 ‘지극한 있음[至有]’입니다.”

(주자가) 답했다. “역시 그렇다.”

[1-1-1-6]

問: “旣曰易有太極, 則不可謂之無. 濂溪乃有無極之說, 何也?”

曰: “有太極是有此理. 無極是無形器方體可求. 兩儀有象, 太極則無象.”[271]

물었다. “이미 ‘역易에 태극이 있다.’고 하였으니, ‘없다[無]’고는 할 수 없는데, 염계濂溪가 이에 무극을 말한 것은 무엇 때문입니까?”

(주자가) 답했다. “‘태극이 있다.’는 ‘이 리가 있다.’이다. 무극은 찾을 만한 모양이나 위치, 형체가 없다. 양의兩儀에는 상象이 있고, 태극에는 상象이 없다.”

[1-1-1-7]

問: “邵先生說無極之前, 無極如何說前?”

曰: “邵子就圖上說循環之意, 自姤至坤, 是陰含陽. 自復至乾, 是陽分陰. 復坤之間乃無極. 自坤反姤是無極之前. 大凡讀書, 不要般涉. 但溫尋舊底不妨, 不可將新底來攙.”[272]

물었다. “소선생(康節)은 ‘무극의 이전以前’[273]을 말하였는데, 무극에 어떻게 이전을 말합니까?”

269 『朱子語類』 권94, 20조목

270 그대가 … 없다.: 『朱子語類考文解義』 권94 太極說不去條에 “無極을 無의 지극함으로 여기는 질문자의 의견이 본래 좋다. 그러나 만일 태극과 상대시켜 말한다면 당연히 태극은 太의 지극함이라고 말해야 할 것이다. 이렇게 하면 말이 되지 않으므로 ‘말할 수 없다.’라고 하였다.(以無極爲無之至者, 問說固好. 然若以太極對言, 則當曰太極太之至矣. 此則不成說, 故曰說不去.)”라고 하였다.

271 『朱子語類』 권67, 167조목

272 『朱子語類』 권65, 71조목; 권11, 68조목

273 ‘무극의 이전以前’: 『皇極經世書』 권13의 다음 글 참조. “무극 이전에는 음이 양을 머금고, 상이 있은 뒤에는 양이 음을 나눈다.(無極之前, 陰含陽也. 有象之後, 陽分陰也.)”

(주자가) 답했다. “소자邵子(康節)는 그림(64卦圓圖)에서 순환하는 뜻을 말한 것이니, 구괘姤卦(䷫)로부터 곤괘坤卦(䷁)까지는 음이 양을 머금은 것이고, 복괘復卦(䷗)로부터 건괘乾卦(䷀)까지는 양이 음을 나누는 것이다. 복괘復卦(䷗)와 곤괘坤卦(䷁) 사이가 곧 무극이다. 곤괘坤卦(䷁)로부터 구괘姤卦(䷫)로 돌아오는 것이 바로 무극 이전이다. 무릇 책을 읽을 때는 이리저리 연관시켜서는 안 된다. 다만 옛것을 익혀 연역해 내는 것은 해롭지 않으나, 새로운 것을 가져다가 끼워 넣어서는 안 된다.”

[1-1-1-8]

“無極而太極，不是說有箇物事光輝輝地在那裏，只是說這裏當初皆無一物，只有此理而已，旣有此理，便有此氣. 旣有此氣，便分陰陽，以此生許多物事. 惟其理有許多，故物亦有許多.”[274]

(주자가 말했다.) “‘무극이면서 태극이다.’는 어떤 물건이 번쩍거리며 거기 있다고 말하는 것이 아니라, 단지 여기에 애당초 하나의 물건도 없고 단지 이 리가 있을 뿐이라고 말하는 것이다. 이미 리가 있으면 곧 이 기氣가 있다. 이미 이 기가 있으면 바로 음양으로 나뉘고, 이로써 많은 물건을 생한다. 오직 그 리가 많으므로 물건도 많다.”

[1-1-1-9]

“‘上天之載無聲無臭’，是就有中說無. ‘無極而太極’，是就無中說有. 若實見得，說有說無，或先或後，都無妨礙.”[275]

(주자가 말했다.) “‘하늘의 일은 소리도 없고 냄새도 없다.’는 ‘있음[有]’에서 ‘없음[無]’을 말한 것이다. ‘무극이면서 태극이다.’는 ‘없음[無]’에서 ‘있음[有]’을 말한 것이다. 만일 실지로 이해한다면 있다고 하든 없다고 하든, 혹은 먼저 하든 나중에 하든 모두 방애될 것이 없다.”

[1-1-1-10]

南軒張氏曰: “必曰無極而太極者，所以明動靜之本，著天地之根，兼有無，貫顯微，該體用者也. 必有見乎此，而後知太極之妙，不可以方所求也，其義深矣.”

남헌 장씨南軒張氏가 말했다. “반드시 ‘무극이면서 태극이다.’라고 말하는 것은 동정의 근본을 밝히고, 천지의 뿌리를 드러내서 있음[有]과 없음[無]을 겸하고, 드러남[顯]과 은미함[微]을 관통하고, 체・용體用을 갖추게 한 것이다. 반드시 이것을 안 뒤에야 태극의 미묘함은 위치(방향)를 통해서는 구할 수 없다는 것을 알게 되니, 그 뜻이 깊다.”

[1-1-1-11]

勉齋黃氏曰: “太極圖說云‘無極而太極’. 妄意謂‘無極而太極’者，非老氏之出無入有，與佛之

274 『朱子語類』 권94, 111조목
275 『朱文公文集』 권36 「答陸子靜」

所謂空也. 乃斯道之本體, 萬化之領會, 而子思所謂'天命之性', 而孟子所謂'生之謂性也'. 通書統論之曰, '誠者聖人之本也. 大哉乾元, 萬物資始, 誠之源也. 乾道變化, 各正性命, 誠斯立焉, 純粹至善者也'. 此所以發明'無極而太極', 原始而要其終也.

旣又引易之繫辭而明之曰, '一陰一陽之謂道, 繼之者善也, 成之者性也. 元亨誠之通, 利貞誠之復, 大哉易也, 性命之源乎!' 蓋冲漠無眹之中萬象森然已具, 而無所虧欠. 天之所以覆, 地之所以載, 日月之所以照, 鬼神之所以幽, 風雷之所以變, 江河之所以流, 性命之所以正, 倫理之所以著, 人之所以爲聖人, 本末上下, 貫乎一理, 其實然而不可易者歟!"

면재 황씨勉齋黃氏가 말했다. "『태극도설』에 이르기를, '무극이면서 태극이다.'라고 하였는데, 내 생각으로는 '무극이면서 태극이다.'라는 것은 노자老子의 없음[無]에서 벗어나 있음[有]이 되거나 불교에서 말하는 공空은 아니다. 바로 우리 도의 본체이고 온갖 조화의 분기점[領襘]이고, 자사子思가 말한 '하늘이 명령한[天命] 것은 성性'이고, 맹자가 말한 '타고난 것을 성性이라 한다.'[276]는 것이다. 『통서通書』에 이를 총괄하여 논하기를, '정성은 성인의 본령이다. 크도다! 건원乾元이여. 만물이 의지하여 시작하니 정성의 원천이다. 건도乾道가 변화함에 각각 성명性命을 바루니, 정성이 여기에 서고, 순수하고 지극히 선한 것이다.'[277]라 하였으니, 이것은 '무극이면서 태극이다.'를 밝힌 것이며, 시초始初를 탐구하여 그 말단을 살피는 것이다.[278]

이미 또 『역易』「계사繫辭」를 인용하여 밝혀 말하기를, '한 번 음하고 한 번 양한 것을 도라 하니, 이를 계승한 것은 선善이고, 이를 이룬 것은 성性이다. 원·형元亨은 정성이 뻗쳐 나가는 것이고, 이·정利貞은 정성이 돌아오는 것이다. 크도다! 『역易』이여. 성·명性命의 근원인저!'[279]라고 하였다. 대개 적막하여 조짐이 없는 속에 만 가지 형상이 빽빽하게 이미 갖추어져 부족함이 없다. 하늘이

276 '타고난 … 한다.' : '타고나다'는 理뿐만 아니라 氣를 가리킬 수도 있다. 先儒들은 告子는 氣를 가리키고, 맹자는 理를 가리키는 것으로 본다. 告子의 뜻으로 해석하면 '살아있는 것을 性이라 한다.'고 번역하는 것이 더 나을 것이다. 程子와 朱子의 다음 글 참조. "타고난 것을 性이라 하는데, 性이 곧 氣이고, 氣가 곧 性이니 生한 것을 말한다.(生之謂性, 性卽氣, 氣卽性, 生之謂也.)" 『二程遺書』 권1 / ""타고난 것을 性이라 한다.'와 '하늘이 명령한 것을 性이라 한다.'는 같은가? 性을 똑같은 것으로 논해서는 안 된다. '타고난 것을 性이라 한다.'는 다만 나누어 받음을 뜻하고, '하늘이 명령한 것을 性이라 한다.'는 性의 理를 말한다. 지금 사람들이 天性이 부드럽고 여유가 있다거나, 天性이 강하고 급하다고 말하는 것과 속어에 '자연히 이루어졌다.'고 하는 것은 다 나서부터 이와 같으니 이것은 나누어 받음을 뜻한다.('生之謂性'與'天命之謂性', 同乎? 性字不可一概論. '生之謂性', 止訓所禀受也. '天命之謂性', 此言性之理也. 今人言天性柔緩, 天性剛急, 俗言天成, 皆生來如此, 此訓所禀受也.)" 『二程遺書』 권24 / "맹자는 告子의 '살아있는 것을 性이라 한다.'를 논박하였으니, 역시 기질지성을 말한 것이다.(孟子辨告子'生之謂性', 亦是說氣質之性.)" 『朱子語類』 권59, 43조목 / "生은 사람과 만물이 살아있어서 알고 깨닫고 움직임을 가리켜서 말한 것이다. … 근래 불교에서 말하는 '作用이 性'이란 것과 대략 비슷하다.(生, 指人物之所以知覺運動者而言. … 與近世佛氏, 所謂作用是性者, 略相似.)" 『孟子集註』「告子上」3

277 '정성은 … 것이다.' : 『通書』「誠上」

278 시초始初를 … 것이다. : 『周易』「繫辭下」 9장 참조.

279 '한 번 … 근원인저!' : 『通書』「誠上」

덮는 것, 땅이 싣는 것, 해와 달이 비추는 것, 귀신이 은밀한 것, 바람과 우레가 변하는 것, 강물과 냇물이 흐르는 것, 성명性命이 바른 것, 윤리가 드러나는 것, 사람이 성인이 되는 것 등은 근본과 말단, 위와 아래가 하나의 리로 관통되어 실제로 그러하여 바꿀 수 없는 것인가!"

[1-1-1-12]

北溪陳氏曰: "無極之說, 始於誰乎. 柳子曰, '無極之極', 康節先天圖說亦曰, '無極之前, 陰含陽也. 有極之後, 陽分陰也.' 是周子以前已有無極之說矣. 但其主意各不同. 柳子康節是以氣言. 周子則專以理言之耳."[280]

북계 진씨北溪陳氏가 말했다. "'무극이라는 말은 누구에게서 시작되었는가.' 유자柳子[281]는 '무극의 극'[282]을 말하였고, 강절康節의 『선천도설先天圖說』에도 역시 '무극 이전에 음이 양을 머금고, 극極이 있은 뒤에는 양이 음을 나눈다.'[283]라고 말하였다. 이것이 주자周子 이전에 이미 무극이라는 말이 있었던 것이다. 다만 그 주요한 뜻이 각각 다르다. 유자와 강절은 기氣로써 말하였고, 주자周子는 오로지 리로써 말하였을 뿐이다."

[1-1-1-13]

"理雖無形狀方體, 萬化無不以爲之根柢樞紐. 以其渾淪極至之甚, 故謂之太極. 文公解此句, 所謂'上天之載無聲無臭', 是解無極二字, 所謂'萬化之樞紐品彙之根柢', 是解太極二字. 又結以'非太極之外復有無極也', 多少是分明."[284]

(북계 진씨가 말했다.) "리는 비록 모양과 위치, 형체가 없지만, 모든 조화가 이것을 뿌리나 중추中樞(지도리)로 삼지 않는 경우가 없다. 매우 혼륜하고 지극하므로 태극이라고 하였다. 문공文公(朱子)이 이 구절을 해석할 때, 이른바 '하늘의 일은 소리도 없고, 냄새도 없다.'는 무극을 해석한 것이고, 이른바 '온갖 조화造化의 중추이고, 온갖 물건의 뿌리이다.'는 태극을 해석한 것이다. 또 '태극 밖에 다시 무극이 있는 것은 아니다.'라고 결론한 것은 매우 분명하다."

[1-1-1-14]

"無聲臭, 只是無形狀. 若少有聲臭, 便涉形狀落方體, 不得謂之無極矣. 文公解用無聲臭語, 是說二字之大義. 詞不迫切, 而其理自曉."[285]

(북계 진씨가 말했다.) "소리나 냄새가 없는 것은 모양이 없을 뿐이다. 만일 조금이라도 소리나 냄새가 있다면, 바로 모양과 연루되고 방향과 형체에 귀속되어 무극이라고 할 수 없다. 문공文公(朱子)이

280 『北溪字義』 卷下 「太極」
281 유자柳子 : 柳宗元(773~819)의 자는 子厚이고, 세칭 柳河東, 柳柳州라 한다.
282 '무극의 극' : 唐 柳宗元 『柳河東集』 권13 「天對」
283 '무극 이전에 … 나눈다.' : 『皇極經世書』 「觀物外篇上」
284 『北溪字義』 卷下 「太極」
285 『北溪大全集』 권42 「答陳伯澡再問太極」

소리나 냄새가 없다는 말을 사용해서 해석한 것은 이 말(無極)의 대의를 설명한 것이다. 표현이 꼭 맞지는 않으나 그 뜻은 저절로 분명하다."

[1-1-1-15]

或問: "所謂'無極而太極'者, 亦可得而聞其說之詳乎?"

雙峰饒氏曰: "難言也. 姑以名義推之, 所謂太極者, 蓋天理之尊號云爾. 極者, 至極之義, 樞紐根柢之名. 世之常言所謂樞極根極是也. 聖人以陰陽五行闔闢不窮, 而此理爲闔闢之主, 如户之有樞紐. 男女萬物生生不息, 而此理爲生生之本, 如木之有根柢. 至其在人, 則萬善之所以生, 萬事之所以定者, 亦莫非此理爲之根柢, 爲之樞紐焉, 是故謂之極. 太者, 大無以加之稱, 言其爲天下之大樞紐, 太根柢也. 然凡謂之極者, 如南極, 北極, 屋極, 商邑四方之極之類, 皆有形狀之可見, 方所之可指. 而此極獨無形狀, 無方所, 故周子復加無極二字以明之. 以其無樞紐根柢之形, 而實爲天下之大樞紐大根柢也, 故曰'無極而太極'. 以其爲天下之大樞紐大根柢, 而初非有樞紐根柢之形也, 故曰'太極本無極也'. 此雖名義之粗, 然先儒嘗云, '讀書之法, 當先曉其文義. 文義旣通, 然後可以求其意', 學者苟知此義, 而於日用之間, 端莊靜一以養之於未發之時, 而驗之於已發之際, 則是理之妙, 或者亦可以黙識矣."

어떤 이가 물었다.: "이른바 '무극이면서 태극이다.'에 대해서도 자세한 설명을 들을 수 있겠습니까?"

쌍봉 요씨雙峰饒氏[286]가 답하였다. "말하기 어렵다. 다만 말의 뜻을 가지고 미루어 보면, 이른바 태극은 아마도 천리天理의 높임말일 뿐일 것이다. 극極은 지극하다는 뜻이고, 중추나 뿌리에 대한 명칭이다. 세상 사람들이 항상 말하는 이른바 북극성이나 근본이 이것이다. 성인이 음양오행으로 끝없이 열고 닫는데, 이 리가 그 열고 닫음의 주인이 되는 것은 문짝에 지도리[樞紐 : 중추]가 있는 것과 같다. 남녀나 만물이 생하고 생하기를 쉬지 않는데, 이 리가 그 생하고 생함의 근본이 되는 것은 나무에 뿌리가 있는 것과 같다. 사람의 경우에, 모든 선행善行이 생기는 것이나 만사가 정해지는 것이 역시 이 리가 뿌리가 되고, 지도리가 되지 않는 것이 없으므로 극이라고 하였다. 태太는 커서 여기에 보탤 것이 없다는 말이니, 천하의 큰 지도리나 큰 뿌리가 됨을 말한 것이다. 그러나 무릇 극이라고 말하는 것은 남극, 북극, 대들보[屋極], 상읍商邑 사방四方의 극[287] 등의 류와 같으니, 모두 볼 수 있는 모양이나 가리킬 수 있는 방향이 있다. 그러나 이 극은 유독 모양이나 방향이 없으므로, 주자周子가 다시 무극이란 말을 보태서 밝혔다. 지도리나 뿌리 같은 모양이 없으나, 실은 천하의 큰 지도리나 큰 뿌리가 되므로, '무극이면서 태극이다.'라고 하였다. 천하의 큰 지도리나 큰 뿌리가 되나 애초에 지도리나 뿌리의 모양이 없으므로, '태극은 본래 무극이다.'라고 하였다. 이것은 비록 표현이 거칠기는 하지만 선유가 일찍이 말하기를, '독서하는 방법은 마땅히 그 글의 뜻을 먼저 알아야 한다. 글의 뜻이 이미 통한 뒤에야 그 의미를 구할 수 있다.'[288]라고 하였으니, 배우는 이가 진실로 이 뜻을

286 쌍봉 요씨雙峰饒氏 : 饒魯(요로)의 자는 仲元이고, 호는 雙峰이다.

287 상읍商邑 … 극 : 『詩經』「商頌 殷武」의 다음 글 참조. "商邑이 반듯반듯하니 사방의 극이로다.(商邑翼翼, 四方之極.)"

알아서, 일상생활 속에서 미발할 때에 단정하고 전일하게 길러서 이발할 즈음에 증험한다면 아마도 이 리의 미묘함을 역시 은연중 알 수 있을 것이다."

[1-2]

太極動而生陽, 動極而靜. 靜而生陰, 靜極復動. 一動一靜, 互爲其根, 分陰分陽, 兩儀立焉.

태극이 동動하여 양을 생하고 동이 끝가면 정靜하며, 정하여 음을 생하고 정이 끝가면 다시 동한다. 한 번 동하고 한 번 정하는 것이 서로 뿌리가 되고,[289] 음으로 나뉘고 양으로 나뉨에 양의兩儀가 확립된다.

[1-2-1]

太極之有動靜, 是天命之流行也, 所謂'一陰一陽之謂道.' 誠者聖人之本, 物之終始, 而命之道也. 其動也, 誠之通也, 繼之者善, 萬物之所資以始也. 其靜也, 誠之復也, 成之者性, 萬物各正其性命也. 動極而靜, 靜極復動, 一動一靜, 互爲其根, 命之所以流行而不已也. 動而生陽, 靜而生陰, 分陰分陽, 兩儀立焉, 分之所以一定而不移也.

蓋太極者, 本然之妙也. 動靜者, 所乘之機也. 太極, 形而上之道也. 陰陽, 形而下之器也. 是以自其著者而觀之, 則動靜不同時, 陰陽不同位, 而太極無不在焉. 自其微者而觀之, 則沖漠無眹, 而動靜陰陽之理已悉具於其中矣. 雖然. 推之於前而不見其始之合, 引之於後而不見其終之離也. 故程子曰, '動靜無端, 陰陽無始, 非知道者孰能識之.'

태극에 동·정動靜이 있는 것은 천명天命이 유행하는 것이니, 이른바 '한 번 음하고 한 번 양하는 것을 도라 한다.'는 것이며, 성誠은 성인의 본령이니, 물건의 시작과 끝이며 명命의 도이다. 그 동動은 성誠이 통해나가는 것이며, 이를 계승하는 것은 선이며, 만물이 의지하여 시작하는 것이다. 그 정靜은 성의 돌아오는 것이며, 이를 이룬 것은 성이며, 만물이 각각 그 성명을 바루는 것이다.[290] '동이 끝가면 정하고 정이 끝가면 다시 동하며, 한 번 동하고 한 번 정하는 것이 서로 뿌리가 된다.'는 명命이 유행하여 그치지 않는 것이다. '동하여 양을 생하고 정하여 음을 생하며, 음으로 나뉘고 양으로 나뉨에 양의兩儀가 확립된다.'는 자리가[291] 한 번 정해져서 바뀌지 않는 것이다.

288 '독서하는 … 있다.': 『朱子語類』 권124, 47조목 참조

289 이 번역의 動靜을 우리말로 풀면 다음과 같을 것이다. 아래 번역에서는 혼용한다. "태극이 움직여 양을 생하고 움직임이 끝가면 가만있는다. 가만있어 음을 생하고 가만있음이 끝가면 다시 움직인다. 한 번 움직이고 한 번 가만있는 것이 서로 뿌리가 된다."

290 이 앞 구절의 주석은 朱子가 다음의 전거들을 조합하여 조직적으로 설명하고 있다. ①誠者, 聖人之本.(『通書』「誠上 第一」) / ②誠者, 物之終始.(『中庸』 25章) / ③元亨, 誠之通, 利貞, 誠之復.(『通書』「誠上 第一」) / ④故曰 一陰一陽之謂道, 繼之者善也, 成之者性也.(『周易』「繫辭上」 5장) / ⑤彖曰 大哉乾元! 萬物資始, 乃統天. … 乾道變化, 各正性命, 保合太和, 乃利貞.(『周易』 乾卦, 彖傳)

291 『朱文公文集』 권49 「答林子玉振」 및 [1-2-1-44] 참조.

대개 태극은 본연의 묘이고, 동정은 타는 탈것[292]이다. 태극은 형이상의 도이고, 음양은 형이하의 그릇이다. 그러므로 드러난 것으로부터 보면, 동정은 시간이 같지 않고 음양은 자리가 같지 않으나, 태극은 없는 곳이 없다. 그 은미한 것으로부터 보면, 적막하여 조짐이 없으나 동정과 음양의 리는 이미 다 그 속에 갖추어져 있다. 비록 그렇더라도 앞으로 가보아도 그 처음 합해졌던 것을 보지 못하고, 뒤로 가보아도 그 끝의 벌어진 것을 보지 못한다. 그러므로 정자程子는 '동정에는 끝이 없고, 음양에는 시작이 없는데, 도를 아는 자가 아니면 누가 이를 이해할 수 있겠는가?'[293]고 하였다.

[1-2-1-1]

朱子問: "太極動而生陽."

延平李氏曰: "此只是理, 做已發看不得."

주자朱子가 "태극이 동하여 양을 생한다."에 대하여 물었다.

연평 이씨延平李氏[294]가 답했다. "이것은 리일 뿐이니, 이발已發로 보면 안 된다."

又問: "既言動而生陽, 卽與復卦一陽生而見天地之心何異? 竊恐動而生陽, 卽天地之喜怒哀樂發處, 於此卽見天地之心, '二氣交感, 化生萬物,' 卽人物之喜怒哀樂發處, 於此卽見人物之心. 如此做兩節看, 不知得否."

曰: "太極動而生陽, 至理之源, 只是動靜闔闢. 至於終萬物始萬物, 亦只是此理一貫也. 到得'二氣交感化生萬物'時, 又就人物上推, 亦只是此理. 中庸以喜怒哀樂未發已發言之, 又就人身上推尋. 至於見得大本達道處, 又袞同只是此理. 此理就人身上推尋, 若不於未發已發處看, 卽何緣知之. 蓋就天地之本源與人物上推來, 不得不異. 此所以於動而生陽, 難以爲喜怒哀樂已發言之. 在天地只是理也. 今欲作兩節看, 切恐差了. 復卦'見天地之心', 先儒以爲靜見天地之心, 伊川先生以爲動乃見, 此恐便是動而生陽之理. 然於復卦發出此一段示人, 又於初爻以顏子不遠復爲之, 此只要示人無間斷之意. 人與天理一也, 就此理上皆收攝來, 與天地合其德, 與日月合其明, 與四時合其序, 與鬼神合其吉凶, 皆其度內爾."[295]

(주자가) 또 물었다. "이미 '동하여 양을 생한다.'고 하면 복괘(䷗)의 하나의 양이 생한 곳에서 천지의 마음을 보는 것[296]과 어떻게 다릅니까? 제 생각으로는 아마 '동하여 양을 생한 것'은 곧 천지의 희·

292 탈것: '機'는 『說文解字』에 "發射를 주도하는 것(主發謂之機)"이라 하였고, 『漢語大詞典』에는 "古代 쇠뇌의 화살을 발사하는 장치(古代弩上發箭的裝置)"라고 하였으니, '기계를 움직여 활동시키는 장치', 즉 '고동'이다. 쇠뇌에서 핵심 역할을 하는 발사장치는 機이고, 機에서 직접 발사를 담당하는 부품은 弩牙이다. 후에 機는 動力機關을 갖춘 發動機, 原動機나 기관차와 비슷한 뜻으로 사용하였다. 여기서는 더 넓은 뜻으로 탈것(동력기관을 갖춘 것을 총칭)이라 번역한다.

293 '동정에는 … 있겠는가?': 宋 楊時, 『二程粹言』 卷上 「論道篇」

294 연평 이씨延平李氏: 李侗(이통, 1093~1163)의 자는 愿中이고, 세칭 延平先生이라 한다.

295 『延平答問』「辛巳二月二十四日書」

296 천지의 … 것: 『周易』「復卦·彖」에 다음과 같이 되어 있다. "復, 其見天地之心乎."

로・애・락喜怒哀樂이 발동한 곳이니, 바로 여기서 천지의 마음을 보고, '두 기氣가 교감하여 만물을 화생化生하는 것'[297]은 곧 사람의 희노애락이 발동한 곳이니, 바로 여기서 사람의 마음을 보는 것 같습니다. 이렇게 두 가지로 나누어 보는 것이 맞는지 모르겠습니다."

(연평 이씨가) 답했다. "'태극이 동하여 양을 생하는 것'은 지극한 리의 근원이니, 동과 정, 닫음과 엶動靜闔闢일 뿐이다. 만물을 시작하고 만물을 마치는 데에 이르러서도 역시 이 리가 일관할 뿐이다. '두 기氣가 교감하여 만물을 화생化生하는 데'에 이르렀을 때, 또 사람에 나아가서 미루어 짐작해 보면 역시 이 리일 뿐이다. 『중용中庸』은 희・로・애・락喜怒哀樂의 미발과 이발로써 말하였으니, 또 사람 몸에서 찾는 것이다. 대본大本과 달도達道를 알아내는 데에 이르러서는 또 온통 이 리일 뿐이다. 이 리는 사람의 몸에서 찾는 것인데, 만일 미발과 이발에서 살피지 않는다면 어떻게 알 수 있겠는가. 대개 천지의 본원과 사람・만물에서 찾은 것은 다르지 않을 수 없다. 이것이 '동하여 양을 생하는 것'에 대해서 희노애락이 이발한 것으로 말하기 어려운 이유이다. 천지에서는 리일 뿐인데, 지금 두 측면으로 나누어 보고자 한다면 틀림없이 어긋날 것 같다. 복괘의 '천지의 마음을 본다.'는 것을 선유들은 정靜에서 천지의 마음을 보는 것으로 여겼는데, 이천선생은 동動에서 보는 것으로 여겼으니[298] 이것은 바로 '동하여 양을 생하는' 리인 것 같다. 그러나 복괘에서 이 한 단락을 들춰내어 사람에게 보여주었고, 또 초효初爻에서 안자顔子(顔回)가 머지않아 회복하는 것[299]으로 여겼으니 이것은 다만 사람들에게 끊임이 없다는 뜻을 보이려는 것이다. 사람과 하늘의 리는 하나이니, 이 리에서 종합하면, '천지와 더불어 그 덕이 합치하고, 해나 달과 그 밝기가 합치하고, 사시四時와 그 차례가 합치하고, 귀신과 그 길흉이 합치하는 것'[300]이 다 그 범위 안에 있을 뿐이다.

[1-2-1-2]

朱子曰: "靜者, 性之所以立也, 動者, 命之所以行也. 然其實則靜亦動之息爾. 故一動一靜, 皆命之行. 而行乎動靜者, 乃性之眞也, 故曰天命之謂性."[301]

주자朱子가 말했다. "정靜은 성性이 선 것이고, 동動은 명命이 유행流行하는 것이다. 그러나 사실은 정은 역시 동이 쉬는 것일 뿐이다. 그러므로 한 번 동하고 한 번 정하는 것이 모두 명의 유행이다. 동・정에서 유행하고 있는 것은 곧 참된 성이므로 '천명을 성이라고 한다.'[302]고 하였다."

[1-2-1-3]

"陰陽迭運者, 氣也, 其理則所謂道."[303]

297 '두 기氣가 … 것': 태극도설 [1-5] 참고
298 이천선생은 … 여겼으니: 『易傳』「復卦・彖」의 註에 다음과 같이 되어 있다. "一陽復於下, 乃天地生物之心也. 先儒皆以靜爲見天地之心, 蓋不知動之端乃天地之心也. 非知道者, 孰能識之?"
299 머지않아 회복하는 것: 『周易』 復卦에 다음과 같이 되어 있다. "初九不遠復, 无祇悔, 元吉."
300 '천지와 더불어 … 것': 『周易』「乾卦・文言」
301 『朱文公文集』 권67 「太極說」
302 '천명을 … 한다.': 『中庸』 1장

(주자가 말했다.) "음양이 번갈아 운행하는 것이 기氣이고, 그 리는 이른바 도이다."

[1-2-1-4]

問: "一陰一陽之謂道, 是太極否?"

曰: "陰陽只是陰陽. 道是太極, 蓋所以一陰一陽者也."[304]

물었다. "'한 번 음하고 한 번 양하는 것을 도라고 한다.'는 태극입니까?"

(주자가) 답했다. "음양은 음양일 뿐이다. 도가 태극이니, 대개 한 번 음하고 한 번 양하게 하는 자이다."

[1-2-1-5]

問: "一陰一陽之謂道. 陰陽, 氣也, 所以陰陽, 道也. 道也者, 陰陽之理也."

曰: "此說得之."[305]

물었다. "'한 번 음하고 한 번 양하는 것을 도라고 한다.'에서 음과 양은 기이고, 음하게 하거나 양하게 하는 것은 도이다. 도라는 것은 음양의 리이다."

(주자가) 답했다. "이 말은 맞다."

[1-2-1-6]

"陰陽何以謂之道, 當離合看."[306]

(주자가 말했다.) "음양은 왜 도라고 하는지, 분리해서 보기도 하고 합해서 보기도 해야 한다."

[1-2-1-7]

"一陰一陽之謂道, 則陰陽是氣不是道. 所以爲陰陽者, 乃道也. 若只言陰陽之謂道, 則陰陽是道. 今曰一陰一陽, 則是一陰了又一陽, 往來循環不已者, 乃道也."[307]

(주자가 말했다.) "'한 번 음하고 한 번 양하는 것을 도라고 한다.'면 음양은 기이고 도가 아니다. 음양이 되게 하는 것(까닭)이 곧 도이다. 만일 다만 '음양을 도라고 했다.'면 음양은 도이다. 그런데 '한 번 음하고 한 번 양한다.'면 한 번 음하고 나서 또 한 번 양하며, 오가면서 순환하기를 끝없이 하는 것이 곧 도이다."

[1-2-1-8]

"大傳旣曰形而上者謂之道矣, 而又曰一陰一陽之謂道, 此豈直以陰陽爲形而上者哉? 正所以

303 『周易本義』「繫辭上」 5장
304 『朱子語類』 권94, 122조목
305 『朱文公文集』 권42 「答石子重」
306 『朱子語類』 권74, 108조목에는 다음과 같이 되어 있다. "一陰一陽之謂道, 陰陽何以謂之道? 曰. 當離合看."
307 『朱子語類』 권74, 109조목

見一陰一陽雖屬形器，然其所以一陰而一陽者，是乃道體之所爲也．故語道體之至極，則謂之太極，語太極之流行，則謂之道．雖有二名，初無兩體．"[308]

(주자가 말했다.) "『역易』「대전大傳(계사전)」에 이미 '형이상자를 도라 한다.'[309]고 하고, 또 '한 번 음하고 한 번 양하는 것을 도라고 한다.'[310]라고 하였으니, 이것이 어찌 음양을 바로 형이상자라고 한 것인가? 바로 한 번 음하고 한 번 양하는 것을 보여 주는 것은 비록 형기形器에 속하지만, 그 한 번 음하고 한 번 양하게 하는 것은 곧 도체道體가 하는 것이다. 그러므로 도체의 지극함을 말하면 태극이라 하고, 태극의 유행을 말하면 도라고 한다. 비록 두 가지 이름이 있으나 애당초 두개의 형체는 아니다."

[1-2-1-9]

"以理言之，則天地之間至實而無一息之妄，[311] 故自古至今無一物之不實．而一物之中，自始至終皆實理之所爲也．以心言之，而聖人之心亦至實而無一息之妄，故從生至死無一事之不實．而一事之中，自始至終皆實心之所爲也．此所謂誠者物之終始者然也．"[312]

(주자가 말했다.) "리로 말하면, 천지의 리는 지극히 진실하여 한순간의 망령도 없으므로 옛날부터 지금까지 한 물건도 진실하지 않음이 없다. 그 한 물건도 처음부터 끝까지 모두 실리實理가 한 것이다. 마음으로 말하면, 성인의 마음도 역시 지극히 진실하여 한순간의 망령도 없으므로 나서부터 죽을 때까지 한 가지 일도 부실함이 없다. 그 한 가지 일도 처음부터 끝까지 모두 진실한 마음[實心]이 한 것이다. 이것이 이른바 '성誠은 물건의 시작이며 끝이다.'라는 말이 그런 것이다."

[1-2-1-10]

問："'誠者聖人之本．'[313]"

曰："此言本領之本．聖人之所以聖者，誠而已．"[314]

물었다. "성誠은 성인의 본령이다."

308 『朱文公文集』 권36 「答陸子靜」

309 '형이상자를 도라 한다.'：『周易』「繫辭上」 12장

310 '한 번 … 한다.'：『周易』「繫辭上」 5장

311 間：『中庸或問』 25장에 '理'로 되어 있다. 여기서는 '理'로 수정하여 번역한다.

312 『中庸或問』 25장. 이 글 앞에 본래 다음 글이 더 있다. "대개 誠이란 말은 진실일 뿐이다. 그러나 이 편의 말 중에는 리의 진실로서 말한 것이 있으니, 예를 들면 '誠을 가릴 수 없다.'는 류가 이것이다. 마음의 진실함으로 말한 것이 있으니, 예를 들면 '몸에 돌이켜 성실하지 않다.'는 류가 이것이다. 독자는 각각 그 글이 가리키는 것을 따라서 찾는다면 그 뜻을 각각 얻을 것이다. 이른바 '성은 물건의 시작이며 끝이니, 성이 아니면 물건이 없다.'는 것은 … .(蓋誠之爲言實而已矣. 然此篇之言, 有以理之實而言者, 如曰誠不可揜之類, 是也. 有以心之實而言者, 如曰反身不誠之類, 是也. 讀者各隨其文意之所指而尋之, 則其義各得矣. 所謂'誠者物之終始, 不誠無物'者, … .)"

313 『通書』「誠上」

314 『朱子語類』 권94, 117조목

(주자가) 답했다. "이것은 본령의 본本을 말한다. 성인聖人이 성인인 까닭은 성誠일 뿐이다."

[1-2-1-11]

問: "誠者物之終始, 而命之道也."

曰: "誠是實理, 徹上徹下只是這箇生物都從那上做來. 萬物流形天地之間, 都是那底做."[315]

물었다. "성誠은 물건의 시작과 끝이고 명命의 도이다."

(주자가) 답했다. "성은 실리이니, 철저하게 다만 이 만물을 생하는 데는 모두 그것으로 만들 뿐이다. 만물이 천지 사이에서 운동・변화하는 것도 모두 그것이 만든다."

[1-2-1-12]

"有此理則有此物. 徹頭徹尾皆是此理. 所謂未有無此理而有此物也."[316]

(주자가 말했다.) "이 리가 있으면 이 물건이 있다. 철두철미 모두 이 리이다. 이른바 이 리가 없는데 이 물건이 있는 경우는 아직 있지 않다는 것이다."

[1-2-1-13]

"太極如一本生上,[317] 分而爲枝幹, 又分而生花生葉, 生生不窮. 到得成果子, 裏而又有生生無窮之理,[318] 生將出去, 又是無限箇太極, 更無停息. 只是到成果實時, 又却畧少歇,[319] 也不是生.[320] 到這裏自合少止, 所謂'終始萬物莫盛乎艮.'[321] 艮止是生息之意."[322]

(주자가 말했다.) "태극은 비유컨대 한 나무가 난 위에 나뉘어 줄기와 가지가 되고, 또 나뉘어 꽃을 피우고 잎을 내면서 생하고 생함이 끝나지 않는 것과 같다. 열매를 맺은 데에 이르면, 그 속에는 끝없이 생하고 생하는 리가 있어서 계속 생해나가고, 또 무한개의 태극이 다시 멈춤이 없다. 다만 열매를 맺고 나서 조금 쉬지만 그친 것은 아니다. 여기에 이르러 스스로 조금 그치는 것은 이른바 '만물을 끝내고 시작함이 멈춤만큼 성대한 것이 없다.'[323]는 것이다. 멈춤은 번식의 의미이다."

[1-2-1-14]

"'誠者物之終始', 却是事物之實理, 始終無有間斷. 自開闢以來, 以至人物消盡, 只是如此.

315 『朱子語類』 권101, 161조목

316 『朱子語類』 권64, 97조목

317 一本: 『朱子語類』 권75, 88조목에 '一木'으로 되어 있다.

318 裏而, 無窮: 『朱子語類』 권75, 88조목에 裏'而'는 裏'面'으로 되어 있고, '無'窮은 '不'窮으로 되어 있다.

319 畧少: 『朱子語類』 권75, 88조목에 '畧'이 없다.

320 也不是生: 『朱子語類』 권75, 88조목에 '也'는 없고, '生'은 '止'로 되어 있다.

321 所謂: 『朱子語類』 권75, 88조목에 '正所謂'로 되어 있다.

322 『朱子語類』 권75, 88조목. 이 글은 『朱子語類』와 다른 내용이 많은데, 『朱子語類』의 것이 바르므로 모두 그에 따라 번역한다.

323 '만물을 끝내고 … 없다.': 『說卦傳』 6장에 "終萬物始萬物者莫盛乎艮."라고 되어 있다.

在人之心，苟誠實無僞，則徹頭徹尾，無非此理，一有間斷處，卽非誠矣. 凡有一物，則其成也必有所始，其壞也必有所終. 而其所以始者，實理之至而向於有也，其所以終者，實理之盡而向於無也. 此誠所以爲物之終始. "[324]

(주자가 말했다.) "'성誠은 물건의 시작이며 끝이다.'는 사물의 실리가 처음부터 끝까지 끊어짐이 없는 것이다. (천지가) 개벽한 이래 사람과 만물이 다 사라질 때까지 이와 같을 뿐이다. 사람에게 있는 마음이 진실로 성실하고 거짓이 없으면 철두철미 이 리가 아닌 것이 없고, 하나라도 끊어진 곳이 있으면 곧 성誠이 아니다. 무릇 한 물건이 있으면, 그 이루어짐에는 반드시 시작이 있고, 그 무너짐에도 반드시 끝이 있다. 그 시작하게 하는 것은 실리實理가 이르러 있음[有]으로 향하게 하는 것이고, 그 끝나게 하는 것은 실리가 다하여 없음[無]으로 향하게 하는 것이다. 이것이 성誠이 물건의 시작과 끝이 되는 이유이다."

[1-2-1-15]

"'誠之通'，是造化流行，未有成立之初，所謂'繼之者善'. '誠之復'，是萬物已得此理，而皆有所歸藏之時，所謂'成之者性'. 在人，則'感而遂通'者'誠之通'. '寂然不動'者'誠之復'. "[325]

(주자가 말했다.) "'성誠이 통해나감'은 조화造化가 유행하여 아직 성립되지 않은 처음이니, 이른바 '계승하는 것은 선'이라는 것이다. '성誠이 돌아옴'은 만물이 이미 이 리를 얻어서 다 돌아와 저장할 곳이 있는 때이니, 이른바 '이룬 것은 성性'이란 것이다. 사람에게 있어서는 '감지感知하여 드디어 통해나감'은 '성誠이 통해나감'이고, '적연하여 움직이지 않음'은 '성誠이 돌아옴'이다."

[1-2-1-16]

"流行造化處是善，凝成於我處是性. 繼是接續綿綿之意，成是凝成有主之意. "[326]

(주자가 말했다.) "유행流行하고 조화造化하는 곳은 선善이고, 나에게 엉켜 이루러진 것은 성性이다. 계승한다는 것은 면면히 이어진다는 뜻이고, 이루어진다는 것은 엉켜 이루어져 주인이 있다는 뜻이다."

[1-2-1-17]

"繼之者善，繼之爲義，接續之意，言旣有此道理，其接續此道理以生萬物者莫非善. 而物之成形，卽各具此理而爲性也. "[327]

(주자가 말했다.) "'계승하는 것은 선善이다.'에서 '계승한다'의 의미는 '잇다'는 것이니, 이미 이 도리

324 "'誠者物之終始'，却是事物之實理，始終無有間斷. … 在人之心，苟誠實無僞，則徹頭徹尾，無非此理，一有間斷處，卽非誠矣."는 『朱子語類』 권64, 89조목의 글이고, "凡有一物，則其成也必有所始，其壞也必有所終. … 此誠所以爲物之終始."는 『朱文公文集』 권55 「答李時可」의 글이다.

325 『朱子語類』 권94, 130조목

326 『朱子語類』 권74, 118조목

327 『朱文公文集』 권51 「答萬正淳」

가 있으면 이 도리를 이어서 만물을 생하는 것은 선善 아닌 것이 없고, 만물이 형체를 이루는 것은 곧 각각 이 리를 갖춰서 성性이 되었음을 말한 것이다."

[1-2-1-18]

"繼字便是動之頭.[328] 若只一開一闢而無繼[329], 便是闔殺了."[330]

(주자가 말했다.) "계승은 곧 동動의 첫머리이다. 만일 다만 한 번 열고 한 번 닫고서 이어짐이 없으면 바로 닫히고 만다."

[1-2-1-19]

問: "繼是動靜之間否?"

曰: "是靜之終, 動之始也. 且如四時, 到得冬月, 萬物都歸窠了. 若不會生,[331] 來年便都息了. 蓋是貞復生元, 無窮如此."[332]

물었다. "계승은 동動과 정靜의 사이가 아닌지요?"

(주자가) 답했다. "정靜의 끝이고 동動의 시작이다. 예를 들면 사시四時는 겨울에 이르면 만물이 모두 둥지로 돌아간다. 만일 회생할 수 없으면 내년에 곧바로 모두 멈춰버린다. 대개 정貞이 다시 원元을 생하니, 무궁함이 이와 같다."

[1-2-1-20]

"只是這一箇物事. 所以萬物到秋冬時, 各自收斂閉藏, 忽然一下春來, 各自發越條暢. 這只是一氣, 一箇消, 一箇息. 只如人相似, 方其嘿時便是靜,[333] 及其語時便是動. 那箇滿山青黃碧綠, 無非是這太極. 所以'仁者見之謂之仁, 智者見之謂之智, 百姓日用而不知',[334] 是那'一陰一陽之謂道, 繼之者善也, 成之者性也.'[335]

'繼之者善'是動處, '成之者性'是靜處. '繼之者善'是流行出來. '成之者性'則各自成箇物事. '繼善'便是'元亨'. '成性'便是'利貞'. 及至'成之者性', 各自成箇物事. 恰似造化都無可做了, 及至春來, 又流行出來, 又是'繼之者善'.

(주자가 말했다.) "오직 한 가지일 뿐이다.[336] 그러므로 만물은 가을・겨울이 되었을 때 각자 수렴・

328 之頭 : 『朱子語類』 권1, 9조목에는 之'端'으로 되어 있다.
329 一開一闢 : 『朱子語類』 권1, 9조목에는 '一開一闔'으로 되어 있다.
330 『朱子語類』 권1, 9조목
331 不會生 : 『朱子語類』 권1, 9조목에는 '會'가 없다.
332 『朱子語類』 권1, 9조목
333 嘿時 : 嘿은 『朱子語類』 권94, 111조목에 '黙'으로 되어 있다.
334 不知 : '不知' 다음에 『朱子語類』 권94, 111조목에는 "故君子之道鮮矣 皆"가 더 있다.
335 性也 : '性也' 다음에 『朱子語類』 권94, 111조목에는 "所以周先生太極通書只是滾這許多句."가 더 있다.
336 오직 … 뿐이다. : 이 글 앞에 다음 글 등이 있다. "그러므로 太極圖에 '오행은 하나의 음양이고, 음양은

저장하고, 홀연히 문득 봄이 오면 각자 싹트고 무성해진다. 이것은 하나의 기가 한 번 사그라들고 한 번 불어나는 것뿐이다. 비유하자면 사람과 같으니, 다물고 있을 때는 바로 정靜이고, 말을 할 때에 이르러서는 바로 동動이다. 그 온 산의 푸르고 누렇고 파랗고 초록색인 것들이 이 태극이 아닌 것이 없다. 그러므로 '인자仁者는 이를 보고 인仁이라 하고, 지자智者는 이를 보고 지智라고 하며 백성은 매일 써도 알지 못하니',[337] 이것이 그 '한 번 음하고 한 번 양하는 것을 도라 하니, 이를 계승하는 것은 선善이고, 이를 이룬 것은 성性이다.'[338]라는 것이다.

'이를 계승하는 것은 선善'은 동動하는 곳이고, '이를 이룬 것은 성性'은 정靜하는 곳이다. '이를 계승하는 것은 선'은 유행해 나오는 것이고, '이를 이룬 것은 성'은 각자 물건을 완성한 것이다. '계승하는 것은 선'은 바로 '원형元亨'이고, '이룬 것이 성'은 바로 '이정利貞'이다. '이룬 것은 성'인 데에 이르러서는 각자 물건을 이룬다. 흡사 조화造化에 도무지 할 만한 일이 없는 것 같지만[339] 봄이 되면 또 유행해 나오니 또한 '계승하는 것은 선'이다.

譬如禾穀, 則秋斂冬藏, 千條萬穟各自成一箇物事, 及至春又各自發生出, 以至人物, 以至禽獸, 皆是如此. 且如人方在胞胎中, 受父母之氣, 則是'繼之者善'. 及其生出, 又自成一箇物事, 則是'成之者性'也. 旣成其性, 又自繼善, 只是這一箇物事. 今年一生了, 明年又生一副當物事來, 又'繼之者善', 又'成之者性', 只是這一箇物事袞將去. 所以'仁者見之謂之仁', 只是見那發生處. '智者見之謂之智', 只是見那收斂處. '百姓日用而不知', 便是不知所謂發生, 亦不知所謂收斂, 醉生夢死而已. 周先生『太極』『通書』, 只是袞這幾句. 易之爲義, 也只是如此. 只是陰陽交錯, 千變萬化皆從此出."[340]

곡식에 비유하면 가을에 거두고 겨울에 저장하니 천 개의 줄기와 만 개의 이삭이 각자 하나의 개체를 이루는데 봄에 이르러서는 또 각자 싹터 나오며, 사람이나 금수에 이르러서도 다 이와 같다. 가령 사람이 태내胎內에 있을 때 부모의 기를 받는 것은 '계승하는 것은 선'이다. 태어나서 또 각자 한 개의 개체를 이루면 '이룬 것은 성'이다. 이미 그 성을 이루면 또 저절로 계승하는 것은 선하니[341]

하나의 태극이다. 두 기가 교감하여 만물을 화생하게 한다.'고 하였으니, 이것이 바로 '천지에 가득한 것은 나의 형체이고, 천지의 장수는 나의 性이다.'라는 것이니, 다만 말에는 자세함과 소략함이 있고 느슨함과 절실함이 있지만, 오직 한 가지일 뿐이다.(所以太極圖說, '五行一陰陽也, 陰陽一太極也', 二氣交感, 所以化生萬物, 這便是'天地之塞吾其體, 天地之帥吾其性', 只是說得有詳略, 有急緩, 只是這一箇物事.)"

337 '인자仁者는 이를 … 못하니':『周易』「繫辭上」 5장

338 '한 번 … 성性이다.':『周易』「繫辭上」 5장

339 도무지 할 … 같지만:『朱子語類考文解義』에 "수렴해서 적연하므로 할 일이 없다는 말이다.(謂收斂寂然無所作爲也)"고 하였다.

340 『朱子語類』 권94, 111조목 / 권116, 30조목 참조

341 이미 … 선하니:『朱子語類考文解義』[周子書]에 "이것은 性이 발하여 情이 되는 理를 말하였다. 대개 처음에는 유행으로부터 性을 이루고, 다음에는 性을 이룬 데서부터 다시 유행한다.(此言性發爲情之理. 蓋初則自流行而成其性, 次則自成性而復流行.)"라고 하였다.

다만 이 한 개의 물건일 뿐이다. 금년에 한 번 나고 내년에 또 한가지 물건을 내면, 또 '계승하는 것이 선'이고 또 '이룬 것이 성'이니, 다만 이 한 물건이 죽 이어져 가는 것이다. 그러므로 '인자仁者는 이를 보고 인仁'이라 하는 것은 다만 그 발생하는 곳을 보는 것이고, '지자智者는 이를 보고 지智'라고 하는 것은 다만 그 수렴하는 곳을 본 것이다. '백성은 매일 써도 알지 못하는 것'은 바로 이른바 발생을 알지 못하고 또 이른바 수렴도 알지 못하고 취생몽사醉生夢死할 뿐이다. 주선생(周敦頤)의 『태극도』와 『통서通書』는 다만 이 몇 구절을 섞었을 뿐이다. 역易의 뜻도 역시 이와 같을 뿐이다. 다만 음양이 교착交錯하니 천만 가지 변화가 다 이로부터 나온다."

[1-2-1-21]

"太極'動而生陽',[342] 元未有物, 且是如此動盪[343], 所謂'化育流行'也, 便是'繼之者善'.[344] '靜而生陰', 陰主凝結,[345] 然後萬物'各正性命', 方是'成之者性'[346]."[347]

(주자가 말했다.) "태극이 '동하여 양을 생한다.'는 원래 아직 물건이 없고 다만 이렇게 불안정할 뿐이니, 이른바 화육化育하고 유행하는 것이며, 바로 '계승하는 것이 선'이라는 것이다. '정하여 음을 생한다.'는 음이 엉키고 맺기凝結를 주로 한 뒤에 만물이 각각 성명性命을 바루니, 비로소 '이룬 것이 성'이다."

[1-2-1-22]

問: "繼之者善也, 成之者性也, 竊謂妙合之始, 便是繼, '乾道成男, 坤道成女'便是成."

曰: "動而生陽之時, 便有繼底意. 及至靜而生陰, 方是成. 六十四卦之序, 至復而繼."[348]

물었다. "'이를 계승하는 것은 선善이고, 이를 이룬 것은 성性이다.'는 아마 묘합妙合의 시작이 계승繼이고, '건도乾道는 남성을 이루고 곤도坤道는 여성을 이룬다.'는 곧 이루는 것成이라고 말하는 것이지요?"

(주자가) 답했다. "'동動하여 양을 생'할 때는 바로 계승의 뜻이 있고, '정靜하여 음을 생'할 때에 이르러 비로소 이루는 것이다. 육십사괘의 차례는 복괘復卦에 이르러 계승한다."

[1-2-1-23]

問: "『太極圖解』曰, '動而生陽, 誠之通也, 繼之者善, 萬物之所以資始也.[349] 靜而生陰, 誠

---

342 太極 : '太極'은 『朱子語類』 권94, 42조목에는 없다.
343 動盪 : '盪'은 『朱子語類』 권94, 42조목에 '蕩'으로 되어 있다.
344 便是'繼之者善' : 『朱子語類』 권94, 42조목에 이 구절이 없다.
345 凝結 : '結'은 『朱子語類』 권94, 42조목에는 없다.
346 方是'成之者性' : 이 구절은 『朱子語類』 권94, 42조목에는 없다.
347 『朱子語類』 권94, 42조목
348 『朱子語類』 권94, 126조목
349 所以 : 『朱文公文集』 권45 「答廖子晦」에는 '以'가 없다.

之復也，成之者性，萬物各正其性命也.’ 夫無極之眞,[350] 誠也. 動而生陽，靜而生陰，動靜不息，而萬物繼此以出，與因此以成者，皆誠之著，固無有不善者，亦無非性也，似不可分陰陽而爲辭. 如以資始爲繫於陽，以正性命爲繫於陰，則若有獨陽而生獨陰而成者矣. 詳究先生之意，必謂陽根於陰，陰根於陽，陰陽元不相離，如此，而非得於言表者,[351] 不能喩此也.”
曰:“繼善成性分屬陰陽，乃通書首章之意. 但熟讀之，自可見矣. 蓋天地變化不爲無陰，然物之未形則屬乎陽. 物正其性不爲無陽，然形器已定則屬乎陰. 嘗謂張忠定公語云，‘公事未著字以前屬陽，著字以後屬陰.’ 似亦窺見其意.”[352]

물었다. “『태극도해』에 말하기를, ‘동動하여 양을 생하는 것은 성誠이 통해나가는 것이요, 계승하는 것이 선이요 만물이 바탕으로 삼아 시작하는 것입니다. 정靜하여 음을 생하는 것은 성誠이 회복하는 것이요, 이룬 것은 성性이요 만물이 각각 그 성명을 바룬 것입니다.’ 무릇 무극無極의 진리는 성誠입니다. 동하여 양을 생하고 정하여 음을 생하면서 동정이 쉬지 않으며, 만물이 이를 이어 나온 것과 이로 인해 이룬 것은 다 성誠의 나타남이고, 진실로 불선不善이 없는 것이며, 역시 성性이 아닌 것이 없으니, 음양으로 나누어 말할 수 없는 것 같습니다. 만일 바탕으로 삼아 시작하는 것을 양에 소속시키고, 성명을 바루는 것을 음에 소속시키면, 양 혼자서 생하거나 음 혼자서 이룸이 있는 것 같습니다. 선생님의 뜻을 자세히 궁구하여, 반드시 ‘양은 음에 뿌리를 두고, 음은 양에 뿌리를 두어 음양이 원래 서로 떠날 수 없다.’고 해야 하니, 이와 같은 것은 말[言表]에서 얻은 자가 아니면 이를 이해할 수 없습니다.”

(주자가) 답했다. “‘계승하는 것이 선善’인 것과 ‘이룬 것이 성性’인 것을 음양에 분속시키는 것은 바로 『통서通書』 수장首章의 뜻이다. 다만 숙독하면 저절로 알 수 있을 것이다. 대개 천지의 변화에는 음이 없지 않으나, 물건이 아직 형체를 이루지 못한 것은 양에 속한다. 물건이 그 성性을 바루는 데는 양이 없지 않으나, 형기形器가 이미 정해진 것은 음에 속한다. 일찍이 장충정공張忠定公[353]의 말에 ‘공사公事에서 판결문에 서명하기[354] 이전은 양에 속하고, 판결문에 서명한 이후는 음에 속한다.’[355]라고 한 것은 역시 그 뜻을 엿본 것 같다고 생각했었다.”

[1-2-1-24]

問:“繼之者善之時，此所謂性善. 至成之者性，然後氣質各異，方說得善惡.”
曰:“旣謂之性，則終是未可分善惡.”[356]

350 夫:『朱文公文集』 권45 「答廖子晦」에는 ‘夫’가 ‘德明謂’로 되어 있다.
351 而:『朱文公文集』 권45, 「答廖子晦」에는 ‘則’으로 되어 있다.
352 『朱文公文集』 권45 「答廖子晦」
353 장충정공張忠定公: 張詠(946~1051)의 자는 復之이고, 호는 乖崖子이다.
354 서명하기: ‘著字’에 관하여 『箚疑節補』에 “著字猶言著押”이라고 하였다.
355 ‘공사公事에서 판결문에 … 속한다.’:『朱子大全箚疑』 권45, 28板에 “公謂李畋曰. 子知公事有陰陽否? 凡百公事，未著字前屬陽，變通由之. 著字後屬陰，陰主刑也. 刑貴正名，名不可改也.”라고 되어 있다.
356 『朱子語類』 권94, 42조목

물었다. "'이를 계승하는 것이 선'일 때 이것은 이른바 성선性善입니다. '이를 이룬 것이 성'에 이른 뒤에 기질이 각각 다르니 비로소 선악을 말할 수 있는 것이지요?"
(주자가) 답했다. "이미 성性이라고 하면 결국 아직은 선악을 나눌 수 없다."

[1-2-1-25]

問: "太極解何以先動而後靜, 先體而後用[357], 先感而後寂?"
曰: "在陰陽言, 則用在陽而體在陰. 然動靜無端, 陰陽無始, 不可分先後. 今此只是就起處言之. 畢竟動前又是靜, 用前又是體, 感前又是寂, 陽前又是陰. 而寂前又是感, 靜前又是動, 將何者爲先後. 不可只道今日動便爲始, 而昨日靜更不說也. 如鼻息, 言呼吸則辭順, 不可道吸呼. 畢竟呼前又是吸. 吸前又是呼."[358]
물었다. "『태극해』에 왜 동動을 먼저 하고 정靜을 나중에 하며, 용用을 먼저 하고 체體를 나중에 하며, 감동을 먼저 하고 적막을 나중에 하였는지요?"
(주자가) 답했다. "음양에서 말하면 용用은 양에 있고 체體는 음에 있다. 그러나 '동정에는 끝이 없고, 음양에는 시작이 없으니'[359] 선후를 나눌 수 없다. 지금 이것은 단지 기동起動한 곳에서 말하였을 뿐이다. 필경 동하기 전에는 또 정하였고, 용 이전에는 또 체였으며, 감동하기 전에는 또 적막하였고, 양 이전에는 또 음이었다. 그리고 적막하기 전에는 또 감동하였고, 정하기 전에는 또 동하였으니 무엇으로 선후를 삼겠는가. 다만 오늘의 동이 바로 시작이라고 하면서 어제의 정을 다시 말하지 않으면 안 된다. 예컨대 숨쉬기에서, '호흡'이라고 말하는 것은 어순이니 '흡호'라고 말해서는 안 된다. 필경 날숨 이전은 또 들숨이고, 들숨 이전은 또 날숨이다."

[1-2-1-26]

"動極復靜, 靜極復動, 還當把那箇做劈初頭始得? 今說'太極動而生陽', 是且把眼前卽今箇動斬截便說起. 其實那動以前又是靜, 靜以前又是動. 如今日一晝過了, 便是夜, 夜過了, 又只是明日晝. 卽今晝以前又有夜了, 昨夜以前又有晝了. 卽今要說時日起, 也只是把今日建子說起. 其實這箇子以前, 豈是無子?"[360]
(주자가 말했다.) "동動이 끝가면 다시 정靜하고, 정이 끝가면 다시 동하는데 과연 무엇을 시작점으로 삼아야 되겠는가? 지금 '태극이 동하여 양을 생한다.'라고 말하는 것은 우선 눈앞에서 현재 동하는 것을 끊어서 바로 말을 시작한 것이다. 사실은 그 동하기 전에는 또 정하였고, 정하기 전에는 또 동하였다. 예컨대 오늘 한낮이 지나면 밤이고, 밤이 지나면 또 내일 낮이다. 현재의 낮 이전에 또 밤이 있었고, 어제의 밤 이전에 또 낮이 있었다. 지금 시간을 말하려고 하면 또한 오늘 자시子時를

357 先體而後用 : 『朱子語類』 권1, 1조목에는 '先用而後體'로 되어 있다.
358 『朱子語類』 권1, 1조목
359 '동정에는 끝이 … 없으니' : 『二程粹言』 卷上
360 『朱子語類』 권94, 36조목

기준으로 말을 시작한다. 사실은 이 자시子時 이전에 어찌 자시가 없었겠는가?"

[1-2-1-27]

"當初元無一物只有此理. 有此理便會動而生陽, 靜而生陰. 靜極復動, 動極復靜, 循環流轉, 其實理無窮, 氣亦與之無窮. 自有天地, 便有這物事在這裏流轉.[361] 一日有一日之運,[362] 一月有一月之運, 一歲有一歲之運, 只是這箇物事袞袞將出, 如水車相似, 一箇起, 一箇倒, 一箇上, 一箇下. 其動也, 便是仁是中.[363] 其靜也, 便是正是義. 不動則靜, 不靜則動, 如人不語則嘿,[364] 不嘿則語, 中間更無空缺處."[365]

(주자가 말했다.) "당초에 원래 한 물건도 없었고 단지 이 리가 있을 뿐이었다. 이 리가 있으면 곧 동動하여 양을 생하고 정靜하여 음을 생할 수 있다. 정이 끝가면 다시 동하고 동이 끝가면 다시 정하여, 순환하며 유전流轉한다. 사실은 실제 리가 무궁하니 기氣도 이와 함께 무궁하다. 천지가 있고부터 곧 이 물건이 여기에서 유전할 뿐이니, 하루에는 하루의 운행이 있고, 한 달에는 한 달의 운행이 있고, 일 년에는 일 년의 운행이 있다. 다만 이 물건이 끊임없이 죽 흘러나오는 것이 무자위水車와 비슷하니, 한 번 일어섰다가 한 번 넘어지고, 한 번 올라갔다가 한 번 내려온다. 그 동動은 바로 인仁이고, 중中이다. 그 정靜은 바로 정正이고 의義이다. 동하지 않으면 정하고, 정하지 않으면 동하니, 사람이 말하지 않으면 다물고 다물지 않으면 말하여, 중간에 다시 빈틈이 없는 것과 같다."

[1-2-1-28]

問: "太極始於陽動乎?"

曰: "陰靜是太極之本. 然陰靜又自陽動而生. 一動一靜, 便是一箇闔闢之大者.[366] 推而上之, 更無窮極, 不可以本始言."[367]

물었다. "태극은 양・동陽動에서 시작합니까?"

(주자가) 답했다. "음・정陰靜은 태극의 근본이다. 그러나 음・정陰靜은 또 양・동陽動에서부터 생긴다. 한 번 동하고 한 번 정하는 것은 하나의 큰 합・벽闔闢이다. 미루어 올라가면 다시 막다른 곳이

361 便有 : '有'는 『朱子語類』 권116, 30조목에 '只是'로 되어 있다.

362 有一 : '有' 앞에 『朱子語類』 권116, 30조목에 '便'이 더 있다. 이하 '有一' 역시 이와 같다.

363 便是仁是中 : 『朱子語類』 권116, 30조목에 '便是中是仁'으로 되어 있다.

364 嘿 : 『朱子語類』 권116, 30조목에 '黙'으로 되어 있다.

365 "當初元無一物只有此理. … 靜極復動, 動極復靜, 循環流轉, 其實理無窮, 氣亦與之無窮."은 『御纂朱子全書』 권49의 글이고, "自有天地, 便有這物事在這裏流轉 … 不動則靜, 不靜則動, 如人不語則嘿, 不嘿則語, 中間更無空缺處."는 『朱子語類』 권116, 30조목의 글이다.

366 之大 : '之大' 앞에 『朱子語類』 권94, 9조목에는 '自其闢闔'이 더 있다. 그렇게 되면, "한 번 정하고 한 번 동하는 것은 바로 하나의 합벽이다. 그 큰 합벽으로부터 미루어 올라가면(一靜一動, 便是一箇闢闔. 自其闢闔之大者推而上之)"이 될 것이다.

367 『朱子語類』 권94, 9조목

없으니, 근본이나 시작이라고 말할 수 없다."

[1-2-1-29]

問: 理與氣.

曰: "有此理便有此氣, 但理是本, 而今且從理上說起,[368] 如云, '太極動而生陽, 動極而靜, 靜而生陰', 不成動以前便無靜了.[369] 程子曰, '動靜無端', 此亦且是自那動處說起. 若論著動以前又有靜, 靜以前又有動."[370]

리와 기氣에 대하여 물었다.

(주자가) 답했다. "이 리가 있으면 바로 이 기가 있지만, 리가 근본이니 지금 우선 리에서부터 말을 시작하였으니, '태극이 동하여 양을 생하고 동이 끝가서 정하고, 정하여 음을 생한다.'는 것과 같으니, 동 이전에 곧 정이 없을 수 없다. 정자程子가 '동정에는 끝이 없다.'[371]고 하였는데, 이것도 역시 우선 그 동하는 곳에서부터 말을 시작한 것이다. 만일 논의하자면, 동 이전에는 또 정이 있었고, 정 이전에는 또 동이 있었다."

[1-2-1-30]

問: "太極'主靜'之說, 是先靜後動否?"

曰: "'動靜無端, 陰陽無始', 雖是合下靜, 靜而後動. 若細推時, 未靜時須先動來, 所謂'如環無端, 互爲其根'. 謂如在人, 人之動作, 及其成就, 却只在靜. 便如渾淪未判之時, 亦須曾明盛一番來. 只是這道理層層流轉, 不可窮詰, 太極圖中盡之. 動極生靜, 亦非是又別有一箇靜來繼此動, 但動極則自然靜, 靜極則自然動. 推而上之, 沒理會處."[372]

물었다. "『태극도설』의 '정을 주로 하는主靜' 이론은 정을 먼저 하고 동을 나중에 하는 것입니까?"

(주자가) 답했다. "'동정에는 끝이 없고, 음양에는 시작이 없다.'는 지금 당장은 정이지만 정한 뒤에는 동이다. 만일 자세히 논한다면, 아직 정하지 않을 때는 반드시 먼저 동했었으니, 이른바 '고리처럼 끝이 없이 서로 뿌리가 된다.'[373]는 것이다. 사람을 예로 들면, 사람의 동작이 완성되는 것은 오히려 다만 정에 있다. 설령 한 덩어리로 아직 나뉘지 않았을 때라도 역시 반드시 한 번 왕성한 때가 있었다. 다만 이 도리가 차례차례 유전流轉하니 끝까지 추구할 수 없음은 『태극도』에서 다 밝혔다. 동이 끝가서 정을 생하는 것 역시 또 다른 하나의 정이 와서 이 동을 잇는 것이 아니라, 다만 동이 끝가면 저절로 정하고, 정이 끝가면 저절로 동한다. 더 미루어 올라가도 어쩔 수가 없다."

368 說起: '起'가 『朱子語類』 권1, 9조목에는 '氣'로 되어 있다.
369 以前便無靜了: '以'가 『朱子語類』 권1, 9조목에는 '已'로 되어 있고, '了'가 『朱子語類』 권1, 9조목에는 없다.
370 『朱子語類』 권1, 9조목
371 '동정에는 끝이 없다.': 『二程粹言』 卷上
372 『朱子語類』 권94, 97조목
373 『漢上易傳』 권7

[1-2-1-31]

問: "太極之有動靜, 是靜先動後否?"

曰: "一動一靜, 循環無端. 無靜不成動, 無動不成靜. 譬如鼻息, 無時不噓, 無時不吸. 噓盡則生吸, 吸盡則生噓, 理自如此."[374]

물었다. "태극에 동정이 있는 것은 정이 먼저이고 동이 나중입니까?"

(주자가) 답했다. "한 번 동하고 한 번 정하며 순환하여 끝이 없다. 정이 없으면 동을 이룰 수 없고, 동이 없으면 정을 이룰 수 없다. 비유하자면 숨쉬기와 같아서, 내불지 않을 때가 없고, 들이쉬지 않을 때가 없다. 내불기가 끝나면 들이쉬기가 생기고, 들이쉬기가 끝나면 내불기가 생기니, 리가 본래 이와 같다."

[1-2-1-32]

"'太極動而生陽, 靜而生陰', 非是動而後有陽, 靜而後有陰, 截然爲兩段, 先有此而後有彼也. 只太極之動便是陽, 靜便是陰. 方其動時, 則不見靜. 方其靜時, 則不見動. 然'動而生陽', 亦只是且從此說起. 陽動以上更有在. 程子所謂'動靜無端, 陰陽無始', 於此可見."[375]

(주자가 말했다.) "'태극이 동하여 양을 생하고 정하여 음을 생한다.'는, 동한 뒤에 양이 있고 정한 뒤에 음이 있어 분명히 두 구간으로 나뉘고 먼저 이것이 있은 뒤에 저것이 있는 것은 아니다. 다만 태극의 동은 바로 양이고, 정은 바로 음이다. 동할 때는 정을 보지 못하고 정할 때는 동을 보지 못한다. 그러나 '동하여 양을 생'하는 것은 역시 우선 이것으로부터 말을 시작한 것뿐이니, 양동陽動 이상이 더 있다. 정자가 말한 '동정에는 끝이 없고, 음양에는 시작이 없다.'는 것을 여기서 볼 수 있다."

[1-2-1-33]

"陰陽本無始, 但以陽動陰靜相對言, 則陽爲先陰爲後, 陽爲始陰爲終, 猶一歲以正月爲更端, 其實姑始於此耳. 歲首以前, 非截然別爲一段事, 則是其循環錯綜, 不可以先後始終言, 亦可見矣."[376]

(주자가 말했다.) "음양에는 본래 시작이 없다. 다만 양동陽動과 음정陰靜으로 상대시켜 말하면, 양이 먼저이고 음이 나중이며, 양이 시작이고 음이 끝이니, 일 년에서 정월이 발단인 것 같지만 사실은 잠시 여기에서 시작할 뿐이다. 세수歲首 이전이 분명히 다른 별개의 일이 아니니, 순환하고 섞여서 선후나 시종으로 말할 수 없는 것을 역시 알 수 있다."

374 『朱子語類』 권94, 32조목
375 『朱子語類』 권94, 35조목
376 『朱子語類』 권94, 55조목

[1-2-1-34]

"'動靜無端, 陰陽無始', 本不可以先後言. 然就中間截斷言之, 則不得不言其有先後也. 如太極動而生陽, 則其未動之前固已嘗靜矣. '靜極復動', 則已靜之後固必有動矣. 就此看又有先後也."[377]

(주자가 말했다.) "'동정에는 끝이 없고, 음양에는 시작이 없으니' 본래 선후先後를 말할 수 없다. 그러나 중간에서 끊어서 말하면, 그 선후가 있다고 말하지 않을 수 없다. 예컨대 '태극이 동하여 양을 생한다.'면 그 아직 동하기 이전에는 진실로 정하였을 것이다. '정이 끝가서 다시 동한다.'면 이미 정한 뒤에는 진실로 반드시 동이 있을 것이다. 여기서 보면 또 선후가 있다."

[1-2-1-35]

"'太極動而生陽', 只是如一長物, 不免就中間截斷說. 其實動之前未嘗無靜, 靜之前又未嘗無動. 如'繼之者善也', 亦是就此說起. 譬之俗語, 謂'今日爲頭,[378] 已前底更不受理'意思.[379]"[380]

(주자가 말했다.) "'태극이 동動하여 양을 생한다.'는 다만 하나의 긴 물건과 같으니 중간에서 끊어서 말하지 않을 수 없다. 사실은 동 이전에 정靜이 없던 적이 없고, 정 이전에 동이 없던 적이 없다. 예컨대 '이를 계승하는 것은 선이다.'도 여기에서 말을 시작한 것이다. 비유하자면 속어에 '오늘부터 시작하면 그 이전 것은 더 이상 문제 삼지 않는다.'는 뜻을 말한 것이다."

[1-2-1-36]

"'一動一靜, 互爲其根' 動而靜, 靜而動, 闔闢往來,[381] 更無休息. '分陰分陽, 兩儀立焉.' 兩儀是天地, 與畫卦兩儀意思又別. 動靜如晝夜, 陰陽如東西南北, 分從四方去. '一動一靜'以時言, '分陰分陽'以位言. 方渾淪未判, 陰陽之氣, 混合幽暗, 及其既分, 中間放得寬闊光朗, 而兩儀始立. 邵康節以十二萬九千六百年爲一元, 則是十二萬九千六百年之前, 又是一箇大闔闢. 更以上亦復如此, 直是'動靜無端, 陰陽無始'. 小者大之影, 只晝夜便可見. 五峰所謂'一氣大息, 震蕩無垠, 海宇變動, 山渤川湮, 人物消盡, 舊跡大滅, 是謂洪荒之世.' 嘗見高山有螺蚌殼, 或生石中, 此石卽舊日之土, 螺蚌卽水中之物. 下者却變而爲高. 柔者却變而爲剛. 此事思之至深, 有可驗者."[382]

377 『朱文公文集』 권49 「答王子合」에는 다음과 같이 되어 있다. "'動靜無端, 陰陽無始', 本不可以先後言. 然就中間截斷言之. 則亦不害其有先後也. 觀周子所言 '太極動而生陽', 則其未動之前, 固已嘗靜矣. 又言'靜極復動', 則已靜之後固必有動矣. 如春秋冬夏, 元亨利貞, 固不能無先後, 然不冬則何以爲春, 而不貞又何以爲元? 就此看之, 又自有先後也."

378 今日 : '今日' 앞에 『朱子語類』 권94, 60조목에는 '自'가 더 있다.

379 已前底 : 『朱子語類』 권94, 60조목에는 '底'가 없다.

380 『朱子語類』 권94, 60조목

381 闔闢 : 『朱子語類』 권94, 16조목에 '闢闔'으로 되어 있다.

382 『朱子語類』 권94, 16조목

(주자가 말했다.) "'한 번 동하고 한 번 정하는 것이 서로 뿌리가 되는 것'은 동하고 정하며 정하고 동하면서, 여닫고 오가는데 전혀 쉼이 없는 것이다. '음으로 나뉘고 양으로 나뉨에 양의兩儀가 확립된다.'에서의 양의는 천·지天地이니, 괘를 그릴 때의 양의와는 그 뜻이 다르다. 동·정動靜은 주·야晝夜와 같고, 음·양은 동·서·남·북과 같으니, 사방으로 나눠본 것이다. '한 번 동하고 한 번 정한다.'는 시간으로써 말하였고, '음으로 나뉘고 양으로 나뉨'은 위치로써 말하였다. 한참 혼륜하고 아직 나뉘지 않았을 때는 음양의 기가 합해 있고 어두웠으나, 이미 나누어진 다음에는 그 중간에 넓고 밝은 곳이 생겨서 양의가 비로소 정해졌다. 소강절邵康節(邵雍)은 12만 9600년을 1원元으로 삼았으니[383] 12만 9600년 이전은 또 하나의 큰 합·벽闔闢이다. 그 이상도 역시 이와 같으니, 바로 '동정에는 끝이 없고, 음양에는 시작이 없다.'는 것이다. 작은 것은 큰 것의 그림자이니, 다만 주·야晝夜에서 볼 수 있다. 오봉五峰(胡宏)이 말한 '한 기氣가 크게 숨을 쉬면 진동이 끝이 없어 온 천지가 흔들리고, 산은 솟고 냇물은 마르며, 사람과 만물이 다 사라져 옛 자취가 완전히 소멸되니, 이것을 홍황지세洪荒之世(混沌)라고 한다.'[384]는 것이다. 일찍이 높은 산에 소라 껍질이 있고, 혹은 돌 속에서도 생긴 것을 보았는데, 이 돌은 옛날 흙이었고, 소라는 수중水中 생물이다. 낮은 것은 돌연 변해서 높아지고, 부드러운 것은 돌연 변하여 단단해졌다. 이 일은 깊이 생각하면 증험할 만한 것이 있다."

[1-2-1-37]

"陰陽有箇流行底, 有箇定位底. '一動一靜互爲其根', 是流行底,[385] 寒暑往來是也. '分陰分陽兩儀立焉', 是定位底,[386] 天地四方是也.[387] 易有兩義. 一曰變易,[388] 便是流行底. 一曰交易,[389] 便是對峙底.[390]"[391]

(주자가 말했다.) "음양에는 유행하는 것이 있고, 자리가 정해진 것이 있다. '한 번 동하고 한 번 정하는 것이 서로 뿌리가 된다.'는 것은 유행하는 것이니, 추위와 더위, 가고 오는 것[往來]이 이것이다. '음으로 나뉘고 양으로 나뉨에 양의兩儀가 확립된다.'는 것은 자리가 정해진 것이니, 천지天地의 사방四方이 이것이다. 역易에 두 의미가 있다. 하나는 변역變易이니, 바로 유행하는 것이다. 하나는 교역交易이니, 바로 대치對峙하는 것이다."

383 12만 9600년을 1元으로 삼았으니 : 『皇極經世書』 권12 참조
384 『知言』 권4
385 是 : '是' 앞에 『朱子語類』 권65, 6조목에는 '更'이 더 있는데, 아마 '便'의 誤字일 것이다.
386 是 : '是' 앞에 『朱子語類』 권65, 6조목에는 '便'이 더 있다.
387 天地 : '天地' 뒤에 『朱子語類』 권65, 6조목에는 '上下'가 더 있다.
388 曰 : '曰'이 『朱子語類』 권65, 6조목에는 '是'로 되어 있다.
389 曰 : '曰'이 『朱子語類』 권65, 6조목에는 '是'로 되어 있다.
390 對峙 : '峙'가 『朱子語類』 권65, 6조목에는 '待'로 되어 있다.
391 『朱子語類』 권65, 6조목

[1-2-1-38]

"陰陽若論流行底, 則只是一箇, 對峙底, 則兩箇."[392]

(주자가 말했다.) "음양은, 만일 유행하는 것으로 논한다면 하나일 뿐이고, 대치하는 것으로 논하면 두 개이다."

[1-2-1-39]

"陰陽作一箇看亦得. 做兩箇看亦得. 若論流行底, 則只一箇消長而已, 如'一動一靜互爲其根', 是也. 若對峙底, 則有兩箇, '分陰分陽兩儀立焉', 是也. 若論對立底, 無一物無陰陽, 如至微之物也有箇背面. 若說流行處, 却只是一氣."[393]

(주자가 말했다.) "음양은 한 개로 보아도 되고, 두 개로 보아도 된다. 만일 유행하는 것을 논하면 단지 하나가 사그라들거나 자라나거나 할 뿐이니, 예를 들면 '한 번은 동動하고 한 번은 정靜하는 것이 서로 그 뿌리가 된다.'는 것이 이것이다. 만일 대치하는 것이라면 두 개가 있으니, '음으로 나뉘고 양으로 나뉨에 양의兩儀가 확립된다.'는 것이 이것이다. 만일 대립하는 것을 논한다면 음양이 없는 것은 하나도 없으니, 예컨대 아무리 미물이라도 등[背面]이 있다. 만일 유행하는 곳을 말하면 도리어 한 개의 기氣일 뿐이다."

[1-2-1-40]

問: "必至於'互爲其根', 方分陰陽."

曰: "從動靜便分."

問: "'分陰分陽', 是帶上句."

曰: "然."[394]

물었다. "반드시 '서로 그 뿌리가 되는 데'에 이르러야 비로소 음양으로 나뉘지요?"

(주자가) 답했다. "동정으로부터 바로 나뉜다."

물었다. "'음으로 나뉘고 양으로 나뉘는 것'은 위 구절에 연결되지요?"

(주자가) 답했다. "그렇다."

[1-2-1-41]

問: "'太極動而生陽, 靜而生陰, 靜極復動', 則動復生陽, 靜復生陰. 不知分陰陽以立兩儀, 在靜極復動之前, 爲復在後."

曰: "'動而生陽, 靜而生陰', 則陰陽分而兩儀立矣. '靜極復動'以後, 所以明混闢不窮之妙."[395]

392 『西山讀書記』 권37 「陰陽」

393 『文公易說』 권2

394 『朱子語類』 권94, 47조목

395 『朱子語類』 권94, 68조목

물었다. "'태극이 동하여 양을 생하고 정하여 음을 생하며, 정이 끝가면 다시 동한다.'면 동은 다시 양을 생하고 정은 다시 음을 생합니다. 음·양을 나눠 양의를 정定하는 것은 '정이 끝가서 다시 동하기' 이전에 있는 것인지, 혹은 '다시 (동·정)한 뒤'에 있는지 모르겠습니다."
(주자가) 답했다. "'동하여 양을 생하고 정하여 음을 생'하면 음양이 나뉘어 양의가 정定해진다. '정이 끝가면 다시 동'하는 이후는 끝없이 여닫는 묘를 밝힌 것이다."

[1-2-1-42]

"程子所謂'無截然爲陰爲陽之理', 卽周子所謂'互爲其根'也. 程子所謂'升降生殺之大分', 卽周子所謂'分陰分陽'也. 二句相須, 其義始備."[396]
(주자가 말했다.) "정자程子가 말한 '딱 잘라서 음이 되고 양이 되는 리는 없다.'[397]는 것은 바로 주자周子가 말한 '서로 그 뿌리가 된다.'는 것이다. 정자程子가 말한 '상승과 하강, 삶과 죽음의 큰 경계'[398]는 바로 주자周子가 말한 '음으로 나뉘고 양으로 나뉜다.'는 것이다. 두 구절이 서로 의지해야 그 의리가 비로소 갖춰진다."

[1-2-1-43]

問: "太極圖兩儀中有地, 五行中又有土, 如何分別?"
曰: "地言其大槪.[399] 土是地之形質."[400]
물었다. "『태극도』 양의兩儀 중에 지地가 있고, 오행 중에 또 토土가 있는데, 어떻게 구분합니까?"
(주자가) 답했다. "지地는 그 대강을 말한 것이고, 토土는 지地의 형질形質이다."

[1-2-1-44]

問: "'分陰分陽, 兩儀立焉, 分之所以一定而不可移也', 不知名分之分,[401] 性分之分."
曰: "分猶定位耳."[402]
물었다. "'음으로 나뉘고 양으로 나뉨에 양의兩儀가 확립됨은 분分이 한 번 정해져서 바꿀 수 없는 것이다.'에서 (分은) 명분名分의 분分인지 성분性分의 분分인지 모르겠습니다."
(주자가) 답했다. "'분分'은 정해진 자리[定位]와 같을 뿐이다."

396 『朱文公文集』 권42 「答胡廣中」
397 '딱 잘라서 … 없다.': 『二程遺書』 권2
398 '상승과 하강 … 경계': 『二程遺書』 권2上
399 大槪: 『朱子語類』 권94, 59조목에 "閎祖錄作'全體'."라는 주석이 붙어 있다.
400 『朱子語類』 권94, 59조목
401 不知: '不知' 다음에 『朱文公文集』 권49 「答林子玉振」에는 '謂'字가 더 있다.
402 『朱文公文集』 권49 「答林子玉」

[1-2-1-45]

問: "如何是所乘之機?"[403]

曰: "理搭於氣而行."[404]

물었다. "어째서 타는 탈것[機]입니까?"

(주자가) 답했다. "리는 기를 타고 간다."

[1-2-1-46]

問: "有此理, 然後有此氣."[405]

曰: "此本無先後之可言. 然必推其所從來,[406] 則須說先有此理.[407] 然理又非別爲一物, 卽存乎是氣之中. 無是氣, 則是理亦無掛搭處."[408]

물었다. "이 리가 있은 뒤에 이 기가 있지요?"

(주자가) 답했다. "이것은 본래 선후를 말할 수 없다. 그러나 그 온 곳을 추적한다면 반드시 먼저 이 리가 있다고 말해야 한다. 그러나 리는 또한 별도의 어떤 물건이 아니라 곧 이 기 속에 있다. 이 기가 없으면, 이 리 역시 놓을 곳이 없다."

[1-2-1-47]

"圖解云, '動靜者所乘之機', 識者謂此語最精. 蓋太極是理, 陰陽是氣, 理無形而氣有迹. 氣旣有動靜, 則所載之理亦安得無動靜?"[409]

(주자가 말했다.) "『태극도해』에 이르기를, '동정은 타는 탈것이다.'라고 하였는데, 식견이 있는 사람들은 이 말이 가장 정밀하다고 한다. 대개 태극은 리이고 음양은 기인데, 리에는 형체가 없고 기에는 자취가 있다. 기에 이미 동정이 있으면 실려 있는 리가 또 어찌 동정이 없을 수 있겠는가?"

[1-2-1-48]

問: "太極只是理, 理不可以動靜言. 惟動而生陽, 靜而生陰, 理寓於氣, 不能無動靜. 所乘之機, 乘如乘載之乘. 其動靜者, 乃乘載在氣上, 不覺動了靜, 靜了又動."

曰: "然."[410]

403 如何是: 『朱子語類』 권94, 49조목에 '動靜者'로 되어 있다.
404 『朱子語類』 권94, 49조목
405 問: "有此理, 然後有此氣?": 『朱子語類』 권1, 11조목에 "或問: 必有是理, 然後有是氣, 如何?"로 되어 있다.
406 必推: '必推' 사이에 『朱子語類』 권1, 11조목에는 '欲'이 더 있다.
407 此理: '此'는 『朱子語類』 권1, 11조목에 '是'로 되어 있다.
408 『朱子語類』 권1, 11조목
409 『朱子語類』 권5, 20조목에는 다음과 같이 되어 있다. "又云, 先生太極圖解云, '動靜者, 所乘之機也.' 蔡季通聰明, 看得這般處出, 謂先生下此語最精. 蓋太極是理, 形而上者. 陰陽是氣, 形而下者. 然理無形, 而氣卻有跡. 氣旣有動靜, 則所載之理亦安得謂之無動靜!"

물었다. “태극은 리일 뿐이니, 리는 동정으로 말할 수 없습니다. 오직 동하여 양을 생하고 정하여 음을 생하면 리는 기에 붙어서 동정이 없을 수 없습니다. ‘(올라) 타는 탈것’에서 ‘타다乘’는 ‘위에 싣다’의 ‘위에’와 같습니다. 그 (태극의) 동정은 곧 기 위에 실려 있어 모르는 사이 동하였다가 정하고, 정하였다가 또 동하지요.”

(주자가) 답했다. “그렇다.”

[1-2-1-49]

“太極，理也，動靜，氣也. 氣行則理亦行，二者常相依而未嘗相離也.”[411]

(주자가 말했다.) “태극은 리이고, 동정은 기이다. 기가 가면 리도 가니, 양자는 항상 서로 의지하고 있어 서로 떨어진 적이 없다.”

[1-2-1-50]

“‘陽動陰靜’，非太極動靜，只是理有動靜. 理不可見，因陰陽而後知. 理搭在陰陽上，如人跨馬相似. 馬所以載人，人所以乘馬，馬之一出一入，人亦與之一出一入. 蓋一動一靜，而太極之妙未嘗不在焉，此所謂‘所乘之機’. 無極二五所以‘妙合而凝’也.”[412]

(주자가 말했다.) “‘양동·음정陽動陰靜’은 태극의 동정이 아니라, 다만 리에 동정이 있는 것일 뿐이다. 리는 볼 수 없고, 음양에 의지한 후에 안다. 리가 음양 위에 실려 있는 것은 사람이 말을 타고 앉아 있는 것과 비슷하다. 말은 사람을 싣고 사람은 말을 타고, 말이 한 번 나가고 한 번 들어오면 사람도 이와 함께 한 번 나가고 한 번 들어온다. 대개 한 번 동하고 한 번 정할 때에 태극의 묘는 여기에 있지 않은 적이 없으니, 이것이 이른바 ‘타는 탈것’이다. 무극과 음양오행이 ‘묘하게 합하여 엉킨 것’이다.”

[1-2-1-51]

問：“動靜者所乘之機.”

曰：“機，氣機也.”[413]

又曰：“機是關捩子. 踏著動底機，便挑撥得那靜底，踏著靜底機，便挑撥得那動底.”[414]

‘동정은 타는 탈것이다.’에 대해 물었다.

(주자가) 답했다. “탈것은 기기氣機[415]이다.”

410 『朱子語類』 권94, 20조목

411 『朱子語類』 권94, 50조목

412 “‘陽動陰靜’, 非太極動靜, 只是理有動靜. … 理搭在陰陽上, 如人跨馬相似.”의 글은 『朱子語類』 권94, 41조목의 글이고, “馬所以載人, 人所以乘馬, 馬之一出一入, 人亦與之一出一入. … 無極二五所以‘妙合而凝’也.”의 글은 『朱子語類』 권94, 50조목의 글이다.

413 『朱子語類』 권94, 52조목에는 “機, 言氣機也.”라고 되어 있다.

414 『朱子語類』 권94, 51조목, 52조목

또 말했다. "탈것은 관렬자關捩子[416]이다. 동하게 하는 고동(動機)을 밟고 있으면 그 가만있던 것을 (동으로) 전환시키고, 정하게 하는 고동(靜機)을 밟고 있으면 바로 그 움직이던 것을 (정으로) 전환시킨다."

[1-2-1-52]

"某向以太極爲體, 動靜爲用, 其言固有病, 後已改之曰, 太極者, 本然之妙也. 動靜者, 所乘之機也. 此則庶幾近之."[417]

(주자가 말했다.) "나는 이전에 태극을 체體로 동정을 용用으로 여겼었는데, 그 말에 진실로 병통이 있어 나중에 고쳐서 말하기를, '태극은 본연의 묘함이고, 동정은 타는 탈것이다.'고 하였는데, 이 말이 아마도 근사한 것 같다."

[1-2-1-53]

"天地之間, 有理有氣. 理也者, 形而上之道也, 生物之本也. 氣也者, 形而下之器也, 生物之具也."[418]

(주자가 말했다.) "천지 사이에 리가 있고 기가 있다. 리라는 것은 형이상의 도道이고, 만물을 생하는 근본이다. 기氣라는 것은 형이하의 그릇이고 만물을 생하는 도구이다."

[1-2-1-54]

問: "太極一陰一陽."

曰: "一陰一陽, 道也. 陰陽, 器也."[419]

415 기기氣機 : '氣機'는 '자율적으로 규칙적인 운동을 하는 氣로 된 탈것'이다. 『中庸或問』 '或問十三章之說'의 "天地의 조화는 생하고 생하여 다함이 없다. 다만 氣機가 열고 닫음에 통함과 막힘이 있다.(天地之化。生生不窮。特以氣機闔闢。有通有塞)" / 『晦庵集』 권4 「齋居感興二十首」의 "사람 마음의 묘함은 측량할 수 없으며 氣機를 타고 드나든다.(人心妙不測, 出入乘氣機.)" / 『傳習錄』 卷上의 "天地의 氣機는 원래 한순간의 멈춤도 없다.(天地氣機, 元無一息之停.)" 등 참조. 여기서 氣機는 氣의 闔闢, 出入, 乘降 등의 끝없는 운동이나 흐름을 지칭하며, 탈것에 비유된다.

416 관렬자關捩子 : 關捩은 '빗장을 걸거나[關] 그것을 비틀어 풀다[捩]'에서 유래하여 原動機가 돌아가거나 멈추게 하는 일이나, 쇠뇌의 弩牙에 활시위를 걸어놓거나 쏘는 일에서 動・靜을 전환하는 작용을 일으키는 機關이나 그 부속을 관렬자라고 한다. 關捩는 關棙와 통용한다. 다만 音은 아래의 ①②처럼 棙(허리나무, 琵琶撥)를 기본으로 하여 '要緊, 重要' 등의 뜻일 때는 '관려'로 읽고, ③처럼 捩(비틀다, 꺾다)를 기본으로 '기관, 고동'의 뜻일 때는 '관렬'로 읽는 것이 좋겠다(『全韻玉篇』 등 참조). 解釋例는 아래 참조. / ① 풀무를 밟는 널판 아래 놓는 나무처럼 요긴한 것(『退溪集』「答李仲久問目朱子大全疑義」 권11 / 關棙 / 趙士敬云, 棙, 冶者鼓風板所安之木. 見訓蒙字會. 然則關捩 恐是所由要緊之義耳.) / ② 자물쇠를 채우는 긴요한 곳(『朱子語類考文解義』 권10, 讀書須是 : 關捩謂關鎖緊要處 子語辭 … 孟子所謂左右逢源 卽此謂也) / ③ 機關(『朱子大全箚疑』 續集 권6 關捩 機關也)

417 『朱文公文集』 권45 「答楊子直」

418 『朱文公文集』 권58 「答黃道夫」

"태극과 한 번 음하고 한 번 양하는 것에 대하여 물었다."
(주자가) 답했다. "한 번 음하고 한 번 양하는 것은 도道이고, 음양은 그릇이다."

[1-2-1-55]

問: "陰陽氣也, 何以謂形而下者?"
曰: "旣曰氣, 便是有箇物事, 此謂形而下者."[420]
물었다. "음양은 기인데, 왜 형이하자라고 합니까?"
(주자가) 답했다. "이미 기氣라고 하면, 바로 물건이 있으니 이것을 형이하자라고 한다."

[1-2-1-56]

問: "形而上下, 如何以形言?"
曰: "此言最的當. 設若以有形無形言之, 便是物與理相間斷了. 所以程子謂欄截得分明者[421], 只是上下之間分別得一箇界止分明. 器亦道, 道亦器, 有分別而不相離也."[422]
물었다. "형이상과 형이하에서 왜 형形을 가지고 말합니까?"
(주자가) 답했다. "이 말이 가장 적당하다. 만약 유형과 무형으로 말한다면 물건과 리에 서로 간격이 생긴다. 그러므로 정자程子는 분명하게 가르는 것은 다만 상하上下 사이에 분명한 경계를 긋는 것이라고 하였다. '그릇은 또한 도이고, 도는 또한 그릇이니'[423], 분별은 있어도 서로 떨어지지는 않는다."

[1-2-1-57]

"形而上者, 無形無影是理. 形而下者, 有形有狀是器.[424] 然有此器則有此理, 有此理則有此器, 未嘗相離. 却不是於形器之外, 別有所謂理."[425]
(주자가 말했다.) "형이상자는 모양도 없고 그림자도 없으니 리이고, 형이하자는 모양도 있고 형상도 있으니 그릇이다. 그러나 이 그릇이 있으면 이 리가 있고, 이 리가 있으면 이 그릇이 있어서 서로 떨어진 적은 없다. 또 형기形器 밖에 달리 이른바 리가 있는 것도 아니다."

[1-2-1-58]

"形而上底虛, 渾是道理, 形而下底實, 便是器. 這箇分別得精切. 明道說'惟此語截得上下分明'[426]."[427]

419 『文公易說』 권1 「太極」
420 『朱子語類』 권94, 128조목
421 欄截得分明者 : 『朱子語類』 권94, 128조목에는 '欄'이 없다.
422 『朱子語類』 권75, 106조목
423 『河南程氏遺書』 권1
424 有形 : 『朱子語類』 권95, 24조목에는 '有情'으로 되어 있다.
425 『朱子語類』 권95, 24조목

(주자가 말했다.) "형이상의 빈 것은 온통 도리이고, 형이하의 알찬 것은 바로 그릇이다. 이 분별이 정밀하다. 명도明道는 '오직 이 말이 상·하上下를 분명하게 가를 수 있다.'[428]고 하였다."

[1-2-1-59]

問: "明道云, '陰陽亦形而下者而曰道, 只此兩句截得上下分明.'[429] 截字莫作斷字誤?[430]"

曰: "正是截字. 形而上, 形而下, 只就形處離合分明,[431] 此正是界至處. 若只說作在上在下,[432] 便成兩截矣."[433]

물었다. "명도가 이르기를 '음양은 역시 형이하자인데 도라고 하였으니, 이 두 구절이 상하를 분명하게 가를 수 있다.'고 하였는데, 가른다[截]는 말은 끊는다[斷]는 말의 잘못이 아닌지요?"

(주자가) 답했다. "'가른다'가 맞다. 형이상과 형이하는 다만 모양[形]에서 구분하고 분별한 것이니, 이것이 바로 경계선이다. 만일 다만 '위에 있다[在上]'거나 '아래에 있다[在下]'고 하면 바로 두 토막이 될 것이다."

[1-2-1-60]

問: "伊川言'形而上者謂之道, 形而下者謂之器, 須著如此說.'"

曰: "這是伊川見得分明, 故云'須著如此說'. 形而上者是理, 形而下者是物, 如此開說, 方見分明. 如此了, 方說得道不離乎器, 器不遠乎道處. 如人君須止於仁,[434] 爲人臣止於敬, 爲人子止於孝, 爲人父止於慈, 這是道理合如此. 今人不解恁地說, 更不索性兩邊說,[435] 怎生說得通?"[436]

물었다. "이천伊川이 '「형이상자를 도道라 하고, 형이하자를 그릇[器]이라 한다.」는 반드시 이렇게 말해야 한다.'[437]고 하였습니다."

(주자가) 답했다. "이것은 이천이 분명히 본 것이다. 그러므로 '반드시 이렇게 말해야 한다.'고 하였

426 分明 : 『河南程氏遺書』 권11에는 '最分明'으로 되어 있다.
427 『文公易說』 권12 「繫辭上」. 여기에는 다음과 같이 되어 있다. "形而上者謂之道, 形而上底虛, 渾是道理, 形而下者謂之器, 形而下底實, 便是器. 這箇分別得精切, 明道語截得上下最分明."
428 '오직 이 … 있다.' : 『河南程氏遺書』 권11
429 '陰陽 … 分明.' : 『河南程氏遺書』 권11에 다음과 같이 되어 있다. "'一陰一陽之謂道.' 陰陽亦形而下者也, 而曰'道'者, 惟此語截得上下最分明"
430 莫作 : '作'은 『朱子語類』 권94, 17조목에 '是'로 되어 있다.
431 分明 : '明'은 『朱子語類』 권94, 17조목에 '別'로 되어 있다.
432 只說作 : '只'는 『朱子語類』 권94, 17조목에 '止'로 되어 있고, '作'이 없다.
433 『朱子語類』 권94, 17조목
434 人君 : '人'은 『朱子語類』 권75, 110조목에 '爲'로 되어 있고, '止於仁' 뒤에 '這是道理合如此' 7자가 더 있다.
435 更不 : '更'은 『朱子語類』 권75, 110조목에 '便'으로 되어 있다.
436 『朱子語類』 권75, 110조목
437 '형이상자를 … 한다.' : 『河南程氏遺書』 권1

다. 형이상자는 리이고 형이하자는 물건이니, 이렇게 밝혀서 말해야 비로소 분명해진다. 이렇게 하고 나서야 비로소 도는 그릇을 떠나지 않고 그릇은 도와 멀지 않은 것을 말할 수 있다. 예컨대 '임금이 되어서는 반드시 인仁에 그치고, 신하가 되어서는 경敬에 그치고, 자식이 되어서는 효에 그치고, 아비가 되어서는 자애에 그친다.'[438]는 것 등은 도리가 마땅히 이러해야 한다. 지금 사람들이 이렇게 말한 것을 이해하지 못하는데, 또 아예 둘로 나누어 설명하지 않으면 어떻게 말이 통할 수 있겠는가?"

[1-2-1-61]

"可見底是器. 不可見底是道. 理是道. 物是器."[439]

(주자가 말했다.) "볼 수 있는 것은 그릇器이고, 볼 수 없는 것은 도이다. 리는 도이고 물건은 그릇이다."

[1-2-1-62]

"器亦道, 道亦器也. 道未嘗離乎器, 只是器之理.[440] 如這人身是器,[441] 語言動作便是人之理. 理只在器上, 理與器未嘗相離."[442]

(주자가 말했다.) "그릇은 또 도이고, 도는 또 그릇이다. 도는 그릇에서 떨어진 적이 없으니, 그릇의 리일 뿐이다. 예컨대 사람의 몸은 그릇이고, 말하고 움직이는 것은 바로 사람의 리이다. 리는 다만 그릇 위에 있으니, 리와 그릇은 서로 떨어진 적이 없다."

[1-2-1-63]

"'形而上者謂之道, 形而下者謂之器'[443], 這箇在人看始得. 推器爲道固不得,[444] 離器於道亦不得. 且如此火是器, 自有道在裏."[445]

(주자가 말했다.) "'형이상자를 도라 하고 형이하자를 그릇이라 하'는데, 이것은 사람에게서 보면 된다. 그릇을 가리켜 도로 여기는 것도 진실로 안 되지만, 도에서 그릇을 떼어내는 것도 안 된다. 즉 이 불火은 그릇이지만 도가 저절로 그 속에 있는 것과 같다."

438 임금이 되어서는 … 그친다. : 『大學章句』 3장
439 『朱子語類』 권24 54조목
440 只是 : '只是' 앞에 『朱子語類』 권77, 29조목에는 '道亦' 두 글자가 더 있다.
441 如這 : '如這' 다음에 『朱子語類』 권77, 29조목에는 '交椅是器 可坐便是交椅之理' 12자가 더 있다.
442 『朱子語類』 권77, 29조목
443 形而上者謂之道 形而下者謂之器 : 『朱子語類』 권75, 108조목에는 '形而上謂道 形而下謂器'로 되어 있다.
444 推器 : '推'는 『朱子語類』 권75, 108조목에 '指'로 되어 있다.
445 『朱子語類』 권75, 108조목

[1-2-1-64]

"理則一而已矣，其形者則謂之器．然而道非器不形．器非道不立．蓋陰陽，亦器也．而所以陰陽者，道也．是以陰陽往來不息，而聖人指是以明道之全體也．此'一陰一陽之謂道'之說也．"[446]

(주자가 말했다.) "리는 하나일 뿐인데, 그 모습을 드러내면 그릇이라고 한다. 그러나 도는 그릇이 아니면 모습을 드러내지 않으며, 그릇은 도가 아니면 성립되지 않는다. 대개 음양은 역시 그릇이고, 음양이 되게 하는 것은 도이다. 그러므로 음양의 왕래가 쉬지 않고, 성인은 이것을 가리켜 도道 전체를 밝혔다. 이것이 '한 번 음하고 한 번 양하는 것을 도라 한다.'는 말이다."

問: "道，理也，陰陽，氣也，何故以陰陽爲道?"

曰: "'形而上者謂之道．形而下者謂之器．' 明道以爲須著如此說．然'道亦器，器亦道也．'[447] 道未嘗離乎器，道只是器之理．如這交椅是器，可坐便是交椅之理．如這人身是器，[448] 語言動作便是人之理．理只是器，[449] 理與器未嘗相離，所以'一陰一陽之謂道．'"

曰: "何謂一?"

曰: "道，如一闔一闢謂之變，只是一陰了又一陽，此便是道．寒了又暑，暑了又寒，這道理循環不已．[450] '維天之命，於穆不已'，萬古只如此．"[451]

물었다. "도는 리이고 음양은 기인데 무슨 이유로 음양을 도로 여깁니까?"

(주자가) 답했다. "'형이상을 도라 하고 형이하를 그릇이라고 하'는데, 명도는 반드시 이렇게 말해야 한다고 여겼다. 그러나 '도는 또한 그릇이고 그릇은 또한 도이니', 도는 그릇에서 떨어진 적이 없으며, 도는 그릇의 리일 뿐이다. 예컨대 이 의자는 그릇이고, 앉을 수 있는 것은 바로 의자의 리이다. 예컨대 사람 몸은 그릇이고 말하고 동작하는 것은 바로 사람의 리이다. 리는 그릇 위에 있고, 리와 기는 떨어진 적이 없으므로 '한 번 음하고 한 번 양하는 것을 도라 한다.'"

물었다. "무엇을 한 번이라고 합니까?"

(주자가) 답했다. "도는 '한 번 닫고 한 번 여는 것을 변화라고 한다.'[452]와 같으니 다만 한 번 음하고 또 한 번 양하는 것, 이것이 바로 도이다. 추웠다가 또 덥고, 더웠다가 또 추우니, 이 도리는 순환하여 그치지 않는다. '하늘의 명령이 깊고 멀어 그치지 않듯이'[453] 만고에 단지 이와 같을 뿐이다."

446 『朱文公文集』 권45 「答丘子野」
447 道亦器, 器亦道也 : 『朱子語類』 권77, 29조목에 '器亦道 道亦器也'로 되어 있다.
448 如這人身是器 : 『朱子語類』 권77, 29조목에는 '是器' 이 두 글자가 없다.
449 理只是器 : '是器'는 『朱子語類』 권77, 29조목에 '在器上' 3글자로 되어 있고, 이렇게 되면 '리는 그릇 위에 있다.'가 된다.
450 循環 : '循環' 앞에 『朱子語類』 권77, 29조목에는 '只'가 더 있다.
451 『朱子語類』 권77, 29조목
452 '한 번 … 한다.' : 『周易』「繫辭上」 11장
453 '하늘의 … 않듯이' : 『中庸』 26장/ 『詩經』「周頌・唯天之命」

[1-2-1-65]

“道是道理，事事物物皆有箇道理. 器是形迹，事事物物亦皆有箇形迹. 有道須有器，有器須有道，物必有則.”[454]

(주자가 말했다.) “도道는 도리이니, 사사물물에 다 도리가 있다. 그릇은 형적形迹이니, 사사물물에 다 형적이 있다. 도가 있으면 반드시 그릇이 있고, 그릇이 있으면 반드시 도가 있으니, 물건에는 반드시 법칙이 있다.”

[1-2-1-66]

“形而上者，指理而言，形而下者，指事物而言. 事事物物皆有其理，事物可見，而其理難知，卽事卽物，便要見此理，大學之道，不曰窮理而曰格物，只是使人就實處究竟.”[455]

(주자가 말했다.) “형이상자는 리를 가리켜서 말한 것이고, 형이하자는 사물을 가리켜서 말한 것이다. 사사물물에 다 그 리가 있는데, 사물은 볼 수 있으나 그 리는 알기 어려우니, 사물에 나아가서 바로 그 리를 보려고 하였다. 대학의 도에 ‘궁리窮理’라고 말하지 않고 ‘격물格物’이라고 한 것은 다만 사람으로 하여금 실질적인 곳에 나아가 궁구하게 한 것이다.”

[1-2-1-67]

“天地，形而下者，乾坤，形而上者. 天地，乾坤之形殼，乾坤，天地之性情.”[456]

(주자가 말했다.) “천지天地는 형이하자이고, 건곤乾坤은 형이상자이다. 천지는 건곤의 껍데기이고, 건곤은 천지의 성정性情이다.”

[1-2-1-68]

“形而上者是理，纔有作用，便是形而下者.”

問: “陰陽如何是形而下者?”

曰: “一物便有陰陽，寒暖生殺皆見得. 事物雖大，是形而下者，理雖小，是形而上者.”[457]

(주자가 말했다.) “형이상자는 리이고, 조금이라도 작용이 있으면 바로 형이하자이다.”

물었다. “음양은 왜 형이하자입니까?”

(주자가) 답했다. “한 물건에는 곧 음양이 있으니, 차거나 따뜻하고, 살아나거나 죽어가는 데서 다 볼 수 있다. 사물은 비록 크더라도 형이하자이고, 리는 비록 작더라도 형이상자이다.”

454 『朱子語類』 권75, 107조목

455 『朱子語類』 권75, 109조목

456 『文公易說』 권12 「繫辭上」

457 『朱子語類』 권75, 111조목

[1-2-1-69]

"凡有形有象者，皆器也，其所以爲是器之理者，則道也. 所謂始終晦明奇耦之屬，皆陰陽所爲之器. 獨其所以爲是器之理，如目之明，耳之聰，父之慈，子之孝，乃爲道耳."[458]

(주자가 말했다.) "무릇 모양이나 모습이 있는 것은 다 그릇이고, 이 그릇이 되게 하는 리는 곧 도이다. 이른바 '시작과 끝, 어둠과 밝음, 홀수와 짝수 등은 다 음양이 만든 그릇이다. 다만 이 그릇이 되게 하는 리, 예를 들면 눈의 밝음[明], 귀의 밝음[聰], 아비의 자애, 자식의 효 같은 것은 바로 도道일 뿐이다."

[1-2-1-70]

"'動靜無端，陰陽無始' 說道有，有無底在前. 說道無，有有底在前. 是循環物事."[459]

(주자가 말했다.) "'동정에는 끝이 없고, 음양에는 시작이 없으니', 있음[有]을 말하면 또 없음[無]이 앞에 있고, 없음[無]을 말하면 또 있음[有]이 앞에 있어 순환하는 것이다."

[1-2-1-71]

"動靜無端，陰陽無始，今以太極觀之，雖曰動而生陽，畢竟未動之前須靜，靜之前又須動，推而上之，何自而見其端與始."[460]

(주자가 말했다.) "'동정에는 끝이 없고, 음양에는 시작이 없다.'는 이제 태극의 입장에서 보면 비록 '동하여 양을 생한다.'고 하더라도 결국은 아직 동하기 전에는 반드시 정靜하였고, 정靜하기 전에는 또 반드시 동하였다. 미루어 올라가면 언제 어디에서부터 그 끝과 시작을 보겠는가."

[1-2-1-72]

問: "動靜無端，陰陽無始，那箇動，又從上面靜生下. 上面靜，又從上面動生來. 今姑把這箇說起."

曰: "然."[461]

물었다. "'동정에는 끝이 없고, 음양에는 시작이 없다.'에서 그 동은 또 위의 정으로부터 생하였고, 위의 정은 또 그 위의 동으로부터 생하였습니다. 지금 우선 이것으로부터 말한 것이지요."

(주자가) 답했다. "그렇다."

曰: "太極動而生陽，靜而生陰，未動以前是如何?"

曰: "只是理."

458 『朱文公文集』 권36 「答陸子靜」

459 『朱子語類』 권94, 54조목

460 『朱子語類』 권94, 53조목

461 『朱子語類』 권94, 20조목

曰: "固是理, 只不當對動言."
曰: "未動卽是靜, 未靜又卽是動, 未動又卽是靜. 伊川云動靜無端, 陰陽無始, 惟知道者識之."[462]
물었다. "'태극이 동하여 양을 생하고 정하여 음을 생하'는데, 아직 동하기 이전에는 어떻습니까?"
(주자가) 답했다. "다만 리일 뿐이다."
물었다. "진실로 리라면, 다만 동과 상대시켜서 말하면 안 되지요?"
(주자가) 답했다. "아직 동하지 않은 것은 즉시 정이니, 아직 정하지 않은 것은 또 즉시 동이고, 아직 동하지 않은 것은 또 즉시 정이다. 이천伊川이 '동정에는 끝이 없고, 음양에는 시작이 없다.'고 말한 것은 오직 도를 아는 자만이 이해한다."

[1-2-1-73]

問: "動靜無端, 陰陽無始."
曰: "這不可說道有箇始, 他那有始之前, 畢竟是箇甚麽?"[463]
'동정에는 끝이 없고, 음양에는 시작이 없다.'에 대해서 물었다.
(주자가) 답했다. "이것은 시작이 있다고 말할 수 없으니, 저 시작이 있기 전에 결국 무엇이었겠는가."

[1-2-1-74]

"動之前有靜, 靜之前又有動, 推而上之, 其始無端. 推而下之, 以至未來之際, 其卒無終."[464]
(주자가 말했다.) "동하기 전에 정이 있었고, 정하기 전에 또 동이 있었으니, 미루어 올라가면 그 처음에 시작이 없다. 미루어 내려가서 미래에 이르러도 그 마지막에 끝이 없다."

[1-2-1-75]

"'動靜無端, 陰陽無始', 看來只是一箇實理."[465]
(주자가 말했다.) "'동정에는 끝이 없고, 음양에는 시작이 없다.'는 하나의 실리實理일 뿐인 것 같다."

[1-2-1-76]

"氣無始無終, 且從元處說起, 元之前又是貞了, 如子時是今日, 子之前又是昨日之亥, 無空缺時."[466]
(주자가 말했다.) "기氣에는 시작과 끝이 없으니, 우선 원元으로부터 말을 시작하면 원 이전은 또

462 『朱子語類』 권94, 36조목
463 『朱子語類』 권94, 56조목
464 『朱子語類』 권116, 30조목
465 『朱子語類』 권74, 112조목
466 『朱子語類』 권68, 34조목

정貞이었다. 예컨대 자시子時는 오늘이고, 자시 이전은 또 어제의 해시亥時이니 비어 있는 때는 없다."

[1-2-1-77]

"仁爲四端之首, 而智則能成終成始. 猶元雖四德之長, 然元不生於元而生於貞. 蓋天地之化, 不翕聚則不能發散, 理固然也. 仁智交際之間, 乃萬化之機軸. 此理循環不窮, 脗合無間. 程子所謂'動靜無端, 陰陽無始者', 此也."[467]

(주자가 말했다.) "인仁은 사단四端의 우두머리이고 지智는 시작과 끝을 완성한다. 원元이 비록 사덕四德의 수장首長이지만 원이 원에서 생하지 않고 정貞에서 생하는 것과 같다. 대개 천지의 조화造化는 오므리지 않으면 발산할 수 없으니,[468] 리가 본디 그러하다. 인仁과 지智가 교대하는 중간은 곧 만가지 조화의 중심축이다. 이 리는 순환하여 끝이 없고 꼭 맞아서 틈이 없다. 정자가 말한 '동정에는 끝이 없고, 음양에는 시작이 없다.'는 것이 이것이다."

[1-2-1-78]

"'動靜無端, 陰陽無始', 天道也. 始於陽, 成於陰, 本於靜, 流於動, 人道也. 然陽復本於陰, 靜復根於動, 其動靜亦無端, 其陰陽亦無始, 則人蓋未始離乎天, 而天亦未始離乎人也."[469]

(주자가 말했다.) "'동정에는 끝이 없고, 음양에는 시작이 없'는 것은 천도天道이다. 양에서 시작하여 음에서 이루며, 정靜에서 근원하여 동動에서 흐르는 것은 인도人道이다. 그러나 양은 다시 음에서 근원하고 정은 다시 동에서 근원하니, 그 동정에도 역시 끝이 없고 그 음양에도 역시 시작이 없으니, 사람이 애초 천天과 떨어진 적이 없고 천天도 애초 사람과 떨어진 적이 없다."

[1-2-1-79]

勉齋黃氏曰: "'太極動而生陽', 不成太極在一處, 陰陽在一處生. 動靜底便是陰陽. 陰陽都是這氣拍塞, 卽無些子空缺處. 人愚見天在上, 地在下, 便道中間有空缺處, 不知天地間逼拶都實, 吾身之外都是氣, 如脫了衣服便覺寒冷, 是這氣襲人. 舊嘗寓一間屋, 兩頭都垂簾, 揭起這一箇, 那一箇也掣動, 這是氣拶出. 橫渠云, '知虛空卽氣, 無無.'[470] 是如此. 又云, '所以致中和, 便天地位, 萬物育.' 只是如此."[471]

면재 황씨가 말했다. "'태극이 동하여 양을 생한다.'는 태극이 한 곳에 있으면 음양이 (다른) 한 곳에서 생한다는 것이 아니다. 동정하는 것이 바로 음양이다. 음양은 모두 이 기氣가 오롯이 꽉 채우고 있는 것이니, 조금도 빈틈이 없다. 사람은 어리석게도 하늘이 위에 있고 땅이 아래에 있는 것을

467 『朱子語類』 권6, 75조목
468 오므리지 않으면 … 없으니 : 『河南程氏遺書』 권11
469 『朱文公文集』 권67 「太極說」
470 知虛空卽氣無無 : 『正蒙』「太和」에는 '知太虛卽氣, 則無無'로 되어 있다.
471 『易經蒙引』 권9下

보고 바로 그 중간에 빈틈이 있다고 하니, 하늘과 땅 사이는 모두 빽빽하게 차 있고 내 몸 밖은 모두 기氣인 것을 알지 못한 것이다. 예컨대 옷을 벗으면 바로 차가움을 느끼는데, 이것은 기가 사람을 엄습하는 것이다. 옛날에 한 집에 살 적에 양 끝에 모두 발簾을 쳐놓았었는데, 이쪽 하나를 들어 올리면 저쪽도 움직이니, 이것은 기가 밀어낸 것이다. 횡거橫渠가 '허공이 곧 기인 것을 알면 없음無은 없다.'고 말한 것도 이와 같은 것이다. 또 (횡거가) '중화中和에 이르면 바로 천지가 자리 잡히고 만물이 길러진다.'[472]고 말한 것도 이와 같을 뿐이다."

[1-2-1-80]

"太極動而生陽靜而生陰, 太極不是會動靜底物, 動靜, 陰陽也. 所以圖解云, 動靜者, 所乘之機也, 所乘之機四字最難看. 舊蔡季通對朱先生問所乘之機如何下得恁地好. 先生微笑. 大抵只看太極乘著什麽機, 乘著動機便動, 乘著靜機便靜, 那太極却不自會動靜.

既是陰陽, 如何又說生陰生陽. 曰, 生陰生陽, 亦猶陽生陰生. 太極隨陰陽而爲動靜, 陰陽則於動靜而見其生. 不是太極在這邊動, 陽在那邊生. 譬如蟻在磨盤上一般, 磨動則蟻隨他動, 磨止則蟻隨他止, 蟻隨磨轉, 而因蟻之動靜, 可以見磨之動靜."[473]

(면재 황씨가 말했다.) "'태극이 동하여 양을 생하고 정하여 음을 생한다.'에서 태극은 동정할 수 있는 것이 아니며, 동정하는 것은 음양이다. 그러므로 『태극도해』에 '동정은 타는 탈것이다.'고 하였는데, '타는 탈것'이라는 말이 가장 알기 어렵다. 이전에 채계통蔡季通[474]이 주朱 선생에게 '어떻게 이렇게 (타는 탈것이라는) 좋은 표현을 하였는가?'라고 물으니, 선생이 미소를 지었다. 대저 태극이 어떤 고동[475]을 타고 있는지 살필 뿐이니, 움직이게 하는 고동動機을 타면 바로 동動하고 가만있게 하는 고동靜機을 타면 바로 정靜하지만, 그 태극은 도리어 스스로 동정할 수 없다.

이미 음양인데, 어째서 또 음을 생하고 양을 생한다고 하는가? 답하기를, '음을 생하고 양을 생한다는 것은 역시 양이 생기고 음이 생기는 것과 같다. 태극은 음양을 따라 동정하니, 음양은 곧 동정에서 그 생하였음을 본다. 태극이 이쪽에서 동하는데 양이 저쪽에서 생기는 것은 아니다. 비유하자면 개미가 맷돌 위에 있는 것과 같아서, 맷돌이 움직이면 개미가 그것을 따라 움직이고, 맷돌이 멈추면 개미가 그것을 따라 멈추는데, 개미가 맷돌을 따라 돌지만 개미의 동정을 통해 맷돌의 동정을 볼 수 있다.'"

[1-2-1-81]

"天道是理, 陰陽五行是氣. 合而言之, 氣卽是理, 一陰一陽之謂道也. 分而言也, 理自爲理,

472 '중화中和에 이르면 … 길러진다.' : 『中庸章句』 1장. "致中和, 天地位焉, 萬物育焉." 참조
473 『易經蒙引』 권9下
474 채계통蔡季通 : 季通은 蔡元定(1135~1198)의 자이고, 세칭 西山先生이라 한다.
475 고동 : 여기의 機를 '탈것'으로 해석해도 좋다. 그럴 경우 動機는 움직이는 탈것, 靜機는 가만있는 탈것이 될 것이다.

氣自爲氣，形而上下，是也.”[476]

(면재 황씨가 말했다.) “천도天道는 리이고, 음양오행은 기氣이다. 합해서 말하면, 기가 바로 리이고, 한 번 음하고 한 번 양하는 것을 도라 한다. 나누어 말하면, 리는 리이고 기는 기이니, 형이상과 형이하가 이것이다.”

[1-2-1-82]

“一陰便是靜，一陽便是動. 道是太極，誠是太極. ‘其動也’‘其靜也’二條，上合動靜說，此分動靜說. ‘動極而靜’以下又換形了. 一箇說流行底，一箇說定分底. ‘蓋太極’而下，上文解圖周匝，此下文又衮說箇太極與陰陽.”

(면재 황씨가 말했다.) “하나의 음은 곧 정靜이고 하나의 양은 곧 동動이다. 도道는 태극이고 성誠도 태극이다. 그 동함[其動也]과 그 정함[其靜也] 두 조條에서, 위에서는 동・정을 합하여 말하였고, 여기서는 동・정을 나누어 말하였다. ‘동이 끝가면 정한다.[動極而靜]’ 이하는 또 형식을 바꾸었다. 하나는 유행流行하는 것을 말하였고, 하나는 정해진 자리를 말하였다. ‘대개 태극[蓋太極]’ 이하의 앞에서는 태극도에 대한 해석을 두루 하였고, 이 뒷글에서는 또 태극과 음양을 섞어서 설명하였다.”

‘自其著而觀之’，‘著’是陰陽. ‘自其微而觀之’，‘微’是太極.

問: “旣太極陰陽不是二物，如何又有微有著?”

曰: “須看‘觀’字，是我去他裏面拆看，却非他有兩箇頭面.”

又曰: “‘所乘之機’一句最妙.”

又曰: “此旣言氣與理合，‘雖然’以下，言雖是恁地，却那裏見他入頭處. 所以不見他合，不見他離，正以其‘動靜無端陰陽無始.’ 下面若有縫，這太極也須漏出了.”[477]

“‘그 드러난 것으로부터 보면[自其著而觀之]’에서 ‘드러난 것’은 음양이고, ‘그 은미한 것으로부터 보면[自其微而觀之]’에서 ‘은미한 것’은 태극이다.”

물었다. “태극과 음양은 이미 두 가지가 아닌데, 어째서 또 은미한 것이 있고 드러난 것이 있습니까?”

답하였다. “반드시 ‘보면’이라는 말을 잘 살펴야 하니, 내가 그것을 갈라 보려는 것이지 거기에 본래 두 모습이 있는 것은 아니다.”

또 말하였다. “‘타는 탈것’이라는 한 마디가 가장 묘하다.”

또 말하였다. “여기서는 이미 기와 리가 합하여진 것을 말하였지만, ‘비록 그렇더라도[雖然]’ 이하에서는 ‘비록 이렇지만 도리어 어디에서 그것이 들어가는 곳을 보겠는가? 그것이 합해진 곳을 보지 못하고 그것이 벌어진 곳을 보지 못하는 까닭은 바로 「동정에는 끝이 없고, 음양에는 시작이 없기」 때문이다.’ 라고 말하였다. 아래에 만일 꿰맨 자리가 있다면, 이 태극도 틀림없이 새어나갔을 것이다.”[478]

476 『御纂性理精義』 권10

477 ‘自其著而觀之’ … 這太極也須漏出了. : 『易經蒙引』 권9下

478 그 드러난 것으로부터 … 것이다 : 朱子의 『太極圖解』 [1-2-1] 조목(自其微者而觀之, 則沖漠無眹, 而動靜陰陽

[1-2-1-83]

"'太極動而生陽, 動極而靜. 靜而生陰, 靜極復動. 一動一靜, 互爲其根. 分陰分陽, 兩儀立焉.' 妄意謂此非老氏'有生於無', 與佛氏之所謂'妄'也.

一必有兩, 體必有用, 動必有靜. 動靜迭興而分陰陽, 變化之所由生也.

卽通書之言, 析而求之, 若曰, '元亨誠之通, 利貞誠之復', 蓋'元者, 始而亨者也', 太極之動也, '利貞者, 性情也', 動極而靜, 靜極復動也.

又曰, '聖人之道, 仁義中正而已矣.', 又曰, '動而正曰道, 用而和曰德.' '觸類而長之', 其此之謂乎?"[479]

(면재 황씨가 말했다.) "'태극이 동動하여 양을 생하고 동이 끝가면 정靜한다. 정하여 음을 생하고 정이 끝가면 다시 동한다. 한 번 동하고 한 번 정하는 것이 서로 뿌리가 된다. 음으로 나뉘고 양으로 나뉨에 양의兩儀가 확립된다.'에 대한 나의 어리석은 생각은 다음과 같다. 이것은 노자老子의 '유有는 무無에서 생긴다.'[480]거나 불씨佛氏가 말한 '망령'은 아니다.

하나에는 반드시 둘이 있고, 체體에는 반드시 용用이 있고, 동에는 반드시 정이 있어서, 동정이 번갈아 일어나고 음양이 나뉘니, 변화가 이로 말미암아 생긴다.[481]

『통서通書』의 말을 가지고 분석하면, '원형元亨은 성誠이 뻗쳐나감이고, 이정利貞은 성이 돌아옴이다.'[482]라고 말한 것과 같다. 대개 '원은 시작하여 형통하는 것'이니, 태극이 동하는 것이며, '이정利貞은 성정性情'[483]이니, 동이 끝가서 정하고 정이 끝가서 다시 동하는 것이다.

또 (『통서』에) '성인의 도는 인仁과 의義와 중中과 정正일 뿐이다.'[484]라고 하고, 또 '움직이되 바른 것을 도라 하고, 일하되 힘들이지 않는(和順) 것을 덕이라고 한다.'[485]라고 말하였으니, '같은 무리끼리 접촉시켜 기른다.'[486]는 것이 이것을 말함인가?"

[1-2-1-84]

"太極本體難以形容, 緣氣察理, 遡流求源, 則可知矣. 一靜一動, 靜動初終, 此氣之流也. 是孰爲之哉, 理也. '天其運乎, 地其處也, 日月其爭於其所乎. 孰主張是, 孰綱維是.' 主張綱維, 理之謂乎. 有是理, 故有是氣. 理如此, 則氣亦如此. 此體用所以一源, 顯微所以無間

之理已悉具於其中矣. 雖然. 推之於前而不見其始之合, 引之於後而不見其終之離也. 故程子曰, '動靜無端, 陰陽無始, 非知道者孰能識之.) 참조

479 一必有兩 … 其此之謂乎?: 『易經蒙引』 권9下

480 '유有는 무無에서 생긴다.': 『老子』 40장

481 『易經蒙引』 권9下

482 '원형元亨은 … 돌아옴이다.': 『通書』「誠上」

483 원元은 … 성정性情: 『周易』「乾卦・文言」에 "乾元者始而亨者也 利貞者性情也"라고 하였다.

484 '성인의 도는 … 뿐이다.': 『通書』「道」

485 '움직이되 바른 … 한다.': 『通書』「愼動」

486 '같은 … 기른다.': 『周易』「繫辭上」 9장

也. 嗚呼! 深哉!"[487]

(면재 황씨가 말했다.) "태극 본체는 형용하기 어려우나 기氣를 통해 리를 살피고 흐름을 따라 근원을 추구하면 알 수 있을 것이다. 한 번 정靜하고 한 번 동動하는데 정과 동의 처음부터 끝까지 이 기가 유행하는 것이다. 이것은 누가 시키는 것인가, 리이다. '하늘은 운행하고, 땅은 제자리에 있고, 해와 달은 자리를 다투도다. 누가 이를 주장하고 누가 이를 규율規律하는가?'[488] 주장하고 규율함은 리를 말함인가! 이 리가 있으므로 이 기가 있다. 리가 이러하면 기도 이와 같다. 이것이 체體와 용用이 하나의 근원이 되는 까닭이고, 현저함과 은미함에 틈이 없는 까닭이다. 오호라. 심오하도다."

[1-2-1-85]

北溪陳氏曰: "以造化言之, 如天地間生成萬物, 自古及今無一物之不實. 散殊上下, 自古有是, 到今亦有是, 非古有而今無, 皆是實理之所爲. 大而觀之, 自太始而至萬古, 莫不皆然. 若就物觀之, 其徹始徹終亦只是一實理如此. 姑以一株花論來. 春氣流注到則萌蘗生花, 春氣盡則花亦盡. 又單就一花蘂論, 氣實行到此則花便開, 氣消則花便謝亦盡了. 方其花萌蘗, 此實理之初也, 至到謝而盡處, 此實理之終也."[489]

북계 진씨가 말했다. "조화造化로써 말한다면 하늘과 땅 사이에서 만물을 생성하는 것과 같아서, 옛날부터 지금까지 하나도 부실不實한 것이 없다. 상하上下(天地)에 흩어진 것은 옛날부터 있었고, 지금까지도 있고, 옛날엔 있다가 지금은 없는 것도 아니니, 모두 실리實理가 하는 것이다. 크게 보면 태초로부터 만대萬代에 이르기까지 다 그렇지 않은 것이 없다. 만일 물건에서 보면 처음부터 끝까지 역시 다만 하나의 실리가 이와 같을 뿐이다. 우선 꽃 한 그루를 가지고 논하면, 봄기운이 흘러들어 오면 싹이 트고 꽃을 피우고, 봄기운이 다하면 꽃도 진다. 또 단 한 송이 꽃술(花蘂)로 논하면 기氣가 실제로 와서 여기에 도달하면 꽃이 바로 피고, 기가 사그라지면 꽃은 바로 시들고, 또 떨어진다. 막 그 꽃봉오리가 나올 때, 이것은 실리의 처음이고, 시들어 떨어질 때, 이것은 실리의 끝이다."

[1-2-1-86]

"誠者, 本就天道論. '維天之命, 於穆不已', 只是一箇誠. 天道流行, 自古及今無一毫之妄, 暑往則寒來, 日往則月來. 春生了便夏長, 秋殺了便冬藏. 元亨利貞, 終始循環, 萬古常如此, 皆是眞實道理爲之主宰. 如天行一日一夜一周而又過一度, 與日月星辰之運行躔度, 萬古不差, 皆是眞實道理如此. 又就果木觀之, 甛者萬古甛, 苦者萬古苦, 靑者萬古常靑, 白者萬古常白, 紅者萬古常紅, 紫者萬古常紫, 圓者萬古常圓, 缺者萬古常缺, 一花一葉, 文縷相等對, 萬古常然, 無一毫差錯. 便待人力十分安排撰作來, 終不相似, 都是眞實道理自然而

487 『勉齋集』 권3

488 '하늘은 운행하고 … 규율規律하는가?': 『莊子』「天運」에 "天其運乎, 地其處乎, 日月其爭於所乎, 孰主張是, 孰維綱是."라고 하였다.

489 『易經蒙引』 권9下

然."490

(북계 진씨가 말했다.) "성誠은 본래 천도天道를 논한 것이다. '하늘의 명령이 깊고 멀어 그치지 않는 것'491은 다만 하나의 성誠이다. 천도가 흘러 행함에 옛날부터 지금까지 털끝만큼의 망령도 없다. 더위가 가면 추위가 오고 해가 가면 달이 온다. 봄에 나면 바로 여름에 자라고, 가을에 죽으면 바로 겨울에 저장한다. 원·형·이·정元亨利貞이 처음부터 끝까지 순환하기를 만고에 항상 이러한 것은 다 진실한 도리가 주재하는 것이다. 예컨대 하늘의 운행이 하루 밤낮 동안 일주一周하고 또 1도를 더 가서, 일월성신日月星辰의 운행하는 도수[躔度]와 만고에 어긋나지 않는 것은 다 진실한 도리가 이러한 것이다. 또 과실나무에서 보면, 단 것은 만고에 달고, 쓴 것은 만고에 쓰고, 푸른 것은 만고에 항상 푸르고, 흰 것은 만고에 항상 희고, 붉은 것은 만고에 항상 붉고, 자주색은 만고에 항상 자주색이고, 둥근 것은 만고에 항상 둥글고, 찌그러진 것은 만고에 항상 찌그러졌다. 꽃 한 송이와 이파리 한 잎이 무늬를 이뤄 서로 마주하면서 만고에 항상 그러하여 털끝만큼의 착오도 없다. 곧 사람의 힘으로 완벽하게 안배하여 만들려 해도 결국 근사하지 못하고, 모두 진실한 도리가 저절로 그렇게 되도록 하는 것이다."

[1-2-1-87]

"道, 只是人事之理耳. 形而上者謂之道, 形而下者謂之器. 自有形而上者言之, 其隱然不可見底則謂之道, 自有形而下者言之, 其顯然可見底則謂之器. 其實道不離乎器, 道只是器之理. 人事有形狀處都謂之器, 人事中之理便是道. 道無形狀可見, 所以明道曰, '道亦器也, 器亦道也', 須著如此說, 方截得上下分明."492

(북계 진씨가 말했다.) "도道는 다만 사람이 하는 일의 리理일 뿐이다. 형이상자를 도라 하고, 형이하자를 그릇이라고 한다. 형이상자로 말하면, 그 은미하여 볼 수 없는 것을 도라 하고, 형이하자로 말하면, 그 뚜렷이 볼 수 있는 것을 그릇이라고 한다. 사실 도는 그릇과 떨어지지 않으니, 도는 다만 그릇의 리일 뿐이다. 사람의 일에 모양이 있는 것은 모두 그릇이라 하니, 사람의 일 중의 리가 바로 도이다. 도에는 볼 수 있는 모양이 없으므로 명도明道(程顥)가 '도는 또한 그릇이고 그릇은 또한 도이다.'라고 하였으니, 반드시 이렇게 말해야 비로소 상하上下 구분이 분명해진다."

[1-2-1-88]

"道非是外事物有箇空虛底, 其實道不離乎物. 若離物則無所謂道. 且如'君臣有義', 義底是道, 君臣是器. 若要看義底道理, 須就君臣上看. 不成脫了君臣之外, 別有所謂義. '父子有親', 親底是道, 父子是器. 若要看親底道理, 須就父子上看. 不成脫了父子之外, 別有所謂親. 卽夫婦而夫婦在所別, 卽長幼而長幼在所序, 卽朋友而朋友在所信, 非外夫婦長幼朋友

490 『北溪字義』 卷上 「誠」
491 '하늘의 명령이 … 않는 것' : 『詩經』「周頌·維天之命」
492 『北溪字義』 卷下 「道」

而有所謂別序與信. 聖門之學無一不實. 老氏淸虛厭事, 佛氏屛棄人事, 都是把道理做事物頂頭玄妙底物看. 把人事做下面粗底,[493] 便都要擺脫去了."[494]

(북계 진씨가 말했다.) "도는 사물 밖의 공허한 곳에 있는 것이 아니며, 사실 도는 물건을 떠나지 않는다. 만일 물건을 떠나면 이른바 도가 없다. 예컨대 '군신유의君臣有義(임금과 신하 사이에는 의로움이 있다.)'에서 의로움[義]은 도이고 군신은 그릇이다. 만일 의로움[義]의 도리를 보려면 반드시 군신君臣에게서 보아야 한다. 군신을 벗어난 밖에, 별도로 이른바 의로움[義]이 있을 수는 없다. '부자유친父子有親(아버지와 자식 사이에는 친함이 있다.)'에서 친함[親]은 도이고 부자는 그릇이다. 만일 친함[親]의 도리를 보려고 하면 반드시 부자父子에게서 보아야 한다. 부자를 벗어난 밖에, 별도로 이른바 친함[親]이 있을 수는 없다. 부부에 있어서 부부는 분별하는 곳에 있고, 장유에 있어서 장유는 차례 짓는 곳에 있고, 붕우에 있어서 붕우는 믿는 곳에 있으니, 부부・장유・붕우 밖에 이른바 분별・차례・신의가 있는 것은 아니다. 성인의 학문은 하나라도 부실한 것이 없다. 노씨老氏(老子)는 맑고 깨끗하여 일을 싫어하고, 불씨佛氏(佛教)는 사람의 일을 포기했으니, 모두 도리를 사물 꼭대기의 현묘한 것으로 보면서, 사람의 일은 하층의 조잡한 일로 간주하여 곧 모두 벗어나려고 하는 것이다."

[1-2-1-89]

"理不外乎氣. 若說截然在陰陽五行之先, 及在陰陽五行之中, 便成理與氣爲二物矣."[495]

(북계 진씨가 말했다.) "리는 기를 벗어나지 않는다. 만일 분명히 음양오행의 앞에 있다고 하면, 음양오행 가운데에 있을 때는 바로 리와 기가 두 물건이 된다."

[1-2-1-90]

節齋蔡氏曰: "形, 謂動而可見之時. 自此而上無體, 故以道名之.[496] 自此而下有體, 故以器名之.[497]"[498]

절재 채씨가 말했다. "(형이상하의) 형形은 움직여서 볼 수 있을 때에 대하여 말하는 것이다. 이 위로는 형체가 없으므로 도라고 부른다. 이 아래로는 형체가 있으므로 그릇[器]이라고 부른다."

[1-2-1-91]

"前謂'太極形而上之道也, 陰陽形而下之器也', 此分道器而言也. 後謂'動靜不同時, 陰陽不

493 把人事做下面粗底: '做下面'은 『北溪字義』 卷下 「道」에 '物道理'로 되어 있다.
494 『北溪字義』 卷下 「道」
495 『易經蒙引』 권9下
496 自此而上無體, 故以道名之: 『周易本義通釋』 권5에는 본문의 '而'가 '以'로 되어 있고, '上無體, 故以道名之'는 '上則無體, 故謂之道'로 되어 있다.
497 自此而下有體, 故以器名之: 『周易本義通釋』 권5에는 본문의 '而'가 '以'로 되어 있고, '下有體, 故以器名之'는 '下則有體, 故謂之器'로 되어 있다.
498 『周易本義通釋』 권5

同位，而太極無不在焉'，此乃所謂'器卽道也'. 又謂'沖漠無眹，而動靜陰陽之理已悉具於中矣'，此乃所謂'道卽器也'. 蓋不分上下，則恐人惟以可見者爲始，不合道器，則恐人陷老氏精粗之謬. 故須著如此說耳，程子之意恐亦不過如此. 苟惟以爲太極只在陰陽中而已，則'器亦道也'一句已足，又何必重復耶?"[499]

(절재 채씨가 말했다.) "앞에서 '태극은 형이상의 도이고 음양은 형이하의 그릇[器]이다.'라고 하였는데, 이것은 도와 그릇을 나누어 말한 것이다. 뒤에서 '동정은 때가 같지 않고, 음양은 자리가 같지 않으나 태극은 있지 않은 곳이 없다.'고 하였는데, 이것은 곧 이른바 '그릇이 바로 도'라는 것이다. 또 '적막하여 조짐이 없으나 동정과 음양의 리는 이미 다 그 속에 갖추어져 있다.'고 하였는데, 이것은 곧 이른바 '도가 바로 그릇'[500]이라는 것이다. 대개 상하上下를 나누지 않으면 사람이 오직 볼 수 있는 것을 시작으로 삼을까 두렵고, 도와 그릇을 합하지 않으면 사람들이 노씨老氏(老子)의 정밀·조잡으로 나누는 잘못[501]에 빠질까 두렵다. 그러므로 반드시 이렇게 말해야 할 뿐이며, 정자의 뜻도 아마 이와 같은 데에 지나지 않을 것이다. 진실로 태극이 다만 음양의 속에 있을 뿐이라고 여긴다면, '그릇은 또한 도이다.'[502]라는 한 마디로 족할 것인데, 어찌 또 반드시 되풀이하겠는가?"

[1-2-1-92]

"主太極而言，則太極在陰陽之先，主陰陽而言，則太極在陰陽之內. 蓋自陰陽未生之時而言，則所謂太極者其理已具. 自陰陽旣生之時而言，則所謂太極者卽在乎陰陽之中也. 謂陰陽之上別有太極常爲陰陽主者，固爲陷於列子'不生不化'之謬. 而獨執夫太極只在陰陽之中之說者，則又失其根柢樞紐之所爲，而大本有所不識，其害有不可勝言者."[503]

(절재 채씨가 말했다.) "태극을 주로 하여 말하면 태극은 음양의 앞에 있고, 음양을 주로 하여 말하면 태극은 음양 안에 있다. 대개 음양이 아직 생기지 않은 때에서부터 말하면 이른바 태극은 그 리가 이미 갖추어져 있다. 음양이 이미 생긴 때에서부터 말하면 이른바 태극은 바로 음양 가운데에 있다. 음양 위에 별도로 태극이 있어서 항상 음양의 주인이 된다고 하면, 진실로 '생生하지도 않고 변화하

499 『易經蒙引』 권9下

500 '그릇이 바로 도', '도가 바로 그릇': 여기의 "器卽道也 道卽器也"는 『朱子語類』 권94, 185조목에 있는 말이다. 그러나 이것은 朱子가 程子의 "器亦道 道亦器"의 말을 변형하여 인용한 것이다. 그러므로 『朱子語類考文解義』 권21에도 "이것은 정자의 말이다. 이것을 인용하여 리와 기가 합일하는 묘를 밝혔다. 물건은 그릇이지만 도가 그 가운데 갖춰져 있다.(此程子語也. 引此, 以明理器合一之妙. 物是器而道具於中也.)"라고 하였고, 절재 채씨도 바로 아래에서 "程子之意"라고 하였고, 또 그 아래에서 "器亦道也"라는 말을 인용하여 말하였다. 또 『朱子語類考文解義』에서 바로 정자의 말이라고 한 것을 보면 "器卽道也 道卽器也"와 "器亦道 道亦器"가 서로 같은 의미임을 알 수 있다.

501 노씨老氏(老子)의 … 잘못: "도리를 사물 꼭대기의 현묘한 것으로 보면서, 사람의 일은 하층의 조잡한 일로 간주한다.(把道理做事物頂頭玄妙底物看, 把人事做下面粗底)"를 의미한다. [1-2-1-88] 조목 참고

502 '그릇은 또한 도이다.': 『河南程氏遺書』 권1

503 『易經蒙引』 권9下

지도 않는다.'[504]는 열자列子의 잘못에 빠지게 된다. 태극은 다만 음양 가운데 있을 뿐이라는 주장을 홀로 고집하면, 또 뿌리나 중추가 하는 역할을 잃어버려서 큰 근본을 알지 못하게 되니, 그 해독을 이루 다 말할 수 없다."

[1-2-1-93]

西山眞氏曰: "凡天地之物有形有象者, 皆器也, 其理便在其中. 大而天地亦形而下者, 乾坤乃形而上者. 日月星辰風雨霜露亦形而下者, 其理卽形而上者. 以身言之, 身之形體皆形而下者, 曰性曰心之理乃形而上者. 至於一物一器莫不皆然. 且如燈燭者, 器也, 其所以能照物, 形而上之理也. 且如椅卓, 器也, 而其用, 理也. 天下未嘗有無理之器, 無器之理. 卽器以求之, 則理在其中. 如卽天地則有健順之理. 卽形體則有性情之理. 精粗本末, 初不相離. 若舍器而求理, 未有不蹈於空虛之境, 非吾儒之實學也."[505]

서산 진씨가 말했다. "모든 천지天地 속의 물건 가운데 모양과 모습을 가진 것은 다 그릇이고, 그 리는 바로 그 속에 있다. 크게는 천지도 역시 형이하자이고, 건곤乾坤은 곧 형이상자이다. 해, 달, 별, 바람, 비, 서리, 이슬은 또한 형이하자이고, 그 리는 바로 형이상자이다. 몸에서 말하면, 몸의 형체는 다 형이하자이고, 성性이나 '심心의 리'는 곧 형이상자이다. 한 개의 물건, 한 개의 기물器物에 이르기까지 그렇지 않은 것이 없다. 예컨대 등불은 그릇이고, 물건을 비출 수 있게 하는 것은 형이상의 리이다. 예컨대 의자나 탁자는 그릇이고 그 쓰는 것은 리理이다. 천하에 리 없는 그릇이나 그릇 없는 리는 없다. 그릇에서 구하면 리는 그 가운데에 있다. 예컨대 천지에서는 건순健順의 리가 있고, 형체에서는 성정性情의 리가 있는 것과 같다. 정밀한 것과 거친 것, 근본과 말단은 애초에 서로 떨어지지 않는다. 만일 그릇을 떠나 리를 구하면, 공허한 지경에 빠지지 않을 수 없으니 우리 유가儒家의 실학이 아니다."

[1-2-1-94]

平巖葉氏曰: "'動而生陽, 動極而靜, 靜而生陰, 靜極復動'者, 言太極流行之妙相推於無窮也. '一動一靜, 互爲其根, 分陰分陽, 兩儀立焉'者, 言二氣對待之體一定而不易也. 邵子云'用起天地先, 體立天地後',[506] 是也. 然詳而分之, 則'動而生陽靜而生陰'者, 是流行之中定分未嘗亂也. '一動一靜互爲其根'者, 是對待之中妙用實相流通也."[507]

평암 섭씨[508]가 말했다. "'동하여 양을 생하고 동이 끝가서 정하고, 정하여 음을 생하고 정이 끝가서

504 '생生하지도 … 않는다.' : 『列子』「天瑞」의 다음 글 참조. "生하는 것과 生하지 않는 것이 있고, 변화하는 것과 변화하지 않는 것이 있다. 생하지 않는 것은 생하는 것을 생하게 할 수 있고, 변화하지 않는 것은 변화하는 것을 변화시킬 수 있다. 생하는 자는 생하지 않을 수 없고 변화하는 자는 변화하지 않을 수 없다. (有生不生, 有化不化. 不生者能生生, 不化者能化化. 生者不能不生, 化者不能不化)"

505 『西山文集』 권30

506 用起天地先, 體立天地後 : 『擊攘集』 권14 「觀物吟」에는 "體在天地後, 用起天地先"으로 되어 있다.

507 葉采(섭채) 集解, 『近思錄』 권1

다시 동하는 것'은 태극이 유행하는 묘함이 서로 미루기를 무궁하게 함을 말한 것이다. '한 번 동하고 한 번 정하는 것이 서로 뿌리가 되고, 음으로 나뉘고 양으로 나뉨에 양의兩儀가 확립된다.'는 두 기氣가 대대待對하는 본체가 한 번 정해져서 바뀌지 않는 것을 말한 것이다. 소자邵子(康節 邵雍)가 이르기를, '용用은 천지보다 먼저 일어나고 체體는 천지보다 뒤에 정립한다.'는 것이 이것이다. 그러나 자세히 나누면, '동하여 양을 생하고 정하여 음을 생하는 것'은 유행하는 가운데 정해진 자리가 혼동된 적은 없다는 것이다. '한 번 동하고 한 번 정하는 것이 서로 뿌리가 되는 것'은 대대하는 가운데 묘용妙用은 사실 서로 오고간다[流通]는 것이다."

[1-2-1-95]

黃氏巖孫曰: "程子云, '離了陰陽便無道. 陰陽, 氣也, 所以陰陽者, 是道也. 氣是形而下者, 道是形而上者.'[509]

又云, '道非陰陽也. 所以一陰一陽者, 道也. 如一闔一闢謂之變.'[510]

又云, '陰陽形而下者,[511] 而曰道者, 惟此語截得上下最分明. 元來只是此道,[512] 要在人黙而識之也.'[513]

又云, '形而上爲道, 形而下爲器, 須著如此說. 器亦道, 道亦器. 但得道在, 不繫今與後, 己與人.'[514]

又云, '誠者物之終始, 猶俗語徹頭徹尾.'[515]

胡氏云, '誠者, 命之道乎.'[516] 此言誠者, 卽所謂太極也."

황씨암손가 말했다. "정자가 말했다. '음양을 떠나면 곧 도가 없다. 음양은 기이고, 음·양하게 하는 것은 도이다. 기는 형이하자이고 도는 형이상자이다.'

또 말했다. '도는 음양이 아니다. 한 번 음하고 한 번 양하게 하는 것이 도이다. 「한 번 닫고 한 번 여는 것을 변화라고 한다.」[517]는 것과 같다.'

또 말했다. '「음양은 형이하자이지만 도라고 말하는 것」은, 이 말이 상하上下를 가장 분명하게 나누기 때문이다. 원래 이 도는 오로지 사람이 묵묵히 아는 데 달려있을 뿐이다.'[518]

508 평암 섭씨: 葉采의 자는 仲圭 또는 平巖이다.
509 『二程粹言』 上
510 『河南程氏遺書』 권3
511 陰陽形而下者: 『河南程氏遺書』 권11에는 '陰陽' 다음에 '亦'이 더 있고, '形而下者' 다음에 '也'가 더 있다.
512 只是此道: 『河南程氏遺書』 권11에는 '只此是道'로 되어 있다.
513 『河南程氏遺書』 권11
514 『河南程氏遺書』 권1
515 『河南程氏遺書』 권18
516 胡宏, 『知言』 권1
517 「한 번 … 한다.」: 『易經』「繫辭上」 11장
518 여기서 '曰道'의 道는 "一陰一陽之謂道"의 道이다. 또 [1-2-1-59] 참조

또 말했다. '「형이상은 도이고 형이하는 그릇이다.」는 반드시 이렇게 말해야 한다. 그릇도 도道이고 도道도 그릇이다. 다만 도를 얻는 것은 지금과 나중, 자기와 남에게 얽매이지 않는 데에 있다.' 또 말했다. '「성誠이 물건의 시작과 끝」이라는 것은, 속어의 「처음부터 끝까지[徹頭徹尾]」라는 말과 같다.'
호씨胡氏가 「성誠은 천명天命의 도道인저!」라고 하였는데, 여기서 말한 성誠은 바로 이른바 태극이다."

[1-2-1-96]

臨川吳氏曰: "太極無動靜. 動靜者, 氣機也. 氣機一動, 則太極亦動, 氣機一靜, 則太極亦靜. 故朱子釋太極圖曰, '太極之有動靜, 是天命之流行也', 此是爲周子分解太極不當言動靜, 以天命之有流行, 故只得以動靜言也.
임천 오씨[519]가 말했다. "태극에는 동정이 없다. 동정은 기기氣機이다. 기기가 한 번 동動하면 태극도 동하고, 기기가 한 번 정靜하면 태극도 정한다. 그러므로 주자朱子가 『태극도』를 풀이하여 말하기를, '태극에 동정이 있는 것은 천명이 유행하는 것이다.'라고 하였는데, 이것은 주자周子(濂溪)를 대신해서 직접 태극의 동정을 말해서는 안 되고 천명에 유행이 있으므로 동정을 말할 수 있을 뿐이라고 설명한 것이다.

又曰, '太極者本然之妙也, 動靜者所乘之機也', 機猶弩牙, 弩弦乘此機, 如乘馬之乘, 機動則弦發, 機靜則弦不發. 氣動則太極亦動, 氣靜則太極亦靜. 太極之乘此氣, 猶弩弦之乘機也. 故曰'動靜者所乘之機', 謂其所乘之氣機有動靜, 而太極本然之妙無動靜也. 然弩弦與弩機却是兩物. 太極與此氣非有兩物, 只是主宰此氣者便是, 非別有一物在氣中而主宰之也. 機字是借物爲喩, 不可以辭害意."[520]
또 말하기를, '태극은 본연의 묘이고, 동정은 타는 탈것이다.'에서, 탈것(여기서는 부속품인 노아를 포함한 부분품)은 노아弩牙(쇠뇌의 발사장치. 방아쇠)와 같으니, 노현弩弦(쇠뇌의 시위)이 이 탈것(고동)을 타는 것은 말[馬]을 타는 것과 같아서, 탈것이 움직이면 시위가 발사되고, 탈것이 가만있으면 시위가 발사되지 않는다. 기氣가 움직이면 태극도 움직이고 기氣가 가만있으면 태극도 가만있다. 태극이 이 기氣를 타는 것은 노현이 탈것을 타는 것과 같다. 그러므로 '동정은 타는 탈것이다.'고 하였으니, 그 타는 탈것에는 동정이 있으나 태극 본연의 묘에는 동정이 없음을 말한 것이다. 그러나 노현과 노아는 도리어 두 물건이다. 태극은 이 기氣와 더불어 두 물건이 되는 것이 아니고, 단지 이 기氣를 주재하는 자일 뿐이며, 한 물건이 기氣 속에 별도로 있어서 주재하는 것은 아니다. '탈것'이란 말은 물건을 빌려서 비유한 것이니, 표현을 가지고 뜻을 해쳐서는 안 된다."

519 임천 오씨: 吳澄(1249~1333)의 자는 幼淸이고, 세칭 草廬先生이라 하며, 시호는 文正이다.
520 『吳文正集』 권2

[1-3]

陽變陰合, 而生水火木金土, 五氣順布, 四時行焉.

양이 변하고 음이 합하여 수・화・목・금・토를 생하니, 오기五氣가 차례로 펼쳐짐에 사시가 거기서 운행한다.

[1-3-1]

有太極, 則一動一靜而兩儀分, 有陰陽, 則一變一合而五行具. 然五行者, 質具於地而氣行於天者也. 以質而語其生之序, 則曰水火木金土, 而水木陽也, 火金陰也. 以氣而語其行之序, 則曰木火土金水, 而木火陽也, 金水陰也. 又統而言之, 則氣陽而質陰也. 又錯而言之, 則動陽而靜陰也. 蓋五行之變至於不可窮, 然無適而非陰陽之道, 至其所以爲陰陽者, 則又無適而非太極之本然也, 夫豈有所虧欠間隔哉!

태극이 있으면 한 번 동動하고 한 번 정靜하여 양의가 분립分立하고, 음양이 있으면 하나는 변하고 하나는 합하여 오행이 갖춰진다. 그러나 오행은 질質이 땅에서 갖춰지고 기氣가 하늘에서 운행한다. 질이 생하는 순서로 말하면 수・화・목・금・토水火木金土인데, 수와 목은 양이고 화와 금은 음이다. 기가 운행하는 순서로 말하면 목・화・토・금・수木火土金水인데, 목과 화는 양이고 금과 수는 음이다. 또 통괄하여 말하면 기는 양이고 질은 음이다. 또 섞어서 말하면 동은 양이고 정은 음이다. 대개 오행의 변화가 끝없는 데까지 이르러도 음양의 도가 아닌 것이 없고, 음양이 되게 하는 까닭에 이르면 또 태극의 본연이 아닌 것이 없으니, 대저 어찌 부족함이나 간격이 있겠는가!

[1-3-1-1]

朱子曰: "一片底便是分作兩片底,[521] 兩片底便是分作五片底. 做這萬物四時五行, 只是從那太極中來. 太極只是一箇理,[522] 迤邐分做兩箇氣, 裏面動底是陽, 靜底是陰. 又分做五氣, 又散爲萬物."[523]

주자가 말했다. "한 조각은 곧 나누어 두 조각을 만들고, 두 조각은 곧 나누어 다섯 조각을 만든다. 이 만물, 사시四時, 오행을 만드는 것은 다만 저 태극에서부터 온다. 태극은 다만 하나의 기氣일 뿐인데, 늘여서 나누어 두 개의 기를 만드니, 그 속의 동하는 것은 양이고, 정한 것은 음이다. 또 나누어 다섯 개의 기를 만들고, 또 분산하여 만물이 된다."

521 分作 : '作'은 『朱子語類』 권3, 24조목에는 '做'로 되어 있다.

522 箇理 : '理'는 『朱子語類』 권3, 24조목에는 '氣'로 되어 있다. 『朱子語類考文解義』에 "이는 앞으로 음양 두 氣를 말하려고 하므로 짐짓 기를 겸하여 태극을 말하였다. 아래의 기와 서로 연관된다.(此, 以將言陰陽二氣. 故姑以太極兼氣而言之. 與下氣相聯也.)"라고 되어 있다.

523 『朱子語類』 권3, 24조목

[1-3-1-2]

問: "'以質而語其生之序', 此豈就圖而指其序耶? 而水木何以謂之陽? 火金何以謂之陰?"

曰: "天一生水, 地二生火, 天三生木. 地四生金, 一三, 陽也. 二四, 陰也."

問: "'以氣而語其行之序, 則木火土金水', 此豈卽其運用處而言之耶? 而木火何以謂之陽?金水何以謂之陰?"

曰: "此以四時而言, 春夏爲陽, 秋冬爲陰."[524]

물었다. "'질質이 생하는 순서로 말하면'은 혹시 「태극도」에서의 순서를 가리킨 것입니까? 수・목은 왜 양이라 하고, 화・금은 왜 음이라고 합니까?

(주자가 답하였다.) "천天이 1로써 수水를 생하고, 지地가 2로써 화火를 생하고, 천이 3으로써 목木을 생하고, 지가 4로써 금金을 생하니, 1과 3은 양이고, 2와 4는 음이다."

물었다. "'기가 운행하는 순서로 말하면 목・화・토・금・수木火土金水이다.'는 혹시 그 운용처에서 말한 것입니까? 목・화는 왜 양이라 하고, 금・수는 왜 음이라고 합니까?

(주자가 답하였다.) "이것은 사시四時로 말한 것이니, 봄・여름은 양이고, 가을・겨울은 음이다."

[1-3-1-3]

問: "'以質而語其生之序', 不是相生否, 只是陽變而助陰故生水, 陰合而陽盛故生火, 木金各從其類, 故在左右."

曰: "水陰根陽, 火陽根陰, 錯綜而生. 其端是天一生水, 地二生火, 天三生木, 地四生金. 到得運行處, 便水生木, 木生火, 火生土, 土生金, 金又生水, 水又生木, 循環相生. 又如甲乙丙丁戊己庚辛壬癸, 都是這箇物事."[525]

물었다. "'질質이 생하는 순서로 말한 것'은 상생相生이 아니지요? 다만 양이 변하여 음을 도우므로 수를 생하고, 음이 합하여 양이 왕성하므로 화를 생하며, 목과 금은 각각 그 부류를 따르므로 좌우에 있는 것입니다."

(주자가 답하였다.) "수는 음으로서 양에 뿌리를 두고, 화는 양으로서 음에 뿌리를 두어 서로 섞여서 생한다. 그 단서는 천이 1로써 수水를 생하고, 지地가 2로써 화火를 생하고, 천이 3으로써 목木을 생하고, 지가 4로써 금金을 생하는 것이다. 운행처에 이르면 바로 수는 목을 생하고 목은 화를 생하고 화는 토를 생하고 토는 금을 생하고, 금은 또 수를 생하고 수는 또 목을 생하여 순환하며 상생한다. 또 갑・을・병・정・무・기・경・신・임・계甲乙丙丁戊己庚辛壬癸와 같은 것들이 모두 이런 것이다."

[1-3-1-4]

"陰陽二氣, 更無停息. 如金木水火土是五行, 分了又三屬陽, 二屬陰. 然而各又有一陰一陽,

524 『朱文公文集』 권49 「答林子玉」

525 『朱子語類』 권94, 20조목

如甲便是木之陽，乙便是木之陰，丙便是火之陽，丁便是火之陰. 只是這箇陰陽，更無休息. 形質屬陰，其氣屬陽. 金銀坑有金礦銀礦便是陰，其光氣爲陽."[526]

(주자가 말했다.) "음양 두 기는 더구나 멈춤이 없다. 예컨대 금·목·수·화·토는 오행인데, 나누면 또 셋은 양에 속하고 둘은 음에 속한다. 그러나 또 각각 하나의 음과 하나의 양이 있으니, 예컨대 갑甲은 곧 목 중의 양이고 을乙은 곧 목 중의 음이며, 병丙은 곧 화 중의 양이고 정丁은 곧 화 중의 음이다. 다만 이 음양은 더구나 쉼이 없다. 형질은 음에 속하고 그 기氣는 양에 속한다. 금은광산에 금덩이와 은덩이가 있는 것은 곧 음이고 그 빛은 양이 된다."

[1-3-1-5]

"統言陰陽，只有兩端. 而陰中自分陰陽，陽中亦有陰陽. '乾道成男，坤道成女'，男雖屬陽，而不可謂其無陰，女雖屬陰，亦不可謂其無陽. 人身氣屬陽，而氣有陰陽，血屬陰，而血有陰陽. 至如五行，天一生水，陽生陰也. 而壬癸屬水，壬是陽，癸是陰. 地二生火，陰生陽也. 而丙丁屬火，丙是陽，丁是陰."[527]

(주자가 말했다.) "총괄하여 말하면 음양에는 단지 두 끝이 있다. 음 중에서는 저절로 음양으로 나뉘고, 양 중에도 역시 음양이 있다. '건도乾道는 남성을 이루고 곤도坤道는 여성을 이루'는데, 남성이 비록 양에 속하지만 음이 없다고 할 수 없으며, 여성이 비록 음에 속하지만 역시 양이 없다고 할 수 없다. 사람의 몸에서, 기氣는 양에 속하지만 기에 음양이 있으며, 피[血]는 음에 속하지만 피에 음양이 있다. 오행에 이르면, 천天이 1로써 수水를 생하는 것은 양이 음을 생하는 것이다. 임·계壬癸는 수水에 속하는데, 임은 양이고 계는 음이다. 지地가 2로써 화火를 생하는 것은 음이 양을 생하는 것이다. 병·정丙丁은 화火에 속하는데 병은 양이고 정은 음이다."

[1-3-1-6]

"陰陽動靜,[528] 以大體言，而春夏是動,[529] 屬陽，秋冬是靜，屬陰. 就一日言之，晝陽而動，夜陰而靜. 就一時一刻言之，無時而不動靜，無時而不陰陽."

曰: "陰陽無處無之，橫看竪看皆可見. 橫看則左陽而右陰，竪看則上陽而下陰. 仰手爲陽，覆手則爲陰. 向明處爲陽，背明處則爲陰.[530]『正蒙』云，'陰陽之氣，循環迭至，聚散相盪，升降相求，絪縕相揉，相兼相制，欲一之不能',[531] 蓋謂是也."[532]

526 『朱子語類』 권94, 69조목

527 『朱子語類』 권94, 41조목. 天干 甲·乙, 丙·丁, 戊·己, 庚·辛, 壬·癸를 둘씩 묶어 각각 목·화·토·금·수에 배속하되, 앞의 것을 양으로 하고 뒤의 것을 음으로 한다.

528 陰陽動靜 : 『朱子語類』 권94, 45조목에는 맨 앞에 '問'자가 더 있다.

529 而 : 『朱子語類』 권94, 45조목에는 '則'으로 되어 있다.

530 則爲陰 : 『朱子語類』 권94, 45조목에는 '則'이 없다.

531 陰陽之氣 … 欲一之不能 : 『正蒙』「參兩삼양」에는 "若陰陽之氣, 則循環迭至, 聚散相盪, 升降相求, 絪縕相揉, 蓋相兼相制, 欲一之而不能"으로 되어 있다.

(물었다.) "음양과 동정을 대체大體로 말하면, 봄과 여름은 동動이고 양에 속하고, 가을과 겨울은 정靜이고 음에 속합니다. 하루를 가지고 말하면, 낮은 양이며 동이고, 밤은 음이고 정입니다. 일시·일각一時一刻을 가지고 말하면, 동·정하지 않는 때가 없고, 음·양 아닌 때가 없습니다."
(주자가 답하였다.) "음양은 없는 곳이 없으니, 가로로 보나 세로로 보나 다 볼 수 있다. 가로로 보면 왼쪽이 양이고 오른쪽이 음이며, 세로로 보면 위가 양이고 아래가 음이다. 손바닥을 (위로) 젖히면 양이 되고 손바닥을 (아래로) 엎으면 음이 된다. 밝은 곳은 양이 되고 밝음을 등지면 음이 된다. 『정몽正蒙』에 이르기를, '음양의 기는 순환하며 갈마들고, 모이고 흩어지기를 반복하며, 오르락내리락 서로 꼬리를 물며, 마주 대고 서로 비비대며, 서로 포용하며 서로 제약하니, 하나로 통일하고자 하여도 할 수 없다.'고 하였는데, 대개 이를 말한 것이다."

[1-3-1-7]

"陰陽雖是兩字, 然只是一氣之消息, 一進一退, 一消一長. 進處便是陽, 退處便是陰. 長處便是陽, 消處便是陰. 只是這一氣之消長, 做出古今天地間無限事. 所以陰陽做一箇說亦得, 做兩箇說亦得."[533]
(주자가 말했다.) "음과 양은 비록 둘이지만, 그러나 단지 한 기氣가 줄어들거나 불어남이니, 한 번 나가고 한 번 물러나고, 한 번 사그라지고 한 번 자라나는 것뿐이다. 나가는 곳은 곧 양이고 물러나는 곳은 곧 음이다. 자라나는 곳은 곧 양이고 사그라지는 곳은 곧 음이다. 다만 이 한 기의 줄어들거나 불어남이 옛날부터 지금까지 천지간의 무한한 일을 만들어냈다. 그러므로 음양은 한 개라고 말하여도 되고 두 개라고 말하여도 된다."

[1-3-1-8]

問: "聖人所以因陰陽說出許多道理, 而所說之理皆不離乎陰陽者, 蓋緣所以爲陰陽者, 元本於實然之理?"
曰: "陰陽是氣. 纔有此理, 便有此氣. 纔有此氣, 便有此理. 天下萬事萬物, 何者不出於此理. 何者不出於陰陽."[534]
물었다. "성인이 음양을 가지고 많은 도리를 설명하였고, 그 설명한 리가 다 음양을 떠나지 않은 까닭은 대개 음양이 된 것이 원래 실제로 그런 리에 근본하였기 때문입니까?"
(주자가) 답하였다. "음양은 기이다. 이 리가 있자마자 바로 이 기가 있다. 이 기가 있자마자 곧 이 리가 있다. 천하의 만사만물 중, 무엇이 이 리에서 나오지 않았으며, 무엇이 음양에서 나오지 않았겠는가!"

532 『朱子語類』 권94, 45조목
533 『朱子語類』 권74, 24조목
534 『朱子語類』 권65, 24조목

[1-3-1-9]

南軒張氏曰: "新安朱熹云, '太極立, 則陽動陰靜而兩儀分. 兩儀分, 則陽變陰合而五行具. 五行者, 質具於地, 而氣行乎天者也',535 語至於是, 則造化之功用無餘蘊矣. 然此亦推本其所自來, 非以爲至此而始具也."

남헌 장씨가 말했다. "신안新安의 주희朱熹가 이르기를, '태극이 서면 양이 동하고 음이 정하여 양의兩儀가 분립分立한다. 양의가 분립하면 양이 변하고 음이 합하여 오행이 갖춰진다. 오행은 그 질質이 땅에 갖춰지고 기가 천天에서 운행하는 것이다.'라고 하였는데, 말이 여기에 이르면 조화의 역량에 부족함이 없을 것이다. 그러나 이 역시 그 온 근원을 탐구한 것이지, 여기에 이르러 비로소 갖춰진 것으로 생각하는 것은 아니다."

[1-3-1-10]

勉齋黃氏曰: "'陽變陰合, 而生水火木金土, 五氣順布, 四時行焉.' 妄意謂陰陽分, 兩儀立矣, 陽中之陽, 陰中之陰, 變合相得, 而五位成質.

橫渠先生云, '水火氣也, 故炎上潤下, 與陰陽相爲升降,536 土不得而制焉. 木金者, 土之華實, 其性有水火之雜. 故木之爲物, 水漬而得生,537 火然而不離, 蓋得土之浮華於水火之交也. 金之爲物, 得火之精於土之燥, 得木之精於水之濡.538 故水火相得而不相害, 鑠之則反流而不耗,539 蓋得土之精實於水火之際也. 土者, 物之所以成始成終者也,540 地之質也, 化之終也. 水火之所以升降, 物兼體而不遺者也.'541

면재 황씨가 말했다. "'양이 변하고 음이 합하여 수・화・목・금・토를 생한다. 오기五氣가 차례로 펼쳐짐에 사시四時가 거기서 운행한다.'고 한 것은 나의 망령된 생각으로는 '음양이 나뉨에 양의兩儀가 서며, 양 중의 양과 음 중의 음이 변하고 합하며[變合] 서로 만나서[相得] 오위五位가 질質을 이룬다.'는 것이다.

횡거橫渠 선생이 이르기를, '수와 화는 기이다. 그러므로 타오르고[炎上] 젖어 내림[潤下]에 음양과 더불어 오르내리니, 토가 이를 제어할 수 없다. 목과 금은 토의 꽃과 열매이니, 그 성性은 수와 화가 섞여있다. 그러므로 목이라는 것은 물[水]로 적시면 살고, 불[火]로 태워도 분산되지 않는 것은, 수와 화가 섞여있는 속에서 토의 부화浮華함을 얻었기 때문이다. 금이라는 것은 토의 건조함에서 화의

535 朱子 『太極圖解』의 "有太極, 則一動一靜而兩儀分. 有陰陽, 則一變一合而五行具. 然五行者, 質具於地而氣行於天者也."(본서 [1-3-1] 조목) 참조.

536 與陰陽相爲升降 : 『正蒙』「參兩」에는 '相爲' 두 자가 없다.

537 而得 : 『正蒙』「參兩」에는 '則'으로 되어 있다.

538 得木之精於水之濡 : 『正蒙』「參兩」에는 '得水之精於水之濡'로 되어 있으나, 앞뒤 논리상 추세로 보면 '土之濡'가 맞을 것이므로 이에 따라 번역한다.

539 則 : 『正蒙』「參兩」에는 '則'이 없다.

540 物之所以成始成終者也 : 『正蒙』「參兩」에는 '成始'와 '成終' 사이에 '而'가 있으며, '者'는 없다.

541 『正蒙』「參兩」

정수精髓를 얻었고, 토의 축축함에서 수의 정수를 얻었다. 그러므로 수와 화가 서로 이웃으로 만나도 서로 해치지 않고, 녹이면 도리어 흐르고 줄어들지 않으니, 수와 화가 만난 곳에서 토의 정수와 열매를 얻었기 때문이다. 토는 물건의 시작과 끝을 이루게 하는 자이며, 땅의 바탕이며 변화의 끝이다. 수와 화가 오르내리는 것은 물건과 한 몸이 되어 떼어낼 수 없기 때문이다.'라고 하였다.

卽是而參之, 五行之生, 一陰陽之所爲也. 木之氣盛於東, 於時爲春. 火之氣盛於南, 於時爲夏. 土之氣盛於中央, 而寄旺於四時之戊己, 而獨盛於季夏之時. 金之氣盛於西, 而於時爲秋. 水之氣盛於北, 而於時爲冬. 春夏秋冬, 而氣以成, 此五物者, 同出而異名者也. 四時之行, 卽五氣之流通, 五氣之流通, 卽一氣之妙用, 非截然一彼一此也.

이를 가지고 연구해 보면 오행이 생하는 것은 하나의 음양이 한 것이다. 목기木氣는 동쪽에서 왕성하고, 계절로는 봄이다. 화기火氣는 남쪽에서 왕성하고, 계절로는 여름이다. 토기土氣는 중앙에서 왕성하고, 네 계절의 무・기일戊己日에 의지하여 왕성하나, 유독 늦여름에 더 왕성하다.[542] 금기金氣는 서쪽에서 왕성하고, 계절로는 가을이다. 수기水氣는 북쪽에서 왕성하고, 계절로는 겨울이다. 봄, 여름, 가을, 겨울이 기로서 완성되니, 이 다섯 가지는 같은 곳에서 나와서 이름을 달리한 것이다. 네 계절의 운행은 즉 다섯 기[五氣]가 유통하는 것이고, 다섯 기가 유통하는 것은 즉 일기一氣의 묘용이니, 분명히 하나는 저것이고 하나는 이것(으로 다른 것)은 아니다.

通書云, '動而無靜, 靜而無動, 物也. 動而無動, 靜而無靜, 神也. 動而無動, 靜而無靜, 非不動不靜也. 物則不通, 神妙萬物.'[543] 此以明'太極動而生陽, 以至四時行焉', 無非神之所爲也.'

又云, '水陰根陽, 火陽根陰, 五行陰陽, 陰陽太極. 四時運行, 萬物終始, 混兮闢兮, 其無窮兮'.[544] 以明五行之生, 四時之行, 百物之産, 一太極而已矣. 其然乎. 豈其然乎?"

『통서通書』에 이르기를, '동動할 때는 정靜이 없고 정할 때는 동이 없는 것은 물건이다. 동하면서도 동이 없고 정하면서도 정이 없는 것은 신神이다. 동하면서도 동이 없고 정하면서도 정이 없는 것은 동하지도 않고 정하지도 않는 것은 아니다. 물건은 통하지 않으나 신은 만물을 묘妙한다(주재한다).'고 하였다. 이것은 '태극이 동하여 양을 생한다.'부터 '사시四時가 거기서 운행한다.'까지는 신이 하지

542 토기土氣는 … 왕성하다. : 『禮記集說大全』「月令」 中央土條 참조. "토는 四時에 왕성함을 붙인 것이 각각 18일이니, 모두 72일이다. 이를 제외하면 목・화・금・수도 각각 72일이다. 토는 사시 중에 없는 때가 없다. 그러므로 정해진 자리가 없고 專用의 기가 없어서, 辰・戌・丑・未月의 끝에 붙어서 왕성하다. 未月은 화와 금의 사이에 있고, 또 1년의 중간에 있다. 그러므로 특별히 중앙토 一令을 여기에 게시하여 오행의 순서를 완성하였다.(土寄旺四時各十八日, 共七十二日. 除此則木火金水, 亦各七十二日矣. 土於四時無乎不在. 故無定位無專氣, 而寄旺於辰戌丑未之末. 未月在火金之間, 又居一歲之中. 故特揭中央土一令於此, 以成五行之序焉.)" / [1-0-1-61], [1-0-1-92] 참조

543 『通書』「動靜」

544 『通書』「動靜」

않은 것이 없음을 밝힌 것이다.

또 이르기를, '수는 음으로서 양에 뿌리를 내렸으며, 화는 양으로서 음에 뿌리를 내렸다. 오행은 음양이고, 음양은 태극이다. 사시四時가 운행하고 만물이 시작하고 끝나니, 닫음이여 엶이여! 그 무궁함이여!'라고 하여, 오행의 생生과 사시의 운행과 온갖 물건의 생산이 하나의 태극일 뿐임을 밝혔으니, 그런가? 어찌 그런가?

[1-3-1-11]

問: "'陽變陰合而生水火木金土', 次序如何?"

曰: "水與火對生, 木與金對生, 因云[545]'這裏有兩項看. 如作建寅看時, 則木火是陽, 金水是陰, 此以行之序論. 如作建子看時, 則水木是陽, 火金是陰, 此以生之序論. 大概冬春夏, 可以謂之陽. 夏秋冬, 可以謂之陰.'[546]

因云[547]'太極圖解有一處可疑. 圖以水陰盛故居右, 火陽盛故居左, 金陰穉故次水, 木陽穉故次火, 此是說生之序. 下文却說水木陽也, 火金陰也, 却以此爲陽, 彼爲陰.[548] 論來物之初生, 自是幼嫩. 如陽始生爲水尙柔弱, 到生木已强盛. 陰始生火尙微,[549] 到生金已成質. 如此則水爲陽穉, 木爲陽盛, 火爲陰穉, 金爲陰盛. 不知圖解所指是如何.'

後請問云'圖解所分, 恐是解剝圖體, 言其居左居右之位次否?' 晦庵先生云, '舊也如此看. 只是水而木, 木而火以下, 畢竟是說行之序.' 這畢竟是說生之序, 畢竟是可疑."

물었다. "'양이 변하고 음이 합하여 수・화・목・금・토를 생한다.'에서 순서는 어떻습니까?"

(면재 황씨가) 답했다. "수와 화가 상대하여 생하고, 목과 금이 상대하여 생한다. 이에 대하여 (주자가) 말했다. '여기에는 두 가지의 보는 법이 있다. 만일 인방寅方을 가리키는 것을 기준으로 볼 때[550]

545 因云: '因'은 『天原發微』 권2上 「衍五」에 '朱子'로 되어 있다.

546 『天原發微』 권2上 「衍五」에 朱子說과 유사한 다음과 같은 내용이 勉齋說로 되어 있다. "황면재가 말하였다. '도설에 이르기를 「수는 음이 왕성하고 화는 양이 왕성하다.」고 한 것은 곧 운행의 순서이고 생성하는 순서는 아니다. 만일 子方을 가리킬 때로 본다면, 수・목은 양이고 화・금은 음이니 이것은 생성하는 순서이다.' (黃勉齋曰: '圖說云: 「水陰盛, 火陽盛」 乃行之序, 非生之序. 如作建子時看, 則水木是陽, 火金是陰, 此生之序.)"

547 因云: '因云'은 『天原發微』 권2上 「衍五」에 '又曰'로 되어 있는데, 바로 앞에 '黃勉齋曰'이 있으므로, 이것은 면재설을 인용한 것이다.

548 此爲陽, 彼爲陰: 『天原發微』 권2上에는 '此'가 '水', '彼'가 '火'로 되어 있다.

549 火尙微: 『天原發微』 권2上에는 '火' 앞에 '爲'가 있다.

550 인방寅方을 가리키는 … 때: 이것은 북두칠성의 자루가 寅方을 가리킬 때를 기준으로 본다는 의미임. 여기서 연역하여 봄철인 雨水가 중간에 들어 있는 寅月을 1월로 정하는 曆法을 기준으로 한 것으로도 볼 수 있다. 이때는 '寅月을 歲首로 하여 볼 때'로 번역하는 것이 좋다. 『論語集註』 「衛靈公」 10의 다음 내용 참조. "夏나라 曆法은 북두칠성의 자루가 초저녁에 寅方을 가리키는 달을 歲首(正月)로 삼은 것을 말한다. 하늘은 子會에서 열리고, 땅은 丑會에서 열리고, 사람은 寅會에 생한다. 그러므로 북두칠성의 자루가 이 三辰(子丑寅)을 가리키는 달은 모두 세수로 삼을 수 있다. 三代에는 이를 번갈아 사용하였으니 夏나라는 인월을 사용

는 목・화는 양이고 금・수는 음인데, 이것은 운행하는 순서로 논한 것이다. 자방子方을 가리키는 것을 기준으로 볼 때[551]는 수・목은 양이고 화・금은 음인데 이것은 생성하는 순서로 논한 것이다. 대개 겨울・봄・여름은 양이라고 할 수 있고, 여름・가을・겨울은 음이라고 할 수 있다.'

(면재 황씨가) 이에 대하여 말했다. '『태극도해』에 한 군데 의심스러운 곳이 있다. 『태극도』는 「수는 음이 왕성하므로 오른쪽에 있고, 화는 양이 왕성하므로 왼쪽에 있다. 금은 음이 어리므로 수 다음이고, 목은 양이 어리므로 화 다음이다.」라고 하였는데, 이것은 생성하는 순서이다. 그 아랫 글에는 도리어 「수・목은 양이고 화・금은 음이다.」라고 말하여, 도리어 이것을 양으로, 저것을 음으로 여겼다. 물건이 처음 생하였을 때를 논한다면 본래 어리다. 예컨대 양이 처음 생하여 수가 되는데 아직 유약하고 목을 생하는 데 이르면 벌써 강성하다. 음이 처음 생하였을 때 화는 아직 미약한데 금을 생하는 데 이르면 벌써 형질을 이룬다. 이렇다면 수는 양이 어린 것이고, 목은 양이 왕성한 것이고, 화는 음이 어리고, 금은 음이 왕성할 터인데, 『태극도해』에서 가리키는 것이 무엇인지 모르겠다.'

훗날 여쭤보기를, '『태극도해』에서 분석한 것은 아마도 태극도를 해체하여 왼쪽에 있고 오른쪽에 있는 위차位次를 말한 것입니까?' 하니, 회암晦庵 선생이 이르기를, '옛날에는 이렇게 보았다. 다만 「수가 목이 되고, 목이 화가 된다.」 이하는 틀림없이 운행하는 차례를 말한 것이다.'고 하였다. 이것은 생성하는 차례를 말한 것인데, 결국 의심스럽다.[552]"

[1-3-1-12]

"五行之序, 以質之所生而言, 則水本是陽之濕氣, 以其初動爲陰所陷而不得遂, 故水陰勝. 火本是陰之燥氣, 以其初動爲陽所揜而不得達, 故火陽勝. 蓋生之者微, 成之者盛. 生之者形之始. 成之者形之終也. 然各以偏勝也, 故雖有形而未成質, 以氣升降, 土不得而制焉. 木則陽之濕氣寖多, 以感於陰而舒, 故發而爲木, 其質柔, 其性煖. 金則陰之燥氣寖多, 以感於陽而縮, 故結而爲金, 其質剛, 其性寒. 土則陰陽之氣各盛, 相交相搏, 凝而成質.

하여 人正이 되고, 商나라는 축월을 사용하여 地正이 되고, 周나라는 자월을 사용하여 天正이 된다.(夏時, 謂以斗柄, 初昏建寅之月爲歲首也. 天開於子, 地闢於丑, 人生於寅. 故斗柄建此三辰之月, 皆可以爲歲首. 而三代迭用之, 夏以寅爲人正, 商以丑爲地正, 周以子爲天正也.)" / 또 『律曆融通』 권3 「律象」 "十二律呂以配卦象. 其法, 自復卦一陽生屬子, 爲冬至十一月中. 臨卦二陽生屬丑, 爲大寒十二月中. 泰卦三陽生屬寅, 爲雨水正月中. 大壯四陽生屬卯, 爲春分二月中. 夬卦五陽生屬辰, 爲穀雨三月中. 乾卦六陽生屬巳, 爲小滿四月中, 爲純陽之卦陽, 極則陰生. 故姤卦一陰生屬午, 爲夏至五月中. 遯卦二陰生屬未, 爲大暑六月中. 否卦三陰生屬申, 爲處暑七月中. 觀卦四陰生屬酉, 爲秋分八月中. 剝卦五陰生屬戌, 爲霜降九月中. 坤卦六陰生屬亥, 爲小雪十月中, 爲純陰之卦, 陰極則陽生, 又繼以十一月之復焉." 참조

551 자방子方을 가리키는 … 때 : 이것은 겨울철인 冬至가 중간에 들어 있는 子月을 1월로 정하는 曆法을 기준으로 한 것으로 볼 수도 있다. 이때는 '子月을 세수로 하여 볼 때'로 번역하는 것이 좋다.

552 이 마지막 문단의 출처는 확인하지 못하였음. 여기서 면재는 '水陰盛, 火陽盛'을 生序로 보려고 하는데, 주자가 行序라고 하기 때문에 의심스럽다는 것이다. 또 생서로 보면 수・화는 각각 陽穉와 陰穉가 되어야 하는데 盛하다고 하니 이것이 의문이라는 것이다. 이 책 [1-0-1] 및 [1-3-1] 참조

(면재 황씨가 말했다.) "오행의 차례를 질質의 생성으로 말하면, 수水는 본래 양 속의 습기濕氣인데, 처음 동한 것이 음에 빠져서 뻗어 나오지 못하므로 수는 음이 승勝하다. 화火는 본래 음 속의 건조한 기인데, 처음 동한 것이 양에 가려져서 나올 수가 없으므로 화는 양이 승하다. 대개 생하는 자는 미약하고 이루는 자는 왕성하다. 생하는 자는 형체의 시작이고 이루는 자는 형체의 마지막이다. 그러나 각각 한쪽 편이 이기므로 비록 형태는 있으나 아직 질質을 이루지 못해서 기氣가 오르내리므로 토土가 제어할 수 없다. 목木은 양 속의 습기가 점차 많아져서 음과 감촉하여 펴지므로 발해서 목이 되니, 그 질은 부드럽고 그 성은 따뜻하다. 금金은 음 속의 건조한 기가 점차 많아져서 양과 감촉하여 움츠러들므로 맺혀서 금이 되니, 그 질은 강剛하고 그 성은 차다. 토는 음양의 기가 각각 왕성하므로 서로 사귀고 서로 부딪히니 엉켜서 질을 이룬다.

以氣之行而言, 則一陰一陽, 往來相代, 木火金水云者, 各就其中而分老少耳. 故其序各由少而老. 土則分旺四季, 而位居中者也. 此五者序若參差, 而造化所以爲發育之具, 實並行而不相悖. 蓋質則陰陽交錯凝合而成, 氣則陰陽兩端循環不已. 質曰水火木金, 蓋以陰陽相間言, 猶曰東西南北, 所謂對待者也. 氣曰木火金水, 蓋以陰陽相因言, 猶曰東南西北, 所謂流行者也. 質雖一定而不易, 氣則變化而無窮, 所謂易也."[553]
기氣의 운행으로 말하면 한 번 음하고 한 번 양하면서 오고가며 서로 갈마드는데, 목・화・금・수라고 하는 것은 각각 그 속에 나아가서 노소老少를 나눈 것뿐이다. 그러므로 그 차례는 각각 젊은 것으로부터 늙은 것으로 간다. 토는 네 계절에 왕성함을 분배하였고, 그 자리는 중앙에 있다. 이 다섯 가지가 차례는 들쑥날쑥하지만 조화가 일어나게 하는 도구이고, 실은 병행하여도 어긋나지 않는다. 대개 질質은 음양이 교착하여 엉키고 합하여 이루어지는 것이고, 기는 음양 둘이 순환하여 그치지 않는 것이다. 질은 수・화・목・금이니 대개 음양을 번갈아 말하니 동・서・남・북이라고 하는 것과 같고, 이른바 대대待對하는 자이다. 기氣는 목・화・금・수이니 대개 음양을 서로 이어서 말하는 것이고 동・남・서・북이라고 하는 것과 같고, 이른바 유행하는 자이다. 질은 비록 한 번 정하여져서 바뀌지 않으나, 기는 변화가 무궁하니 이른바 역易이다."

[1-3-1-13]

"五行生之序, 則曰水火木金土, 行之序, 則曰木火土金水. 何故造物却有此兩樣? 看來只是一理. 生之序, 便是行之序. 元初只是一箇水, 水煖後便成火, 此兩箇是母. 木者水之子, 金者火之子. 冬是太陰, 春是少陽, 夏是太陽, 秋是少陰, 從冬起來. 故水木火金自成次序. 以水生木, 以火生金, 故生之序便是行之序也.
(면재 황씨가 말했다.) "오행五行의 생성순서는 수・화・목・금・토이고, 운행순서는 목・화・토・금・수인데, 무슨 까닭으로 물건을 만드는데 이런 두 양상이 있는가? 내가 보기에는 같을 뿐인 것

553 『周元公集』 권1 附錄 「五行說」에는 작자 표시가 안 되어 있고, 『성리대전』 권27과 章潢의 『圖書編』 권22에는 주렴계의 말로 되어 있어, 어느 것이 옳은지 확인하기 어렵다.

같다. 생성순서가 바로 운행순서이다. 애초에 다만 하나의 수水인데, 수가 따듯해진 후에 바로 화火가 되니, 이 두 가지가 어미이다. 목은 수의 자식이고 금은 화의 자식이다. 겨울은 태음이고 봄은 소양이고, 여름은 태양이고 가을은 소음이니, 겨울부터 시작하였다. 그러므로 저절로 수・목・화・금의 순서가 되었다. 수가 목을 생하고 화가 금을 생하므로 생성순서는 바로 운행순서이다.

孔子言'精氣爲物', 精便是水. 氣便是火. 子産曰, '物生始化曰魄, 陽曰魂.'[554] 魄便是精之靈, 魂便是氣之靈. 水便生木, 火便生金. 在人一身, 初只是生腎水, 又生心火. 腎水上生木肝,[555] 心火上生肺金. 造化只是如此, 何嘗有兩樣來?
공자가 '정精과 기氣가 물건이 된다.'[556]고 하였는데, 정은 바로 수이고 기는 바로 화이다. 자산子産[557]이 '물건이 생하여 처음 변화하는 것을 백魄이라고 하고 양을 혼魂이라 한다.'고 하였는데, 백은 바로 정의 신령이고 혼은 바로 기의 신령이다. 수는 바로 목을 생하고 화는 바로 금을 생한다. 사람의 몸에 있어서는 처음에 다만 수인 신장腎臟을 생할 뿐이고, 또 화인 심장心臟을 생한다. 수인 신장은 위로 목인 간肝을 생하고, 화인 심장心臟은 위로 금인 폐肺를 생한다. 조화가 다만 이러할 뿐인데 어찌 일찍이 두 양상이 있었겠는가?

天一生水, 地二生火, 天三生木, 地四生金, 此便是造化本原. 其後流行亦只如此. 四時之序, 不過二天二地而已. 所以洪範亦只說水木火金土謂之五行, 則行之序亦是如此也. 以此可見造化之端倪, 物本生之始.[558]"[559]
천天이 1로써 수水를 생하고, 지地가 2로써 화火를 생하고, 천이 3으로써 목木을 생하고, 지地가 4로써 금金을 생하니, 이것이 바로 조화의 근원이다. 그 뒤의 유행도 역시 단지 이와 같다. 사시四時의 순서는 단지 두 번의 천과 두 번의 지일 뿐이다. 그러므로 「홍범洪範」도 단지 수・목・화・금・토를 일러 오행이라고 했을 뿐이니 운행순서 역시 이러하다. 이로써 조화의 전말顚末과 만물이 생하는 근본과 시원을 볼 수 있다."

[1-3-1-14]

"五行有生數, 有行數. 不知何故初生是一樣, 流行又是一樣. '其爲物不二, 則其生物不測', 易簡之義, 恐不如此. 故嘗疑其只是一樣. 及以造化之本原參之, 人物之生育初無兩樣, 只

554 '物生始化曰魄, 陽曰魂.' : 『春秋左傳』 昭公 7년에는 "人生始化曰魄, 旣生魄, 陽曰魂."으로 되어 있으며, 『勉齋集』 권13 「復甘吉甫」에는 "物生始化曰魄, 旣生魄, 陽曰魂"으로 되어 있다.

555 木肝 : 『勉齋集』 권13 「復甘吉甫」에 '肝木'으로 되어 있다.

556 '정精과 … 된다.' : 『周易』「繫辭上」 4장

557 자산子産 : ?~B.C. 522년. 춘추 말기 鄭나라 東里 사람으로 자는 子産・子美이고, 호는 成子이며, 보통 鄭子産으로 불린다.

558 物本生之始 : 『勉齋集』 권13 「復甘吉甫」에는 '物生之本始'으로 되어 있다.

559 『勉齋集』 권13 「復甘吉甫」

是水木火金土，便是次序．古人欲分别陰陽造化之殊，故以水火木金土爲言耳．自一至十之數，特言奇耦多寡耳，非謂次第如此也．蓋積實之數，非次第之數也．天得奇而爲水，故曰一生水．一之極而爲三，故曰三生木．（一極爲三，以一運之，圓而生三，故一而爲三也．）[560] 地得耦而爲火，故曰二生火．二之極而爲四，故曰四生金．（二極爲四，以二周之，方而爲四，故二而爲四也．）[561] 水者，初生之陽．木者，極盛之陽．火者，初生之陰，金者，極盛之陰．陽極而生陰，陰極而生陽．故但當以水木火金土爲次序也．自初生至流行皆是如此．

(면재 황씨가 말했다.) "오행에는 생수生數와 행수行數가 있는데, 무슨 까닭으로 처음 생할 때 한 모양새이고, 유행할 때 또 한 모양새인지 모르겠다. '그 (천지의) 물건의 됨됨이가 두 가지가 아니므로 그 만물을 생하는 것을 다 헤아릴 수 없는 것이니',[562] 그 평이平易하고 간단한 도리[563]가 이렇지 않을 것 같다. 그러므로 결국 마찬가지일 것으로 의심한 적이 있다. 조화의 본원을 가지고 검토한다면, 사람과 만물이 나고 자람에 애초 두 모양새가 없으니, 다만 수・목・화・금・토가 곧 순서일 뿐이다. 옛날 사람들이 음양 조화의 다양함을 분별하고자 하였으므로 수・화・목・금・토라고 말했을 뿐이다. 1부터 10까지 다만 홀수와 짝수의 크기를 가지고 말했을 뿐이지 순서가 이렇다고 말한 것은 아니다. 대개 누적한 수는 서수序數가 아니다. 하늘이 홀수를 얻어 수水가 되었으므로 1이 수를 생한다고 하였다. 1이 끝가서 3이 되므로 3이 목木을 생한다고 하였다. (1이 끝가서 3이 되고 1을 운행하면 원이 되어 3을 생한다. 그러므로 1이 3이 된다.) 땅이 짝수를 얻어 화가 되므로 2가 화를 생한다고 한다. 2가 끝가서 4가 되므로 4가 금을 생한다고 한다. (2가 끝가서 4가 되고 2를 돌려서 네모가 되어 4가 된다. 그러므로 2가 4가 된다.) 수는 처음 생한 양이고, 목은 극성한 양이다. 화는 처음 생한 음이고 금은 극성한 음이다. 양이 끝가서 음을 생하고 음이 끝가서 양을 생한다. 그러므로 다만 마땅히 수・목・화・금・토를 순서로 삼아야 한다. 처음 생한 때부터 유행하기까지 모두 이와 같다.

若要看陰陽奇耦一初一盛，則當曰水火木金土，非謂次序如此也．今以爲第一生水，第二生火，第三生木，第四生金，以爲次序則誤矣．水木火金土，五行之序也，水火木金土，分其奇耦初盛而爲言也．以此觀之，只是一樣，初無兩樣也．所謂一二三四，但言一多一少，多之

560 (一極爲三, 以一運之, 圓而生三, 故一而爲三也.)：『勉齋集』 권13 「復甘吉甫」에 주석으로 되어 있어 이에 따른다. 또 '一而爲三也'는 '一而三也'로 되어 있다.

561 (二極爲四, 以二周之, 方而爲四, 故二而爲四也.)：『勉齋集』 권13 「復甘吉甫」에 주석으로 되어 있어 이에 따른다. 또 '二而爲四也'는 '二而四也'로 되어 있다.

562 '그 (천지의) … 것이니'：『中庸』 26장. "'不貳'는 至誠無息함을 말한 것이고, '生物不測'은 천지가 지성무식한 결과 헤아릴 수 없이 많은 만물을 생하였다는 것이다.

563 평이하고 간단한 도리：『周易』「繫辭上」 1장 참조. "乾은 평이함으로써 주재하고 坤은 간단함으로써 할 수 있다. 평이하면 알기 쉽고 간단하면 따르기 쉽다. 알기 쉬우면 친함이 있고 따르기 쉬우면 공이 있다. 친함이 있으면 오래갈 수 있고 공이 있으면 커질 수 있다.(乾以易知, 坤以簡能. 易則易知, 簡則易從. 易知則有親, 易從則有功. 有親則可久, 有功則可大.)"

極，少之極也，初非以次序而言，猶人言一文兩文，非謂第一名第二名也．果以次序而言之，則一生水而未成水，必至五行俱足，猶待第六而後成水．二生火而未成火，必待五行俱足，又成就了水，然後第七而後成火耶？如此則全不成造化，亦不成義理矣．六之成水也，猶坎之爲卦也一陽居中，天一生水也，地六包於外，陽少陰多而水始成．[564] 七之成火也，猶離之爲卦也一陰居中，[565] 天七包於外，陰少陽多而火始成．[566] 坎屬陽而離爲陰，[567] 以其在內者爲生，[568] 在外者成之也．[569] 若以次序言，[570] 全不成義理矣．"

만일 음양의 홀수와 짝수, 한 번 처음 생한 것과 한 번 극성한 것을 살피고자 하면 수・화・목・금・토라고 해야 하지만 순서가 이와 같다는 것은 아니다. 그런데 첫째로 수를 생하고, 둘째로 화를 생하고, 셋째로 목을 생하고, 넷째로 금을 생하는 것을 순서로 생각하면 잘못이다. 수・목・화・금・토는 오행의 순서이고, 수・화・목・금・토는 홀수와 짝수, 처음과 극성을 나누어 말한 것이다. 이렇게 본다면 결국 마찬가지이고, 애초에 두 모양새는 없다. 이른바 1・2・3・4는 다만 많고 적음, 많음의 극성함과 적음의 극성함을 말한 것이지, 애초에 순서로 말한 것이 아닌 것은 한 닢 두 닢이라고 말하는 것이 첫째 둘째를 이르는 것이 아닌 것과 같다. 정말 순서로 말한 것이라면, 첫째로 수水를 생하였으나 수를 아직 완성하지 못하고 반드시 오행이 완전히 갖춰지고도 오히려 여섯 번째를 기다린 후에 수를 완성한다. 둘째로 화를 생하였으나 아직 화를 완성하지 못하고 반드시 오행이 완전히 갖춰지기를 기다리고, 또 수를 완성한 뒤에 일곱 번째가 되어서야 화를 완성하는가? 이렇다면 전혀 조화를 이룰 수 없고, 또 도리를 이룰 수 없다. 6이 수水를 완성하는 것은 마치 감坎☵괘에서 한 개의 양이 가운데 있는데, 하늘이 1로써 수를 생하고 땅이 6으로써 밖을 싸서 양은 적고 음은 많아 수가 비로소 완성되는 것과 같다. 7이 화를 완성하는 것은 마치 리離☲괘에서 한 개의 음이 가운데 있는데 땅이 2로써 화를 생하고 하늘이 7로써 밖을 싸서 음은 적고 양은 많아 화가 비로소 완성되는 것과 같다. 감坎괘는 양에 속하고 리離괘는 음에 속하니, 안에 있는 것이 생하는 것이 되고 밖에 있는 것이 이를 완성한다. 만일 순서라고 한다면 전혀 도리를 이루지 못한다.

又曰，"五行之序，某欲作三句斷之曰，[571] '論得數奇耦多寡，則曰水火木金土．論始生之序，則曰水木火金土．論相生之序，則曰木火土金水．' 如此其庶幾乎！"[572]

또 말하였다. "오행의 순서는 내가 세 마디로 단정하여 말하고자 한다. '얻은 수數의 홀짝과 많고

564 始成 : '成'자 앞에 『勉齋集』 권13 「復甘吉甫」에는 '盛'자가 더 있다.
565 一陰居中 : '一陰居中' 뒤에 『勉齋集』 권13 「復甘吉甫」에는 '地二生火也' 5자가 더 있다.
566 始成 : '成' 앞에 『勉齋集』 권13 「復甘吉甫」에는 '盛'자가 더 있다.
567 爲陰 : '爲陰'이 『勉齋集』 권13 「復甘吉甫」에는 '屬陰'으로 되어 있다.
568 爲生 : '生'자는 『勉齋集』 권13 「復甘吉甫」에 '主'로 되어 있다.
569 在外者成之也 : 『勉齋集』 권13 「復甘吉甫」에는 맨 앞에 '而'자가 더 있다.
570 言 : 『勉齋集』 권13 「復甘吉甫」에는 '則'으로 되어 있다.
571 某欲作三句斷之曰 : '某'가 『勉齋集』 권13 「復甘吉甫」에는 '幹'으로 되어 있고, '三句' 뒤에 '以'자가 더 있다.
572 『勉齋集』 권13 「復甘吉甫」

적음을 논하면 수·화·목·금·토이다. 처음 생하는 순서를 논하면 수·목·화·금·토이다. 상생하는 순서를 논하면 목·화·토·금·수이다.' 이렇게 하면 거의 가까울 것이다."

[1-3-1-15]

"太極不可名狀, 因陰陽而後見. 一動一靜, 一晝一夜, 以至於一生一死, 一呼一吸, 無往而非二也. 因陰陽之二, 而反以求之, 太極之所以爲陰陽者, 亦不出乎二也. 非其本體之二, 何以使末流無往而不二哉? 然二也, 各有本末, 各有終始, 故二分爲四而五行立矣. 蓋一陽分而爲木火, 一陰分而爲金水. 木者火之始, 火者木之終. 金者水之始, 水者金之終. 物各有終始, 未有有始而無終, 有終而無始者. 二各有終始, 則二分爲四矣. 知二之無不四也, 則知其所以爲是四者, 亦道之本體. 非其本體之四, 何以使物之無不四哉? 故二與四, 天下之物無不然, 則亦足以見道體之本然也. 雖爲太極不可名狀, 此亦可以見其端倪矣. '體用一原, 顯微無間', 要當以是觀之. 塞天地, 貫古今, 無往不然. 仁義禮智特就人心而立名耳."[573]

(면재 황씨가 말했다.) "태극은 형용할 수 없고, 음양에 의거한 후에 안다. 한 번 움직이고 한 번 가만있으며, 한 번 낮이 되고 한 번 밤이 되는 것에서부터 한 번 생하고 한 번 죽으며, 한 번 내쉬고 한 번 들이쉬는 것에 이르기까지 둘 아닌 것이 없다. 음양 둘에 의거하여 돌이켜 탐구하면 태극이 음양이 되는 까닭도 역시 둘을 벗어나지 않는다. 본체의 둘이 아니면 어떻게 끄트머리末流가 둘이 되지 않을 수 없도록 하겠는가? 그러나 둘은 각각 본·말本末이 있고 각각 시작과 끝이 있으므로 둘이 나뉘어 넷이 되고 오행이 확립된다. 대개 하나의 양이 나뉘어 목·화가 되고, 하나의 음이 나뉘어 금·수가 된다. 목은 화의 시작이고 화는 목의 끝이다. 금은 수의 시작이고 수는 금의 끝이다. 물건에는 각각 시작과 끝이 있으니, 시작은 있는데 끝이 없거나 끝은 있는데 시작이 없는 것은 아직 없다. 둘에 각각 시작과 끝이 있으면 둘이 나뉘어 넷이 된다. 둘이 넷이 되지 않을 수 없다는 것을 알면 그 넷이 되는 까닭은 역시 도道의 본체임을 안다. 그 본체의 넷이 아니면 어떻게 물건이 넷이 되지 않을 수 없도록 하겠는가? 그러므로 둘과 넷은 천하 물건에 그렇지 않을 수 없으니 도의 본체가 본래 그러함을 알 수 있다. 비록 태극은 형용할 수 없더라도 여기에서 또한 그 자취를 볼 수 있다. '체와 용은 하나의 근원이고, 현저함과 은미함에는 틈이 없음'[574]을 이를 통해 살펴야 한다. 하늘과 땅 사이에 가득하고 옛날과 지금을 관통하여 그렇지 않을 수 없다. 인·의·예·지仁義禮智는 다만 사람의 마음에서 이름을 붙인 것일 뿐이다."

[1-3-1-16]

北溪陳氏曰: "本只是一氣, 分來有陰陽, 又分來有五行. 二與五只管分合運行去. 萬古生生不息, 不止是箇氣, 必有主宰之者, 曰理是也. 理在其中爲之樞紐, 故大化流行, 生生未嘗止息."[575]

573 『勉齋集』 권13 「復甘吉甫」

574 '체와 용은 … 없음': 『周易傳義大全』「易傳序」

북계 진씨北溪陳氏(陳淳)가 말했다. "본래 하나의 기氣일 뿐인데, 나눠지면서 음양이 있고, 또 나눠지면서 오행이 있다. 음양과 오행은 다만 나뉘었다 합하였다 하면서 운행해 간다. 만고에 생하고 생하며 쉬지 않는 것은 기氣일 뿐만 아니라 반드시 주재하는 자가 있으니, 리理라고 하는 것이 이것이다. 리가 그 가운데에서 중추中樞(지도리)가 되므로 큰 조화와 유행이 생하고 생하기를 일찍이 쉰 적이 없다."

[1-3-1-17]

平巖葉氏曰: "水火木金土者, 陰陽生五行之序也. 木火土金水者, 五行自相生之序也.
問: '五行之生, 與五行之相生, 其序不同, 何也?'
曰: '五行之生也, 蓋二氣之交, 變合而各成. 天一生水, 地二生火, 天三生木, 地四生金, 天五生土, 所謂「陽變陰合而生水火木金土」, 是也. 五行之相生也, 蓋一氣之推, 循環相因, 木生火, 火生土, 土生金, 金生水, 水復生木, 所謂「五氣順布四時行焉」, 是也.'
曰: '其所以有是二端, 何也?'
曰: '二氣變合而生者, 原於對待之體也. 一氣循環而生者, 本於流行之用也.'"[576]

평암 섭씨平巖葉氏(葉采)가 말했다. "수・화・목・금・토는 음양이 오행을 생하는 순서이다. 목・화・토・금・수는 오행이 자기들끼리 서로 생하는 순서이다.
물었다. '오행의 생성生成과 오행의 상생相生이 그 순서를 달리하는 것은 어째서입니까?'
답하였다. '오행의 생성은 대개 두 기氣가 사귀면서 변하고 합하여 각각 완성한다. 하늘이 1로써 수水를 생하고, 땅이 2로써 화火를 생하고, 하늘이 3으로써 목木을 생하고, 땅이 4로써 금金을 생하고, 하늘이 5로써 토土를 생하는 것은 이른바 「양이 변하고 음이 합하여 수・화・목・금・토를 생한다.」는 것이 이것이다. 오행의 상생은 대개 하나의 기氣가 밀어내면서 순환하고 꼬리를 물면서, 목이 화를 생하고 화가 토를 생하고 토가 금을 생하고 금이 수를 생하고 수가 다시 목을 생하니, 이른바 「오기五氣가 차례로 펼쳐짐에 사시가 거기서 운행한다.」는 것이 이것이다.'
물었다. '이 두 측면이 있는 까닭은 무엇입니까?'
답하였다. '두 기氣가 변하고 합하여 생하는 것은 대대待對하는 체體에 근원한 것이다. 하나의 기가 순환하여 생하는 것은 유행하는 용用에 근본한 것이다.'"

[1-3-1-18]

黃氏巖孫曰: "程子云, '凡有氣莫非天, 凡有形莫非地.'"
황씨암손黃氏巖孫가 말했다. "정자가 이르기를, '무릇 기氣가 있는 곳은 하늘이 아닌 것이 없고, 무릇 모양이 있는 곳은 땅 아닌 것이 없다.'[577]고 하였다."

575 『北溪字義』 卷上 「命」
576 葉采(섭채) 集解, 『近思錄』 권1
577 '무릇 기氣가 … 없다.' : 『河南程氏遺書』 권6

[1-4]

五行一陰陽也, 陰陽一太極也, 太極本無極也. 五行之生也, 各一其性.

오행은 하나의 음・양이고, 음・양은 하나의 태극이며, 태극은 본래 무극이다. 오행이 생함에 각각 그 성性을 하나씩 지닌다.

[1-4-1]

五行具, 則造化發育之具無不備矣. 故又卽此而推本之, 以明其渾然一體莫非無極之妙, 而無極之妙, 亦未嘗不各具於一物之中也. 蓋五行異質, 四時異氣, 而皆不能外乎陰陽. 陰陽異位, 動靜異時, 而皆不能離乎太極. 至於所以爲太極者, 又初無聲臭之可言, 是性之本體然也, 天下豈有性外之物哉. 然五行之生, 隨其氣質而所稟不同, 所謂'各一其性'也. '各一其性', 則渾然太極之全體無不各具於一物之中, 而性之無所不在又可見矣.

오행이 갖춰지면 조화와 발육의 도구가 갖춰지지 않은 것이 없다. 그러므로 또 여기에서 근본을 캐서 그 완전히 하나가 된 것[渾然一體]은 무극의 묘妙함이 아닌 것이 없고, 무극의 묘함은 또한 하나의 물건 속에 갖춰지지 않은 적이 없다는 것을 밝혔다. 대개 오행은 질質을 달리하고 사시四時는 기氣를 달리하지만 모두 음・양을 벗어날 수 없다. 음과 양은 자리(공간)을 달리하고 동과 정은 시간을 달리하지만 모두 태극을 떠날 수 없다. 태극이 되는 까닭에 이르러서 또 애초 말로 표현할 만한 소리나 냄새가 없는 것은 성性의 본체가 그러하니, 천하에 어찌 성性 밖의 물건이 있겠는가? 그러나 오행이 생함에 그 기질에 따라 받은 것이 같지 않음은 이른바 '각각 그 성性을 하나씩 지닌다.'는 것이다. '각각 그 성性을 하나씩 지니면' 온전한 태극 전체가 한 물건 속에 각각 갖춰지지 않은 것이 없으니, 성이 없는 곳이 없다는 것을 알 수 있다.

[1-4-1-1]

朱子曰: "太極陰陽五行, 只將元亨利貞看甚好. 太極, 是元亨利貞都在上面. 陰陽, 是利貞是陰, 元亨是陽. 五行, 是元是木, 亨是火, 利是金, 貞是水."[578]

주자가 말했다. "태극, 음양, 오행은 다만 원・형・이・정元亨利貞을 가지고 보면 매우 좋다. 태극은 원・형・이・정이 모두 그 위에 있다. 음양에서 이・정利貞은 음이고, 원・형元亨은 양이다. 오행에서 원元은 목이고 형亨은 화이고 이利는 금이고 정貞은 수이다."

[1-4-1-2]

"陰陽是氣, 五行是質. 有這質, 所以做得物事出來. 五行雖是質, 他又有五行之氣做這物事方自然.[579] 却是陰陽二氣截做這五箇,[580] 不是陰陽外別有五行."[581]

578 『朱子語類』 권94, 61조목. 『朱子語類』 內 그림 참조

579 自然: '自然'은 『朱子語類』 권1, 48조목에 '得'으로 되어 있다.

580 却: 『朱子語類』 권1, 48조목에는 '却' 앞에 '然'이 더 있다.

(주자가 말했다.) "음양은 기氣이고 오행은 질質이다. 이 질質이 있어서 물건을 만들어낼 수 있는 것이다. 오행은 비록 질이지만, 거기에는 또 오행의 기가 있어서 비로소 이 물건을 만들어낼 수 있다. 그러나 도리어 음양 두 기氣를 갈라서 다섯 개를 만든 것이지, 음양 외에 별도로 오행이 있는 것은 아니다."

[1-4-1-3]

問: "太極圖所謂太極, 莫便是性否?"

曰: "然. 此卽理也."[582]

물었다. "『태극도』에서 말한 태극은 바로 성性이 아닙니까?"

(주자가) 답했다. "그렇다. 이것은 곧 리理이다."

[1-4-1-4]

"天下無性外之物. 有此物卽有此性, 無此物則無此性."[583]

(주자가 말했다.) "'천하에 성性 밖의 물건은 없다.'[584] 이 물건이 있으면 곧 이 성이 있고, 이 물건이 없으면 이 성이 없다."

[1-4-1-5]

問: "程先生說道'天下無性外之物'."

曰: "如云'天地間只是箇感應'. 又如云'誠者物之終始.'"[585]

물었다. "정程 선생이 '천하에 성性 밖의 물건이 없다.'고 말하였습니다."

(주자가) 답했다. "'하늘과 땅 사이에 다만 감수感受와 반응뿐이다.'[586]라고 말한 것과 같다. 또 '성誠은 물건의 시작과 끝이다.'[587]라고 말한 것과 같다."

[1-4-1-6]

問: "'枯槁之物亦有性', 是如何?"

曰: "惟是他合下有此理, 故云'天下無性外之物.'"[588]

물었다. "'말라 죽은 나무에도 성性이 있다.'는 말은 어떻습니까?"

581 『朱子語類』 권1, 48조목
582 『朱子語類』 권94, 24조목
583 『朱子語類』 권4, 3조목
584 '천하에 … 없다.' : 『二程粹言』「心性篇」
585 『朱子語類』 권65, 24조목
586 '하늘과 땅 … 반응뿐이다.' : 『二程粹言』 卷下
587 '성誠은 … 끝이다.' : 『중용』 25장
588 『朱子語類』 권4, 27조목

(주자가) 답했다. "거기에 본래 이 리理가 있으므로 '천하에 성性 밖의 물건이 없다.'고 한다."

[1-4-1-7]

問: "'各一其性', 固是指五行之氣質.[589] 然水之潤下, 火之炎上, 木之曲直, 金之從革, 土之稼穡, 此但可見其氣質之性所稟不同,[590] 却如何見得太極之全體無不各具於一物之中,[591] 而性之無不在也.[592]"

曰: "氣質, 是陰陽五行所爲, 性, 卽太極之全體. 但論氣質之性, 則此全體墮在氣質之中, 非別爲一性也.[593]"

물었다. "'각각 그 성性을 하나씩 지닌다.'는 본디 오행의 기질을 가리킨 것이다. 그러나 수水의 젖어 내림, 화火의 타오름, 목木의 굽음과 곧음, 금金의 좇아감(維持)과 변혁(바뀜), 토土의 심고 거둠,[594] 이것은 다만 기질지성이 받은 것이 같지 않음을 알 수 있지만, 도리어 어떻게 '태극의 전체가 하나의 물건 속에 갖춰지지 않은 것이 없고 성性이 없는 곳이 없다.'는 것을 알 수 있습니까?"

(주자가) 답했다. "기질은 음양오행이 하는 것이고, 성性은 태극의 전체(部分이 아닌)이다. 다만 기질지성을 논하면 이 전체가 기질 속에 떨어져 있는 것이지, 또 다른 하나의 성性이 있는 것은 아니다."

又問: "反復思之, 誠非別有一性. 然觀聖賢說性, 有是指義理而言者, 有是指氣稟而言者, 却不容無分別. 敬謹誨語謂'陰陽五行所爲,[595] 性卽太極之全體', 始悟周子所謂'各一其性', 專是主理而言. 蓋五行之氣質不同, 人所共知也, 而太極之理無乎不具, 人所未必知也. 今傳文云[596]'五行之生, 隨其氣質而所稟不同, 所謂各一其性也',[597] 這性字當指氣而言.[598] '「各一其性」, 則渾然太極之全體無不具於一物之中,[599] 而性之無所不在又可見矣',[600] 這性字當

589 固是指五行之氣質 : 『朱文公文集』 권61 「答嚴時亨」에는 앞에 '周子之意'가 더 있다.
590 可見 : 『朱文公文集』 권61 「答嚴時亨」에는 '可以見'으로 되어 있다.
591 如何見得 : 『朱文公文集』 권61 「答嚴時亨」에는 '如何便見得'으로 되어 있다.
592 性之無不在也 : 『朱文公文集』 권61 「答嚴時亨」에는 '性'에 다음과 같은 주석이 있다. "이 性은 義理의 性을 가리키는 것이다.(此性字是指其義理之性.)"
593 爲 : 『朱文公文集』 권61 「答嚴時亨」에는 '有'로 되어 있다.
594 수水의 젖어 … 거둠 : 『書經』 「洪範」
595 敬謹 … 陰陽 : 『朱文公文集』 권61 「答嚴時亨」에 '謹'은 '讀'으로 되어 있으며, '陰陽' 앞에 '氣質是' 세 자가 더 있다.
596 今傳文云 : 『朱文公文集』 권61 「答嚴時亨」에는 '傳文皆云'으로 되어 있다.
597 '五行之生, … 所謂各一其性也' : 『朱文公文集』 권61 「答嚴時亨」에 있는 이 구절에 다음과 같은 주석이 있다. "이 글의 뜻을 자세히 살피면 이 성은 당연히 기를 가리켜 말하였다.(詳此文義, 這個性字當指氣而言.)"
598 這性字當指氣而言 : 『朱文公文集』 권61 「答嚴時亨」에는 이 구절이 주석으로 되어 있다.
599 太極之全體無不具 : 『朱文公文集』 권61 「答嚴時亨」에는 '太極之中, 全體無不各具'로 되어 있다.
600 「各一其性」 … 而性之無所不在又可見矣' : 『朱文公文集』 권61 「答嚴時亨」에 있는 이 구절에 다음과 같은 주석이 있다. "이 글의 뜻을 자세히 살피면 이 性은 당연히 理를 가리켜 말한 것이다.(詳此文義, 這個性字當

指理而言. 一段之間, 文義頗相合[601], 恐讀者莫知所適從."

曰: "陰陽五行之爲性, 各是一氣所稟, 而性則一也."[602]

또 물었다. "반복해서 생각하여도 진실로 또 다른 하나의 성性이 있는 것은 아닙니다. 그러나 성현이 성을 말한 것을 보면 의리를 가리켜 말한 것도 있고, 기품을 가리켜 말한 것도 있어서 도리어 분별이 없을 수 없습니다. 삼가 보내 주신 글에 '기질은 음양오행이 하는 것이고, 성性은 태극의 전체이다.'라고 하신 것을 읽고 비로소 주자周子가 말한 '각각 그 성性을 하나씩 지닌다.'는 것이 오로지 리理를 주로 하여 말한 것임을 깨달았습니다. 대개 오행의 기질이 같지 않은 것은 사람들이 모두 아는 것이지만, 태극의 리가 갖춰지지 않은 것이 없다는 것은 사람들이 반드시 다 아는 것은 아닙니다. 지금 전문傳文(「太極圖說解」를 가리킴)에 '오행이 생함에 그 기질에 따라 받는 것이 같지 않음은 이른바 「각각 그 성性을 하나씩 지닌다.」는 것이다.'라고 한 데에서, 이 성性은 당연히 기氣를 가리켜서 말한 것입니다. '「각각 그 성性을 하나씩 지니면」 완전한 태극 전체가 한 물건 속에 각각 갖춰지지 않은 것이 없고, 성이 없는 곳이 없음을 또 알 수 있을 것이다.'라고 한 데서 이 성은 당연히 리를 가리켜서 말한 것입니다. 한 단락 속에서 글의 뜻이 자못 서로 다르니 독자가 따를 바를 알지 못할까 걱정입니다."

(주자가) 답했다. "음양오행의 성性은 각각 하나의 기氣가 받은 것이지만 성은 한가지다."

[1-4-1-8]

南軒張氏曰: "五行生質雖有不同, 然太極之理未嘗不存也. 故曰'各一其性'. 五行'各一其性', 則爲仁義禮智信之理, 而五行各專其一焉."

남헌 장씨南軒張氏가 말했다. "오행은 타고난 기질에는 비록 다름이 있지만 태극의 리理를 갖지 않은 적이 없다. 그러므로 '각각 그 성性을 하나씩 지닌다.'고 한다. 오행이 '각각 그 성性을 하나씩 지니면' 인·의·예·지·신仁義禮智信의 리가 되고, 오행 각자는 그중의 오로지 하나만을 차지한다.[603]"

[1-4-1-9]

"性之本, 一而已矣, 而其流行發見, 則人物所稟有萬不同焉. 蓋何莫而不由於太極, 亦何莫而不具於太極, 是其本之一也. 然有太極, 則有二氣五行, 絪緼交感, 其變不齊. 故其發見於人物者, 未嘗不各具於其氣稟之內. 故原其性之本一, 而察其流行之各異, 知其流行之各異, 而本之一者初未嘗不究也,[604] 而後可與論性矣. 故程子曰, '論性不論氣不備, 論氣不論性不

是指理而言.)"

601 相合: 『朱子大全箚疑』 권61, 38板 '頗相合' 조목에 "合자는 異자의 잘못인 것 같다. 그렇지 않으면 相자가 혹 不자의 잘못이다.(合字恐異字之誤, 不然則相字或是不字之誤.)"라고 되어 있다.

602 『朱文公文集』 권61 「答嚴時亨」

603 '각각 그 성性을 … 차지한다.: 『朱文公文集』 권58 「答黃道夫」

604 不究: '究'는 『癸巳孟子說』 권6 「告子上」에 '完'으로 되어 있다.

明.' 蓋論性而不及氣，則昧夫人物之分，而太極之用不行矣，論氣而不及性，則迷夫大本之一，而太極之體不立矣."[605]

(남헌 장씨가 말했다.) "성性의 근본은 하나일 뿐이지만, 유행하고 발현하면 사람과 만물이 받은 것에는 만 가지로 다름이 있다. 대개 아무것도 태극에서 말미암지 않은 것이 없으며 또 아무것도 태극에 갖춰지지 않은 것이 없으니,[606] 그 근본은 하나이다. 그러나 태극이 있으면 두 기氣와 오행이 꼭 붙어서 교감하니 그 변화가 가지런하지 않다. 그러므로 사람과 만물에서 발현한 것이 기품 안에 각각 갖춰지지 않은 적이 없다. 따라서 그 성이 본래 하나인 것에서 근원을 캐고 그 유행이 각각 다른 것을 살펴서, 그 유행이 각각 다르지만 근본이 하나인 것은 애초에 완전하지 않은 적이 없다는 것을 안 뒤에 함께 성을 논할 수 있을 것이다. 그러므로 정자程子가 말하기를, '성을 논하고 기를 논하지 않으면 완비되지 못한 것이고, 기를 논하고 성을 논하지 않으면 밝지 못하다.'[607]고 하였다. 대개 성을 논하면서 기를 언급하지 않으면 사람과 만물의 구분에 어두워 태극의 용用이 유행하지 못할 것이고, 기를 논하면서 성을 언급하지 않으면 대본大本이 하나임에 어두워 태극의 체體가 서지 못할 것이다."

[1-4-1-10]

勉齋黃氏曰: "'五行一陰陽也，陰陽一太極也，太極本無極也,' 妄意謂此三言者，卽所謂'混兮闢兮'也，懼學者支離其說，故又擧而言之. 前之言，原始而要其終，今之言，遡流而窮其源. 五行陰陽，同一太極而不相妨也."

면재 황씨勉齋黃氏가 말했다. "'오행은 하나의 음양이고, 음양은 하나의 태극이며, 태극은 본래 무극이다.'라는 이 세 구절은 망령된 생각으로는 곧 이른바 '닫음이여 엶이여!'[608]라는 것이다. 배우는 사람들이 그 말을 지루하게 여길까 봐 또 거론한다. 앞의 말은 시원始原을 캐서 그 끝을 살핀 것이며, 지금 이 말은 말류末流에서부터 소급해 올라가서 그 근원을 궁구하는 것이다. 오행과 음양이 동일한 태극이지만 서로 방해되지 않는다."

[1-4-1-11]

北溪陳氏曰: "天下豈有性外之物而不統於吾心是理之中也哉? 理之所在,[609] 大極於無際而無不通，細入於無倫而無不貫，前後乎萬古而無不徹.[610]"[611]

605 "而後可與論性矣. … 而太極之體不立矣."는 『癸巳孟子說』 권6의 글이다.

606 "성性의 근본은 … 없으니,: 『癸巳孟子說』 권6에는 "그러므로 그 사람과 사물에 발현된 것은 그 기품이 각각 달라 전혀 같지 않다. 그러나 비록 전혀 같지 않더라도 그 하나의 근본은 또한 그 기품 안에 갖추어지지 않은 적이 없다(故其發見於人物者, 其氣稟各異而有萬之不同也. 雖有萬之不同, 而其本之一者, 亦未嘗不各具於其氣稟之內)"로 되어 있다.

607 '성을 논하고 … 못하다.': 『河南程氏遺書』 권6

608 '닫음이여 엶이여!': 『性理大全書』 권2 「通書」1, 動靜 16

609 所在: '在'는 『朱文公文集』 권57 「答陳安卿」에 '至'로 되어 있고, 그 뒤에 '其思隨之無所不至' 8자가 더 있다.

북계 진씨北溪陳氏가 말했다. "천하에 어찌 성性 밖의 물건이 있어서 우리 마음의 이 리 속에서 통제되지 않겠는가? 리가 이르는 곳은 크게는 가없는 곳까지 가더라도 통하지 않음이 없고, 미세하게는 짝이 없는 곳까지 들어가도 관통되지 않음이 없으며, 만고를 통하여 관철하지 않음이 없다."

[1-4-1-12]

平巖葉氏曰: "此圖卽繫辭'易有太極是生兩儀, 兩儀生四象'之義而推明之也. 但易以卦爻言, 圖以造化言, 卦爻固所以擬造化也."[612]

평암 섭씨平巖葉氏가 말했다. "이 『태극도』는 곧 「계사繫辭」의 '역易에 태극이 있으니, 이것이 양의兩儀를 생하고 양의가 사상四象을 생한다.'는 뜻을 미루어 밝혔다. 다만 『역易』은 괘효卦爻를 가지고 말하였고, 이 『도圖』는 조화造化를 가지고 말하였는데, 괘효는 본디 조화를 본뜬 것이다."

[1-5]

無極之眞, 二五之精, 妙合而凝. 乾道成男, 坤道成女. 二氣交感, 化生萬物. 萬物生生, 而變化無窮焉.

무극의 진리와 음양오행의 정기精氣가 묘하게 합하여 엉긴다. 건도乾道(하늘의 도)는 남성을 이루고 곤도坤道(땅의 도)는 여성을 이룬다.[613] 두 기가 교감하여 만물을 변화시키고 생성하니, 만물이 생하고 생하여 변화가 무궁하다.

[1-5-1]

夫天下無性外之物, 而性無不在. 此無極二五所以混融而無間者也, 所謂妙合者也. 眞以理言, 無妄之謂也. 精以氣言, 不二之名也. 凝者, 聚也, 氣聚而成形也. 蓋性爲之主, 而陰陽五行爲之經緯錯綜, 又各以類凝聚而成形焉. 陽而健者成男, 則父之道也, 陰而順者成女, 則母之道也. 是人物之始以氣化而生者也. 氣聚成形, 則形交氣感, 遂以形化, 而人物生生變化無窮矣.

自男女而觀之, 則男女各一其性, 而男女一太極也. 自萬物而觀之, 則萬物各一其性, 而萬物一太極也. 蓋合而言之, 萬物統體一太極也, 分而言之, 一物各具一太極也. 所謂'天下無性外之物而性無不在'者, 於此尤可以見其全矣. 子思子曰, '君子語大, 天下莫能載焉. 語小, 天下莫能破焉.' 此之謂也.

대저 천하에 성性 밖의 물건이 없고 성이 없는 곳이 없다.[614] 이것은 무극과 음양오행이 융합하여

610 前後: '前'자 다음에 『朱文公文集』 권57 「答陳安卿」에는 '乎上古' 3자가 더 있다.
611 『北溪大全集』 권11 「心體用說」 / 『朱文公文集』 권57 「答陳安卿」
612 葉采 集解, 『近思錄』 권1
613 건도乾道는 남성을 … 이룬다. : 『周易』「繫辭上」 1장

틈이 없는 까닭이며, 이른바 묘하게 합한 것이다. '진리[眞]'는 리理로 말한 것이니, 망령妄靈(妄動)이 없다는 말이다. '정精'은 기氣로 말한 것이니, 둘이 아니라는 것에 이름 붙인 것이다. '엉기다[凝]'는 '모이다'는 뜻이니, 기氣가 모여서 형체를 이루는 것이다. 대개 성性이 주체가 되고, 음양오행이 씨줄과 날줄로 얽은 것이 되고, 또 각각 같은 부류部類끼리 엉겨서 형체를 이룬다. 양이면서 강건한 자는 남성을 이루니 아비의 도이고, 음이면서 순한 자는 여성을 이루니 어미의 도이다. 이것은 사람과 만물이 처음에 기화氣化로써 생긴 것이다. 기가 모여 형체를 이루면 형체가 교접하고 기가 감응하여 드디어 형화形化로써 사람과 만물이 생하고 생하여 변화가 무궁한 것이다.

남성과 여성을 가지고 보면 남성과 여성이 각각 그 성을 하나씩 지니지만, 남녀는 하나의 태극이다. 만물로부터 보면 만물이 각각 그 성을 하나씩 지니지만, 만물은 하나의 태극이다. 대개 합하여 말하면 만물이 통째로[統體][615] 하나의 태극이며, 나누어 말하면 물건마다 각각 하나의 태극을 갖춘다. 이른바 '천하에 성 밖의 물건이 없고 성이 없는 곳이 없다.'는 것을 여기에서 더욱 그 전모를 볼 수 있다. 자사자子思子가 '군자가 큰 것을 말하면 천하가 다 실을 수 없고, 작은 것을 말하면 천하가 그것을 깰 수 없다.'[616]고 말한 것은 이것을 이름이다.

[1-5-1-1]

問: "周子言'無極之眞', 却又不言太極如何?"

朱子曰: "'無極之眞', 已該得太極在其中. 眞字便是太極."[617]

물었다. "주자周子가 '무극의 진리'를 말하면서 도리어 또 태극은 말하지 않은 것은 어째서입니까?"

주자가 답했다. "'무극의 진리'는 이미 태극을 그 가운데에 갖추고 있다. 진리[眞]가 바로 태극이다."

[1-5-1-2]

"'無極之眞, 二五之精, 妙合而凝', 此數句甚妙. 是氣與理合而成性也."[618]

(주자가 말했다.) "'무극의 진리와 음양오행의 정기精氣가 묘하게 합하여 엉겼다.'는 이 몇 구절이 매우 묘하다. 이는 기氣와 리理가 합하여 성性을 이룬다는 것이다."

[1-5-1-3]

問: "『太極圖』."

曰: "以人身言之, 呼吸之氣便是陰陽, 軀體血肉便是五行, 其性便是理."[619]

614 천하에 성 … 없다. : 『河南程氏遺書』 권18

615 통째로 : '統體'를 '통째'로 번역하는데, 전체는 낱낱이 나뉜 것이 모여 있다는 의미이고, 통째[統體]는 여럿으로 나뉜 것으로 보지 않고 전체를 한 덩어리로 보는 것이다.

616 '군자가 큰 … 없다.' : 『中庸章句』 12장

617 『朱子語類』 권94, 68조목

618 『朱子語類』 권94, 66조목

619 『朱子語類』 권94, 62조목

『태극도』를 물었다.

(주자가) 답했다. "사람의 몸을 가지고 말하면, 호흡하는 기는 바로 음양이고, 몸통과 혈육은 바로 오행이고, 그 성性은 바로 리理이다."

[1-5-1-4]

"眞者, 理也, 精者, 氣也, 理與氣合, 故能成形."[620]

(주자가 말했다.) "진리[眞]는 리이고, 정기[精]는 기이다. 리理와 기氣가 합하였으므로 형체를 이룰 수 있다."

[1-5-1-5]

"天道流行, 發育萬物, 其所以爲造化者, 陰陽五行而已. 而其所謂陰陽五行者, 又必有是理而後有是氣. 及其生物, 則又因是氣之聚, 而後有是形. 故人物之生, 必得是理, 然後可以爲健順仁義禮智之性, 必得是氣, 然後有以爲魂魄五藏百骸之身. 周子所謂'二五之精, 妙合而凝',[621] 正謂是也."[622]

(주자가 말했다.) "천도天道가 유행하여 만물을 발육시키는데, 그 조화造化가 되게 하는 것은 음양오행뿐이다. 그 음양오행이라 하는 것은 또 반드시 이 리理가 있은 뒤에 이 기氣가 있다. 물건을 생하는 데에 이르러서는 또 이 기가 모인 뒤에 이 형체가 있다. 그러므로 사람과 만물의 생함은 반드시 이 리를 얻은 연후에 건·순健順과 인·의·예·지仁義禮智의 성性이 될 수 있고, 반드시 이 기를 얻은 연후에 혼백과 오장, 백해百骸의 몸이 될 수 있다. 주자周子가 말한 '무극의 진리와 음양오행의 정기精氣가 묘하게 합하여 엉겼다.'는 바로 이것을 말하는 것이다."

[1-5-1-6]

"無極是理, 二五是氣, 無極之理便是性. 性爲之主, 而二氣五行經緯錯綜於其間也. 凝, 只是此氣結聚自然生物. 若不如此結聚, 亦何由造化得萬物出來?"[623]

(주자가 말했다.) "무극은 리理이고 음양오행은 기氣이며, 무극의 리는 바로 성性이다. 성이 주체가 되고, 음양 두 기와 오행이 그 사이에서 씨줄과 날줄처럼 짠다. 엉기는 것은 다만 이 기가 집결하여 자연히 만물을 생하는 것이다. 만약 이렇게 결집하지 않으면 또 어떻게 만물을 조화해낼 수 있겠는가?"

620 『朱文公文集』 권46 「答劉叔文」

621 二五之精 : '二五之精' 앞에 『大學或問』에는 '無極之眞' 4자가 더 있다.

622 『大學或問』

623 『朱子語類』 권94, 67조목

[1-5-1-7]

"先有理後有氣, 先有氣後有理, 皆不可得而推究. 以意度之, 則疑此氣是依傍這理行. 及此氣之聚, 則理亦在焉. 蓋氣則能凝聚造作, 理却無情意, 無計度, 無造作. 卽此氣凝聚處, 理便在其中."[624]

(주자가 말했다.) "먼저 리理가 있은 뒤에 기氣가 있는지, 먼저 기가 있은 뒤에 리가 있는지 끝까지 밝힐 수는 없다. 추측하건대 아마도 이 기는 이 리에 기대어 가는 것 같다. 이 기가 모이게 되면 리도 여기에 있다. 대개 기는 엉겨 모이고 작위作爲할 수 있지만, 리는 도리어 감정도 없고, 생각도 없고, 작위도 없다. 이 기가 엉겨 모인 곳에 리가 바로 그 속에 있다."

[1-5-1-8]

"天以陰陽五行化生萬物, 氣以成形, 而理亦賦焉."[625]

(주자가 말했다.) "하늘은 음양오행으로 만물을 화생化生하는데, 기로써 형체를 이루고, 거기에 리理도 나눠준다."

[1-5-1-9]

"氣化, 是當初一箇人無種後, 自生出來底, 形化,[626] 却是有此一箇人後, 乃生生不窮底."[627]

(주자가 말했다.) "기화氣化는 당초에 사람의 종자가 하나도 없는 데서 저절로 생겨난 것이고, 형화形化는 도리어 이 한 사람이 있은 다음에 비로소 나고 나기를 끝없이 하는 것이다."

[1-5-1-10]

問: "氣化形化, 男女之生在氣化否[628]?"

曰: "凝結成男女因甚得如此? 都是陰陽, 無物不是陰陽."[629]

물었다. "기화와 형화에서 남성과 여성이 생겨남은 기화입니까?"

(주자가) 답했다. "엉겨서 남성과 여성을 이루는 것은 무엇 때문에 이렇게 될 수 있겠는가? 모두 음양이니, 음양이 아닌 것은 없다."

[1-5-1-11]

問: "易言'有萬物然後有男女'. 此圖却先言'乾成男, 坤成女, 方始萬物化生', 如何?"

曰: "太極所說, 乃生物之初, 陰陽之精, 自凝結成兩箇, 蓋是氣化而生, 如蝨子自然爆出來.

624 『朱子語類』 권1, 13조목

625 『中庸章句』 1장

626 形化 : 『朱子語類』 권94, 71조목에는 '形生'으로 되어 있다.

627 『朱子語類』 권94, 71조목

628 在 : 『朱子語類』 권62, 98조목에는 '是'로 되어 있다.

629 『朱子語類』 권62, 98조목

既有此兩箇，一牝一牡，後來却從種子漸漸生去，便是以形化．萬物皆然，故曰二五之精，妙合而凝．"[630]

물었다. "『역易』에 '만물이 있은 뒤에 남녀가 있다.'[631]고 하였는데, 이 『도圖』에서는 도리어 '건乾은 남성을 이루고 곤坤은 여성을 이루고 나서 비로소 만물이 화생하기 시작한다.'고 한 것은 어째서입니까?"

(주자가) 답했다. "『태극도』에서 말한 것은 곧 만물을 생하는 처음에 음양의 정기가 저절로 엉겨서 두 개를 이루었다는 것이니, 대개 기화氣化하여 생한 것이고, 이[蝨子]가 저절로 갑자기 나오는 것과 같다. 이미 이 두 개가 있으면 하나는 암컷 하나는 수컷이 되어 나중에 종자로부터 점점 생산해 가니 바로 형화形化로 하는 것이다. 만물이 다 그러하므로 '음양오행의 정기가 묘하게 합하여 엉겼다.'고 한다."

[1-5-1-12]

"'乾道成男，坤道成女'，通人物言之．在物如牝牡之類．[632] 在植物亦有男女，如有牝麻，[633] 及竹有雌雄之類，皆離陰陽剛柔不得．"[634]

(주자가 말했다.) "'건도乾道는 남성을 이루고 곤도坤道는 여성을 이룬다.'는 사람과 물건을 통틀어 말한 것이다. 동물에 있어서의 암컷 수컷 등과 같다. 식물에 있어서도 암수가 있으니, 예컨대 암삼이 있고, 또 대나무에도 암놈 수놈의 류가 있으니, 모두 음·양이나 강·유剛柔를 벗어날 수 없다."

[1-5-1-13]

問: "氣化形化．"

曰: "此是總言人物．物自有牝牡，[635] 只是人不能察耳．"[636]

물었다. "기화氣化와 형화形化에 대해 여쭙니다."

(주자가) 답했다. "이것은 사람과 물건 전체를 말한 것이다. 물건에 본래 암수가 있는데, 다만 사람이

630 『朱子語類』 권94, 69조목(或問 : "太極圖下二圈, 固是'乾道成男, 坤道成女', 是各有一太極也." (如)曰 : "'乾道成男, 坤道成女', 方始萬物化生." "易中却云 : '有天地然後有萬物, 有萬物然後有男女', 是如何?" 曰 : "太極所說, 乃生物之初, 陰陽之精, 自凝結成兩箇, 後來方漸漸生去. 萬物皆然. 如牛羊草木, 皆有牝牡, 一爲陽, 一爲陰. 萬物有生之初, 亦各自有兩箇. 故曰'二五之精, 妙合而凝'.)의 내용과 유사하지만 여기에 없는 내용도 들어 있어 원 출처를 정확히 알기 어렵다.

631 '만물이 있은 … 있다.' : 『周易』「序卦」

632 在物如牝牡之類 : 『朱子語類』 권74, 20조목에는 '如牡馬之類'로 되어 있다.

633 在物如牝牡之類 … 如有牝麻 : 內閣本 『朱子語類大全』본에는 "동물에 있어서는 암말 등과 같고, 식물에도 암수가 있으니 수삼[牡麻]이 있는 것과 같다.(在動物如牝馬之類. 在植物亦有男女, 如有牡麻)"로 되어 있어 의미가 더 분명하다.

634 『朱子語類』 권74, 20조목

635 此是總言人物. 物自有牝牡 : 『朱子語類』 권94, 72조목에는 '此是總言. 物物自有牝牡'로 되어 있다.

636 『朱子語類』 권94, 72조목

살피지 못할 뿐이다."

[1-5-1-14]

"天地之初如何討箇種? 自是氣蒸結成兩箇人,[637] 後方生許多物事. 所以先說'乾道成男, 坤道成女', 後方說'化生萬物'. 當初若無那兩箇人, 如今如何有許多人? 那兩箇人便似而今人身上蝨, 自然變化出來."[638]

(주자가 말했다.) "하늘과 땅의 처음에 어떻게 종자를 찾는가? 본래 기氣가 응결하여 두 사람을 이룬 다음 비로소 많은 물건을 생한다. 그러므로 먼저 '건도乾道는 남성을 이루고 곤도坤道는 여성을 이룬다.'고 말한 다음 비로소 '만물을 화생한다.'고 말한다. 당초에 그 두 사람이 없었다면 지금 어떻게 많은 사람이 있겠는가? 그 두 사람은 마치 지금 사람의 몸에 있는 이蝨처럼 자연히 변화해 나왔다."

[1-5-1-15]

"天地生氣,[639] 其序固如此, 遺書言氣化處可見.[640]"[641]

(주자가 말했다.) "하늘과 땅이 물건을 생하는데, 그 순서가 본디 이와 같으니, 『이정유서二程遺書』의 기화氣化를 말한 곳에서 볼 수 있다."

[1-5-1-16]

"'天下莫能載',[642] 是無外, '天下莫能破,' 是無內. 謂如物有至小而可破作兩者, 是中著得一物在. 若云無內, 則是至小, 更不容破了."[643]

(주자가 말했다.) "'천하가 다 실을 수 없다.'는 바깥이 없다는 것이고, '천하가 깰 수 없다.'[644]는 속이 없다는 것이다. 이것은 만일 물건이 지극히 작더라도 쪼개서 두 쪽으로 만들 수 있으면 중간에 물건을 끼워 놓을 수 있지만, 만일 '속이 없다.'고 하면 이것은 지극히 작아서 더는 깰 수 없다는 말이다."

[1-5-1-17]

南軒張氏曰: "朱元晦云, '有是性, 則有陰陽五行. 有陰陽五行, 則有人物生生而無窮焉.' 凡

637 蒸結: 『朱子語類』 권94, 70조목에 池州本에는 '蒸'이 '凝'으로 되어 있다고 한다.
638 『朱子語類』 권94, 70조목
639 氣: 『朱文公文集』 권49 「答林子玉振」에는 '物'로 되어 있다.
640 言: 『朱文公文集』 권49 「答林子玉振」에는 '中論'으로 되어 있다.
641 『朱文公文集』 권49 「答林子玉振」
642 天下莫能載: '天下莫能載' 앞에 『朱子語類』 권63, 66조목에는 '如云' 2자가 더 있다.
643 『朱子語類』 권63, 66조목
644 '천하가 다 실을 수 없다.', '천하가 깰 수 없다.': 『中庸』 12장 "君子語大, 天下莫能載焉; 語小, 天下莫能破焉." 참조

此皆無極之具者也. 陰陽五行, 經緯錯綜, 混融無間, 其合妙矣. 於是陰陽又各以類凝結而成象焉. 陽而健者父之道, 五行之所以布其氣也, 陰而順者母之道, 五行之所以成其質也. 是乃天地所以施生之本. 男女所以爲男女者, 非指男女之身而言也. 男女雖分, 然貫一太極而已. 於是二氣交感, 陽施陰生, 而萬物各随氣質以正性命. 陰陽五行之類有萬不同, 其本亦一太極而已."

남헌 장씨南軒張氏가 말했다. "주원회朱元晦(朱子)가 이르기를, '이 성이 있으면 음양오행이 있다. 음양오행이 있으면 사람과 만물이 생하고 생하여 다함이 없다.'고 하였는데, 무릇 이는 다 무극이 갖춘 것이다. 음양오행이 씨줄날줄처럼 짜이고 융합하여 틈이 없으니 그 합함이 묘하다. 이에 음양이 또 각각 같은 부류끼리 엉겨서 형상을 이룬다. 양으로서 강건한 것은 아비의 도이니 오행이 그로써 그 기氣를 펼치는 것이고, 음으로서 순한 것은 어미의 도이니 오행이 그로써 그 질質을 이루는 것이다. 이것이 곧 하늘과 땅이 생을 베푸는[施生] 근본이다. 남녀가 남녀가 되는 까닭은 남녀의 몸을 가리켜 말하는 것이 아니다. 남・녀男女는 비록 나뉘지만 꿰고 있는 것은 하나의 태극일 뿐이다. 이에 두 기氣가 교감하고 양이 베풀고 음이 생하여 만물이 각각 기질을 따라 성명性命을 바로 한다. 음양오행의 부류는 만 가지로 다름이 있지만 그 근본은 역시 하나의 태극일 뿐이다."

[1-5-1-18]

勉齋黃氏曰: "夫所謂'五行之生各一其性'者, 言五行之成質, 雖其別有五, 而各具一太極也. '無極之眞二五之精妙合而凝'者, 無極之實理具於二氣五行之精, 相摩相盪而妙合凝聚也. '乾道成男, 坤道成女. 二氣交感, 化生萬物'者, 言'無極之眞二五之精, 旣妙合凝聚, 則男女之象已分, 而二氣交感化生萬物, 如易所謂'天地絪縕, 萬物化醇, 男女構精, 萬物化生'也. 繼之曰, '萬物生生而變化無窮焉', 言天命流行而不息, 萬物形化而無窮也. 蓋生生不窮之理, 沖漠於太極之先, 成象成形於化生之際, 而無一毫之間斷也. 通書云, '二氣五行, 化生萬物, 五殊二實, 二本則一, 是萬爲一. 一實萬分, 萬一各正, 小大有定', 其此之謂乎?"

면재 황씨勉齋黃氏가 말했다. "대저 이른바 '오행이 생함에 각각 그 성性을 하나씩 지닌다.'는 말은 오행이 질質을 이루는 데에 비록 다섯 가지 다름이 있지만 각각 하나의 태극을 갖춘다는 말이다. '무극의 진리와 음양오행의 정기精氣가 묘하게 합하여 엉긴다.'는 것은 무극의 실리가 두 기와 오행의 정기에 갖춰져서 서로 비벼대고 서로 맞물려 돌면서 묘하게 합하여 엉긴 것이다.[645] '건도乾道는 남성을 이루고 곤도坤道는 여성을 이룬다. 두 기가 교감하여 만물을 화생한다.'는 것은 무극의 진리와 음양오행의 정기精氣가 이미 묘하게 합하여 엉기면 남성과 여성의 형상이 이미 나뉘고 두 기가 교감하여 만물을 화생한다는 것이니, 『역易』에서 말한 '하늘과 땅이 꼭 붙어서 사귀니 만물이 변화하여 엉기고, 남성과 여성이 정기精氣를 교합함에 만물이 화생한다.'[646]는 것과 같다. 계속해서 '만물이

645 無極之實理 : '無極之實理' 앞에 마땅히 '言'자가 있어야 한다.
646 '하늘과 땅이 … 화생한다.' : 『周易』「繫辭下」 5장

생하고 생하여 변화가 무궁하다.'는 것은 천명이 유행하여 쉬지 않고 만물의 형화形化가 무궁하다는 것이다. 대개 끝없이 생하고 생하는 리는 태극보다 앞서 적막寂寞하였고 화생할 즈음에 형상을 이루고 형체를 이루어 털끝만 한 끊김도 없다. 『통서通書』에 '두 기와 오행이 만물을 화생하는데, 다섯 가지 다름[殊]은 두 가지 실實함이요, 둘은 본래 하나이니, 이는 만 개가 하나가 되는 것이다. 하나의 실實이 만 개로 나뉘고, 만 개와 한 개가 각각 바르게 되면, 큰 것과 작은 것에 (모두) 정해짐이 있다.'[647]고 말한 것이 이것을 이름인가?"

[1-5-1-19]

"氣虛而形實，虛者聚而後實者成．如人氣噓呵而後成水也．"

(면재 황씨가 말했다.) "기는 빈 것이고 형체는 알찬 것인데, 빈 것이 모인 뒤에 알찬 것이 이루어진다. 예컨대 사람이 입김을 분 뒤에 물방울[水]이 맺히는 것과 같다."

[1-5-1-20]

北溪陳氏曰: "總而言之，只是渾淪一箇理，是一箇太極．分而言之，則天地萬物各具此理，是各各有一太極，又都渾淪無欠缺處．自其分而言，成許多，此道理似散了．就萬物上總論，則萬物體統渾淪，又只是一箇太極．人得此理聚於吾心，則心爲太極．所以邵子曰'道爲太極'，又曰'心爲太極'．謂道爲太極者，言道卽太極無二理也．謂心爲太極者，只是萬理總會於吾心，此心渾淪是一箇理爾．只這道理流行出而應事接物，千條萬緖，各得其理之當然，則是又各一太極．就萬物總言，其實依舊只是一理，是渾淪一太極也．譬如一太塊水銀恁地圓，散而爲萬萬小塊箇箇皆圓．合萬萬小塊復爲一大塊，依舊又恁地圓．陳幾叟'月落萬川，處處皆圓'之譬，亦正如此．此太極所以立乎天地萬物之表，而行乎天地萬物之中，在萬古無極之前，而貫於萬古無極之後．自萬古而上，極萬古而下，看來又只是渾淪一箇理，總爲一太極耳．此理流行，處處皆圓，無一處欠缺．纔有一處欠缺便偏了，不得謂之太極．太極本體本自圓也．"[648]

북계 진씨北溪陳氏가 말했다. "총괄하여 말하면 온통 한 개의 리일 뿐이니, 하나의 태극이다. 나누어 말하면 천지 만물이 각각 이 리를 갖추었으니, 각각 하나의 태극을 가졌으며, 또 모두 온전하여 흠결이 없다. 나누어진 것으로 말하면 많은 것을 이루었으니 이 도리가 흩어진 것 같다. 만물을 총괄하여 논하면 만물 통체統體가 혼륜渾淪하고, 또 하나의 태극일 뿐이다. 사람이 이 리를 얻어 자기 심心에 모으면 심이 태극이 된다. 그러므로 소자邵子(康節)는 '도가 태극이 된다.' 하고, 또 '심心이 태극이 된다.'[649]고 하였다. '도道가 태극이 된다.'고 한 것은 '도가 바로 태극이니 두 리가 없다.'라고 말하는 것이다. '심이 태극이 된다.'고 하는 것은 다만 만 가지 리가 모두 내 심心에 모여 있으니,

647 '두 기와 … 있다.' : 『通書』「理性命」
648 『北溪字義』 卷下 「太極」
649 '도가 태극이 된다', '심心이 태극이 된다.' : 『皇極經世書』 권14 「觀物外下」

이 심心 전체가 하나의 리일 뿐이라는 것이다. 다만 이 도리가 유행해 나와서 일에 응하고 물건을 접하는데 천 갈래 만 가닥이 각각 그 당연한 리를 얻으면 이는 또한 각각 하나의 태극이다. 만물을 총괄하여 말하면 사실 여전히 하나의 리일 뿐이고, 온전한 하나의 태극이다. 비유컨대 한 개의 큰 수은水銀 덩어리가 이렇게 둥근데, 분산시켜 수만 개의 작은 덩어리가 되어도 하나하나가 다 둥글고, 수만 개의 작은 덩어리를 합쳐서 다시 한 개의 큰 덩어리로 만들어도 여전히 또 이렇게 둥근 것과 같다. 진기수陳幾叟[650]의 '달이 만 개의 냇물에 비치면 곳곳의 달이 다 둥글다.'[651]는 비유도 바로 이와 같다. 이것이 태극이 천지 만물의 곁에 있으면서도 천지 만물 속으로 유행하며, 끝없이 먼 만고 이전에 있었으면서도 끝없이 먼 만고 이후까지 관통하는 까닭이다. 만고 이상으로부터 만고 이후까지 보아하니 또 온통 하나의 리일 뿐이며, 총괄해서 하나의 태극이 될 뿐이다. 이 리가 유행하여 곳곳이 다 둥글며, 한 곳도 이지러진 곳이 없다. 이지러진 곳이 한 곳이라도 있으면 곧 치우친 것이니 태극이라고 할 수 없다. 태극 본체는 본래 둥글다."

[1-5-1-21]

潛室陳氏曰: "氣化, 謂未有種類之初, 以陰陽之氣合而生. 形化, 謂旣有種類之後, 以牝牡之形合而生. 皆兼人物言之."[652]

잠실 진씨潛室陳氏[653]가 말했다. "기화氣化는 같은 종족種族이 아직 있지 않던 처음에 음양의 기氣가 합하여 생하는 것을 말한 것이고, 형화形化는 이미 종족이 있은 뒤에 암수의 형체가 합하여 생하는 것을 말한 것이니, 다 사람과 물건을 포함하여 말한 것이다."

[1-5-1-22]

西山眞氏曰: "'萬物各具一理. 萬理同出一原.' 所謂萬理一原者, 太極也. 太極者, 乃萬理總會之名. 有理卽有氣. 分而二則爲陰陽. 分而五則爲五行. 萬事萬物皆原於此. 人與物得之則爲性. 性者, 卽太極也, 仁義, 卽陰陽, 仁義禮智信, 卽五行也. '萬物各具一理', 是物物一太極也. '萬理同出一原', 是萬物統體一太極也."[654]

서산 진씨西山眞氏가 말했다. "'만물이 각각 하나의 리를 갖추고 있다. 만 가지 리가 똑같이 한 근원에서 나왔다.'[655]에서 이른바 '만 개의 리가 하나의 근원'[656]이라 하는 것은 태극이다. 태극은 곧 만 개의 리를 모두 모은 이름이다. 리가 있으면 곧 기가 있다. 나뉘어 둘이 되면 음양이 되고, 나뉘어

650 진기수陳幾叟 : 陳淵(?~1145)의 자는 幾叟이고, 후에 자를 知默이라고 고쳤다. 처음 이름은 漸이고, 默堂先生이라 불리었다.
651 '달이 만 … 다 둥글다.' : 『默堂集』 권20 「存誠齋銘」
652 『木鐘集』 권10 「近思雜問附」
653 잠실 진씨潛室陳氏 : 陳埴의 자는 器之이고, 호는 木鐘이며, 세칭 潛室先生이라 하였다.
654 『西山文集』 권30 「問致知格物」
655 '만물이 각각 … 나왔다.' : 『大學或問』 '此謂知之至也章' 下
656 '만 개의 … 근원' : 『朱文公文集』 권86 「滄洲精舍告先聖文」

다섯이 되면 오행이 된다. 만사만물이 다 여기에 근원한다. 사람과 물건이 이를 얻으면 성이 된다. 성은 곧 태극이고, 인의는 곧 음양이고, 인의예지신은 곧 오행이다. '만물이 각각 하나의 리를 갖추고 있다.'는 것은 물건마다 태극을 하나씩 지닌 것이다. '만 가지 리가 똑같이 한 근원에서 나왔다.'는 것은 만물이 통째로 하나의 태극이라는 것이다."

[1-5-1-23]

平巖葉氏曰: "繫辭'天地絪縕, 萬物化醇', 氣化也, '男女構精, 萬物化生', 形化也. 圖說蓋本諸此."[657]

평암 섭씨平巖葉氏가 말했다. "「계사繫辭」에 '하늘과 땅이 꼭 붙어서 사귀니 만물이 변화하여 엉긴다.'는 것은 기화이고, '남성과 여성이 정기精氣를 교합함에 만물이 화생한다.'는 형화이다. 『태극도설』은 대개 여기에 근본을 두었다."

[1-5-1-24]

黃氏巖孫曰: "程子云, '隕石無種, 種於氣. 麟亦無種, 亦氣化. 厥初生民亦如是. 至如海濱露出沙灘, 便有百蟲禽獸草木無種而生. 此猶是人所見, 若海中島嶼稍大, 人不及者, 安知其無種之人不生於其間? 若已有人類, 則必無氣化之人.'[658]

황씨암손黃氏巖孫가 말했다. "정자가 이르기를, '운석隕石에는 종족種族이 없고, 기氣에서 종족이 생긴다. 기린도 종족이 없으니 역시 기화氣化이다. 최초의 인류도 역시 이와 같다. 해변의 드러난 모래사장 같은 데에 가면 곧 온갖 벌레와 금수와 초목이 종족 없이 생겨난 것들이 있다. 이곳은 오히려 사람이 보는 곳이지만, 바다 가운데 꽤 큰 섬 중 사람이 미치지 못하는 곳에 종족이 없는 사람이 그 속에서 생하지 않음을 어찌 알겠는가? 만일 이미 인류가 있다면 반드시 기화氣化하는 사람은 없을 것이다.'

或問: '人初生時, 還以氣化否?'

曰: '此必燭理, 當徐論之. 且如海上忽露出一沙島, 便有草木生. 有土而生草木不足怪. 既有草木, 自然禽獸生焉.'

問: '先生語錄中云, 焉知海島無氣化之人, 如何?'

曰: '是近人處固無, 須是極遠處有不可知.'

曰: '今天下未有無父母之人. 古有氣化, 今無氣化, 何也?'

曰: '有兩般. 有全是氣化而生者, 若腐草化爲螢, 是也. 既是氣化, 到合化時自化. 有氣化生之後而種生者, 且如人身上著新衣服, 過幾日便有蟣蝨生其間, 此氣化也. 氣既化後更不化, 便以種生去. 此理甚明.'[659]

---

657 葉采 集解, 『近思錄』 권1

658 '隕石無種 … 氣化之人.': 『河南程氏遺書』 권15

又云: '萬物之始, 氣化而已. 旣形氣相禪, 則形化長而氣化消.'"[660]

어떤 이가 물었다. '사람이 처음 생길 때도 역시 기화합니까?'

(정자가) 답했다. '이것은 반드시 리를 밝혀서 마땅히 천천히 논해야 한다. 가령 바다 위에 홀연히 한 모래 섬이 드러나면 곧 초목이 생긴다. 흙이 있어 초목을 생하는 것은 괴이하다고 할 것이 못 된다. 이미 초목이 있으면 자연히 금수가 생긴다.'

물었다. '선생의 어록 중에 이르기를, '어찌 바다 가운데 섬에 기화한 사람이 없는지 알겠는가?'라고 한 것은 어떻습니까?'

(정자가) 답했다. '사람 근처엔 진실로 없지만, 지극히 먼 곳에는 반드시 알 수 없는 것이 있을 것이다.'

물었다. '지금은 천하에 부모가 없는 사람이 없다. 옛날에는 기화氣化가 있는데 지금은 기화가 없는 것은 어째서입니까?'

(정자가) 답했다. '두 측면이 있다. 전체가 기화로 생하는 것이 있으니, 썩은 풀이 변화해서 반딧불이가 되는 것 같은 것이 이것이다. 기화하는 것도 잘 융합되어야만 비로소 저절로 변화한다. 기화하여 생긴 다음 종족種族으로 생하는 것이 있으니, 가령 사람이 새 옷을 입고 며칠 지나면 곧 서캐와 이가 그 사이에서 생겨나는데, 이것은 기화이다. 이미 기화한 다음에는 다시 기화하지 않고 바로 종족으로 생해 간다. 이 리는 매우 분명하다.'

(정자가) 또 말했다. '만물의 시작은 기화뿐이다. 이미 형기로 대代를 이어가면 형화는 늘어나고 기화는 줄어든다.'"

[1-6]

惟人也, 得其秀而最靈. 形旣生矣, 神發知矣. 五性感動, 而善惡分, 萬事出矣.

오직 사람이 그 우수한 것을 얻어서 가장 신령神靈하다. 형체가 이미 생김에 정신이 발동하여 안다. 오성五性이 느껴서 움직임[感動]에 선과 악이 나뉘고 만사萬事가 일어난다.

[1-6-1]

此言衆人具動靜之理, 而常失之於動也. 蓋人物之生, 莫不有太極之道焉. 然陰陽五行, 氣質交運, 而人之所稟獨得其秀. 故其心爲最靈而有以不失其性之全, 所謂天地之心而人之極也. 然形生於陰, 神發於陽, 五常之性感物而動, 而陽善陰惡, 又以類分, 而五性之殊, 散爲萬事. 蓋二氣五行, 化生萬物, 其在人者又如此. 自非聖人全體太極有以定之, 則欲動情勝, 利害相攻, 人極不立, 而違禽獸不遠矣.

이것은 뭇사람이 동・정動靜(움직임과 가만있음)의 리를 갖추었으나 항상 동하는 데서의 잘못을 말하였

659 或問 … 此理甚明. : 『二程遺書』 권18

660 又云 … 形化長而氣化消 : 『二程粹言』 卷下 「人物篇」

다. 대개 사람과 만물이 남에 태극의 도가 있지 않음이 없다. 그러나 음양오행의 기氣와 질質이 사귀며 교류할 때, 사람이 받은 것이 홀로 빼어나다. 그러므로 그 마음[心]이 가장 허령하여 그 성性의 완전함을 잃지 않을 수 있으니, 이른바 '천지의 마음[心]'[661]이고 '사람의 극[人極]'이다. 그러나 형체는 음에서 생기고 정신은 양에서 발동하니, 오상五常의 성이 외물外物을 느끼고 움직여서 양은 선하고 음은 악한 것이 또 그 부류별로 나뉘며, 오성의 다름이 흩어져 만사萬事가 된다. 대개 두 기와 오행이 만물을 화생하는 것은 사람에게 있어서도 마찬가지이다. 성인이 태극 전체를 확정確定해 놓지 않으면, '물욕이 움직이고 인정人情이 이기며 이익과 손해가 서로 다투어'[662] 인극人極은 서지 않고 금수와도 멀지 않을 것이다.

[1-6-1-1]

朱子曰: "'得五行之秀者爲人', 只說五行而不言陰陽者, 蓋做這人須是五行方做得成. 然陰陽便在五行中, 所以周子云'五行一陰陽也'. 舍五行無別討陰陽處. 如甲乙屬木, 甲便是陽, 乙便是陰. 丙丁屬火, 丙便是陽, 丁便是陰. 不須更說陰陽, 而陰陽在其中矣."

或曰: "如言四時而不言寒暑耳."

曰: "然."[663]

주자가 말했다. "'오행 중 빼어난 것을 얻은 자가 사람이 된다.'[664]에서 오행만을 말하고 음양을 말하지 않은 것은 대개 사람을 만드는 데는 반드시 오행이라야만 비로소 만들 수 있기 때문이다. 그러나 음양은 바로 오행 속에 있으므로 주자周子는 '오행은 하나의 음양'이라고 하였다. 오행을 버리고 달리 음양을 찾을 곳이 없다. 예컨대 갑을甲乙은 목木에 속하는데, 갑은 바로 양이고 을은 바로 음이다. 병정丙丁은 화火에 속하는데 병은 바로 양이고 정은 바로 음이다. 반드시 음양을 더 말하지 않아도 음양은 그 속에 있다."

어떤 이가 물었다. "사시四時를 말하고 추위와 더위를 말하지 않는 것과 같을 뿐입니다."

(주자가) 답했다. "그렇다."

[1-6-1-2]

問: "自太極一動而爲陰陽, 以至於爲五行, 爲萬物, 無有不善. 在人則纔動便差, 是如何?"

曰: "造化亦有差處. 如冬熱夏寒, 所生人有厚薄,[665] 有善惡. 不知自甚處差將來, 便沒理會了."

又問: "惟人纔動便有差, 故聖人主靜以立人極歟?"

661 천지의 마음 : 『禮記』「禮運」에 "人者, 天地之心也."라고 되어 있다.
662 '물욕이 움직이고 … 다투어' : 『通書』 36장 「刑」
663 『朱子語類』 권30, 52조목
664 '오행 중 … 된다.' : 『河南程氏文集』 권8 「顔子所好何學論」
665 所生人 : '人'자 다음에 『朱子語類』 권94, 48조목에 '物'자가 더 있다.

曰：“然.”[666]

물었다. “태극이 한 번 동하여 음양이 되고, 오행이 되고 만물이 되기까지 선하지 않은 것은 없습니다. 사람은 겨우 동하자마자 바로 어긋나니, 이것은 어째서입니까?”

(주자가) 답했다. “조화에도 역시 어긋나는 곳이 있다. 예를 들면 겨울에 덥고 여름에 추우며, 그 (천지가) 생生한 사람과 만물에 후덕厚德함과 박덕薄德함이 있고, 선함과 악함이 있다. 어디서부터 어긋났는지 뚜렷하지 않아서 알지 못하겠다.”

또 물었다. “오직 사람은 겨우 움직이자마자 바로 어긋나는 바가 있으니 성인聖人이 ‘가만있는 것을 위주[主靜]’로 하여 인극人極을 세웠습니까?”

(주자가) 답했다. “그렇다.”

[1-6-1-3]

“二氣五行交感萬變，故人物之生有精粗之不同. 一氣而言，則人物皆受是氣而生. 自精粗而言，則人得其氣之正且通者，物得其氣之偏且塞者. 惟人得其正，故是理通而無所塞. 物得其偏，故是理塞而無所知. 且如人頭圓象天，足方象地，平正端直，以其受天地之正氣，所以識道理有知識. 物受天地之偏氣，所以禽獸横生，草木頭生向下，尾反在上. 物之間有知者，不過只通得一路. 如烏之知孝，獺之知祭，犬但能守禦，牛但能畊而已. 人則無不知，無不能. 人所以與物異者，所爭者此耳.”[667]

(주자가 말했다.) “두 기와 오행이 교감하며 만 가지로 변화하므로 사람과 만물이 생함에 정밀함과 거침[精·粗]의 다름이 있다. 하나의 기[一氣]로 말하면 사람과 만물이 다 이 기를 받아 생한다. 정밀함과 거침으로 말하면 사람은 그 기 중 바르고 통한 것[正·通]을 얻고, 물건은 그 기 중 치우치고 막힌 것[偏·塞]을 얻는다. 오직 사람은 그 바른 것[正]을 얻었으므로 이 리가 통通하고 막힌 것이 없다. 물건은 그 치우친 것[偏]을 얻었으므로 이 리가 막혀서 아는 것이 없다. 예를 들면 사람은 머리는 둥글어서 하늘을 본뜨고, 발은 네모져서 땅을 본떴으며, 단정하게 직립하여 천지의 정기正氣를 받았으므로 도리를 이해하고 지식이 있다. 물건은 천지의 치우친 기[偏氣]를 받았으므로 금수禽獸는 옆으로 자라고, 초목은 머리로 자라며 아래를 향하고 꼬리는 도리어 위에 있다. 만물 중에 앎이 있는 자는 다만 하나의 길이 통하는 데 지나지 않는다. 예를 들면 까마귀는 효를 알고, 수달은 제사를 알고,[668] 개는 다만 지킬 수 있고, 소는 밭을 갈 수 있을 뿐이다. 사람은 알지 못하는 것이 없고 할 수 없는 것이 없다. 사람이 물건과 다른 점을 두고 다툰다면 이것뿐이다.”

666 『朱子語類』 권94, 48조목

667 『朱子語類』 권4, 41조목

668 수달은 제사를 알고, : 『禮記』「月令」에 “동풍이 얼음을 녹이면 겨울잠을 자는 벌레들이 비로소 움직이고, 물고기는 얼음 위로 올라오고, 수달은 제사를 지내고, 기러기가 돌아온다.(東風解凍, 蟄蟲始振, 魚上氷, 獺祭魚, 鴻鴈來..)”라고 되어 있다.

[1-6-1-4]

問: “先生云‘論萬物之一原, 則理同而氣異. 觀萬物之異體, 則氣猶相近而理絶不同.’”

曰: “氣相近, 如知寒知煖, 識飢識飽, 好生惡死, 趍利避害,[669] 人與物都一般. 理不同, 如蜂蟻之君臣, 只是他義上有一點子明. 虎狼之父子, 只是他仁上有一點子明. 其他更推不去.”[670]

물었다. “선생이 이르기를, ‘만물의 하나의 근원을 논하면 리는 같고 기는 다르다. 만물의 다른 모양을 보면 기는 오히려 가까우나 리는 전혀 다르다.’[671]고 하였습니다.”

(주자가) 답했다. “기가 서로 가까움은, 예를 들면 추위를 알고 더위를 알고, 배고픔을 알고 배부름을 알고, 삶을 좋아하고 죽음을 싫어하고, 이익을 좇고 손해를 피하는 것들이니, 사람과 물건이 모두 마찬가지이다. 리가 같지 않음은, 예를 들면 벌이나 개미의 군신관계는 단지 그 의義에만 조금 밝음이 있고, 호랑이나 이리의 부자관계는 단지 그 인에만 조금 밝음이 있다. 그 밖에는 더 이상 추구推究하지 못한다.”

[1-6-1-5]

問: “人物皆稟天地之理以爲性, 皆受天地之氣以爲形. 若人稟之不同,[672] 固是氣有昏明厚薄之異. 若在物言之, 不知是所稟之理便有不全耶, 亦是緣氣稟之昏蔽故如此耶?”

曰: “惟其所受之氣只有許多, 故其理亦只有許多. 如犬馬形氣如此, 故只會得如此事.”

又問: “物物各一太極, 則是理無不全也.”

曰: “以理言之則無不全, 以氣言之則不能無偏.”[673]

물었다. “사람과 만물이 다 천지의 리理를 나눠 받아서 성性으로 삼았고, 다 천지의 기氣를 받아 형체로 삼았습니다. 인품人品이 같지 않은 경우는 진실로 기에 어둡고 밝고 두텁고 얇은 차이가 있는 것입니다. 만일 물건에 대해서 말한다면, 받은 리가 완전하지 못해서인지, 또는 기품이 어둡고 가리는 것 때문에 그런지 모르겠습니다.”

(주자가) 답했다. “오직 받은 기가 허다하므로 그 리도 역시 허다할 뿐이다. 예컨대 개나 말의 형기形氣가 이러하므로 이런 일을 할 수 있을 뿐이다.”

또 물었다. “물건마다 각각 태극을 하나씩 지닌다면 이 리는 완전하지 않은 것이 없습니다.”

(주자가) 답했다. “리로 말하면 완전하지 않음이 없고, 기로 말하면 치우침이 없을 수 없다.”

[1-6-1-6]

“得其氣之精英者爲人, 得其查滓者爲物. 生氣流行, 一袞而出,[674] 初不道付其全氣與人, 減

669 趍利避害: ‘趍’는 『朱子語類』 권4, 9조목에 ‘趨’로 되어 있다.

670 『朱子語類』 권4, 9조목

671 ‘만물의 하나의 … 다르다.’: 『朱文公文集』 권46 「答黃商伯」

672 人稟: 『朱子語類』 권4, 10조목에 ‘人品’으로 되어 있다.

673 『朱子語類』 권4, 10조목

674 袞: 『朱子語類』 권94, 67조목에는 ‘滾’으로 되어 있다.

下一等與物也，但稟受随其所得．物既昏塞矣，[675] 而昏塞之中亦有輕重．昏塞尤甚者，於氣之查滓中，又復稟得查滓之甚者耳．[676]"[677]

(주자가 말했다.) "그 기氣 중의 정밀하고 빼어난 것[精英]을 얻은 자는 사람이 되고 그 찌꺼기[查滓]를 얻은 자는 물건이 된다. 생기生氣가 유행할 때는 한줄기로 섞여 나오니, 애초에 그 완전한 기를 사람에게 주고, 한 등급을 낮춰서 물건에게 준다는 말은 아니며, 다만 나눠 받을[稟受] 때에 그 얻은 것을 따를 뿐이다. 물건은 이미 어둡고 막혔는데, 어둡고 막힌 중에도 경중輕重이 있다. 어둡고 막힘이 더욱 심한 자는 기의 찌꺼기 중에서 또다시 더 심한 찌꺼기를 얻었을 뿐이다."

[1-6-1-7]

"只一箇陰陽五行之氣，衮在天地中，[678] 精英者爲人，查滓者爲物．精英之中又精英者，爲聖爲賢．精英之中查滓者，爲愚不肖．"[679]

(주자가 말했다.) "다만 한 개의 음양오행의 기가 천지 중에 섞여 있는데, 정밀하고 빼어난 것[精英]은 사람이 되고, 찌꺼기는 물건이 된다. 정밀하고 빼어난 것[精英] 중에서도 더욱 정밀하고 빼어난 것은 성인이 되고 현인이 된다. 정밀하고 빼어난 것[精英] 중의 찌꺼기는 어리석은 자나 불초한 자가 된다."

[1-6-1-8]

"有有血氣知覺者，人獸是也．有無血氣知覺而但有生氣者，草木是也．有生氣已絶而但有形質臭味者，枯槁是也．是雖其分之殊，而其理則未嘗不同．但以其分之殊，則其理之在是者不能不異．故人爲最靈，而備有五常之性．禽獸則昏而不能備．草木枯槁則又并與其知覺者而無焉．但其所以爲是物之理，則未嘗不具耳．"[680]

(주자가 말했다.) "혈기血氣와 지각知覺을 지닌 자가 있으니 사람과 금수禽獸가 이것이다. 혈기와 지각은 없고 단지 생기生氣를 지닌 자가 있으니 초목草木이 이것이다. 생기는 이미 끊어지고 다만 형질과 냄새와 맛을 지닌 자가 있으니 말라 죽은 것이 이것이다. 비록 그 성분成分은 다르더라도 그 리는 같지 않은 적이 없다. 그러나 그 성분이 다르다면 여기에 있는 리도 다르지 않을 수 없다. 그러므로 사람이 가장 신령하여 오상五常의 성性을 갖추고 있다. 금수는 어두워서 갖출 수가 없다. 초목과 말라 죽은 것은 또 지각마저도 없다. 그러나 이 물건이 되게 하는 리는 갖추지 않은 적이 없을 뿐이다."

675 既 : 『朱子語類』 권94, 67조목에는 '固'로 되어 있다.
676 耳 : 『朱子語類』 권94, 67조목에는 '爾'로 되어 있다.
677 『朱子語類』 권94, 67조목
678 衮 : 『朱子語類』 권14, 55조목에 '滾'으로 되어 있다.
679 『朱子語類』 권14, 55조목
680 『朱文公文集』 권59 「答余方叔大猷」

[1-6-1-9]

"以氣言之，則知覺運動，人與物若不異也，以理言之，則仁義禮智之稟，豈物之所得而與哉.[681] 此人之性所以無不善，而爲萬物之靈也."[682]

(주자가 말했다.) "기氣로 말하면 지각·운동은 사람과 만물이 다르지 않은 것 같으나, 리理로 말하면 나눠받은 인·의·예·지仁義禮智를 어찌 만물이 (사람처럼) 온전하게 할 수 있겠는가? 이것이 사람의 성性이 선하지 않음이 없고 만물의 영장이 되는 까닭이다."

[1-6-1-10]

"草木之生，自有一箇神，他自不能生. 在人則心便是，所謂'形旣生矣，神發知矣'，是也."[683]

(주자가 말했다.) "초목이 생함에 본래 한 개의 신神이 있으나 그(초목)가 스스로 운용하지는 못한다.[684] 사람에게 있어서는 심心이 이것이니, 이른바 '형체가 이미 생김에 정신이 발동하여 안다.'는 것이 이것이다."

[1-6-1-11]

"金木水火土，各一其性，則爲仁義禮智信之理，五行各專其一，人則兼備此性而無不善. 及其感動，則中節者爲善，不中節者爲不善也."[685]

(주자가 말했다.) "금·목·수·화·토金木水火土가 각각 그 성性을 하나씩 지니면 인·의·예·지·신仁義禮智信의 리가 되는데, 오행은 그중의 오로지 하나만을 차지하고, 사람은 이 성을 겸비하여 선하지 않음이 없다. 그 감지感知하여 동함에 이르면 중절中節한 것은 선善이 되고 중절하지 못한 것은 선하지 않음이 된다."

[1-6-1-12]

問: "通書多說幾，太極圖却無此意.[686]"

曰: "五性感動，善惡未分處便是.[687]"

물었다. "『통서通書』는 기미幾微를 많이 말하였는데, 『태극도』에는 도리어 이런 뜻이 없습니다."

(주자가) 답했다. "오성五性이 감지感知하여 동하는데 선과 악이 아직 나눠지지 않은 곳이 바로 이것이다."

681 與哉 : '與'는 『孟子集註』「告子上」 3장에 '全'으로 되어 있다.

682 『孟子集註』「告子上」 3장

683 『朱子語類』 권3, 24조목

684 초목이 생함에 … 못한다. : 『朱子語類考文解義』 다음 글 참조. "神은 지각을 이름이니, 사람의 心과 같다. 生은 그 지각을 운용함을 이르니, 아래의 '정신이 발동하여 안다.'가 이것이다.(神謂知覺, 如人之心也. 生謂運用其知覺, 下文, 神發知, 是也.)"

685 『朱文公文集』 권58 「答黃道夫」

686 太極圖 : 『朱子語類』 권94, 160조목에는 뒤에 '上'이 더 있다.

687 善惡未分處 : 『朱子語類』 권94, 160조목에는 '動而未分者'로 되어 있다.

[1-6-1-13]

"陰陽, 有以動靜言者, 有以善惡言者, 此箇道理,[688] 在人如何看."[689]

(주자가 말했다.) "음·양은 동·정動靜으로 말한 것이 있고, 선·악善惡으로 말한 것이 있으니, 이 도리는 사람이 어떻게 보는가에 달려 있다."

[1-6-1-14]

問: "五性感動而善惡分."

曰: "天地之性, 是理也. 纔到有陰陽五行處, 便有氣質之性, 於此便有昏明厚薄之殊. 得其秀而最靈, 乃氣質以後之事."[690]

'오성五性이 감지感知하여 움직여서 선과 악이 나뉜다.'에 대하여 물었다.

(주자가) 답했다. "천지의 성性은 리理이다. 겨우 음양오행이 있는 곳에 도달하면 바로 기질지성氣質之性이 있다. 여기에 곧 어둠과 밝음, 두터움과 얇음의 다름이 있다. 그 빼어난 것을 얻어 가장 신령한 것은 곧 기질 이후의 일이다."

[1-6-1-15]

問: "陰陽都將做好說也得, 以陽爲善陰爲惡亦得.[691]"

曰: "陽善陰惡, 聖賢如此說處極多."[692]

물었다. "음양은 모두 좋은 것으로 말하여도 되고, 양은 선善, 음은 악惡으로 하여도 됩니까?"

(주자가) 답했다. "성현이 '양은 선, 음은 악이다.'라고 말한 곳은 지극히 많다."

[1-6-1-16]

"以陰陽善惡論之, 則陰陽之正, 皆善也, 其沴, 皆惡也. 以象類言之, 則陽善而陰惡."[693]

問: "孟子言'乃若其情則可以爲善', 而周子有'五性感動而善惡分', 以善惡於動處並言, 不同, 如何?"

曰: "情未必皆善, 然本則可以爲善而不可以爲惡. 惟反其情故爲惡. 孟子言其正. 周子則兼其正與反者而言也."[694]

(주자가 말했다.) "음양의 선악을 논한다면 음양이 바른 것은 다 선이고, 그 해로운 것은 다 악이다. 형상形象의 종류로 말하면 양은 선이고 음은 악이다."

688 此箇道理: '此箇'는 『朱子語類』 권65, 11조목에는 '這'로 되어 있다.
689 『朱子語類』 권65, 11조목
690 『朱子語類』 권94, 76조목
691 以陽爲善陰爲惡亦得: 『朱文公文集』 권62 「答甘吉甫」에는 '以陰爲惡陽爲善亦得'으로 되어 있다.
692 『朱文公文集』 권62 「答甘吉甫」
693 "以陰陽善惡論之 … 則陽善而陰惡.": 『朱文公文集』 권49 「答王子合」
694 "問孟子言 … 兼其正與反者而言也.": 『朱文公文集』 권58 「答張敬之」

물었다. "맹자는 '그 정情은 선할 수 있다.'[695]고 하였는데, 주자周子는 '오성五性이 감지하여 움직임에 선과 악이 나뉜다.'고 하여 움직이는 곳에서 선악을 모두 말하였으니, 같지 않은 것은 어째서입니까?" (주자가) 답했다. "정情이 반드시 다 선한 것은 아니지만, 근본은 선할 수는 있으나 악할 수는 없다. 오직 그 정을 거스르므로 악이 된다. 맹자는 그 바른 것을 말하였고, 주자周子는 그 바른 것과 거스른 것을 모두 말하였다."

[1-6-1-17]

"太極便是性，動靜陰陽是心. 金木水火土是仁義禮智信，化生萬物是萬事."[696]

(주자가 말했다.) "태극은 바로 성性이고, 동・정과 음・양은 심心이다. 금・목・수・화・토는 인・의・예・지・신이고, 만물을 화생化生하면 만사萬事가 된다."

[1-6-1-18]

或問: "有陰陽便有善惡."

曰: "陰陽五行皆善."

又曰: "陰陽之理皆善."

又曰: "合下只有善，惡是後一截事."

又曰: "竪起看，皆善. 橫看，後一截方有惡."

又曰: "氣有善惡，理却皆善."[697]

어떤 이가 물었다. "음양이 있으면 바로 선악이 있습니까?"

(주자가) 답했다. "음양오행은 다 선하다."

또 (주자가) 말했다. "음양의 리는 다 선하다."

또 (주자가) 말했다. "본래는 선만 있고, 악은 나중의 일이다."

또 (주자가) 말했다. "일으켜 세워서 보면[竪看] 다 선하고, 횡으로 보면[橫看] 뒤쪽에 비로소 악이 있다."

또 (주자가) 말했다. "기에는 선악이 있으나, 리는 도리어 다 선하다."

[1-6-1-19]

"孟子云，'人之所以異於禽獸者幾希.' 人物之所以異，只是爭些子. 若更不能存得，則與禽獸無異矣."[698]

(주자가 말했다.) "맹자가 이르기를, '사람이 금수와 다른 것은 적다.'[699] 하였으니, 사람과 만물의

695 '그 정情은 … 있다.':『孟子』「告子上」6장
696 『朱子語類』 권94, 66조목
697 『朱子語類』 권94, 149조목
698 『朱子語類』 권4, 41조목

다른 점은 사소한 것을 다툴 뿐이다. 더구나 보존하지 못하면 금수와 다를 바가 없을 것이다."

[1-6-1-20]

"以氣質有蔽之心，接乎事物無窮之變，則其目之欲色，耳之欲聲，口之欲味，鼻之欲臭，四肢之欲安佚，所以害乎其德者，又豈可勝言也哉? 二者相因，反覆深固. 是以此德之明，日益昏昧，而此心之靈，其所知者不過情欲利害之私而已. 是則雖曰有人之形，而實何以遠於禽獸?"700

(주자가 말했다.) "기질에 가려진 마음으로 사물의 무궁한 변화를 대하면, 그 눈이 색色을 원함, 귀가 소리를 원함, 입이 맛을 원함, 코가 냄새를 원함, 사지가 안일을 원함 등등이 덕을 해치는 것을 또 어찌 이루 다 말할 수 있겠는가? 양자가 서로 원인이 되어 반복하여 깊어지고 굳어진다. 그러므로 이 덕의 밝음이 날로 더욱 어두워져서 이 허령한 마음이 아는 것은 욕구와 손익損益의 사사로운 것에 지나지 않을 뿐이다. 이렇게 되면 비록 사람의 모습을 지녔다고 하나 사실 어찌 금수와 멀겠는가?"

[1-6-1-21]

南軒張氏曰: "人之性不能不感物而動. 感物而動，固性之常. 然而善惡自此分，萬事自此出矣. 五性感動，動而心不宰，則情流而不知止，性以陷溺矣，所以爲惡也. 譬之水，發而無泥滓之雜，則固水之本然者. 泥滓或參焉，則汨之矣. 雖汨之，而水之本然者自在也. 故貴於澄之以復其初而已. 人雖流於惡，其本然者亦豈遂亡乎. 此聖人所以有教也."

남헌 장씨南軒張氏가 말했다. "사람의 성性은 물건에 느낌을 받아 움직이지 않을 수 없다. 물건을 느껴서 움직이는 것은 본디 성이 늘 그런 것이다. 그러나 선과 악이 이로부터 나뉘고, 만사가 이로부터 나온다. 오성五性이 느껴서 움직이는데, 움직일 때에 마음이 주재하지 않으면 정情이 흘러 그칠 줄을 모르니 성이 여기에 빠져서 악이 된다. 물에 비유하면 솟아나서 진흙찌끼의 섞임이 없는 것은 진실로 물의 본 모습이다. 진흙찌끼가 혹 여기에 섞이면 흐려질 것이다. 비록 흐려지더라도 물의 본 모습은 그대로이다. 그러므로 맑게 하여 그 처음으로 돌아가는 것을 귀하게 여길 뿐이다. 사람이 비록 악에 흐르더라도 그 본 모습마저도 어찌 마침내 없어지겠는가? 이것이 성인이 교육을 하는 까닭이다."

[1-6-1-22]

"太極混淪，生化之根，闔闢二氣，樞紐群動. 惟物由乎其間而莫之知，惟人則能知之矣. 人之所以能知者，以其爲天地之心. 太極之動，發見周流，備乎己也. 然則心體不旣廣大矣乎."701

699 '사람이 금수와 … 적다.':『孟子』「離婁下」 19장

700 『大學或問』

701 『南軒集』 권11 「擴齋記」

(남헌 장씨가 말했다.) "태극은 혼륜混淪하니 생성·변화의 근원이며, 두 기氣를 열고 닫으며 뭇 움직임을 주재한다. 오직 물건은 그 사이로 다니면서도 알지 못하는데, 오직 사람만이 이를 알 수 있다. 사람이 능히 알 수 있는 까닭은 (사람이) 천지의 마음[天地之心]이기 때문이다. 태극이 움직여서 발현하고 두루 흘러 나에게 갖추어졌다. 그렇다면 심의 본체[心體]는 이미 광대한 것이 아닌가?"

[1-6-1-23]

北溪陳氏曰: "太極只是理. 理本圓, 故太極之理本渾淪.[702] 理無形狀, 無界限間隔, 故萬物無不各具得太極, 而太極之本體各各無不渾淪. 惟人氣正且通爲萬物之靈, 能通得渾淪之體. 物氣偏且塞不如人之靈, 雖有渾淪之體, 不能通耳. 然人類中, 亦惟聖人大賢然後眞能通得渾淪之體. 一種下愚底人, 其昏頑却與物無異, 則又正中之偏, 通中之塞者. 一種靈禽仁獸, 其性與人甚相近, 則有偏中之正, 塞中之通者. 細推之, 有不能以言盡."[703]

북계 진씨北溪陳氏가 말했다. "태극은 리일 뿐이다. 리가 본래 원전圓轉하므로 태극의 리도 본래 혼륜渾淪하다. 리에는 형상이 없고 경계나 간격이 없으므로 만물이 각각 태극을 갖출 수 없는 경우는 없고, 태극의 본체가 각각 혼륜하지 않음이 없다. 사람의 기氣는 바르고 통하여 만물 중의 신령한 자가 되고, 혼륜한 본체를 통하게 할 수 있다. 물건의 기는 치우치고 막혀서 사람의 신령함과 같지 않으니, 비록 혼륜한 본체를 지녔더라도 통하게 할 수 없을 뿐이다. 그러나 인류 중에 역시 성인이나 대현大賢인 다음에야 진실로 혼륜한 본체를 통하게 할 수 있다. 어떤 아주 어리석은 사람[下愚]은 그 어리석고 완악하기가 도리어 물건들과 다름이 없으니, 또한 바른 것 중의 치우친 것이고, 통하는 것 중의 막힌 것이다. 어떤 신령스런 날짐승이나 어진 길짐승은 그 성이 사람과 서로 매우 가까우니, 치우친 것 중의 바른 것이며, 막힌 것 중의 통한 것이다. 자세히 분석하면 말로 다할 수 없는 것이 있다."

[1-6-1-24]

問: "感物而動, 或發於理義之公, 或發於血氣之私, 這裏便分善惡."

曰: "非發於血氣之私便爲惡, 乃發後流而爲惡耳."[704]

물었다. "물건[外物]을 느껴서 동할 때, 혹은 의리의 공변됨에서 발현하고 혹은 혈기의 사사로움에서 발현하니, 여기에서 바로 선악이 나뉩니다."

(북계 진씨가) 답했다. "혈기의 사사로움에서 발현하면 바로 악이 되는 것이 아니라 곧 발현한 뒤에 흘러서 악이 될 뿐이다."

702 太極之理 : '理'는 『北溪大全集』 권42에 '體'로 되어 있다.
703 『北溪大全集』 권42
704 『北溪大全集』 권42

[1-6-1-25]

"若就人品類論, 則上天所付皆一般, 而人隨所値, 又各有淸濁厚薄之不齊. 如聖人稟氣至淸, 所以合下便能'生知', 賦質至粹, 所以合下便能'安行'.

如堯舜旣得其至淸至粹, 爲聰明神聖. 又得氣之淸高而寬厚者, 所以貴爲天子, 富有四海. 至於享國皆百餘歲, 是又得氣之最長者.

如夫子亦得至淸至粹, 合下便'生知''安行'. 然天地大氣到那時已衰微, 所以夫子稟得不高不厚, 止栖栖爲一旅人. 而所得之氣又不甚長, 僅得中壽七十餘歲, 不如堯舜之高.

自聖人而下, 各有分數. 顔子亦淸明純粹亞於聖人, 只緣稟氣得不長, 所以夭死. 大抵得氣之淸者不隔蔽, 那理義便露呈昭著. 如銀盞中滿貯淸水, 自然透見盞底銀花甚分明, 若未嘗有水然. 賢人得淸氣多濁氣少, 淸中微有些查滓在, 未便能昏蔽得他, 所以聰明也易開發.

自大賢而下, 或淸濁相半, 或淸底少濁底多, 昏蔽得厚了. 如盞底銀花子看不見, 欲見得, 須十分加澄治之功. 若能力學者,[705] 解變化氣質, 轉昏爲明.

(북계 진씨가 말했다.) "만일 사람의 등급을 논한다면 상천上天이 부여한 것은 다 마찬가지이지만 사람이 만난 것에 따라서 또 각각 맑음과 흐림, 두터움과 얇음[淸濁厚薄]의 가지런하지 않음이 있다. 예컨대 성인은 나눠 받은 기氣가 지극히 맑으므로 본래 '나면서부터 바로 알 수 있고',[706] 나눠 받은 질質이 지극히 순수하므로 본래 바로 '편안히 행할 수 있다.'

요・순堯舜 같은 이는 이미 그 지극히 맑고 지극히 순수한 것을 얻어 총명하고 신성神聖스러운 이가 되었다. 또 맑고 높으며 너그럽고 두터운 기를 얻었으므로 '고귀하기로는 천자이고 부유하기로는 사해四海를 가졌으며'[707] 나라를 향유함에 이르러서도 다 100여 년이었으니, 이 또한 기氣 중에 가장 긴 것을 얻었다.

공자孔子 같은 이도 지극히 맑고 지극히 순수한 것을 얻어 본래 '나면서부터 알고' '편안히 행하였다'. 그러나 천지의 대기大氣가 그때에는 이미 쇠퇴하였으므로 공자는 높지도 않고 두텁지도 않은 기氣를 나눠 받았으며, 단지 동분서주하며 불안해하는 한 나그네가 되었다. 얻은 기도 또 그다지 길지 못하여 겨우 중간 정도 수명인 70여 세를 얻었고, 요순처럼 (지위가) 높지도 않았다.

성인 이하는 각각 분수分數가 있다. 안자顔子(顔回) 역시 청명하고 순수함이 성인에 버금갔지만 단지 나눠 받은 기가 길지 못하였으므로 요사夭死하였다. 대저 맑은 기를 얻으면 막아 가리지[隔蔽] 않으니, 그 의리가 바로 드러나 밝다. 예컨대 은잔銀盞 속에 맑은 물을 가득 채우면 잔 바닥의 은꽃[銀花]을 자연히 매우 분명하게 들여다 볼 수 있으니 물이 없는 듯하다. 현인은 맑은 기는 많이 얻고 탁한 기는 적게 얻었으니, 맑은 것 속에 찌꺼기가 조금 있지만, 아직 그것을 흐리게 하고 가릴[昏蔽] 수는

705 學者: '者'는 『北溪字義』 卷上 「命」에 '也'로 되어 있다. 이럴 경우 '也'는 아래 구절에 붙는다.

706 '나면서부터 바로 … 있고': 『中庸章句』 20장에 "或生而知之, 或學而知之, 或困而知之, 及其知之, 一也. 或安而行之, 或利而行之, 或勉强而行之, 及其成功, 一也."라고 되어 있다.

707 '고귀하기로는 천자이고 … 가졌으며': 『中庸章句』 17장에 "子曰, 舜其大孝也與! 德爲聖人, 尊爲天子, 富有四海之內. 宗廟饗之, 子孫保之."라고 되어 있다.

없으므로 총명함도 개발하기 쉽다.
대현大賢 이하는 혹 맑고 흐린 것이 서로 반반이거나, 혹 맑은 것이 적고 흐린 것이 많아서 흐리게 하고 가리는 것이 두터워졌다. 예컨대 잔 바닥의 은꽃[銀花]이 보이지 않는데, 이를 보고 싶으면 반드시 맑게 하는 공을 충분히 들여야 한다. 만일 배움에 힘쓸 수 있다면 또한 기질을 변화시켜 어두운 것을 밝은 것으로 바꿀 수 있을 것이다.

有一般人稟氣清明, 於理義上儘看得出, 而行爲不篤, 不能乘載得道理,[708] 多雜詭譎, 是又賦質不粹. 此如井泉甚清, 貯在銀盞裏面亦透底清徹, 但泉脈從淤土惡木根中穿過來, 味不純甘. 以之煮白米則成赤飯, 煎白水則成赤湯, 煎茶則酸澁, 是有惡味夾雜了.
又有一般人, 生下來於世味一切簡淡, 所爲甚純正, 但與說到道理處全發不來, 是又賦質純粹, 而稟氣不清. 此如井泉脈味純甘絶佳, 而有泥土渾濁了, 終不透瑩. 如溫公恭儉力行, 篤信好古, 是甚次第正大資質. 只緣少那至清之氣, 識見不高明. 二程屢將理義發他, 一向偏執固滯, 更發不上. 甚爲二程所不滿.
又有一般人甚好說道理, 只是執拗自立一家意見, 是稟氣清中被箇一條戾氣來衝拗了. 如泉脈出來甚清, 却被一條別水橫衝破了, 及或遭巉岩石頭橫截衝激, 不帖順了, 反成險惡之流. 看來人生氣稟是有多少般樣. '或相倍蓰, 或相什百, 或相千萬,' 不可以一律齊. 畢竟清明純粹恰好底極爲難得, 所以聖賢少而愚不肖者多."[709]
어떤 보통 사람은 나눠 받은 기氣가 맑고 밝아서 의리는 다 알아낼 수 있으나 행위는 독실하지 못하여 그 도리를 받아 싣지 못하고 교활한 속임수가 많이 섞이니, 이 또한 받은 질質이 순수하지 않은 것이다. 이것은 비유하자면 샘물이 매우 맑아서 은잔 속에 담아도 역시 바닥까지 맑은데, 샘물 줄기가 진흙층[淤土]과 나쁜 나무뿌리 사이를 지나면서 맛이 순수하지 못하게 된 것과 같다. 이 물로 흰밥을 지으면 붉은 밥이 되고, 맹물을 끓이면 붉은 탕이 되고, 차를 끓이면 시고 떫으니, 이것은 나쁜 맛이 섞여 든 것이다.
또 어떤 보통 사람은 나면서부터 세상의 명예 등에는 모두 무관심하고 냉담하여 하는 것이 매우 순수하고 바른데, 도리를 말하게 되면 전연 밝혀내지 못하니, 이 또한 받은 질質은 순수하나 나눠 받은 기氣는 맑지 못한 것이다. 이것은 비유하자면 우물 속 물줄기의 맛은 매우 달고 맛있는데 진흙[泥土]이 혼탁하게 해서 끝내 투명하지 못한 것과 같다. 예컨대 온공溫公[710]은 공손·검소하면서 힘써 행하였으며 독실히 믿고 옛것을 좋아하였으니, 이는 매우 규모가 크고 바른 자질이다. 다만 지극히 맑은 기가 적었기 때문에 식견이 고명하지 못하였다. 이정二程이 여러 번 의리로 계발하였으나 한결같이 고집스럽고 꽉 막혀서 다시 계발할 수 없었으니, 이정二程에게는 심히 불만이었다.

708 乘載: '乘'은 『北溪字義』 卷上 「命」에 '承'으로 되어 있다.
709 『北溪字義』 卷上 「命」
710 온공溫公: 溫公의 성명은 司馬光(1019~1086)이고, 자는 君實이고, 호는 迂夫, 迂叟이며, 시호는 文正이다. 死後에 溫國公에 봉해졌기 때문에 司馬溫公이라고도 불린다.

또 어떤 보통 사람은 도리를 말하기를 매우 좋아하는데 다만 자기주장을 집요하게 내세우니, 이는 나눠 받은 기는 맑은데 중간에 한 가닥의 여기戾氣(사악한 기)에 충돌되어 굽은 것이다. 비유하자면 나오는 샘물줄기는 매우 맑은데 갑자기 한 줄기 다른 물이 옆에서 가로지르거나, 또 혹은 우뚝 솟은 바위가 가로막고 부딪침을 만나 순하게 흘러가지 못하고 도리어 험악한 물줄기가 되는 것과 같다. 보건대 사람이 나서 기氣를 나눠 받는 데는 여러 양상이 있다. '혹은 서로 두 배 다섯 배가 되기도 하고, 혹은 열 배 백배가 되기도 하며, 혹은 천배 만 배가 되기도 하여'[711] 일률적으로 똑같이 할 수 없다. 결국 맑고 밝고 순수하고 알맞은 것은 극히 얻기 어려우므로 성현은 적고 어리석은 자나 불초한 자는 많은 것이다."

[1-7]

聖人定之以中正仁義, 聖人之道, 仁義中正而已矣 **而主靜**, 無欲故靜 **立人極焉. 故聖人'與天地合其德, 日月合其明, 四時合其序, 鬼神合其吉凶'.**

성인이 중·정·인·의中正仁義하기로 정하였으면서도 성인의 도는 인·의·중·정仁義中正일 뿐이다. 정靜(가만있음)을 위주로 하여 욕구가 없으므로 가만있다. 인극人極을 세웠다.[712] 그러므로 성인은 '그 덕이 천지天地와 합치하고, 그 밝기가 일월日月과 합치하고, 그 순서가 사시四時와 합치하고, 그 길흉이 귀신과 합치한다.'[713]

[1-7-1]

此言聖人全動靜之德, 而常本之於靜也. 蓋人稟陰陽五行之秀氣以生, 而聖人之生, 又得其秀之秀者. 是以其行之也中, 其處之也正, 其發之也仁, 其裁之也義. 蓋一動一靜, 莫不有以全夫太極之道而無所虧焉, 則向之所謂'欲動情勝利害相攻'者, 於此乎定矣. 然靜者, 誠之復, 而性之貞也. 苟非此心寂然無欲而靜, 則又何以酬酢事物之變, 而一天下之動哉? 故聖人中正仁義, 動靜周流, 而其動也必主乎靜. 此其所以成位乎中, 而天地日月四時鬼神有所不能違也. 蓋必體立而後用有以行. 若程子論乾坤動靜, 而曰'不專一則不能直遂, 不翕聚則不能發散', 亦此意爾.

이것은 성인이 동·정動靜(움직임과 가만있음)의 덕을 온전하게 하면서도 항상 정靜(가만있음)에 근본을 두었음을 말한 것이다. 대개 사람은 음양오행의 빼어난 기를 나눠 받아 났고, 성인의 남에는 또 빼어난 중의 빼어난 것을 얻었다. 그러므로 행동은 중中하고 그 거처함은 정正하고 그 발현함은 인仁하고 그 제재함은 의義하다. 대개 한 번 동動하고 한 번 정靜함이 태극의 도를 온전하게 하여 이지러짐이

711 '혹은 서로 … 하여': 『孟子』「滕文公章句上」 4장

712 聖人은 中해야 할 때는 中하고, 正해야 할 때는 正하고, 仁해야 할 때는 仁하고, 義해야 할 때는 義한다. 이렇게 中·正·仁·義 네 가지로 행동원칙을 정해 놓았다. 그러나 이 네 가지는 다시 陰인 靜(正과 義)을 바탕으로 한다.

713 '그 덕이 … 합치한다.': 『周易』「乾卦·文言」

없으면, 앞에서 말한 '물욕이 움직이고 인정人情이 이기며 이익과 손해가 서로 다투던 것'[714]이 여기에서 안정이 될 것이다. 그러나 정靜은 정성의 돌아옴[復]이고 성性을 굳게 지킴[貞]이다. 진실로 이 마음이 적연히 욕구가 없이 가만있는 것[靜]이 아니면 또 어떻게 사물의 변화에 대응하며, '천하의 움직임을 일관一貫하겠는가?'[715] 그러므로 성인은 중·정·인·의하면서 두루 동하기도 하고 정하기도 하지만, 그 동動은 반드시 정靜을 위주로 한다. 이것이 (성인이 천지의) 중간에 자리를 잡고 있으매[716] 천지나 일월, 사시, 귀신이 어길 수 없게 된 까닭이다. 대개 반드시 체體가 선 다음에 용用이 행한다. 예컨대 정자程子가 건·곤乾坤의 동·정動靜을 논하면서 말하기를, '전일하지 않으면 곧게 나갈 수 없고, 모으지 않으면 펼쳐나갈 수 없다.'[717]고 하였으니, 역시 이런 뜻이다.

[1-7-1-1]

問: "聖人定之以仁義中正而主靜."

朱子曰: "此是聖人'脩道之謂教'處."[718]

'성인이 중·정·인·의中正仁義하기로 정하였으면서도 정靜(가만있음)을 위주로 한다.'에 대하여 물었다. 주자가 답했다. "이것은 성인이 '도를 닦는 것을 교육이라 한다.'[719]는 것이다.

[1-7-1-2]

"人雖不能不動, 而立人極者必主乎靜. 惟主乎靜, 則其著於動也無不中節, 而不失其本然之體矣."[720]

(주자가 말했다.) "사람이 비록 움직이지 않을 수 없으나 인극을 세우는 것은 반드시 가만있는 것을 주로 한다. 오직 가만있는 것을 주로 하면 움직임에 드러난 것이 중절中節하지 않을 수 없고 그 본연의 체體를 잃지 않는다."

[1-7-1-3]

"性之分雖屬乎靜, 而其蘊則該動靜而不偏. 故樂記以靜言性則可, 遂以靜字形容天地之妙則

714 '물욕이 움직이고 … 것': [1-6-1] 참조.

715 '천하의 움직임을 일관一貫하겠는가?': 『橫渠易說』「上經」 乾條에서 "仁은 천하의 善을 통괄하며, 禮는 천하의 모임을 아름답게 하며, 義는 천하의 이익을 공변되게 하며, 信은 천하의 動을 일관한다.(仁統天下之善, 禮嘉天下之會, 義公天下之利, 信一天下之動.)"고 하였고, 『周易』「繫辭下」 1장에는 "천하의 道는 항상 보여주는 것이며, 해·달의 도는 항상 밝은 것이며, 천하의 동은 하나(의 正道)를 항상 유지하는 것이다.(天地之道, 貞觀者也. 日月之道, 貞明者也. 天下之動, 貞夫一者也.)"라고 하였다.

716 중간에 자리를 … 있으매: 『周易』「繫辭上」 1장에 "易簡而天下之理得矣. 天下之理得而成位乎其中矣."라고 되어 있다.

717 '전일하지 않으면 … 없다.': 『河南程氏遺書』 권11

718 『朱子語類』 권94, 20조목

719 '도를 닦는 … 한다.': 『中庸』 1장

720 『西山讀書記』 권5

不可.[721]"[722]

(주자가 말했다.) "성性의 본분은 비록 정靜에 속하지만 그 온축한 것은 동정을 겸비하여 치우치지 않는다. 그러므로 「악기樂記」에 정靜으로 성性을 말한 것[723]은 괜찮지만, 드디어 정靜을 가지고 천지天地의 미묘함을 형용하면 안 된다."

[1-7-1-4]

"人性雖同, 稟氣不能無偏重. 有得木氣重者, 則惻隱之心常多, 羞惡辭讓是非之心爲其所塞而不發. 有得金氣重者, 則羞惡之心常多, 而惻隱辭讓是非之心爲其所塞而不發. 水火亦然. 唯陰陽合德, 五性全備, 然後中正而爲聖人也."[724]

(주자가 말했다.) "사람의 성性은 비록 같지만 나눠 받은 기氣에는 편중이 없을 수 없다. 가령 목기木氣를 얻은 것이 무거운 자는 측은한 마음은 항상 많지만 수오・사양・시비羞惡辭讓是非하는 마음은 그에 막혀서 발현하지 못한다. 가령 금기金氣를 얻은 것이 무거운 자는 수오하는 마음은 항상 많지만 측은・사양・시비惻隱辭讓是非하는 마음은 그에 막혀서 발현하지 못한다. 수기水氣나 화기火氣도 그렇다. 오직 음양이 덕을 합하고 오성五性이 완전히 갖춰진 뒤에야 중정中正하여 성인이 된다."

[1-7-1-5]

"聖人立人極, 不說仁義禮智, 却說仁義中正. 中正卽禮智, 中正尤親切. 中是禮之得宜處. 正是智之正當處. 自氣化一節以下, 又節節應前面圖說. 仁義中正, 應五行也."[725]

(주자가 말했다.) "성인이 인극人極을 세우는데 인의예지를 말하지 않고, 도리어 인의중정을 말하였다. 중・정中正은 곧 예・지禮智인데, 중정이 더욱 절실하다. 중中은 예禮가 마땅함을 얻은 것이고, 정正은 지智의 정당한 것이다. 기화氣化라는 말 이하는 또 마디마디 앞의 『도설圖說』과 상응한다. 인의중정은 오행과 상응한다."

[1-7-1-6]

問: "周子不言禮知而言中正, 如何?"

曰: "禮知說得猶寬, 中正則切而實矣. 且謂之禮, 尙或有不中節處. 若謂之中, 則無過不及, 無非禮之禮, 乃節文恰好處也. 謂之知, 尙或有正不正. 若謂之正, 則是非端的分明, 乃智之實也."[726]

물었다. "주자周子가 예・지禮智를 말하지 않고 중・정中正을 말한 것은 어째서입니까?"

721 遂: '遂'자 앞에 『朱文公文集』 권75 「記論性答藁後」에 '如廣仲' 3자가 더 있다.
722 『朱文公文集』 권75 「記論性答藁後」
723 정靜으로 성性을 말한 것: 『禮記』「樂記」에 "人生而靜, 天之性也. 感於物而動, 性之欲也."라고 되어 있다.
724 『朱子語類』 권4, 73조목
725 『朱子語類』 권94, 83조목
726 『朱子語類』 권94, 81조목

(주자가) 답했다. "예·지禮智는 오히려 말에 융통성이 있는데, 중·정中正은 절실하다. 또 예禮라고 하면 오히려 혹 중절하지 못한 곳이 있다. 만일 중中이라고 하면 지나치거나 부족함이 없고, 비례非禮의 례禮가 없으니, 곧 절차나 꾸밈 등이 알맞은 곳이다. 지智라고 하면 오히려 혹 정正과 부정不正이 있다. 만일 정正이라고 하면 시비가 확실하고 분명하니 곧 지智의 실질이다."

[1-7-1-7]

問: "何以不言禮智而言中正. 莫是此圖本爲發明易道, 故但言中正, 是否?"

曰: "亦不知是如何, 但中正二字較有力."[727]

물었다. "왜 예지禮智라고 하지 않고 중정中正이라고 하였습니까? 혹시 이 『도圖』는 본래 역易의 도리를 발명하려는 것이므로 단지 중정中正이라고 한 것이 아닙니까?"

(주자가) 답했다. "나도 왜 그런지는 모르겠지만, 다만 중정이란 말이 보다 힘이 있다."

[1-7-1-8]

問: "中正卽禮智, 何以不直言禮智, 而曰中正?"

曰: "禮智字不似中正字却實且定.[728] 中者, 禮之極, 正者, 智之體. 正是智親切處. 智於四德屬貞,[729] 伊川解貞字謂'正而固'也, 一正字未盡, 必兼固字, 所謂'智之實知斯二者弗去是也'. 知是端的眞知如此便是正.[730] 弗去便是固. 所以正字較親切."[731]

물었다. "중·정中正은 곧 예·지禮智인데, 왜 바로 예·지라고 말하지 않고 중·정이라고 했는지요?"

(주자가) 답했다. "예·지禮智란 말은 중·정中正이란 말이 더 실질적이고 확정적인 것만 못하다. 중中은 예禮의 지극함이고, 정正은 지智의 체體이다. 정正은 지智의 절실한 곳이다. 지智는 사덕四德에서는 정貞에 속하는데 이천伊川이 정貞을 해석하기를 '바르고 굳다'고 하였으니, '바르다'는 말만으로는 미진하고, 반드시 '굳다'는 말을 겸해야 하니, 이른바 '지智의 실상은 이 둘을 알아서 버리지 않는 것이 이것이다.'[732]는 것이다. 지智는 '이렇게 하는 것이 바르다.'는 것을 확실히 참으로 아는 것이다. '버리지 않는다'는 것은 바로 '굳다'이다. 그러므로 바르다는 말이 더 절실하다."

[1-7-1-9]

問: "智與正何以相契?"

曰: "只是眞見得是非便是正. 不正便不喚做智了."

727 『朱子語類』 권94, 80조목

728 且定 : 『朱子語類』 권94, 82조목에는 '且定'이 없다.

729 智於四德屬貞 : 『朱子語類』 권94, 82조목에는 '智於四德屬貞' 6자가 없다.

730 如此 : 『朱子語類』 권94, 82조목에는 '恁地'로 되어 있다.

731 『朱子語類』 권94, 82조목

732 '지智의 실상은 … 이것이다.' : 『孟子』「離婁上」 27장

又問: "只是眞見得是眞見得非. 若以是爲非以非爲是, 便不是正否?"

曰: "是."[733]

물었다. "지智와 정正이 어떻게 서로 꼭 들어맞습니까?"

(주자가) 답했다. "단지 참으로 옳고 그름[是非]을 아는 것이 정正이다. 바르지 못함[不正]을 곧 지智라고 부르지는 않는다."

또 물었다. "단지 참으로 옳음을 알고 참으로 그름을 알 뿐입니다. 만일 옳은 것을 그르다고 여기고, 그른 것을 옳다고 여기면, 곧 정正이 아니지 않습니까?"

(주자가) 답했다. "옳다."

[1-7-1-10]

問: "'處之也正, 裁之也義', 處與裁二字義頗相近."

曰: "然. 處是居之, 裁是就事上裁度."

又曰: "處字作居字卽分曉."[734]

물었다. "'거처함[處]은 정正하고 제재함[裁]은 의義하다.'에서 '處'자와 '裁'자 두 글자의 의미가 자못 가깝습니다."

(주자가) 답했다. "그렇다. '처處'자는 거처한다는 것이고, '재裁'자는 일에 대해서 재단裁斷한다는 것이다."

또 말했다. "'處'자를 '居'자로 보면 곧 분명하다."

[1-7-1-11]

"動則此理行, 此動中之太極也. 靜則此理存, 此靜中之太極也."[735]

(주자가 말했다.) "동하면 이 리가 행하니, 이것은 동하는 중의 태극이다. 정하면 이 리가 존재하니, 이것은 정하는 중의 태극이다."

[1-7-1-12]

問: "'聖人定之以中正仁義而主靜', 是聖人自定, 是定天下之人."

曰: "此承上文'惟人也得其秀而最靈'言之.[736] 形生神發, 五性感動而善惡分, 故'定之以中正仁義而主靜以立人極.'"[737]

물었다. "'성인이 중·정·인·의中正仁義하기로 정定하였으면서도 정靜(가만있음)을 위주로 한다.'는

733 『朱子語類』 권94, 86조목

734 『朱子語類』 권94, 90조목

735 『朱子語類』 권94, 24조목

736 上文: 『朱子語類』 권94, 102조목에는 '上章'으로 되어 있다.

737 『朱子語類』 권94, 102조목

것은 성인이 자신(의 행동 기준)을 정定하는 것입니까, 천하 사람(의 행동 기준)을 정定하는 것입니까?"

(주자가) 답했다. "이것은 윗글 '오직 사람은 그 빼어난 것을 얻어서 가장 신령하다.'를 이어서 말하였다. 형체가 생김에 정신이 발동하고 오성이 감동하여 선악이 나뉘므로 '중·정·인·의中正仁義하기로 정하였으면서도 정靜을 주로 하여 인극을 세웠다.'"

[1-7-1-13]

"元亨誠之通, 動也. 利貞誠之復, 靜也. 元者, 動之端也, 本乎靜. 貞者, 靜之質也, 著乎動. 一動一靜, 循環無端.[738] 而貞也者, '萬物之所以成終而成始也.'"[739]

(주자가 말했다.) "'원·형元亨은 정성이 통해나가는 것'이니, 동動이다. '이·정利貞은 정성이 돌아오는 것'[740]이니, 정靜이다. 원元은 동의 끝이고, 정靜에 근본한다. 정貞은 정靜의 바탕이고 동動에서 드러난다. 한 번 동하고 한 번 정하며 끝없이 순환한다. 정貞이란 '만물의 마침을 이루고 시작을 이루게 하는 것이다.'[741]"

[1-7-1-14]

問: "無欲故靜."

曰: "欲動情勝, 則不能靜."[742]

"욕구가 없으므로 가만있다."에 대해 물었다.

(주자가) 답했다. "물욕이 움직이고 인정人情이 이기면 가만있을 수 없다."

[1-7-1-15]

問: "'中正仁義而主靜', 中仁是動, 正義是靜, 如先生解曰'非此心無欲而靜, 則何以酬酢事物之變, 而一天下之動哉?' 今於此心寂然無欲而靜處, 欲見所謂正義者, 何以見?"

曰: "見理之定體便是.[743]"[744]

물었다. "'중·정·인·의中正仁義를 하면서도 정靜을 위주로 한다.'에서 중과 인은 동動이고, 정과 의는 정靜입니다. 만일 선생님이 『태극도해』에서 '이 마음이 욕구가 없이 가만있는 것[靜]이 아니면 또 어떻게 사물의 변화에 대응하며, 천하의 움직임을 일관一貫하겠는가?'라고 하신 것처럼 한다면,

738 無端 : 『朱文公文集』 권67 「太極說」에는 '無窮'으로 되어 있다.

739 『朱文公文集』 권67 「太極說」

740 '원·형元亨은 정성이 통해나가는 것', '이·정利貞은 정성이 돌아오는 것' : 『通書』「誠上」 "元亨誠之通, 利貞誠之復." 참조

741 '만물의 마침을 … 것이다.' : 『周易』「說卦傳」 5장에 "萬物之所成終而所成始也"라고 하였다.

742 『朱子語類』 권94, 99조목

743 見 : 『朱子語類』 권94, 95조목에는 '只'로 되어 있다.

744 『朱子語類』 권94, 95조목

지금 이 마음이 적연히 욕구가 없이 가만있는 곳에서, 이른바 정・의正義를 보려면 어떻게 합니까?" (주자가) 답했다. "다만 리의 정해진 체體가 바로 그것이다."

[1-7-1-16]

"衆人所以失之者, 以其不能全得仁義中正之極. 而聖人全體太極無所虧缺, 故其定之也, 乃所以一天下之動. 而爲之教化, 制其情慾, 使之有以檢押相率而趍於善也."

(주자가 말했다.) "보통 사람들이 잘못하는 이유는 인・의・중・정仁義中正의 극極을 온전하게 할 수 없기 때문이다. 성인은 태극 전체에 이지러짐이 없으므로, 그 정定한 것이 곧 천하의 움직임動을 일관하는 까닭이다. 이것으로 교화해서 정욕을 제어하여 하나씩 하나씩 고쳐서 선善으로 나아가게 한다."

[1-7-1-17]

問: "聖人定之以中正仁義而主靜."

曰: "'中正仁義', 皆謂發用處. 正者中之質, 義者仁之斷. 中則無過不及隨時以取中. 正則當然之定理. 仁則惻隱慈愛之處. 義則裁制斷决之事. '主靜'者, 主正與義也. 正義便是利貞. 中是亨. 仁是元."[745]

"성인이 중・정・인・의中正仁義하기로 정하였으면서도 정靜을 위주로 한다."에 대하여 물었다.

(주자가) 답했다. "중・정・인・의는 다 발용發用(펼쳐 씀)하는 곳을 말한다. 정正은 중中의 바탕이고 의義는 인의 단절斷絶이다. 중中은 곧 지나치거나 못 미침이 없이 때에 따라 중中을 취하는 것이다. 정正은 곧 당연한 정해진 리定理이다. 인은 곧 측은・자애하는 곳이다. 의는 곧 제재하고 결단하는 일이다. '정靜을 위주로 하는 것'은 정正과 의義를 주로 하는 것이다. 정・의正義는 바로 이・정利貞이고, 중中은 형亨이고 인仁은 원元이다."[746]

[1-7-1-18]

問: "聖人定之以中正仁義."

曰: "本無先後, 此四字配金木水火而言. 中有禮底道理, 正有智底道理. 如乾之元亨利貞, 元卽仁, 亨卽中, 利卽義, 貞卽正, 皆是此理. 至於'主靜', 是以正與義爲體, 中與仁爲用. 聖人只是主靜, 自有動底道理. 譬如人說話, 也須是沉黙, 然後可以說話. 蓋沉黙中便有箇

---

745 『朱子語類』 권94, 96조목

746 여기 인용된 이 항목(『朱子語類』 권94, 96조목) 뒤에 "지금 '다 발용을 말한다.'고 한 곳과 '하는 곳이다.', '하는 일이다.'고 한 곳 등은 모두 이해할 수 없으니, 다시 상고해야 한다.(今於'皆謂發用'及'之處''之事'等語, 皆未曉, 更考.)"는 주석이 붙어 있다. 또 『朱子語類考文解義』 해당 조에는 動靜은 위에서처럼 각각 둘씩 나눠야 하고, 處와 事는 모두 理가 되어야 한다고 하였다.(發用處 : 如上諸錄所言, 則中仁是体, 正義是發用處, 而今此幷四者, 皆謂發用, 可疑. / 慈愛之處 : 此文當曰理, 而乃曰處, 亦可疑. / 斷决之事 : 此亦當曰理, 而乃曰事. 是以物爲性, 亦可疑. 故注曰皆未曉也.)

言語底意思. ”747

“성인이 중・정・인・의中正仁義하기로 정했다.”에 대해서 물었다.

(주자가) 답했다. “본래 선후는 없으며, 이 네 가지는 금・목・수・화金木水火에 배당하여 말하였다. 중中에는 예禮의 도리가 있고, 정正에는 지智의 도리가 있다. 예컨대 건乾의 원・형・이・정元亨利貞에서 원元은 곧 인이고, 형亨은 곧 중中이고, 이利는 곧 의義이고, 정貞은 곧 정正이니, 다 이 리이다. '정靜을 위주로 하는 데'에 이르면, 이것은 정正과 의義를 체體로 삼고, 중中과 인仁을 용用으로 삼는다. 성인은 정靜을 위주로 하기는 하지만, 본래 동動하는 도리가 있다. 비유하자면 사람이 말을 하는 데에 있어서, 반드시 침묵한 뒤에 말할 수 있다. 대개 침묵 속에 바로 할 말이 있는 것이다.”

[1-7-1-19]

“周子之言'主靜', 乃就'中正仁義'而言. 以正對中, 則中爲重. 以義配仁, 則仁爲本. 非四者之外別有主靜一段事也. ”748

(주자가 말했다.) “주자周子가 말하는 '정靜을 위주로 한다.'는 것은 곧 '중・정・인・의中正仁義'에서 말하는 것이다. 정正을 중中과 대비시키면 중이 무겁고, 의義를 인仁에 짝을 지으면 인이 근본이다. 이 네 가지 외에 '정靜을 위주로' 하는 한 가지 일이 별도로 있는 것은 아니다.”

[1-7-1-20]

“中正仁義, 這四箇物事常在這裏流轉, 然常靠著箇靜底做本, 若無夜, 則做晝不分曉. 無秋冬, 則做得春夏不長茂. 且如人終日應接, 歸來歇霎時, 却出去, 則便分外精神. 如春夏生長, 若一向恁地去, 却有甚了期? 元氣也須解竭, 所謂'復其見天地之心乎'. 749”750

又曰: “'中仁是動, 正義是靜.' 通書都是恁地說, 如云'禮先而樂後'之類皆是. 751”752

(주자가 말했다.) “중・정・인・의中正仁義, 이 네 가지는 항상 여기에서 흘러가지만, 항상 정靜에 의지하여 근본을 삼는다. 만약 밤이 없으면 낮이 되어도 뚜렷이 밝지 않다. 가을・겨울이 없으면 봄・여름이 되어도 무성하게 자라지 못한다. 가령 사람이 종일 응대하다가 돌아와서 잠깐 쉬고 또 나가면 곧 정신이 번쩍 든다. 예를 들어 봄과 여름에 생장하는데 만일 계속 이렇게 자라기만 하면 도리어 언제 멈출 기약이 있겠는가? (이렇게 되면) 원기元氣도 반드시 소진될 것이니, 이른바

747 『朱子語類』 권94, 91조목

748 『朱文公文集』 권32 「答張欽夫」

749 所謂 … 心乎 : 『朱子語類』 권94, 93조목에 '所謂' 이하 한 구절이 없다.

750 『文公易說』 권7

751 之類皆是 : 『朱子語類』 권94, 93조목에 '之類皆是'는 없다.

752 『朱子語類』 권94, 93조목과 가장 가까우나 다른 내용이 있고, 94조목에도 일부 비슷한 내용이 있다. 93조목 다른 내용은 이하 참조. “또 돌아와서는 여기 한가한 곳에서 조금 쉬면 곧 정신이 보다 건강해진다. 예컨대 만물을 생하고 겨울이 없이 오로지 계속 자라기만 하면 원기가 고갈될 수 있다.(却歸來這裏空處少歇, 便精神較健. 如生物而無冬, 只管一向生去, 元氣也會竭了)”

'복復에서 천지의 마음을 본다.'는 것이다."[753]

또 말하기를, "'중·인中仁은 동이고 정·의正義는 정'이다. 『통서通書』에서 모두 이렇게 말했으니, 예컨대 '예禮가 먼저이고 음악이 나중'[754]이라고 한 것 등이 다 이런 부류이다."

[1-7-1-21]

"'主靜', 看夜氣一章可見."[755]

(주자가 말했다.) "'정靜을 위주로 하는 것'은 야기장夜氣章[756]을 보면 알 수 있다."

[1-7-1-22]

問: "'聖人定之以中正仁義[757]', 所以主靜者, 以其本靜. 靜極而動, 動極復靜. 靜也者, 物之終始也. 萬物始乎靜, 終乎靜, 故聖人主靜."

曰: "若如此則倚於一偏矣. 伊川云'動靜無端, 陰陽無始', 動靜理均, 但靜字勢重耳. 更宜深玩之."[758]

물었다. "'성인이 중·정·인·의中正仁義하기로 정하였으면서도 정靜을 위주로 한다.'에서 정靜을 위주로 하는 까닭은 본래 정靜한 것이기 때문입니다. 정靜이 끝가면 동하고, 동이 끝가면 다시 정합니다. 정靜이란 것은 물건의 시작과 끝입니다. 만물은 정에서 시작해서 정에서 마치므로 성인이 정을 위주로 합니다."

(주자가) 답했다. "만일 이와 같다면 한편에 치우친 것이다. 이천伊川이 이르기를 '동정에는 끝이 없고, 음양에는 시작이 없다.'고 하였으니, 동과 정의 리는 균등한데, 다만 정의 형세가 무거울 뿐이다. 다시 마땅히 깊이 음미해야 한다."

[1-7-1-23]

問: "太極動而生陽, 是陽先動也. 今解云'必體立而後用有以行', 如何?"

曰: "體自先有. 下言'靜而生陰', 只是說相生無窮爾."[759]

물었다. "태극이 동하여 양을 생하는 것은 양이 먼저 동하는 것입니다. 지금 해석에서 '반드시 체體가 선 다음에 용用이 행할 수 있다.'고 하는 것은 어째서입니까?"

(주자가) 답했다. "체가 본래 먼저 있다. 아래에 '정靜하여 음을 생한다.'고 한 것은 다만 서로 생함에 끝이 없음을 말한 것뿐이다."

753 "却有甚了期" 이하는 내용이 불분명하다.
754 '예禮가 먼저이고 음악이 나중': 『通書』「禮樂」
755 『朱子語類』 권94, 98조목
756 야기장夜氣章: 『孟子』「告子上」 8장
757 仁義: '仁義' 다음에 『朱文公文集』 권42 「答石子重」에 '而主靜' 석 자가 더 있다.
758 『朱文公文集』 권42 「答石子重」
759 『朱子語類』 권94, 39조목

[1-7-1-24]

"'中正仁義而已矣', 言生之序, 以配水火木金也."

又曰: "'仁義中正而已矣', 以聖人之心言之, 猶孟子言仁義禮智也."[760]

(주자가 말했다.) "'중·정·인·의中正仁義일 뿐이다.'는 생하는 순서를 말해서 수·화·목·금水火木金과 배합한 것이다."

또 말했다. "'인·의·중·정仁義中正일 뿐이다.'는 성인의 마음을 가지고 말했으니, 맹자가 인·의·예·지仁義禮智[761]라고 말한 것과 같다."

[1-7-1-25]

問: "仁義中正, 竊謂仁義指實德而言, 中正指體段而言. 然嘗疑性之德有四端, 而聖賢多獨擧仁義不及禮智, 何也?"

曰: "中正卽是禮智."[762]

물었다. "인·의·중·정仁義中正은 가만히 생각하면 인의仁義는 실제 덕을 가리켜서 말한 것이고, 중정中正은 모습을 가리켜서 말한 것입니다. 그러나 일찍이 의심하기를 성性의 덕에는 네 가지가 있는데, 성현은 대부분 유독 인의仁義만을 거론하고 예지禮智를 언급하지 않는 것은 어째서입니까?"

(주자가) 답했다. "중정이 바로 예지禮智이다."

[1-7-1-26]

問: "自太極之動言之, 則仁爲剛, 義爲柔. 自一物中陰陽言之, 則仁之用柔, 義之用剛. 不知如此說得否?"

曰: "也是如此. 仁便有箇流動發越之意, 然其用則慈柔. 義便有箇商量從宜之義, 然其用則決烈."[763]

물었다. "태극이 동하는 것으로부터 말하면 인仁이 강하고 의義는 유柔합니다. 한 물건 중의 음양으로 말하면 인仁의 용用은 유하고 의義의 용은 강합니다. 이렇게 말할 수 있는지 모르겠습니다."

(주자가) 답했다. "역시 그렇다. 인仁은 곧 유동流動하고 발현하는 뜻이 있으나, 그 용은 자애롭고 부드럽다. 의義는 곧 따져봐서 마땅함을 따른다는 뜻이 있으나, 그 용은 강렬하다."

[1-7-1-27]

"'主靜'二字, 乃言聖人之事. 蓋承上文'定之以中正仁義'而言, 以明四者之中, 又自有賓主耳. 觀此則學者用功固自有次序, 須先有箇立脚處, 方可省察, 就此進步. 非謂靜處全不用

760 『朱子語類』 권94, 79조목

761 인·의·예·지仁義禮智: 『孟子』「公孫丑上」 6장 참조.

762 『朱文公文集』 권41 「答程允夫」

763 『朱子語類』 권6, 136조목

力，但須如此方可用得力耳．"764

(주자가 말했다.) "'정을 주로 한다.'는 것은 곧 성인의 일을 말한 것이다. 대개 윗글 '중・정・인・의中正仁義하기로 정하였다.'를 이어서 말하여 네 가지 중에 또 본래 주객이 있음을 밝혔을 뿐이다. 이를 보면 배우는 자가 공부를 하는 데는 진실로 본래 순서가 있으니, 반드시 먼저 근거할 곳이 있어야 비로소 성찰할 수 있고, 거기에서 진보한다. 가만있을 때[靜]는 전혀 노력하지 않는다는 것이 아니라, 다만 반드시 이와 같이 (정을 위주로) 해야 비로소 효과를 얻을 수 있을 뿐이다.765"

[1-7-1-28]

"大凡人須是沉靜，周先生所以有'主靜'之說，如蒙艮二卦，皆有靜止之體．"766

(주자가 말했다.) "대체로 사람은 반드시 차분해야 한다. 주선생(周子)이 '정을 주로 한다.'는 주장을 한 까닭이니, 몽괘蒙卦(䷃)와 간괘艮卦(䷳) 두 괘에 다 가만히 멈춰 있음[靜止]의 본체가 있는 것과 같다."

764 『朱文公文集』 권43 「答林擇之」

765 가만있을 때[靜]는 … 뿐이다. : "非謂靜處全不用力"에 관한 『朱子大全箚疑』 권43 해당 조 참조. "靜은 動字의 잘못인 것 같다. 대개 위아래의 글자를 가지고 살펴보면 이른바 '본래 主客이 있고, 본래 차례가 있다.'는 것은 모두 靜을 주로 하여 말한 것이다. 正・義는 주인이고 中・仁은 손님이다. 그 '근거할 곳이 있어야 한다.'는 것은 靜에 근거를 세운다는 것이다. 그 '비로소 성찰할 수 있고, 거기에서 진보한다.'는 것은 여기에서 처음으로 動하는 곳에서 노력하는 실상을 말하였다. 動하는 곳에서 전혀 노력하지 않는다고 말한 것이 아니라는 것은 '비로소 성찰할 수 있고, 거기에서 진보한다.'는 뜻을 거듭 말한 것이다. 그 '다만 반드시 이와 같이 해야 한다.'는 것은 먼저 靜한 다음에 動하는 차례를 말한 것이다. … 그러나 여러 판본이 모두 靜으로 되어 있으니, 다시 상고할 일이다.(靜疑動字之誤. 蓋以上下文字觀之, 則所謂自有賓主, 自有次第者, 皆主靜而言也. 正義爲主, 中仁爲賓. 其曰先有箇立脚處者, 謂於靜立脚也. 其曰方可省察就此進步者, 於此始說動處用工之實也. 非謂動處全不用力者, 申言方可省察就此進步之意耳. 其曰但須如此者, 謂先靜後動之次序也. … 然諸本皆作靜, 更詳之.)"

- 『朱子大全箚疑輯補』 권43, 89板 翼增의 다음 의견 참조. "靜字는 고칠 필요가 없다. 대개 林澤之가 발한 곳에서 노력하려고 하였다. 그러므로 이 글은 그 뜻에 맞춰 답한 것이다. '근거를 세운다.'는 것은 靜할 때에 공부하는 것이다. '다만 반드시 이와 같이 해야 한다.'는 것은 발한 곳에서 노력하여 곧 효과를 얻을 수 있도록 하고자 하는 것이다. '非謂'의 뜻은 '得力'에서 그칠 뿐이다.(靜字不必改. 蓋擇之欲於發處用工. 故此書正答其意也. 立脚者, 靜時有工夫也. 但須如此者, 欲於發處用功, 乃可以得力也. 非謂之意止得力爾.)" 이 의견에 따라 본문을 번역하면 다음과 같다. "가만있을 때[靜]는 전혀 노력하지 않고, 다만 반드시 이렇게 (발한 곳에서 노력)해야만 비로소 효과를 얻을 수 있다는 말은 아니다."
- 『朱書講錄刊補』 권3, 9篇 26板에는 "어떤 이는 靜은 動의 잘못이라고 의심한다.(或云靜疑動之誤)"라고 하였다. 이 의견에 따라 본문을 번역하면 다음과 같다. "움직일 때[動]는 전혀 노력하지 않는다는 것이 아니라, 다만 반드시 이와 같이 (主靜하여 立脚) 해야 비로소 효과를 얻을 수 있을 뿐이다."

766 『朱子語類』 권120, 111조목

[1-7-1-29]

“或說江西所說‘主靜’，看其語是要不消主這靜，只我這裏動也靜，靜也靜.

曰. 若如其言，天自春了夏，夏了秋，秋了冬，自然如此，也不須要輔相裁成始得.”[767]

어떤 이가 말하였다. “강서江西 사람들[768]이 말하는 ‘정靜을 주로 한다.’는 것은 그 말을 보건대 반드시 이 정靜을 주로 하려고 하는 것이 아니라, 단지 내가 여기서 동하여도 정하고, 정하여도 정하는 것입니다.”

(주자가) 답했다. “만일 그 말처럼 한다면 하늘은 저절로 봄이 끝나면 여름, 여름이 끝나면 가을, 가을이 끝나면 겨울이 되어 자연스럽게 이와 같을 것이니, 역시 보태어 지원[輔相]하거나 마름질하여 다듬으려고[裁成][769] 하지 않아야 할 것이다.”

[1-7-1-30]

或問: “‘智者動，仁者靜’，如太極圖說，則智爲靜，仁爲動，如何?”‘

曰: “且自體當到不相礙處方是. 良久曰. 這物事直看一樣，橫看一樣. 子貢說‘學不厭爲智，教不倦爲仁’. 子思却言‘成己爲仁，成物爲智’，仁固有安靜意思，然施行却有運用之意.”

又曰: “智是潛伏淵深底道理，至發出則有運用. 然至於運用各當其理而不可易處，又不專於動.”[770]

어떤 이가 물었다. “‘지자智者는 동動하고 인자仁者는 정靜한데,’[771] 만일 『태극도설』처럼 지智는 정이 되고 인仁은 동이 되면, 어떻습니까?”

(주자가) 답했다. “우선 스스로 체득해서 서로 장애가 되지 않는 경지에 도달해야 한다.” 한참 있다가 말하였다. “이것은 세로로 보는 것이 한가지이고 가로로 보는 것이 한가지이다. 자공子貢[772]이 말하기를, ‘배우는 것을 싫증 내지 않는 것은 지智이고 가르치는 것을 게을리하지 않는 것은 인仁’[773]이라 하였다. 자사子思는 또 말하기를, ‘자기를 이루는 것은 인仁이고, 남을 이루어주는 것은 지智’[774]라고 하였으니, 인에는 본디 편안하고 평온하다[安靜]는 의미가 있지만 시행하면 도리어 운용한다는 뜻이 있다.”

또 말하였다. “지智는 깊숙이 잠복해 있는 도리이지만 펼쳐 나오는[發出] 데에 이르면 운용이 있다.

767 『朱子語類』 권124, 30조목

768 강서江西 사람들: 陸九淵 형제를 가리킨다.

769 보태어 지원하거나 … 다듬으려고[裁成]: 『周易』 泰卦 大象傳에 “천지의 道를 마름질하여 다듬고 천지의 마땅함[宜]을 支援하고, 이를 통해 백성을 돕는다.(財成天地之道, 輔相天地之宜, 以左右民.)”라고 하였다.

770 『朱子語類』 권32, 77조목

771 ‘지자智者는 동動하고 … 정靜한데’: 『論語』 「雍也」

772 자공子貢: 子貢(BC520~?)의 성은 端木이고, 이름은 賜이며 자공은 자이다.

773 ‘배우는 것을 … 인仁’: 『孟子』 「公孫丑上」에 “子貢曰, 學不厭, 智也, 教不倦, 仁也. 仁且智, 夫子旣聖矣!” 라고 되어 있다.

774 ‘자기를 이루는 … 지智’: 『中庸章句』 25장에 “成己, 仁也, 成物, 知也.”라고 되어 있다.

그러나 운용이 각각 그 리理에 꼭 맞아서 바꿀 수 없는 데에 이르면, 또한 오로지 동動하기만 하는 것은 아니다."

[1-7-1-31]

南軒張氏曰: "天地之德, 日月之所以明, 四時之所以序, 鬼神之所以吉凶, 皆是理也. 聖人得太極之道而備諸躬, 則其合也豈在外乎! 蓋其理不越乎此而已. 學聖者, 盍亦勉夫脩道之教乎! 脩之之要, 其惟敬乎! 太極之妙, 不可以臆度而力致也. 惟當一本於敬以涵養之. 既發之際, 則因其端而致夫察之之功, 未發之時, 則卽其體而不失其存之之妙. 則其所以省察者, 乃所以著存養之理, 而其所以存養者厚, 則省察者益明矣. 此敬之功也, 所謂'主靜'者也."

남헌 장씨南軒張氏가 말했다. "천지의 (動靜하는) 덕과, 해와 달이 밝게 하는 것과, 사시四時가 차례대로 운행하게 하는 것과, 귀신이 길흉하게 하는 것은 모두 리이다. 성인이 태극의 도를 얻어 몸에 갖추면 그 합치하는 것이 어찌 몸 밖에 있겠는가! 대개 그 리는 이것을 넘지 않는다. 성인을 배우는 자가 어찌 역시 도를 닦는 가르침에 힘쓰지 않겠는가! 닦는 요령은 오직 경敬인저! 태극의 묘는 억측으로 힘써서 이르게 할 수는 없다. 오직 마땅히 한결같이 경에 근본하여 함양해야 한다. 발하려고 할 즈음에는 그 단서에 의거하여 살피는[省察] 공부를 다하고, 아직 발하지 않았을 때[未發]는 그 체體에 보존[存養]하는 묘를 잃지 않는다. 그렇게 하면 그 성찰하는 것은 바로 존양存養한 리를 드러나게 하는 것이고, 그 존양한 것이 두터우면 성찰은 더욱 밝아질 것이다. 이것은 경敬의 공부이며, 이른바 '정靜을 위주로 한다.'는 것이다."

[1-7-1-32]

問: "'聖人定之以中正仁義而主靜', 解云'正義是靜', 正義如何謂之靜?"

勉齋黃氏曰: "是向這裏裁一裁便住."

又問: "此是聖人'主靜'工夫. 學者要'主靜'時, 莫是向事物上各得箇當然之則, 便是'主靜'否?"

曰: "'主靜'下小注云'無欲故靜', 須就裏面下工夫. 今人終日紛擾, 心不定疊, 也須著片時去那裏靜坐收這心. '不專一則不能直遂, 不翕聚則不能發散.' 但看天地之間, 冬間纔溫燠, 陽氣發洩得盡了, 來歲生物必不十分暢茂, 也多有疫癘之氣. 若是凝肅藏閉, 大寒極凍, 方藏得許多氣, 一發出便自充塞, 萬物自是箇箇長茂. 人亦如此. 孟子言'夜氣'亦是如此, 日間固不可不存, 若於早晨淸明未接物時纔存養得, 日間也自別."

물었다. "'성인이 중·정·인·의中正仁義하기로 정하였으면서도 정靜을 위주로 한다.'에 대하여, 『태극도해太極圖解』에 이르기를 '정·의正義는 정靜이다.'라고 하였는데, 정·의를 왜 정靜이라고 합니까?"

면재 황씨勉齋黃氏가 답했다. "이것을 조금 헤아려 보면 바로 될 일이다."

또 물었다. "이것은 성인의 '정을 위주로 하는' 공부입니다. 배우는 자가 '정을 위주로 하려고' 할 때 혹시 사물 상에서 각각 당연한 법칙[當然之則]을 얻는 것이 바로 '정을 위주로 하는 것'이 아닙니까?"

답했다. "'정靜을 위주로 한다.'는 말 아래에 주석하기를, '욕구가 없으므로 가만있다.'고 하였으니, 그 안에서 공부해야 한다. 지금 사람이 종일 어지러워 마음이 안정되지 않으면 반드시 잠깐이라도 거기 가만히 앉아서[靜坐] 마음을 거두어들여야 한다. '전일하지 않으면 곧게 나갈 수 없고, 모으지 않으면 펴 나갈 수 없다.' 다만 천지 사이를 보건대 겨울에 조금만 따뜻하면 양기가 다 빠져나가서 다음 해에 만물을 생장生長시킬 때에 필경 충분히 번창하지 못하고, 또 유행병의 기미도 많게 된다. 만일 응고시켜 저장하는 일이라면, 매우 춥고 꽁꽁 얼어붙어야 비로소 많은 기氣를 저장할 수 있으며, 일단 발해 나가면 곧 저절로 가득 차고, 만물은 저절로 낱낱이 무성해진다. 사람도 이와 같다. 맹자가 '야기夜氣'를 말한 것도 역시 이와 같으니, 본디 낮에도 보존하지 않으면 안 되지만, 만일 상쾌한 이른 아침 아직 외물外物을 만나지 않았을 때 조금이라도 존양할 수 있으면 한낮에 저절로 달라질 것이다.

[1-7-1-33]

北溪陳氏曰: "禮者心之敬, 而天理之節文也. 仁中有箇敬,[775] 油然自生便是理,[776] 見於應接便自然有箇節文. 節則無大過, 文則無不及. 如作事太質無文采, 是失之不及, 末節繁文太盛, 是流於太過. '天理之節文', 乃恰好處. 恰好處便是合當如此, 更無太過, 更無不及, 當然而然, 便卽是中. 故『太極圖說』'仁義中正', 以中字代禮字尤見親切."[777]

북계 진씨北溪陳氏가 말했다. "예禮는 마음의 공경이요 천리의 절차와 꾸밈이다. 마음속에 공경함이 있어서 저절로 생겨나는 것이 바로 예이고, 응접하는 데에 드러나면 자연히 절차와 꾸밈이 있다. 절차가 있으면 크게 지나침이 없고, 꾸미면 미치지 못함이 없다. 예컨대 일을 하는데 바탕을 너무 중시해서 꾸밈이 없으면 이것은 미치지 못한 잘못이요, 끄트머리의 번잡한 꾸밈이 너무 성대한 것은 크게 지나친 데로 흐른 것이다. '천리의 절차와 꾸밈'은 곧 적당한 곳이다. 적당한 곳은 바로 마땅히 이와 같아야 하니, 다시 너무 지나침도 없고, 다시 미치지 못함도 없이 마땅히 그러해야 하는 곳이니, 바로 즉시 중中이다. 그러므로 『태극도설太極圖說』의 인·의·중·정仁義中正에서 중中으로써 예禮를 대신하였으니 더욱 절실함을 본다."

[1-7-1-34]

"圖說中正仁義, 而注脚又言仁義中正, 互而言之, 以見此理之循環無端, 不可執定以孰爲先孰爲後也. 亦猶四時之春夏秋冬, 或言秋冬春夏, 以此見氣之'動靜無端, 陰陽無始也.'"[778]

(북계 진씨가 말했다.) "『도설圖說』에는 '중정인의中正仁義'라 하고, 주석에는 또 '인의중정仁義中正'이라 하여, 교대로 말해서 이 리는 순환하여 끝이 없음을 보여주었으니, 무엇이 먼저이고 무엇이 나중

775 仁中 : '仁'은 『北溪字義』「仁義禮智信」에 '心'으로 되어 있다.
776 便是理 : '理'는 『北溪字義』「仁義禮智信」에 '禮'로 되어 있다.
777 『北溪字義』「仁義禮智信」
778 『北溪大全集』 권36 「答郭子從問目」

이라고 고정해서는 안 된다. 역시 사시四時의 춘하추동을 혹 추동춘하秋冬春夏라고 말하는 것과 같으니, 이로써 '동정에는 끝이 없고, 음양에는 시작이 없다.'는 것을 보여주었다.

[1-7-1-35]

果齋李氏曰: "'人生而靜', 性之本體湛然無欲, 斯能'主靜.' 此立極之要領也."

과재 이씨果齋李氏[779]가 말했다. "'사람이 나서 가만있는 것'은 성性의 본체가 (속이 보일 만큼) 맑고 욕구가 없으니, 이에 능히 '정靜을 위주로' 할 수 있다. 이것이 극極을 세우는 요령이다."

[1-7-1-36]

西山眞氏曰: "大凡有體而後有用. 如天地造化, 發生於春夏, 而斂藏於秋冬. 發生是用, 斂藏是體. 自十月純坤, 陽氣旣盡, 不知者謂生氣已熄, 不知斂藏者乃所以爲發生之根. 自此霜雪凝固, 草木凋落, 蟲蛇伏藏, 微陽雖生於下, 隱而未露, 一年造化實基於此. 惟冬間斂藏凝固, 然後春來發生有力. 所以冬暖無霜雪, 則來歲五穀不登, 正以陽氣發洩之故也. 人之一心亦是如此, 須是平居湛然虛靜, 如秋冬之秘藏, 皆不發露. 渾然一理無所偏倚, 然後應事方不差錯, 如春夏之發生, 物物得所. 若靜時先已紛擾, 則動時豈能中節? 故周子以'主靜'爲本, 程子以'主敬'爲本, 皆此理也."[780]

서산 진씨西山眞氏가 말했다. "대체로 체體가 있은 뒤에 용用이 있다. 예컨대 천지의 조화는 봄·여름에 발생하고 가을·겨울에 거두어 저장한다. 발생은 용이고 거두어 저장하는 것은 체이다. 만일 10월 순곤괘純坤卦 때에 양기가 이미 다하면, 알지 못하는 사람은 생기가 이미 다 소진되었다고 하면서, 거두어 저장한 것이 곧 발생의 뿌리가 되는 것을 모른다. 이때부터 서리와 눈이 응고하고, 초목이 시들어 떨어지고, 벌레와 뱀이 엎드려 숨고, 미약한 양陽이 비록 아래에서 생겨도 은폐되어 아직 드러나지 않으나 사실은 1년의 조화가 여기에 기반을 둔다. 오직 겨울 동안 거두어 저장하고 응고한 다음에라야 봄이 되어 발생하는 데에 힘이 있다. 그러므로 겨울에 따뜻하여 서리나 눈이 없으면, 다음 해에 오곡이 익지 않는 것은 바로 양기가 샜기 때문이다. 사람의 한 마음도 이와 같으니, 반드시 평상시에 맑고 텅 비고 가만있어야[虛靜] 하는 것은, 가을·겨울에 비장秘藏한 것이 다 발로하지 않는 것과 같다. 혼연한 한 리가 치우치고 기우러지지 않게 된 다음에야 일에 응할 때 비로소 어긋나지 않음은, 봄·여름에 발생한 물건이 모두 제자리를 얻는 것과 같다. 만약 가만히 있을 때에 먼저 이미 어지러우면 움직일 때에 어찌 중절할 수 있겠는가? 그러므로 주자周子는 '정靜을 위주로 하는 것'을 근본으로 삼았고, 정자程子는 '경敬을 위주로 하는 것'을 근본으로 삼았으니, 다 이런 이치이다."

779 과재 이씨果齋李氏: 李方子의 자는 公晦이고, 호는 果齋이다.

780 『西山文集』 권30 「問體用二字」

[1-7-1-37]

問: “周子不言禮智而言中正, 何也?”

平巖葉氏曰: “此圖辭義悉出於易. 易本陰陽而推之人事, 其德曰仁義, 其用曰中正, 要不越陰陽之兩端而已. 仁義而匪中正,[781] 則仁爲姑息, 義爲忍刻之類. 故易尤重中正.”[782]

물었다. “주자周子가 예・지禮智를 말하지 않고 중・정中正을 말한 것은 어째서입니까?”

평암 섭씨平巖葉氏가 답했다. “이『도圖』의 글들은 다『역易』에서 나왔다.『역易』은 음양에 근본하여 인사人事에 적용한 것으로서, 그 덕을 인・의仁義라 하고 그 용을 중・정中正이라 하였으니, 음양 두 끝을 넘지 않으려 했을 뿐이다. 인・의하고서 중・정하지 못하면, 인은 지나친 관용이 되고, 의는 가혹하고 모진 것들이 된다. 그러므로『역易』은 중・정을 더욱 중시한다.”

[1-7-1-38]

或問: “定之以中正仁義而主靜.”

雙峰饒氏曰: “中正仁義, 性之四德. 中卽禮, 正卽智也. 然不曰禮智而曰中正者, 蓋仁義禮智, 專以性之未發者言, 如孟子之所云. 而中正仁義, 則以性之周流乎動靜者言, 若乾坤之元亨利貞也. 以未發者言, 則四者各專一德, 而其發也爲四端. 以周流動靜者言, 則名雖有四, 而實則一太極之流行也. 故中者, 動而無過不及之名, 極之用也. 正者, 靜而不偏不倚之謂, 極之體也. 中見於事, 正主乎中, 確乎其不可移易, 若戶之有樞, 車之有管轄, 天之有南北極也. 定萬事以立人極, 莫先乎此.

어떤 이가 ‘반드시 중・정・인・의中正仁義하면서도 정靜을 위주로 한다.’에 대하여 물었다.

쌍봉 요씨雙峰饒氏가 답했다. “중・정・인・의中正仁義는 성性의 네 덕이다. 중中은 예禮이고, 정正은 지智이다. 그러나 예・지라고 하지 않고 중・정이라고 한 것은 대개 인의예지는 오로지 성性이 미발한 것을 말한 것으로 맹자가 말한 것과 같다. 중・정・인・의는 성性이 동정動靜에 두루 흐르는 것을 말한 것이니, 건・곤乾坤의 원형이정元亨利貞과 같다. 미발한 것으로 말하면, 네 가지는 각각 하나의 덕을 전담하고, 그것이 발하면 사단이 된다. 동정에 두루 흐르는 것으로 말하면 이름은 비록 네 가지이지만 실은 하나의 태극이 유행하는 것이다. 그러므로 중中은 동하여 지나치거나 미치지 못함이 없다는 이름이니, 태극의 용用이다. 정正은 가만있으면서 치우치거나 기울지 않은 것을 이르니, 태극의 체體이다. 중中은 일에서 드러나고, 정正은 마음속에서 주장한다는 것은 확고하여 바꿀 수 없는 것이니, 지게문에 지도리가 있고 수레에 비녀장[管轄][783]이 있고 하늘에 남극・북극이 있는 것과 같다. 만사를 정하여 인극人極을 세우는 데는 이보다 먼저 할 것이 없다.

仁者主於生育, 所以流通乎物我, 而發揮其功用. 故由靜而應於動, 由體而達於用者, 仁之

781 匪中正 : ‘匪’자는 葉采 集解,『近思錄』 권1에 ‘非’로 되어 있다.

782 葉采 集解,『近思錄』 권1

783 비녀장[管轄] : 수레바퀴의 굴대 끝에 있는 구멍에 질러 넣어 바퀴가 빠지지 않도록 하는 큰 못.

事也. 義者主於收斂, 所以裁成夫事物, 而斷割乎彼我. 故動極而歸於靜, 用畢而反其體者, 義之事也. 二者, 中正之機括, 而極之妙用也. 四者之在吾心, 動靜周流, 如環無端, 亦猶天地之'五氣順布而四時行'也. 然是極之理根於所性, 其體本眞而靜. 苟有一毫之私欲雜乎其中, 則利害相攻, 思慮錯擾, 而本然之體已失其正, 其何以能汎應曲當而使用之各得其中哉? 唯聖人之心, 天理渾然, 無少私欲. 故能寂然不動以爲感而遂通之本. 此'定之以中正仁義而主靜'之說也. 學者不學聖人則已, 欲學聖人, 可不於此而用力哉."

인仁은 나아 기르는 것生育을 주로 하는 것으로서, 외물과 나를 흘러 통하고, 자기 기능을 발휘하게 하는 것이다. 그러므로 정靜으로부터 동動에 응하고 체로부터 용에 도달하는 것은 인의 일이다. 의義는 수렴을 주로 하는 것으로서, 사물을 마름질하여 이루고裁成 다른 것과 나를 단절하는 것이다. 그러므로 동이 끝가서 정으로 돌아오고 용이 다하여 체로 되돌아오는 것은 의義의 일이다. 두 가지는 중・정中正의 기괄機括[784]이며 태극의 묘용妙用이다. 내 마음에 있는 네 가지는 동정을 두루 흘러 고리처럼 끝이 없으니, 역시 천지의 '오기五氣가 차례로 펼쳐짐에 사시가 운행하는' 것과 같다. 그러나 태극의 리는 성性대로 하는 곳에 근본하였으니, 그 체는 본래 참되고 고요하다. 진실로 털끝만한 사욕이라도 그 가운데에 섞이면 이익과 손해가 서로 다투고 생각은 착잡하여 본연의 체가 이미 그 바름을 잃을 것이니, 어떻게 널리 응하고 완전히 마땅하며, 용用이 각각 그 중中을 얻도록 할 수 있겠는가? 오직 성인의 마음은 온통 천리이고 조금의 사욕도 없다. 그러므로 적연히 움직이지 않음으로써 느끼어 통하는 것의 근본이 될 수 있다. 이것이 '중・정・인・의中正仁義하기로 정하였으면서도 정靜을 주로 한다.'는 이론이다. 배우는 자가 성인을 배우지 않으면 그만이지만, 성인을 배우고자 하면 여기에 힘쓰지 않을 수 있겠는가!"

[1-7-1-39]

"陰陽分而五行具, 男女交而萬物生, 而太極之理無乎不在. 及乎形神感而五性動, 善惡分而萬事出, 非聖人定之以中正仁義, 則人極有所不立矣. 何則, 蓋'立天之道, 曰陰與陽. 立地之道, 曰柔與剛. 立人之道, 曰仁與義.' 陰陽, 氣也, 柔剛, 質也, 形而下者也. 仁義, 性也, 形而上者也. 故自天地言之, 則器卽道, 道卽器, 本無精粗之間, 善惡之殊. 而陰陽五行之運, 男女萬物之生, 隨其氣質之所在, 莫不各一太極. 至於人, 則稟氣有昏明, 賦質有淑慝, 而人欲之私或得以害其天理之正. 苟非有盡性者出乎其間, 以爲天下之標的, 而使凡氣質之不齊者有所取則焉, 則人欲勝而天理滅矣. 此人極之立, 所以惟盡其性以盡人之性者能之, 而氣質有所不與歟.

(쌍봉 요씨가 말했다.) "음양이 나뉘고 오행이 갖춰지며, 남성과 여성이 교합하여 만물이 생기는 데에 태극의 리理는 없는 곳이 없다. 형기形氣와 신神이 느낌에 오성五性이 움직이며, 선악이 나뉘고

784 기괄機括 : 機는 쇠뇌의 발사장치이고, 括은 箭括, 즉 화살의 뒤 끝이니, 기괄은 처음 시작하게 하고 뒤에서 마무리하게 하는 것을 의미함.

만사가 일어나는데, 성인이 중·정·인·의中正仁義하기로 정定하지 않았다면 인극人極이 서지 못했을 것이다. 왜냐하면 대개 '하늘의 도를 세워 음과 양이라 하고, 땅의 도를 세워 유柔와 강剛이라 하고, 사람의 도를 세워 인과 의이다.'라고 하였기 때문이다. 음양은 기氣이고, 강유剛柔는 질質이니, 형이하자이다. 인의는 성性이니 형이상자이다. 그러므로 천지로부터 말하면 그릇[器]이 곧 도이고, 도가 곧 그릇이니, 본래 정밀함과 조잡함의 차이와 선악의 다름이 없다. 음양오행의 운행과 남녀만물의 생함에 그 기질이 있는 곳마다 각각 태극을 하나씩 지니지 않음이 없다. 사람에 이르면 나눠 받은 기氣에 어둠과 밝음이 있고, 받은 질質에 맑음과 사특함이 있어서 인욕의 사사로움이 혹 천리의 바름을 해칠 수 있다. 진실로 성性을 다하는 자가 그 사이에서 나와 천하의 표준이 되어, 기질이 가지런하지 못한 자들이 법칙을 취하도록 하지 않았다면 인욕이 이기고 천리는 소멸할 것이다. 이것이 인극을 세움이니, 오직 자기 성을 다하고 남의 성까지 다하게 한 자만이 할 수 있고, 기질은 간여할 수 없는 곳이 있는 까닭인저!

元公周先生生於聖道不傳千五百年之後，一旦建圖屬書，剖發幽秘，直指無極太極以明道體，而天地之所以運化，人物之所以生育者，莫不森然畢具於其中．至於人極之立，則蔽之以'中正仁義而主靜'之一言，而天下之動亦得以貞夫一．此其發明三極之蘊，以上繼洙泗之絶，下啓河洛之傳，使天下後世復見天地萬物之大全，復聞聖賢脩己治人之心法者，幾與伏羲始畫八卦同功，可謂盛矣．"

원공元公 주선생(周子)이 성인의 도가 전해지지 않은 지 1500년 후에 나와서, 어느 날 그림을 그리고 글을 붙여서 심오하고 비밀스런 것을 분석해 내어 무극과 태극을 곧바로 가리켜서 도체道體를 밝혔으니, 천지가 운행·변화하는 까닭과 사람과 만물이 생육하는 연유緣由가 그 사이에 빽빽하게 다 갖춰지지 않은 것이 없다. 인극을 세움에 이르러서는 '중·정·인·의中正仁義하되 정靜을 위주로 한다.'는 한마디로 개괄하고, 천하의 움직임 역시 하나[一理]를 항상 유지할 수 있게 하였다.[785] 이것이 삼극三極이 모인 곳을 밝혀서 위로는 끊어진 수사학洙泗學(공자의 학문)을 잇고, 아래로는 하락河洛의 학문[程朱學][786]을 열어, 천하 후세 사람들로 하여금 천지 만물이 크게 완전함을 다시 보게 하고, 성현의 수기·치인修己治人하는 심법心法을 다시 들을 수 있게 한 것은 거의 복희伏羲가 처음 팔괘를 그린 공로와 같을 것이니, 성대하다고 할 만하다."

785 천하의 움직임 … 하였다.: 『周易』「繫辭下」 1장에는 "천하의 움직임은 하나를 항상 유지하는 것이다.(天下之動, 貞夫一者也.)"라고 하였고, 朱子는 『周易本義』에서 "천하의 움직임은 그 변화가 무궁하다. 그러나 理에 순응하면 길하고 理를 거스르면 흉하니, 그 바르고 항상 하는 것은 역시 하나의 理일 뿐이다.(天下之動, 其變无窮. 然順理則吉, 逆理則凶, 則其所正而常者, 亦一理而已矣)"라고 하였다.

786 하락河洛의 학문[程朱學]: 二程 형제가 黃河 혹은 伊河와 洛水 유역에 살면서 강학하였으므로 그 학문을 河洛之學 혹은 伊洛之學이라고 함. 『朱文公文集』 권75 「語孟集義序」에 "송나라가 일어난 지 100년에 황하와 洛水 사이에서 두 정선생이 나온 뒤에 斯道의 전승이 이어지게 됐고, 공자와 맹자의 마음은 세대를 달리하면서도 부절처럼 같았다.(宋興百年, 河洛之間, 有二程先生者出, 然後斯道之傳有繼, 其於孔子孟氏之心, 蓋異世而同符也.)"라고 되어 있다.

[1-7-1-40]

黃氏巖孫曰: "程子云, '乾陽也, 不動則不剛. 其靜也專, 其動也直. 不專一則不能直遂. 坤陰也, 不靜則不柔. 其靜也翕, 其動也闢, 不翕聚則不能發散.'[787]"

황씨암손黃氏巖孫가 말했다. "정자程子가 이르기를, '건乾은 양이니 움직이지 못하면 강하지 않다. 그 가만있을 때는 꼼짝하지 않고 그 움직일 때는 곧다. 전일하지 않으면 곧게 나갈 수 없다. 곤坤은 음이니 가만있지 않으면 부드럽지 않다. 가만있을 때는 닫고 움직일 때는 연다. 모으지 않으면 펼쳐 나갈 수 없다.'고 하였다."

[1-8]

君子脩之吉. 小人悖之凶.

군자는 이를 닦아서 길하고, 소인은 이를 어겨서 흉하다.

[1-8-1]

聖人太極之全體, 一動一靜, 無適而非中正仁義之極, 蓋不假脩爲而自然也. 未至此而脩之, 君子之所以吉也, 不知此而悖之, 小人之所以凶也. 脩之悖之, 亦在乎敬肆之間而已矣. 敬則欲寡而理明, 寡之又寡以至於無, 則靜虛動直, 而聖可學矣.

성인은 태극 전체이니, 한 번 움직이든 한 번 가만있든 항상 중・정・인・의中正仁義를 극진하게 하지 않음이 없으니, 대개 수양을 거치지 않아도 저절로 그러하다. 아직 여기에 이르지 못하여 닦는 것은 군자가 길한 까닭이고, 이를 알지 못하고 어기는 것은 소인이 흉한 까닭이다. 닦는 것과 어기는 것은 역시 공경과 방자放恣함의 차이일 뿐이다. 공경하면 욕구는 줄고 리는 밝아지며, (욕구가) 줄어들고 또 줄어들어서 없어지면, 가만있을 때는 텅 비고[虛] 움직일 때는 곧으니[直] 성인은 배울 만하다.[788]

[1-8-1-1]

朱子曰: "以事言之, 則有動有靜. 以心言之, 則周流貫徹, 其工夫初無間斷也, 但以靜爲本耳. 周子所謂'主靜'者亦是此意, 但言靜則偏, 故程子只說敬."[789]

주자朱子가 말했다. "일을 가지고 말하면 동할 때도 있고 정할 때도 있다. 마음을 가지고 말하면 두루 흘러 관통하여 그 공부에 애초부터 끊임이 없으나, 단지 정靜을 근본으로 삼을 뿐이다. 주자周子가 말한 '정을 위주로 한다.'는 것도 역시 이런 뜻이다. 다만 정靜을 말하면 치우친 것이 되므로 정자程子는 단지 경敬을 말하였다."[790]

787 『河南程氏遺書』 권11
788 없어지면, 가만있을 … 만하다. : 『通書』 20장 「聖學」
789 『朱文公文集』 권67 「已發未發說」
790 주자周子가 말한 … 말하였다. : 『朱文公文集』 권67 「已發未發說」에는 이 부분이 주석으로 되어 있다.

[1-8-1-2]

"濂溪言'主靜', '靜'字只好作敬字看. 故又言'無欲故靜'. 若以爲虛靜, 則恐入釋老去."[791]

(주자가 말했다.) "염계濂溪가 '정을 위주로 한다.'고 하였는데, '정'은 다만 경敬의 뜻으로 보는 것이 좋다. 그러므로 또 '욕구가 없으므로 가만있다.'고 하였다. 만일 텅 비고 가만있는 것[虛靜][792]으로 여기면 아마 석가나 노자老子처럼 될 것이다."

[1-8-1-3]

南軒張氏曰: "'君子脩之吉'者, 順理之謂吉也. '小人悖之凶'者, 逆理之謂凶也. 順理則平直坦易而無悔, 非吉乎! 逆理則艱難險阻而有礙, 非凶乎!"

남헌 장씨南軒張氏가 말했다. "'군자는 이를 닦아서 길하다.'는 것은 리를 따르는 것을 길하다고 한 것이다. '소인은 이를 어겨서 흉하다.'는 것은 리를 거스르는 것을 흉하다고 한 것이다. 리를 따르면 평탄하고 쉬워서 후회가 없으니 길하지 않겠는가! 리를 거스르면 힘들고 험해서 막힘이 있으니 흉하지 않겠는가!"

[1-8-1-4]

西山眞氏曰: "朱子嘗謂[793]'「聖人定之以中正仁義而主靜」, 要人靜定其心,[794] 自作主宰. 程子又恐只管靜去, 與事物不相交涉,[795] 却說箇敬.'

有問, '周先生說靜, 與程先生說敬, 義同而意異否?' 曰[796]: '程子是怕人不得他靜字意,[797] 便似入禪坐定.[798] 周子之說, 只是「無欲故靜」, 其意大抵以靜爲主.'[799]

朱子發明二先生意如此.

서산 진씨西山眞氏가 말했다. "주자朱子는 일찍이 '「성인이 중·정·인·의中正仁義하기로 정하였으면서도 정靜을 위주로 한다.」는 것은 사람이 가만있으면서 그 마음을 정하여 스스로 주재하도록 하려고 한 것인데, 정자程子는 또 다만 가만있기만 하고 사물과 서로 교섭하지 않을까 걱정하여 문득 경敬을 말했다.'[800]고 하였다.

어떤 이가 물었다. '주선생(周子)이 말한 정靜과 정선생(程子)이 말한 경敬은 의의意義는 같은데 의도意

791 『朱子語類』 권94, 100조목
792 텅 비어서 가만있는 것[虛靜]: 『老子』 16장에 "致虛極, 守靜篤."이라고 되어 있다.
793 嘗謂: '嘗謂'는 『西山讀書記』 권19 「敬」에 '嘗論之曰'로 되어 있다.
794 要人: 『朱子語類』 권94, 101조목에는 앞에 '正是'가 더 있다.
795 與事物不相交涉: 『朱子語類』 권94, 101조목에는 앞에 '遂'가 더 있다.
796 曰: 『西山讀書記』 권19 「敬」에는 앞에 '朱子' 두 글자가 더 있다.
797 不得: 『西山讀書記』 권19 「敬」에는 앞에 '理解' 두 글자가 더 있다.
798 入禪坐定: '入禪坐定'은 『西山讀書記』 권19 「敬」에는 '坐禪入定'으로 되어 있다.
799 『朱子語類』 권94, 103조목
800 '「성인이 중·정·인·의 … 말했다.': 『朱子語類』 권94, 101조목

圖가 다릅니까?'[801] (주자가) 답하였다. '정자는 사람들이 그 정靜의 의도를 이해하지 못하고 곧 좌선입정坐禪入定(앉아서 참선하여 心定에 듦)과 같이 할까 봐 걱정하였다. 주자周子의 주장은 다만 「욕구가 없으므로 가만있다.」는 것뿐이니, 그 의도는 대개 정靜을 위주로 하는 것이다.'
주자朱子가 두 선생의 뜻을 이와 같이 밝혔다.

至其爲論，有云[802]'明道教人靜坐，李先生亦教人靜坐，須靜坐始能收斂.'[803]
又云'始學工夫，須是靜坐.[804] 則本原定.'[805]
又云'心於未遇事時須是靜，臨事方用便有氣力. 如當靜時不靜，思慮散亂，及至臨事已先倦了. 伊川解靜專處云，「不專一則不能直遂」，閑時須是收斂，做事便有精神.'[806]
又云'心要精一，方靜時便湛然在此，不得困頓. 如鏡樣，[807] 遇事時方好.'[808]
又云'爲學工夫須要靜，[809] 靜多不妨，才靜，事都見得. 然總是一箇敬.'[810]
又云'「主靜」，所以養其動.'[811]
又云'靜者養動之根.'[812]
又云'「主靜」，夜氣一章可見.'[813]
以上數條，蓋祖周子「主靜」之說也.
논의를 함에 이르러, 또 말하였다. '명도明道는 사람들에게 정좌靜坐를 시켰고, 이 선생[李侗]도 사람들에게 정좌를 시켰는데, 반드시 정좌해야만 비로소 수렴할 수 있다.'
또 말하였다. '처음에 하는 공부는 반드시 정좌해야 한다. 정좌하면 근본이 정해진다.'
또 말하였다. '마음이 아직 일을 만나지 않았을 때는 반드시 가만있어야 하고, 일을 만나서 비로소 쓰면 곧 힘이 있다. 만일 가만있어야 할 때에 가만있지 않으면 생각이 산란하고, 일에 임해서는 일하기도 전에 벌써 피곤하다. 이천伊川이 정전靜專[814]을 해석하는 곳에서 이르기를, 「전일하지 않으

801 의의意義는 같은데 … 다릅니까?: 義는 객관적인 뜻이고, 意는 주관적인 뜻이므로 객관적인 '意義'와 주관적인 '意圖'로 해석함.
802 有云: '云'은 眞德秀의 『西山讀書記』 권19 「敬」에는 '曰'로 되어 있다. 이하 모든 '云'도 같다.
803 『朱子語類』 권12, 137조목
804 靜坐: '靜坐' 뒤에 『西山讀書記』 권19 「敬」에는 '靜坐' 두 글자가 더 있다.
805 『朱子語類』 권12, 140조목
806 『朱子語類』 권12, 144조목
807 鏡樣: '鏡樣' 뒤에 『朱子語類』 권12, 145조목에 '明'이 더 있다.
808 『朱子語類』 권12, 145조목
809 工夫須要靜: 『朱子語類』 권119, 29조목에는 '須是靜'으로 되어 있다.
810 『朱子語類』 권119, 29조목
811 『朱子語類』 권71, 54조목
812 『朱子語類』 권12, 150조목
813 『朱子語類』 권94, 98조목
814 정전靜專: 『周易』「繫辭上」 6장 "乾은 가만있을 때는 꼼짝하지 않고, 움직일 때는 곧다.(夫乾，其靜也專，

면 곧게 나갈 수 없다.」고 하였으니, 한가할 때 반드시 수렴해야 일을 할 때 곧 정신이 있다.'
또 말하였다. '마음은 정밀하고 전일해야 하니, 가만있어야 할 때에 맑은 상태로 있고 피곤하게 해서는 안 된다. 거울같이 밝아야 일을 만났을 때 좋다.'
또 말하였다. '학문 공부는 반드시 정靜해야 한다. 정이 많은 것은 해롭지 않으니, 정하자마자 일을 모두 알 수 있다. 그러나 결국은 하나의 경이다.'
또 말하였다. '「정靜을 위주로 하는 것」은 그 동動을 기르는 것이다.'
또 말하였다. '정은 동을 기르는 뿌리이다.'
또 말하였다. '「정을 위주로 하는 것」은 야기장夜氣章에서 볼 수 있다.'
이상 몇 조는 대개 주자周子의 '정을 위주로 하는 이론'을 조술祖述하였다.

至其門人以靜坐工夫與役役應接不同爲問, 則答之云'不必如此,[815] 反成坐馳. 但收斂勿令放逸, 到窮理精後, 自然思量不至妄動, 凡所云爲, 莫非至理. 亦何必兀然靜坐, 然後爲持敬.'[816]
又云'明道說「靜坐可以爲學」, 上蔡亦言「多著靜不妨」. 此說終是少偏, 才偏便做病. 道理自有動時, 自有靜時. 學者只是「敬以直內, 義以方外」, 見得世間無處不是道理, 不必專於靜處求. 所以伊川謂「只用敬, 不用靜」, 便說得平.'[817]
又云'不可特地將靜坐做一件工夫, 但著一敬字通貫動靜, 則於二者之間自無間斷處.'[818]
又云'存養之功, 不專在靜坐時, 須於日用動靜之間無處不下工夫, 乃無間斷爾.'[819]
又云'無事靜坐, 有事應酬, 隨時隨處無非自己身心運用. 但常自提撕勿與俱往, 便是工夫. 事物之來, 豈以漠然不應爲是耶?'[820]
문인이 정좌공부와 분주히 응접하는 일이 같지 않다는 것을 질문함에 이르러서 답하였다. '꼭 그렇게 해서 도리어 좌치坐馳[821]가 되게 할 필요는 없다. 다만 마음을 다잡아서 방자하게 굴지 말고, 궁리가 정밀해진 후에 생각이 저절로 어지럽게 일어나지 않게 되면, 모든 말과 행동이 지극한 리理 아닌 것이 없게 될 것이다. 또 어찌 구태여 동그마니 앉아있어야만[靜坐] 지경持敬(경을 유지함)이 되겠는가?'

其動也直)"
815 如此 : '如此' 다음에 『朱文公文集』 권55 「答李守約」에 '徒自紛擾' 네 글자가 더 있다.
816 『朱文公文集』 권55 「答李守約閎祖」
817 『朱子語類』 권102, 3조목
818 『朱文公文集』 권62 「答張元德」
819 『朱文公文集』 권56 「答方賓王」
820 『朱文公文集』 권61 「答林德久」
821 좌치坐馳 : 『莊子』 권4 「人間世」에 "그치지를 않으니 이를 좌치라고 한다.(夫且不止, 是之謂坐馳)" 하였고, 이에 郭象은 "마땅한 곳에서 그치지 않고 지극한 곳에 모이지 않으니, 이는 마땅히 앉아있어야 하는 날 내달리며 쉬지 않는 것이다. 그러므로 外敵이 아직 오지 않았는데 안에서 벌써 피곤한 것이니 어찌 남을 변화시킬 수 있겠는가?(若夫不止於當, 不會於極, 此爲以應坐之日而馳騖不息也. 故外敵未至而內已困矣, 豈能化物哉.)"라고 주석하였다.

또 말하였다. '명도明道는 「정좌는 학문이 될 만하다.」고 하였고, 상채上蔡[822] 역시 「정靜을 많이 해도 무방하다.」[823]고 하였다. 이 의견은 끝내 조금 치우쳤으니, 조금이라도 치우치면 곧 병이 된다. 도리에는 본래 움직일 때가 있고, 본래 가만있을 때가 있다. 배우는 사람은 다만 「경敬하여 안을 곧게 하고 의義하여 밖을 반듯하게」 할 뿐이니, 세상에 도리 아닌 것이 없음을 알면 오로지 가만있는 곳에서만 구할 필요는 없다. 그러므로 이천伊川은 「다만 경을 쓰고 정을 쓰지 말라.」[824] 하였으니 곧 말이 반듯하다.'

또 말하였다. '특별히 정좌를 한 가지 공부로 만들지 말고, 다만 경敬을 가지고 동과 정을 관통시키면 (동정) 둘 사이에 저절로 끊기는 곳이 없을 것이다.'

또 말하였다. '존양하는 공부는 오로지 정좌할 때에만 하는 것이 아니니, 반드시 일상의 동정하는 생활 속에서 공부하지 않는 곳이 없어야 비로소 끊어짐이 없을 것이다.'

또 말하였다. '일이 없으면 정좌하고 일이 있으면 응수하며, 어느 때 어느 곳이든 자기의 몸과 마음을 운용하지 않음이 없다. 다만 항상 스스로 깨워서 (마음이 외물과) 함께 나가버리지 않도록 하는 것이 바로 공부이다. 일이나 물건이 다가옴에 어찌 냉담하게 응하지 않는 것을 옳다고 하겠는가?'

其答南軒書云'來教謂「言靜則溺於虛無」. 然此二字, 如佛老之論, 則誠有此患, 若以天理觀之, 則動之不能無靜, 猶靜之不能無動也, 靜之不可不養, 猶動之不可察也.[825] 但見得「一動一靜互爲其根」, 「敬義夾持」不容間斷之意, 則雖下靜字, 元非死物, 至靜之中自有動之端焉, 是乃所以見天地之心者. 而先王之所以至日閉關, 蓋當此之時, 則安靜以養乎此爾, 固非遠事絶物, 閉目兀坐, 而偏於靜之謂. 但未接物時, 便有敬以主乎其中, 則事至物來, 善端昭著, 所以察之者益精明爾.

來教又謂'某言「以靜爲本」,[826] 不若遂言「以敬爲本」', 此固然也. 然敬字工夫通貫動靜而必以靜爲本. 今若遂易爲敬, 雖若完全, 然却不見敬之所施有先有後, 則亦未得爲的當也. 至於來教所謂「要須靜以涵動之所本,[827] 察夫動以見靜之所存,[828] 動靜相須, 體用不離, 而後

822 상채上蔡 : 謝良佐(1050~1103)의 자는 顯道이고, 시호는 文肅이며, 上蔡先生이라고 불리었다.

823 「정을 많이 해도 무방하다.」 : 『上蔡語錄』 권2

824 「다만 경을 … 말라.」 : 『河南程氏遺書』 권18

825 察也 : '察也' 앞에 『朱文公文集』 권32 「答張欽夫」에는 '不'가 더 있다.

826 某言 : '某'는 『朱文公文集』 권32 「答張欽夫」에 '熹'로 되어 있다.

827 至於 : '於'는 『朱文公文集』 권32 「答張欽夫」에 '如'로 되어 있다.

828 要須靜以涵動之所本, 察夫動以見靜之所存 : 『朱文公文集』 권32 「答張欽夫」 "要須察夫動以見靜之所存 靜以涵動之所本"으로 되어 있다. / 『朱子大全箚疑』 권32 「要須止所本條」에 다음과 같이 말하였다. '가만히 생각건대 선생의 뜻은 이를 바꾸어서 '반드시 靜하여 動이 근본으로 할 것을 함양하고, 動하여 靜이 보존한 것을 드러냄을 살펴야 한다.'고 하고 싶었던 것 같다. 대개 '察夫' 두 글자는 動靜을 통괄하여 말한 것이다. 만일 『心經』에서 바꾼 것처럼 하면 '察夫' 두 글자는 다만 動에만 속하고 靜에는 통하지 않으니, 아마도 선생의 본의가 아닌 것 같다.(竊恐先生之意 則欲易之曰, 要須察夫靜以涵動之所本, 動以見靜之所存. 蓋察夫

爲無滲漏也.」此數言卓然意語俱到, 謹以書之左席,[829] 出入觀省.'[830]
以上數條, 則又本程子主敬之說, 而不專主於靜也."[831]
남헌南軒에게 답한 글에서 말하였다. '보내준 편지에 「정靜을 말하면 허무에 빠진다.」고 하였다. 그러나 이 말(主靜)이 불교나 노자의 주장과 같다면 진실로 이런 근심이 있으나, 만약 천리天理로 살펴본다면 동動하는 데에 정靜이 없을 수 없는 것은 정하는 데에 동이 없을 수 없는 것과 같고, 정하는 데에서 기르지[存養] 않으면 안 되는 것은 동하는 데에서 살피지[省察] 않으면 안 되는 것과 같다. 다만 「한 번 동하고 한 번 정하는 것이 서로 뿌리가 되고」, 「경敬과 의義가 서로 부축하여」[832] 끊김을 용납하지 않는다는 뜻을 안다면, 비록 정靜이라고 하더라도 원래 죽은 물건이 아니요, 지극히 정靜한 속에 본래 동動의 단초가 있으니, 이것이 곧 천지의 마음을 본다는 것이다. 선왕先王이 동지冬至날 관문을 닫는 까닭은 이때가 되면 안정安靜하며 이를 기르는 것일 뿐, 진실로 일을 멀리하고 외물을 단절하고 눈을 감고 동그마니 앉아서 정靜에 치우친다는 말은 아니다. 다만 아직 외물을 접하지 않았을 때 바로 경하여 그 가운데[心]를 주재하면, 일이나 물건이 다가왔을 때 선행善行의 단초가 뚜렷해지니, 그것을 살피는 것이 더욱 정밀하고 밝아질 뿐이다.
보내준 편지에 또 이르기를, 「내가 『정靜을 근본으로 삼는다.』고 말하는 것은 결국 『경敬을 근본으로 삼는다.』고 말하는 것보다 못하다.」고 하였는데, 이것은 진실로 그러하다. 그러나 경 공부는 동정을 관통하되 반드시 정을 근본으로 삼는다. 지금 만약 드디어 바꿔서 경으로 하면 비록 완전한 것 같으나, 도리어 경을 시행하는데 선후가 있는 것을 알지 못하게 되니, 역시 아직 적당한 것이 못된다. 보내준 편지에서 그대가 말한 「반드시 동動하여 정靜이 보존한 것을 드러내고 정靜하여 동動이 근본으로 하는 것을 함양할 것을 살펴서, 동정이 서로 의지하게 하고, 체용이 떨어지지 않게 한 뒤에야 빠짐없이 될 것이다.」는 이 몇 마디 말은 의견이 탁월하고 의도와 표현이 모두 갖추어졌으니, 삼가 자리 오른편에 써놓고 출입할 때 살펴보겠다.'
이상 몇 조는 또 정자程子의 경敬을 주로 하는 이론에 근본한 것이니, 오로지 정靜을 주로 한 것만은 아니다."

[1-9]

故曰"立天之道, 曰陰與陽. 立地之道, 曰柔與剛. 立人之道, 曰仁與義." 又曰"原始反終. 故知死生之說."

그러므로 말하였다. "하늘의 도를 세워 음과 양이라 하고, 땅의 도를 세워 유柔와 강剛이라 하고, 사

二字, 兼統動靜而言也. 若如心經所易, 則是察夫二字, 只屬於動而不通於靜, 恐非先生之本意)"

829 左席 : '左席'은 『朱文公文集』 권32 「答張欽夫」에 '座右'로 되어 있다.

830 『朱文公文集』 권32 「答張欽夫」

831 眞德秀, 『西山讀書記』 권19 「敬」 / 『心經附註』 권3 「牛山之木章」

832 「경敬과 의義가 서로 부축하여」 : 『二程遺書』 권5에 "敬과 義가 서로 부축하면 곧장 天德에 도달하는 것이 이로부터 시작한다.(敬義夾持, 直上達天德, 自此.)"라고 하였다.

람의 도를 세워 인과 의라 한다."[833] 또 말하기를, "처음을 탐구探究하여 끝으로 돌이킨다. 그러므로 생사生死의 이치를 안다."[834]고 하였다.

[1-9-1]

陰陽成象, 天道之所以立也. 剛柔成質, 地道之所以立也. 仁義成德, 人道之所以立也. 道一而已, 隨事著見, 故有三才之別, 而於其中又各有體用之分焉, 其實則一太極也. 陽也, 剛也, 仁也, 物之始也. 陰也, 柔也, 義也, 物之終也. 能原其始而知所以生, 則反其終而知所以死矣. 此天地之間, 綱紀造化流行古今不言之妙, 聖人作易, 其大意蓋不出此. 故引之以證其說.

음양이 상象을 이룸은 하늘의 도[天道]가 선 것이고, 강유剛柔가 질質을 이룸은 땅의 도[地道]가 선 것이며, 인의가 덕을 이룸은 사람의 도[人道]가 선 것이다. 도는 하나뿐이지만 일에 따라 드러나므로 삼재三才의 구별이 있고, 그중에 또 각각 체용의 구분이 있으나, 사실은 하나의 태극이다. 양陽, 강剛, 인仁은 물건의 시작이고, 음陰, 유柔, 의義는 물건의 끝이다. 그 시원을 탐구하여 생한 까닭을 알 수 있으면, 그 끝으로 돌이켜서 죽는 까닭을 알 것이다. 이것이 천지 사이에서 조화의 기강이 되고, 고금古今을 유행하면서도, 설명할 수 없는 미묘함이니, 성인이 『역易』을 지음에 그 대의大意는 대체로 이것을 벗어나지 않는다. 그러므로 이를 인용하여 그 주장을 증명한다.

[1-9-1-1]

朱子曰: "'立天之道曰陰與陽', 是以氣言, '立地之道曰柔與剛', 是以質言, '立人之道曰仁與義', 是以理言."[835]

주자가 말했다. "'하늘의 도를 세워 음과 양이라고 한 것'은 기氣로써 말한 것이고, '땅의 도를 세워 유柔와 강剛이라고 한 것'은 질質로써 말한 것이고, '사람의 도를 세워 인과 의라고 한 것'은 리로써 말한 것이다."

[1-9-1-2]

"陰陽以氣言, 剛柔則有形質可見矣. 至仁與義, 則又合氣與形而理具焉. 然亦一而已矣. 蓋陰陽者, 陽中之陰陽. 柔剛者, 陰中之陰陽也. 仁義者, 陰陽合氣, 剛柔成質, 而是理始爲人道之極也. 然仁爲陽剛, 義爲陰柔, 仁主發生, 義主收斂, 故其分屬如此."

---

833 "하늘의 도를 … 한다.": 『周易』「說卦傳」 2장

834 "처음을 탐구探究하여 … 안다.": 『周易』「繫辭上傳」 4장. 朱子는 『周易本義』에서 "原은 앞에서 규명하는 것이고, 反은 뒤에서 살피는 것이다.(原者推之於前, 反者要之於後)"라고 하였다. 이는 처음 시작할 때의 理를 알아내서 그것을 끝으로 돌려 대보아 아직 오지 않은 미래의 理를 추측해 본다는 뜻이다. 결국 지금 알 수 있는 과거나 현재의 理를 이용하여 아직 오지 않은 미래의 理를 아는 방법이다.

835 『朱子語類』 권77, 30조목

或問: "揚子雲云, '君子於仁也柔, 於義也剛' 蓋取其相濟而相爲用之意."
曰: "仁體剛而用柔, 義體柔而用剛."[836]

"음양은 기氣로 말한 것이고, 강유는 볼 수 있는 형질이 있다. 인과 의에 이르면, 또 기와 형질을 합하고, 거기에 리도 갖추었다. 그러나 역시 하나일 뿐이다. 대개 음양은 양 중의 음양이고, 유강柔剛은 음 중의 음양이다. 인의는 음양이 기를 합하고 강유가 질을 이룬 뒤에, 이 리가 비로소 인도人道의 극이 되었다. 그러나 인은 양·강陽剛이 되고, 의는 음·유陰柔가 되는데, 인은 발생을 주로 하고 의는 수렴을 주로 하므로 그 구분과 배속이 이와 같다."

어떤 이가 물었다. "양자운揚子雲(揚雄)은 '군자는 인에서는 유柔하고, 의에서는 강하다.'[837]고 하였으니, 대개 서로 도우며 서로 용이 되는 뜻을 취한 것입니다."

(주자가) 답했다. "인은 체는 강剛한데 용은 유柔하고, 의는 체는 유한데 용은 강하다."

[1-9-1-3]

問: "立天之道曰陰與陽, 立地之道曰柔與剛, 立人之道曰仁與義, 則仁當屬陰.[838]"
曰: "仁何嘗屬陰! 袁機仲力爭要以仁屬陰, 引揚子之言爲證. 殊不知仁之定體自是屬陽. 至論君子所學, 則又就那地位上說, 如何拘得?"[839]

물었다. "'하늘의 도를 세워 음과 양이라 하고, 땅의 도를 세워 유柔와 강剛이라 하고, 사람의 도를 세워 인과 의라고 한다.' 하였으니, 인은 음에 속해야 합니다."

(주자가) 답했다. "인이 언제 음에 속한 적이 있었는가! 원기중袁機仲[840]이 인을 음에 배속시키려고 힘써 논쟁하면서, 양자揚子(揚雄)의 말을 인용하여 증거로 삼았다. 결국 인의 정체定體가 본래 양에 속한다는 것을 몰라서다. 군자가 배운 것을 논함에 있어서는 또 각자의 입장에서 말하는 것인데, 왜 (남의 주장에) 구애받는가?"

[1-9-1-4]

"如易中說'立天之道曰陰與陽, 立地之道曰柔與剛, 立人之道曰仁與義,' 解者多以仁爲柔義

836 『朱文公文集』 권51 「答董叔重」 / 『文公易說』 권17
837 '군자는 인에서는 … 강하다.': 揚雄, 『揚子法言』「君子篇」 / 『揚子雲集』「君子篇」
838 則仁當屬陰: 『朱子語類』 권17, 20조목에 '仁何以屬陰'으로 되어 있다.
839 『朱子語類』 권17, 20조목. 내용이 좀 다르기에 전체를 번역한다. "물었다. '「하늘의 도를 세워 음과 양이라 하고, 땅의 도를 세워 柔와 剛이라 하며, 사람의 도를 세워 仁과 義라 한다.」라고 하였는데, 인이 왜 음에 속합니까?' (주자가) 답했다. '인이 언제 음에 속한 적이 있었는가! 袁機仲이 마침 와서 쟁변하였다. 그는 「군자는 인에서는 柔하고, 의에서는 강하다.」는 (揚子雲의) 설을 인용하여 증거로 삼았으니, 仁의 定體를 논한다면 본래 양에 속한다는 것을 전혀 몰랐다. 군자의 학문을 논함에 있어서는 또 각자의 입장에서 말하는 것인데 왜 문자에 얽매여 끌려가는가!'(問: '「立天之道, 曰陰與陽; 立地之道, 曰柔與剛; 立人之道, 曰仁與義.」仁何以屬陰?' 曰: '仁何嘗屬陰! 袁機仲正來爭辨. 他引「君子於仁也柔, 於義也剛」爲證. 殊不知論仁之定體, 則自屬陽. 至於論君子之學, 則又各自就地頭說, 如何拘文牽引得!')"
840 원기중袁機仲: 袁樞(1131~1205)의 자는 機仲이다.

爲剛, 非也, 却是以仁爲剛義爲柔. 蓋仁是箇發出來底, 便硬而强, 義便是收歛向裏底, 外面見之便是柔."841

(주자가 말했다.) "예컨대 『역易』에서 '하늘의 도를 세워 음과 양이라 하고, 땅의 도를 세워 유柔와 강剛이라 하고, 사람의 도를 세워 인과 의라고 한다.'고 말한 것을 해석하는 사람들이 대부분 인을 유로, 의를 강으로 여기는 것은 잘못이며, 도리어 인은 강하고 의는 유한 것이다. 대개 인은 발해 나오는 것이니 곧 굳세고 강하며, 의는 바로 수렴하여 안으로 향하는 것이니 밖에서 보면 곧 유하다."

[1-9-1-5]

"陰陽剛柔仁義, 看來當曰義與仁, 而以仁對陽. 仁若不是陽剛, 如何做得許多造化? 義雖剛, 却主收歛, 仁却主發舒, 這是陽中之陰陰中之陽, 互爲其根之意. 且如今日用賞罰, 到賜予人, 自是無疑便做將去, 若是刑殺時, 便遲疑不肯果决做, 這見得陽舒陰歛, 仁屬陽, 義屬陰處."842

(주자가 말했다.) "음양, 강유, 인의는 마땅히 '의와 인'이라고 말해서 인을 양과 대비시켜야 할 것 같다. 인이 만약 양강陽剛이 아니라면 어떻게 많은 조화를 만들 수 있겠는가? 의가 비록 강하지만 도리어 수렴을 주로 하고, 인은 도리어 발산을 주로 한다. 이것은 양 중의 음, 음 중의 양으로서 서로 그 뿌리가 된다는 뜻이다. 가령 지금 상벌을 시행하는데, 상을 주는 사람에 있어서는 자연히 의심 없이 바로 해나가지만 사형에 처할 때는 곧 머뭇거리며 기꺼이 과감하게 하지 못하니, 여기서 양은 펴 나가고 음은 거둬들이며, 인은 양에 속하고 의는 음에 속하는 것을 알 수 있다."

[1-9-1-6]

"仁義禮智四者之中, 仁義是箇對立底關鍵. 蓋仁, 仁也, 而禮則仁之著. 義, 義也, 而知則義之藏. 猶春夏秋冬雖爲四時, 然春夏皆陽之屬也, 秋冬皆陰之屬也. 故曰'立天之道曰陰與陽, 立地之道曰柔與剛, 立人之道曰仁與義.' 是知天地之道不兩, 則不能以立, 故端雖有四, 而立之者則兩耳."843

(주자가 말했다.) "인의예지 네 가지 중에서 인의는 대립의 관건이다. 대개 인은 인이고, 예는 인이 드러난 것이다. 의는 의이고, 지는 의의 저장이다. 마찬가지로 봄・여름・가을・겨울이 비록 사시四時이지만, 봄・여름은 다 양의 무리이고, 가을・겨울은 다 음의 무리이다. 그러므로 '하늘의 도를 세워 음과 양이라 하고, 땅의 도를 세워 유柔와 강剛이라 하고, 사람의 도를 세워 인과 의라 한다.'고 한다. 이에 천지의 도는 둘이 아니면 세울 수 없으므로 가닥은 비록 넷이 있지만 이를 세우는 것은 둘 뿐임을 안다."

841 『朱子語類』 권6, 54조목

842 『朱子語類』 권77, 33조목

843 『朱文公文集』 권58 「答陳器之問玉山講義」

[1-9-1-7]

"陽主進而陰主退，陽主息而陰主消．進而息者其氣强，消而退者其氣弱，此陰陽之所以爲柔剛也．陽剛溫厚居東南，主春夏而以作長爲事．陰柔嚴凝居西北，主秋冬而以斂藏爲事．作長爲生，斂藏爲殺，此剛柔之所以爲仁義也．以此觀之，則陰陽剛柔仁義之位豈不曉然? 而彼揚子所謂'於仁也柔，於義也剛'者，乃自其用處末流言之，蓋亦所謂'陽中之陰陰中之陽,' 固不妨自爲一義．但不可離乎此而論之耳．[844]"[845]

(주자가 말했다.) "양은 나아가는 것을 주로 하고 음은 물러나는 것을 주로 하며, 양은 불어나는 것을 주로 하고 음은 사그라지는 것을 주로 한다. 나아가고 불어나는 것은 그 기氣가 강하고 사그라지고 물러나는 것은 그 기가 약하니, 이것이 음양이 유와 강이 되는 까닭이다. 양강陽剛은 온후하니 동・남쪽에 있고 봄・여름을 주관하고 시작・생장을 일삼는다. 음유陰柔는 냉혹하니 서・북쪽에 있고 가을・겨울을 주관하고 수렴・저장을 일삼는다. 시작・생장은 살리는 것이고 수렴・저장은 죽이는 것이니, 이것이 강유가 인의가 되는 까닭이다. 이로써 보면 음양・강유・인의의 자리가 어찌 분명하지 않겠는가? 저 양자揚子(揚雄)가 말한 '인에서는 유柔하고, 의에서는 강하다.'는 것은 곧 작용처의 말단에서 말한 것이니, 대개 역시 이른바 '양 중의 음, 음 중의 양'이니, 진실로 본래 한 가지 의미가 됨에는 해롭지 않다. 다만 이를 섞어서 논해서는 안 될 뿐이다."

[1-9-1-8]

問: "仁爲用，義爲體．若以體統論之，仁却是體，義却是用．"

曰: "是仁爲體，義爲用．大抵仁義中又各有體用．"[846]

물었다. "인은 용用이고 의義는 체體입니다. 만약 통체統體로 말한다면, 인이 도리어 체이고 의가 도리어 용입니다."

(주자가) 답했다. "인은 체이고 의는 용이다. 대저 인과 의 안에 또 각각 체와 용이 있다."

[1-9-1-9]

"仁存諸心，性之所以爲體也，義制乎事，性之所以爲用也．然又有說焉，以其性而言之，則皆體也，以其情而言之，則皆用也．以陰陽言之，則義體而仁用也．以存心制事言之，則仁體而義用也．錯綜交羅，惟其所當，而莫不各有條理存焉．"[847]

(주자가 말했다.) "인이 마음에 보존되어 있는 것은 성性이 체가 되는 까닭이고, 의가 일을 처리하는 것은 성性이 용이 되는 까닭이다. 그러나 또 이론이 있으니, 그 성으로 말하면 모두 체이고, 정情으로 말하면 모두 용이다. 음양으로 말하면 의는 체이고 인은 용이다. 마음에 보존된 것과 일을 처리하는

844 離乎此 : '離'는 『朱文公文集』 권38 「答袁機中別幅」에 '雜'으로 되어 있다.

845 『朱文公文集』 권38 「答袁機中別幅」

846 『朱子語類』 권94, 87조목

847 『孟子或問』

것으로 말하면 인은 체이고 의는 용이다. 얽히고설켜 있지만 오직 그 해당되는 곳마다 각각 조리가 있지 않은 것이 없다."

[1-9-1-10]

問: "'原始反終. 故知死生之說.'"

曰: "人未死, 如何知得死之說? 只是原其始之理, 將後面摺轉來看, 便見得. 以此之有, 知彼之無."848

"'처음을 탐구探究하여 끝으로 돌이킨다. 그러므로 생사의 이치를 안다.'는 것에 대해 물었다."

(주자가) 답했다. "사람이 아직 죽지 않았는데 어떻게 죽음에 대한 이치를 알겠는가? 다만 그 시작의 리를 탐구하여 뒤로 접어보면 곧 알 수 있다. 여기 있는 것으로써 저기 없는 것을 안다."

[1-9-1-11]

問: "'原始反終'之'反'."

曰: "反如摺轉來, 謂方推原其始, 却摺轉來看其終.849 原字反字皆就人說. 反, 如'回頭'之意."850

물었다. "'원시반종原始反終'의 '반反'에 대해 물었다."

(주자가) 답했다. "반反은 접는 것과 같으니, 그 시작을 미루어 캐고, 또 접어서 그 끝을 본다는 것이다. 근원을 캔다느니 접는다느니 하는 것은 다 사람의 입장에서 말하는 것이다. 반反은 '머리를 돌린다.'는 뜻과 같다."

[1-9-1-12]

"且如造化周流, 未著形質, 便是形而上者屬陽. 才麗於形質爲人物, 爲金木水火土, 便轉動不得, 便是形而下者屬陰. 若是陽時, 自有多少流行變動在, 及至成物, 一成而不返. 謂如人之初生屬陽, 只管有長, 及至長成, 便只有衰. 此氣逐漸衰減, 至於衰盡, 則死矣. 周子所謂'原始反終', 只於衰盡處, 可見反終之理."851

(주자가 말했다.) "가령 조화造化가 널리 일어나지만 아직 형질形質에 붙지 않은 것은 바로 형이상자이니 양에 속한다. 이제 형질에 걸려서 사람이나 물건이 되고, 금목수화토金木水火土가 되어 곧 변동할 수 없는 것은 바로 형이하자이니 음에 속한다. 만일 양일 때는 저절로 많은 유행·변동이 있지만, 물건을 이루고 나면 한 번 이룬 것을 되돌릴 수 없다. 예를 들어 사람이 처음 나서는 양에 속하니

848 『朱子語類』 권74, 83조목

849 謂方推原其始, 却摺轉來看其終 : 『朱子語類』 권74, 84조목에는 '謂如方推原其始初, 却摺轉一摺來'라고 되어 있다.

850 『朱子語類』 권74, 84조목 / 『文公易說』 권10 「繫辭上傳」

851 『朱子語類』 권94, 122조목

오로지 자라기만 하다가, 장성함에 이르면 바로 쇠퇴하기만 한다. 이 기가 점차 감소하다가 쇠진한 데 이르면 죽는다. 주자周子가 말한 '처음을 탐구하여 끝으로 돌이킨다.'는 다만 쇠진한 곳에서 끝으로 돌이키는[反終] 리를 알 수 있다."

[1-9-1-13]

"周子太極之書, 如易六十四卦一一有定理, 毫髮不差. 自首至尾, 不出陰陽二端而已. 始處是有生之初, 終處是已定之理. 始有處說生, 已定處說死, 不復變動矣.[852]"[853]

(주자가 말했다.) "주자周子의 태극에 관한 책은 『역易』의 64괘 하나하나에 정해진 리가 있는 것처럼 털끝만큼도 어긋나지 않는다. 처음부터 끝까지 음양 두 끝을 벗어나지 않을 뿐이다. 시작하는 곳은 생生하는 처음이고, 끝나는 곳은 이미 정해진 리이다. 처음 있는 곳에서는 생生을 말하고 이미 정해진 곳에서는 죽음을 말하는데, 죽으면 다시 변동하지 않을 것이다."

[1-9-1-14]

問: "天地之化, 雖則生生不窮, 然而有聚必有散, 有生必有死. 能原始而知其聚而生, 則必知其後必散而死. 能知其生也, 得於氣化之自然,[854] 初無精神寄寓於太虛之中, 則知其死也, 無氣而俱散, 無復更有形象尙留於冥漠之內."

曰: "死便是都散無了."[855]

물었다. "천지의 조화는 비록 생생生生하여 끝이 없지만, 모임이 있으면 반드시 흩어짐이 있고, 생이 있으면 반드시 죽음이 있습니다. 시원始原을 추구追究하여 그 모여서 생한 것임을 알 수 있으면, 그 뒤에는 반드시 흩어져서 죽을 것임을 반드시 압니다. 생生은 기화氣化할 때에 얻은 것이지 애당초 정기精氣나 신神이 태허 속에 머물러 있는 것은 없었다는 것을 알면, 죽음은 기가 다 흩어져 없어져서 또다시 어떤 형상으로 어둡고 아득한 곳[저승]에 아직 머물러 있는 것은 없다는 것을 알 것입니다."

(주자가) 답했다. "죽음은 바로 모두 흩어져 없어진 것이다."

[1-9-1-15]

南軒張氏曰: "天之陰陽, 地之柔剛, 人之仁義, 皆太極之蘊然也. 人而居仁由義, 則人道立而天道流行矣. 夫萬物本乎五行, 五行本乎陰陽, 陰陽本乎太極, 而太極本無極也. 則原始之義, 其趣味豈有窮乎? 始終一理也, 知始則知終矣. 古今死生晝夜語默無不然也. 非謂死生之說別爲一事也, 只此理而已."

남헌 장씨南軒張氏가 말했다. "하늘의 음양, 땅의 유강, 사람의 인의는 다 태극이 간직한 것이다.

852 不復: 앞에 『朱子語類』 권94, 106조목에 '死則' 두 글자가 더 있다.
853 『朱子語類』 권94, 106조목
854 自然: '自然'은 『朱子語類』 권39, 18조목에 '日'로 되어 있다.
855 『朱子語類』 권39, 18조목 / 『文公易說』 권10 「繫辭上」

사람이 인의仁義를 행하면 인도人道가 서고 천도가 유행한다. 대저 만물은 오행에 근본을 두었고, 오행은 음양에 근본을 두었고, 음양은 태극에 근본을 두었으며, 태극은 본래 무극이다. 그렇다면 '처음을 탐구한다'는 것의 의의意義에 어찌 다함이 있겠는가? 처음과 끝이 하나의 리일 뿐이니, 처음을 알면 끝을 안다. 옛날과 지금, 죽음과 삶, 낮과 밤, 말함과 말 없음이 그렇지 않은 것이 없다. 생사生死에 관한 이론이 별개의 것이라고 말하는 것이 아니요, 다만 이 리일 뿐이다."

[1-9-1-16]

勉齋黃氏曰: "天之道不外乎陰陽, 寒暑往來之類是也. 地之道不外乎柔剛, 山川流峙之類是也. 人之道不外乎仁義, 事親從兄之類是也. 陰陽以氣言, 剛柔以質言, 仁義以理言, 雖若有所不周, 然仁者陽剛之理也, 義者陰柔之理也, 其實則一而已. 天地亦大矣, 人以藐然之身乃與天地立爲三, 至其爲道又與天地混然而無間, 其可不知所以自立哉? 非陽剛陰柔, 雖天地, 不能以自立, 不仁不義, 則亦不可謂之人矣. 不謂之人, 則與禽獸奚異哉? 由仁義, 則與天地並立而無間. 由不仁不義, 則無以自別於禽獸. 學者其亦知所擇矣."[856]

면재 황씨勉齋黃氏가 말했다. "하늘의 도는 음・양을 벗어나지 않으니, 추위와 더위가 가고 오는 것 등이 이것이다. 땅의 도는 유・강柔剛을 벗어나지 않으니, 산과 시냇물은 흐르거나 우뚝한 것 등이 이것이다. 사람의 도는 인・의를 벗어나지 않으니, 어버이를 섬기고 형을 따르는 것 등이 이것이다. 음양은 기氣로 말한 것이고 강유는 질質로 말한 것이고 인의는 리로 말한 것이어서, 비록 두루 하지 못함이 있는 것 같으나, 인仁은 양・강陽剛의 리이고 의義는 음・유陰柔의 리이니, 사실은 한가지일 뿐이다. 천지는 역시 크지만 사람이 작은 몸으로 곧 천지와 함께 서서 셋이 되고, 그 도道에 이르러서는 또 천지와 한 몸이 되어 틈이 없으니 자립하는 까닭을 알지 못할 수 있겠는가? 양・강陽剛과 음・유陰柔가 아니면 비록 천지라도 자립할 수 없으며, 인仁하지 않고 의義하지 않으면 역시 사람이라고 할 수 없을 것이다. 사람이라고 하지 못하면 금수와 무엇이 다르겠는가? 인의를 행하면 천지와 나란히 서서 틈이 없다. 인하지 않고 의하지 않으면 금수와 본디 다르지 않다. 배우는 자가 역시 선택할 바를 알 것이다."

[1-9-1-17]

"'惟人也得其秀而最靈. 形既生矣, 神發知矣. 五性感動而善惡分, 萬事出矣', 此卽人而明太極之理, 與前之言一致也. 蓋盈天地之間者惟萬物, 而人居萬物之一. 物之感人, 人之應物, 無時不然. 其擴充運用, 正三綱, 明五教, 序萬事, '窮理盡性以至於命', 致中和, 贊化育, 參天地而相爲無窮者, 聖人也. 故繼之曰'聖人定之以中正仁義, 而主靜, 立人極焉.' 又引易之辭以明之曰, '故聖人與天地合其德, 日月合其明, 四時合其序, 鬼神合其吉凶.' 以此見聖人與太極爲一也, 而其所以然之妙, 則原於'主靜'焉. 聖人立極, 固不假脩爲而後能. 然推本

856 『勉齋集』 권1 「安慶郡學」

其經綸之所自，因其用以言其體，則有在乎是也. '主靜'云者，非不動也，猶『易』所謂'君子敬以直內，義以方外，敬義立而德不孤.' 敬義固未嘗相逆也，而敬爲之體也. 『中庸』曰'喜怒哀樂之未發謂之中，發而皆中節謂之和. 中也者天下之大本，和也者天下之達道.' 中和固未嘗相違也，而中爲之體也. 是亦無極而太極之意，初非有先後次序也.

(면재 황씨가 말했다.) "'오직 사람이 그 우수한 것을 얻어서 가장 신령하다. 형체가 이미 생김에 정신이 발동하여 안다. 오성五性이 느껴서 움직임[感動]에 선과 악이 나뉘고 만사萬事가 일어난다.'는 이 말은 사람에게서 태극의 리를 밝힌 것이니, 앞의 말과 일치한다. 대개 천지 사이를 가득 채운 것은 오직 만물이고, 사람은 만물 중의 하나이다. 만물이 사람을 촉발하고 사람이 만물에 감응하는 것은 그렇지 않은 때가 없다. 그것을 확충하여 운용하고 삼강[857]을 바루고 오륜을 밝히고 만사의 차례를 세우고 '리를 궁구하고 성性을 다하여 명命에 이르고'[858] 중화中和에 이르고 화육化育을 돕고 천지(의 조화)에 참여하여 (천지와 함께) 서로 무궁한 것은 성인이다. 그러므로 이어서 말하기를, '성인이 중・정・인・의中正仁義하기로 정하였으면서도 정靜(가만있음)을 위주로 하여 인극人極을 세웠다.'고 하였다. 또 『역』의 글을 인용하여 밝혀 말하기를, '그러므로 성인은 천지天地와 그 덕이 합치하고, 일월日月과 그 밝기가 합치하고, 사시四時와 그 순서가 합치하고, 귀신과 그 길흉이 합치한다.'고 하였다. 여기에서 성인이 태극과 하나임을 알 수 있는데, 그렇게 된 묘妙함은 '정靜을 위주로 한 것'에서 근원하였다. 성인이 인극人極을 세우는 것은 진실로 수양을 거친 뒤에 할 수 있는 것은 아니다. 그러나 경륜의 근원을 탐구하여, 그 용을 통해서 체를 말하면, 여기[主靜]에 있다. '정을 위주로 한다.'는 것은 움직이지 않는 것은 아니니, 『역』에서 말한 '군자는 경敬을 주로 하여 안[心]을 곧게 하고 의義를 지켜서 밖(몸가짐)을 반듯하게 하니 경과 의가 확립되어 덕이 외롭지 않다.'[859]고 한 것과 같으니, 경과 의는 본디 서로 거스른 적이 없고, 경이 체가 된다. 『중용』에 말하기를, '희노애락이 미발未發(아직 발현하지 않음)한 것을 중中이라 하고, 발동하여 다 중절한 것을 화和라고 한다. 중이란 천하의 대본大本이고, 화란 천하 공통의 도[達道]이다.'라고 하였으니, 중과 화는 진실로 서로 어긴 적이 없고, 중이 체가 된다. 이 또한 '무극이면서 태극이다.'의 의미이니, 애초에 선후의 차례가 있는 것은 아니다.

又懼夫學者指爲聖人之事，高遠微妙而不可及，則又繼之曰'君子脩之吉，小人悖之凶' 庶乎其不自暴自棄，改過遷善而趨吉避凶，主一無適而克己復禮，眞積力久，行著習察，忽不自知其自至於貫通處，則是亦聖人矣，吉孰大焉! 苟惟拒之以不信，絶之以不爲，窮人欲滅天理，其禍可勝言哉! 玩吉凶之二辭，何其爲天下後世憂之深言之切如是乎! 又引繫辭以明三才之本曰，'立天之道曰陰與陽，立地之道曰柔與剛，立人之道曰仁與義，' 於以見此理之所

857 삼강 : 『白虎通義』「三綱六紀」에 나오는 "군주는 신하의 벼리가 되고(君爲臣綱), 아버지는 아들의 벼리가 되며(父爲子綱), 남편은 아내의 벼리가 된다.(夫爲婦綱)"는 것을 가리킨다.
858 '리를 궁구하고 … 이르고' : 『周易』「說卦傳」 1장
859 '군자는 경敬을 … 않다.' : 『周易』「坤卦・文言」

寓，雖有陰陽柔剛仁義之名，而其立處無以異也.”

또 배우는 자가 성인이 되는 공부를 고원하고 미묘하여 미칠 수 없는 것으로 여길까 두려워, 또 이어서 말하기를, '군자는 이를 닦기에 길하고, 소인은 이를 어기기에 흉하다.'고 하였다. 아마도 자포자기自暴自棄[860]하지 않으며, 허물을 고치고 착해져서[改過遷善] 길함을 쫓고 흉함을 피하며, 마음을 전일專一하게 하여 잡념을 없애서[主一無適] 사욕을 이기고 예로 돌아오며[克己復禮], 정성이 쌓이고 힘씀이 오래며,[861] 행하면서 도리를 밝히고 익히면서 그 이유를 정밀히 알아서[862] 홀연히 자기도 모르는 사이 저절로 관통하는 경지에 이르면 이 역시 성인일 것이니, 길함이 무엇이 이보다 크겠는가! 진실로 오직 불신하여 하지 않겠다고 거절하며,[863] 인욕을 다 채우고 천리를 없애면, 그 재앙을 이루 다 말할 수 있겠는가! 길과 흉이란 말을 음미하면, 천하 후세를 위하여 깊이 걱정하고 절실히 말한 것이 무엇이 이만 하겠는가! 또 「계사」를 인용하여[864] 삼재三才의 근본을 밝혀 말하기를, '하늘의 도를 세워 음과 양이라 하고 땅의 도를 세워 유柔와 강剛이라 하고 사람의 도를 세워 인과 의라고 한다.'라고 하였으니, 여기서 이 리가 있는 곳은 비록 음양・강유・인의의 이름은 있지만, 그 세운 것에는 다름이 없음을 본다."

[1-9-1-18]

"'原始要終. 故知生死之說', 此申'無極而太極', '太極本無極'之理, 使人知生死本非二事. 而老氏謂'長生久視', 佛氏謂'輪廻不息, 能脫是則無生滅'者, 皆誕也. 橫渠曰, '物之初生, 氣日至而滋息, 物之既盈, 氣日反而游散. 至之謂神, 以其伸也, 反之謂鬼, 以其歸也', 此之謂夫!"

(면재 황씨가 말했다.) "'시원을 탐구하여 끝을 살핀다. 그러므로 생사의 이치를 안다.'는 '무극이면서 태극이다.'와 '태극은 본래 무극이다.'의 리를 거듭 밝혀서 사람들에게 삶과 죽음이 본래 두 가지가 아니라는 것을 알게 하였다. 노씨老氏(老子)는 '늙지 않고 오래 산다.'[865] 하고 불씨佛氏(釋迦)는 '윤회하

---

860 자포자기自暴自棄 : 『孟子』「離婁上」 10장에 다음과 같이 되어 있다. "맹자가 말하였다. '自暴者는 함께 말을 할 수 없고, 自棄者는 함께 일을 할 수 없다. 말마다 예의를 비난하는 것을 自暴라 하고, 나는 仁과 義를 실행할 수 없다고 말하는 것을 自棄라고 한다.'(孟子曰, 自暴者, 不可與有言也, 自棄者, 不可與有爲也. 言非禮義, 謂之自暴也, 吾身不能居仁由義, 謂之自棄也.)"

861 정성이 쌓이고 … 오래며 : 『荀子』「勸學」 7장

862 행하면서 도리를 … 알아서 : 『孟子』「盡心章句上」 5장에 다음과 같이 되어 있다. "행하되 (도리를) 깨닫지 못하며 익히되 (이유를) 알지 못하니, 종신토록 행하고도 그 도를 알지 못하는 자가 많다.(孟子曰. 行之而不著焉, 習矣而不察焉, 終身由之而不知其道者, 衆也.)"

863 불신하여 하지 … 거절하며 : 『易傳』 革卦上六爻 程傳에 "자포자는 믿지 않아서 거부하고, 자기자는 하지 않겠다고 거절한다.(自暴者, 拒之以不信, 自棄者, 絶之以不爲.)"라고 되어 있다. / 『孟子』「離婁上」 10장 참조

864 「계사」를 인용하여 : 이 내용은 「繫辭」가 아닌 「說卦傳」 2장이다.

865 늙지 않고 오래 산다. : 『老子』 59장에 다음과 같이 되어 있다. "그 끝을 알지 못하면 나라를 가질 수 있다. 나라를 가진 어미는 장구할 수 있다. 이를 일러 깊은 뿌리 견고한 꽃받침이라 하니, 오래 살고 늙지 않는 도이다.(莫知其極, 可以有國. 有國之母, 可以長久. 是謂深根固蔕, 長生久視之道.)"

기를 쉬지 않는데 능히 이를 벗어나면 생멸이 없다.'는 것은 다 허튼소리이다. 횡거橫渠가 '물건이 처음 나서는 기氣가 매일 와서 불어나고, 물건이 이미 다 차면 기는 매일 되돌아가 흩어진다. 오는 것을 신神이라고 하는 것은 펴지기 때문이고, 되돌아가는 것을 귀鬼라고 하는 것은 돌아가기 때문이다.'[866]라고 말한 것은 이것을 말함이다!"

[1-9-1-19]

北溪陳氏曰: "人生得天地之氣以爲體, 得天地之理以爲性. 原其始而知所以生, 則要其終而知所以死. 古人謂'得正而斃', 謂'朝聞道而夕死可矣', 只緣受得許多道理, 須知得盡得, 便自無愧. 到死時, 亦只是這二五之氣, 聽其自消化而已. 所謂'安死順生, 與天地同其變化', 這箇便是與造物爲徒. 纔有私慾有私愛, 割捨不斷, 便與大化相咈."[867]

북계 진씨北溪陳氏가 말했다. "사람이 남에 천지의 기를 얻어 형체로 삼고, 천지의 리를 얻어 성性으로 삼는다. 그 시원을 추구追究하여 난 이유를 알면 그 끝을 살펴서 죽는 이유를 안다. 옛사람이 '정도正道를 얻고 죽는다.'[868]고 하고, '아침에 도를 들으면 저녁에 죽어도 괜찮다.'[869]고 한 것은, 다만 많은 도리를 얻었으므로 반드시 다 알고 다 행해야 곧 저절로 부끄러움이 없다는 것이다. 죽음에 이르러서도 역시 다만 이 음양오행의 기가 저절로 사그라드는 것에 맡길 뿐이다. 이른바 '죽음에 편안하고 삶에 순응하니, 천지와 변화를 함께한다.'[870]는, 이것은 바로 조물주와 한 무리가 된다는 것이다. 사욕과 사사로운 애정이 생기자마자 베어내서 끊어버리지 않으면 곧 천지조화와 서로 어긋난다."

866 '물건이 처음 … 때문이다.' : 『正蒙』 제5 「動物篇」

867 『北溪字義』 卷下 「佛老」

868 '정도正道를 얻고 죽는다.' : 『禮記』「檀弓上」에 "동자가 말하였다. '화려하고 반질반질하니 대부의 평상인가!' 자춘이 말했다. '그쳐라.' 증자가 이를 듣고 놀라며 말하였다. '아!' 말하였다. '화려하고 반질반질하니 대부의 평상인가!' 증자가 말하였다. '그렇다. 이것은 계손씨가 준 것인데, 내가 아직 바꾸지 못했다. 증원은 일어나서 평상을 바꿔라.' 증원이 말하였다. '아버님의 병환이 위급하여 움직일 수 없습니다. 바라건대 아침이 되면 삼가 바꿔드리겠습니다.' 증자가 말했다. '네가 나를 사랑하는 것은 저 아이보다 못하다. 군자는 사람을 덕으로 사랑하고, 소인은 사람을 관대함으로 사랑한다. 내가 무엇을 구하겠는가? 나는 정도를 얻고 죽으면 그만이다.' 들어 부축하여 바꾸고, 아직 자리를 뒤척여 편해지지도 못하였는데 운명하였다.(童子曰, '華而睆, 大夫之簀與?' 子春曰, '止!' 曾子聞之, 瞿然曰, '呼!' 曰, '華而睆大夫之簀與?' 曾子曰. '然. 斯季孫之賜也, 我未之能易也. 元起易簀.' 曾元曰, '夫子之病革矣, 不可以變, 幸而至於旦, 請敬易之.' 曾子曰, '爾之愛我也不如彼. 君子之愛人也以德, 細人之愛人也以姑息. 吾何求哉? 吾得正而斃焉, 斯已矣.' 擧扶而易之, 反席未安而沒.)"라고 되어 있다.

869 '아침에 도를 … 괜찮다.' : 『論語』「里仁」 8장

870 '죽음에 편안하고 … 함께한다.' : 『知言』 권3에 "인욕이 왕성하면 천리가 어두워진다. 리가 본디 밝으면 인욕이 없을 것이다. 부귀에 처해서는 천지와 그 통함을 함께하고, 빈천에 처해서는 천지와 그 비색함을 함께한다. 죽음에 편안하고 삶에 순응하여 천지와 그 변화를 함께하니, 또 어찌 집과 처첩, 의복, 음식, 존망, 득실 때문에 개의하겠는가?(人欲盛, 則天理昏. 理素明, 則無欲矣. 處富貴乎, 與天地同其通, 處貧賤乎, 與天地同其否. 安死順生, 與天地同其變化, 又何宮室妻妾衣服飮食存亡得喪而以介意乎?)"라고 되어 있다.

[1-9-1-20]

平巖葉氏曰: "'一陰一陽之謂道', 道卽太極也. 在天以氣言曰陰陽, 在地以形言曰柔剛, 在人以德言曰仁義, 此太極之體所以立也. 死生者, 物之終始也. 知死生之說, 則盡二氣流行之妙矣, 此太極之用所以行也. 凡此二端, 發明太極之全體大用. 故引以結證一圖之義."

평암 섭씨平巖葉氏가 말했다. "'한 번 음하고 한 번 양하는 것을 도道라 한다.'에서의 도는 곧 태극이다. 하늘에서 기로 말하면 음양이고, 땅에서 형체로 말하면 유강柔剛이고, 사람에게서 덕으로 말하면 인의이니, 이것은 태극의 체體가 선 것이다. 삶과 죽음은 물건의 시작과 끝이다. 생사의 이치를 알면 두 기가 유행하는 묘함을 다할 것이니, 이것은 태극의 용이 유행하는 것이다. 무릇 이 두 가지는 태극의 전체와 대용大用을 밝힌 것이다. 그러므로 인용하여 한 그림(태극도)의 의미를 마무리하였다."

[1-9-1-21]

黃氏巖孫曰: "程子云, '原始則足以知其終, 反終則足以知其始, 死生之說如是而已矣. 故以春爲始而原之, 其必有冬, 以冬爲終而反之, 其必有春. 死生者, 其與是類也.'[871]

又云. '但窮得, 則自知死生之說. 不須將死生別做一箇道理求.'[872]

又云. '人能原始知得生理, 便能要終知得死理. 若不明得, 便雖千萬般安排著, 亦不濟事.'[873]

又云. '近取諸身, 百理皆具. 屈伸往來之義, 只於鼻息之間見之. 屈伸往來只是理, 不必將旣屈之氣復爲方伸之氣. 生生之理自然不息. 如復言「七日來復」, 其間元不斷續, 陽已復生. 物極必返, 其理須如此. 有生便有死. 有始便有終.'[874]

황씨암손黃氏巖孫가 말했다. "정자가 말했다. '시작을 탐구하면 그 끝을 충분히 알 수 있고, 끝을 뒤집으면 시작을 충분히 알 수 있으니, 생사의 이론은 이와 같을 뿐이다. 그러므로 봄을 시작으로 삼아 탐구하면 결국은 겨울이 있고, 겨울을 끝으로 삼아 뒤집으면 결국 봄이 있다. 살고 죽는 것은 이와 같은 부류이다.'

(정자가) 또 말했다. '다만 궁구하면 저절로 생사의 이치를 안다. 생사를 별도로 하나의 도리를 만들어 탐구할 필요는 없다.'

(정자가) 또 말했다. '사람이 시작을 탐구하여 사는 리를 알 수 있으면 바로 끝을 살펴서 죽는 리를 알 수 있다. 만약 명백히 알지 못하면 곧 천만 가지로 궁리하더라도 역시 성공할 수 없다.'

(정자가) 또 말했다. '가까이 몸에서 찾아보면 온갖 리가 다 갖춰져 있다. 굴신屈伸하고 왕래往來하는 것의 의미는 다만 호흡하는 것에서 알 수 있다. 굴신・왕래屈伸往來하는 것은 다만 리일 뿐이니, 반드시 이미 굽힌 기를 다시 지금 펴는 기로 여길 필요는 없다. 생생生生하는 리는 자연히 쉬지

871 『河南程氏遺書』 권25
872 『河南程氏遺書』 권15
873 『河南程氏遺書』 권18
874 『河南程氏遺書』 권15

않는다. 예컨대 복괘復卦(䷗)에 「7일 만에 돌아온다.」[875]고 한 것은 그 사이에 원래 끊어졌다 이어졌다[斷續] 하는 것이 아니라, 양이 이미 다시 생하는 것이다. 물건이 끝가면 반드시 돌아오니 그 리가 반드시 이와 같다. 생이 있으면 바로 죽음이 있고, 시작이 있으면 바로 끝이 있다.'

又云, '若謂旣返之氣, 復將爲方伸之氣, 必資於此, 則殊與天地之化不相似. 天地之化, 自然生生不窮, 更何復資於旣斃之形, 旣返之氣, 以爲造化? 近取諸身, 其開闔往來見之鼻息. 然不必須假吸復入以爲呼, 氣則自然生. 人氣之生, 生於眞元. 天之氣, 亦自然生生不窮. 至如海水, 因陽盛而涸, 及陰盛而生, 亦不是將已涸之氣却生, 水自然能生. 往來屈伸只此理也. 盛則便有衰, 晝則便有夜, 往則便有來. 天地間如洪鑪, 何物不銷鑠了.'[876]
又答或問鬼神之理云, '理會得「精氣爲物, 游魂爲變」, 與「原始要終」之說, 便能知也. 須是於原字上用工夫.'[877]"
(정자가) 또 말했다. '만약 지금 막 다시 펴려는 기가 반드시 이미 되돌아간 기에 의지한다고 하면 전혀 천지의 조화와 서로 같지 않다. 천지의 조화는 자연히 생생하기를 다함이 없으니, 또 어떻게 다시 이미 죽은 형체와 이미 되돌아간 기에 의지하여 조화할 수 있겠는가? 가까이 몸에서 찾으면, 그 열고 닫고, 오고 가는 것을 호흡에서 본다. 그러나 들숨을 다시 들이쉬어서 날숨으로 만들 필요는 없으니, 기는 자연히 생긴다. 사람 기의 생성은 진원眞元에서 생긴다. 하늘의 기는 역시 저절로 끝없이 생기고 또 생긴다. 가령 바닷물은 양이 왕성하기 때문에 마르고 음이 왕성하게 되면 생기는데, 역시 이미 마른 기가 다시 생기는 것이 아니고 물[水]이 저절로 생겨난다. 왕래하고 굴신하는 것은 단지 이 리이다. 왕성한 곳에 곧 쇠퇴함이 있고, 낮이면 곧 밤이 있고, 가면 곧 옴이 있다. 천지 사이는 큰 용광로와 같으니 어떤 물건인들 녹이지 못하겠는가.'
또 어떤 이가 귀신의 리를 물은 데에 답했다. '「정精과 기氣가 물건이 되고 혼魂이 노는 것이 변화가 된다.」[878]와 「시작을 탐구하여 끝을 살핀다.」[879]는 등의 이론을 이해하면 곧 알 수 있다. 반드시 「탐구한다[原]」에 대해서 공부해야 한다.'"

[1-10]

大哉易也! 斯其至矣.

위대하도다. 『역易』이여! 지극하구나.

875 「7일 만에 돌아온다.」: 『周易』 復卦 卦辭. 朱子의 다음 『本義』說 참조. "5월 姤卦(䷫)부터 하나의 陰이 처음 생기고, 이 일곱 번째 爻에 이르러 하나의 陽이 돌아오니, 곧 자연스런 하늘의 운행이다. 그러므로 그 점은 또 그 道를 반복하여 7일에 이르러 마땅히 회복할 수 있는 것이 된다.(自五月姤卦, 一陰始生, 至此七爻而一陽來復, 乃天運之自然. 故其占又爲反復其道, 至於七日, 當得來復.)"
876 『河南程氏遺書』 권15
877 『河南程氏遺書』 권18
878 「정精과 기氣가 … 된다.」: 『周易』「繫辭上」 4장
879 「시작을 … 살핀다.」: 『周易』「繫辭下」 9장

[1-10-1]

『易』之爲書, 廣大悉備. 然語其至極, 則此『圖』盡之, 其指豈不深哉! 抑嘗聞之, 程子昆弟之學於周子也, 周子手是圖以授之. 程子之言性與天道多出於此. 然卒未嘗明以此圖示人, 是則必有微意焉. 學者亦不可以不知也.

『역易』이란 책은 넓고 커서 모든 것을 다 갖추었다.[880] 그러나 그 지극한 것에 대해 말한다면 이 『태극도』가 그것을 다 그려 내었으니, 그 뜻이 어찌 깊지 않겠는가! 일찍이 듣건대, 정자程子 형제가 주자周子에게 배울 때 주자周子가 손수 이 그림을 그려 주었다고 한다. 정자가 말한 성性과 천도는 대부분 여기서 나왔다. 그러나 끝내 분명하게 이 그림을 사람들에게 보여준 적은 없었으니, 여기에는 반드시 숨은 뜻이 있을 것이다. 배우는 자들은 역시 이를 알지 않으면 안 된다.

[1-10-1-1]

朱子曰: "太極圖明易中大概綱領意思而已."[881]

주자가 말했다. "『태극도』는 『역易』의 대체적인 강령과 의도를 밝혔을 뿐이다."

[1-10-1-2]

"'大哉易也', 只是言陰陽剛柔仁義. 及言'原始反終. 故知死生之說'而止, 人之生死, 亦只陰陽之氣屈伸往來耳."[882]

(주자가 말했다.) "'위대하도다. 『역易』이여!'는 다만 음・양, 강・유, 인・의를 말한 것일 뿐이다. '처음을 탐구하여 끝으로 돌이킨다. 그러므로 생사生死의 이치를 안다.'라고 말하고 그쳤으니, 사람의 생사生死도 역시 다만 음양의 기氣가 굴・신屈伸하고 왕・래往來하는 것뿐이다."

[1-10-1-3]

問: "太極圖, 周先生手授二程先生者也. 今二程先生之所講論答問, 獨未嘗及此圖, 何耶?"

曰: "二程先生雖不及此圖, 然其說固多本之矣. 試嘗攷之, 當自可見也."[883]

물었다. "『태극도』는 주선생周先生이 두 정 선생(程顥・程頤)에게 손수 주신 것입니다. 그런데 두 정선생의 강론과 문답에 유독 이 그림을 언급한 적이 없는 것은 무슨 까닭입니까?"

(주자가) 답했다. "두 정선생이 비록 이 그림을 언급하지는 않았으나, 그 주장은 본디 대부분 여기에 근거한 것이다. 시험 삼아 상고해 보면, 반드시 저절로 알 것이다."

880 『역易』이란 책은 … 갖추었다. : 『周易』「繫辭下」 10장

881 『朱文公文集』 권46 「答黃直卿」

882 『朱子語類』 권68, 18조목

883 『周元公集』 권1 「太極圖解後序」. 여기서는 주자의 글로 인용하였으나, 『經義考』 『古今事文類聚』 등을 보면 南軒 張栻의 글로 되어 있다.

[1-10-1-4]

問: "伊川因何而見道[884]?"

曰: "他說求之六經而得. 但也是於濂溪處見得箇大道理, 占地位了."[885]

물었다. "이천伊川은 무엇을 통해서 도를 알았습니까?"

(주자가) 답했다. "그는 육경六經에서 구해서 얻었다고 하였다. 그러나 역시 염계濂溪에게서 큰 도리를 알아낸 것이 중요한 위치를 차지하였다."

[1-10-1-5]

"太極圖說陰陽五行之變不齊, 二程因此始推出氣質之性."[886]

(주자가 말했다.) "『태극도』에 음양오행의 변화가 가지런하지 않음을 말했는데, 이정二程이 이로부터 비로소 기질지성을 추론해 냈다."

[1-10-1-6]

"周子太極圖, 却有氣質底意思. 程子之論, 又自太極圖中見出來也."[887]

(주자가 말했다.) "주자周子의 『태극도太極圖』에는 또 '기질'에 관한 암시暗示가 있다. 정자의 이론은 또 『태극도』로부터 알아낸 것이다."

[1-10-1-7]

問: "明道濂溪俱高, 不如伊川精切."

曰: "明道說話超邁, 不如伊川說得的確. 濂溪也精密, 不知其他書如何, 但今所說這些子, 無一字差錯."[888]

물었다. "명도明道와 염계濂溪가 (학문이) 다 높지만 이천伊川의 정밀하고 절실함만 못합니다."

(주자가) 답했다. "명도 이론의 탁월함은 이천의 말이 적확함만 못하다. 염계도 정밀하니, 다른 책은 어떤지 모르겠지만 지금 (『태극도설』에서) 말한 이런 것들은 한 마디도 어긋남이 없다."

[1-10-1-8]

"或言'二程之於濂溪, 亦若橫渠之於范文正耳'. 先覺相傳之秘, 非後學所能窺測. 誦其詩, 讀其書, 則周范之造詣固殊, 而程張之契悟亦異. 如曰仲尼顏子所樂, 吟風詠月以歸, 皆是當

884 伊川因何而見道 : 『朱子語類』 권67, 34조목에는 '因何'가 '何因'으로 되어 있다.

885 『朱子語類』 권67, 34조목

886 『朱子語類』 권59, 44조목. 원문은 다음과 같이 조금 다르게 표현되어 있다. "대개 염계가 『태극도』에서 음양오행에 가지런하지 못한 곳이 있음을 말했는데, 二程이 그 말로부터 기질지성을 추론해 냈다.(蓋自濂溪太極言陰陽五行有不齊處, 二程因其說推出氣質之性來.)"

887 『朱子語類』 권137, 68조목

888 『朱子語類』 권93, 51조목

時口傳心授的當親切處.[889] 後來二先生擧似後學，亦不將作第二義看. 然則行狀所謂'反求之六經然後得之'者，特語夫功用之大全耳. 至其入處則自濂溪，不可誣也. 若橫渠之於文正，則異於是，蓋當時粗發其端而已. 受學乃先生自言，此豈自誣者耶?"[890]

(주자가 말했다.) "어떤 이가 말하기를 '이정二程의 염계에 대한 관계는 역시 횡거橫渠의 범문정范文正[891]에 대한 관계[892]와 같을 뿐이다.'라고 하였다. 선각들이 서로 전하는 비의秘義는 후학들이 엿볼 수 있는 것이 아니다. 그 시를 낭송하고 그 책을 읽어보면, 주렴계와 범문정의 조예가 진실로 다르고, 정자와 장횡거의 깨달음도 다르다. 예컨대 중니仲尼(孔子)와 안자顔子가 즐거워한 것,[893] 바람을 읊고 달을 노래하며 돌아오는 것[894] 등은 다 당시에 입으로 전하고 마음으로 가르쳐준 적절하고 절실한 것이다. 나중에 두 선생이 후학에게 말한 것도 역시 부차적인 것으로 볼 것은 아니다.[895] 그렇다면 행장行狀에서 말한 '육경에서 돌이켜 구한 뒤에 얻었다.'[896]는 것은 다만 효과가 크고 완전한 것을 말한 것뿐이다. 그 배우기 시작한 곳이 염계로부터라는 것은 속일 수 없다. 만약 횡거의 문정에 대한 관계에서는 이와 다르니, 대개 당시에 그 발단을 대강 열어줬을 뿐이다. '배웠다'는 말은 곧 선생[897] 자신의 말인데, 이것이 어찌 자신을 속이는 말이겠는가?"

[1-10-1-9]

"汪端明嘗言二程之學，非全資於周先生. 蓋通書人多忽略，不曾考究，今觀通書，皆是發明太極. 書雖不多而統紀已盡. 二程蓋得其傳，但二程之業廣耳."[898]

(주자가 말했다.) "왕단명汪端明[899]이 일찍이 '이정二程의 학문은 완전히 주선생(周濂溪)에게 힘입은

889 心授 : '授'는 『朱文公文集』 권30 「與汪尙書己丑」에 '受'로 되어 있다.
890 『朱文公文集』 권30 「與汪尙書己丑」
891 범문정范文正 : 范仲淹(989~1052)의 자는 希文이고, 시호는 文正이다.
892 횡거橫渠의 범문정范文正에 대한 관계 : 『朱子大全箚疑輯補』 권30에 "張橫渠는 어린 시절 병법에 관해 이야기하기를 좋아했다. 18세 때에 범문정공에게 편지를 올리니, 文正이 '유학자에게는 본래 좋은 가르침이 있는데 무엇 때문에 병법을 일삼는가?' 하고는, 『中庸』을 읽도록 권하였다.(橫渠少喜談兵. 年十八, 以書謁范文正, 文正曰, '儒者自有名敎, 何事於兵?' 因勸讀中庸.)"라고 주해하였다.
893 중니仲尼(孔子)와 안자顔子가 … 것 : 『河南程氏遺書』 권2上 「二先生語」2上에 다음과 같이 되어 있다. "옛날에 주렴계에게 수학하였는데 매양 안자와 중니가 즐거워한 곳과 즐거워한 것이 무슨 일인지를 찾으라고 하였다.(昔受學於周茂叔, 每令尋顔子仲尼樂處, 所樂何事.)"
894 바람을 읊고 … 것 : 『論語』 「先進」 25장에 다음과 같이 되어 있다. "말하였다. '늦은 봄에 봄옷이 이미 만들어지거든 관자 대여섯 명과 동자 예닐곱 명과 함께 沂水에서 목욕하고 舞雩에서 바람 쐬고 노래하며 돌아오리다.' 공자가 감탄하며 말하기를 '나는 증점을 허여하노라!'(曰, '莫春者, 春服旣成. 冠者五六人, 童子六七人, 浴乎沂, 風乎舞雩, 詠而歸.' 夫子喟然歎曰, '吾與點也!')"
895 부차적인 … 아니다. : 『朱子大全箚疑』에 "곧 가장 중요한 것으로 본다.(乃作第一義看也)"라고 되어 있다.
896 '육경에서 … 얻었다.' : 『河南程氏文集』 권11 「明道先生行狀」
897 선생 : '선생'은 『朱子大全箚疑』에 "二程을 말한다.(先生謂二程)"고 되어 있다.
898 『朱子語類』 권93, 52조목
899 왕단명汪端明 : 汪應辰(1118~1176)의 처음 이름은 洋이고, 자는 聖錫이며, 시호는 文定이고, 玉山先生이라

것만은 아니다.'라고 하였다. 대개 『통서通書』는 사람들이 대부분 소홀히 하여 연구한 적이 없는데, 지금 『통서』를 보니 다 『태극도』을 발명한 것이다. 글은 비록 많지 않으나 체제는 이미 다 갖췄다. 이정二程이 대체로 그(濂溪)의 전함을 얻었지만, 이정의 업적이 넓을 뿐이다."

[1-10-1-10]

問: "明道之學後來固別, 但其本自濂溪發之, 只是此理推廣之耳. 但不如後來程門受業之多."

曰: "當時旣未有人知, 無人往復, 只得如此."[900]

물었다. "명도明道의 학문은 나중에는 진실로 달라졌지만, 다만 그 근본은 염계로부터 시작한 것이며, 단지 이 리를 미루어 넓혔을 뿐입니다. 다만 훗날 정자 문하에 (염계보다) 제자가 많았던 것만은 못합니다."

(주자가) 답했다. "당시에는 아마 아직 (염계를) 아는 사람이 있지 않고, 왕래하는 사람도 없었으니, 이럴 수밖에 없었다."

[1-10-1-11]

節齋蔡氏曰: "圖說皆本於易. 生陰生陽, 卽兩儀之義也. 五行之用, 卽天地數五之義也. 二氣之化, 萬物之生, 聖人與合之事, 三才立道之數, 始終生死之說, 無非取於易者."[901]

절재 채씨節齋蔡氏(蔡淵)가 말했다. "『태극도설』은 다 『역易』에 근본을 두었다. 음을 생하고 양을 생하는 것은 바로 양의兩儀의 뜻이다. 오행의 용用은 천지의 수 5의 뜻이다. 두 기氣의 조화, 만물의 생성, 성인이 합치하는 일, 삼재三才가 세운 도道의 열거, 원시반종原始反終과 생사의 이론 등 『역易』에서 취하지 않은 것이 없다."

[1-11-1]

論曰. 愚旣爲此說, 讀者病其分裂已甚, 辨詰紛然, 苦於酬應之不給也, 故總而論之. 大抵難者或謂不當以繼善成性分陰陽, 或謂不當以太極陰陽分道器, 或謂不當以仁義中正分體用, 或謂不當言一物各具一太極. 又有謂體用一源, 不可言體立而後用行者, 又有謂仁爲統體, 不可偏指爲陽動者, 又有謂仁義中正之分, 不當反其類者. 是數者之說, 亦皆有理. 然惜其於聖賢之意, 皆得其一而遺其二也.

夫道體之全, 渾然一致, 而精粗本末內外賓主之分, 粲然於其中, 有不可以毫釐差者. 此聖賢之言, 所以或離或合, 或異或同, 而乃所以爲道體之全也. 今徒知所謂渾然者之爲大而樂

일컬었다. 그가 端明殿 學士를 지냈으므로 이렇게 부른 것이다.

900 『朱子語類』 권93, 49조목

901 『管窺外篇』 卷上

言之, 而不知夫所謂粲然者之未始相離也. 是以信同疑異, 喜合惡離, 其論每陷於一偏, 卒爲無星之稱, 無寸之尺而已, 豈不誤哉?

논한다. "내가 이 해설을 하고 나자 독자들이 분석이 너무 심하다고 흠을 잡으며 논란과 힐난이 분분한데 일일이 응수하지 못하는 것이 괴로워서 총괄하여 논한다. 대저 비난하는 사람 중 어떤 이는 '계승하는 것은 선善이고 이룬 것은 성性이다.'를 음・양으로 나누어서는 안 된다고 하고, 어떤 이는 태극과 음양을 도道와 그릇[器]으로 나누어서는 안 된다고 하고, 어떤 이는 인・의・중・정仁義中正을 체・용을 나누어서는 안 된다고 하고, 어떤 이는 한 물건이 각각 하나의 태극을 갖추었다고 말해서는 안 된다고 한다. 또 체와 용은 근원이 하나이므로[902] 체가 확립된 다음에 용이 유행한다고 말할 수 없다는 사람도 있고, 또 인은 통체統體이므로 양・동陽動이라고만 할 수 없다는 사람도 있고, 또 인・의・중・정仁義中正의 구분에서 그 분류를 반대로 해서는 안 된다고 하는 사람도 있다. 이 몇 사람의 주장은 역시 다 일리가 있다. 그러나 안타깝게도 성인의 뜻을 모두가 그 하나만 얻고 그 둘은 잃고 있다.

대저 도체道體 전체全體는 통째로 한 덩어리이지만, 정밀과 거침[精粗], 근본과 말단[本末], 안과 밖[內外], 손님과 주인[賓主]의 구분은 그 사이에서 뚜렷하니 털끝만큼도 어긋나서는 안 되는 것이 있다. 이것이 성현의 말씀이 혹은 분리하고 혹은 합치며, 혹은 다르게 하고 혹은 같게 하는 까닭이며, 이에 도체 전체가 되는 까닭이다. 지금 한갓 이른바 통째인[渾然] 것이 큰 것인 줄로만 알고서 즐겨 말할 뿐, 이른바 뚜렷한[粲然] 것이 서로 분리된 적이 없다는 것은 알지 못한다. 그러므로 같다는 것은 믿고 다르다는 것은 의심하며, 합하는 것은 기뻐하고 분리하는 것은 싫어하니, 그 논의가 매양 한편에 치우쳐서 끝내 눈 없는 저울이나 눈금 없는 자[尺]가 될 뿐이니, 어찌 잘못이 아니겠는가?

夫善之與性, 不可謂有二物明矣. 然'繼之者善', 自其陰陽變化而言也, '成之者性', 自夫人物稟受而言也. 陰陽變化流行而未始有窮, 陽之動也, 人物稟受一定而不可復易, 陰之靜也. 以此辨之, 則亦安得無二者之分哉. 然性善, 形而上者也. 陰陽, 形而下者也. 周子之意, 亦豈直指善爲陽, 而性爲陰哉. 但語其分, 則以爲當屬之此耳.

陰陽太極, 不可謂有二理必矣. 然太極無象而陰陽有氣, 則亦安得而無上下之殊哉. 此其所以爲道器之別也. 故程子曰"形而上爲道, 形而下爲器, 須著如此說. 然器亦道也, 道亦器也." 得此意而推之, 則庶乎其不偏矣.

대저 선善과 성性은 두 물건이라고 할 수 없는 것은 분명하다. 그러나 '계승하는 것은 선하다.'는 것은 음양변화의 측면에서 말한 것이고, '이룬 것은 성이다.'라는 것은 사람과 물건이 나눠 받은 측면에서 말한 것이다. 음양이 변화하고 유행하여 궁진窮盡한 적이 없는 것은 양의 동動이고, 사람과 물건이 나눠 받아 한 번 정해져서 다시 바꿀 수 없는 것은 음의 정靜이다. 이로써 변별한다면 역시 어찌

902 『周易傳義大全』「易傳序」의 다음 글 참조. "지극히 은미한 것은 리이고, 지극히 드러난 것은 상이다. 체와 용은 근원이 하나이고 드러난 것과 은미한 것은 틈이 없다.(至微者理也, 至著者象也, 體用一源, 顯微无間.)"

두 가지의 구분이 없을 수 있겠는가. 그러나 성·선性善은 형이상자이고 음양은 형이하자이다. 주자周子의 뜻이 역시 어찌 다만 선을 가리켜 양이라 하고, 성을 가리켜 음이라 하였겠는가. 다만 그 구분을 말하려면 마땅히 여기에 소속시켜야 한다고 생각하는 것뿐이다.
음양과 태극이 두 가지 리라고 말할 수 없는 것은 틀림없다. 그러나 태극엔 형상이 없고 음양은 기氣가 있으니 역시 어찌 상하上下의 다름이 없겠는가. 이것이 도와 그릇[器]으로 구별되는 까닭이다. 그러므로 정자程子가 말하기를, "형이상은 도이고 형이하는 그릇[器]이니, 반드시 이와 같이 말해야 한다. 그러나 그릇이 또한 도이고 도가 또한 그릇이다."[903] 하였으니, 이 뜻을 깨달아 미룰 수 있으면 거의 치우치지 않을 것이다.

仁義中正, 同乎一理者也, 而析爲體用, 誠若有未安者. 然仁者, 善之長也. 中者嘉之會也. 義者, 利之宜也. 正者, 貞之體也. 而元亨者, 誠之通也, 利貞者, 誠之復也. 是則安得爲無體用之分哉.
萬物之生, 同一太極者也, 而謂其各具, 則亦有可疑者. 然一物之中, 天理完具, 不相假借, 不相陵奪. 此統之所以有宗, 會之所以有元也. 是則安得不曰各具一理哉.
若夫所謂'體用一源'者, 程子之言蓋已密矣. 其曰'體用一源'者, 以至微之理言之, 則沖漠無眹而萬象昭然已具也. 其曰'顯微無間'者, 以至著之象言之, 則卽事卽物而此理無乎不在也. 言理則先體而後用, 蓋擧體而用之理已具. 是所以爲一源也. 言事則先顯而後微, 蓋卽事而理之體可見. 是所以爲無間也. 然則所謂'一源'者, 是豈漫無精粗先後之可言哉? 況旣曰'體立而後用行', 則亦不嫌於先有此而後有彼矣.
인·의·중·정仁義中正은 같은 하나의 리인데, 체용으로 나누는 것은 진실로 미안한 점이 있는 듯하다. 그러나 인은 선善의 우두머리이고, 중中은 아름다움의 모임이고, 의義는 이利(이익)의 마땅함이고, 정正(바름)은 정貞의 체體(根幹)이다.[904] 원·형은 정성이 통해나가는 것이고, 이·정利貞은 정성의 되돌아옴이다.[905] 이렇다면 어찌 체용의 구분이 없을 수 있겠는가.
만물이 남에는 동일한 하나의 태극인데, 그것을 각기 갖추었다고 하면 역시 의심스러운 점이 있다. 그러나 한 물건 속에 천리가 완전히 갖추어져 있어서 서로 빌리지도 않고 서로 침범하여 빼앗지도 않는다. 이것이 통솔하는 데에 우두머리가 있는 까닭이요 모임에 대표가 있는 까닭이다. 이렇다면 어찌 각기 하나의 리를 갖추었다고 말하지 않을 수 있겠는가.
이른바 '체와 용은 근원이 하나이다.[體用一源]'라는 정자程子의 말은 원래 매우 엄밀하다. '체와 용은

903 "형이상은 도이고 … 그릇이다." : 『二程遺書』 권1
904 인은 선善의 … 체[根幹]이다. : 『周易』「乾卦·文言」의 다음 글 참조. "元은 善의 우두머리이고, 亨은 아름다움의 모임이고, 利는 義의 조화이고, 貞은 일의 骨幹이다.(元者, 善之長也, 亨者, 嘉之會也, 利者, 義之和也, 貞者, 事之幹也.)"
905 원·형은 정성이 … 되돌아옴이다. : 『通書』「誠上」

근원이 하나이다.'라는 것은, 지극히 은미한 리를 가지고 말한 것으로서, 적막하여 조짐이 없으나, 만 가지 상象이 이미 분명히 갖추어져 있다는 것이다. 그 '현저한 것과 은미한 것에 틈이 없다.[顯微無間]'는 것은 지극히 현저한 상象을 가지고 말한 것으로서, 사건과 물건에서 이 리가 없는 곳이 없다는 것이다. 리를 말할 때는 체를 먼저 하고 용을 나중에 하니 체를 제시하면 용의 리가 이미 갖춰진다. 이것이 근원이 하나인 까닭이다. 일을 말할 때는 현저한 것을 먼저하고 은미한 것을 나중에 하니, 일에서 리의 체를 볼 수 있다. 이것이 틈이 없는 까닭이다. 그렇다면 이른바 '근원이 하나이다.'라는 말에 어찌 모호하게 정밀과 거침[精粗], 먼저와 나중[先後]을 말할 만한 것이 없겠는가. 더구나 이미 '체가 확립된 뒤에 용이 유행한다.'고 하였으니, 역시 이것이 먼저 있고 저것이 나중에 있다는 말도 문제될 것은 없다.

所謂仁爲統體者, 則程子所謂專言之而包四者是也. 然其言蓋曰'四德之元, 猶五常之仁, 偏言則一事, 專言則包四者.', 則是仁之所以包夫四者, 固未嘗離夫偏言之一事, 亦未有不識夫偏言之一事, 而可以驟語夫專言之統體者也. 況此圖以仁配義, 而復以中正參焉, 又與陰陽剛柔爲類, 則亦不得爲專言之矣. 安得遽以夫統體者言之, 而昧夫陰陽動靜之別哉.
至於中之爲用, 則以無過不及者言之, 而非指所謂未發之中也. 仁不爲體, 則亦以偏言一事者言之, 而非指所謂專言之仁也. 對此而言, 則正者所以爲中之幹, 而義者所以爲仁之質, 又可知矣. 其爲體用亦豈爲無說哉.
大抵周子之爲是書, 語意峻潔而混成, 條理精密而疎暢. 讀者誠能虛心一意, 反復潛玩, 而毋以先入之說亂焉, 則庶幾其有得乎周子之心, 而無疑於紛紛之說矣.
이른바 '인仁이 통체統體가 된다.'는 것은 곧 정자가 말한 '전언專言[906]하면 (仁義禮智) 네 가지를 포괄한다.'는 것이 이것이다. 그러나 이 말은 대개 '사덕四德의 원元은 오상의 인과 같으니, 편언偏言하면 일사一事(한 가지 일)이고, 전언하면 네 가지를 포괄한다.'[907]는 것이다. 그러나 네 가지를 포괄하는 인은, 본디 편언하는 일사一事를 떠난 적이 없고, 역시 편언하는 일사도 알지 못하면서 전언하는 통체를 갑자기 말할 수 있는 사람도 없었다. 더구나 이 그림(太極圖)은 인仁을 의義와 짝지우고, 거기에 다시 중·정中正과 병렬시켰으며, 또 음·양, 강·유와 나란히 열거하기도 하였으니, 역시 전언하는 것(仁)이 될 수 없다. 어찌 뜬금없이 (인을) 통체라고 주장하여, 음·양이나 동·정의 구별을 어둡게 할 수 있겠는가.
중中이 용用으로 됨에 있어서는 지나치거나 미치지 못함[過不及]이 없음을 말하는 것이지 이른바 미발

906 전언專言 : 『朱子語類考文解義』의 권94, 다음 글 참조. "편언은 한 쪽을 들어서 말하는 것이며, 전언은 전체를 통괄하여 말하는 것이다.(偏言擧一端而言, 專言統全体而言之也.) 전언과 편언을 나무에 비유하면 아직 여러 가지[枝 : 一事]로 나뉘기 전의 밑동[統體]을 가리켜 말하는 것은 전언이고, 여러 가지로 나뉜 다음 그 가지 중의 하나[一事]를 말하면 편언이다. 統體者와 一事者는 체용관계이다.
907 『周易傳義大全』「乾卦·彖傳」 伊川易傳

의 중을 가리키는 것은 아니다. 인이 체體가 아니면 역시 편언偏言하는 일사一事로써 말하는 것이지, 이른바 전언專言하는 인仁을 가리키는 것은 아니다. 이에 대해서 말하면 정正은 중中의 근간이 되는 것이고 의義는 인의 바탕이 되는 것임을 또 알 수 있을 것이다. 그 (正과 中, 義와 仁이 각각) 체・용이 되는 것도 어찌 이론理論이 없겠는가.

대저 주자周子의 이 책은 말뜻이 고결하고 혼연하며, 조리가 정밀하고 탁 트였다. 독자는 진실로 마음을 비우고 전일한 마음으로 반복하여 깊이 음미하며, 선입견으로 혼란시키지 않는다면 거의 주자周子의 마음을 얻을 수 있어 분분한 주장에 현혹되지 않을 것이다.

[1-11-1-1]

問: "以太極之動爲誠之通, 麗乎陽, 而繼之者善屬焉. 靜爲誠之復, 麗乎陰, 而成之者性屬焉. 其說本乎通書, 而或者猶疑周子之言本無分隸之意."

朱子曰: "此義但虛心味之, 久當自見. 若以先入爲主, 則辨說紛拏, 無時可通矣."[908]

물었다. "태극의 동은 '성誠이 통해 나가는 것'으로서 양에 붙으니, '이를 계승하는 것은 선이다.'가 이에 속한다. (태극의) 정靜은 '성誠이 되돌아오는 것'으로서 음에 붙으니, '이룬 것은 성이다.'가 이에 속한다. 그 주장은 『통서通書』에서 근본한 것인데, 어떤 이는 오히려 주자周子의 말에는 본래 소속관계를 나누려는 뜻이 없다고 의심합니다."

주자朱子가 말했다. "이 의미는 다만 마음을 비우고 오래도록 음미하면 당연히 저절로 알게 된다. 만약 선입견을 위주로 하면 논변만 분분하고 통할 수 있는 때가 없을 것이다."

[1-11-1-2]

"仁義自分體用, 是一般說. 仁義中正分體用, 又是一般說. 偏言專言者, 只說仁, 便是體, 才說義, 便是用, 就中分出一箇道理.[909] 如人家有兄弟, 只說戶頭, 止言兄足矣. 才說弟, 便更別有一人. 仁義中正只屬五行, 爲其配元亨利貞也. 元是亨之始, 亨是元之盡, 利是貞之始, 貞是利之盡, 故曰'元亨誠之通, 利貞誠之復.'"[910]

(주자가 말했다.) "인・의仁義가 본디 체용으로 나뉜다는 것이 한 가지 이론이고, 인・의・중・정仁義中正을 체용으로 나누는 것이 또 한 가지 이론이다. 편언이든 전언이든 다만 인仁을 말하면 곧 체이고, 의義를 말하자마자 곧 용이니, 그 인仁 중에서 하나의 도리를 분리해 낸 것이다. 예컨대 어느 집에 형제가 있는데, 호주戶主만을 말한다면 형을 말하는 것으로 족하다. 아우를 말하자마자 바로 다른 한 사람이 더 있게 된다. 인의중정은 단지 오행에 속하니, 원형이정과 짝하기 때문이다. 원元은 형亨의 시작이고, 형은 원이 다한 것이고, 이利는 정貞의 시작이고, 정은 이利의 다함이다. 그러므로 '원형은 성誠의 통해나감이고, 이정은 성의 되돌아옴이다.'라고 한다."

908 『朱文公文集』 권41 「答程允夫」

909 就中: '就中'은 『朱子語類』 권94, 88조목에 '就仁中'으로 되어 있다.

910 『朱子語類』 권94, 88조목

[1-11-1-3]

問: "中也, 仁也, 感也, 所謂陽者, 太極之用所以行. 正也, 義也, 寂也, 所謂陰者, 太極之體所以立. 或疑如此分配, 漸至於支離穿鑿."

曰: "但虛心味之, 久當自見."[911]

물었다. "중과 인과 감感은 이른바 양이니, 태극의 용이 유행하는 것이다. 정과 의와 적寂은 이른바 음이니, 태극의 체가 선 것이다. 어떤 이가 이렇게 분배하면 점차 지루하고 천착하는 데에 빠질까 의심스럽습니다."

(주자가) 답했다. "다만 마음을 비우고 음미하기를 오래하면 당연히 저절로 알게 된다."

[1-11-1-4]

"中仁言用, 正義言體. 義便有裁斷一定之體."[912]

(주자가 말했다.) "중과 인은 용을 말한 것이고, 정과 의는 체를 말한 것이다. 의는 바로 재단해서 한 번 정한 체재體裁가 있다."

[1-11-1-5]

"中正仁義之說, 若謂四者皆有動靜, 則周子於此更列四者之目爲剩語矣. 熟玩四字指意, 自有動靜, 其於道理極是分明. 蓋此四字, 便是元亨利貞, 一通一復, 豈得爲無動靜乎. 近日深玩此理, 覺得一語一嘿起居,[913] 無非太極之理, 正不須以分別爲嫌也."[914]

(주자가 말했다.) "중정인의의 설에서 만약 네 가지에 다 동정이 있다고 하면, 주자周子가 여기에서 다시 네 가지 덕목을 나열한 것은 군더더기가 될 것이다. 네 가지가 가리키는 뜻을 익숙히 완미하면 본래 동정이 있는 것이, 그 도리상 지극히 분명하다. 대개 이 네 가지는 바로 원형이정이고, 하나는 통해 나가고 하나는 되돌아오니 어찌 동정이 없을 수 있겠는가. 요즈음 이 리를 깊이 완미하여 한 번 말하고 다물고, 한 번 일어나고 앉는 것에 태극의 리가 아닌 것이 없음을 깨달을 수 있었으니, 꼭 분별을 꺼릴 필요는 없다."

[1-11-1-6]

"體用一源者, 自理而觀, 則理爲體象爲用, 而理中有象, 是一源也. 顯微無間者, 自象而觀, 則象爲顯理爲微, 而象中有理, 是無間也. 且旣曰有理而後有象, 則理象便非一物. 故伊川但言其一源與無間耳. 其實體用顯微之分, 則不能無也."[915]

---

911 『朱文公文集』 권41 「答程允夫」

912 『朱子語類』 권94, 89조목 참조. "'聖人定之以中正仁義', 正字義字却是體, 中仁却是發用處. 問: '義是如何?' 曰: '義有箇斷制一定之體.'" / 『文公易說』 권1

913 一語一嘿起居: '一語一嘿起居'는 『朱文公文集』 권31 「答張敬夫」에 '一語嘿一起居'로 되어 있다.

914 『朱文公文集』 권31 「答張敬夫」

915 『朱文公文集』 권40 「答何叔京」

(주자가 말했다.) "'체와 용이 하나의 근원이다.'는 것은 리로부터 보면 리는 체이고 상象은 용인데, 리 가운데 상이 있으니 하나의 근원이다. '현저한 것과 은미한 것에 틈이 없다.'는 것은 상으로부터 보면 상은 현저한 것이고 리는 은미한 것인데, 상 가운데에 리가 있으니 틈이 없는 것이다. 또 '리가 있은 뒤에 상이 있다.'고 하면 리와 상은 곧 한 물건이 아니다. 그러므로 이천伊川은 다만 '하나의 근원이다.'거나 '틈이 없다'고 하였을 뿐이다. 사실은 체와 용, 드러난 것과 은미한 것의 구분은 없을 수 없다."

[1-11-1-7]

"體用是兩物而不相離, 故可以言一源."[916]

(주자가 말했다.) "체와 용은 두 물건이면서 서로 떨어지지 않으므로 '근원이 하나이다.'라고 할 수 있다."

[1-11-1-8]

"一心之中, 仁義禮智, 各有界限. 而其性情體用, 又自各有分別, 須是見得分明. 然後就此四者之中, 又見得仁義兩字是箇大界限. 如天地造化, 四序流行, 而其實不過一陰一陽而已. 於此見得分明, 然後就此又見得仁字是箇生底意思, 通貫周流於四者之中. 仁固是仁之本體也, 義固是仁之斷制也, 禮則仁之節文也, 智則仁之分別也. 正如春之生氣貫徹四時, 春則生之生也, 夏則生之長也, 秋則生之斂也, 冬則生之藏也. 故程子謂'四德之元, 猶五常之仁, 偏言則一事, 專言則包四者,' 正謂此也. 孔子只言仁, 以其專言者言之也. 故但言仁而義禮智皆在其中. 孟子兼言義, 以其偏言者言之也. 然亦不是於孔子所言之外添入一箇義字. 但於一理之中分別出來耳. 其又兼言禮智, 亦是如此. 蓋禮是仁之著, 智是義之藏, 而仁之一字未嘗不流行乎四者之中也."[917]

(주자가 말했다.) "한 마음 속의 인의예지는 각각 경계가 있다. 그 성정性情과 체용에도 또 각기 분별이 있으니, 반드시 분명하게 알아야 한다. 그런 뒤에야 이 네 가지 중에서 또 인의仁義 두 가지가 큰 경계라는 것을 알 수 있다. 예컨대 천지가 조화하고 사시四時가 유행하는데, 사실 하나의 음과 하나의 양에 지나지 않을 뿐이다. 여기에서 분명히 안 다음에 거기에서 또 인仁의 살리려는 뜻이 네 가지 속을 관통하여 흐른다는 것을 안다. 인은 본디 인의 본체이고, 의義는 본디 인의 결단·절제이고, 예禮는 인의 절차·무늬이고, 지智는 인의 분별이다. 바로 봄의 생기가 사시를 관철하니, 봄은 생기의 남[生]이고, 여름은 생기의 자람이고, 가을은 생기의 거둬들임이고, 겨울은 생기의 갈무리인 것과 같다. 그러므로 정자가 '사덕의 원元은 오상의 인과 같으니, 편언偏言하면 일사一事(한 가지 일)이고, 전언專言하면 네 가지를 포괄한다.'고 말한 것이 바로 이것을 이름이다. 공자가 인仁만을 말한 것은 전언으로 말한 것이다. 그러므로 인만을 말했어도 의예지義禮智가 다 그 속에 있다. 맹자가

916 『朱文公文集』 권40 「答何叔京」

917 『朱文公文集』 권74 「玉山講義」

의義를 겸해서 말한 것은 편언으로 말한 것이다. 그러나 공자가 말한 것 외에 하나의 의義를 추가한 것은 아니다. 다만 하나의 리 속에서 분별해 낸 것뿐이다. 그 또 예・지禮智를 겸해서 말한 것도 역시 이와 같다. 대개 예는 인의 드러남이고, 지는 의의 저장이니, 인 하나가 네 가지 속을 유행하지 않은 적이 없다."

[1-11-1-9]

"'太極本無極', 要去就中看這箇意出方得. 今只要去討他不是處, 與他鬪.[918] 而今只管去檢點古人不是處, 道自家底是, 便是識見不長."

問: "要得理明, 不得不如此."

曰: "且可去放開胷懷讀書, 看得道理明徹, 自然無歉吝之病, 無物我之私, 自然快活."[919]

(주자가 말했다.) "'태극은 본래 무극이다.'는 그 말 속에서 그 뜻을 알아내려고 해야 한다. 그대는 단지 그것의 옳지 못한 곳을 찾아내서 그와 싸우려고만 한다. 지금 다만 옛사람의 옳지 못한 곳을 점검하고 자신의 옳음을 말하려고 하면, 바로 식견이 늘지 않는다."

물었다. "리를 분명히 알려고 하면 이러지 않을 수 없습니다."

(주자가) 답했다. "우선 가슴을 열고 독서하여 도리를 명철하게 알려고 하면, 자연히 불만스럽고 인색한 병통은 없어지고, 남이니 나니 하는 사사로움도 없어져 자연히 쾌활해진다."

[1-11-1-10]

西山眞氏曰: "大率此理, 自文公盡發其秘, 已洞然無疑. 所慮學者欲自立一等新奇之論, 而於文公之言反致疑焉. 不知此老先生是用幾年之功, 沉潛反覆, 參貫融液, 然後發出以示人. 今讀其書, 未能究竟底蘊, 已先疑其說之未盡. 所以愈惑亂而無所明也."[920]

서산 진씨西山眞氏가 말했다. "대개 이 리는 문공文公(朱子의 諡號)이 그 비밀을 다 밝힌 이후로 이미 환하여 의심할 것이 없다. 걱정되는 것은 배우는 자들이 하나의 신기한 이론을 스스로 세우고 싶어서, 문공의 말에 도리어 의심을 품는 것이다. 이 노선생이 몇 년의 공을 들여서 이리저리 골똘히 생각하여 완벽하게 하나로 꿴 뒤에야 꺼내서 사람들에게 보여주었는지 몰라서이다. 지금 그 책을 읽고 아직 숨은 뜻을 추구追究하지도 못했으면서 먼저 그 주장의 미진함을 의심한다. 그러므로 의혹할수록 밝아지는 것은 없다."

[1-11-1-11]

黃氏巖孫曰: "尹和靖問: '「易傳序」云, 「至微者理也, 至著者象也, 體用一源, 顯微無間」, 莫太洩露天機否?' 程子曰: '如此分明說破, 猶自人不解悟.'[921]

918 今只: '今'은 『朱子語類』 권94, 14조목에 '公'으로 되어 있다.
919 『朱子語類』 권94, 14조목
920 『西山文集』 권31, 「問太極中庸之義」

又朱子云, '沖漠無眹, 萬象森然已具, 未應不是先, 已應不是後, 正說體用一源之意.'"

황씨암손黃氏巖孫가 말했다. "윤화정尹和靖[922]이 물었다. '「역전서易傳序」에 「지극히 은미한 것은 리이고 지극히 드러난 것은 상象인데, 체와 용은 하나의 근원이고 드러난 것과 은미한 것은 틈이 없다.」고 말하신 것은 천기天機를 너무 누설하신 것 아닙니까?' 정자가 답하였다. '이렇게 분명히 설파하였음에도 불구하고 사람들이 깨닫지 못한다.'

또 주자朱子가 말하였다. '「적막하여 조짐이 없으나 만 가지 상象이 이미 빽빽하게 갖춰졌으니, 아직 응하지 않은 것이 먼저가 아니며, 이미 응한 것이 나중이 아니다.」[923]는 바로 체와 용은 하나의 근원이라는 뜻을 말한 것이다.'"

[1-11-2]

熹旣爲此說, 嘗錄以寄廣漢張敬夫. 敬夫以書來曰, 二先生所與門人講論問答之言, 見於書者詳矣. 其於西銘蓋屢言之, 至此圖則未嘗一言及也. 謂其必有微意, 是則固然. 然所謂微意者, 果何謂耶?

熹竊謂以爲, 此圖立象盡意, 剖析幽微, 周子蓋不得已而作也. 觀其手授之意, 蓋以爲惟程子爲能當之, 至程子而不言, 則疑其未有能受之者爾. 夫旣未能黙識於言意之表, 則馳心空妙, 入耳出口, 其弊必有不勝言者. 近年已覺頗有此弊矣 **觀其答張閎中論易傳成書, 深患無受之者, 及東見錄中論橫渠清虛一大之說, 使人向別處走, 不若且只道敬, 則其意亦可見矣. 若西銘, 則推人以之天,[924] 卽近以明遠, 於學者日用最爲親切. 非若此書詳於性命之原, 而略於進爲之目, 有不可以驟而語者也. 孔子雅言詩書執禮, 而於易則鮮及焉, 其意亦猶此耳. 韓子曰, 堯舜之利民也大, 禹之慮民也深, 熹於周子程子亦云.[925] 旣以復於敬夫, 因記其說於此. 乾道癸巳四月旣望, 熹謹書.[926]**

내(熹: 주자의 이름)가 이 주해註解를 마치고 이를 필사하여 광한廣漢의 장경부張敬夫에게 보냈다. 경부가 편지를 보내오기를, "두 선생이 문인들과 강론하고 문답한 말들은 책에 자세히 보인다. 그중 『서명西銘』에 대해서는 누누이 말하였는데, 이 그림(太極圖)에 대해서는 한 번도 언급한 적이 없었다. (그대가) '거기에는 필시 숨은 뜻이 있다.'[927]고 하였는데, 이것은 진실로 그렇다. 그렇다면 이른바 '숨은

921 『二程外書』 권12

922 윤화정尹和靖 : 尹焞(1071~1142)의 자는 彦明, 德充이고, 호는 三畏齋, 和靖處士이다.

923 「적막하여 조짐이 … 아니다.」 : 『二程遺書』 권15

924 之天 : '之'는 『朱文公文集』 권31 「答張敬夫壬辰冬」에 '知'로 되어 있다.

925 熹於周子程子亦云 : 『朱文公文集』 권31 「答張敬夫壬辰冬」에 "그 周子와 程子를 말함인가! 熹가 전에 말한 '숨은 뜻'은 이와 같다. 그대는 어떻게 여길지 모르겠다.(其周子程子之謂乎. 熹向所謂微意者如此. 不識高明以爲如何.)"로 되어 있다.

926 『朱文公文集』 권31 「答張敬夫壬辰冬」 참조

927 '거기에는 필시 … 있다.' : 윗글 [1-10-1] 참조

뜻'은 과연 무엇을 말하는가?"라고 하였다.

나(熹)는 혼자서 이렇게 생각해 보았다. "이 그림은 상象을 그려서 의미를 모두 담았고 은미한 것을 풀어 밝혔으니, 주자周子가 아마도 부득이 지었을 것이다. 그 손수 주신 뜻을 살펴보면 오직 정자만이 감당할 수 있다고 여긴 것 같은데, 정자에 이르러 말하지 않은 것은 아직 이를 받을 수 있는 자가 없어서일 것이다. 먼저 겉으로 드러난 말의 의도를 묵묵히 이해하지 못하고, 마음을 부질없고 미묘한 데에 두며, 귀에 들리는 대로 말하면, 말로 다할 수 없는 폐단이 있을 것이다. 근년에 벌써 크게 이런 폐단이 있음을 느낀다. 「답장굉중答張閎中」[928]에서 『역전易傳』의 완성을 논하면서 이를 받을 자가 없음을 깊이 근심한 것과 『동견록東見錄』[929]에서 횡거橫渠의 청허일대淸虛一大[930] 설이 사람들을 엉뚱한 곳으로 가게 하는 것을 논하면서 우선 경敬만을 말한 것보다 못하다고 한 것을 보면, 역시 그 뜻을 알 수 있다. 『서명西銘』은 사람을 추구推究하여 하늘을 알게 하고, 가까운 것에 근거하여 먼 것을 밝혔으니, 배우는 자의 일상에서 가장 절실한 것이다. 이 책이 성명性命의 근원에는 자세하지만 공부해 나가는 절목에는 소략하여 대뜸 쉽게 말할 수 없는 것이 있는 것과는 같지 않다. 공자가 평소 하신 말은 『시경』, 『서경』과 예를 지키는 것이고[931] 『역易』에 대해서는 언급한 것이 드믄 것도 그 뜻은 역시 이와 같을 뿐이다. 한자韓子[932]가 말하기를 '요순은 백성을 이롭게 한 것이 크고, 우임금은 백성을 염려한 것이 깊다.'[933]고 하였는데, 나(熹)도 주자周子와 정자에 대해서 역시 그렇게 말한다."[934] 이미 경부敬夫에게 답하고서 이어 그 말을 여기에 기록한다. 건도乾道 계사(1173년) 4월 기망旣望에 희熹는 삼가 쓰다.

[1-11-2-1]

問: "先生謂'程子不以太極圖授門人, 蓋以未有能受之者.' 然而孔門亦未嘗以此語顔曾, 是

928 張閎中 : 정자 문인

929 『동견록東見錄』 : 『朱子大全箚疑』 권31에 다음과 같이 설명하였다. "여대림은 관중인인데 처음에 횡거를 섬기다가, 나중에 낙양에서 이정을 뵙고 그 강론한 말들을 기록하였다. 이름하여 『동견록』이라 하였는데 낙양이 관중의 동쪽에 있기 때문이다.(呂大臨關中人, 初事橫渠. 後見二程於洛陽, 錄其講論之語. 名曰 東見錄 洛在關中之東故云.)"

930 청허일대淸虛一大 : 『朱子大全箚疑』 권31에 다음과 같이 설명하였다. "맑고 비고 하나이고 크다. 理를 말하면서 淸虛一大로서 이름할 수 없으나, 횡거가 바로 淸虛一大라고 하였다. 그러므로 정자가 사람들로 하여금 엉뚱한 곳으로 가게 한다고 하였다. 이것은 『동견록』의 기록이다.(淸也虛也一也大也. 言理, 不可只以淸虛一大名之, 而橫渠乃云淸虛一大. 故程子云使人向別處走. 此東見錄所記也.)"

931 공자가 평소 … 것이고 : 『논어』「述而」 17 "공자가 평소에 말씀하신 것은 『시』, 『서』와 예를 지키는 일이니 다 늘 말씀하셨다.(子所雅言, 詩書執禮, 皆雅言也.)" 참조

932 한자韓子 : 韓愈(768~824)의 자는 退之이고, 韓昌黎, 韓吏部라고 한다.

933 '요순은 백성을 … 깊다.' : 『韓昌黎文集』 권11 「對禹問」

934 주자周子와 정자에 … 말한다. : 『朱子大全箚疑』 권31. "'백성을 이롭게 함이 크다.'는 周子가 『태극도설』을 지어서 도를 밝힌 것에 비유하였다. '백성을 염려함이 깊다.'는 정자가 길에서 듣고 길에서 전하는 폐단을 걱정하여 비장하고 전하지 않은 것에 비유하였다.(利民也大, 以比周子作圖說以明道. 慮民也深, 以比程子慮道聽塗說之弊, 而秘而不傳.)"

如何?"

朱子曰: "焉知其不曾說?"

曰: "顔曾做工夫處, 只是切己做將去."

曰: "此亦何嘗不切己? 皆非在外, 乃我所固有也."

曰: "言此恐徒長人億度私想之見."

曰: "理會不得者固如此. 若理會得者, 莫非在我, 便可受用, 何億度之有."[935]

물었다. "선생님이 말씀하시기를 '정자가 『태극도』를 문인에게 주지 않은 것은 아마 이것을 받을 수 있는 자가 아직 없기 때문이다.'라고 하였습니다. 그러나 공자 문하에서는 오히려 안자·증자에게 이런 말을 한 적이 없는 것은 무엇 때문입니까?"

주자가 말했다. "말하지 않았는지 어찌 아는가?"

말했다. "안자·증자가 공부한 것은 다만 자기에게 절실한 것을 공부했을 뿐입니다."

(주자가) 답했다. "이것도 어찌 자기에게 절실하지 않겠는가? 모두 몸밖에 있는 것이 아니라, 곧 내가 본디 가지고 있는 것이다."

말했다. "이렇게 말하면 괜히 사람들의 억측과 혼자의 상상만 조장시킬까 두렵습니다."

(주자가) 답했다. "이해하지 못한 자는 진실로 그럴 것이다. 만일 이해한 자라면 자기에게 있(지 않은 것이 없)으므로 바로 수용受用할 터인데, 무슨 억측할 것이 있겠는가."

[1-11-2-2]

問: "程氏未嘗明以此圖示人, 今乃遽爲之說以傳之, 是豈先生之意耶?"

曰: "當時此書未行故可隱, 今日流布已廣. 若不說破, 却令後生枉生疑惑. 故不得已而爲之說爾."[936]

물었다. "정씨가 일찍이 분명하게 이 그림을 사람들에게 보여준 적이 없는데, 지금 갑자기 주해를 붙여 전하는 것이 어찌 선생의 뜻이겠습니까?"

(주자가) 답했다. "당시에는 이 책이 아직 유통되지 않았으므로 숨길 수가 있었지만, 지금은 이미 널리 유포되었다. 만일 설파하지 않으면 도리어 후학들에게 공연히 의혹만 생기게 할 것이다. 그래서 부득이 해설하였을 뿐이다."

[1-11-2-3]

"太極圖未嘗隱於人. 然人之識太極者,[937] 只是於禪學中認得箇昭昭靈靈能作用底. 便謂此是

935 『朱子語類』 권94, 109조목

936 『朱文公文集』 권41 「答程允夫」

937 太極者: '太極者' 뒤에 『朱文公文集』 권36 「答陸子靜」에는 "則少矣. 往往" 5자가 더 있다. 이것을 반영하여 해석하면, "태극을 아는 사람은 적은데, 왕왕 선학에서처럼 밝고 신령하여 작용할 수 있는 것으로 알고, 곧 이것이 태극이라고 하면서..."가 될 것이다.

太極，而不知所謂太極，乃天地萬物自然之理，[938] 亘古亘今攧撲不破者也."[939]

(주자가 말했다.) "『태극도』는 사람들에게 숨겨진 적은 없다. 그러나 태극을 안다는 사람은 다만 선학禪學의 '매우 밝고 신령하여 작용할 수 있는 것'으로 알 뿐이다. 곧 이것이 태극이라고 하면서 이른바 태극은 곧 천지 만물의 자연스런 리로서 옛날부터 지금까지 아무리 메쳐도 깨지지 않는 것임은 알지 못한다."

[1-11-2-4]

"學者雖看易，聖人不曾教學者看易. 詩書執禮皆以爲教，獨不及易. 至於'假我數年卒以學易'，乃是聖人自說，非學者事. 蓋易是箇極難理會底物事，非他書比. 如古者'先王順詩書禮樂以造士'，只是以此，亦不及於易."[940]

(주자가 말했다.) "배우는 자가 비록 『역易』을 공부하지만 성인은 배우는 자들에게 『역』을 공부하라고 한 적은 없다. 『시경』과 『서경』, 예를 지키는 것은 다 가르쳤지만, 유독 『역』은 언급하지 않았다. '나를 몇 년을 더 살게 하면 마침내 『역』을 배울 것이다.'[941]라는 말도 곧 성인의 혼잣말이지, 배우는 자의 일은 아니다. 대개 『역』이 지극히 이해하기 어려운 점은 다른 책에 비할 바가 아니다. 예컨대 옛날에 '선왕이 『시경』, 『서경』, 예악禮樂을 따라서 선비를 성취하게 한 것'[942]은 이 때문이며, 역시 『역』을 언급하지 않았다."

[1-11-2-5]

"易是箇無形影底物，不如且先讀詩書禮却緊要."[943]

(주자가 말했다.) "『역易』은 형체나 그림자가 없는 물건이니, 우선 『시』, 『서』, 『예』를 읽는 것이 오히려 긴요한 것보다 못하다."

[1-11-2-6]

"'子所雅言，詩書執禮'，未始及易. 夫子常所教人，只是如此. 今人便先爲一種玄妙之說."[944]

(주자가 말했다.) "'공자가 평소 말씀하시던 것은 『시』, 『서』와 예를 지키는 것'[945]이고, 『역易』에는 미친 적이 없다. 공자가 항상 사람을 가르친 것은 다만 이와 같을 뿐이다. 지금 사람은 바로 일종의 현묘한 이론을 먼저 배운다."

938 自然之理 : 『朱文公文集』 권36 「答陸子靜」에는 '本然之理'로 되어 있다.
939 『朱文公文集』 권36 「答陸子靜」
940 『朱子語類』 권67, 52조목
941 '나를 몇 … 것이다.' : 『論語』「述而」 16 "子曰 加[假]我數年，五十[卒]以學易，可以無大過矣."
942 '선왕이 『시경』 … 것' : 『禮記』「王制」 "順先王詩書禮樂以造士"
943 『朱子語類』 권67, 51조목
944 『朱子語類』 권34, 136조목
945 『論語』「述而」 17.

[1-11-2-7]

黃氏巖孫曰: "'張閎中以書問程伊川先生易傳不傳. 先生答云「易傳未傳, 自量精力未衰, 尙冀有少進爾. 然亦不必直待身後, 覺老耄則傳矣. 書雖未出, 學未嘗不傳也, 第患無受之者爾.」'[946]

'又呂與叔東見程先生, 先生語之曰, 「橫渠教人, 本只是謂世學膠固. 故說一箇淸虛一大, 只圖得人稍損得沒去就道理來, 然而人又更別處走, 今日且只道敬.」'"[947]

황씨암손黃氏巖孫가 말했다. "'장굉중張閎中이 편지로 정이천 선생에게 『역전易傳』을 전하지 않는 것을 물었다. 선생이 답하였다. 「『역전』을 아직 전하지 않는 것은 스스로 헤아리기에 정력이 아직 쇠약해지지 않았으니, 오히려 조금 더 진보하기를 바랄 뿐이다. 그러나 역시 반드시 사후死後까지 계속 기다릴 것은 아니고, 노쇠함을 느끼면 전할 것이다. 책은 비록 아직 내놓지 않았으나, 학문은 전하지 않은 적이 없다. 다만 받을 자가 없음을 걱정할 뿐이다.」'

'또 여여숙呂與叔[948]이 동쪽으로 와서 정선생을 뵈었는데, 선생이 말하였다. 「횡거가 사람들을 가르치는데, 본래 세상의 학문이 고루하다고 여겼을 뿐이다. 그리하여 하나의 청허일대淸虛一大(맑고 비고 하나이고 큰 것)를 말하여, 단지 사람들이 조금씩 덜어내어 다 없어지면 도리로 나아가도록 도모하였다. 그러나 사람들은 또 엉뚱한 곳으로 가버렸으니, 이제는 우선 경敬을 말할 뿐이다.」'"

太極圖 附錄 태극도 부록

總論 총론

[1-12-1]

朱子曰: "伏羲作易自一畫以下, 文王演易自乾元以下, 皆未嘗言太極也, 而孔子言之. 孔子贊易自太極以下, 未嘗言無極也, 而周子言之. 先聖後聖, 豈不同條而共貫哉?"[949]

주자朱子가 말했다. "복희가 『역易』을 지은 것은 한 획을 그은 것 이하이고, 문왕이 『역』을 부연한 것은 건원乾元 이하인데, 다 태극을 말한 적은 없으나, 공자가 이를 말했다. 공자가 『역』을 칭송한 것은 태극 이하인데, 무극을 말한 적은 없으나 주자周子가 이를 말했다. 앞의 성인과 뒤의 성인이

946 『二程遺書』 권21上, 「伊川先生語」
947 『二程遺書』 권2上, 「元豐己未呂與叔東見二先生語」
948 여여숙呂與叔 : 呂大臨(1040~1092)의 자는 與叔이고, 당시 藝閣先生으로 불리었다.
949 『朱文公文集』 권36 「答陸子靜」

어찌 일맥상통[同條共貫][950]하는 것이 아니겠는가?"

[1-12-2]

"無極二字, 乃周子灼見道體, 逈出常情, 勇住直前, 說出人不敢說底道理, 令後之學者曉然見得太極之妙, 不屬有無, 不落方體, 眞得千聖以來不傳之秘."[951]

(주자가 말했다.) "무극이란 말은 곧 주자周子가 도체道體를 꿰뚫어보고 보통의 생각을 훨씬 뛰어넘어, 용감히 곧장 앞으로 나아가 남들이 감히 말하지 못한 도리를 말해서 후학들이 태극의 미묘함은 유有나 무無에 속하지도 않고 방소方所나 형체[952]에 떨어지지도 않는 것임을 분명히 알게 하였으니, (周子는) 수많은 성인 이래로 전해지지 않던 비결을 진실로 얻은 것이다."

[1-12-3]

"先生之精, 因圖以示, 先生之蘊, 因圖以發. 而其所謂無極而太極云者, 又一圖之綱領, 所以明夫道之未始有物, 而實爲萬物之根柢也. 夫豈以爲太極之上復有所謂無極哉? 近世讀者不足以識此, 而或妄議之, 旣以爲先生病. 史氏之傳先生者, 乃增其語曰, '自無極而爲太極', 則又無所依据, 而重以病夫先生."[953]

(주자가 말했다.) "선생의 정수精髓는 그림(太極圖)을 통해 보여주고, 선생의 심오함은 그림을 통해 드러냈다. 이른바 '무극이면서 태극이다.'라고 한 것은 또 이 그림의 강령이며, 도道에는 애초에 물건이 있지 않으나 사실은 만물의 뿌리임을 밝힌 것이다. 어찌 태극 위에 다시 이른바 무극이란 것이 있다고 생각했겠는가? 근세의 독자들은 이를 잘 알지 못하면서 혹 망령되게 이를 논란하여 선생의

950 일맥상통[同條共貫] : 『朱子大全箚疑輯補』 권67 「箚疑翼增」 '條貫'條 참조. "동중서전에 「어찌 같은 나뭇가지의 같은 꿰미가 아니겠는가?」 注에 '貫은 잇고 꿰뚫는 것이다.' 顔師古가 말하였다. '무릇 「條」라고 하는 것은 하나하나 벌어져 나가는 것이니, 나뭇가지 같다.(董仲舒傳, 豈不同條共貫. 註貫者連絡貫穿. 顔師古曰, 凡言條者, 一一而疏擧之, 若木條焉.)" 한 구루 나무에서 가지가 하나씩 벌어져 나오며 자라듯, 여러 동전을 한 꿰미로 꿰어나가듯, 사상이 서로 통하고 맥락이 서로 이어짐을 의미한다.

951 『朱文公文集』 권36 「答陸子靜」 이 글과 조금 다른 내용이 있다. "만일 무극이란 말을 논한다면 곧 周子가 도체를 꿰뚫어 봄은 보통 수준을 뛰어넘는 것으로서 옆 사람의 시비도 돌아보지 않고 자신의 득실도 따지지 않고 용감히 앞으로 나아가 남들이 감히 말하지 못한 도리를 말해내어, 후학들로 하여금 태극의 妙는 有나 無에 속하지도 않고 방소나 형체에 떨어지지도 않는 것임을 분명히 알게 하였다. 만일 이것을 간파한다면 이 노인이 참으로 여러 성인들 이후로 전하지 않던 비결을 얻었다는 것을 비로소 알 수 있을 것이니, 단지 지붕 위에 지붕을 얹고 평상 위에 평상을 포개는 일인 것만은 아니다.(若論無極二字, 乃是周子灼見道體, 逈出常情. 不顧旁人是非, 不計自己得失, 勇往直前, 說出人不敢說底道理, 令後之學者, 曉然見得太極之妙, 不屬有無, 不落方體. 若於此看得破, 方見得此老眞得千聖以來不傳之秘. 非但架屋上之屋疊牀上之牀而已也.)"

952 방소나 형체 : 『주역』 「繫辭上傳」 4장에 "신에는 방소가 없고 역에는 형체가 없다.(神无方而易无體)"라고 하였고, 그 『周易本義』에 "지극한 신의 묘함에는 방소가 없고, 역의 변화에는 형체가 없다.(至神之妙, 无有方所, 易之變化, 无有形體也.)"고 하였다.

953 『朱文公文集』 권80 「邵州州學濂溪先生祠記」

병통으로 여겨버렸다. 사관史官이 쓴 선생의 전傳에서도 곧 말을 보태서 말하기를, '무극으로부터 태극이 되었다.'[954]고 하였으니, 또한 근거도 없이 선생을 더욱 병들게 하였다."

[1-12-4]

"戊申六月在玉山邂逅洪景盧內翰, 借得所脩國史, 中有濂溪程張等傳, 盡載『太極圖說』. 蓋濂溪於是始得立傳, 作史者於此爲有功矣. 然此『說』本語首句但云'無極而太極', 不知其何所据, 而增此自爲二字也. 夫以本文之意, 親切渾全, 明白如此, 而淺見之士猶或妄有譏議. 若增此字, 其爲前脩之累, 啓後學之疑, 益以甚矣. 謂當請而改之, 而或者以爲不可. 昔蘇子容特以爲父辯謗之故, 請刊國史所記草頭木脚之語, 神祖猶俯從之. 況此乃百世道術淵源之所繫耶? 正當援此爲例, 則無不可改之理矣."[955]

(주자가 말했다.) "무신년(1188년) 유월 옥산玉山에서 우연히 한림翰林 홍경로洪景盧[956]를 만나 그가 수정한 국사國史(四朝國史)를 빌렸는데, 거기에는 염계濂溪, 정자程子, 장횡거張橫渠 등의 전기傳記가 있었고, 『태극도설』 전문이 게재되어 있었다. 대개 염계는 여기에서 처음으로 전기를 올릴 수 있었으니, 국사를 지은이가 이 점에서는 공이 있다. 그러나 이 『도설』 원문의 첫 구절에는 '무극이면서 태극이다.'라고만 하였는데, 무엇을 근거로 '~부터, ~된다[自 · 爲]' 두 말을 추가했는지 모르겠다. 본문의 뜻이 친절하고 완전함이 이렇게 명백한데도 식견이 얕은 사람들이 오히려 혹 함부로 비난한다. 만일 이 말을 추가하면 선현에게 누累가 됨과 후학들의 의심을 부추김이 더욱 심할 것이다. 마땅히 청해서 고쳐야 한다고 하였더니, 어떤 이는 안 된다고 한다.

옛날에 소자용蘇子容[957]은 단지 자기 아버지를 비방한 것을 변호하려고 국사에 기록된 '풀머리와 나무다리[草頭木脚]'[958]라는 글의 삭제를 청했는데, 신조神祖[959]가 오히려 이를 받아주었다. 하물며 이것은 바로 백세百世 도술道術의 연원과 관계된 것이겠는가? 마침 이 일을 가져다가 선례로 삼는다면 고치지 못할 이유가 없을 것이다."

954 『朱文公文集』 권36 「答陸子靜」의 다음 글 참조. "근래 『국사』의 「염계전」을 보았는데, 이 『태극도설』을 게재하였다. 여기에 이르기를, '무극으로부터 태극이 되었다.'고 하였다.(近見國史濂溪傳, 載此圖說. 乃云自無極而爲太極.)"

955 『朱文公文集』 권71 「記濂溪傳」

956 홍경로洪景盧: 洪邁(1123~1202)의 자는 景盧이고, 호는 容齋, 野處翁이다.

957 소자용蘇子容: 蘇頌(1020~1101)의 자는 子容이다. 아버지의 이름은 蘇紳(소신)이다.

958 풀머리와 나무다리[草頭木脚]: 『朱子大全箚疑』에 다음과 같이 설명했다. "송사에 소신과 양적은 함께 兩禁[한림원]에 있었는데, 사람들이 음험하고 사특한 것으로 여겼다. 그러므로 고해서 말하기를 '풀머리와 나무다리가 사람을 함정에 빠뜨린다.'고 하였다. 풀머리[蘇]는 蘇紳을 가리키고, 나무다리[梁]는 梁適을 가리킨다. 소신은 소자용의 아비이므로 변정한 것이다.(宋史, 蘇紳與梁適, 同在兩禁, 人以爲險詖. 故語曰草頭木脚, 陷人倒卓. 草頭指蘇字, 木脚指梁字. 紳卽子容之父, 故辨之也.)"

959 신조神祖: 북송의 제6대 황제 神宗(趙頊: 재위기간 1068~1085년)

[1-12-5]

"濂溪太極圖, 首尾相因, 脈絡貫通. 首言陰陽變化之原, 其後卽以人所稟受明之. 自'惟人也得其秀而最靈',[960] 純粹至善之性也, 是所謂太極也. '形生神發', 則陽動陰靜之爲也. '五性感動', 則'陽變陰合而生水火木金土'之性也. '善惡分', 則'成男成女'之象也. '萬事出', 則萬物化生之象也. 至'聖人定之以中正仁義而主靜立人極焉', 則又有得乎太極之全體, 而與天地混合無間矣. 故下文又言天地日月四時鬼神四者無不合也."[961]

(주자가 말했다.) "염계의 『태극도』는 처음과 끝이 서로 이어지고 맥락이 관통한다. 첫머리에서는 음양 변화의 근원을 말하였고, 그 다음에서는 바로 사람이 나눠 받은 것을 가지고 밝혔다. 먼저 '사람만이 그 가장 우수한 것을 얻어서 가장 신령하다.'에서 이른바 '가장 신령한 것最靈'은 순수하고 지극히 선한 성性이니, 이른바 태극이다. '형체가 생기고 정신이 발동한다.'는 양동陽動과 음정陰靜이 하는 것이다. '오성五性이 느껴서 움직인다.'는 '양이 변하고 음이 합하여 수화목금토를 생하게 하는' 성性이다. '선악이 나뉜다.'는 '남성을 이루고 여성을 이루는' 상象이다. '만사가 일어난다.'는 만물이 화생化生하는 상象이다. '성인이 중·정·인·의中正仁義하기로 정하였으면서도 정靜(가만있음)을 위주로 하여 인극人極을 세웠다.'에 이르면 또 태극 전체를 얻어서 천지와 더불어 혼합하여 틈이 없다. 그러므로 아래 글에 또 천지, 일월, 사시, 귀신 네 가지와 합치하지 않은 것이 없다고 말하였다."

[1-12-6]

"太極之旨, 周子立象於前, 爲說於後, 互相發明, 平正洞達, 絶無毫髮可疑. 而舊傳圖說皆有謬誤, 幸其失於此者, 猶或有存於彼. 是以向來得以參互考證, 改而正之. 凡所更改, 皆有據依, 非出於己意之私也."[962]

(주자가 말했다.) "태극의 뜻은 주자周子가 앞에서 도상圖像을 제시하고 뒤에서는 설명을 붙여 서로 밝힌 것이 반듯하고 분명하여 털끝만큼도 의심할 만한 것이 없다. 옛날부터 전해온 「도설」에는 모두 오류가 있으나, 다행히 여기에서 잃어버린 것이 오히려 혹 저기에 남아있다. 그러므로 나중에 서로 참조하고 고증하여 고쳐서 바룰 수 있었다. 무릇 고친 것은 다 근거가 있으니, 나의 사사로운 생각에서 나온 것이 아니다."

[1-12-7]

"周子喫緊爲人, 特著太極之書, 以明道體之極致. 而其所說用工夫處, 只說'定之以中正仁義而主靜,' '君子脩之吉'而已, 未嘗使人日用之間, 必求見此'無極之眞'而固守之也. 蓋原此理之所自來, 雖極微妙, 萬事萬化皆自此中流出, 而實無形象之可指. 故曰'無極'耳. 若論工

960 最靈 : '最靈' 뒤에 『朱子語類』 권94, 104조목에 '所謂最靈' 4자가 더 있다.

961 『朱子語類』 권94, 104조목

962 『朱文公文集』 권42 「答胡廣仲」

夫, 則只中正仁義, 便是理會此事處, 非是別有一段根原工夫, 又在講學應事之外也."[963]

(주자가 말했다.) "주자周子가 간절하게 남을 위한 것은, 특별히 태극에 관한 책을 저술하여 도체道體의 극치를 밝힌 것이다. 그가 말한 공부해야 할 곳은 다만 '중·정·인·의中正仁義하는 것으로 정定하고서도 정靜을 위주로 한다.'와 '군자는 이를 닦아서 길하다.'라는 것뿐이고, 사람들로 하여금 일상 속에서 반드시 '무극의 진리'를 찾아내어 굳게 지키라고 한 적은 없다. 대개 이 리가 나온 근원을 캐보면 비록 극히 미묘하여 온갖 일과 온갖 조화가 다 여기에서 흘러나오지만 실은 지적할 만한 형상은 없다. 그러므로 '무극'이라고 말하였을 뿐이다. 만일 공부를 논한다면 오직 중·정·인·의가 바로 이 일을 이해하는 곳일 뿐이며, 학문연찬과 일처리 외에 별도로 하나의 근원공부가 또 있는 것은 아니다."

[1-12-8]

"凡看道理, 要見大頭腦處分明,[964] 下面節節只是此理散爲萬殊. 如孔子教人, 雖是逐事說箇道理, 未嘗說出大頭腦處, 然四方八面合聚湊來, 也自見得箇大頭腦. 若孟子, 便已指出教人. 周子說出太極, 又是大段分明指出矣. 且如惻隱之端, 從此處推將去, 則是此心之仁, 仁卽四德之元, 元卽太極之動處. 如此節節推將去, 亦自見得大頭腦處. 若看得太極處分明, 則盡見得天下許多道理條件皆自此出, 事事物物上皆有此箇道理, 元無虧欠也."[965]

(주자가 말했다.) "무릇 도리를 살필 때는 근본요지要旨를 분명하게 알아야 하니, 그 아래 하나하나는 다만 이 리가 흩어져 만 가지로 달라진 것일 뿐이다. 예컨대 공자가 사람을 가르칠 때는 비록 일에 따라 도리를 말하고, 근본요지를 말한 적은 없으나, 도처의 말을 합하여 모으면 역시 저절로 근본요지를 알 수 있다. 맹자 같은 경우는 이미 지적해 내어 사람들에게 가르쳤다. 주자周子가 태극을 말한 것도 대단히 분명하게 지적해 낸 것이다. 가령 측은의 단서로부터 미루어나가면 이것은 마음의 인이고, 인은 사덕四德의 원元이며, 원은 즉 태극이 움직이는 곳이다. 이처럼 하나하나 미루어나가면 역시 저절로 근본요지를 알 수 있다. 만약 태극을 이해한 것이 분명하면 천하의 많은 도리 하나하나가 다 이로부터 나왔고, 사사물물 상에 모두 이 도리가 있어서, 원래 부족함이 없다는 것을 다 알 수 있을 것이다."

[1-12-9]

"『太極圖』, 某若不分明別出許多節次出來,[966] 如何看得? 但未知後人果能如此子細去看否."[967]

963 『朱文公文集』 권45 「答廖子晦」

964 要見 : '要見' 뒤에 『朱子語類』 권9, 53조목에는 '得'자가 더 있다.

965 『朱子語類』 권9, 53조목

966 不分明別出許多節次出來 : 이 구절은 『朱子語類』 권94, 110조목에 "不分別出許多節次來"로 되어 있다.

967 『朱子語類』 권94, 110조목

(주자가 말했다.) “『태극도』는 내가 만약 많은 절차를 분석해 내지 않았다면 어떻게 알 수 있겠는가? 다만 뒷사람이 과연 이렇게 자세히 보려고 할지 모르겠다.”

[1-12-10]

“周子太極圖, 經許多人, 不與他思量出. 自某逐一與他思索, 方得他如此精密.[968]”[969]

(주자가 말했다.) “주자周子의 『태극도』는 많은 사람을 거쳤으나 그(周子)처럼 생각해 내지 않았다. 내가 하나씩 그처럼 사색한 뒤에 비로소 그가 이처럼 정밀했음을 알았다.”

[1-12-11]

“今人多疑濂溪之學出於希夷. 某曰‘濂溪書具存,[970] **如『太極圖』, 希夷如何有此說?’”**[971]

(주자가 말했다.) “지금 사람들은 대부분 염계의 학문이 희이希夷(陳摶)에게서 나온 것으로 의심한다. 어떤 이가 말하기를, ‘염계의 책이 다 남아있는데, 『태극도』 같은 경우, 희이希夷에게 어떻게 이런 학설(태극도설)이 있는가?’ 하였다.”

[1-12-12]

南軒張氏曰: “先生崛起千載之後, 獨得微指於殘編斷簡之中. 推本太極以及乎陰陽五行之流布, 人物之所以生化. 於是知人之爲至靈, 而性之爲至善, 萬物有其宗, 萬事循其則. 擧而措之, 可見先王之所以爲治者, 非私知之所出. 孔孟之意, 于以復明.”[972]

남헌 장씨南軒張氏가 말했다. “(周)선생이 천년 뒤에 우뚝 일어나서 부스러지고 떨어져 나간 죽간[殘編斷簡: 온전치 못한 책] 속에서 미묘한 뜻을 홀로 얻었다. 태극에서 근본을 캐서 음양오행이 유포되어 사람과 만물이 화생하는 데까지 미쳤다. 이에 사람은 지극히 신령하고 성性은 지극히 선하며, 만물에는 종주宗主가 있고 만사는 그 법칙을 따른다는 것을 알았다. 이를 들어 활용하면, 선왕의 다스리는 법이 사사로운 지혜에서 나온 것이 아님을 알 수 있다. 공맹孔孟의 뜻도 이로 인해 다시 밝아졌다.”

[1-12-13]

山陽度氏曰: “正始讀晦庵先生所釋太極圖說, 莫得其義, 然時時覽而思之不敢廢. 其後十有餘年, 讀之旣久, 然後始知所謂‘上之一圈’者, 太極本然之妙也. 及其動靜旣分, 陰陽旣形, 而其所謂‘上之一圈’者常在乎其中, 蓋本然之妙未始相離也. 至於陰陽變合而生五行, 水火木金土各具一圈者, 所謂‘分而言之一物一太極也.’ 水而木, 木而火, 火而土, 土而金,

968 方得 : 『朱子語類』 권64, 160조목에 ‘方見得’으로 되어 있다.
969 『朱子語類』 권64, 160조목
970 某曰 : ‘某曰’은 『朱子語類』 권93, 49조목에 ‘可學云’으로 되어 있다.
971 『朱子語類』 권93, 49조목
972 『宋名臣言行錄』「外集」 권1

復會於一圈者, 所謂'合而言之五行一太極也.' 然其指五行之合也, 總水火木金而不及土者, 蓋土行四氣, 擧是四者以該之, 兩儀生四象之義也. 其下一圈爲乾男坤女者, 所謂男女一太極也. 又其下之一圈爲萬物化生者, 所謂萬物一太極也. 以見太極之妙流行於天地之間者, 無乎不在而無物不然也.

산양 도씨山陽度氏[973]가 말했다. "내(正)가 처음 회암선생이 해석한 『태극도설』을 읽고 그 의미를 얻지 못했으나 때때로 읽으면서 생각하기를 그만두지 못했다. 그 뒤 10여 년 동안 오래도록 읽은 뒤에 이른바 '맨 위 한 개의 원圓'은 태극 본연의 묘함이라는 것을 비로소 알았다. 그것이 동과 정으로 나뉘고, 음과 양이 형체를 이룬 뒤까지도 이른바 '맨 위 한 개의 원'은 항상 그 속(동정·음양)에 있으니, 대개 본연의 묘함은 서로 떨어진 적이 없다. 음양이 변하고 합하여 오행을 생함에 이르러, 수·화·목·금·토가 각각 한 개의 원을 갖춘 것은 이른바 '나누어 말하면 하나의 물건이 하나의 태극이다.'라는 것이다. 수가 목으로, 목이 화로, 화가 토로, 토가 금으로 유행하여 다시 한 개의 원으로 모인 것은 이른바 '합하여 말하면 오행이 하나의 태극'이라는 것이다. 그러나 (『태극도』에서) 그 오행이 합한 것을 가리킬 때, 수·화·목·금만 총괄하고 토를 제외한 것은 대개 토는 네 기氣 속을 유행하므로 이 네 가지를 들어서 (토를) 포함시킨 것이니, '양의兩儀가 사상四象을 생한다.'는 뜻이다. 그 아래 한 개의 원이 건乾은 남성, 곤坤은 여성이 되는 것은 이른바 '남녀가 하나의 태극이다.'는 것이다. 또 그 아래 한 개의 원이 만물의 화생化生이 되는 것은 이른바 '만물이 하나의 태극이다.'는 것이다. 이로써 태극의 묘함은 천지 사이를 유행하여 없는 곳이 없고 그렇지 않은 물건이 없음을 나타내었다.

然太極本然之妙, 初無方所之可名, 無聲臭之可議, 學者之求之, 其將何以求之哉? 亦求之此心而已矣. 學者誠能自識其心, 反而求之日用之間, 則將有可得而言者. 夫寂然不動, 喜怒哀樂之未發者, 此心之體, 而太極本然之妙於是乎在也. 感而遂通, 喜怒哀樂之旣發者, 此心之用, 而太極本然之妙於是而流行也. 然已發者可見, 而未發者不可見. 已發者可聞, 而未發者不可聞. 學者於此深體而黙識之, 因其可見以推其不可見, 因其可聞以推其不可聞, 庶乎融會貫通, 太極本然之妙可求, 而心極亦庶乎可立矣. 或者不知致察乎此, 而於所謂'無極云'者眞以爲無, 而以爲周子立言之病, 失之遠矣.

그러나 태극 본연의 묘함은 애초에 이름을 붙일 수 있는 방소方所(방위와 장소)도 없고, 거론할 수 있는 소리나 냄새도 없으니, 배우는 자가 이를 구하려고 하면 어디서 구하겠는가? 역시 이 마음에서 구할 뿐이다. 배우는 자가 진실로 스스로 자신의 마음을 알아서 일상 속에서 돌이켜 구할 수 있다면 장차 말할 수 있는 것이 있을 것이다. 고요히 움직이지 않아 희노애락이 미발未發한 것은 이 마음의 체體이니, 태극 본연의 묘함이 여기에 있다. 감지하여 드디어 통하여 희노애락이 이발已發한 것은 이 마음의 용用이니, 태극 본연의 묘함이 여기서 유행한다. 그러나 이발한 것은 볼 수 있으나 미발한 것은 볼

973 산양 도씨山陽度氏 : 성명은 度正(1166~1235), 자는 周卿, 호는 性善, 夷白齋이다.

수 없다. 이발한 것은 들을 수 있으나 미발한 것은 들을 수 없다. 배우는 자가 여기서 깊이 체득하고 묵묵히 알아내서, 볼 수 있는 것을 통해서 그 볼 수 없는 것을 추측하고, 들을 수 있은 것을 통해서 그 들을 수 없는 것을 추측하면 아마 종합적으로 완전하게 이해할 수 있을 것이니, 태극 본연의 묘함도 찾을 수 있고 심극心極(마음의 표준) 또한 거의 세울 수 있을 것이다. 어떤 사람은 이것을 살필 줄을 모르고 이른바 '무극 운운한 것'을 진짜 무無(없음)로 여기며, 주자周子 주장의 병통이라고 여기니, 이는 크게 잘못이다.

先生嘗語正曰, 萬物生於五行, 五行生於陰陽, 陰陽生於太極, 其理至此而極. 正當時聞之, 心中釋然若有以見夫理之所以然, 名之所以立者. 先生又曰, '乾道成男坤道成女', 何也, 此程子所謂'海上無人之境, 而人忽生乎其間'者, 此天地生物之始, 禮家所謂'感生之道'也. 又曰: "生天生地, 成鬼成帝, 卽太極動靜生陰陽之義.

蓋先生晩年. 表裏洞然, 事理俱融, 凡諸子百家一言一行之合於道者, 亦無不察, 況聖門之要旨哉? 遂寧傅耆伯成未第時, 嘗從周子遊而接其議論. 先生聞之, 嘗令正訪其子孫而求其遺文焉. 在吾鄕時, 傅嘗有書謝其所寄姤說. 其後在永州, 又有書謝其所寄改定同人說. 但傅之書藁無恙, 而周子之易說則不可復見耳. 聞之先生, 今之通書本名易通, 則六十四卦疑皆有其說. 今考其書, 獨有乾損益家人睽復無妄蒙艮等說, 而亦無所謂姤說同人說者, 則其書之散逸亦多矣, 可不惜哉.

(晦庵) 선생이 일찍이 나(正)에게 말하기를, '만물은 오행에서 생하고, 오행은 음양에서 생하고, 음양은 태극에서 생하니, 그 리가 여기에 이르러 지극하다.'고 하였다. 나(正)는 당시 이를 듣고 마음속이 후련하여 리의 원인과 이름을 붙인 까닭을 알 수 있을 것 같았다. 선생이 또 말하기를, '건도는 남성을 이루고 곤도는 여성을 이룬다는 무엇인가? 이것은 정자가 말한 「사람이 없는 어느 바닷가에서 사람이 홀연히 생긴다.」[974]는 것이니, 이것은 천지가 만물 생성의 시작이고, 예학가禮學家들이 말한 「감생感生의 도이다.」[975]'라고 하였다. 또 말했다. '하늘을 생하고 땅을 생하고 귀鬼를 이루고 제帝를 이루는 것[976]은 곧 태극이 동정하여 음양을 생한다는 뜻이다.'라고 하였다.

974 「사람이 없는 … 생긴다.」: 『二程遺書』 권18

975 「감생感生의 도이다.」: 『禮記』「大傳」鄭氏注의 다음 글 참조. "왕의 선조는 모두 太微 五帝의 精氣에 감응하여 생한다.(王者之先祖, 皆感大微五帝之精以生.)" / 『朱子語類』 권87, 74조목 "감생의 뜻을 물었는데, 주자가 답하였다. '현조의 알이나 거인의 발자국 같은 부류일 뿐이다.'(問感生之義. 曰: 如玄鳥卵大人跡之類耳.)"

976 '하늘을 생하고 … 것: 『莊子』「大宗師」의 다음 글 참조. "대저 도는 (존재한다는 것을) 믿을 만한 정황은 있으나 움직임이 없고 형체가 없다. 전해줄 수는 있어도 받을 수 없으며 얻을 수는 있어도 볼 수는 없다. 스스로 근본이 되어 아직 천지가 있기 전의 옛날부터 본디 있었다. 鬼를 신묘하게 하고 帝를 신묘하게 하며 하늘을 생하며 땅을 생한다. 태극의 앞에 있어도 높지 않고, 육극의 아래에 있어도 깊지 않다. 천지보다 먼저 생하였어도 장구한 것이 아니고 상고보다 오래 살았어도 늙지 않았다.(夫道, 有情有信, 無爲無形. 可傳而不可受, 可得而不可見. 自本自根, 未有天地, 自古以固存. 神鬼神帝, 生天生地. 在太極之先而不爲高, 在六

선생 만년에 안팎을 훤히 알고 사리事理에 모두 통달하여 모든 제자백가의 말 한 마디 행동 하나라도 도에 합치되는 것은 또한 살피지 않음이 없었으니, 하물며 성문聖門의 요지이겠는가? 수녕遂寧의 부기傅耆[977]가 아직 과거에 급제하지 않았을 때에 일찍이 주자周子와 교유하며 그 의론을 접했다. 선생이 이를 듣고 나(正)를 시켜 그 자손을 방문하여 유문遺文을 구하게 한 적이 있다. (부기가) 내 고향(遂寧)에 있을 때, 부기가 편지로 (周子가) 보내준 구괘설姤卦說에 대하여 사례한 적이 있었다. 그 뒤 영주永州에 있을 때도 또 편지로 (周子가) 보내준 개정한 동인괘설同人卦說을 사례한 일이 있다. 다만 부기의 편지는 그대로 남아있는데, 주자周子의 역설易說은 다시 볼 수 없다. 선생에게서 들으니, 지금의 『통서通書』의 본명은 『역통易通』이었다 하니, 64괘에 아마도 그 설이 다 있었던 것 같다. 지금 그 책(通書)을 고찰해 보면 단지 건乾, 손損, 익益, 가인家人, 규睽, 복復, 무망無妄, 몽蒙, 간艮 괘 등의 설은 있으나, 역시 이른바 구설姤說 동인설同人說은 없으니, 그 책에는 흩어져 잃어버린 것도 많은 듯하다. 어찌 애석하지 아니한가!

夫太極者, 所以發明此心之妙用也, 通書者, 又所以發明太極之妙用也. 然其言辭之高深, 義理之微密, 有非後學可以驟而窺者. 今先生旣已反復論辨, 究極其說, 章通句解, 無復可疑者. 其所以望於後之學者至矣. 正也輒不自量, 倂以其聞之先生者附之于此, 學者其亦熟復而深味之哉!"[978]

『태극도』는 이 마음의 묘용을 밝힌 것이고, 『통서通書』는 또 태극의 묘용을 밝힌 것이다. 그러나 그 말의 높고 깊음과 의리의 정밀하고 주밀한 것은 후학이 갑자기 엿볼 수 있는 것이 아니다. 지금 선생이 이미 반복 논변하여 그 설을 끝까지 궁구하여 장章은 통하고 구절은 풀려서 다시 의심할 것이 없게 되었다. 그 후학들에게 바라는 것이 지극하다. 나(正)도 문득 자신을 헤아리지 못하고 선생에게서 들은 것을 모두 여기에 첨부하니, 배우는 자들은 역시 익숙하도록 반복하고 깊이 음미할지어다."

[1-12-14]

謝氏方叔**曰: "道之大原, 出於天而具於人心, 其大無外, 其小無內, 蓋混然一太極也. 自伏羲繼天立極, 因河圖以畫八卦. 天地定位而乾坤列, 山澤通氣而艮兌列, 雷風相薄而震巽列, 水火不相射而坎離列. 自震而乾爲數往, 自巽而坤爲知來. 八倍爲十六, 十六倍爲三十二, 三十二倍爲六十四. 天地鬼神之奧, 萬事萬物之理, 森然畢備. 此伏羲先天之易, 所以爲萬古斯文之鼻祖也. 神農氏之取益噬嗑者以是, 黃帝堯舜之取乾坤至夬者以是, 夏連山**

極之下而不爲深, 先天地生而不爲久, 長於上古而不爲老.)"

977 수녕遂寧의 부기傅耆 : 『經義考』 권69에 다음과 같이 말하였다. "조학전이 말하였다. '傅耆는 遂寧 사람이고 字는 伯成이다. 14세 때 향에 천거되어 平羌縣(평강현)을 다스렸다.'(曹學佺曰, 耆, 遂寧人, 字伯成. 年十四, 薦於鄕, 知平羌縣.)"

978 『周元公集』「書太極圖解後」

商歸藏亦以是, 雖其作用不同, 其實同一太極也.

사씨방숙謝氏方叔[979]가 말했다. "도의 큰 근원은 하늘에서 나와 사람의 마음에 갖춰졌는데, 그 크기로는 밖이 없고 그 작기로는 안이 없으니, 혼연한 하나의 태극이다. 복희가 하늘의 뜻을 받들어 표준을 세우고, 하도河圖에 근거하여 팔괘를 그었다. 하늘과 땅이 자리를 정함에 건괘(☰)와 곤괘(☷)가 배열되고, 산과 못이 기氣를 통함에 간괘(☶)와 태괘(☱)가 배열되고, 우레와 바람이 서로 부딪힘에 진괘(☳)와 손괘(☴)가 배열되고, 물과 불이 서로 해치지 않음에 감괘(☵)와 리괘(☲)가 배열된다. 진괘로부터 건괘로 가는 것은 과거를 헤아리는 것이고, 손괘로부터 곤괘로 가는 것은 미래를 아는 것이다.[980] 8의 배는 16이고, 16의 배는 32이고, 32의 배는 64이다. 천지귀신의 심오함과 만사만물의 리가 뚜렷이 다 갖추어져 있다. 이것이 복희의 선천역先天易이며, 만고에 사문斯文의 비조가 되는 까닭이다. 신농씨가 익괘益卦와 서합괘噬嗑卦에서 취한 것도 이를 쓴 것이고, 황제와 요순이 건곤괘부터 쾌괘夬卦까지를 취한 것도 이를 쓴 것이고, 하夏나라의 연산역連山易과 상商나라의 귀장역歸藏易도 이를 쓴 것이니, 비록 그 작용은 같지 않으나 실제는 똑같은 하나의 태극이다.

降及中古, 文主繫卦, 周公繫爻, 易於是乎有辭. 孔子生於周末, 晩作十翼, 先天後天互相發明. 其紀載於詩書, 其發揮於禮樂, 其筆削於春秋, 大本大原曾不外此. 去聖浸遠, 世之諸儒或汩於訓詁詞章之末, 或溺於權謀功利之習, 甚至薄蝕於虛無寂滅之教, 其斲喪天理滋甚.

그 후 중고시대에 이르러 문왕이 괘사卦辭를 달고, 주공周公이 효사爻辭를 다니, 이에 『역易』에 설명이 있게 되었다. 공자가 주周나라 말기에 나서 만년에 십익十翼을 지으니, 선천역先天易과 후천역後天易이 서로 밝혀졌다. 『시』·『서』에 기재된 것과, 예악禮樂에서 발휘된 것과, 『춘추』에 기록되거나 삭제된 것은 그 큰 본원은 여기에서 벗어난 적이 없다. 성인의 시대와 점차 멀어지면서 세상의 여러 유자儒子들이 혹은 훈고와 사장詞章의 말단적인 것에 골몰하기도 하고, 혹은 모략과 눈앞의 이익을 좇는 습관에 빠지기도 하고, 심지어 허무적멸의 가르침에 가려지니 천리天理가 더욱 심하게 해쳐졌다.

更千百年至我國朝, 天啓斯道, 始有濂溪周先生獨傳千載不傳之秘, 上祖先天之易著太極一圖. 所謂'太極云'者, 蓋本於'易有太極', 而陰陽五行人物由此而生, 卽太極生兩儀, 兩儀生四象, 四象生八卦之謂也. 自太極分陰陽, 陰陽分五行, 五行分四時, 皆指太極之在造化者. 自無極二五之妙合而推萬物之化生, 自人物之並生而別人心之最靈, 自五性之感動而

979 사씨방숙謝氏方叔: 謝方叔(?~1272)의 자는 德方이고, 호는 濱山이다.

980 진괘로부터 건괘로 … 것이다.: 『周易』「說卦傳」 3장 및 그 『周易本義』 참조. "진에서 일어나서 離兌卦를 지나 乾卦에 이르는 것은 이미 생성된 괘를 헤아리는 것이고, 巽卦로부터 坎艮卦를 지나 坤卦에 이르는 것은 아직 생성되지 않은 괘를 추측하는 것이다. 易이 괘를 생성하는 것은 乾兌離震巽坎艮坤의 순서이다. 그러므로 다 거슬러서 헤아린다.(起震而歷離兌以至於乾, 數已生之卦也, 自巽而歷坎艮以至於坤, 推未生之卦也. 易之生卦則以乾兌離震巽坎艮坤爲次. 故皆逆數也.)"

明聖人之立極, 此皆指太極之在品彙者.

다시 천년이 지나 우리 본조本朝에 이르러 하늘이 이 도道를 열어주어, 먼저 염계 주선생이 있어 천년간 전해지지 않던 비결을 홀로 전해 받아 위로 선천역을 본받아 하나의 『태극도』를 지었다. 이른바 '태극이라는 것'은 대개 '역에 태극이 있다.'에서 근본한 것이고, 음양, 오행, 사람과 만물이 이로 말미암아 났다는 것은, 곧 '태극이 양의를 생하고, 양의가 사상을 생하고, 사상이 팔괘를 생한다.'를 이른 것이다. 태극으로부터 음양으로 나뉘고, 음양이 오행으로 나뉘고, 오행이 사시四時로 나뉘는 것은 다 태극이 조화 속에 있음을 가리킨 것이다. 무극과 음양, 오행이 묘하게 합쳐진 것에서 만물의 화생을 유추하고, 사람과 만물이 함께 살아가는 속에서 사람의 마음이 가장 신령함을 분별해내고, 오성五性이 느껴 동함에서 성인이 세운 극을 밝히는 것, 이런 것들은 다 태극이 온갖 물건 속에 존재함을 가리킨 것이다.

自其在造化者言之, 則卽天地可以推太極動靜之妙. 故曰'立天之道曰陰與陽, 立地之道曰柔與剛'. 自其在品彙者言之, 惟聖人會太極動靜之全. 故曰'立人之道曰仁與義.'
終始不窮, 流行今古, 此所謂'六爻之動, 三極之道也.' 六爻之中, 五上爲天, 三四爲人, 初二爲地. 統而言之, 三極同一太極, 析而言之, 三極各一太極. 故周子於圖說之終, 斷之曰'大哉易也, 斯其至矣.' 此周子作圖之本意也. 至於易通之書, 則又與此圖相爲表裏.

조화 속에 있는 것으로 말하면, 천지에서 태극이 동정하는 묘함을 유추할 수 있다. 그러므로 말하기를, '천지의 도를 세워 음과 양이라 하고, 땅의 도를 세워 유와 강이라고 한다.'고 한다. 온갖 물건 속에 있는 것으로 말하면, 오직 성인만이 태극의 동정動靜 전체를 이해할 수 있다. 그러므로 말하기를, '사람의 도를 세워 인과 의라 한다.'고 한다.
시작과 끝에 궁진함이 없고 고금古今을 유행하니, 이것은 이른바 '6효爻의 동動은 삼극三極의 도이다.'[981] 라는 것이다. 6효 중에 5효와 상효上爻는 하늘이고, 3효와 4효는 사람이고, 초효初爻와 2효는 땅이다. 통괄하여 말하면 삼극三極이 동일한 하나의 태극이며, 나누어 말하면 삼극이 각각 하나의 태극이다. 그러므로 주자周子가 『도설』의 끝에서 단정하여 말하기를 '위대하도다. 『역易』이여. 지극하구나!'라고 하였다. 이것이 주자周子가 『태극도』를 지은 본의이다. 『역통易通』(『通書』)은 또 이 『태극도』와 서로 표리를 이룬다.

伊洛道喪, 傳者多失其眞. 中興以來, 復有考亭朱先生上接聖賢相傳之道統, 著書立言, 私淑後學. 其本義啓蒙諸書, 皆所以闡揚乎太極之理. 言造化之樞紐, 所以明陰陽五行一太極. 言品彙之根柢, 所以明男女萬物一太極. 其曰上天之載無聲無臭, 則周子無極而太極之意, 非駕空鑿虛之說也. 又曰'非太極之外復有無極', 則周子'太極本無極'之意, 非疊牀架屋之說也. 太極得朱子表章而益明, 可謂有大造於萬世學者矣."

981 『周易』「繫辭上」 第2章

이락伊洛(二程을 가리킴)의 도는 상실되었고, 이를 전하는 자들도 대부분 그 참을 잃었다. (南宋이) 중흥中興한 이래 다시 고정考亭[982] 주朱선생이 윗 성현이 서로 전한 도통을 이어받아 저술하고 이론을 세워 후학들이 사숙私淑하게 하였다. 그 『주역본의』와 『역학계몽』 등은 모두 태극의 리를 천명한 것이다. '조화의 지도리'라고 말한 것은 음양오행이 하나의 태극임을 밝힌 것이다. '여러 물건의 뿌리'라고 말한 것은 남녀와 만물이 하나의 태극임을 밝힌 것이다. '상천上天의 일은 소리도 없고 냄새도 없다.'고 말한 것은 주자周子의 '무극이면서 태극이다.'는 뜻이니, 하늘에 멍에 걸고 허공에 구멍을 뚫는(駕空鑿虛) (헛된) 말이 아니다. 또 '태극 밖에 다시 무극이 있는 것이 아니다.'는 주자周子의 '태극은 본래 무극이다.'라는 뜻이니, 평상 위에 평상을 포개고 지붕 위에 지붕을 얹는 (것처럼 쓸데없는) 말이 아니다. 태극은 주자朱子의 표창表彰을 얻어 더욱 분명해졌으니, 만세의 후학들에게 큰 공로가 있다고 할 만하다."

[1-12-15]

黃氏瑞節**曰: "朱子於書無不緖正, 而周子二書解, 在乾道九年已脫藁, 至淳熙十五年始出以授學者. 慶元五年三月將終之前五日, 猶爲諸生講太極圖至夜分, 則其於是書蓋終身焉. 然與陸氏兄弟往復爭辯以此, 與林侍郎栗論不合得劾以此. 最後臺臣排擊僞學, 有張貴謨者指論太極圖說之非, 遂决去以終其身亦以此. 嗚呼! 先生講授一意, 分更分漏開示學者, 惟恐一毫之不明且盡也. 而人之好異, 亦可畏哉! 後之讀是書者, 其知先生苦心云!"**

황씨서절黃氏瑞節가 말했다. "주자는 책의 두서를 바로잡지 않은 것이 없으니, 주자周子의 두 책(『太極解義』와 『通書解』)에 대한 해설은 건도 9년(1173년)에 이미 탈고하였고, 순희 15년(1188년)에 이르러 처음으로 세상에 내놓고 후학들에게 전수하였다. 경원 5년[983] 3월 돌아가시기 5일 전에도 여전히 여러 제자들을 위하여 한밤중까지 『태극도』를 강의하였으니, 이 책에 일생을 바친 것이다. 그러나 육씨陸氏 형제와 왕복 논쟁한 것도 이것 때문이고, 시랑侍郎 임률林栗[984]과 논의가 합치되지 않아 탄핵을 얻은 것[985]도 이것 때문이다. 최후에 대신臺臣이 위학僞學을 배격할 때 장귀모張貴謨[986]라는 자가 『태

982 고정考亭 : 考亭은 朱子가 만년에 滄州精舍를 세워 강학한 곳으로 宋 理宗이 考亭書院이라는 이름을 내려 주자를 祭享하게 함으로써 그 후 朱熹의 號로도 쓰이게 되었다.

983 경원 5년 : 朱子 서거는 경원 6년(1200년) 3월 9일이다. 여기 5년은 오류이다.

984 임율林栗 : 자는 黃中, 寬夫이다.

985 시랑侍郎 임률林栗과 … 것 : 『朱文公文集』「戊申封事」 및 그 『朱子大全箚疑』 '侍從止上下條' 참조. "연보 무신년 6월조에 선생은 병부 낭관에 제수되었다. 본부시랑 임률이 선생과 더불어 『易』과 『西銘』을 논의하였는데, 그 말이 황당하고 이치에 맞지 않았다. 선생이 자신도 모르게 실소하였는데, 임률이 노하여 관리를 보내 직인을 안겨주며 직임을 수행하도록 압박하였다. 선생이 병부에 신청하여 발병이 낫기를 기다리고자 청하였었다. 다음 날 임률이 상소하여, 선생이 기만하니 파면하고 축출하라고 청했다. 임금이 말하기를, '임률이 지나친 것 같다.'고 하고, 드디어 임률을 내쫓고 선생에게 강서제형을 제수하였다.(年譜是年六月, 先生除兵部郎, 本部侍郎林栗, 與先生論易及西銘, 其言謬妄, 先生不覺失笑, 栗怒遣吏抱印, 迫以供職. 先生申部乞候疾愈. 翌日栗疏, 先生欺慢, 請行罷逐. 上曰林栗似過當, 遂黜栗. 授先生以江西提刑.) / 임률의 주장

극도설』의 잘못을 지적하여 논하자, 마침내 결연히 떠나와 일생을 마친 것도 이 때문이다. 오호라! 선생이 강론하여 전해주는 데에 온 마음을 다하여, 밤낮으로 시간을 쪼개 쓰며 배우는 이들에게 열어 보여줄 때에 오직 털끝만큼이라도 불분명하고 다하지 않음이 있을까 걱정했다. 사람들이 이설異說을 좋아하는 것은 또한 두려워할 만하다! 훗날 이 책을 읽는 자는 선생의 고심을 알 것이다!"

論太極圖與諸書同異 『태극도』와 다른 책의 차이를 논함

[1-13-1]

朱子曰: "伏義畫卦, 只就陰陽以下. 孔子又就陰陽上發出太極. 康節又道須信畫前元有易. 濂溪太極圖, 又有許多詳備."[987]

주자朱子가 말했다. "복희가 괘를 그은 것은 다만 음과 양으로 나뉜 이후를 그린 것이다. 공자는 또 음양에서 태극을 밝혀냈다. 강절은 또 '괘를 긋기 전에 본래 역易이 있었다는 것을 믿어야 한다.'고 말했다. 염계의 『태극도』에는 또 많은 것들이 상세히 갖춰져 있다."

[1-13-2]

問: "太極圖自一而二, 自二而五, 卽推至於萬物. 易則自一而二, 自二而四, 自四而八, 自八而十六, 自十六而三十二, 自三十二而六十四, 然後萬物之理備. 西銘則止言陰陽, 洪範則止言五行, 或略或詳皆不同, 何也?"

曰: "理一也, 人所見有詳略耳. 然道理亦未始不相値也."[988]

물었다. "『태극도』는 1에서 2, 2에서 5로 한 다음, 곧바로 만물로 나아갔고, 『역易』은 1에서 2, 2에서 4, 4에서 8, 8에서 16, 16에서 32, 32에서 64로 한 뒤에 만물의 리가 갖추어졌으며, 『서명西銘』은 다만 음양만을 말했고, 「홍범」은 다만 오행만을 말했으니, 혹은 소략하고 혹은 자세한 것이 다 같지 않은 것은 무엇 때문입니까?"

(주자가) 답했다. "리는 하나이지만, 사람이 본 데에 자세함과 소략함이 있을 뿐이다. 그러나 도리가 또한 서로 어긋난 적은 없다."

[1-13-3]

問: "先天太極二圖."

曰: "先天乃伏義本圖, 非康節所自作. 雖無言語, 而所該甚廣, 凡今易中一字一義, 無不自

등에 대하여는 『朱文公文集』 권71 「記林黃中辨易西銘」 참조

986 장귀모張貴謨: 자는 子智이다.

987 『朱子語類』 권62, 98조목

988 『朱子語類』 권94, 107조목

其中流出者. 太極却是濂溪自作, 發明易中大槪綱領意思而已. 故論其格局, 則太極不如先天之大而詳. 論其義理, 則先天不如太極之精而約. 蓋合下規模不同, 而太極終在先天範圍之內, 又不若彼之自然, 不假思慮安排也. 若以數言之, 則先天之數自一而二, 自二而四, 自四而八, 以爲八卦. 太極之數亦自一而二剛柔, 自二而四剛善剛惡柔善柔惡, 遂加其一中以爲五行, 而遂下及於萬物. 蓋物理本同, 而象數亦無二致, 但推得有大小詳略耳."[989]

「선천도先天圖」와 「태극도」 두 그림에 대하여 물었다.

(주자가) 답했다. "「선천도」는 곧 복희가 본래 그린 그림이고, 강절이 자작한 것이 아니다. 비록 말은 없지만 갖춘 것은 매우 넓다. 무릇 지금 『역』 중의 한 글자 한 의미가 그 가운데서 흘러나오지 않은 것이 없다. 「태극도」는 도리어 염계가 자작한 것으로 『역』 중의 큰 강령과 의미를 밝혔을 뿐이다. 그러므로 그 구성을 논하면 「태극도」는 「선천도」의 크고 자세함만 못하고, 그 의리를 논하면 「선천도」는 「태극도」의 정밀하고 간결함만 못하다. 원래 규모가 같지 않으나, 「태극도」는 결국 「선천도」의 범위 안에 있고, 또 저것처럼 자연스러워 생각이나 안배를 빌리지 않은 것만 못하다. 만일 수數로 말한다면, 「선천도」의 수는 1에서 2, 2에서 4, 4에서 8로 하여 팔괘가 되었으며, 「태극도」의 수는 역시 1에서부터 2강·유剛柔, 2에서 4강선·강악·유선·유악剛善剛惡柔善柔惡로 하고, 마침내 1중中을 더하여 오행으로 하였으며,[990] 드디어 그 뒤로 만물에 이른다. 만물의 리는 본래 동일하고, 상수象數도 역시 두 가지가 아니지만, 단지 추론하는데 크고 작음과 상세함과 소략함이 있을 뿐이다."

[1-13-4]

"先天之說, 亦是太極散爲六十四卦三百八十四爻, 而一卦一爻莫不具一太極. 其各具一太極處, 又有許多道理. 須虛心平氣, 就事觀理,[991] 不可只就圖想像思惟也."[992]

(주자가 말했다.) "「선천도」의 이론은 역시 태극이 흩어져서 64괘 384효가 되었으나, 하나의 괘 하나의 효마다 하나의 태극을 갖추지 않은 것이 없다. 그 각각 하나의 태극을 갖춘 곳에 또 많은 도리가 있다. 반드시 마음을 비우고 기운을 평온하게 하여 일에서 리를 살펴야 하고, 단지 그림 위에서 상상으로만 생각해선 안 된다."

[1-13-5]

問: "劉子所謂'天地之中', 卽周子所謂'太極'否?"

曰: "只一般, 但名不同. 中只是恰好處, 『書』'惟皇上帝降衷于下民', 亦只是恰好處. 極不是中, 極之爲物, 只是在中. 如這燭臺, 中央簪處便是極. 從這裏比到那裏, 也恰好, 不曾加些,

989 『朱文公文集』 권46 「答黃直卿」

990 「태극도」의 수는 … 하였으며 : 태극도의 수에 대하여는 『通書』 7장 「師」 참조

991 就事觀理 : 『朱文公文集』 권46 「答黃直卿」에 '徐觀事理'로 되어 있다.

992 『朱文公文集』 권46 「答黃直卿」

從那裏比到這裏, 也恰好, 不曾減些."[993]

물었다. "유자劉子(劉康公)가 말한 '천지의 중中'[994]은 즉 주자周子가 말한 '태극'입니까?"
(주자가) 답했다. "원래 마찬가지이지만, 이름이 같지 않다. 중中은 다만 꼭 알맞다는 것이니, 『서경』의 '위대하신 상제께서 백성에게 충衷(中)을 내리셨다.'[995]는 것도 역시 꼭 알맞은 것일 뿐이다. 극極은 중中이 아니고, 극이란 것이 가운데[中]에 있을 뿐이다. 예컨대 이 촛대에서 중앙의 꽂이가 바로 극이다. 여기부터 저기까지도 꼭 알맞아서, 조금도 늘린 적이 없고, 저기서부터 여기까지도 꼭 알맞아서 조금도 줄인 적이 없다.

[1-13-6]

問: "濂溪作太極圖, 發明造化之原,[996] 橫渠作西銘, 揭示進爲之方. 然二先生之學, 不知所造爲孰深."

曰: "此未易窺測. 然亦非學者所當輕議也."[997]

물었다. "염계는 『태극도』를 지어 조화의 근원을 밝혔고, 횡거는 『서명西銘』을 지어 공부해나가는 방법을 게시하였습니다. 그러나 두 선생의 학문의 조예는 누가 더 깊은지 알지 못하겠습니다."
(주자가) 답했다. "이것은 엿보아 헤아리기 쉽지 않다. 그러나 역시 배우는 사람이 당연히 가볍게 논의할 일은 아니다."

[1-13-7]

問: "近思錄載橫渠論氣二章, 其說與太極圖動靜陰陽之說相出入. 然橫渠立論不一而足, 似不若周子之言有本末次第也."

曰: "橫渠論氣與西銘太極各是發明一事, 不可以此而廢彼, 優劣亦不當輕議也."[998]

물었다. "『근사록』에 횡거가 기氣를 논한 두 장章을 실었는데, 그 설이 『태극도』의 동정·음양의 설과 서로 일치하지 않습니다. 그러나 횡거의 논의가 매우 많지만, 주자周子의 말에 본말과 차례가 있는 것만 못한 것 같습니다."
(주자가) 답했다. "횡거가 기氣를 논한 것과 『서명』, 『태극도』는 각각 한 가지 일을 밝혔으니, 이것으로써 저것을 폐지해서는 안 되고, 우열 또한 절대로 가볍게 논해서는 안 된다."

993 『朱子語類』 권18, 84조목
994 '천지의 중中' : 『春秋左傳』 成公 13년 3월條 참조. "유자가 말하였다. '내가 듣건대 백성은 천지의 중을 받아 생하였으니, 이른바 명이다.'(劉子曰, '吾聞之, 民受天地之中以生, 所謂命也.')"
995 '위대하신 … 내리셨다.' : 『書』「商書·湯誥」
996 造化 : 『朱文公文集』 권41 「答程允夫」에 道化로 되어 있다.
997 『朱文公文集』 권41 「答程允夫」
998 『朱文公文集』 권41 「答程允夫」

[1-13-8]

問: "橫渠太虛之說本是說無極, 却只說得無字."

曰: "無極是該虛實淸濁而言.[999] 無極字落在中間, 太虛字落在一邊了, 便是難說. 聖人熟了, 說出便恁地平正. 而今把意思去形容他, 却有時偏了."[1000]

물었다. "횡거의 태허설太虛說은 본래 '무극無極'을 말한 것인데, 도리어 단지 '무無[없다]'라고만 말하였습니다."

(주자가) 답했다. "무극은 허虛와 실實, 청淸과 탁濁을 관통하여 말한 것이다. '무극'이란 말은 그 중간에 있는데, '태허'란 말은 한쪽 편에 치우쳐 있으니, 곧 말로 표현하기 어려운 것이다. 성인은 익숙하므로 말이 바로 이토록 반듯하다[平正]. 그러나 의도적으로 그것을 형용하려고 하면 도리어 때로는 치우쳐버린다."

[1-13-9]

"太極是箇大底物事. 四方上下曰宇, 古往今來曰宙. 無一箇物似宇樣大, 四方去無極, 上下去無極, 是多少大. 無一箇物似宙樣長遠, 亘古亘今, 往來不窮. 自家心下須常認得這意思."

問: "此是誰語."

曰: "此是古人語. 象山常要說此語, 但他說便只是這箇, 又不用裏面許多節拍, 却只守得箇空蕩蕩底. 公更看橫渠西銘. 初看有許多節拍却似狹, 充其量是甚麼樣大."[1001]

(주자가 말했다.) "태극은 큰 물건이다. 사방과 상하를 '우宇'라 하고, 과거는 가고 지금이 온 것을 '주宙'라 한다. 어떤 것도 '우宇'처럼 큰 것은 없으니, 사방으로 뻗어나가도 끝이 없고, 상하로 뻗어나가도 끝이 없으니, 이 얼마나 큰가? 어떤 것도 '주宙'처럼 장구한 것은 없으니, 옛날부터 지금까지 오가는데 궁진함이 없다. 자기 마음속에 반드시 항상 이런 뜻을 기억해야 한다."

물었다. "이것은 누구의 말입니까?"

(주자가) 답했다. "이것은 옛날 사람의 말이다.[1002] 상산象山(陸九淵)은 항상 이런 말을 하려고 하였으니, 그가 말한 것은 겨우 이것뿐이었고, 또 그 속에 많은 절차나 단계를 허용하지 않았으니, 도리어 텅텅 빈 것만을 지킬 수 있었다. 그대는 횡거의 『서명』을 다시 보라. 처음 보기에는 많은 절차나 단계가 있어서 협소한 것 같지만, 그 내용을 다 채우면 이 얼마나 큰가?"

999 該: '該'자 뒤에 『朱子語類』 권99, 8조목에 '貫'자가 더 있다.

1000 『朱子語類』 권99, 8조목

1001 『朱子語類』 권94, 20조목

1002 옛날 사람의 말이다.: 『朱子語類考文解義』의 다음 설명 참조. "우주, 상하, 사방, 고금왕래 등의 설은 본래 尸子의 말이다. 『世說新語』 劉注에 보인다. 시자는 옛날의 諸子이고 곡량전에 보인다.(宇宙上下四方古往今來之說, 本尸子語. 見世說劉注. 尸子者古諸子, 見穀梁傳.)"

[1-13-10]

問: "康節所謂'一陽初動處, 萬物未生時.'"

曰: "某嘗謂康節之學, 與周子程子所說小有不同. 康節於那陰陽相接處看得分曉, 故多擧此處爲說, 不似周子說無極而太極, 與五行一陰陽, 陰陽一太極, 如此周遍. 若如周子程子之說, 則康節所說在其中矣. 康節是指貞元之間言之, 不似周子程子說得活, 體用一原, 顯微無間."[1003]

강절康節이 말한 '하나의 양이 처음 움직인 곳, 만물이 아직 생하지 않았을 때'[1004]에 대하여 물었다. (주자가) 답했다. "나는 일찍이 '강절의 학문은 주자周子나 정자가 말한 것과는 조금 다름이 있다.'고 하였다. 강절은 음과 양이 서로 만나는 곳을 분명하게 보았기 때문에 대부분 이곳을 거론하여 말하였는데, 주자周子의 '무극이면서 태극이다.'와 '오행은 하나의 음양이고 음양은 하나의 태극이다.'라는 말이 이토록 주도면밀한 것과는 같지 않다. 만일 주자周子나 정자가 한 말과 같이 한다면, 강절의 말은 이미 그 안에 들어있다. 강절은 정貞과 원元의 사이를 가리켜 말하였는데, 주자周子나 정자의 말처럼 활달하지 못하다. '체와 용은 하나의 근원이고, 현저한 것과 은미한 것은 틈이 없다.'"

1003 『朱子語類』 권71, 58조목

1004 '하나의 양이 … 때' : 『伊川擊壤集』「冬至吟」

性理大全書卷之二
성리대전서 권2

通書一 통서 1

通書一
통서 1

[2-0-1]

『通書』者, 濂溪夫子之所作也. 夫子姓周氏, 名惇頤, 字茂叔. 自少即以學行有聞於世, 而莫或知其師傳之所自, 獨以河南兩程夫子嘗受學焉, 而得孔孟不傳之正統, 則其淵源因可槩見. 然所以指夫仲尼顔子之樂, 而發其吟風弄月之趣者, 亦不可得而悉聞矣.

『통서』는 염계 선생周惇頤[1]이 지은 것이다. 선생의 성은 주周씨이고, 이름은 돈이惇頤이며, 자字는 무숙茂叔이다. 어려서부터 학문과 덕행이 세상에 소문나 있었지만, 어떤 사람도 그가 전수받은 사승師承의 유래를 알지 못했는데, 유독 하남의 두 정 선생程顥와 程頤[2]이 일찍이 그에게 학문을 전수받아

1 周惇頤(1017~1073) : 자는 茂叔이고, 호는 濂溪이며, 원래 이름은 惇實이었는데, 북송 제5대 황제인 英宗(1063~1067)의 옛 이름 趙宗實을 피하여 惇頤로 고쳤다. 宋代 道州營道(현 호남성 道縣) 사람으로 송대 신유학의 개조이다. 分寧主簿 · 知南昌 · 知郴州 · 知南康軍 등을 역임하였다. 二程의 스승이며, 朱熹의 형이상학 체계에 큰 영향을 끼쳤다. 저서는 『太極圖說』 · 『通書』 · 「愛蓮說」 등이 있다.

2 程顥와 程頤

程顥(1032~1085) : 자는 伯淳이고, 호는 明道이다. 宋代 洛陽(현재 하남성 낙양) 사람으로 동생인 程頤와 함께 '二程'으로 불린다. 太子中允 · 監察御史理行 등을 역임하였다. '天理體認'과 '識仁' 등의 사상은 陸九淵 · 王陽明 등의 '心學' 체계에 영향을 끼쳤다. 저서는 『識仁篇』 · 『定性書』 등이 있다. 현행 『二程集』에는 정호와 정이의 글이 뒤섞여 있다.

程頤(1033~1107) : 자는 正叔이고, 호는 伊川이다. 宋代 洛陽(현재 하남성 낙양) 사람으로 형 程顥와 함께 二程으로 불린다. 15세 무렵에 형과 함께 주돈이에게 배운 적이 있으며, 18세에는 태학에 유학하면서 「顔子所好何學論」을 지어 胡瑗이 경이롭게 여겼다고 한다. 秘書省校書郎 · 崇政殿說書 등을 역임하였으나, 거의 30년을 강학에 힘을 쏟아 북송 시대 신유학의 기반을 정초하였다. 이정의 학문은 '洛學'이라고 하며, 특히 程頤의 학문은 朱熹에게 결정적으로 영향을 끼쳤다. 저서는 『易傳』 · 『經說』 등이 있다.

* 胡瑗(993~1059) : 자는 翼之이고, 호는 安定이며, 북송의 유학자이다. 泰州 海陵(현재 江蘇省 泰州) 출신이다. 북송 仁宗 때 士風과 학풍 개혁 운동에 일익을 담당했던 학자로서 孫復 · 石介 등과 함께 공부했다. 그가 쓴 『周易口義』는 象數를 배격하고 義理를 사용하여 해석한 것으로, 뒷날 정이의 『易傳』에 크게 영향을 미쳤다. 주요 저서로 『論語說』, 『易傳』, 『周易口義』, 『洪範口義』, 『中庸義』, 『景祐樂義』 등이 있다.

공자와 맹자 이래로 전해지지 않은 정통을 얻었으니, 그 연원을 이로 말미암아 대략 알 수 있다. 그러나 공자와 안자[顔回]의 즐거움을 지적해서 음풍농월吟風弄月의 흥취를 드러내는 것은 또한 다 들을 수 없었다.

所著之書又多散失, 獨此一篇本號『易通』, 與『太極圖說』, 並出程氏以傳於世, 而其爲說實相表裏. 大抵推一理二氣五行之分合, 以紀綱道體之精微, 決道義文辭利祿之取舍, 以振起俗學之卑陋. 至論所以入德之方, 經世之具, 又皆親切簡要, 不爲空言. 顧其宏綱大用, 旣非秦漢以來諸儒所及, 而其條理之密, 意味之深, 又非今世學者所能驟而窺也. 是以程氏旣沒而傳者鮮焉. 其知之者, 不過以爲'用意高遠'而已.

지은 책 또한 대부분 흩어져 잃어버렸고, 유독 이 한 편(『통서』)은 본래 『역통』이라고 불리었는데, 『태극도설』과 함께 정씨에게서 출현하여 세상에 전해지니, 그 이론이 실제로 『태극도설』과 표리의 관계가 된다. 대체로 하나의 리理, 두 기氣[陰陽], 오행이 나누어지고 합쳐짐을 미루어 나가 도체道體의 정미함을 중심으로 하고, 도의道義·문사文辭·이록利祿 가운데 취할 것과 버릴 것을 결단하여 세속 학문의 비루함을 고양시켰다. 덕에 들어가는 방법과 세상을 경영하는 도구를 논하는데 이르러서는 또 모두 절실하고 긴요하여 공허한 말이 되지 않았다. 생각해 보건대 큰 조목과 큰 쓰임은 이미 진나라와 한나라 이래의 여러 학자들이 미칠 것이 아니고, 그 조리의 치밀함과 의미의 깊음도 지금의 학자들이 금방 엿볼 수 있는 것이 아니다. 이 때문에 정씨[程頤]가 죽은 후에는 전하는 자가 드물었다. 그를 아는 사람들도 '의도가 높고 멀다.'[3]라고 여기는 데 지나지 않았다.

熹自蚤歲, 卽幸得其遺編而伏讀之, 初蓋茫然不知其所謂, 而甚或不能以句. 壯歲獲遊延平先生之門, 然後始得聞其說之一二. 比年以來, 潛玩旣久, 乃若粗有得焉. 雖其宏綱大用所不敢知, 然於其章句文字之間, 則有以實見其條理之愈密, 意味之愈深, 而不我欺也.

나는 어려서부터 다행히 남겨진 책을 얻어 조심히 읽었는데, 처음에는 아득하여 의미를 알지 못하였고, 심한 경우에는 혹 구두를 떼지도 못했다. 장성하여 연평 선생[李侗][4]의 문하에 들어간 후에야 비로소 그 이론 가운데 조금이나마 들을 수 있었다. 근래에 오래도록 깊이 음미하고서야 마침내 거칠게나

3 의도가 높고 멀다: 『朱文公集』 권30 「與汪尙書」 "대개 요즘의 여러 사람들이 염계[周惇頤]를 아는 정도가 매우 낮다. 예컨대 『여씨동몽훈』에는 '그[周惇頤]가 일찍이 『通書』를 지었는데, 「의도가 높고 멀다.」라고 기록되어 있다.' 『通書』와 『太極圖說』은 천리의 근원을 밝히고 만물의 始終을 궁구한 것이니, 어떻게 의도를 갖고 한 것이고, 또 어떻게 높고 낮음과 멀고 가까움을 말할 수 있겠는가?(大抵近世諸公知濂溪甚淺, 如呂氏童蒙訓記'其嘗著『通書』而曰「用意高遠」.' 夫『通書』太極之說, 所以明天理之根源, 究萬物之終始, 豈用意而爲之, 又何高下遠近之可道哉?)"

4 연평 선생(李侗)(1093~1163): 자는 願中이고, 延平先生이라고 불린다. 宋代 南劍州劍浦(현재 복건성 南平) 사람으로 楊時·羅從彦과 함께 '南劍三先生'이라 불린다. 나종언에게서 二程의 학문을 배우고, 40여 년 간 세속을 끊고 연구한 뒤에 '理一分殊' 등 이정의 학문을 주희에게 전수해 주었다. 저서는 『延平文集』이 있다.

마 파악하는 듯하였다. 비록 큰 조목과 큰 쓰임은 감히 알지 못하였지만, 장구와 문자 사이에 그 조리가 치밀하면 할수록 의미가 더욱 깊어져서 나를 속이지 않는다는 것을 진실로 알게 되었다.

顧自始讀以至于今, 歲月幾何? 倏焉三紀. 慨前哲之益遠, 懼妙旨之無傳, 竊不自量, 輒爲注釋. 雖知凡近不足以發夫子之精蘊, 然創通大義以俟後之君子, 則萬一其庶幾焉.

淳熙丁未九月甲辰後學朱熹謹記.

생각해 보건대 처음 읽은 때로부터 지금에 이르기까지 흐른 세월이 몇 년인가? 어느덧 36년이 되었다. 이전의 지혜로운 사람들이 더욱 멀어짐을 안타깝게 여기고, 오묘한 뜻이 전해지지 않음을 두려워하여, 슬그머니 내 자신의 역량을 헤아리지도 않고 주석을 달았다. 비록 재주가 용렬하여 선생의 학문적 정수를 드러내기에 충분치 못함을 알지만, 큰 뜻을 통하게 하여 훗날의 군자를 기다리니, 조금은 보탬이 될 것이다.

순희 정미년(1187) 9월 갑진일(6일)에 후학인 주희[5]가 삼가 쓰다.

誠上 第一 제1 성상

[2-1-1]

誠者, 聖人之本.

성誠은 성인의 본령이다.

[2-1-1-0]

誠者, 至實而无妄之謂, 天所賦物所受之正理也. 人皆有之, 而聖人之所以聖者無他焉, 以其獨能全此而已. 此書與『太極圖』相表裏, 誠即所謂太極也.

성誠은 지극히 참되어 망령됨이 없는 것으로, 하늘이 부여하고 만물이 받은 바른 리理이다. 사람들이 모두 그것을 가지고 있지만, 성인이 성인인 까닭은 다름이 아니라 그가 유독 이를 온전하게 할 수 있기 때문이다. 이 책은 『태극도』와 서로 표리가 되는데, 성誠이 바로 이른바 태극이다.

5 朱熹(1130~1200) : 자는 元晦 · 仲晦이고, 호는 晦庵 · 晦翁 · 考亭 · 紫陽 · 遯翁 등이다. 宋代 婺源(현재 강서성 무원현) 사람으로 建陽(현 복건성 건양현)에서 살았다. 1148년에 진사에 급제하여 同安主簿 · 秘書郎 · 知南康軍 · 江西提刑 · 寶文閣待制 · 侍講 등을 역임하였다. 스승 李侗을 통해 二程의 신유학을 전수받고, 북송 유학자들의 철학사상을 집대성하여 신유학의 체계를 정립하였다. 저서는 『程氏遺書』, 『程氏外書』, 『伊洛淵源錄』, 『古今家祭禮』, 『近思錄』 등의 편찬과 『四書集注』, 『西銘解』, 『太極圖說解』, 『通書解』, 『四書或問』, 『詩集傳』, 『周易本義』, 『易學啓蒙』, 『孝經刊誤』, 『小學書』, 『楚辭集注』, 『資治通鑑綱目』, 『八朝名臣言行錄』 등이 있다. 막내 아들 朱在가 편찬한 『朱文公集』(권100, 속집 권11, 별집 권10)과 黎靖德이 편찬한 『朱子語類』(권140)가 있다.

[2-1-1-1]

朱子曰："誠是實理自然，不假修爲者也."[6]

주자가 말했다. "성誠은 참된 이치가 저절로 그러한 것이지, 수양을 의지하는 것이 아니다."

[2-1-1-2]

誠，是自然底實.[7]

(주자가 말했다.) "성은 저절로 그러한 참됨이다."

[2-1-1-3]

此言'本領'之'本.' 聖人所以聖者，誠而已.[8]

(주자가 말했다.) "이것은 '본령'의 '본'을 말한 것이다. 성인이 성인인 까닭은 성誠 때문일 뿐이다."

[2-1-1-4]

勉齋黃氏曰："誠即是實. 如一箇物，看頭透尾，裏面充足，無一毫空缺處."

면재 황씨[黃榦][9]가 말했다. "성은 바로 실實이다. 예컨대 하나의 사물이 철두철미하게 속이 가득 차서 조금의 빈 틈도 없는 것과 같다."

[2-1-1-5]

北溪陳氏曰："誠字，後世都說差了. 到程子方云'无妄之謂誠'，字義始明. 至朱子又增兩字，曰'眞實无妄之謂誠'，尤見分曉."[10]

---

6 『朱子語類』 권64, 26조목의 내용 가운데 일부이다. "성은 하늘의 도이다."에서 성은 참된 이치가 저절로 그러한 것이지, 수양을 의지하는 것이 아니다. "성하는 것은 사람의 도이다."라는 것은 그 참된 이치를 실제화하는 것이니, 이것은 힘써서 하는 것이다. 맹자가 "만물은 다 나에게 갖추어져 있다."라고 한 것은 바로 "誠"이고, "자기에게 돌이켜 성한다."라는 것은 바로 "성하는 것이다." 자기에게 돌이킨다는 것은 다만 자기에게서 찾는다는 것이다. 성은 다만 만물이 갖추어 충족된 것으로 흠결이 없다.("誠者, 天之道." 誠是實理自然, 不假修爲者也. "誠之者, 人之道", 是實其實理, 則是勉而爲之者也. 孟子言"萬物皆備於我", 便是"誠"; "反身而誠", 便是"誠之". 反身, 只是反求諸己. 誠只是萬物具足, 無所虧欠.)

7 『朱子語類』 권6, 35조목의 내용 가운데 일부이다. "誠과 信의 차이를 묻습니다." 대답했다. "성은 저절로 그러한 참이고, 신은 인간이 만드는 참이다. 그러므로 말했다. '성은 하늘의 도이다.'라는 것은 성인의 신이다. 만약 보통 사람의 신이라면 단지 신이라고 부를 수는 있어도 성이라고 부를 수는 없다. 성은 자연히 망령스러움이 없는 것을 말한다. 물은 단지 물이고, 불은 단지 불이며, 인은 철저하게 인이고, 의는 철저하게 의인 것과 같다.('問誠・信之別.' 曰: "誠是自然底實, 信是人做底實. 故曰: '誠者, 天之道.' 這是聖人之信. 若衆人之信, 只可喚做信, 未可喚做誠. 誠是自然無妄之謂. 如水只是水, 火只是火, 仁徹底是仁, 義徹底是義.)"

8 『朱子語類』 권94, 117조목

9 黃榦(1152~1221) : 자는 直卿이고, 호는 勉齋이다. 宋代 福州閩縣(현 복건성 福州) 사람으로 주희의 고족제자인 동시에 사위이다. 주희의 蔭補로 知漢陽軍・知安慶府 등을 역임하였다. 저서는 『書說』・『六經講義』・『勉齋集』 등이 있고, 『朱子行狀』을 집필했다.

북계 진씨陳淳[11]가 말했다. "성이라는 글자는 후세 사람이 모두 잘못 말하였다. 정자程頤가 비로소 '망령스러움이 없는 것을 성이라고 한다.'고 했으니, 글자의 뜻이 처음으로 분명해졌다. 또 주자가 두 글자를 더해 '진실무망眞實无妄을 성이라고 한다.'고 말하고 난 뒤에야 더욱 분명해졌다."

[2-1-2]

"大哉! 乾元. 萬物資始,"[12] 誠之源也.

"크도다! 건乾의 원元이여. 만물이 그것을 취하여 시작하였다."라고 하였으니; 성의 근원이다.

[2-1-2-0]

此上二句, 引『易』以明之. 乾者, 純陽之卦, 其義爲健, 乃天德之別名也. 元, 始也. 資, 取也.[13] 言乾道之元, 萬物所取以爲始者, 乃實理流出以賦於人之本, 如水之有源. 即『圖』之陽動也.

이상의 두 구절은 『역』을 인용하여 밝히었다. 건乾은 순수하게 양으로 구성된 괘이며 그 뜻은 굳셈이니, 천덕天德의 다른 이름이다. 원元은 시작한다는 의미이다. 자資는 취한다는 의미이다. 건도乾道의 원을 만물이 취하여 시작으로 삼기에 참된 이치가 흘러나와 사람에게 근본을 부여하기를 마치 물[水]에 수원지가 있는 것과 같음을 말한다. 바로 『태극도』에서의 양의 움직임이다.

[2-1-3]

"乾道變化, 各正性命,"[14] 誠斯立焉.

"건의 도가 변화하여 각기 성性과 명命을 바르게 한다."라고 했으니, 성誠이 여기에서 정립된다.

[2-1-3-0]

此上二句, 亦『易』文. "天所賦爲命, 物所受爲性." 言乾道變化, 而萬物各得受其所賦之正, 則實理於是而各爲一物之主矣. 即『圖』之陰靜也.

이상의 두 구절은 또한 『역』의 글이다. "하늘이 부여한 것은 명命이 되고 만물이 받은 것은 성性이

10 진순, 『北溪字義』 권상 「誠」의 내용 가운데 일부이다. "성이라는 글자는 후세에 모두 잘못 말하였다. 程頤에 이르러서야 비로소 망령스러움이 없는 것을 성이라고 했으니, 글자의 뜻이 처음으로 분명해졌다. 주자에 이르러 또 두 글자를 더해 '眞實无妄'을 성이라고 말하였으니, 도리가 더욱 분명해졌다.(誠字, 後世都說差了. 到伊川方云无妄之謂誠, 字義始明. 至晦翁又增兩字, 曰眞實无妄之謂誠, 道理尤見分曉.)"

11 陳淳(1159~1223) : 자는 安卿이고, 호는 北溪이다. 宋代 龍溪(현 복건성 漳州) 사람으로 주희가 장주 지사일 때 제자가 되어, 주희에게 '남쪽에 와서 나의 도가 진순 한 사람을 얻었다.'라는 칭찬을 받았다. 시호는 文安이다. 저서는 『字義詳講』·『論孟學庸口義』·『北溪大全集』등이 있다.

12 『周易』「乾卦, 彖傳」

13 曹端, 『通書述解』 권상 「誠上, 第一」

14 『周易』「乾卦·彖傳」

된다."[15] 건의 도가 변화하여 만물이 각기 그 부여받은 것의 바름을 얻으니, 참된 이치가 여기에서 각각 한 사물의 주인이 됨을 말한다. 바로 『태극도』에서의 음의 고요함이다.

[2-1-3-1]

朱子曰："'大哉! 乾元. 萬物資始', 乃'繼之者善也.' '乾道變化, 各正性命', 乃'成之者性也.' 這段是說天地生成萬物之意, 却不是說人性上事."[16]

주자가 말했다. "'크도다! 건의 원이여. 만물이 그것을 취하여 시작하였다.'라는 것은 바로 '이어가는 것이 선善이다.'라는 것이다. '건의 도가 변화하여 각기 성性과 명命을 바르게 한다.'라는 것은 바로 '이룬 것이 성性이다.'라는 것이다. 이 단락은 천지가 만물을 생성한다는 뜻을 말한 것이지, 인성人性에 대한 일을 말한 것이 아니다."

[2-1-3-2]

"'「大哉! 乾元. 萬物資始,」誠之源也', 此統言一箇流行本源. '乾道變化, 各正性命', 誠之流行出來, 各自有箇安頓處. 如爲人也是這箇誠, 爲物也是這箇誠, 故曰'誠斯立焉.' 譬如水, 其出只是一源, 及其流出來千派萬別, 也只是這箇水."[17]

"'「크도다! 건의 원이여. 만물이 그것을 취하여 시작하였다.」라는 것은 성誠의 근원이다.'라고 했는데, 이것은 유행의 본원을 통틀어 말한 것이다. '건의 도가 변화하여 각기 성과 명을 바르게 한다.'라는 것은 성誠이 유행하여 나와 각자 처할 곳이 있음을 말한다. 예컨대 사람이 되는 것도 이 성이고, 만물이 되는 것도 이 성이기 때문에 '성이 여기에서 정립된다.'고 한다. 예를 들어 물이 나오는 곳은 다만 하나의 샘이지만, 그것이 흘러 수많은 곳으로 퍼져나가는 경우에도 단지 이 물인 것과 같다."

[2-1-3-3]

問："朱先生謂'此書與『太極圖』相表裏, 誠即所謂太極也. 「大哉! 乾元. 萬物資始,」誠之源也', 即『圖』之陽動. '「乾道變化, 各正性命,」誠斯立焉', 即『圖』之陰靜. 如何?"

勉齋黃氏曰："陰陽有以對待而言者. 一上一下, 一東一西, 此以對待言也. 有以流行言者. 一晝一夜, 一春一夏, 此以流行言也. 『太極圖』之言陰陽, 其以流行而言者歟! 故曰'誠之源', 又曰'『太極圖』之陽動', 曰'誠之立', 又曰'『太極圖』之陰靜.' 誠理也, 陰陽氣也, 理與氣未嘗相離, 故言誠而又言陰陽也."

물었다. "주 선생[朱熹]이 '이 책은 『태극도』와 서로 표리를 이루니, 성誠은 바로 이른바 태극이다.

15 "하늘이 부여한 … 된다.":『伊川易傳』 권1 「周易上經」

16 『朱子語類』 권74, 114조목에는 다음과 같이 '此'자와 '一'자가 첨가되어 있다. "이것은 바로 '도道 이루게 하는 것이 성이다.'라는 것이다. 이 한 단락은 천지가 만물을 생성한다는 뜻을 말한 것이다.(此'成之者性也.' 這一段是說天地生成萬物之意.)"

17 『朱子語類』 권94, 119조목에는 '泒'자가 '派'자로 되어 있으나, 두 글자는 같은 글자이다.

「크도다! 건의 원이여. 만물이 그것을 취하여 시작하였다.」라는 것은 성의 근원이다.'라고 한 말은, 바로 『태극도』에서의 양의 움직임입니다. '「건의 도가 변화하여 각기 성과 명을 바르게 한다.」라고 했으니, 성이 여기에서 정립된다.'라는 말은 바로 『태극도』에서 음의 고요함이라고 했습니다. 어떻습니까?"

면재 황씨黃榦가 말했다. "음과 양은 대대對待의 관계로 말한 경우가 있다. 하나는 위이고 하나는 아래이며, 하나는 동쪽이고 하나는 서쪽인데, 이것은 대대의 관계로 말한 것이다. 유행流行으로 말한 경우도 있다. 한 번은 낮이 되고 한 번은 밤이 되며, 한 번은 봄이 되고 한 번은 여름이 되는데, 이것은 유행으로 말한 것이다. 『태극도』에서 음양을 말한 것은 아마 유행으로 말한 것이겠다. 그러므로 '성의 근원이다.'라고 하고, 또 '『태극도』에서 양의 움직임이다.'라고 했으며, '성이 여기에서 정립된다.'라고 하고, 또 '『태극도』에서 음의 고요함이다.'라고 했다. 성은 리理이고 음양은 기氣이며, 리와 기는 일찍이 서로 떨어진 적이 없기 때문에 성誠을 말하고, 또 음양을 말했다."

[2-1-3-4]

問："'誠之源也'是說誠之用，'誠斯立焉'是說誠之體，却先言用而後言體，何也?"

曰："體用不可分先後，自不相妨. 如一語一默，一晝一夜，春·夏了方秋·冬，不成說秋·冬了方說春·夏. 今看箇物，把陰做頭也不得."

물었다. "'성의 근원이다.'라는 것은 성의 용用을 말하고, '성이 여기에서 정립된다.'라는 것은 성의 체體를 말한 것인데, 먼저 용用을 말하고 뒤에 체體를 말한 것은 무엇 때문입니까?"

대답했다. "체體와 용用은 선후先後로 나눌 수 없으니, 본래 서로 방해하지 않는다. 예컨대 한 번은 말하고 한 번은 침묵하며, 한 번은 낮이고 한 번은 밤이며, 봄과 여름이 지나야 비로소 가을과 겨울이 되니, 가을과 겨울이 끝났다고 말하고 나서야 비로소 봄과 여름이 된다고 말할 수 있는 것이 아니다. 이제 한 사물을 보면 음을 시작하는 것이라고 할 수 없다."

[2-1-3-5]

他這話是看得『易』精貫後，故說出許多道理.

그(周惇頤)의 이 말은 『역』의 정수를 파악한 뒤이기 때문에 많은 도리를 말했다.

[2-1-4]

純粹至善者也.

순수하고 지극히 선한 것이다.

[2-1-4-0]

純，不雜也. 粹，無疵也. 此言天之所賦，物之所受，皆實理之本然，無不善之雜也.

순은 섞이지 않음이다. 수는 흠이 없음이다. 이는 하늘이 부여한 것과 만물이 받은 것 모두 참된 이치의 본연이니, 선하지 않은 것이 섞이지 않았음을 말한다.

[2-1-4-1]

問 : "'純粹至善者也', 與'繼之者善'同否?"

朱子曰 : "此是繳上二(三)句,[18] 却與'繼之者善'不同."[19]

물었다. "'순수하고 지극히 선한 것이다.'는 것은 '이어가는 것이 선하다.'는 것과 같습니까?"

주자가 대답했다. "이것은 위 세 구절을 종합한 것으로, '이어가는 것이 선하다.'라는 것과 다르다."

[2-1-4-2]

如說'純粹至善', 却是統言道理, 通繳上文.[20]

예컨대 '순수하고 지극히 선하다.'라는 말은 도리를 통틀어 말한 것으로 위의 글을 종합하였다.

[2-1-4-3]

問 : "'純粹至善者也', 至善二字, 與『大學』中至善同否?"

曰 : "'純粹至善', 猶曰純粹而至善云耳. '至善'與『大學』理同."[21]

물었다. "'순수하고 지극히 선하다.'에서 지선至善이라는 두 글자는 『대학』 속의 지선至善과 같습니

18 여기서는 '二'가 아니라, '三'이 맞는 것으로 생각하여 '三'으로 하였다. 위의 세 구절은 "성은 성인의 본령이다.(誠者, 聖人之本.)"와 "'크도다! 乾의 元이여. 만물이 그것을 취하여 시작하였다.'라는 것은 성의 근원이다.('大哉! 乾元. 萬物資始', 誠之源也.)"와 "'건의 도가 변화하여 각기 성과 명을 바르게 한다'라고 했으니, 성이 여기에서 정립된다.('乾道變化, 各正性命', 誠斯立焉.)"라는 내용이다. 또한 『朱子語類』 권94, 122조목의 "이것은 위의 세 구절을 종합한 것으로, '이어가는 것이 선하다.'라는 것과 다르다.(是繳上三句, 却與'繼之者善'不同.)"에도 '三'으로 表記되어 있다.

19 『朱子語類』 권94, 122조목의 내용 가운데 일부이다. 물었다. "'한 번은 음하고 한 번은 양하는 것을 도라고 한다'라는 것은 태극입니까?" 대답했다. "음양은 다만 음양이고, 도는 태극이다. 정자가 말했다. '한 번은 음하고 한 번은 양하게 하는 것이 도이다.'" 물었다. "『지언』에 '하나가 있으면 셋이 있고, 셋으로부터 끝없이 전개된다.'라고 하고, 또 '「한 번은 음이 되고 한 번은 양이 되는 것을 도라고 한다」라는 것은 태극을 말한다. 陰陽剛柔顯極의 낌새는 지극한 선으로서 은미하니, 맹자가 말하는 「可欲」이다.' 라고 했는데, 어떻습니까?" 대답했다. "『知言』은 다만 일부의 글을 말한 것은 좋지만, 다 깨달을 수는 없다." 물었다. "'순수하게 지극히 선한 것'과 '이어가는 것이 선하다'라는 것은 같습니까?" 대답했다. "이것은 위의 세 구절을 종합한 것으로, '이어가는 것이 선하다.'라는 것과 다르다. '이어가는 것이 선하다'라는 것은 양에 속하고, '이룬 것이 성이다'라는 것은 음에 속한다.'(問 : "'一陰一陽之謂道', 是太極否?" 曰 : "陰陽只是陰陽, 道是太極. 程子說 : '所以一陰一陽者, 道也.'" 問 : "知言云 : '有一則有三, 自三而無窮矣.' 又云 : '「一陰一陽之謂道,」 謂太極也. 陰陽剛柔顯極之幾, 至善以微, 孟子所謂「可欲」者也.' 如何?" 曰 : "知言只是說得一段文字好, 皆不可曉." 問 : "'純粹至善者也'與'繼之者善'同否?" 曰 : "是繳上三句, 卻與'繼之者善'不同. '繼之者善'屬陽, '成之者性'屬陰.")"

20 이 글은 『朱子語類』 권74, 115조목 "예컨대 '순수하고 지극히 선하다'라는 말은 곧 도리를 통틀어 말한 것이다.(如說純粹至善, 卻是統言道理.)"와 『朱子語類』 권94, 118조목, "순수하고 지극히 선한 것은 위 글을 통틀어 종합했다.(純粹至善者, 通繳上文.)"의 내용을 결합한 것이다.

21 『朱文公集』 권52 「書, 答吳伯豐」의 내용 가운데 일부이다. "『通書』의 '순수하고 지극히 선하다'라는 것은 '순수하고 지극히 선하다'라고 말하는 것과 같다. '지극히 선함'은 『大學』의 理와 같지 않음이 없다.(『通書』'純粹至善', 猶曰'純粹而至善'云耳. '至善'與『大學』理無不同.)"

까?

(주자가) 대답했다. "'순수하고 지극히 선하다.'는 것은 순수하고 지극히 선한 것을 이르는 말일 뿐이다. '지극히 선하다'는 것은 『대학』의 리理[22]와 같다."

[2-1-5]

故曰"一陰一陽之謂道, 繼之者善也, 成之者性也."[23]

그러므로 "한 번은 음이 되고 한 번은 양이 되는 것을 도라고 하니, 이어가는 것이 선善이고, 이룬 것이 성性이다."라고 한다.

[2-1-5-0]

此亦『易』文. 陰陽, 氣也, 形而下者也[24]. 所以'一陰一陽'者, 理也, 形而上者也.[25] 道卽理之謂也. '繼之'者, 氣之方出而未有所成之謂也. '善', 則理之方行而未有所立之名也, 陽之屬也, 誠之源也. '成', 則物之已成. '性', 則理之已立者也, 陰之屬也, 誠之立也.

이 또한 『역』의 글이다. 음양은 기이니, 형이하자形而下者이다. '한 번은 음이 되고 한 번은 양이 되'게 하는 것이 리理이며, 형이상자形而上者이다. 도는 바로 리를 말한다. '이어간다[繼]'는 것은 기가 막 나와서 아직 이룬 것이 있지 않음을 말한다. '선善'은 리가 막 유행하여 아직 정립된 것이 있지 않음을 말하니, 양에 속하는 것이고, 성誠의 근원이다. '이룸[成]'은 만물이 이미 이루어진 것이다. '성性'은 리가 이미 정립된 것이니, 음에 속하는 것이고, 성誠이 정립된 것이다.

[2-1-5-1]

問 : "'誠上篇'擧'一陰一陽之謂道'三句, 是證上文否?"

朱子曰 : "固是. '一陰一陽之謂道'一句, 通證'誠之源''誠斯立焉'二節. '繼之者善', 又證'誠之源'一節. '成之者性', 又證'誠斯立焉'一節."[26]

22 『大學』의 理 : 『大學』「三綱領」 "지극한 선에 머무른다.(止於至善.)"

23 『周易』「繫辭上」

24 『周易』「繫辭上」 "형이하의 것을 器라고 한다.(形而下者謂之器.)" 여기에서 器는 氣가 모여 형성된 재료이다.

25 『周易』「繫辭上」 "형이상의 것을 도라고 한다.("形而上者謂之道.)"

26 『朱子語類』 권94, 120조목의 내용 가운데 일부이다. 물었다. "'한 번은 음이 되고 한 번은 양이 되는 것을 도라고 한다.'라는 것 이하의 세 구절을 거론한 것은 위의 글을 증명한 것입니까?" 대답했다. "진실로 그렇다. '한 번은 음이 되고 한 번은 양이 되는 것을 도라고 한다.'라는 한 구절은 '성의 근원이다.'라는 것과 '크도다! 건의 원이여.'라는 구절부터 '성이 여기에서 정립된다.'라는 두 구절에 이르기까지 모두 증명하였다. '이어가는 것이 善이다.'라고 한 것은 또 '성의 근원이다.'라는 한 구절을 증명하였고, '이룬 것이 性이다.'라고 한 것은 '성이 여기에서 정립된다.'라는 한 구절을 증명하였다.(問 : "擧'一陰一陽之謂道'以下三句, 是證上文否?" 曰 : "固是. '一陰一陽之謂道'一句, 通證'誠之源'·'大哉乾元'至'誠斯立焉'二節. '繼之者善', 又證'誠之源'一節; '成之者性', 證'誠斯立焉'一節.)"

물었다. "'성상편誠上篇'에서 '한 번은 음이 되고 한 번은 양이 되는 것을 도라고 한다.'라는 세 구절[27]을 거론한 것은 위의 글을 증명한 것입니까?"
주자가 대답했다. "진실로 그렇다. '한 번은 음이 되고 한 번은 양이 되는 것을 도라고 한다.'라는 구절은 '성의 근원이다.'와 '성이 여기에서 정립된다.'라는 두 절을 모두 증명하였다. '이어가는 것이 선善이다.'라는 것은 또 '성의 근원이다.'라는 한 구절을 증명하였다. '이룬다.'라는 것은 또 '성이 여기에서 정립된다.'라는 한 구절을 증명하였다."

[2-1-5-2]

"一陰一陽之謂道," 太極也. "繼之者善," 生生不已之意, 屬陽. "成之者性," "各正性命"之意, 屬陰. 此書第一章可見.

"한 번은 음이 되고 한 번은 양이 되는 것을 도라고 한다."는 것은 태극이다. "이어가는 것이 선善이다"라는 것은 생겨나고 생겨나서 그치지 않는다는 뜻으로 양에 속한다. "이룬 것이 성性이다."라는 것은 "각기 성과 명을 바르게 한다."는 뜻으로 음에 속한다. 이 책의 제1장[28]에서 볼 수 있다.

[2-1-5-3]

問: "此篇擧『易』'一陰一陽之謂道, 繼之者善也, 成之者性也', 三句."
曰: "繼成二字, 皆接那氣底意思說. 善性二字, 皆只說理. 但'繼之者善', 方是天理流行處. '成之者性', 便是已成形有分段了."[29]

물었다. "이 편에서는 『역』의 '한 번은 음이 되고 한 번은 양이 되는 것을 도라고 하니, 이어가는 것이 선이며, 이룬 것은 성性이다.'라는 세 구절을 거론했습니다."
(주자가) 대답했다. "이어감[繼]과 이룸[成] 두 글자는 모두 그 기氣에 접하는 뜻으로 말했다. 선성善性 두 글자는 모두 다만 리를 말한 것이다. 그러나 '이어가는 것이 선善이다.'라는 것은 막 천리가 유행하는 곳이다. '이룬 것이 성性이다.'라는 것은 바로 이미 형체가 이루어져 구분이 있는 것이다."

[2-1-5-4]

問: "'繼之者善'屬陽, '成之者性'屬陰."
曰: "方造化周流, 未著形質, 便是屬陽. 才麗形質爲人物, 爲金·木·水·火·土, 轉動不得, 便是屬陰. 若是陽時, 自有多少流行變動在, 及至成物, 一成而不返."[30]

---

27 "한 번은 음이 되고 한 번은 양이 되는 것을 도라고 한다." "이어가는 것이 선이다." "이룬 것은 性이다."
28 『朱子語類』 권74, 115목 여기에서 '이 책'이란 은 '『通書』 제1장'을 말함.
29 『朱子語類』 권94, 121조목의 내용 가운데 일부이다. '「성상편」', '그 기를 절도 있게 하는 뜻'의 부분이 차이를 보인다.(問: "誠上篇擧易'一陰一陽之謂道'三句." 曰: "'繼·成'二字皆節那氣底意思說. '性·善'二字皆只說理. 但'繼之者善'方是天理流行處, '成之者性'便是已成形, 有分段了.)"
30 『朱子語類』 권94, 122조목의 내용 가운데 일부이다. '이어가는 것이 善이다'라는 것은 양에 속하고, '이룬 것이 性이다'라는 것은 음에 속한다." 물었다. "양은 채움이고 음은 비움입니다. 이어가는 것이 善이다'라는

물었다. "'이어가는 것이 선善이다.'라는 것은 '양에 속하고', '이룬 것이 성性이다.'라는 것은 '음에 속한다.'라고 합니다."

(주자가) 대답했다. "막 조화造化가 두루 유행하여 아직 형질形質에 붙지 않았을 때는 바로 양에 속한다. 비로소 형질에 부착되어 인간과 사물이 되고, 금·목·수·화·토가 되어 옮겨지지 않는 것은 바로 음에 속한다. 이와 같이 양일 때에는 본래 어느 정도 유행하고 변동하는 것이 있지만, 만물을 이루는데 이르러서는 한 번 이루어지면 돌이킬 수 없다."

[2-1-5-5]

道具於陰而行於陽. 繼, 言其發也. 蓋(善)[31]謂化育之功, 陽之事也. 成, 言其具也. 性, 謂物之所受. 言物生則有性, 而各具是道也, 陰之事也.[32]

도는 음에서 갖추어지고 양에서 유행한다. 계繼는 그것이 발현함을 말한다. 선善은 화육化育의 공功을 말하니, 양의 일이다. 성成은 그것이 갖추어짐을 말한다. 성性은 만물이 받은 것을 말한다. 만물이 생겨나면 성性을 갖고 있기에 각기 이 도를 갖추고 있음을 말하니, 음의 일이다.

[2-1-5-6]

問 : "一陰一陽之謂道, 繼之者善也, 成之者性也."

曰 : "以一日言之, 則晝陽而夜陰. 以一月言之, 則望前爲陽, 望後爲陰. 以一歲言之, 則春

것은 천명이 유행하는 것이고, '이룬 것이 성이다'라는 것은 인간과 사물에 있습니다. 인간과 사물은 채움이 아닐까 합니다." 대답했다. 양은 채움이고 음은 비움이니, 또 잡을 수 없다. 다만 양이 바로 채움이고, 음이 바로 비움이니, 각각 따르는 관점에서 말한 것이다. 揚雄이 '인에 대해 부드러움이라고 하고 의에 대해 굳셈이다'라고 말한 것과 같다. 이제 주자周子는 도리어 인을 양이라고 하고 의를 음이라고 한다. 두 사람의 말이 모두 옳다는 것을 알아야 한다. 또한 造化가 두루 유행하여 아직 形質에 붙지 않는 경우는 바로 형이상의 것이며 양에 속하고, 비로소 형질에 부착되어 인간과 사물이 되고 금·목·수·화·토가 되어 바로 옮겨지지 않는 것은 곧 형이하의 것이며 음에 속한다. 이와 같이 양일 때에는 본래 어느 정도 유행하고 변동하는 것이 있지만, 만물을 이루는데 이르러서는 한 번 이루어지면 돌이킬 수 없다. 예컨대 사람이 처음 태어날 때에는 양에 속하며 다만 자람이 있지만, 장성함에 이르면 단지 쇠하게 되니, 이것은 기가 점점 쇠해지고 감해져서 다하게 된 것을 죽음이라고 말하는 것과 같다. 주자周子의 이른바 '原始反終'은 다만 쇠진한 곳에서 끝을 돌이키는 이치를 볼 수 있다는 것이다.('繼之者善'屬陽, '成之者性'屬陰." 問: "陽實陰虛. '繼之者善'是天命流行, '成之者性'是在人物. 疑人物是實." 曰: "陽實陰虛, 又不可執. 只是陽便實, 陰便虛, 各隨地步上說. 如揚子說: '於仁也柔, 於義也剛.' 今周子卻以仁爲陽, 義爲陰. 要知二者說得都是. 且如造化周流, 未著形質, 便是形而上者, 屬陽; 才麗於形質, 爲人物, 爲金木水火土, 便轉動不得, 便是形而下者, 屬陰. 若是陽時, 自有多少流行變動在. 及至成物, 一成而不返. 謂如人之初生屬陽, 只管有長; 及至長成, 便只有衰, 此氣逐旋衰減, 至於衰盡, 則死矣. 周子所謂'原始反終', 只於衰盡處, 可見反終之理.")"

31 '蓋'는 의미상으로 '善'이라고 하는 것이 나을 듯하다. 왜냐하면 이 문장은 '이어가는 것이 善이다.'('繼之者善也') 라는 내용과 깊게 관련되기 때문이다. 또한 이 글의 출전인 진덕수의 『西山讀書記』 권1 (「天命之性」)에서도 '蓋'가 아니라, '善'으로 기재되어 있다.

32 진덕수 『西山讀書記』 권1 「天命之性」

·夏爲陽，秋·冬爲陰．自古至今，恁地袞將去，只是這箇陰陽．是孰使之然也? 乃道也．從此句下又分兩脚，此氣之動，爲人爲物，渾是一箇道理．故未生人物以前，此理本善，所以謂'繼之者善'，此則屬陽．氣質旣定，爲人爲物，所以謂'成之者性'，此則屬陰．"[33]

물었다. "한 번은 음이 되고 한 번은 양이 되는 것을 도라고 하니, 이어가는 것이 선善이고, 이룬 것은 성性이다."라고 했습니다.

주자가 대답했다. "하루로 말하면 낮은 양이고 밤은 음이다. 한 달로 말하면 보름 전은 양이 되고 보름 후는 음이 된다. 한 해로 말하면 봄과 여름은 양이 되고, 가을과 겨울은 음이 된다. 예로부터 지금까지 이와 같이 흘러온 것은 다만 이 음양일 뿐이다. 이것은 누가 그렇게 하게 하는가? 바로 도이다. 이 구절부터 아래로 또 둘로 나누어지는데, 이 기가 움직여 사람이 되고 사물이 되는 것은 혼연히 하나의 도리일 뿐이다. 그러므로 사람과 사물이 아직 생겨나기 전에 이 리理가 본래 선하기 때문에 '이어가는 것이 선善이다.'라고 하니, 이것은 양에 속한다. 기질氣質이 이미 정해져 사람이 되고 사물이 되기 때문에 '이룬 것이 성性이다.'라고 하니, 이것은 음에 속한다."

[2-1-5-7]

問："'繼之者善，成之者性'，注中何以分繼善·成性爲四截?"

曰："繼成屬氣，善性屬理，性已兼理氣，善則專屬理．"[34]

물었다. "'이어가는 것이 선善이고, 이룬 것이 성性이다.'라는 것에 대해, 주에서 무엇 때문에 계선繼善·성성成性을 네 가지로 나누었습니까?"

(주자가) 대답했다. "계성繼成은 기에 속하고, 선성善性은 리에 속하며, 성은 이미 리와 기를 겸하고, 선은 오로지 리에 속한다."

[2-1-5-8]

理受於太極，氣受於陰陽·五行.[35]

리는 태극에서 받고, 기는 음양·오행에서 받는다.

[2-1-5-9]

問："繼善·成性，解云陽之屬，陰之屬，如何?"

勉齋黃氏曰："此言陰之分陽之分，未說陰陽．"

33 『朱子語類』 권74, 113조목의 내용 가운데 일부이다. 或問"一陰一陽之謂道". 曰："以一日言之, 則晝陽而夜陰; 以一月言之, 則望前爲陽, 望後爲陰; 以一歲言之, 則春夏爲陽, 秋冬爲陰. 從古至今, 恁地滾將去, 只是箇陰陽, 是孰使之然哉? 乃道也. 從此句下, 又分兩脚. 此氣之動爲人物, 渾是一箇道理. 故人未生以前, 此理本善, 所以謂'繼之者善', 此則屬陽; 氣質旣定, 爲人爲物, 所以謂'成之者性', 此則屬陰."

34 『朱子語類』 권94, 128조목에서는 '선은 오로지 리에 속한다(善則專屬理)'가 '선은 오로지 리를 가리킨다.(善則專指理.)'로 되어 있다.

35 『朱子語類』 권94, 128조목

又問 : "繼之者善, 是未有成立時, 於『圖』上見得否?"

曰 : "這裏本無時節, 只是要畫與人看, 便須如此. 其實'動靜無端, 陰陽無始',[36] 那裏有箇時節? 如一日之間, 晝是陽, 夜是陰, 如子時前四刻是繼善, 後四刻是成性, 如陽前陰後, 少間又陰在前陽在後. 這箇變化無窮. 所以伊川云'天地之間, 只有箇感與應, 更有甚事?' 且如自家亦恁地, 而今見箇事, 自家起念去做時, 這是'繼之者善', 少間做後十分結裹得他了, 這是'成之者性.' 人便即是天. 天體物而不遺, 猶仁體事而無不在. 體物, 是爲物之骨子. 一箇物裏, 都有一箇天. 人之於事, 無一箇事裏無一箇仁. 天之所以成萬物, 仁之所以成萬事, 都一般."

물었다. "계선繼善·성성成性을 해석하면서 양에 속하고 음에 속한다고 하는데, 왜 그렇습니까?"

면재 황씨가 대답했다. "이것은 음이 나누어지고 양이 나누어지는 것을 말한 것이지, 아직 음양을 말한 것이 아니다."

또 물었다. "'이어가는 것이 선이다.'라는 것은 아직 성립되지 않은 때이니, 『태극도』에서 볼 수 있습니까?"

(면재 황씨가) 대답했다. "여기에는 본래 때의 마디가 없고, 다만 사람들에게 그려서 보여주고자 하여, 반드시 이와 같이 했을 뿐이다. 사실 '움직임과 고요함에는 끝이 없고 음과 양에는 시작이 없다.'는 것인데, 어디에 때의 마디가 있겠는가? 하루 사이에 낮은 양이고 밤은 음인 것과 같고, 자子시 이전의 네 각刻[37]은 계선繼善이고, 뒤의 네 각刻은 성성成性인 것과 같으며, 양이 앞에 있고 음이 뒤에 있다가 잠깐 사이에 또 음이 앞에 있고 양이 뒤에 있는 것과 같다. 이러한 변화는 끝이 없다. 따라서 이천[程頤]은 '하늘과 땅 사이에는 다만 감感과 응應이 있을 뿐인데, 다시 무슨 일이 있겠는가?'[38]라고 했다. 예컨대 나도 또한 이와 같으니, 이제 일을 보고 내가 생각을 해서 그 일을 하겠다고 할 때, 이것은 '이어가는 것이 선善이다.'라는 것이고, 조금 일을 한 후에 충분하게 그 일의 결과를 맺으니, 이것은 '이룬 것이 성性이다.'라는 것이다. 사람이 바로 하늘이다. 하늘이 사물의 골자가 되어 빠트리지 않는 것은 인仁이 일의 골자가 되어 있지 않음이 없는 것과 같다. 체물體物은 사물의 골자이다.[39] 하나의 사물 속에는 모두 하나의 하늘이 있다. 사람의 일에서도 하나의 일 속에

36 『朱子語類』 권1, 1조목 曹端, 『太極圖』說述解 「太極圖」, "그러므로 程子는 '움직임과 고요함은 끝이 없고, 음과 양은 시작이 없으니, 도를 아는 자가 아니라면 누가 그것을 알 수 있겠는가?'라고 했다.(故程子曰'動靜無端, 陰陽無始, 非知道者孰能識之?')"

37 刻 : 하루가 100각이므로 지금의 14.4분이다. 時는 1/12일(日)로, 지금의 2시간이다.

38 『二程遺書』 권15 「入關語錄」

39 하늘이 사물의 … 골자이다. : 『朱子語類』 권98, 21조목의 내용 가운데 일부이다. 조공보가 "하늘이 사물의 골자가 되어 빠트리지 않는 것은 仁이 일의 골자가 되어 있지 않음이 없는 것과 같다"라는 것을 물었다. 대답했다. "體物은 사물의 골자이니, 사물마다 천리가 있다고 하고, 體事는 일들마다 인이 만들어낸다고 말하는 것과 같다. '예의 3백과 위의 3천'과 같은 것은 반드시 仁이 만들어내야 된다. 무릇 체를 말하는 것은 바로 그러한 골자가 되는 것이다.(趙共父問"天體物而不遺, 猶仁體事而無不在." 曰 : "體物, 猶言爲物之體也, 蓋物物有箇天理 ; 體事, 謂事事是仁做出來. 如'禮儀三百, 威儀三千', 須是仁做始得. 凡言體, 便是做他那骨

하나의 인仁이 없을 수 없다. 하늘이 만물을 이루는 까닭과 인이 만사萬事를 이루는 까닭은 모두 같다."

[2-1-5-10]

問:"繼善·成性, 朱先生以'善者理之方行'爲陽之屬, 性則'物之已成'爲陰之屬, 不知所謂."

曰:"但以四序觀之, 則可見. '大哉! 乾元. 萬物資始', 春·夏之謂也. '乾道變化, 各正性命', 秋·冬之謂也. 春·夏理之方生, 故爲陽之屬; 秋·冬物之已成, 故爲陰之屬."

물었다. "계선繼善·성성成性에 대해 주 선생[朱熹]은 '선善은 리가 막 유행하는 것'이라는 것을 양에 속하는 것으로 여기고, '성性은 만물이 이미 이룬 것'을 음에 속하는 것으로 여기니, 말하는 뜻을 모르겠습니다."

(면재 황씨가) 대답했다. "다만 사계절의 순서로 그것을 보면 알 수 있다. '크도다! 건의 원이여. 만물이 그것을 취하여 시작하였다.'라는 것은 봄과 여름을 말하는 것이다. '건의 도가 변화하여 각기 성과 명을 바르게 한다.'라는 것은 가을과 겨울을 말하는 것이다. 봄과 여름은 리가 막 생겨나기 때문에 양에 속하게 되고, 가을과 겨울은 만물이 이미 이루어지기 때문에 음에 속하게 된다."

[2-1-5-11]

北溪陳氏曰:"孟子道性善, 從何而來? 夫子『易』「繫」曰'一陰一陽之謂道, 繼之者善也, 成之者性也.' 所以一陰一陽之理者爲道, 止(此)[40]是統說箇太極之本體. 繼此者爲善, 乃是就其間, 說造化流行, 生育賦予, 更無別物, 只是箇善而已. 此是太極之動而陽時. 所謂善者, 以實理言, 即道之方行者也. 至成此者爲性, 是說一(人)物受得此善底道理去各成箇性耳.[41] 是太極之靜而陰時. 此性字與善字相對, 是即所謂善而理之已定者也. 繼成字與陰陽字相應, 是指氣而言. 善性字與道字相應, 是指理而言. 此夫子所謂善, 是就一物未生之前造化原頭處說, 善乃重字, 爲實物. 若孟子所謂性善, 則是就'成之者性'處說, 是生以後事, 善乃輕字, 言此性之純粹至善耳. 其實由造化原頭處有是'繼之者善', 然後'成之者性'時, 方能如此之善, 則孟子之所謂善, 實淵源於夫子所謂善, 而非有二本也. 『易』二言, 周子此書及程子說已明備矣. (詳見『太極圖解』.)"[42]

북계 진씨[陳淳]가 말했다. "맹자가 성선性善을 말한 것은 어디로부터 온 것인가? 공자는 『주역』「계사전」에서 '한 번은 음이 되고 한 번은 양이 되는 것을 도라고 하니, 이어가는 것이 선善이며, 이룬 것이 성性이다.'라고 했다. 한 번은 음이 되고 한 번은 양이 되게 하는 리理가 도이니, 이것은 태극의 본체를 통틀어 말한 것이다. '이어가는 것이 선이다.'라는 것은 바로 그 사이에서 조화造化가 유행流行

子.")"

40 『北溪字義』 권상 「性」에는 '止'자가 '此'자로 되어 있다.

41 『北溪字義』 권상 「性」에는 '一'자와 '物'자 사이에 '人'자가 있다.

42 『北溪字義』 권상 「性」

하여 (기가) 생육生育하고 (리가) 부여될 때에 다시 다른 것은 없고 다만 선일 뿐임을 말한다. 이것이 태극이 움직여서 양이 될 때이다. 이른바 선은 참된 이치를 가지고 말한 것으로 바로 도가 막 유행하는 것이다. 이것을 '이룬 것이 성性이 된다.'고 하는 데 이르러서는 인간과 사물이 이 선한 도리를 받아 각기 성性을 이룸을 말할 뿐이다. 이것이 태극이 고요하여 음이 될 때이다. 이 성性이라는 글자는 선善이라는 글자와 서로 짝이 되니, 이것이 바로 이른바 선이면서 리가 이미 정해진 것이다. 계繼와 성成이라는 글자는 음양이라는 글자와 서로 응하는데, 이것은 기氣를 가리켜 말한 것이다. 선성善性이라는 글자는 도道라는 글자와 서로 응하는데, 이것은 리를 가리켜 말한 것이다. 여기에서 공자가 말하는 선이란 한 사물이 아직 생겨나기 전에 조화造化의 근원처에서 말한 것으로, 선이 바로 중요한 글자이고 참된 일이 된다. 예컨대 맹자가 말한 성선性善은 '이어가는 하는 것이 성性이다.'라는 내용을 말한 것으로, 생겨난 이후의 일이고, 선은 바로 가벼운 글자이니, 이 성이 순수하고 지극히 선함을 말했을 뿐이다. 사실 조화의 근원처에 이 '이어가는 것이 선善이다.'라는 말이 있음으로 말미암아 그런 후에 '이룬 것이 성性이다.'라고 할 때에야 비로소 이와 같이 선이라고 할 수 있으니, 맹자가 말한 선은 실제로 공자가 말한 선에 근원한 것이지 두 개의 근본이 있는 것은 아니다. 『역』의 두 말은 주자[周惇頤]의 이 책과 정이程頤의 이론에 이미 분명하게 갖추어졌다. (『태극도해』에 상세하게 나타나 있다.)"

[2-1-6]

元 · 亨, 誠之通; 利 · 貞, 誠之復.

원元과 형亨은 성의 통함이고,[43] 이利와 정貞은 성의 돌아옴이다.[44]

[2-1-6-0]

元, 始; 亨, 通; 利, 遂; 貞, 正; 乾之四德也. 通者, 方出而賦於物, 善之繼也. 復者, 各得而藏於己, 性之成也. 此於『圖』已爲五行之性矣.

원은 시작이고, 형은 통함이며, 이는 이룸이고, 정은 바름이니, 건의 네 가지 덕이다. 통함은 막 나와서 사물에 부여함이니, 선의 이어감이다. 돌아옴은 각기 얻어서 자기에게 저장함이니, 성의 이룸이다. 이것은 『태극도』에서 이미 오행의 성性으로 여긴 것이다.

[2-1-6-1]

問 : "'元·亨誠之通', 便是陽動. '利·貞誠之復', 便是陰靜. 注却云此已是'五行之性', 如何?"
朱子曰 : "五行便是陰陽, 但此處已分作四. "[45]

43 여기에서 '통함'이라는 것은 막힌 것을 뚫는다는 의미가 아니라, 본래 갖추어져 있는 誠이 거침없이 뻗쳐나간다는 의미이다.

44 여기에서 '돌아옴'이라는 것은 뻗쳐나가던 誠이 돌아온다는 의미이다.

45 『朱子語類』 권94, 132조목

물었다. "'원·형이 성의 통함'이라고 하는 것은 바로 양의 움직임입니다. '이·정이 성의 돌아옴'이라고 하는 것은 바로 음의 고요함입니다. 주에서는 오히려 이것이 이미 '오행의 성'이라고 하는데, 왜 그렇습니까?
주자가 대답했다. "오행은 바로 음양이지만, 이곳에서 이미 나누어 넷으로 하였다."

[2-1-6-2]

'繼之者善', 造化流行, 萬物方資以始而未實也. '成之者性', 物生已實, 造化與物各藏其用而無所爲也. 在人則感物而動者通也. 寂然不動者復也. 以此推之, 『圖』象隱然不言而喩矣. 四德, 則陰陽各二而誠無不貫, 安得不謂五行之性乎?[46]

(주자가 말했다.) "'이어가는 것이 선善이다.'라는 것은 조화가 유행할 때에 만물이 비로소 그것을 취하여 시작하지만 아직 결실이 없는 것이다. '이룬 것은 성性이다.'라는 것은 만물이 생겨날 때에 이미 결실이 있으니, 조화와 만물이 각기 그 오묘한 작용을 저장하지만 하는 일이 없는 것이다. 사람의 경우에는 사물에 감지하여 움직이는 것이 통함이다. 고요하여 움직이지 않는 것은 돌아옴이다. 이것으로 미루어 가면 『태극도』의 상象이 은연히 말하지 않더라도 알 수 있다. 네 가지 덕은 음과 양이 각기 둘이면서 성誠이 꿰뚫지 않음이 없으니, 어떻게 오행의 성性이라고 말하지 않겠는가?"

[2-1-6-3]

"陽動是元·亨, 陰靜是利·貞. 但五行在陰陽之下, 人物在五行之下, 如何說繼善·成性?"
曰: "陰陽流於五行之中而出, 五行無非陰陽."[47]

"양의 움직임은 원·형이고, 음의 고요함은 이·정입니다. 그러나 오행은 음양의 아래에 위치해 있고, 사람과 사물은 오행의 아래에 있는데,[48] 왜 계선繼善·성성成性을 말합니까?
(주자가) 대답했다. "음양이 오행 속에서 흘러나오니, 오행은 음양이 아님이 없다."

[2-1-6-4]

"'誠之通', 是造化流行未有成立之初, 所謂'繼之者善.' '誠之復', 是萬物已得此理而皆有所歸藏之時, 所謂'成之者性.'"[49]

(주자가 말했다.) "'성의 통함'은 조화가 유행하여 아직 성립하기 전이니, 이른바 '이어가는 것이 선善이다.'라는 것이다. '성의 돌아옴'은 만물이 이미 이 리理를 얻어 다 돌아와 간직함이 있는 때이니, 이른바 '이룬 것이 성性이다.'라는 것이다."

46 『朱文公集』 권62 「答張元德」
47 『朱子語類』 권94, 127조목
48 오행이 음양의 아래에 있고, 사람과 사물이 오행의 아래에 있다는 것은 『太極圖』를 설명한 것이다.
49 『朱子語類』 권94, 130조목

[2-1-6-5]

問 : "'元·亨誠之通, 利·貞誠之復', 元·亨是春·夏, 利·貞是秋·冬. 生氣既散, 何以謂之收斂?"

曰 : "其氣既散, 收斂者乃其理耳."

曰 : "冬間地下氣暖, 便也是氣收斂在內?"

曰 : "上面氣自散了, 下面暖底乃自是生來, 却不是已散之氣復爲生氣也."[50]

물었다. "'원 · 형은 성의 통함이고, 이 · 정은 성의 돌아옴이며', 원 · 형은 봄과 여름이고, 이 · 정은 가을과 겨울입니다. (가을과 겨울에는) 생기가 이미 흩어지는데, 왜 수렴이라고 말합니까?"

(주자가) 대답했다. "그 기氣가 이미 흩어지고, 수렴한 것은 바로 그 리理일 뿐이다."

물었다. "겨울 동안에 땅 속의 기가 따뜻한 것은 바로 기의 수렴된 것이 안에 있는 것입니까?"

(주자가) 대답했다. "위에서 기가 저절로 흩어지고, 아래에서 따뜻한 것이 바로 저절로 생겨나는 것이지, 이미 흩어진 기가 다시 생기가 되는 것은 아니다."

[2-1-6-6]

'繼之者善也', 元·亨, 是氣之方行而未著於物也, 是上一截事. '成之者性也', 利·貞, 是氣之能成一物也,[51] 是下一截事.[52]

(주자가 말했다.) "'이어가는 것이 선善이다.'라는 것은 원 · 형이니, 이것은 기가 막 유행하여 아직 사물에 부착하지 않은 것으로 위 단계 일이다. '이룬 것이 성性이다.'라는 것은 이 · 정이니, 이것은 기가 한 사물을 이룰 수 있는 것으로 아래 단계 일이다."

[2-1-6-7]

"元·亨·利·貞, 理也; 有這四段, 氣也. 有這四段, 理便在氣中, 兩箇不曾相離. 若是說時, 則有那未涉於氣底四德. 要就於氣上看也得, 所以伊川說'元者物之始, 亨者物之長, 利者物之實, 貞者物之成.' 這雖是就氣上說, 然理便在其中, 伊川這說話改不得. 謂有是氣, 則理便具,[53] 所以伊川只恁地說, 便可見得物裏面便有這理. 若要親切, 莫若只就自家身上看. 惻隱須有惻隱底根子, 羞惡須有羞惡底根子, 這便是仁·義·禮·智, 便是元·亨·利·貞. 孟子所以只得恁地說, 更無說處. 仁·義·禮·智似一箇包子, 裏面合下都具了. 一理渾然, 非有先

50 『朱子語類』 권94, 129조목의 내용 가운데 일부이다. 問: "'元亨誠之通, 利貞誠之復.' 元亨是春夏, 利貞是秋冬. 秋冬生氣既散, 何以謂之收斂?" 曰: "其氣已散, 收斂者乃其理耳." 曰: "冬間地下氣暖, 便也是氣收斂在內." 曰: "上面氣自散了, 下面暖底乃自是生來, 卻不是已散之氣復爲生氣也."

51 '能'자는 『朱子語類』 권74, 120조목에서 '結'자로 되어 있다.

52 『朱子語類』 권74, 120조목

53 『朱子語類』 권68, 32조목에서는 "이것은 기가 있으면 리가 바로 구비되어 있음을 말한다.(謂是有氣則理便具.)"라고 되어 있다.

後. 元·亨·利·貞便是如此, 不是道有元之時, 有亨之時.[54]

(주자가 말했다.) "원·형·이·정은 리이고, 이 네 단계는 기이다. 이 네 단계에서 리는 바로 기 속에 있으니, 둘은 서로 떠난 적이 없다. 이와 같이 말하면 아직 기에 관여하지 않은 그 네 가지 덕이 있다. 기의 측면에서 보고자 해도 되니, 그 때문에 이천程頤은 '원은 만물의 시작이고, 형은 만물의 자람이며, 이는 만물의 결실이고, 정은 만물의 이룸이다.'라고 말했다. 이것은 비록 기의 측면에서 말한 것이지만 리는 바로 그 속에 있으니, 이천의 이 말은 고칠 수 없다. 이 기가 있으면 리는 바로 구비되어 있다고 말했으니, 이천이 단지 이와 같이 말할지라도, 곧 사물 속에 바로 이 리가 있음을 알 수 있다. 만약 절실하게 하려고 하면 단지 자기 자신에게서 보는 것 만한 것이 없다. 측은에는 반드시 측은의 뿌리가 있고, 수오[55]에는 반드시 수오의 뿌리가 있으니, 이것이 바로 인·의·예·지이고, 바로 원·형·이·정이다. 맹자는 다만 이와 같이 말했을 뿐 더 말한 것이 없다. 인·의·예·지는 마치 하나의 만두와 같아서 그 속에 본래 모두 갖추어졌다. 하나의 리는 혼연하여 선후가 있지 않다. 원·형·이·정도 바로 이와 같아서 원의 때가 있다거나 형의 때가 있다고 말한 것이 아니다."

[2-1-6-8]

"乾元者始而亨,"[56] 是生出去. 利·貞是收斂凝聚,[57] 方見性情. 所以周子言"元·亨誠之通, 利·貞誠之復."[58]

(주자가 말했다.) "'건의 원은 시작하고 형통하는 것이다.'라고 하니, 이것은 생겨나오는 것이다. 이·정은 수렴하여 모이는 것이니, 비로소 성정性情을 본다. 따라서 주자周子는 '원·형은 성의 통함이요, 이·정은 성의 돌아옴이다.'라고 했다."

[2-1-6-9]

"'元·亨·利·貞'無間斷處, 貞了又元. 今日子時前, 便是昨日亥時. 物有夏·秋·冬生底, 是到

54 '不是道有元之時'가 『朱子語類』 권68, 32조목에서는 '不是說道有元之時'로 되어 있다. "인·의·예·지는 마치 하나의 만두와 같아서 그 속에 본래 모두 갖추어졌다. 하나의 리는 혼연하여 선후가 있지 않다. 원·형·이·정도 바로 이와 같아서 원의 때가 있다거나 형의 때가 있다고 말한 것이 아니다.(仁義禮智, 似一箇包子, 裏面合下都具了. 一理渾然, 非有先後, 元亨利貞便是如此, 不是說道有元之時, 有亨之時.)"

55 수오 : '羞惡'는 자신의 잘못을 부끄러워하고 다른 사람의 잘못을 미워한다는 의미이다.

56 『周易』「乾卦, 文言傳」 "건의 원은 시작하고 형통한 것이다. 이정은 성과 정이다.(乾元者, 始而亨者也, 利貞者, 性情也.)"

57 『朱子語類』 권69, 81조목에서는 '收斂凝聚'에서 '凝'자가 없고 단지 '收斂聚'로 되어 있다. 번역은 『朱子語類』를 따랐다. "건의 원은 시작하고 형통하는 것이다."라는 단락에서 "시작하고 형통하다."라는 것은 생겨나는 것이고, "이·정"은 수렴하여 모이는 것이니, 비로소 性情을 본다. 따라서 周子는 "원·형은 성의 통함이요, 이·정은 성의 돌아옴이다"라고 했다.("乾元者始而亨"一段, "始而亨"是生出去, "利貞"是收斂聚, 方見性情. 所以言"元亨誠之通, 利貞誠之復.")"

58 『朱子語類』 권69, 81조목

這裏方感得生氣. 他自有箇小小元·亨·利·貞.[59] 氣無始無終, 且從元處說起. 元之前又是貞了."[60]

(주자가 말했다.) "'원·형·이·정'은 끊어진 곳이 없으니, 정貞이 다하면 또 원元이다. 오늘의 자시子時 이전은 바로 어제의 해시亥時이다. 만물에는 여름과 가을과 겨울에 생기는 것이 있는데, 이것은 이 속에 이르러야 비로소 생기를 감지할 수 있다. 그것에는 본래 작고 작은 원·형·이·정이 있다. 기氣는 시작도 없고 끝도 없으니, (여기에서는) 원으로부터 말을 시작하였을 뿐이다. 원의 이전은 또 정이었다."[61]

[2-1-6-10]

"'元'字便是生物之仁. 到得亨便是彰著. 利便是結聚. 貞便是收斂. 旣無形迹, 又須復生. 至如半夜子時, 此物雖存, 猶未動在, 到寅卯便生, 巳午便著, 申酉便結, 亥子丑便實, 及至寅又生也. 那箇只管運轉. 一歲有一歲之運, 一月有一月之運, 一日有一日之運, 一時有一時之運. 雖一息之微, 亦有四箇段子恁地運轉. 但元只是始初, 未至於著, 如所謂怵惕惻隱, 存於人心, 自恁惻惻地, 未至大段發出."[62]

(주자가 말했다.) "'원元'이라는 글자는 바로 만물을 낳는 인仁이다. 형에 이르면 바로 창성하게 드러난다. 이에 이르면 바로 응결된다. 정에 이르면 바로 수렴한다. 형태와 자취가 없어지고 나면 또 반드시 다시 생겨나게 된다. 마치 한밤중의 자시에 이르면 이것이 비록 존재하지만 아직 움직이지

59 『朱子語類』 권68, 33조목

60 『朱子語類』 권68, 34조목

61 이것은 원·형·이·정의 네 단계가 상호 긴밀하게 관계하며 진행되고 있음을 설명하는 것으로, 원이 다하면 형이 오고 형이 다하면 이가 오며 이가 다하면 정이 오는 것을 의미한다.

62 『朱子語類』 권68, 74조목의 내용 가운데 일부이다. "그 '元'이라는 글자는 바로 만물을 낳는 仁이고, (그것을) 취하여 시작한다는 것은 그 기를 얻는 것이고, (그것을) 취하여 생겨나게 한다는 것은 그 형체를 이룬다는 것이다. 亨에 이르면 바로 창성하게 드러난다. 利에 이르면 바로 응결된다. 貞에 이르면 바로 수렴한다. 형태와 자취가 없어지고 나면 또 반드시 다시 생겨나게 된다. 마치 한밤중의 자시에 이르면 이것이 비록 존재하지만 아직 움직이지 않다가 인시와 묘시에 이르면 바로 생겨나며, 사시와 오시에 이르면 바로 드러나고, 신시와 유시에 이르면 바로 맺으며, 해시와 자시와 축시에 이르면 바로 열매를 맺다가, 인시에 이르면 또 생겨나는 것과 같다. 다른 것도 이렇게 다만 운행할 뿐이니, 한 해에는 한 해의 운행이 있고, 한 달에는 한 달의 운행이 있으며, 하루에는 하루의 운행이 있고, 한 시진에는 한 시진의 운행이 있다. 비록 한 번 숨 쉬는 짧은 동안이라도, 또한 네 단계로 나누어지듯이 운행한다. 그러나 원은 다만 시초일 뿐 아직 드러남에 이르지 않으니, 예컨대 이른바 '놀라고 측은히 여김이' 사람 마음에 보존되어 있는 것과 같다. 이와 같이 측은히 여기더라도 아직 크게 발현함에 이르지는 않았다.(那'元'字便是生物之仁, 資始是得其氣, 資生是成其形. 到得亨便是他彰著, 利便是結聚, 貞便是收斂. 旣無形跡, 又須復生. 至如夜半子時, 此物雖存, 猶未動在; 到寅卯便生, 巳午便著, 申酉便結, 亥子丑便實, 及至寅又生. 他這箇只管運轉, 一歲有一歲之運, 一月有一月之運, 一日有一日之運, 一時有一時之運. 雖一息之微, 亦有四箇段子, 恁地運轉. 但元只是始初, 未至於著, 如所謂: '怵惕惻隱', 存於人心. 自恁惻惻地, 未至大段發出.)"

않다가 인시와 묘시가 되면 바로 생겨나서, 사시와 오시가 되면 바로 드러나고, 신시와 유시가 되면 바로 결합되며, 해시와 자시와 축시가 되면 바로 열매를 맺다가, 인시가 되면 또 생겨나는 것과 같다. 그렇게 줄곧 운행할 뿐이다. 한 해에는 한 해의 운행이 있고, 한 달에는 한 달의 운행이 있으며, 하루에는 하루의 운행이 있고, 한 시진에는 한 시진의 운행이 있다. 비록 한 번 숨 쉬는 짧은 동안이라도, 또한 네 단계로 나누어지듯이 운행한다. 그러나 원은 다만 시초일 뿐 아직 드러남에 이르지 않았으니, 이른바 '놀라고 측은히 여김'이 사람 마음에 보존되어 이처럼 안쓰럽게 하지만, 아직 크게 발현하지 않는 것과 같다."

[2-1-6-11]

"'元·亨·利·貞', 是一箇道理之大綱目. 須當時復將來子細硏究. 如濂溪此書, 只是反覆說這一箇道理. 蓋那裏雖千變萬化, 千條萬緖, 只是這一箇做將去."[63]

(주자가 말했다.) "'원·형·이·정'은 도리의 큰 조목이다. 반드시 일을 만날 때마다 그것을 다시 자세히 연구해야 한다. 염계周惇頤가 이 책에서 다만 반복적으로 이 도리를 설명한 것과 같다. 그 속의 수많은 변화와 수많은 상황도, 다만 이 하나의 도리가 만들어갈 뿐이다."

[2-1-6-12]

"元·亨誠之通," 通卽發用. "利·貞誠之復," 復卽本體也.[64]

(주자가 말했다.) "'원·형은 성의 통함이다.'에서 통함은 바로 발용發用이다. '이·정은 성의 돌아옴이다.'에서 돌아옴은 바로 본체本體이다."

[2-1-6-13]

問: "'利·貞誠之復', 如先生注下言'復'如伏藏.'"

曰: "復只是回來, 這箇是周先生添這一句. 孔子只說'乾道變化, 各正性命.'"

又曰: "這箇物事流行到這裏住著, 便立在這裏. 旣立在這裏, 則又從這裏做起."[65]

63 『朱子語類』 권115, 22조목의 내용 가운데 일부이다. "'元亨利貞', 是一箇道理之大綱目, 須當時復將來子細硏究. 如濂溪『通書』, 只是反復說這一箇道理. 蓋那裏雖千變萬化, 千條萬緖, 只是這一箇做將去." '『通書』에서'와 '반복적으로' 등의 부분이 차이를 보인다.

64 『朱子語類』 권69, 86조목의 내용 가운데 일부이다. "『通書』에서 '원·형은 성의 통함이고, 이·정은 성의 돌아옴다.'라고 말한 것에서 통함은 바로 發用이고, 돌아옴은 바로 本體이다.(『通書』曰: '元·亨誠之通, 利·貞誠之復.' 通卽發用, 復卽本體也.)"

65 『朱子語類』 권94, 131조목의 내용 가운데 일부이다. 직경이 물었다. "'이·정은 성의 돌아옴이다.'라는 것에 대해 선생은 주에서 '돌아옴'은 숨김과 같다.라고 말했습니다." 선생이 대답했다. "복은 다만 돌아온다는 것인데, 이것은 주 선생[周惇頤]이 한 구절을 첨가한 것이다. 공자는 다만 '건의 도가 변화하여 각기 성과 명을 바르게 한다.'라고만 말했다." 또 대답했다. "이것은 또 '氣'로 기록되어 있다. 유행이 여기에 이르고, 여기에서 머문다면 오히려 또 돌아옴은 여기로부터 시작할 것이다." 또 말했다. "예컨대 어머니와 자식의 관계와 비슷하다. 아직 태어나지 않았을 때에는 어머니가 기운이 없으면 그 자식을 낳을 수 없지만, 이미 태어난 후에는

물었다. "'이 · 정은 성의 돌아옴이다.'라는 것에 대해 선생은 주에서 '돌아옴'은 숨김과 같다.'라고 말했습니다."

(주자가) 대답했다. "복은 다만 돌아온다는 것인데, 이것은 주 선생[周惇頤]이 한 구절을 첨가한 것이다. 공자는 다만 '건의 도가 변화하여 각기 성과 명을 바르게 한다.'[66]라고만 말했다."

또 대답했다. "이것이 유행하여 여기에 머문다면 바로 여기에서 정립된다. 이미 여기에 정립되었다면 또한 여기로부터 시작한다."

[2-1-6-14]

"濂溪與伊川說'復'字差不同. 濂溪就歸處說. 如云'利·貞誠之復', '誠心復其不善之動而已矣', 皆是就歸處說. 伊川却正就動處說. 如'元·亨·利·貞', 濂溪就'利·貞'上說'復'字, 伊川就'元'字頭說'復'字, 二說只是所指地頭不同, 道理只一般."[67]

(주자가 말했다.) "염계와 이천[程頤]은 '복復'이라는 글자를 다르게 말했다. 염계는 돌아옴의 측면에서 말했다. 예컨대 '이利 · 정貞은 성誠의 돌아옴이다.'라는 것과 '성심誠心은 그 불선不善의 움직임을 (善

자식은 자식이고 어머니는 어머니이다." 또 말했다. "예컨대 나무 위에 하나의 꽃이 피고 하나의 열매를 맺는 것은 아직 이 · 정이 도달하지 않은 것인데, 오히려 땅 속의 기가 무성하게 운행하니 또한 '養'으로 表記한다. 다른 것, 그것이 이·정에 도달하는 것에 미치면 본래 기름[養]을 사용하지 않는다." 또 '그와 같다'라고 기록한다. 또 물었다. "한 생각의 싹으로부터 일이 그곳을 얻는데 이르는 것은 한 가지 일의 원형이정입니까?" 선생이 응하여 대답했다. "그것은 또한 여기로부터 시작하니, 이른바 '생겨나고 생겨나는 것을 역이라고 한다'라는 것 또한 그와 같다." 또 기록하여 말했다. "기가 운행하여 여기에 머문다면 바로 여기에서 정립되는 것이다. 이미 여기에서 정립된다면 또한 여기로부터 시작한다.(直卿問: "'利貞誠之復', 如先生注下言, '復'如伏藏." 先生曰: "復只是回來, 這箇是周先生添此一句. 孔子只說'乾道變化, 各正性命'." 又曰: "這箇物事又記是"氣"字. 流行到這裏來, 這裏住著, 卻又復從這裏做起." 又曰: "如母子相似. 未生之時, 母無氣不能生其子, 旣生之後, 子自是子, 母自是母." 又曰: "如樹上開一花, 結一子, 未到利貞處, 尙是運下面氣去蔭又記是'養'字. 他及他到利貞處, 自不用養." 又記是'恁他'字. 又問: "自一念之萌以至於事之得其所, 是一事之元亨利貞?" 先生應之曰: "他又自這裏做起, 所謂'生生之謂易', 也是恁地." 又記曰: "氣行到這裏住著, 便立在這裏. 旣立在這裏, 則又從這裏做起.")"

66 『周易』「乾卦」 彖傳

67 『朱子語類』 권71, 69조목의 내용 가운데 일부이다. "이천과 염계는 '復'이라는 글자를 또한 다르게 말했습니다." 용지는 "염계는 '復'을 돌아옴의 측면에서 말했고, 이천은 움직임의 측면에서 말했다."라고 했습니다. 대답했다. "그렇다. 염계는 坤의 측면에서 말했기 때문에 돌아오는 측면에서 말한 것이다. 예컨대 '利 · 貞은 誠의 돌아옴이다.'라는 것과 '誠心은 그 不善의 움직임을 (善으로) 회복하는 것이다.'라는 것은 모두 돌아옴의 측면에서 말한 것이다. 이천은 도리어 바로 움직임의 측면에서 말했다. 예컨대 '元 · 亨 · 利 · 貞'에 대해 염계는 '利 · 貞'의 측면에서 '復'을 말했고, 이천은 '元'의 앞부분에서 '복'을 말했다. 『周易』 괘와 효의 뜻으로 미루면 이천의 말이 옳다. 그러나 염계와 이천의 이론은 도리가 단지 같아서, 다른 것이 있지 않고 가리키는 관점만 다를 뿐이다. 「복괘」로 말했기 때문이다.("伊川與濂溪說'復'字亦差不同." 用之云: "濂溪說得'復'字就歸處說, 伊川就動處說." 曰: "然. 濂溪就坤上說, 就回來處說. 如云'利 · 貞者誠之復', '誠心, 復其不善之動而已矣', 皆是就歸來處說. 伊川卻正就動處說. 如'元 · 亨 · 利 · 貞', 濂溪就'利 · 貞'上說'復'字, 伊川就'元'字頭說'復'字. 以周易卦爻之義推之, 則伊川之說爲正. 然濂溪伊川之說, 道理只一般, 非有所異, 只是所指地頭不同. 以復卦言之.)"

으로) 회복하는 것이다.'[68]라는 것은 모두 돌아옴의 측면에서 말한 것이다. 이천은 바로 움직임의 측면에서 말했다. 예컨대 '원元 · 형亨 · 이利 · 정貞'에 대해 염계는 '이利 · 정貞'의 측면에서 '복復'을 말했고, 이천은 '원元'의 앞부분에서 '복'을 말했으니, 두 설은 가리키는 관점만 다르고, 도리는 같을 뿐이다."

[2-1-6-15]

南軒張氏謂梁世榮曰："看得此章如何?"

世榮荅以"此又『太極圖解』之要旨也."

曰："'元·亨誠之通, 利·貞誠之復', 通復二字尤爲緊要. 方其通, 也是這箇, 及其復, 也是這箇. 今之人, 其動也未嘗通, 其靜也未嘗復. 某只說得如此, 公自去推."

남헌 장씨張栻[69]가 양세영에게 말했다. "이 문장을 어떻게 이해하는가?"

세영은 "이것도 『태극도해』의 요지입니다."라고 답했다.

(장식이) 말했다. "'원 · 형은 성의 통함이고, 이 · 정은 성의 돌아옴이다.'라고 하니, 통함과 돌아옴이라는 두 말이 더욱 중요하다. 그 통함에 당해서도 또한 이것이고, 그 돌아옴에 이르러서도 또한 이것이다. 요즘 사람은 그 움직임에도 또한 통한 적이 없고, 그 고요함에도 또한 돌아온 적이 없다. 나는 다만 이와 같이 말할 뿐이니, 그대가 스스로 미루어 나가 탐구하라."

[2-1-6-16]

北溪陳氏曰："若就造化上論, 則天命之大目只是元·亨·利·貞. 此四者就氣上論也得, 就理上論也得. 就氣上論, 則物之初生處爲元, 於時爲春. 物之發達處爲亨, 於時爲夏. 物之成遂處爲利, 於時爲秋. 物之斂藏處爲貞, 於時爲冬. 貞者, 正而固也. 自其生意之已定而言, 故謂之正, 自其斂藏者而言, 故謂之固. 就理上論, 則元者生理之始, 亨者生理之通, 利者生理之遂, 貞者生理之固."[70]

북계 진씨陳淳가 말했다. "만약 조화의 측면에서 논한다면 천명의 큰 조목은 단지 원 · 형 · 이 · 정일 뿐이다. 이 넷은 기의 측면에서 논해도 되고, 리의 측면에서 논해도 된다. 기의 측면에서 논하면 만물이 처음 생겨나는 것이 원이 되고, 때는 봄이 된다. 만물이 발달하는 것이 형이 되고, 때는 여름이 된다. 만물이 이루어진 것이 이가 되고, 때는 가을이 된다. 만물이 수렴되어 저장되는 것이

---

68 『通書』「가인규복무망」 제32(家人睽復无妄 第三十二)

69 張栻(1133~1180) : 자는 敬夫 · 欽夫 · 樂齋이고, 호는 南軒이다. 宋代 漢州 綿竹(현 사천성 廣漢縣) 사람이다. 그의 부친 張浚은 宋 高宗과 孝宗 양 조정에서 丞相을 지냈다. 知撫州 · 知嚴州 · 湖北安撫使 · 吏部侍郎兼侍講 등을 역임하였다. 주희보다 세 살 어리지만 주희 · 呂祖謙과 더불어 친구로 지냈으며, 후대에 이들 셋을 '東南三賢'이라고 부른다. 장식은 스승 胡宏으로부터 이어지는 胡湘學派를 정립하였으며, 그의 察識端倪說은 주희의 中和舊說을 확립하는데 중요한 역할을 하였다. 저서는 『南軒易說』 · 『論語解』 · 『孟子說』 · 『伊川粹言』 · 『南軒集』 등이 있다.

70 『北溪字義』 권상 「命」

정이 되고, 때는 겨울이 된다. 정貞은 바르면서 견고함이다. 그 생의生意가 이미 정해진 것으로부터 말했기 때문에 바름이라고 하고, 그 수렴하여 저장하는 것으로부터 말했기 때문에 견고함이라고 한다. 리의 측면에서 논하면 원은 생리生理의 시작이고, 형은 생리의 통함이며, 이는 생리의 이룸이고, 정은 생리의 견고함이다."

[2-1-6-17]

"性之大目, 只是仁·義·禮·智四者而已. 得天命之元, 在我謂之仁. 得天命之亨, 在我謂之禮. 得天命之利, 在我謂之義. 得天命之貞, 在我謂之智. 故文公云'元·亨·利·貞, 天道之常, 仁·義·禮·智, 人性之綱.'"71

(북계 진씨가 말했다.) "성性의 큰 조목은 다만 인·의·예·지의 네 가지일 뿐이다. 천명의 원元을 얻어 나에게 있는 것을 인仁이라고 한다. 천명의 형亨을 얻어 나에게 있는 것을 예禮라고 한다. 천명의 이利를 얻어 나에게 있는 것을 의義라고 한다. 천명의 정貞을 얻어 나에게 있는 것을 지智라고 한다. 그러므로 문공朱熹은 '원·형·이·정은 천도의 불변이고, 인·의·예·지는 인성의 벼리이다.'72 라고 했다."

[2-1-6-18]

臨川吳氏曰: "'元·亨誠之通'者, 春生夏長之時, 陽之動也. 於此而見太極之用焉. '利·貞誠之復'者, 秋收冬藏之時, 陰之靜也. 於此而見太極之體焉. 此造化之體用動靜也. 至若朱子所謂'本然未發者實理之體, 善應而不測者實理之用', 此則就人身上言, 與造化之動靜體用又不同. 蓋造化之運, 動極而靜, 靜極而動, 動靜互根, 歲歲有常, 萬古不易, 其動靜各有定時. 至若人心之或與物接, 或不與物接, 初無定時, 或動多而靜少, 或靜多而動少, 非如天地之動靜有常度也."73

임천 오씨吳澄74가 말했다. "'원·형은 성의 통함이다.'라는 것은 봄에 생겨나고 여름에 자라는 때에

71 『北溪字義』 권상 「性」 "性은 그 큰 조목이 다만 인·의·예·지의 네 가지일 뿐이다. 천명의 元을 얻어 나에게 있는 것을 仁이라고 한다. 천명의 亨을 얻어 나에게 있는 것을 禮라고 한다. 천명의 利를 얻어 나에게 있는 것을 義라고 한다. 천명의 貞을 얻어 나에게 있는 것을 智라고 한다. 성과 명은 본래 두 가지 것이 아니다. 하늘에 있는 것을 명이라고 하고, 땅에 있는 것을 성이라고 한다. 그러므로 程子는 '하늘이 부여한 것은 명이고, 사람이 받은 것은 성이다.'라고 했고, 朱熹은 '원·형·이·정은 천도의 불변이고, 인·의·예·지는 인성의 벼리이다.'라고 했다.(性其大目, 只是仁·義·禮·智四者而已. 得天命之元, 在我謂之仁. 得天命之亨, 在我謂之禮. 得天命之利, 在我謂之義. 得天命之貞, 在我謂之智. 性與命, 本非二物. 在天謂之命, 在人謂之性. 故程子曰'天所付爲命, 人所受爲性', 文公曰'元·亨·利·貞, 天道之常. 仁·義·禮·智, 人性之綱.')"라는 내용 가운데에서 일부를 가져온 것이다. 그리고 『북계자의』에서의 '其'자를 '之'자로 변경하였다.

72 『朱文公集』 권76 「小學題辭」

73 『吳文正集』 권2 「三·答王參政儀伯問」

74 吳澄(1249~1333): 자는 幼淸이고, 이른바 草廬先生으로 불린다. 宋元 교체기 崇仁(현재 강서성) 사람으로 國子監司業·翰林學士를 역임하였다. 시호는 文正이다. 그의 학문은 주로 주희와 육구연의 사상을 절충하는

양이 움직이는 것이다. 여기에서 태극의 용用을 본다. '이 · 정은 성의 돌아옴이다.'라는 것은 가을에 거두고 겨울에 저장하는 때에 음이 고요한 것이다. 여기에서 태극의 체體를 본다. 이것이 조화의 체體 · 용用과 움직임 · 고요함이다. 주자가 '본래 미발未發인 것이 참된 이치의 체體이고, 잘 감응하므로 (다른 사람이) 헤아리지 못하는 것이 참된 이치의 용用이다.'[75]라고 말한 것과 같은 것에 이르면, 이것은 사람의 몸 측면에서 말한 것으로, 조화의 움직임 · 고요함 및 체體 · 용用과는 또한 같지 않다. 조화의 운행은 움직임이 극에 달하면 고요해지고, 고요함이 극에 달하면 움직이며, 움직임과 고요함이 서로 뿌리가 되어 해마다 일정하여 영원토록 바뀌지 않으니, 그 움직임과 고요함에는 각기 정해진 때가 있다. 사람의 마음이 혹 사물과 접하거나, 혹 사물과 접하지 않는 경우에는 애초부터 정해진 때가 없으니, 혹 움직임은 많지만 고요함이 적거나, 고요함은 많지만 움직임이 적어 천지의 움직임과 고요함에 불변하는 법도가 있는 것과 같지 않다."

[2-1-7]

大哉! 易也. 性命之源乎!

크도다! 역이여. 성과 명의 근원이로다!

[2-1-7-0]

易者, 交錯代換之名. 卦爻之立, 由是而已. 天地之間, 陰陽交錯, 而實理流行, 一賦一受於其中, 亦猶是也.

역은 교차하면서 번갈아 바뀌는 것을 이르는 말이다. 괘와 효가 정립된 것은 이것을 말미암을 뿐이다. 하늘과 땅 사이에 음과 양이 교차하고, 참된 이치가 유행하여 그 속에서 한 번은 주고 한 번은 받는 것 또한 이와 같다.

[2-1-7-1]

朱子曰 : "'易'字有二義, 有變易, 有交易."[76]

경향이 있으며, 특히 주희 이래의 道統을 은연중에 자임하고 있다. 저서는 『學基』 · 『學統』 · 『書 · 易 · 春秋 · 禮記纂言』 · 『吳文正公集』 · 『孝經章句』 등이 있다.

75 『通書解』「聖」第四

76 『朱子語類』 권65, 21조목의 내용 가운데 일부이다. 지지가 말했다. 『주역정의』에서 "'역'은 변화의 총칭이고, 번갈아가며 교환하는 것의 다른 이름이니, 음양 두 기가 생겨나고 생겨나 쉬지 않는 理이다.'라고 말했습니다. 이 여러 말을 가만히 살펴보니, 또한 좋습니다." 대답했다. "나는 '역'이라는 글자에는 두 가지 뜻이 있는데, 變易이 있고, 交易이 있다고 생각한다. 「선천도」에서는 한 쪽은 본래 양이고, 한 쪽은 본래 음이며, 양 속에 음이 있고, 음 속에 양이 있는데, 바로 양이 가서 음과 교역하고 음이 와서 양과 교역하니, 두 쪽은 각각 서로 마주한다. 사실은 이것이 가고 저것이 오는 것은 아니니, 다만 그 象이 이와 같을 뿐이다. 그러나 성인은 애초에 또한 이와 같이 생각하지 않고, 다만 하나의 양과 하나의 음을 그렸으며, 각각의 것들은 바로 둘을 낳는다. 하나의 양의 측면에서도 하나의 양과 하나의 음을 낳고, 하나의 음의 측면에서도 하나의 음과 하나의 양을 낳는다. 오로지 이와 같을 뿐이다. 1로부터 2가 되고, 2로부터 4가 되며, 4로부터 8이 되고, 8로부터

問 : "交易變易之義如何?"

曰 : "交易, 是陽交於陰, 陰交於陽, 是卦圖上底. 如'天地定位, 山澤通氣', 云云是也. 變易, 是陽變陰, 陰變陽, 老陽變爲少陰, 老陰變爲少陽, 如晝夜寒暑, 屈伸往來, 是也."[77]

주자가 말했다. "'역'이라는 글자에는 두 가지 뜻이 있는데, 변역變易이 있고, 교역交易이 있다."

물었다. "교역과 변역의 뜻은 무엇입니까?"

(주자가) 대답했다. "교역은 양이 음과 사귀고, 음이 양과 사귀는 것으로 8괘도에서 하는 말이다. 이를테면 '하늘과 땅이 위치를 정하고, 산과 연못이 기를 통한다.'[78]라고 하는 것이 이것이다. 변역은 양이 음으로 변하고, 음이 양으로 변하며, 노양이 변하여 소음이 되고, 노음이 변하여 소양이 되는 것으로, 예를 들면 낮과 밤, 추위와 더위, 굽힘과 폄, 가고 옴이 이것이다."

[2-1-7-2]

"易有兩義. 一是變易, 便是流行底. 一是交易, 便是對待底."[79]

(주자가 말했다.) "역에는 두 가지의 뜻이 있다. 하나는 변역이니, 바로 유행의 뜻이다. 하나는 교역이니, 바로 대대對待의 뜻이다."

16이 되며, 16으로부터 32가 되고, 32로부터 64가 된다. 이미 사물을 이루면 바로 자연스럽게 이와 같이 가지런해진다. 모두 천지 본연의 오묘한 元이 이와 같을 뿐이다. 그러나 성인의 손을 빌려 간략하게 그려내었다. 예컨대 乾이 1효에 위치할 경우에는 진괘가 되고, 2효에 위치할 경우에는 감괘가 되며 3효에 위치할 경우에는 간괘가 되고, 坤이 1효에 위치할 경우에는 손괘가 되고 2효에 위치할 경우에는 리괘가 되며 3효에 위치할 경우에는 태괘가 된다. 처음에 괘를 그릴 때에는 또한 이와 같지 않았다. 단지 8개의 괘를 그린 후에 바로 이러한 象이 있을 뿐이다.(至之曰 : "正義謂 : '"易"者, 變化之總號, 代換之殊稱, 乃陰陽二氣生生不息之理.' 竊見此數語亦說得好." 曰 : "某以爲'易'字有二義 : 有變易, 有交易. 先天圖一邊本都是陽, 一邊本都是陰, 陽中有陰, 陰中有陽; 便是陽往交易陰, 陰來交易陽, 兩邊各各相對. 其實非此往彼來, 只是其象如此. 然聖人當初亦不恁地思量, 只是畫一箇陽, 一箇陰, 每箇便生兩箇. 就一箇陽上, 又生一箇陽, 一箇陰; 就一箇陰上, 又生一箇陰, 一箇陽. 只管恁地去. 自一爲二, 二爲四, 四爲八, 八爲十六, 十六爲三十二, 三十二爲六十四. 旣成箇物事, 便自然如此齊整. 皆是天地本然之妙元如此, 但略假聖人手畫出來. 如乾一索而得震, 再索而得坎, 三索而得艮; 坤一索而得巽, 再索而得離, 三索而得兌. 初間畫卦時, 也不是恁地. 只是畫成八箇卦後, 便見有此象耳.")"

77 『朱子語類』 권65, 22조목의 내용 가운데 일부이다. 물었다. "'역'에 교역과 변역이 있다는 뜻은 무엇입니까?" 대답했다. "교역은 양이 음과 사귀고, 음이 양과 사귀는 것으로 8괘도에서 하는 말이다. '하늘과 땅이 위치를 정하고, 산과 연못이 기를 통한다.'라는 것과 같은 것이 이것이다. 변역은 양이 음으로 변하고, 음이 양으로 변하며, 노양이 변하여 소음이 되고, 노음이 변하여 소양이 되는데, 이것은 점치는 법이다. 낮과 밤, 추위와 더위, 굽힘과 폄, 가고 옴 등과 같은 것이 이것이다."(問 : "'易'有交易·變易之義如何?" 曰 : "交易是陽交於陰, 陰交於陽, 是卦圖上底. 如'天地定位, 山澤通氣'云云者是也. 變易是陽變陰, 陰變陽, 老陽變爲少陰, 老陰變爲少陽, 此是占筮之法. 如晝夜寒暑, 屈伸往來者是也.")

78 『周易』「說卦傳」

79 『朱子語類』 권65, 6조목

[2-1-7-3]

問 : “『正義』云‘易者變化之總號, 代換之殊稱, 乃陰陽二氣生生不息之理.’[80] 此數句亦說得好.

曰 : “天地之間, 別有甚事? 只是陰與陽兩箇字. 看是甚麽物事都離不得. 只就身上體看, 纔開眼, 不是陰便是陽, 不是仁便是義, 不是剛便是柔. 自家要做向前, 便是陽, 纔收退便是陰. 意思纔動便是陽, 纔靜便是陰. 未消別看, 只一動一靜, 便是陰陽. 伏羲只因此畫卦示人.”[81]

물었다. “『주역정의周易正義』[82]에 ‘역은 변화의 총칭이고, 번갈아가며 교환하는 것의 다른 이름이니, 음과 양의 두 기가 생겨나고 생겨나 쉬지 않는 리理이다.’라고 말했습니다. 이 몇 구절 또한 설명이 좋습니다.”

(주자가) 대답했다. “하늘과 땅 사이에 따로 무슨 일이 있겠는가? 다만 음과 양이라는 두 글자뿐이다.

80 『周易正義』「제1」『역』의 세 이름을 논함(論『易』之三名)」의 내용 가운데 일부이다. “『周易正義』에서 ‘역은 변화의 이름이고, 번갈아가며 교환하는 것의 다른 이름이다.’라고 했다.(正義, 曰‘夫易者, 變化之名, 改換之殊稱.’)”

81 『朱子語類』 권65, 21조목 “『周易正義』에서 ‘역’은 변화의 총칭이고, 번갈아가며 교환하는 것의 다른 이름이니, 음양 두 기가 생겨나고 생겨나 쉬지 않는 理이다.’라고 말했습니다.(正義謂 : ‘易’者, 變化之總號, 代換之殊稱, 乃陰陽二氣生生不息之理.’)”와 『朱子語類』 권65, 24조목 “하늘과 땅 사이에 따로 무슨 일이 있겠는가? 다만 ‘음’과 ‘양’이라는 두 글자뿐이다. 보기에 어떤 것이라도 모두 벗어나지 않는다. 다만 몸으로 경험해 보아야 비로소 깨달을 수 있고, 음이 아니면 바로 양이고, 빽빽이 들이닥치는 것도 여기에 있으니, 모두 다른 것으로 드러나지 않는다. 인이 아니면 바로 의이며, 굳셈이 아니면 바로 부드러움이다. 자신이 하고자 하여 앞으로 향하는 것이 바로 양이고, 막 수렴하여 물러나는 것이 바로 음이다. 생각이 막 움직이는 것이 바로 양이고, 막 고요한 것이 바로 음이다. 다르게 볼 필요 없이 단지 한 번 움직이고 한 번 고요한 것이 바로 음과 양이다. 복희씨가 단지 이것을 원인으로 하여 괘를 그어서 사람들에게 보여줬다.(天地之間, 別有甚事? 只是‘陰’與‘陽’兩箇字, 看是甚麽物事都離不得. 只就身上體看, 纔開眼, 不是陰, 便是陽, 密拶拶在這裏, 都不著得別物事. 不是仁, 便是義; 不是剛, 便是柔. 只自家要做向前, 便是陽; 纔收退, 便是陰意思. 纔動便是陽, 纔靜便是陰. 未消別看, 只是一動一靜, 便是陰陽. 伏羲只因此畫卦以示人.)”의 내용 가운데 일부를 발췌하여 결합한 것이다.

82 이 『周易正義』는 魏나라 王弼과 東晋의 韓伯이 注를 달고, 唐나라 孔穎達이 疏를 붙여 편찬한 책으로 『五經正義』 가운데 하나이다.

* 王弼(226~249) : 도가사상가이며, 자는 輔嗣이다. 하남성 山陽 출신이다. 尙書郞을 역임하였다. 傅蝦와 何晏에게서 학문을 배웠으며, 鍾會와 교유했다. 능력이 탁월했으며, 老子와 장자에 심취하였다. 하안·夏侯玄 등과 함께 玄學의 기풍을 열었다. 주요 저서로 『周易注』, 『周易略例』, 『老子注』, 『老子指略』 등이 있다.

* 韓康伯(332~380) : 이름은 伯이고, 자가 康伯이며, 경학자이다. 하남성 장사(현재 許昌市) 출신이다. 吏部尙書와 領軍將軍을 역임하였다. 왕필의 『周易注』에서 빠져 있는 「繫辭傳」, 「說卦傳」, 「序卦傳」, 「雜卦傳」 등을 補注하였다.

* 孔穎達(574~648) : 경학자이며, 자는 仲達이다. 하북성 冀州 출신이다. 어려서부터 五經을 배웠으며, 능력이 탁월하였다. 당나라 18학사 가운데 한 사람으로, 태종에게 중용되어 國子博士를 거쳐 國子祭酒와 東宮侍講 등을 역임하였다. 이전 시대에 분분하던 유가 경전의 학설을 체계적으로 정리한 『오경정의』를 편찬하는데 주도적인 역할을 하였다.

보기에 어떤 것이라도 모두 (여기에서) 벗어나지 않는다. 다만 몸으로 경험해 보아야 비로소 깨달을 수 있으니, 음이 아니면 바로 양이고, 인이 아니면 바로 의이며, 굳셈이 아니면 바로 부드러움이다. 자신이 하고자 하여 앞으로 향하는 것이 바로 양이고, 막 수렴하여 물러나는 것이 바로 음이다. 생각이 막 움직이는 것이 바로 양이고, 막 고요한 것이 바로 음이다. 다르게 볼 필요 없이 단지 한 번 움직이고 한 번 고요한 것이 바로 음과 양이다. 복희씨가 단지 이것에 기인하여 괘를 그어서 사람들에게 보여주었다."

[2-1-7-4]

"「說卦」云'窮理盡性以至於命', 言聖人作『易』'窮天下之理, 盡人物之性, 而合於天道', 所以說性命之源."[83]

(주자가 말했다.) "「설괘전」에 '리理를 궁구하고 성性을 다 발현하여 명命에 이른다.'라고 한 말은 성인이 『역』을 지어 '세상의 리理를 궁구하고 인간과 사물의 성을 다 발현하여 천도에 합한다.'[84]라고 말했으니, 성性과 명命의 근원을 설명한 것이다."

[2-1-7-5]

"'誠者聖人之本', 言太極. '「大哉! 乾元. 萬物資始,」 誠之源', 言陰陽·五行. '「乾道變化, 各正性命,」 誠斯立焉', 言氣化. '純粹至善者', 通繳上文. 「故曰一陰一陽之謂道,」 解'誠者聖人之本.' 「繼之者善也,」 解'「大哉! 乾元」以下. 「成之者性也,」 解「乾道變化」以下. '元·亨誠之通', 言流行處. '利·貞誠之復', 言學者用力處. '大哉! 易也. 性命之源', 又通繳上文.[85]

(주자가 말했다.) "'성誠은 성인의 본령이다.'라는 것은 태극을 말한다. '「크도다! 건의 원이여. 만물이 그것을 취하여 시작한다.」라고 하는 것은 성의 근원이다.'라는 것은 음양 · 오행을 말한다. '「건의 도가 변화하여 각기 성性과 명命을 바르게 한다.」라고 했으니, 성誠이 여기에서 정립된다.'라고 하는 것은 기의 변화를 말한다. '순수하고 지극히 선한 것이다.'라는 것은 위의 글을 종합했다. 「그러므로 한 번은 음이 되고 한 번은 양이 되는 것을 도라고 한다.」라는 것은 '성은 성인의 본령이다.'라는 것을 풀이한 것이다. 「이어가는 것이 선善이다.」라는 것은 「크도다! 건의 원이여」 이하를 풀이한 것이다. 「이룬 것이 성性이다.」라는 것은 「건의 도가 변화하여」 이하를 풀이한 것이다. '원 · 형은 성의 통함이다.'라는 것은 유행하는 것을 말한다. '이 · 정은 성의 돌아옴이다.'라는 것은 배우는 사람이 노력하는 것을 말한다. '크도다! 역이여. 성과 명의 근원이다.'라는 것 또한 위의 글을 종합했다."

83 『朱子語類』 권77, 20조목의 내용 가운데 일부이다. "이치를 궁구하는 것은 사물을 궁구하는 것이고, 사람의 성품을 구현하여 그 천명에 도달하는 것이기 때문에 성과 명의 근원을 말하였다.(窮理是窮得物, 盡得人性, 到得那天命, 所以說道性命之源.)"

84 『周易傳義大全』 권24 「說卦傳」

85 『朱子語類』 권94, 118조목

[2-1-7-6]

勉齋黃氏曰：“故曰以下三句，是引『易』來說，結上三節．向後乃贊『易』之語．”

又曰：“而今讀書，須以身體之，不可徒泥紙上語．如此篇說‘誠只是實．’‘誠者聖人之本’，是言‘聖人之所以爲聖，以其全是實理而已．’下文又不說聖人，只說箇實理．‘大哉！乾元’以下，只把春·夏·秋·冬來看．春·夏之時，萬物都有生意，蕃育長茂，這是那實理流行之源．秋·冬間，萬物成實，箇箇物裏面都是這實理．‘各正性命’，是一箇物正一箇性命去．如柑成柑，橘成橘，箇箇都實．‘元·亨誠之通’，是春·夏生長意思．‘利·貞誠之復’，是秋·冬成實意思．‘一陰一陽之謂道’，陰便是秋·冬，陽便是春·夏，只這箇便是道．陰陽流行，道便在其中，不成別有箇道．‘繼之者善’，則是那‘誠之通’，未有成立，只喚做善．‘成之者性’，則是那‘誠之復’，已有成立，方喚做性．‘大哉！易也．性命之源乎！’易便是‘一陰一陽’，命則是‘繼之者’，性則是‘成之者．’看來‘繼善·成性’，只是箇頭尾．”

면재 황씨[黃榦]가 말했다. “고왈故曰 이하의 세 구절은 『역』을 인용하여 말하면서 위의 세 구절을 맺었다. 이후는 『역』을 찬양하는 말이다.”

또 말했다. “지금 책을 읽을 때에는 반드시 몸으로 그것을 체득해야지, 한갓 종이 위의 말에 묶이면 안 된다. 예컨대 이 책에서 ‘성誠은 다만 참됨일 뿐이다.’라고 말하는 것과 같다. ‘성誠은 성인의 본령이다.’라는 것은 성인이 성인인 까닭은 온통 참된 이치이기 때문임을 말한 것이다. 아래 글에서는 또 성인을 말하지 않고, 다만 참된 이치를 말했을 뿐이다. ‘크도다! 건의 원이여’ 이하는 다만 봄과 여름과 가을과 겨울로 보았을 뿐이다. 봄과 여름에는 만물이 모두 생의生意를 가지고 있기에 번식하고 무성하니, 이것은 그 참된 이치가 유행하는 근원이다. 가을과 겨울에는 만물이 익고 결실을 맺으니, 사물마다 그 속은 모두 이 참된 이치이다. ‘각각 성과 명을 바르게 한다.’라는 것은 하나의 사물이 하나의 성과 명을 바르게 갖추어간다는 것이다. 예컨대 홍귤나무에는 홍귤이 열고, 귤나무에는 귤이 열어 하나하나가 모두 열매인 것과 같다. ‘원·형은 성의 통함이다.’라는 것은 봄과 여름에 생겨나고 자란다는 뜻이다. ‘이·정은 성의 돌아옴이다.’라는 것은 가을과 겨울에 열고 결실을 맺는다는 뜻이다. ‘한 번은 음이 되고 한 번은 양이 되는 것을 도라고 한다.’라는 것은 음이 바로 가을과 겨울이고 양이 바로 봄과 여름이니, 다만 이것이 바로 도이다. 음과 양이 유행할 때에는 도가 바로 그 가운데 있는 것이지, 다른 도가 있다고 해서는 안 된다. ‘이어가는 것이 선善이다.’라는 것은 그 ‘성의 통함’이니, 아직 성립되지 않았으므로 다만 선이라고 부른다. ‘이룬 것이 성性이다.’라는 것은 그 ‘성의 돌아옴’이니, 이미 성립되었으므로 비로소 성性이라고 부른다. ‘크도다! 역이여. 성과 명의 근원이다!’라는 것에서 역易은 바로 ‘한 번은 음이 되고 한 번은 양이 되는 것’이고, 명命은 ‘이어가는 것’이며, 성性은 ‘이룬 것’이다. 보기에 ‘계선繼善·성성成性’은 다만 처음과 끝일 뿐이다.”

誠下 第二 제2 성하

[2-2-1]

聖, 誠而已矣.

성聖은 성誠일 뿐이다.

[2-2-1-0]

聖人之所以聖, 不過全此實理而已. 卽所謂太極者也.

성인이 성인인 까닭은 이 참된 이치를 온전히 하는 것에 지나지 않는다. 바로 이른바 태극이다.

[2-2-1-1]

朱子曰 : "天無不實, 寒便是寒, 暑便是暑, 更不待使他恁地. 聖人仁便是仁, 義便眞箇是義, 無不實處."[86]

주자가 말했다. "하늘은 참되지 않음이 없어서 추울 때는 춥고 더울 때는 더워서 다시 그것으로 하여금 그렇게 되도록 할 필요가 없다. 성인은 인仁이 참으로 인이고, 의義가 참으로 의이니, 참되지 않음이 없다."

[2-2-1-2]

"誠之爲言實也. 然經傳用之, 各有所指. 周子所謂'誠者聖人之本', 蓋指實理而言之也. 所謂'聖誠而已矣', 卽『中庸』所謂'唯天下至誠'[87]者, 指人之實有此理而言也."[88]

86 『朱子語類』 권56, 26조목의 내용 가운데 일부이다. 경지가 물었다. "'성은 하늘의 도이고, 성을 생각하는 것은 사람의 도이다.'라는 것에서 성을 생각하는 것은 반드시 선을 밝히는 것이 아님이 없는 것입니까?" 대답했다. "선을 밝히는 것은 본래 선을 밝히는 것이고, 성을 생각하는 것은 본래 성을 생각하는 것이다. 선을 밝히는 것은 사물의 이치를 궁구하고 앎을 이루는 것이며, 성을 생각하는 것은 스스로를 속이지 않고 홀로 있을 때 삼가는 것이다. 선을 밝히면 확실히 성을 생각하게 되고, 성을 생각하는 것 위에 또 공부가 있다. 성은 모두 참된 이치이지만, 성을 생각하는 것은 아마도 참되지 않은 것도 있으니 바로 생각하여 그것을 참되게 해야 한다. '성은 하늘의 도이다'라는 것은 하늘은 참되지 않음이 없으니, 추울 때는 춥고 더울 때는 더워서 다시 그것으로 하여금 그렇게 되도록 할 필요가 없다는 것이다. 성인은 仁이 참으로 인이고, 義가 참으로 의이니, 더욱 참되지 않음이 없다. 보통 사람들에게 인을 말할 때에는 아마도 인하지 않은 것이 있는 것 같고, 의를 말할 때에는 아마도 의롭지 않은 것이 있는 것 같으니, 생각하여 참되게 해야 비로소 참될 수 있다.(敬之問 : "'誠者, 天之道也; 思誠者, 人之道也', 思誠, 莫須是明善否?" 曰 : "明善自是明善, 思誠自是思誠. 明善是格物 · 致知, 思誠是毋自欺 · 愼獨. 明善固所以思誠, 而思誠上面又自有工夫在. 誠者, 都是實理了; 思誠者, 恐有不實處, 便思去實它. '誠者, 天之道', 天無不實, 寒便是寒, 暑便是暑, 更不待使它恁地. 聖人仁便眞箇是仁, 義便眞箇是義, 更無不實處. 在常人說仁時, 恐猶有不仁處; 說義時, 恐猶有不義處, 便著思有以實之, 始得.)"

87 『中庸』 제22장

88 『朱文公集』 권64

(주자가 말했다.) "성이란 말은 실實[알차다]이다. 그러나 경전에서 사용할 때에는 각각 가리키는 것이 있다. 주자周子가 말한 '성誠은 성인의 본령이다.'라고 한 것은 참된 이치를 가리켜 말한 것이다. 이른바 '성은 성誠일뿐이다.'라는 것은 바로 『중용』에서 말한 '오직 세상에 지극한 성'[89]이라고 하는 것이니, 사람이 실제로 이 리理를 갖추고 있음을 가리켜 말한 것이다."

[2-2-1-3]

"聖人氣質淸純, 渾然天理, 初無人欲之私以病之. 是以仁則表裏皆仁, 而無一毫之不仁; 義則表裏皆義, 而無一毫之不義."[90]

(주자가 말했다.) 성인은 기질이 맑고 순수하여 온통 천리이니, 애초부터 인욕의 사사로움으로 그것을 병들게 하지 않았다. 그러므로 인仁을 행하면 겉과 속이 모두 인하여 조금이라도 인하지 않음이 없고, 의義를 행하면 겉과 속이 다 의로워서 조금이라도 의롭지 않음이 없다.

[2-2-1-4]

西山眞氏曰 : "天之春而夏, 夏而秋, 秋而冬, 晝而夜, 夜而晝, 循環運轉, 一息不停, 以其誠也. 聖人之自壯至老, 自始而終, 無一息之懈, 亦以其誠也."[91]

서산 진씨眞德秀[92]가 말했다. "하늘이 봄에서 여름으로, 여름에서 가을로, 가을에서 겨울로, 낮에서 밤으로, 밤에서 낮으로, 순환하며 돌아 한 순간이라도 멈추지 않는 것은 그 성誠 때문이다. 성인이 젊어서부터 늙을 때까지와 시작에서부터 마칠 때까지 한 순간이라도 게으름이 없는 것 또한 그 성 때문이다."

[2-2-2]

誠, 五常之本, 百行之源也.

성은 오상의 근본이고, 모든 행위의 근원이다.

[2-2-2-0]

五常, 仁·義·禮·智·信, 五行之性也. 百行, 孝·悌·忠·順之屬, 萬物之象也. 實理全, 則五常不虧而百行修矣.

오상은 인·의·예·지·신으로 오행의 성性이다. 모든 행위는 효孝·제悌·충忠·순順과 같은 것들로

89 『中庸』 제22장

90 『中庸或問』 권하

91 『西山文集』 권31 「問發憤」

92 眞德秀(1178~1235) : 자는 希元·景元·景希이고, 호는 西山이다. 宋代 浦城(복건성 蒲城) 사람으로 1199년에 진사에 급제하여 太學正·參知政事에 이르렀다. 어려서는 주희의 문인인 詹體仁에게 배우고, 스스로 '주희를 사숙하여 얻은 것이 있다.'라고 하였다. 특히 『大學』을 중시하여 '窮理·持敬을 강조하였다. 저서는 『大學衍義)』·『四書集編』·『西山文集』 등이 있다.

모든 일의 상象이다. 참된 이치가 온전하면 오상이 손상되지 않고 모든 행위가 바르게 된다.

[2-2-2-1]

問 : "誠是五常之本."

朱子曰 : "誠是通體地盤."[93]

"성은 오상의 근본이다."라는 것에 대해 묻습니다."

주자가 대답했다. "성은 전체의 바탕이다."

[2-2-2-2]

問 : "'誠五常之本', 此實理於其中, 又分此五者之用?"

曰 : "然."[94]

물었다. "'성은 오상의 근본이다.'라고 한 것은 이 참된 이치가 그 속에서 또 이 다섯 가지의 용用으로 나누어지는 것입니까?"

주자가 대답했다. "그렇다."

[2-2-3]

靜無而動有, 至正而明達也.

고요할 때에는 없고 움직일 때에는 있으며, 지극히 바르면서도 밝고 통달한다.

[2-2-3-0]

方靜而陰, 誠固未嘗無也, 以其未形而謂之無耳. 及動而陽, 誠非至此而後有也, 以其可見而謂之有耳. 靜無, 則至正而已; 動有, 然後明與達者可見也.

고요하여 음일 때에 성誠은 본디 없은 적이 없으나, 그것이 아직 드러나지 않았기 때문에 없다고 하였을 뿐이다. 움직여 양일 때에 성은 여기에 이른 후에 있는 것이 아니지만, 볼 수 있기 때문에 있다고 하였을 뿐이다. 고요하여 없을 때는 지극히 바를 뿐이고, 움직여 있은 다음에 밝음과 통달함을 볼 수 있다.

[2-2-3-1]

問 : "心本是箇動物, 不審未發之前, 全是寂然而靜, 還是靜中有動意."

朱子曰 : "不是靜中有動意. 周子謂'靜無而動有', 不是無, 以其未形而謂之無. 非因動而後有, 以其可見而謂之有耳. 方其靜時, 動之理只在. 伊川謂'當中時, 耳無聞, 目無見, 但見聞之理在, 始得.' 及動時, 又只是這靜底耳."[95]

---

93 『朱子語類』 권94, 134조목

94 『朱子語類』 권94, 136조목

물었다. "마음은 본래 움직이는 것인데, 미발未發의 전에는 온통 적막하여 고요한 것인지, 아니면 고요함 속에 움직이려는 뜻이 있는지를 모르겠습니다."

주자가 대답했다. "고요함 속에 움직이려는 뜻이 있는 것은 아니다. 주자周子가 '고요할 때에는 없고 움직일 때에는 있다.'라고 말한 것은 없는 것이 아니라, 아직 드러나지 않았기 때문에 없다고 했다. 움직이고 난 뒤이기 때문에 있다는 것이 아니라, 그것을 볼 수 있기 때문에 있다고 말할 뿐이다. 고요할 때에는 단지 움직임의 리理만 있을 뿐이다. 이천[程頤]은 '(아직 발현하기 전의) 중中일 때에는 귀에는 듣는 것이 없고, 눈에는 보는 것이 없지만, 보고 듣는 리理가 있어야 비로소 듣거나 볼 수 있다.'라고 말했다. 움직일 때에도 다만 이 고요한 것일 뿐이다."[96]

[2-2-3-2]

"某近看『中庸』「鬼神」一章, 切謂此章正是發明'顯微無間'只是一理處. 且如鬼神有甚形迹? 然人却自然有畏敬之心, 以承祭祀, 便如眞有一物在上下左右. 此理亦有甚形迹? 然人却自然有秉彝之性, 才存主著這裏, 便自見得許多道理'參前倚衡', 雖欲頃刻離而遁之而不可得. 只爲至誠貫徹, 實有是理, 無端無方, 無二無雜. 方其才感,[97] 寂然不動. 及其旣感, 無所不通. 濂溪翁所謂'靜無而動有, 至正而明達'者, 於此亦可以見之."[98]

(주자가 말했다.) "나는 최근에 『중용』의 「귀신」장[99]을 보고, 이 장이 바로 '드러남과 은미함에 틈이 없다.'[100]라는 것은 다만 하나의 리理일 뿐이라는 것을 드러내 밝혔다고 가만히 생각했다. 예컨대 귀신에게 어떤 형태와 흔적이 있는가? 그런데 사람들이 오히려 자연스럽게 두려워하고 공경하는 마음이 있기에 제사를 받들 때에는 마치 참으로 일물一物(귀신)이 위·아래와 왼쪽·오른 쪽에 있는 것과 같이 한다. 이 리理 또한 어떤 형태와 흔적이 있는가? 그런데 사람들이 오히려 자연스럽게 떳떳한 본성을 갖고 있기에 리理를 여기에 막 보존하여 부착시킬 수 있다면 저절로 많은 도리가

95 『朱子語類』 권62, 133조목

96 『二程遺書』 권18 「劉元承手編」에는 '及動時, 又只是這靜底'가 없으므로 여기서는 이것을 주희가 말한 것으로 보고 번역하였다.

97 '才'자는 '未'자의 오류로 보인다. '未'로 해야 뜻이 잘 통할 뿐만 아니라, 이것의 출전인 李清馥 撰, 『閩中理學淵源考』 권5 「答問上」에도 '未'로 되어 있기에, '未'의 의미로 번역하였다.

98 李清馥 撰 『閩中理學淵源考』 권5 「答問上」의 내용 가운데 일부이다. 『민중리학연원고』에 의하면 '切'자는 '竊'자로 되어 있다. 그러나 뜻은 같다.

99 『中庸』 제16장 공자가 말했다. "귀신의 덕이 성대하도다! 보아도 보이지 않고, 들어도 들리지 않으나, 사물의 體가 되어 빠트릴 수 없다. 세상 사람들에게 재계하고 깨끗이 하며 의복을 성대히 하여 제사를 받들게 한다. 양양하도다! 그 위에 있는 듯하고, 그 좌우에 있는 듯하다. 『詩經』에서 '신이 온 것을 예측할 수 없는데, 하물며 싫어하겠는가!'라고 말했다. 은미함이 드러나니, 성을 가릴 수 없음이 이와 같다.(子曰'鬼神之爲德, 其盛矣乎! 視之而弗見, 聽之而弗聞, 體物而不可遺. 使天下之人齊明盛服, 以承祭祀. 洋洋乎! 如在其上, 如在其左右. 詩曰'神之格思, 不可度思, 矧可射思!' 夫微之顯, 誠之不可揜如此夫.)"

100 伊川 『易傳』「序」 "지극히 은미한 것은 리이다. 지극히 드러나는 것은 象이다. 체와 용은 하나의 근원이고, 드러남과 은미함에는 틈이 없다.(至微者, 理也. 至著者, 象也. 體用一原, 顯微無間.)"

'일어서면 그것이 앞에 나열되어 있는 것을 보고, 수레에 있으면 그것이 멍에에 기대어 있는 것'[101]을 보게 되어, 비록 잠깐 동안 떠나서 피하려고 해도 그렇게 할 수 없다. 다만 지극한 성誠이 관철하여 실제로 이 리理가 있으니 끊어짐도 없고 장소도 없으며 다름도 없고 섞임도 없다. 리理가 아직 감지하지 않았을 때에는 고요하여 움직이지 않는다. 리理가 이미 감지되면 통하지 않는 것이 없다. 염계옹(周惇頤)이 말한 '고요할 때에는 없고 움직일 때에는 있으며, 지극히 바르면서 밝고 통달한다.'라는 것을 여기에서도 또한 볼 수 있다."

[2-2-3-3]

"人自有生, 即有知識. 事物交來, 應接不暇, 其間初無頃刻停息. 擧世皆然也. 然所謂未發之中寂然不動者, 豈以日用流行者爲已發, 而指夫暫與休息不與事接爲未發時耶? 嘗試求之, 泯然無覺之中, 似非虛明應物之體. 而幾微之際, 一有覺焉, 則又便爲已發而非'寂然不動'之謂. 於是退而驗之日用之間, 凡感之而通, 觸之而覺, 蓋有渾然全體, 應物而不窮者, 是乃天命流行生生不已之機. 雖一日之間常起常滅, 是其寂然之本體, 則未嘗不寂然也. 所謂未發, 如是而已. 夫豈別有一物, 限於一時, 拘於一處, 而可以謂之中哉? 周子論至誠, 則曰'靜無而動有', 亦足以驗大本之無所不在矣."[102]

101 일어서면 … 있는 것: 『論語』「衛靈公」의 내용이다. 자장이 행함을 물었다. 공자가 대답했다. "忠과 信을 말하고, 돈독함과 공경함을 행하면 비록 오랑캐의 나라라고 해도 행할 수 있다. 충과 신이 아닌 것을 말하고, 돈독함과 공경함이 아닌 것을 행하면 비록 고을에서라도 행할 수 있겠는가? 일어서면 그것이 앞에 나열되어 있는 것을 보고, 수레에 있으면 그것이 멍에에 기대어 있는 것을 본다. 그러한 후에 행한다.(子張問行. 子曰"言忠信, 行篤敬, 雖蠻貊之邦行矣. 言不忠信, 行不篤敬, 雖州里行乎哉? 立, 則見其參於前也; 在輿, 則見其倚於衡也. 夫然後行.)" 그런데 『論語』에서는 '其'가 '忠信'과 '篤敬'인데, 여기에서는 '理'를 의미한다.

102 이 글은 『朱文公集』 권30 「與張欽夫」의 내용 가운데 일부이다. 물었다. "사람은 태어나면서부터 가지고 있는 것이 있는데, 바로 지각과 앎을 갖추고 있다. 事物이 번갈아 닥쳐 올 때 응접함에 겨를이 없고 생각마다 바뀌니, 그 사이에 죽음이 이르더라도 애초부터 잠깐의 멈춤이나 쉼이 없다. 온 세상일이 다 그렇다. 그러나 성현의 말은 이른바 未發 가운데 고요하여 움직이지 않는 것이, 어찌 일상에 유행하는 것을 已發로 삼고, 잠시 쉬면서 事에 응하지 않고 物에 접하지 않는 것을 未發의 때를 가리키는 것이라고 할 수 있겠는가? 일찍이 시험삼아 이것으로 찾아보니, 멍하여 지각이 없는 中에도 사특하고 어두우며 빽빽하게 막혀서 마치 비우고 밝아 物에 응하는 體가 아닌 듯하다. 그러나 낌새가 일어날 때에 하나라도 지각이 있으면 또 바로 已發이 되니, 고요한 것이라고 말하지 않는다. 찾을수록 더욱 찾을 수 없다. 이에 물러나 일상에서 징험하면, 감지하여 통하고 접촉하여 지각하는 것에 혼연한 전체가 物에 응하여 다하지 않는 것이 있으니, 이것은 천명이 유행하여 생겨나고 생겨나는 것이 그치지 않는 기틀이다. 비록 하루 사이에 늘 생겨나고 늘 사라질지라도, 그 고요한 본체는 일찍이 고요하지 않은 적이 없었다. 이른바 未發은 이와 같을 뿐이다. 어떻게 별도로 어떤 것이 있기에 한 때에 국한되고 한 곳에 매이는 것을 中이라고 말할 수 있겠는가? 그러니 천리는 본래 참되어 곳에 따라 드러나며, 조금이라도 멈추거나 쉬지 않는다. 그 체와 용이 확실히 이와 같은데, 어떻게 물욕의 사사로움이 막고 속박하여 잃어버리게 할 수 있는 것이겠는가? 그러므로 비록 물욕의 흐름 속에 빠지더라도 그 양심의 싹이 또한 일찍이 일로 인하여 드러나지 않은 적이 없다. 배우는 사람이 여기에서 살피고 잡아 보존한다면 거의 관통할 수 있을 것이다. 큰 근본과 통달하는 도의 전체이며 그 처음을 회복할

(주자가 말했다.) “사람은 생명을 가질 때부터 바로 지각과 앎을 갖추고 있다. 사물事物이 번갈아 닥쳐올 때 응접할 겨를이 없으니, 그 사이에는 애초부터 잠깐의 멈춤이나 쉼도 없다. 온 세상일이 다 그렇다. 그러나 이른바 미발未發 가운데 고요하여 움직이지 않는 것이 어찌 일상에 유행하는 것을 이발已發로 삼고, 잠시 쉬면서 사事에 응하지 않고 물物에 접하지 않는 것을 가리켜 미발未發의 때로 여긴 것이겠는가? 일찍이 시험삼아 이것으로 찾아보니, 멍하여 지각이 없는 중中에도 마치 비고 밝아 물物에 응하는 체體가 아닌 듯하다. 그러나 낌새가 일어날 때에 하나라도 지각이 있으면 또 바로 이발已發이 되니, '고요하여 움직이지 않는 것'이라고 하지 않는다. 이에 물러나 일상에서 징험하면, 감지하여 통하고 접촉하여 지각하는 것에 혼연한 전체가 물物에 응하여 다하지 않는 것이 있으니, 이것이 바로 천명이 유행하여 생겨나고 생겨나는 그치지 않는 기틀이다. 비록 하루 사이에 늘 생겨나고 늘 사라질지라도, 그 고요한 본체는 일찍이 고요하지 않은 적이 없다. 이른바 미발未發은 이와 같을 뿐이다. 어떻게 별도로 어떤 것이 있기에 한 때에 국한되고 한 곳에 얽매이는 것을 중中이라고 말할 수 있겠는가? 주자周惇頤가 지극한 성을 논한 것은 '고요할 때에는 없고 움직일 때에는 있다.'라고 하였으니, 또한 큰 근본이 있지 않은 곳이 없음을 충분히 징험한 것이다.”

[2-2-4]

五常百行, 非誠, 非也, 邪暗塞也.

오상과 모든 행위는 성誠이 아니면 그릇되니, 사특하고 어둡고 막힌다.

....

것이다. 반복적으로 본성을 속박하는 것을 살피지 않고 밤에 길러진 기운이 보존되지 못하여 짐승에 빠지는 데 이르면 누구의 허물이겠는가? 주자周子는 '오행은 하나의 음양이고, 음양은 하나의 태극이며, 태극은 본래 무극이다'라고 했다. 그가 논한 것이 지극한 성이니, '고요할 때에는 없고 움직일 때에는 있다.'라고 한 것이다. 程子는 '아직 발현하기 전인데 다시 무엇을 구하겠는가? 다만 평일에 함양할 뿐이다.'라고 하고, 바로 '잘 본다는 것은 이미 발현한 경우에 해당한다.'라고 했다. 두 선생의 학설이 이와 같음을 보니, 또한 큰 근본이 있지 않은 곳이 없음을 충분히 징험한 것이다.(人自有生, 即有知識. 事物交來, 應接不暇, 念念遷革, 以至於死其間, 初無頃刻停息. 擧世皆然也. 然聖賢之言, 則有所謂未發之中寂然不動者, 夫豈以日用流行者爲已發, 而指夫暫而休息不與事接之際爲未發時耶? 嘗試以此求之, 則泯然無覺之中, 邪暗鬱塞, 似非虛明應物之體. 而幾微之際, 一有覺焉, 則又便爲已發而非寂然之謂. 蓋愈求而愈不可見. 於是退而驗之於日用之間, 則凡感之而通, 觸之而覺, 蓋有渾然全體, 應物而不窮者, 是乃天命流行生生不已之機. 雖一日之間~~萬起萬滅~~, 而其寂然之本體, 則未嘗不寂然也. 所謂未發, 如是而已. 夫豈別有一物, 限於一時, 拘於一處, 而可以謂之中哉? 然則天理本眞隨處發見, 不少停息者. 其體用固如是, 而豈物欲之私所能壅遏而梏亡之哉? 故雖汨於物欲流蕩之中, 而其良心萌蘖, 亦未嘗不因事而發見. 學者於是, 致察而操存之, 則庶乎可以貫乎. 大本達道之全體, 而復其初矣. 不能致察使梏之反覆, 至於夜氣不足以存, 而陷於禽獸, 則誰之罪哉? 周子曰'五行一陰陽也, 陰陽一太極也, 太極本無極也.' 其論至誠, 則曰'靜無而動有.' 程子曰'未發之前更如何求? 只平日涵養', 便是又曰'善觀者却於已發之際.' 觀之二先生之說, 如此, 亦足以驗大本之無所不在.)” 그런데 '而指夫暫與(而)休息不與事接爲未發時耶'라는 글에서 『性理大全』의 편집자가 '而'자를 '與'자로 바꾼 것은 '與'를 '以'로 여겨, '以~爲' 문장으로 보았기 때문이다.

[2-2-4-0]

非誠, 則五常百行皆無其實, 所謂"不誠無物"者也. 靜而不正, 故邪. 動而不明不達, 故暗且塞.

성誠이 아니면 오상과 모든 행위는 모두 그 실제가 없으니, 이른바 "성이 아니면 만물도 없다."[103]라는 것이다. (성이 없으면) 고요할 때에 바르지 않기 때문에 사특하다. 움직일 때에 밝지 않고 통달하지 않기 때문에 어둡고 또 막힌다.

[2-2-4-1]

朱子曰 : "誠苟不存, 則非正而邪, 非明而暗, 非達而塞. 學'聖希天', 惟在存誠. 誠存, 則五常百行皆自然無一不備也."

주자가 말했다. "성誠이 진실로 보존되어 있지 않다면 바름이 아니라 사특함이고, 밝음이 아니라 어두움이며, 통달함이 아니라 막힘이다. '성인을 배우고 하늘을 바라는 것'[104]은 오직 성을 보존하는 데 달려 있다. 성이 보존되면 오상과 모든 행위가 다 자연히 조금도 갖추어지지 않음이 없게 된다."

[2-2-4-2]

"理一也, 以其實有, 故謂之誠. 以其體言, 則有仁·義·禮·智之實. 以其用言, 則有惻隱·羞惡·恭敬·是非之實. 故曰'五常百行, 非誠非也', 蓋無其實矣, 又安得有是名乎?"[105]

(주자가 말했다.) "리理는 하나인데, 그 실제가 있기 때문에 성誠이라고 한다. 그 체體로 말하면 인·의·예·지의 실제가 있다. 그 용用으로 말하면 측은·수오·공경·시비의 실제가 있다. 그러므로 '오상과 모든 행위는 성誠이 아니면 그릇된다.'라고 했으니, 그 실제가 없다면 또 어떻게 이 이름을 가질 수 있겠는가?"

[2-2-5]

故誠則無事矣.

그러므로 성誠은 일삼음이 없다.

[2-2-5-0]

誠則衆理自然無一不備, 不待思勉而從容中道矣.

성하면 많은 리理가 자연히 하나라도 갖추어지지 않음이 없으니, 생각하고 힘쓸 필요도 없이 조용히

103 『中庸』 제25장

104 『通書』「志學章」 제10 "성인은 하늘을 바라고, 현명한 사람은 성인을 바라며, 선비는 현명한 사람을 바란다. (聖希天, 賢希聖, 士希賢.)"

105 『朱子語類』 권6, 40조목의 혹문[어떤 사람이 물었다. "성은 체이고 인은 용입니까?(或問 : "誠是體, 仁是用否?")"]에 대한 답변

도에 맞게 된다.

[2-2-5-1]

北溪陳氏曰："聖人純是天理，合下無欠缺處，渾然無變動，徹內外本末皆是實，無一毫之妄，不待思而自得，此生知也. 不待勉而自中，此安行也. 且如人行路，須是照管方行出路中. 不然，則蹉向邊去. 聖人如不看路，自然在路中間行，所謂'從容無不中道'，此天道也."

북계 진씨[陳淳]가 말했다. "성인은 순수하게 천리이고, 원래 흠결이 없으며, 혼연히 변동이 없어서 안과 밖과 근본과 말단을 관통하여 다 참되고, 터럭만큼도 망령스러움이 없어서 생각할 필요도 없이 저절로 깨달으니, 이것이 태어나면서부터 아는 경지이다. 힘을 쓸 필요도 없이 저절로 (도에) 맞으니, 이것이 편안히 행하는 경지이다. 예컨대 사람이 길을 갈 때에는 반드시 살피고 나서야 비로소 길 가운데로 나아가야 하는 것과 같다. 그렇지 않으면 잘못하여 가장자리로 갈 것이다. 성인이 길을 보지 않고도 자연히 길 가운데로 가는 것과 같은 것이 이른바 '조용히 도에 맞지 않음이 없다.'라는 것이니, 이것이 천도이다."

[2-2-6]

至易而行難.

지극히 쉬우나 행하기는 어렵다.

[2-2-6-0]

實理自然，故易. 人僞奪之，故難.

참된 이치는 저절로 그러하므로 쉽다. 인위는 그것을 빼앗으므로 어렵다.

[2-2-7]

果而確，無難焉.

과감하면서 확고하면 어려움이 없다.

[2-2-7-0]

果者，陽之決；確者，陰之守. 決之勇，守之固，則人僞不能奪之矣.

과감함은 양의 결단이고, 확고함은 음의 지킴이다. 결단이 용감하고 지킴이 확고하면 인위가 그것을 빼앗을 수 없다.

[2-2-7-1]

朱子曰："'德輶如毛，民鮮克擧之'，孔子所謂'克正最難也'，[106] 周子亦曰'至易而行難，果而

106 『朱文公集』 권41 「書」 答連嵩卿에는 이 글이 孔子가 아니라 程子로 되어 있고, '克正' 부분도 '克己'로 되어

確無難焉.' 蓋輕故易, 重故難. 知其易, 故行之必果. 知其難, 則守之宜確. 能果能確, 則又何難之有?"[107]

주자가 말했다. "'덕은 가볍기가 터럭과 같으나, 백성 가운데 그것을 들 수 있는 사람이 드물다.'[108]라고 하는 것은 공자가 말한 '사욕을 이기고 마음을 바르게 하는 것이 가장 어렵다.'라는 것이고, 주자周子 또한 '지극히 쉬우나 행하기는 어렵고, 과감하면서 확고하면 어려움이 없다.'라고 말한 것이다. 가볍기 때문에 쉽고 무겁기 때문에 어렵다. 그 쉬움을 알기 때문에 행할 때에는 반드시 과감해야 한다. 그 어려움을 안다면 지킬 때에는 반드시 확고해야 한다. 과감할 수 있고 확고할 수 있다면 또 어떤 어려움이 있겠는가?"

[2-2-7-2]

問 : "'果而確', 果者陽決, 確者陰守?"

曰 : "此是一事而首尾相應. 果而不確, 即無所守. 確而不果, 則無所決. 二者不可偏廢, 猶陰陽不可相無也."[109]

又因論 : "心與私欲交戰, 須立定脚根戰退他."

因擧濂溪說 : "'果而確無難焉', 須是果敢勝得私欲, 方確然守得這道理不遷變."[110]

있다. "'덕은 가볍기가 터럭과 같으나, 백성 가운데 그것을 들 수 있는 사람이 드물다.'라고 하는 것은 공자가 말하는 '인은 자기로부터 말미암으니, 인을 자기의 임무로 삼는 것 또한 중요하지 않은가?'라는 것과 程子가 말하는 '克己가 가장 어렵다.'라고 하는 것이다.(德輶如毛, 民鮮克擧之, 孔子所謂'為仁由己也, 仁以為己任, 不亦重乎?' 程子所謂'克己最難也.')" 그런데 정자의 이 말은 『二程遺書』 권11 「師訓」에도 있다.

107 『朱文公集』 권41 「書」 答連嵩卿

108 『詩經』「大雅·탕지십·蒸民」

109 『朱子語類』 권94, 137조목에서는 '此是一事'의 내용이 '이것은 다만 하나의 일'('此只是一事')로 되어 있다.

110 『朱子語類』 권24, 27조목의 내용 가운데 일부이다. "편안해하는 것을 살핀다"라는 것을 묻기를 "지금 사람은 또한 옳지 않은 일을 하는데, 마음이 오히려 편안하지 않은 것은 또 왜 그렇습니까?" 대답했다. "이는 양심이 결국 은미하고, 사욕이 결국 성대하지만, 은미한 것은 반드시 그 성대한 것을 장차 이긴다는 것이다. 은미한 것은 단지 단서가 있지만, 힘써 다투지 않으니, 바로 맹자가 말한 '싹이 생겨나지 않음이 없다.'라는 문장의 뜻과 같다. 양심과 사욕이 싸울 때에는 반드시 나의 큰 힘씀이 다른 것(사욕)과 싸워서 다른 것(사욕)으로 옮겨져서는 안 된다. 다만 적 일반을 죽이고, 한 번 죽였는데도 물러나지 않으면 오로지 죽이며, 여러 차례 죽일 때에 반드시 죽임에 의해 물러날 것이다. 사욕은 한 번에 그것을 이기지 못하지만, 참된 것으로 하여금 그 좋지 않은 것을 알게 하니, 발을 굳게 디디고 근거를 확고히 하여 오로지 굳건하게 스스로 좋은 길을 가야 한다. 익숙할 때까지 기다리면 사사로운 뜻은 저절로 머물지 않는다." 이어서 염계(周惇頤)를 들어 말했다. "'과감하면서 확고하면 어려움이 없다.'라는 것은 반드시 과감하게 사욕을 이겨야 비로소 확연하게 이 도리를 지켜서 옮기거나 변하지 않는다." 물었다. "어떤 도리가 이러한 과감성을 도울 수 있습니까?" 대답했다. "다른 도울만한 도리가 없고, 다만 스스로 힘써 싸워서 그것(사욕)을 물리쳐야 한다.(問"察其所安"云 : "今人亦有做得不是底事, 心卻不安, 又是如何?" 曰 : "此是良心終是微, 私欲終是盛, 微底須被他盛底勝將去. 微底但有端倪, 無力爭得出, 正如孟子說'非無萌櫱之生'一段意. 當良心與私欲交戰時, 須是在我大段著力與他戰, 不可輸與他. 只是殺賊一般, 一次殺不退, 只管殺, 殺數次時, 須被殺退了. 私欲一次勝他不得, 但教眞

물었다. "'과감하면서 확고하다.'라는 것에서 과감함은 양의 결단이고, 확고함은 음의 지킴입니까?" (주자가) 대답했다. "이것은 하나의 일로서 시작과 끝이 서로 응하는 것이다. 과감하나 확고하지 않으면 지키는 것이 없다. 확고하나 과감하지 않으면 결단하는 것이 없다. 둘 중에 하나라도 폐할 수 없으니, 음과 양이 하나라도 없어서는 안 되는 것과 같다."

또 이어서 논했다. "마음이 사욕과 서로 싸울 때에는 반드시 발을 굳게 디디고 근거를 확고히 하여 싸워 사욕을 물리쳐야 한다."

이어서 염계를 들어 말했다. "'과감하면서 확고하면 어려움이 없다.'라는 것은 반드시 과감하게 사욕을 이겨야 비로소 확연하게 이 도리를 지켜서 옮기거나 변하지 않을 수 있다."

[2-2-8]

故曰"一日克己復禮, 天下歸仁焉."111

그러므로 "하루라도 사욕을 이겨 예禮로 돌아오면 세상 사람들이 인을 인정할 것이다."라고 하였다.

[2-2-8-0]

克去己私, 復由天理, 天下之至難也. 然其機可一日而決, 其效至於天下歸仁, 果確之無難如此.

자기의 사사로움을 이겨 천리로 돌아오는 것은 세상의 지극히 어려운 일이다. 그러나 그 시발점[機]은 하루에도 결단할 수 있고, 그 효과는 세상 사람들이 인을 인정하기에 이르니, 과감함과 확고함에 어려움이 없음이 이와 같다.

[2-2-8-1]

朱子曰："'克己復禮', 則事事皆是. 天下之人聞之見之, 莫不皆與其爲仁也."112

주자가 말했다. "'사욕을 이겨 예로 돌아온다.'라는 데에 이르면 일마다 모두 옳게 된다. 세상의 사람들이 그것을 듣고 보고서 모두 그가 인을 행한 것임을 인정하지 않는 자가 없다."

[2-2-8-2]

"仁者, 本心之全德. 克, 勝也. 己, 謂身之私欲也. 復, 反也. 禮者, 天理之節文也. 爲仁者, 所以全其心之德也. 蓋心之全德, 莫非天理, 而亦不能不壞於人欲, 故爲仁者必有以勝私欲而復於禮, 則事皆天理, 而本心之德復全於我矣. 歸, 猶與也. 又言一日克己復禮, 則天下之

箇知得他不好了, 立定脚根, 只管硬地自行從好路去. 待得熟時, 私意自住不得." 因擧濂溪說: "'果而確, 無難焉', 須是果敢勝得私欲, 方確然守得這道理不遷變." 問: "有何道理可助這箇果?" 曰: "別無道理助得, 只是自著力戰退他.)"

111 『論語』「顔淵」

112 『朱子語類』 권41, 96조목

人皆與其仁，極言其效之甚速而至大也.”[113]

(주자가 말했다.) “인仁은 본심의 온전한 덕이다. 극克은 이김이다. 기己는 자신의 사욕을 말한다. 복復은 돌아옴이다. 예禮는 천리의 등급에 따른 꾸밈이다. 위인爲人은 그 마음의 덕을 온전히 하는 것이다. 마음의 온전한 덕은 천리가 아님이 없지만, 또한 인욕에 무너지지 않을 수 없기 때문에 인을 행하는 자가 반드시 사욕을 이겨 예로 돌아오면 (하는) 일들이 모두 천리이고, 본심의 덕은 다시 나에게서 온전해진다. 귀歸는 인정함[與]과 같다. 또 하루라도 사욕을 이겨 예로 돌아오면 세상 사람들이 다 그 인을 인정한다고 하는 말은 그 효과가 매우 빠르고 지극히 큼을 극단적으로 말한 것이다.”

[2-2-8-3]

上章言太極·陰陽·五行，下章言太極之在人者.

「성상」 제1장은 태극과 음양과 오행을 말했고, 「성하」 제2장은 태극이 사람에게 있는 것을 말했다.

[2-2-8-4]

上章言聖人之誠，即天道之誠. 下章言思誠者人之道也.

「성상」 제1장은 성인의 성誠이 바로 천도의 성임을 말했다. 「성하」 제2장은 성誠을 생각하는 것이 사람의 도임을 말했다.

誠·幾·德 第三 제3 성·낌새·덕

[2-3-1]

誠，無爲

성은 작위가 없다.

[2-3-1-0]

實理自然，何爲之有? 卽太極也.

참된 이치는 저절로 그러한 것인데, 무슨 작위가 있겠는가? 바로 태극이다.

[2-3-2]

幾，善惡.

낌새는 선과 악의 갈림이다.

113 『論語集註』「顔淵」

[2-3-2-0]

幾者, 動之微, 善惡之所由分也. 蓋動於人心之微, 則天理固當發見, 而人欲亦已萌乎其間矣. 此陰陽之象也.

낌새란 움직임이 미세한 것으로 선과 악이 그로부터 나누어진다. 사람 마음에서 움직인 미세한 것은 천리가 참으로 마땅히 발현하지만, 인욕도 이미 그 사이에서 싹튼다. 이것이 음양의 상象이다.

[2-3-2-1]

問 : "看此一段, 與『太極圖』相表裏?"
朱子曰 : "然. 周子一書, 都是說這道理."[114]
물었다. "이 단락을 『태극도』와 서로 겉과 속의 관계로 보아도 됩니까?"
(주자가) 대답했다. "그렇다. 주자周子의 이 책은 모두 이 도리를 말했다."

[2-3-2-2]

問 : "'誠無爲, 幾善惡', 如何?"
曰 : "誠是當然合有這道理, 所謂'寂然不動者.' 幾便是動了, 或向善或向惡."[115]
물었다. "'성은 작위가 없고, 낌새는 선과 악의 갈림이다.'라고 한 것은 왜 그렇습니까?"
(주자가) 대답했다. "성은 당연히 원래 이 도리가 있는 것이니, 이른바 '고요하여 움직이지 않는다.'라는 것이다. 낌새는 바로 움직인 것이니, 혹은 선으로 향하기도 하고 혹은 악으로 향하기도 한다."

[2-3-2-3]

"'誠無爲', 誠, 實理也. 無爲, 猶'寂然不動'也. 實理該貫動靜, 而其本體則無爲也. '幾善惡', '幾者, 動之微.' 動則有爲而善惡形矣. 誠無爲, 則善而已. 動而有爲, 則有善有惡.[116]
(주자가 말했다.) "'성誠은 작위가 없다.'라는 것에서 성은 참된 이치이다. 작위가 없다는 것은 '고요하여 움직이지 않는다.'라는 것과 같다. 참된 이치는 움직임과 고요함을 다 꿰뚫고 있지만, 그 본체는 작위가 없다. '낌새는 선과 악의 갈림이다.'라는 것에서 '낌새는 움직임이 미세한 것'이다. 움직이면 작위가 있으므로 선과 악이 드러난다. '성은 작위가 없다.'라는 것은 선일 뿐이다. 움직여서 작위가 있으면 선도 있고 악도 있다."

114 『朱子語類』 권94, 144조목에서는 물음의 앞부분에 "'성은 작위가 없고, 낌새는 선과 악의 갈림이다.'라는 단락('誠無爲, 幾善惡'一段.)"이 첨가되어 있다.

115 『朱子語類』 권94, 140조목의 내용 가운데 일부이다. 광조가 "성은 작위가 없고, 낌새는 선과 악의 갈림이다." 라는 것을 물었다. 대답했다. "성은 당연한 것이고, 원래 이 참된 이치가 있는 것이니, 이른바 '고요하여 움직이지 않는다.'라는 것이다. 낌새는 바로 움직인 것이니, 혹은 선으로 향하기도 하고 혹은 악으로 향하기도 한다.(光祖問"誠無爲, 幾善惡," 曰 : "誠是當然, 合有這實理, 所謂'寂然不動'者. 幾, 便是動了, 或向善, 或向惡.)"

116 『朱子語類』 권94, 139조목

[2-3-2-4]

"誠是實理, 無所作爲, 便是'天命之謂性', '喜·怒·哀·樂未發之謂中.' '幾者動之微', 微動之初, 是非善惡於此可見. 一念之生, 不是善便是惡."[117]

(주자가 말했다.) "성誠은 참된 이치이고 작위하는 것이 없다는 것은 바로 '천명을 성性이라고 한다.'[118]라고 하는 것과 '희·노·애·락이 아직 발현하지 않은 것을 중이라고 한다.'[119]라고 하는 것이다. '낌새는 움직임이 미세한 것이다'라는 것은 미세한 움직임의 처음으로, 옳음·그름과 선·악을 여기에서 볼 수 있다. 하나의 생각이 생겨나면 선이 아니면 바로 악이다."

[2-3-2-5]

"'誠無爲', 只是常存得這箇道理在這裏, 方始見得幾, 方始識得善惡. 若此心放而不存, 一向反覆顚錯了, 如何別認得善惡?"[120] "濂溪言'誠無爲幾善惡', 纔誠便行其所無事, 而幾有善惡之分, 於此之時, 宜常窮察, 識得是非. 其初乃毫忽之微, 至其窮察之久, 漸見充越之大, 天然有箇道理開裂在這裏. 此幾微之決, 善惡之分也. 若於此分明, 則'物格而知至, 知至而意誠, 意誠而心正, 身修而家齊國治天下平', 如激'湍水'自已不得, 如'田單火牛'自止不住.[121]

117 『朱子語類』 권94, 141조목의 내용 가운데 일부이다. "성은 작위가 없고, 낌새는 선악의 갈림이다"라는 것을 묻습니다. 대답했다. "성은 참된 이치이고 작위하는 것이 없다는 것은 바로 '천명을 성이라고 한다.'라고 하는 것과 '희·노·애·락이 아직 발현하지 않은 것을 중이라고 한다.'라고 하는 것이다. '낌새는 움직임이 미세한 것이다.' 미세함은 움직임의 처음으로 옳음·그름과 선·악을 여기에서 볼 수 있고, 하나의 생각이 생겨나면 선이 아니면 바로 악이다. 맹자가 말한 '도는 둘인데, 仁과 不仁일 뿐이다.'라는 것이 이것이다. 덕은 이 다섯 가지일 뿐이다. 仁義禮智信은 덕의 체이고, '사랑·마땅함·이치·통함·지킴' 등은 덕의 용이다.(問"誠無爲, 幾善惡". 曰: "誠是實理, 無所作爲, 便是'天命之謂性', '喜怒哀樂未發之謂中.' '幾者, 動之微.' 微, 動之初, 是非善惡於此可見; 一念之生, 不是善, 便是惡. 孟子曰: '道二, 仁與不仁而已矣.' 是也. 德者, 有此五者而已. 仁義禮智信者, 德之體; '曰愛曰宜曰理曰通曰守'者, 德之用.)"

118 『中庸』 제1장

119 『中庸』 제1장

120 『朱子語類』 권59, 156조목의 내용 가운데 일부이다. "'성은 작위가 없다.'라고 한 것은 다만 이 참된 이치를 여기[마음]에서 항상 보존해야 한다는 것이다. 오직 여기에서 참된 이치를 항상 보존해야 비로소 낌새를 볼 수 있고, 비로소 선과 악을 알 수 있다. 만약 이 마음이 풀어져서 보존하지 않으면 줄곧 뒤집히고 어지러워진 것이니, 어떻게 선과 악을 분별할 수 있겠는가?('誠無爲', 只是常存得這箇實理在這裏. 惟是常存得實理在這裏, 方始見得幾, 方始識得善惡. 若此心放而不存, 一向反覆顚錯了, 如何別認得善惡?)"

121 『朱子語類』 권94, 142조목의 내용 가운데 일부이다. 濂溪가 "성은 작위가 없고, 낌새는 선과 악의 갈림이다." 라고 말한 것에서 성은 바로 일삼음이 없는 것을 행하지만, 낌새에는 선과 악의 나눔이 있다. 이 때에 마땅히 궁구하고 살펴야 옳고 그름을 알 수 있다. 그 처음에는 약간의 미세함이 있으나, 오랫동안 궁구하고 살피면 차고 넘칠 정도로 큰 것을 점차 보게 되니, 자연스럽게 어떤 도리가 그곳에서 갈라질 것이다. 이것은 미세한 낌새의 결단이고 선과 악의 나눔이다. 이것에 분명하면 사물의 理가 궁구된 뒤에 앎이 지극해지고, 앎이 지극한 뒤에 뜻이 진실하며, 뜻이 진실한 뒤에 마음이 바르게 되고, 몸이 닦여지며 집안이 가지런해지고 나라가 다스려지며 세상이 평화로워지게 되는 것이 마치 세차게 흐르는 물을 쳐서 거슬러 가게 해도 스스로

(주자가 말했다.) "'성은 작위가 없다.'라고 한 것은 다만 이 도리를 여기[마음]에서 항상 보존해야 비로소 낌새를 볼 수 있고, 비로소 선과 악을 알 수 있다는 것이다. 만약 이 마음이 풀어져서 보존하지 않으면 줄곧 뒤집히고 어지러워진 것이니, 어떻게 선과 악을 분별할 수 있겠는가?" "염계가 '성은 작위가 없고 낌새는 선과 악의 갈림이다.'라고 말한 것에서, 성은 바로 일삼음이 없는 것을 행하지만, 낌새에는 선과 악의 나눔이 있으니, 이때에 항상 궁구하고 살펴야 옳고 그름을 알 수 있다. 그 처음은 약간의 미세함이나, 오랫동안 궁구하고 살피면 차고 넘칠 정도로 큰 것을 점차 보게 되니, 자연스럽게 어떤 도리가 여기에서 갈라질 것이다. 이것은 미세한 낌새의 결단이고 선과 악의 나눔이다. 이것에 분명하면 '사물의 리理가 궁구된 뒤에 앎이 지극해지고, 앎이 지극한 뒤에 뜻이 진실하며, 뜻이 진실한 뒤에 마음이 바르게 되고, 몸이 닦여지며 집안이 가지런해지고 나라가 다스려지며 세상이 평화로워지게 되는 것'[122]이 마치 '소용돌이치며 흐르는 물'[123]을 쳐서 거슬러 가게 해도 스스로 그칠 수 없는 것과 같고, '전단의 화우'[124]가 저절로 멈출 수 없는 것과 같다."

[2-3-2-6]

問："既誠而無爲，則恐未有惡．若學者之心，其幾安得無惡?"

曰："當其未感，五行具備,[125] 豈有不善? 及其應事，纔有照管不到處，這便是惡．古之聖賢戰戰兢兢過了一生，正謂此也．顏子'有不善未嘗不知'，亦是如此．"[126]

물었다. "이미 성誠하여 작위가 없다면 아마도 아직 악이 있지 않을 것입니다. 배우는 사람의 마음 같은 경우에는 그 낌새에 어떻게 악이 없을 수 있겠습니까?"

(주자가) 대답했다. "아직 감지하지 않았을 때에는 오성五性이 구비되어 있는데, 어떻게 선하지 않음이 있겠는가? 일에 응할 때에 막 살피지 못하는 것이 있는 경우에는 이것이 바로 악이다. 옛 성현이 평생을 조심했다고 하는 것[127]은 바로 이것을 말한다. 안자가 '선하지 않은 것이 있을 때에 알지

그칠 수 없는 것과 같고, 전단의 火牛가 저절로 멈출 수 없는 것과 같다.(濂溪言"誠無爲, 幾善惡," 才誠, 便行其所無事, 而幾有善惡之分. 於此之時, 宜當窮察識得是非. 其初有毫忽之微, 至於窮察之久, 漸見充越之大, 天然有箇道理開裂在那裏. 此幾微之決, 善惡之分也. 若於此分明, 則物格而知至, 知至而意誠, 意誠而心正, 身修而家齊國治天下平, 如激湍水, 自已不得; 如田單火牛, 自止不住.)

122 『大學』 제일장 "物格而后知至, 知至而后意誠, 意誠而后心正, 心正而后身修, 身修而后家齊, 家齊而后國治, 國治而后天下平."

123 '소용돌이치며 흐르는 물' 『孟子』「告子上」 고자가 말했다. "성은 소용돌이치며 흐르는 물과 같다. 이것을 동쪽으로 트면 동쪽으로 흐르고, 서쪽으로 트면 서쪽으로 흐른다. 인성이 선과 불선으로 나누어지지 않는 것은 물이 동쪽과 서쪽으로 나누어지지 않는 것과 같다.(告子曰"性猶湍水也, 決諸東方則東流, 決諸西方則西流. 人性之無分於善不善也, 猶水之無分於東西也.)"

124 '전단의 화우' 『史記』 권82 「田單列傳」 제22 田單의 火牛 : 戰國 齊나라 전단이 전쟁할 때 소 꼬리에 기름을 부어 불 붙여 적군에게 달려가게 한 사건. 꼬리에 불이 붙은 여러 마리 소가 적진으로 쉬지 않고 달려가는 것을 이용하여 승리하였다. 여기에서는 이미 결정된 뒤에 뒤돌릴 수 없다는 뜻으로 사용했다.

125 五行 『朱子語類』 권94, 146조목에는 五行이 五性으로 되어 있다.

126 『朱子語類』 권94, 146조목

않은 적이 없었다.'[128]라고 하는 것 또한 이와 같다."

[2-3-2-7]

"幾是動之微, 是欲動未動之間, 便有善惡. 須就這處理會. 若至於發著之甚, 則亦不濟事矣. 所以聖賢說'戒愼乎其所不睹, 恐懼乎其所不聞', 又說'愼其獨', 都是要就這處理會. 蓋幾微之際, 大是要切."[129]

(주자가 말했다.) "낌새는 움직임이 미세한 것이고, 움직이려고 하는 것과 아직 움직이지 않은 것 사이이니, 바로 선과 악이 있다. 반드시 여기에서 이해해야 한다. 만약 매우 분명하게 드러났다면 또한 일을 이룰 수 없다. 따라서 성인과 현인은 '보지 않을 때에 경계하고 삼가며, 듣지 않을 때에 두려워한다.'[130]라고 말하고, 또 '그 홀로 있을 때에 삼간다.'[131]라고 말한 것은 모두 여기에서 이해해야 한다. 낌새가 은미할 때가 매우 중요하다."

[2-3-2-8]

"濂溪說得的當. 數數拈出幾字, 要當如此."

又曰 : "幾是要得. 且於日用處省察, 善便存放這裏, 惡便去而不爲, 便是自家切己處."[132]

127 평생을 조심했다고 … 것 : 曾子가 죽기 직전에 제자들을 불러 놓고, 자신의 손과 발을 보여주며 부모에게 물려받은 몸을 평생 동안 조심히 간직하여 상하지 않았음을 밝힌 내용이다. 『論語』「泰伯篇」, 증자가 병이 나자, 제자들을 불러 말하였다. "나의 발을 보고, 나의 손을 보아라. 『詩經』에 '조심하고 조심하기를 깊은 연못가에 선 것 같이 하고, 엷은 얼음을 밟는 것 같이 하라'라고 했다. 이제 이후에 나는 (몸이 상할까 근심함을) 면할 것을 알겠다. 얘들아!(曾子有疾, 召門弟子曰 : "啓予足, 啓予手. 『詩』云'戰戰兢兢, 如臨深淵, 如履薄冰.' 而今而後, 吾知免夫. 小子!)"

128 『論語集註』「雍也」 程子가 말했다. "안자의 성냄은 대상에게 있고, 자기에게 있지 않았기 때문에 옮기지 않았다. 선하지 않음이 있으면 일찍이 알지 않은 적이 없고, 알면 다시 행한 적이 없으니, 잘못을 다시 하지 않은 것이다.(程子曰 : "顔子之怒, 在物不在己, 故不遷. 有不善未嘗不知, 知之未嘗復行, 不貳過也.)"

129 『朱子語類』 권94, 143조목의 내용 가운데 일부이다. 말했다. "진실로 이와 같다. 그러나 낌새는 움직임이 은미한 것이고, 움직이려고 하는 것과 아직 움직이지 않은 것 사이에 바로 선과 악이 있으니, 반드시 여기에서 이해해야 한다. 만약 매우 분명하게 드러났다면 또한 일을 이룰 수 없다. 다시 어떻게 이해할 것인가? 따라서 성현은 '보지 않을 때에 경계하고 삼가며, 듣지 않을 때에 두려워한다.'라고 말하니, 낌새가 은미할 때가 매우 중요하다.(曰 : "固是如此. 但幾是動之微, 是欲動未動之間, 便有善惡, 便須就這處理會. 若至於發著之甚, 則亦不濟事矣, 更怎生理會? 所以聖賢說'戒愼乎其所不睹, 恐懼乎其所不聞'. 蓋幾微之際, 大是要切.)" 또한 『朱子語類』 권76, 53조목의 내용 가운데 일부이다. "'낌새는 움직임이 은미한 것이다'라는 것은 움직이려고 하는 것과 아직 움직이지 않은 것 사이에 바로 선과 악이 있으니, 반드시 여기에서 이해해야 한다. 만약 발현한 곳에 이르면 다시 어떻게 생겨나고 어떻게 얻을 수 있겠는가? 따라서 성현은 '홀로 있을 때 삼가라.'고 하는 말은 바로 낌새가 은미한 것에서 이해해야 한다.('幾者動之微.' 是欲動未動之間, 便有善惡, 便須就這處理會. 若到發出處, 更怎生奈何得? 所以聖賢說愼獨, 便是要就幾微處理會.)"

130 『中庸』 1장

131 『大學』 6장

(주자가 말했다.) "염계의 말이 적절하다. 자주 낌새[幾]라는 말을 끄집어내었으니, 마땅히 이와 같이 해야 한다."

또 말했다. "낌새는 체득해야 한다. 또한 일상생활에서 성찰하여 선善하면 바로 여기(마음)에 보존해 두고, 악하면 바로 제거하여 하지 않아야 하니, 바로 이것이 자신에게 절실한 것이다."

[2-3-2-9]

"天理人欲之分只爭些子, 故周子只管說'幾'字. 然'辨之又不可不早', 故橫渠每說'豫'字."[133]

(주자가 말했다.) "천리와 인욕의 갈림은 단지 사소한 것을 다투는 것이므로, 주자周子는 다만 '낌새[幾]'를 말했다. 그러나 '그것을 분별하는 것은 또 일찍 하지 않으면 안 되므로',[134] 횡거[張載][135]는 매 번 '미리하라[豫]'[136]라는 말을 하였다."

---

132 『朱子語類』 권120, 97조목의 내용 가운데 일부이다. "선생께서는 옛날에 일찍이 채장에게 한 답장에서 '「예를 먼저 해야 한다.」라는 말을 받들어 알게 되었다고 했습니다.' 또 '「조화를 아는 것 같다.」라는 말에 대해, 하나의 것에만 기대는 것을 면하지 못하니, 아직 절실한 공부를 알지 못했을 뿐이다. 일반적으로 염계(周惇頤)의 말이 적절하니, 『通書』 속에서 자주 「낌새[幾]」라는 글자를 끄집어내야 한다. 이와 같이 신속하게 하면 자연히 힘을 줄이는 곳이 있으니, 법도가 없는 가운데에서도 오히려 법도가 있고, 아직 조화하지 않은 때에도 이미 조화가 있다'라고 했습니다. 이것은 무슨 뜻입니까?" 대답했다. "낌새를 확고하게 체득해야 한다. 또한 일상생활에서 성찰하여 善하면 바로 여기(마음)에 보존해 두고, 악하면 바로 제거하여 하지 않아야 하니, 바로 이것이 자신에게 절실한 것이다.(先生向日曾答蔡丈書, '承喩「以禮爲先」之說.' 又:'「似識造化」之云, 不免倚於一物, 未知親切工夫耳. 大抵濂溪說得的當, 『通書』中數數拈出「幾」字. 要當如此瞥地, 即自然有箇省力處, 無規矩中卻有規矩, 未造化時已有造化.' 此意如何?" 曰:"幾固要得. 且於日用處省察, 善便存放這裏, 惡便去而不爲, 便是自家切己處.")"

133 『朱子語類』 권13, 19조목에서는 '周子'가 '周先生'으로 되어 있다. 그러나 의미는 같다.

134 『周易』「坤卦·文言傳」"선을 쌓는 집에 반드시 남은 경사가 있고, 불선을 쌓는 집에 반드시 남은 재앙이 있다. 신하가 그 임금을 죽이고, 자식이 그 부모를 죽이는 것은 하루아침이나 하루저녁의 이유가 아니다. 그 유래가 점점 쌓인 것이다. 분별해야 할 것을 일찍 분별하지 못했기 때문이다.(積善之家, 必有餘慶, 積不善之家, 必有餘殃. 臣弑其君, 子弑其父, 非一朝一夕之故. 其所由來者漸矣. 由辯之不早辯也.)"

135 張載(1020~1077): 자는 子厚이고, 橫渠先生이라고 불린다. 宋代 大梁(현 하남성 開封) 사람으로 거주지는 郿縣橫渠鎭(현 섬서성 眉縣)이었다. 1057년 진사에 급제했고 雲巖令·崇政院校書 등을 역임하였다. 젊어서 병법을 좋아하여 범중엄에게 서신을 보냈다가 『大學』을 읽기를 권유받고, 얼마 뒤 『六經』에 전념하게 되었다. 특히 『역』과 『中庸』을 중시하여 『正蒙』·『西銘』·『易說』 등을 지었는데, 이로써 나중에 '關學'의 창시자가 되었다.

136 『正蒙』「神化篇」"'의리를 정밀하게 하여 신묘함에 들어간다.'라는 것은 내 안에서 미리 일삼아 내 밖에서 이로움을 구한다는 것이고, '쓰는 것을 이롭게 하여 몸을 편안하게 한다.'라는 것은 내 밖에서 이로움을 소박하게 하여 내 안에서 기름을 이루는 것이다. '신묘함을 궁구하여 조화를 안다'라는 것은 기름이 성대하여 저절로 이루어지는 것이지, 생각하고 힘써서 억지로 할 수 있는 것이 아니기 때문에 높은 덕이 밖으로까지 펼쳐지니, 군자도 혹 앎을 이루지 못하는 경우가 있다.('精義入神', 事豫吾內, 求利吾外也; '利用安身', 素利吾外, 致養吾內也. '窮神知化', 乃養盛自致, 非思勉之能强, 故崇德而外, 君子未或致知也.)"

[2-3-2-10]

"極力說箇幾字，儘有警發人處. 近則公私邪正，遠則廢興存亡，只於此處看破，便斡轉了. 此是日用第一親切功夫. 精粗隱顯，一時穿透. 堯·舜所謂'惟精惟一'，孔子所謂'克己復禮'，便是此事."137

(주자가 말했다.) "힘써 낌새[幾]를 말한 데에는 다 사람을 일깨워 주는 점이 있다. 가까이는 공公·사私와 사특함·바름과 멀리는 쇠락함·흥함과 보존·멸망을 단지 여기(낌새)에서 간파하면 바로 반전된다.138 이것은 일상생활에서 가장 절실한 공부이다. 정밀함·거침과 은미함·드러남이 한 순간에 꿰뚫어진다. 요·순이 말한 '오직 정밀하고 오직 한결같아야 한다.'139라는 것과 공자가 말한 '사욕을 이겨 예로 돌아온다.'140라는 것이 바로 이러한 일이다."

[2-3-2-11]

問："注云'動於人心之微，則天理固當發見，而人欲亦已萌'，天理便是道心，人欲便是人心否?"
曰："然."141

물었다. "주에서 '사람 마음이 미세한 곳에서 움직이면 천리가 참으로 마땅히 발현하지만, 인욕 또한 이미 싹튼다.'라고 했는데, 천리는 바로 도심이고, 인욕은 바로 인심입니까?"
(주자가) 대답했다. "그렇다."

[2-3-2-12]

問："周子曰'誠無爲，幾善惡'，此明人心未發之體，而指其未發之端，142 蓋欲學者致察於萌動之微，知所決擇而去取之，以不失乎本心之體而已. 或疑以謂有類於胡子'同體異用'之云者，遂妄以意揣量爲圖如後.

물었다. "주자周子는 '성은 작위가 없고, 낌새는 선과 악의 갈림이다.'라고 했는데, 이것은 사람의 마음에서 미발未發의 체體를 밝히고, 이발已發의 단서를 가리킨 것으로, 대개 학생들로 하여금 싹터 움직이는 은미함에서 살피고, 분명히 가려서 버리거나 취할 것을 알게 함으로써 본래 마음의 본체를 잃지 않게 하려 할 따름입니다. 어떤 사람이 의심하여 호자[胡宏]143의 '체體는 같고 용用은 다르

---

137 『朱文公集』 권35 「與劉子澄」

138 李恒老 編著 『朱子大全箚疑輯補』 권35 「背私就公」 韓國學資料院 1985년 231쪽

139 『書經』「大禹謨」"인심은 오직 위태하고, 도심은 오직 은미하니, 오직 정밀하게 하고 한결같이 하여야 진실로 그 중을 잡는다.(人心惟危, 道心惟微, 惟精惟一, 允執厥中.)"

140 『論語』「顔淵」

141 『朱子語類』 권78, 207조목에서는 '天理固當發見'이 '천리가 참으로 이미 발현하였다.(天理固已發見)'로 되어 있다.

142 未發 : 『朱文公集』 권59 「答趙致道」에 '已發'로 되어 있다.

143 胡宏(1105~1155) : 자는 仁仲이고, 호는 五峰이다. 宋代 建寧崇安(현 복건성 소속) 사람으로 胡安國의 아들이다. 어려서 楊時·侯仲良에게 배우고 마침내 부친의 학문을 닦아 張栻에게 전수하여 湖湘學派의 창시자가

다.'[144]라고 하는 설과 같은 점이 있다고 말하기에, 마침내 제 뜻으로 헤아려 다음과 같은 도표를 만들었습니다.

此明周子之意	誠 —— 幾 ＜ 惡幾 / 善幾
此證胡子之失	誠 —— 幾 —┤ 惡幾 / 善幾

이것은 주자周子의 뜻을 밝힌 것입니다.	성 —— 낌새 ＜ 악한 낌새 / 선한 낌새
이것은 호자胡子의 잘못을 증명한 것입니다.	성 —— 낌새 —┤ 악한 낌새 / 선한 낌새

善惡雖相對, 當分賓主. 天理人欲雖分泒, 必省宗孽. 自誠之動而之善, 則如木之自本而榦, 自榦而末, 上下相達, 則道心之發見, 天理之流行. 此心之本主, 而誠之正宗也. 其或旁榮側秀, 若寄生疣贅者, 此雖亦誠之動, 而人心之發見, 私欲之流行, 所謂惡也. 非心之固有, 蓋客寓也; 非誠之正宗, 蓋庶孽也. 苟辨之不早, 擇之不精, 則客或乘主, 孽或代宗矣. 學者能於萌動幾微之間, 而察其所發之向背. 凡其直出者爲天理, 旁出者爲人欲, 直出者爲善, 旁出者爲惡, 直出者固有, 旁出者橫生, 直出者有本, 旁出者無源, 直出者順, 旁出者逆, 直出者正, 旁出者邪. 而吾於直出者利導之, 旁出者遏絶之, 功力旣至, 則此心之發, 自然出於一途, 而保有天命矣. 於此可以見未發之前有善無惡, 而程子所謂'不是性中元有此兩物相對而生', 又云'凡言善惡, 皆先善而後惡', 蓋謂此也. 若以善惡爲東西相對, 彼此角立, 則天理人欲同出一源, 未發之前已具此兩端, 所謂'天命之謂性'亦甚汙雜矣. 此胡氏同體異用之意也."
曰 : "此說得之."[145]

선과 악이 비록 서로 맞서 있지만, 마땅히 손님과 주인으로 나누어야 합니다. 천리와 인욕이 비록 두 갈래로 나누어지지만 반드시 적통과 서자인 것을 살펴야 합니다. 성誠의 움직임으로부터 선함으로 나아감은 마치 나무가 뿌리로부터 줄기로 퍼지고, 줄기로부터 가지까지 위와 아래가 서로 소통하는 것과 같으니, 도심道心이 발현되고 천리가 유행합니다. 이것은 마음의 본래 주인이면서 성의 바른 적통입니다. 어떤 경우에 곁에 꽃과 가지가 나와 기생하는 혹과 같은 것은 비록 또한 성이 움직일지라도 인심人心이 드러나고 사욕이 유행하는 것으로, 악이라고 말하는 것입니다. (그것은) 마음에

되었다. 楊時 이후 남송에 낙학을 전파한 사람이다. 저서는 『知言』·『五峰集』 등이 있다.

144 『知言』 권1의 내용이다. 여기에서 체는 같고 용이 다르다는 것은 천리와 인욕의 관계를 설명한 것이다. "천리와 인욕은 體는 같으나 用이 다르고, 行은 같으나 情이 다르다.(天理人欲, 同體而異用, 同行而異情.)"

145 『朱文公集』 권59 「書·答趙致道」

본래 있는 것이 아니라 손님으로 잠시 머무는 것이고, 성의 바른 적통이 아니라 서자입니다. 진실로 일찍 분별하지 않고, 정밀하게 가리지 않으면 손님이 혹 주인을 올라타거나, 서자가 혹 적자를 대신할 것입니다. 배우는 사람은 싹이 트는 은미한 낌새 상태에서 그것이 드러나는 향배를 반드시 살펴야 합니다. 그것이 곧게 나오는 것은 천리가 되고 곁으로 나오는 것은 인욕이 되며, 곧게 나오는 것은 선이 되고 곁으로 나오는 것은 악이 되며, 곧게 나오는 것은 본래부터 있는 것이고 곁으로 나오는 것은 제멋대로 생겨난 것이며, 곧게 나오는 것은 근본이 있지만 곁으로 나오는 것은 근원이 없으며, 곧게 나오는 것은 순하지만 곁으로 나오는 것은 거스름이며, 곧게 나오는 것은 바름이지만 곁으로 나오는 것은 사특함입니다. 그러므로 우리는 곧게 나오는 것에는 잘 인도하고, 곁으로 나오는 것에는 막고 끊어서, 노력이 이미 지극하면 이 마음의 드러남은 자연히 한 길로 흘러나와 천명을 보존할 것입니다. 여기에서 미발未發 전에는 선만 있고 악이 없음을 알 수 있으니, 정이程頤의 이른바 '성 속에 원래 이 둘[善惡]이 있기에 서로 대립하여 생겨나는 것이 아니다.'[146]라고 한 것과 또 '선과 악을 말할 때에는 모두 선을 먼저하고 악을 뒤에 한다.'[147]라고 한 것은 모두 이것을 말한 것입니다. 만약 선과 악을 동東과 서西로 맞세워서 이것과 저것으로 대립각을 세운다면 천리와 인욕이 하나의 근원에서 나오고, 미발未發 전에 이미 이 선과 악의 단서를 갖춘 것이 되니, '천명을 성이라고 한다.'[148]라고 말하는 것 또한 매우 지저분한 것이 될 것입니다. 이것이 호씨胡宏의 '체體는 같고 용用이 다르다.'라는 뜻입니다."

주자가 대답했다. "이 말이 맞다."

[2-3-2-13]

或問 : "'誠無爲, 幾善惡', 誠爲太極, 幾之動爲陰陽. 陽爲善, 陰如何便是惡?"

潛室陳氏曰 : "陽大陰小, 陽貴陰賤, 陽明陰暗, 陽淸陰濁, 有善惡之類焉. 周子此言, 是以人心說太極. 當其誠實无妄, 此實理即爲太極. 才動, 便善惡生焉. 幾者動之微, 蓋欲於其萌動而蚤辨之, 使之有善而無惡也."[149]

어떤 사람이 물었다. "'성은 작위가 없고, 낌새는 선과 악의 갈림이다.'라고 했는데, 성은 태극이 되고, 낌새의 움직임은 음과 양이 됩니다. 양은 선이 되는데, 음은 어떻게 바로 악입니까?"

잠실 진씨[陳埴][150]가 말했다. "양은 크고 음은 작으며, 양은 귀하고 음은 천하며, 양은 밝고 음은 어두우며, 양은 맑고 음은 흐리니, 여기에 선악과 비슷한 점이 있다. 주자周子의 이 말은 사람의 마음을 가지고 태극을 말한 것이다. 그것이 성誠하고 망령스러움이 없는 때에는 이것이 참된 이치이

146 『二程遺書』 권1 「端伯傳師說」

147 『二程遺書』 권22상 「伊川雜録」

148 『中庸』 제1장

149 진식 『木鐘集』 권10 「如何便是惡」

150 陳埴 : 자는 器之이고, 호는 木鐘이며, 이른바 潛室先生이라 한다. 宋代 永嘉(현 절강성 溫州) 사람으로 通直郎을 역임하였다. 어려서는 葉適에게 배우고 나중에는 주희에게 배웠다. 저서는 『木鐘集』·『禹貢辨』·『洪範解』 등이 있다.

고 바로 태극이 된다. 비로소 움직이면 바로 선과 악이 생겨난다. 낌새는 움직임이 미세한 것이니, 그 싹이 움직일 때 일찍 분별하여, 선은 있지만 악은 없게 하고자 한 것이다."

[2-3-3]

德, 愛曰仁, 宜曰義, 理曰禮, 通曰智, 守曰信.

덕에서 애愛를 인仁이라고 하고, 의宜를 의義라고 하며, 리理를 예禮라고 하고, 통通을 지智라고 하며, 수守를 신信이라고 한다.

[2-3-3-0]

道之得於心者謂之德, 其別有是五者之用, 而因以名其體焉, 卽五行之性也.

도가 마음에 얻어진 것을 덕이라고 하는데, 그 구별에는 다섯 가지의 용用이 있고, 이어서 그 체體를 이름한 것이 바로 오행의 성性이다.

[2-3-3-1]

問 : "以誠配太極, 以善惡配陰陽, 以五常配五行, 此固然, 但'陽變陰合而生水·火·木·金·土', 則五常必不可謂共出於善惡也. 此似只是說得善之一脚."

朱子曰 : "此書從頭是配合, 但此處却不甚似. 如所謂'剛善·剛惡, 柔善·柔惡', 則確然是也."[151]

물었다. "성誠으로 태극에 짝하고, 선과 악으로 음과 양에 짝하며, 5상으로 오행에 짝하니, 이것은 진실로 그렇지만, '양이 변하고 음이 합하여 수·화·목·금·토가 생겨난다.'[152]라고 하니, 5상이 반드시 선과 악에서 함께 나온다고 할 수는 없습니다. 이것은 다만 선의 한 부분만을 말한 듯합니다."

주자가 대답했다. "이 책은 처음부터 잘 들어맞지만, 여기에서는 그럴듯하지 않은 것 같다. 예컨대 '강선剛善·강악剛惡, 유선柔善·유악柔惡'[153]이라고 말하는 것은 확실히 그렇다."

[2-3-3-2]

'幾善惡', 便是心之所發處有箇善有箇惡了. '德'便只是善底. 爲聖爲賢, 只是這材料做.[154]

(주자가 말했다.) "'낌새는 선과 악의 갈림이다.'라는 것은 바로 마음이 발현한 곳에 선도 있고 악도 있다는 것이다. '덕'은 바로 단지 선한 것일 뿐이다. 성인이 되고 현인이 되는 것은 단지 이러한 재료가 만든다."

---

151 『朱子語類』 권94, 143조목에서는 '只'가 '祇'로, '此書'가 '『通書』'로 되어 있다.

152 『太極圖說』

153 『通書』「師 第七」 어떤 사람이 물었다. "어찌해야 세상이 선하게 됩니까?" 대답했다. "스승[師]이다." 물었다. "무슨 말입니까?" 대답했다. 性은 剛善, 柔善, 剛惡, 柔惡, 中일 뿐이다.(或問曰"曷爲天下善." 曰"師." 曰"何謂也." 曰"性者, 剛柔善惡中而已矣.")

154 『朱子語類』 권116, 30조목

[2-3-3-3]

問 : "'誠無爲'至'守曰信.'"

曰 : "誠是實理, 無所作爲, 便是'天命之謂性', '喜·怒·哀·樂未發謂之中.' '幾者動之微', 微動之初, 是非善惡於此可見. 一念之生, 不是善便是惡. 孟子曰'道二, 仁與不仁而已矣', 是也. 德者, 人之得於身有此五者而已. 仁·義·禮·智·信者, 德之體, 愛·宜·理·通·守者, 德之用.[155] 理, 謂有條理. 通, 謂通達. 守, 謂確實. 此三句就人身而言. 誠, 性也. 幾, 情也. 德, 兼情性而言也."[156]

물었다. "'성은 작위가 없다.'라고 한 것부터 '수守를 신信이라고 한다.'라고 한 것까지를 묻습니다."

(주자가) 대답했다. "성은 참된 이치이고, 작위하는 것이 없다는 것은 바로 '천명을 성이라고 한다.'라는 것이며, '희·노·애·락이 아직 발현하지 않은 것을 중이라고 한다.'[157]라는 것이다. '낌새는 움직임이 은미한 것이다.'라는 것에서 은미함은 움직임의 처음으로, 옳음·그름과 선·악을 여기에서 볼 수 있다. 한 생각의 일어남은 선이 아니면 바로 악이다. 맹자가 '도는 둘인데, 인과 불인일 뿐이다.'[158]라고 한 말이 이것이다. 덕은 사람이 몸에서 얻어 갖추고 있는 이 다섯 가지일 뿐이다. 인·의·예·지·신은 덕의 체體이고, 애愛·의宜·리理·통通·수守는 덕의 용用이다. 리理는 조리가 있음을 말한다. 통通은 통달을 말한다. 수守는 확실히 함을 말한다. 이 세 구절[159]은 사람의 몸의 측면에서 말한 것이다. 성誠은 성性이다. 기幾는 정情이다. 덕은 정情과 성性을 겸하여 말한 것이다."

[2-3-3-4]

"當'寂然不動'時, 便是'誠無爲.' 有感而動, 即有善惡. 幾是動處. 大凡人性不能不動, 但要頓放得是. 於其所動處頓放得是時, 便是'德愛曰仁, 宜曰義.' 頓放得不是時, 便一切反是. 人性豈有不動? 但須於中分得天理人欲時方是."[160]

(주자가 말했다.) "'고요하여 움직이지 않을' 때가 바로 '성은 작위가 없다.'라는 것이다. 감지함이 있어 움직이면 바로 선과 악이 있게 된다. 낌새는 움직이는 곳이다. 대체로 사람의 성性은 움직이지

155 『朱子語類』 권94, 141조목에서는 '愛·宜·理·通·守'가 '曰愛', '曰宜', '曰理', '曰通', '曰守'로 되어 있다.

156 『朱子語類』 권94, 150조목의 내용 가운데 일부이다. "'덕에서 愛를 仁이라고 한다.'라는 것부터 '守를 信이라고 한다'라는 것에 이르기까지이다. 덕은 사람이 몸에서 얻은 것이다. 愛·宜·理·通·守는 덕의 用이고, 인·의·예·지·신은 덕의 體이다. 理는 조리가 있음을 말하고, 通은 통달을 말하며, 守는 확실히 함을 말한다. 이 세 구절은 사람의 몸의 측면에서 말한 것이다. 誠은 性이고, 幾는 情이며, 덕은 情과 性을 겸하여 말한 것이다.('德 : 愛曰仁'至'守曰信.' 德者, 人之得於身者也. 愛·宜·理·通·守者, 德之用; 仁·義·禮·智·信者, 德之體. 理, 謂有條理; 通, 謂通達; 守, 謂確實. 此三句就人身而言. 誠, 性也; 幾, 情也; 德, 兼性情而言也.)"

157 『中庸』 제1장

158 『孟子』「離婁上」 "공자는 '도는 둘인데, 인과 불인일 뿐이다'라고 말했다.(孔子曰, '道二, 仁與不仁而已矣.')"

159 '誠無爲', '幾善惡', '德, 愛曰仁, 宜曰義, 理曰禮, 通曰智, 守曰信.'

160 『朱子語類』 권94, 145조목

않을 수 없지만, 처한 것은 옳아야 한다. 그 움직이는 곳에서 처한 것이 옳을 때가 바로 '덕에서 애愛를 인仁이라고 하고, 의宜를 의義라고 한다.'라는 것이다. 처한 것이 옳지 않을 때에는 바로 일체가 옳지 않게 된다. 사람의 성性이 어찌 움직이지 않을 수 있겠는가? 다만 반드시 마음속에서 천리와 인욕을 분별할 때에야 비로소 옳게 된다."

[2-3-3-5]

"元來'誠·幾·德', 便是太極二五. 此老些子活計盡在裏許. 前後知他讀了幾過, 都不曾見此意思, 於此益知讀書之難也."[161]

(주자가 말했다.) "원래 '성誠·낌새[幾]·덕德'은 바로 태극과 음양과 오행이다. 이 선생[周惇頤]의 세밀한 말들이 다 여기에 있었다.[162] 그동안 그것을 몇 번 읽었지만, 도무지 이 뜻을 안 적이 없었으니, 이에 더욱 독서의 어려움을 알겠다."

[2-3-4]

性焉安焉之謂聖.

성性대로 하고 편안하게 하는 것을 성聖이라고 한다.

[2-3-4-0]

性者, 獨得於天. 安者, 本全於己. 聖者, 大而化之之稱. 此不待學問勉强而誠無不立, 幾無不明, 德無不備者也.

성性은 홀로 하늘에서 얻은 것이다. 안安은 본래 자기에게서 온전한 것이다. 성聖은 크고 화化한 것[163]

161 『朱文公集』 권44 「答蔡季通」에는 '許'가 '許也'로 되어 있다.

162 『朱子大全箚疑輯補』 권7에는 '些子活計'를 '微細云爲'로 풀이하였다. 현대 중국어에서는 '老些子'를 '늙은이'로 번역하기도 한다. 이렇게 될 경우, '주돈이의 활기 있는 의도'라고 번역할 수도 있다.

163 『孟子』「盡心下」 호생불해가 물었다. "악정자는 어떤 사람입니까?" 맹자가 대답했다. "착한 사람이며, 진실한 사람이다." (호생불해가) 물었다. "무엇을 착하다고 하고, 무엇을 진실하다고 합니까?" (맹자가 대답했다) "따를만한 것을 善이라고 하고, 선을 자기에게 갖추고 있는 것을 信이라고 하며, 참됨을 채우는 것을 美라고 하고, 참됨을 채워서 빛나는 것을 大라고 하며, 크고 化하는 것을 聖이라고 하고, 성스러워 알 수 없는 것을 神이라고 한다. 악정자는 두 가지의 중간이고 네 가지의 아래이다.(浩生不害問曰 : "樂正子, 何人也?" 孟子曰 : "善人也, 信人也." "何謂善, 何謂信?" 曰 : "可欲之謂善, 有諸己之謂信, 充實之謂美, 充實而有光輝之謂大, 大而化之之謂聖, 聖而不可知之之謂神. 樂正子, 二之中, 四之下也.)" 그런데 맹자의 이 글에 대해 주희는 다음과 같이 주석하였다. "'어울림과 순함이 마음속에 쌓여 덕과 재능이 밖으로 드러나서', 아름다움이 그 속에 있으면서 4지(두 손과 두 발)로 나타나고 사업으로 발현되면 덕업이 지극히 성대하여 더할 만한 것이 없게 된다. 대인이면서 化할 수 있기에 그 큰 것으로 하여금 망연히 다시는 볼 만한 흔적이 없게 한다면 생각하지 않고 힘쓰지 않아도 조용히 도에 맞으니, 인력으로 할 수 있는 것이 아니다. 張載는 '대인은 인위적으로 할 수 있지만, 化는 인위적으로 할 수 없으니, 익숙하게 하는데 달려 있을 뿐이다'라고 했다. 정자(程子)는 '성스러워 알 수 없다는 것은 성인이 지극히 오묘하여 다른 사람이 예측할 수 없다는 것이지, 성인 위에

을 말한다. 이는 배우고 묻고 힘쓰지 않아도 성誠이 정립되지 않음이 없고, 낌새가 밝혀지지 않음이 없으며, 덕이 갖추어지지 않음이 없는 것이다.

[2-3-5]

復焉執焉之謂賢.

회복하고 잡고 있는 것을 현賢이라고 한다.

[2-3-5-0]

復者, 反而至之. 執者, 保而持之. 賢者, 才德過人之稱. 此思誠研幾以成其德, 而有以守之者也.

복復은 돌아와 이르는 것이다. 집執은 보존하여 가지고 있는 것이다. 현賢은 재능과 덕이 다른 사람보다 뛰어남을 말하는 것이다. 이는 성誠을 생각하고 낌새를 연구하여 그 덕을 이루고 그것을 지키는 사람이다.

[2-3-5-1]

問 : "'性者獨得於天', 如何言'獨得?'"

朱子曰 : "此言聖人合下淸明完具, 無所虧欠, 此是人所獨得者.[164] 此對了'復'字說. 復者, 已失而反其初, 便與聖人獨得處不同. '安'字對了'執'字說. 執是執持, 安是自然."[165]

물었다. "'성性은 홀로 하늘에서 얻은 것'이라고 했는데, 어떻게 '홀로 얻은 것'이라고 말할 수 있습니까?"

주자가 대답했다. "이것은 성인이 원래 맑고 밝으며 완전히 갖추고 있기에 흠결이 없다는 것을 말한 것이니, 이는 (성)인이 홀로 얻은 것이다. 이것은 '복復'이라는 글자를 상대한 말이다. 복復이란 이미 잃었다가 그 처음으로 돌아온 것이니, 바로 성인이 홀로 얻은 것과 다르다. '안安'이라는 글자는 '집執'이라는 글자를 상대한 말이다. 집執은 잡아서 지키는 것이고, 안安은 저절로 그러한 것이다."

[2-3-5-2]

性此理而安焉者, 聖也. 復此理而執焉者, 賢也.[166]

이 리理를 성性으로 하여 편안하게 여기는 사람이 성인이다. 이 리理를 회복하여 잡고 있는 사람이

또 한 등급인 신인이 있다는 것이 아니다.'라고 했다.('和順積中, 而英華發外', 美在其中而暢於四支, 發於事業, 則德業至盛而不可加矣. 大而能化, 使其大者, 泯然無復可見之迹, 則不思不勉, 從容中道, 而非人力之所能爲矣. 張子曰'大可爲也, 化不可爲也, 在熟之而已矣.' 程子曰, '聖不可知, 謂聖之至妙, 人所不能測, 非聖人之上, 又有一等神人也.')"

164 是人 : 『朱子語類』 권94, 152조목에 '是聖人'으로 되어 있다.

165 『朱子語類』 권94, 152조목

166 『朱文公集』 권78 「隆興府學濂溪先生祠記」

현인이다.

[2-3-6]

發微不可見, 充周不可窮之謂神.

발현한 것이 은미하여 볼 수 없고, 채워진 것이 두루 펼쳐져서 궁구할 수 없는 것을 신묘함[神]이라고 한다.

[2-3-6-0]

發之微妙而不可見, 充之周徧而不可窮, 則聖人之妙用而不可知者也.

발현한 것이 은미하고 오묘하여 볼 수 없고, 채워진 것이 두루 펼쳐져서 궁구할 수 없는 것은 성인의 오묘한 작용으로서 (다른 사람이) 알 수 없는 것이다.

[2-3-6-1]

朱子曰 : "'發微不可見, 充周不可窮之謂神', 言其發也微妙而不可見, 其充也周徧而不可窮. '發'字'充'字就人看, 如'性焉安焉復焉執焉', 皆是人如此. '微不可見, 周不可窮', 却是理如此. 神只是聖之事. 非聖外又有一箇神, 別是箇地位也.[167]

주자가 말했다. "'발현한 것이 은미하여 볼 수 없고, 채워진 것이 두루 펼쳐져서 궁구할 수 없는 것을 신묘함이라고 한다.'라는 것은 그 발현한 것이 은미하고 오묘하여 볼 수 없고, 그 채워진 것이 두루 펼쳐져서 궁구할 수 없음을 말한다. '발發'과 '충充'은 사람의 측면에서 본 것으로, '성性대로 하고 편안하게 하며 회복하고 잡아서 지킨다.'라는 것과 같은 것은 모두 사람이 이와 같다는 것이다. '은미하여 볼 수 없고, 두루 펼쳐져서 궁구할 수 없다.'라는 것은 곧 리理가 이와 같다는 것이다. 신묘함은 다만 성聖의 일이다. 성聖 이외에 또 하나의 신묘함이 있는 것이 아니라, 별도의 경지가 되는 것이다."

[2-3-6-2]

"神, 卽聖人之德妙而不可測者也. 非聖人之上, 復有所謂神人也. 發, 動也; 微, 幽也; 言其'不疾而速.' 一念方萌而至理已具, 所以微而不可見也. 充, 廣也; 周, 徧也; 言其'不行而至', 蓋隨其所寓而理無不到, 所以周而不窮也. 此三句就人所到地位而言, 卽盡夫上三句之理, 而所到有淺深也.[168] '性焉安焉之謂聖', 是就聖人性分上說. '發微不可見, 充周不可窮之謂神', 是他人見其不可測也."[169]

(주자가 말했다.) "신묘함이란 바로 성인의 덕이 오묘하여 헤아릴 수 없는 것이다. 성인 위에 다시

167 『朱子語類』 권94, 153조목

168 『朱子語類』 권94, 154조목

169 『朱子語類』 권94, 151조목에는 '測也'가 '測耳'로 되어 있다. 그러나 의미는 같다.

이른바 신인神人이 있는 것은 아니다. 발發은 움직임이고, 미微는 그윽함이니, 그 '서두르지 않아도 빠르다.'[170]라는 것을 말한다. 한 생각이 막 일어나더라도 지극한 리理가 이미 갖추어졌기 때문에 은미하여 볼 수 없다. 충充은 넓음이고, 주周는 보편이니, '가지 않는데도 이른다.'[171]라는 것을 말한다. 붙여 있는 곳을 따를 때마다 리理가 도달하지 않음이 없기 때문에 두루 펼쳐져서 궁구할 수 없다. 이 세 구절은 사람이 도달한 경지의 측면에서 말한 것이니, 바로 위의 세 구절의 리理를 다하여 도달한 경지의 얕고 깊음이 있음을 말한다. '성性대로 하고 편안하게 하는 것을 성聖이라고 한다.'라는 것은 성인의 성품에 대해서 말한 것이다. '발현한 것이 은미하여 볼 수 없고, 채운 것이 두루 펼쳐져서 궁구할 수 없는 것을 신묘함이라고 한다.'라는 것은 다른 사람이 그 헤아릴 수 없음을 본다는 것이다."

[2-3-6-3]

勉齋黃氏曰："'誠·幾·德'，此一段文理粲然，只把體用二箇字來讀他便見．誠是體，幾是用．仁·義·禮·智·信是體，愛·宜·理·通·守是用．誠·幾只是德擘來做．在誠爲仁，則在幾爲愛；在誠爲義，則在幾爲宜．性焉，復焉，發微不可見，是體．安焉，執焉，充周不可窮，是用．性，如'堯·舜性之也．' 復，如'湯武反之也'，是旣失了却再復得．安而行之，不恁地辛苦．執，則是擇善而固執，須恁地把捉．發是源頭底；充是流出底．其'發也微而不可見'，其'充也周而不可窮'，是謂神，指'聖而不可知者也．'"

면재 황씨[黃榦]가 말했다. "'성誠·낌새[幾]·덕德'이라는 이 단락은 문리가 뚜렷하니, 단지 체體와 용用이라는 두 글자를 가지고 그것을 읽으면 바로 알 수 있다. 성은 체體이고 낌새는 용用이다. 인·의·예·지·신은 체體이고 애愛·의宜·리理·통通·수守는 용用이다. 성과 낌새는 다만 덕을 나눈 것이다. 성誠에서 인仁이면 낌새에서 애愛이고, 성에서 의義이면 낌새에서 의宜이다. 성대로 하고[聖], 회복하며[賢], 발현한 것이 은미하여 볼 수 없는 것은 체體이다. 편안하게 하고, 잡아서 지키며, 채운 것이 두루 펼쳐져서 궁구할 수 없는 것은 용用이다. '성性은 요와 순이 성性대로 하는 것[172]'과 같다. 복復은 '탕과 무가 그것을 회복하는 것'[173]과 같은데, 이것은 이미 잃은 것을 다시 회복시키는 것이다. 편안하게 행하는 것은 이와 같이 힘들지 않은 것이다. 집執은 선을 택하여 굳게 잡는 것으로 반드시 이와 같이 꽉 잡아야 한다. 발發은 근원적인 것이고, 충充은 흘러나오는 것이다. 그 '발현하는 것은 은미하여 볼 수 없고', 그 '채워지는 것은 두루 펼쳐져서 궁구할 수 없는 것'은 신묘함을 이르는 것이니, '성스러워서 (다른 사람이) 알 수 없는 것'을 가리키는 것이다."

170 『周易』「繫辭上」 10장 "오직 신묘하기 때문에 서두르지 않아도 빠르다.(唯神也，故不疾而速.)"
171 『周易』「繫辭上」 10장 "不行而至"
172 『二程遺書』 권22상 「伊川語錄」
173 『二程遺書』 권22상 「伊川語錄」

[2-3-6-4]

問 : "誠者實然之理, 仁·義·禮·智·信五者皆實理也, 自然至善無所謂惡. 幾者動之微, 於是始有善惡之分. 善則得是五者之理, 惡則失是五者之理. 所謂德者, 是理之得於心者也. 以實理言之, 無聖賢·衆人之異. 幾有善惡, 然後有聖賢·衆人之分. 德者惟聖賢有之, 故於此下只說聖賢而不言衆人. 至於發之微充之周, 則又惟聖者能之, 故於此只言聖人之神, 而不及賢人也."

曰 : "所說大槩得之, 但其間曲折更有合細講處. 誠, 性也, 未發也. 幾, 情也, 已發也. 仁·義·禮·智·信, 性也. 愛·宜·理·通·守, 情也. 曰者, 因情以明性. 性也, 復也, 發微也, 主性而言. 安也, 執也, 充周也, 主情而言. 聖賢體是德於性情之間, 淺深之分如此. 周子之言簡實精要, 非知道者, 孰能言之?"

물었다. "성誠은 진실로 그러한 리理이니, 인仁·의義·예禮·지智·신信 다섯 가지는 다 참된 이치로서 저절로 지극히 선하여 이른바 악이라는 것이 없습니다. 낌새는 움직임이 은미한 것이니, 여기에서 비로소 선과 악의 갈림이 있습니다. 선은 이 다섯 가지의 리理를 얻은 것이고, 악은 이 다섯 가지의 리理를 잃은 것입니다. 이른바 덕은 리理를 마음에서 얻은 것입니다. 참된 이치로 말하면 성현과 보통 사람 사이에 차이가 없습니다. 낌새에 선과 악이 있은 후에 성현과 보통 사람의 분별이 있습니다. 덕은 오직 성현만 가지고 있으므로 이 이하에서 다만 성현만 말하고 보통 사람을 말하지 않았습니다. 발현한 것의 은미함과 채워진 것의 두루 펼쳐짐에 이르러서는 또 오직 성인만 할 수 있으므로 여기에서는 다만 성인의 신묘함만 말하고 현인은 언급하지 않았습니다."

대답했다. "말한 것이 대부분 맞지만, 그 사이에 세부적인 부분은 다시 상세하게 따져볼 곳이 있다. 성誠은 성性이고, 미발未發이다. 낌새[幾]는 정情이고, 이발已發이다. 인仁·의義·예禮·지智·신信은 성性이다. 애愛·의宜·리理·통通·수守는 정情이다. 왈曰[174]은 정情으로 인해 성性을 밝힌 것이다. 성性대로 하는 것과 회복하는 것과 발현한 것의 은미함은 성性을 주로 하여 말한 것이다. 편안히 함과 잡아서 지키는 것과 채운 것의 두루 펼쳐짐은 정情을 주로 하여 말한 것이다. 성현은 성性과 정情 사이에서 이 덕을 체득하니, 얕고 깊음의 분별이 이와 같다. 주자周子의 말은 간결하면서도 알차고 정밀하면서도 요약되어 있으니, 도를 아는 사람이 아니면 누가 그것을 말할 수 있겠는가?"

[2-3-6-5]

問 : "周子言愛曰仁者, 愛, 情也; 仁, 性也; 情, 用也; 性, 體也; 此書解所謂'因用以名其體也.' 孟子旣言'惻隱之心仁之端也', 只此端字便見因用以明體. 謂之端, 則如木之有萌芽而已發也."

曰 : "所解周子之意得之."

물었다. "주자周子가 애愛를 인仁이라고 말한 것에서 애愛는 정情이고, 인仁은 성性이며, 정情은 용用이

174 曰: "사랑을 인이라고 말한다"에서의 '말한다.'이다. ("愛曰仁"에서의 '曰')

고, 성性은 체體이니, 이 책에서는 '용用으로 인하여 그 체體에 이름을 붙였다.'라는 것을 풀이했습니다. 맹자가 이미 '측은히 여기는 마음은 인仁의 단서이다.'라고 말했으니, 다만 여기에서의 단서는 바로 용用으로 말미암아 체體를 밝힌다는 것을 볼 수 있습니다. 단서라고 말한 것은 나무에 싹이 튼 것과 같아서 '이미 발현한 것[已發]'입니다."

대답했다. "주자周子의 뜻을 풀이한 것이 옳다."

[2-3-6-6]

問 : "'誠·幾·德', 朱子解以'誠無爲'比太極, '幾善惡'配陰陽之象, 德則曰'即五行之性.' 如此觀之, 理却貫通."

答曰 : "'以誠·幾·德配太極·陰陽·五行', 此亦要看得活. 活則處處皆通. 不活則處處喚做不是不得, 喚做是亦不得, 在人自曉會耳."

물었다. "'성誠·낌새[幾]·덕德'에서 주자朱子는 '성誠은 작위가 없다.'라는 것을 태극과 견주고, '낌새는 선과 악의 갈림이다.'라고 하는 것을 음양의 상象에 짝 지우며, 덕은 '바로 오행의 성이다.'라고 풀이했습니다. 이와 같이 본다면 리理가 바로 관통될 수 있습니다."

대답하여 말했다. "'성·낌새·덕을 태극·음양·오행 등과 짝 지운다.'라고 한 것은 이 또한 살려 보아야 한다. 살려 보면 곳곳이 다 통한다. 살려 보지 못하면 곳곳이 옳지 않다고 할 수도 없고, 옳다고 할 수도 없으니, 사람들이 스스로 이해하는데 달려 있을 뿐이다."

[2-3-6-7]

問 : "之謂聖, 之謂賢, 之謂神, 三句."

曰 : "聖·賢·神三字, 自是就所到之地位而言, 若曰'此聖人, 此賢人, 此神人也.'"

물었다. "성聖이라고 하고, 현賢이라고 하며, 신묘함[神]이라고 하는 세 구절을 묻습니다."

대답했다. "성聖·현賢·신神 세 글자는 본래 도달한 경지에서 말한 것이니, '이 사람은 성인이고, 이 사람은 현인이며, 이 사람은 신인이다.'라고 말하는 것과 같다."

聖 第四 제4 성

[2-4-1]

'寂然不動'者, 誠也; '感而遂通'者, 神也; 動而未形, 有無之間者, 幾也.

'고요하여 움직이지 않는' 것은 성誠이고, '감지하여 마침내 통하는' 것은 신묘함이며, 움직였으나 아직 드러나지 않아 있음과 없음 사이에 있는 것이 낌새이다.[175]

175 『周易』「繫辭上」 10장 "셋과 다섯으로 변하고, 그 수를 섞어 종합하며, 그 변화에 통하여 마침내 세상의

[2-4-1-0]

本然而未發者, 實理之體; 善應而不測者, 實理之用. 動靜體用之間, 介然有頃之際, 實理發見之端, 而衆事吉凶之兆也.

본래 그러하여 아직 발현하지 않은 것은 참된 이치의 체體이고, 잘 응하므로 (다른 사람이) 헤아리지 못하는 것은 참된 이치의 용用이다. 움직임·고요함과 체體·용用 사이에서 잠시 기울어지는 즈음이 바로 참된 이치가 발현되는 단서이고, 모든 일에서 길吉과 흉凶이 나타나는 조짐이다.

[2-4-1-1]

朱子曰 : "'「寂然不動」者, 誠也', 又曰, '「大哉! 乾元. 萬物資始,」 誠之源也', 須知此'大哉! 乾元. 萬物資始'以上, 更有'寂然不動.'"[176]

주자가 말했다. "'「고요하여 움직이지 않는다.」는 성誠이다.'라고 하고, 또 '「크도다! 건의 원이여. 만물이 그것을 취하여 시작한다.」는 성誠의 근원이다.'라고 하니, 반드시 이 '크도다! 건의 원이여. 만물이 그것을 취하여 시작하였다.'라는 것 이전에 다시 '고요하여 움직이지 않는다.'라는 것이 있음을 알아야 한다."

[2-4-1-2]

"'幾善惡'者, 言衆人者也. '動而未形, 有無之間者', 言聖人毫釐發動處, 此理無不見. '寂然不動者, 誠也', 至其微動處, 即是幾. 幾在誠神之間."[177]

(주자가 말했다.) "'낌새는 선과 악의 갈림이다.'라는 것은 보통 사람을 말한 것이다. '움직였으나 아직 드러나지 않아 있음과 없음 사이에 있는 것'이라는 것은 성인이 터럭만큼 발동하는 곳에서도 이 리理가 드러나지 않음이 없음을 말한다. '고요하여 움직이지 않는 것은 성이고', 그 은미하게 움직이는 곳에 이르는 것이 바로 낌새이다. 낌새는 성誠과 신묘함 사이에 있다."

무늬를 이루고, 그 수를 지극히 하여 마침내 세상의 象을 정한다. 세상의 지극한 변화가 아니면 그 누가 여기에 참여할 수 있겠는가? 역은 생각함도 없고, 작위함도 없다. 고요하여 움직이지 않고, 감지하여 마침내 세상의 일에 통한다. 세상의 지극한 신묘함이 아니라면 그 누가 여기에 참여할 수 있겠는가? 역은 성인이 깊은 것을 지극히 하고, 낌새를 연구하는 것이다. 오직 깊기 때문에 세상의 뜻에 통할 수 있고, 오직 낌새이기 때문에 세상의 업무를 이루며, 오직 신묘하기 때문에 서두르지 않아도 빠르고 가지 않아도 이른다.(參伍以變, 錯綜其數, 通其變, 遂成天下之文; 極其數, 遂定天下之象. 非天下之至變, 其孰能與於此? 易无思也, 无爲也, 寂然不動, 感而遂通天下之故. 非天下之至神, 其孰能與於此? 夫易, 聖人之所以極深而研幾也. 唯深也, 故能通天下之志, 唯幾也, 故能成天下之務, 唯神也, 故不疾而速, 不行而至.)" 『中庸』 제24장(第二十四章) "지극한 성은 신묘함과 같다.(至誠如神)"

176 『朱子語類』 권94, 156조목 단 '須知此' 부분이 『朱子語類』에는 '須如此'로 되어 있다.

177 『朱子語類』 권94, 157조목에는 '間者'가 '間也'로 되어 있다.

[2-4-1-3]

問 : "'誠·神·幾', 在學者則當如何?"

曰 : "隨處做工夫. 然本在誠, 著力在幾. 存主處是誠; 發用處是神. 幾則在二者之間, 幾最緊要."[178]

물었다. "'성과 신묘함과 낌새'를 배우는 사람에게서는 마땅히 어떻게 해야 합니까?"

주자가 대답했다. "처한 곳에 따라 공부해야 한다. 그러나 근본은 성誠에 달려 있고, 힘을 쓰는 것은 낌새에 달려 있다. 주된 것을 보존하는 곳은 성이고, 용을 발현하는 곳은 신묘함이다. 낌새는 성과 신묘함 사이에 있으니, 낌새가 가장 중요하다."

[2-4-1-4]

"幾雖已感, 却是方感之初. 通則直到末梢皆是通也. 如推其極, 到'協和萬邦, 黎民於變時雍', 亦只是通也. 幾只在起頭一些子."[179]

(주자가 말했다.) "낌새가 비록 이미 감지되었을지라도, 오히려 이것은 막 감지하는 시초이다. 통함이란 곧바로 끝까지 이르는 것이 다 이 통함이다. 예컨대 그 지극함을 미루어 나아가서 '모든 나라를 협력하여 조화롭게 하고, 백성들이 변하여 이에 화합하였다.'[180]라는 경지에 이른 것 또한 다만 이 통함이다. 낌새는 다만 시작할 때에 있는 작은 것이다."

[2-4-1-5]

問 : "幾如何是動靜體用之間?"

曰 : "似有而未有之時, 在人識之爾."[181]

물었다. "낌새는 어떻게 동動·정靜 체體·용用 사이에 있습니까?"

(주자가) 대답했다. "있는 것 같지만 아직 있지 않은 때이니, 사람이 그것을 인식하는데 달려있을 뿐이다."

---

178 『朱子語類』 권94, 162조목의 내용 가운데 일부이다. 안경이 물었다. "'신묘함과 성과 낌새'를 배우는 사람에게서는 무엇으로부터 들어가야 합니까?" 대답했다. "처한 곳에 따라 공부해야 한다. 〈순록이 말했다. "근본은 誠에 달려 있고, 힘을 쓰는 것은 낌새에 달려 있다."〉 성은 주된 것을 보존하는 곳이고, 용을 발현하는 곳은 신묘함이며, 낌새는 택함을 결정한 곳이다.(安卿問 : "'神·誠·幾', 學者當從何入?" 曰 : "隨處做工夫." 〈淳錄云 : "本在誠, 著力在幾."〉 誠是存主處, 發用處是神, 幾是決擇處.)

179 『朱子語類』 권94, 159조목에는 '只'가 '卻只'로 되어 있다.

180 '모든 나라를 … 화합하였다.' : 『書經』「堯典」 "옛 요임금을 상고해보건대 放勳(공로가 지극함)이시니, 공경하고 밝으며 문채롭고 생각함이 편안하고 편안하며, 진실로 공손하고 겸양하여 빛이 사방까지 입혀지며 위아래에 이르렀다. 능히 큰 덕을 밝혀 9족을 친하게 하니 9족이 이미 화목해지고, 백성을 골고루 밝게 하니 백성이 덕을 밝히며, 모든 나라에서 협력하여 조화롭게 하니 일반 백성들이 변하여 이에 화합하였다. (曰若稽古帝堯, 曰放勳, 欽明文思安安, 允恭克讓, 光被四表, 格于上下. 克明俊德, 以親九族, 九族既睦, 平章百姓, 百姓昭明, 協和萬邦, 黎民於變時雍.)"

181 『朱子語類』 권94, 158조목

[2-4-1-6]

勉齋黃氏曰："『太極圖』中只說'動而生陽，靜而生陰'，此又說箇幾. 此是動靜之間，又有此一項."

면재 황씨[黃榦]가 말했다. "『태극도』 속에는 다만 '움직여 양을 생겨나게 하고, 고요하여 음을 생겨나게 한다.'라고 하였는데, 이것은 또 낌새를 말한 것이다. 이것은 움직임과 고요함 사이에 또 이 하나의 항목이 있는 것이다."

[2-4-2]

誠精故明; 神應故妙; 幾微故幽.

성은 정밀하기 때문에 밝고, 신神이 감응하기 때문에 오묘하며, 낌새는 은미하기 때문에 그윽하다.

[2-4-2-0]

清明在躬，志氣如神，精而明也. "不疾而速，不行而至"，應而妙也. 理雖已萌，事則未著，微而幽也.

맑고 밝음이 몸에 있기에 뜻과 기운이 신묘한 듯하니, 정밀하고 밝아진다. "서두르지 않아도 빠르고, 가지 않아도 이르니"[182] 감응하여 오묘해진다. 리理가 비록 이미 싹텄을지라도, 일이 아직 드러나지 않으니 은미하고 그윽하다.

[2-4-3]

誠·神·幾曰聖人.

성誠하고 신묘하며 낌새를 아는 사람을 성인이라고 한다.

[2-4-3-0]

'性焉安焉'，則精明應妙，而有以洞其幽微矣.

'성性대로 하고 편안하게 하면' 정밀한 것이 밝고 반응한 것이 오묘해져서 그윽하고 은미한 것을 통찰할 수 있다.

[2-4-3-1]

問："'誠精故明'，先生引'清明在躬，志氣如神'釋之，却是'自明而誠.'"

朱子曰："便是看得文字麤疎. 周子說'精'字最好. '誠精'者，直是無些夾雜，如一塊銀，更無銅鉛，便是通透好銀. 故只當以淸明釋之. '志氣如神'，即是'至誠之道可以前知'之意."[183]

물었다. "'성은 정밀하기 때문에 밝다.'라고 한 것에 대해, 선생이 '맑고 밝음이 몸에 있기에 뜻과

182 『周易』「繫辭上」 10장

183 『朱子語類』 권94, 161조목

기운이 신묘한 듯하다.'[184]라는 것을 끌어다가 풀이하였으니, 도리어 이것은 '밝음으로부터 성誠해진다.'라는 것입니다."[185]

주자가 대답했다. "바로 이것은 글을 거칠게 본 것이다. 주자周子가 '정精'을 설명한 것이 가장 좋다. '성誠이 정밀하다.'라는 것은 바로 조금의 섞임이 없는 것으로, 예컨대 한 덩어리의 은이 구리와 납의 성분이 없으면 바로 투철하게 좋은 은인 것과 같다. 그러므로 단지 맑음과 밝음으로 그것을 풀이했을 뿐이다. '뜻과 기氣가 신묘한 듯하다.'라는 것은 바로 '지극한 정성이라야 미리 알 수 있다.'[186]라는 뜻이다.

[2-4-3-2]

問 : "言神者五, 其義同否?"

曰 : "當隨所在看."

曰 : "神只是以妙言之否?"

曰 : "是. 且說'感而遂通者神也', 橫渠謂'一故神, 兩在故不測.' 因指造化而言曰'忽然在這裏, 又忽然在那裏, 便是神.'"

曰 : "在人言之則如何?"

曰 : "知覺便是神, 觸其手, 則手知痛, 觸其足, 則足知痛, 便是'神應故妙.'"[187]

물었다. "(『통서』에서) 신묘함을 말한 것이 다섯 번인데,[188] 그 뜻이 같습니까?"

(주자가) 대답했다. "마땅히 문맥에 따라 보아야 한다."

184 『禮記』「孔子閒居」

185 『中庸』 제21장 "誠으로부터 밝아지는 것을 性이라고 한다. 밝음[明]으로부터 성한 것을 가르침이라고 이르니, 성하면 밝아지고, 밝아지면 성해진다.(自誠明, 謂之性. 自明誠, 謂之敎, 誠則明矣, 明則誠矣.)"

186 『中庸』 第24章

187 『朱子語類』 권94, 155조목의 내용 가운데 일부이다. 물었다. "『通書』에서 신묘함을 말한 것이 다섯 번인데, 3장과 4장과 9장과 11장과 16장이다. 그 뜻이 같습니까?" 대답했다. "마땅히 문맥에 따라 보아야 한다." 물었다. "神은 다만 오묘함으로 말한 것입니까?" 대답했다. "그렇다. 또 '감지하여 마침내 통하는 것은 신묘함이다.'라고 말했고, 횡거(張載)는 '하나이기 때문에 신묘하고, 둘이 있기 때문에 헤아리지 못한다.'라고 했다." 이어서 造化를 가리키어 말하기를 "갑자기 여기에 있다가 또 갑자기 저기에 있는 것이 바로 신묘함이다."라고 말했다. 물었다. "사람에 해당하는 것으로 말하면 어떻습니까?" 대답했다. "지각이 바로 신묘함이니, 그 손을 부딪치면 손이 아픔을 느끼고, 그 발을 부딪치면 발이 아픔을 느끼는 것이 바로 신묘함이다. '신묘함이 반응하기 때문에 오묘해진다.'(問: "『通書』言神者五, 三章 · 四章 · 九章 · 十一章 · 十六章. 其義同否?" 曰: "當隨所在看." 曰: "神, 只是以妙言之否?" 曰: "是. 且說'感而遂通者, 神也', 橫渠謂: '一故神, 兩在故不測.'" 因指造化而言曰: "忽然在這裏, 又忽然在那裏, 便是神." 曰: "在人言之, 則如何?" 曰: "知覺便是神. 觸其手則手知痛, 觸其足則足知痛, 便是神. '神應故妙.')"

188 『通書』에서 … 다섯번인데 : 三章(發微不可見, 充周不可窮之謂神), 四章(誠 · 神 · 幾曰聖人), 九章(無思, 誠也. 思通, 神也. 所謂誠 · 神 · 幾曰聖人也), 十一章(天道行而萬物順. 聖德修而萬民化. 大順大化, 不見其迹, 莫知其然之謂神), 十六章(動而無動, 靜而無靜, 神也) 이다.

물었다. "신神은 다만 오묘함으로 말한 것입니까?"
(주자가) 대답했다. "그렇다. 또 '감지하여 마침내 통하는 것은 신묘함이다.'라고 말했고, 횡거張載는 '하나이기 때문에 신묘하고, 둘이 있기 때문에 헤아리지 못한다.'[189]라고 했다. 이어서 조화造化를 가리키어 말하기를 '갑자기 여기에 있다가 또 갑자기 저기에 있는 것이 바로 신묘함이다.'[190]라고 말했다."
물었다. "사람에 해당하는 것으로 말하면 어떻습니까?"
(주자가) 대답했다. "지각이 바로 신묘함이니, 그 손을 부딪치면 손이 아픔을 느끼고, 그 발을 부딪치면 발이 아픔을 느끼는 것은 바로 '신묘함이 반응하기 때문에 오묘해진다.'라고 하는 것이다."

[2-4-3-3]

節齋蔡氏曰:"誠, 寂也, 靜也, 而具動靜之理. 神, 感也, 動也, 而妙動靜之機. 蓋誠爲神本, 神爲誠用, 本不動而用動, 故誠則靜意多, 神則動意多. 要其實, 則各兼動靜陰陽也. 幾者, 誠將發而爲神之始也, 在靜無動有之間. 雖動而微, 亦未可見, 實爲神之端也."

절재 채씨[蔡淵][191]가 말했다. "성誠은 적막함이고 고요함이지만, 움직임과 고요함의 리理를 갖추고 있다. 신묘함은 감지하는 것이고 움직임이지만, 움직임과 고요함의 기틀을 오묘하게 한다. 성誠은 신묘함의 근본이 되고, 신묘함은 성誠의 작용이 되는데, 근본은 움직이지 않지만 작용이 움직이므로 성誠에는 고요함의 뜻이 많고, 신묘함에는 움직임의 뜻이 많다. 요컨대 사실은 각각 움직임·고요함과 음·양을 겸한다. 낌새는 성誠이 장차 발현하여 신묘함의 시작이 되고, 고요할 때에는 없고 움직일 때에는 있는 것 사이에 있다. 비록 움직이더라도 은미하여 또한 볼 수 없는 것은 참으로 신묘함의 단서가 된다."

愼動 第五 제5 움직임을 삼감

[2-5-1]

動而正曰道.

움직이되 바른 것을 도라고 한다.

189 장재 『正蒙』「參兩篇」
190 장재의 원문에는 이와 같은 직접적인 글이 없고, 이러한 내용을 유추할 수 있는 다음과 같은 글이 있다. 『正蒙』「太和篇」, "그러므로 사랑과 미움의 정은 태허에서 함께 나오지만, 갑자기 물욕에 빠지면 갑자기 생겨났다가 홀연히 이루어지니, 잠깐 동안이라도 허용하지 않는 것이 그 신묘함이겠구나!(故愛惡之情同出於太虛, 而卒歸於物欲, 倏而生, 忽而成, 不容有毫髮之間, 其神矣夫!)"
191 蔡淵(1156~1236): 자는 伯靜이고, 호는 節齋이다. 채원정의 아들로서 부친의 뜻을 이어 주경야독하였다. 특히 『역』에 조예가 깊어 그에 관한 저술이 많다. 저서는 『周易訓解』·『易象意言』·『卦爻辭旨』 등이 있다.

[2-5-1-0]

動之所以正, 以其合乎衆所共由之道也.

움직임이 바른 까닭은 대중이 함께 가는 도에 부합하기 때문이다.

[2-5-2]

用而和曰德.

작용하되 어울린 것을 덕이라고 한다.

[2-5-2-0]

用之所以和, 以其得道於身而無所待於外也.

작용이 어울린 까닭은 몸에 도를 얻어서 밖에 의지하는 것이 없기 때문이다.

[2-5-2-1]

朱子曰 : "'動而正曰道', 言動而必正曰道, 否則非也. '用而和曰德', 德有熟而不喫力之意."[192]

주자가 말했다. "'움직이되 바른 것을 도라고 한다.'라는 것은 움직이되 반드시 바른 것을 도라고 하고, 그렇지 않으면 도가 아님을 말한다. '작용하되 어울린 것을 덕이라고 한다.'라는 것은 덕에는 익숙하여 힘들이지 않는다는 뜻이 있다."

[2-5-2-2]

問 : "動而不正, 不可謂道; 用而不和, 不可謂德."

曰 : "此兩句, 緊要在正字和字上."[193]

물었다. "움직이되 바르지 않은 것을 도라고 할 수 없고, 작용하되 어울리지 않는 것을 덕이라고 할 수 없다"는 것을 묻습니다.

(주자가) 대답했다. "이 두 구절은 요점이 바름[正]과 어울림[和]에 있다."

[2-5-2-3]

問 : "'動而正曰道', '用而和曰德', 却是自動用言. '曰'者, 猶言合也. 若看做道德題目, 却難通."

曰 : "然. 是自人身上說."[194]

물었다. "'움직이되 바른 것을 도라고 한다.'라는 것과 '작용하되 어울린 것을 덕이라고 한다.'라는 것은 바로 움직임과 사용함으로부터 말한 것입니다. '왈曰'은 부합한다는 말과 같습니다. 만약 도道와

192 『朱子語類』 권94, 164조목

193 『朱文公集』 권42 「答石子重」

194 『朱子語類』 권94, 163조목

덕德의 문제로 본다면 오히려 통하기가 어려울 듯합니다."
(주자가) 대답했다. "그렇다. 이것은 인간의 몸의 측면으로부터 말한 것이다."

[2-5-2-4]

"正是理, 動而得其正理, 便是道. 若動而不正, 便不是道. 和亦只是順理. 用而和順, 便是得此理於身. 若用而不和順, 則不得此理於身. 故下云'匪仁匪義匪禮匪智匪信, 悉邪也.' 只是此理, 故又曰'君子愼動.'"[195]

(주자가 말했다.) "바름은 리理이니, 움직이되 그 바른 리理를 얻는 것이 바로 도이다. 만약 움직이더라도 바르지 않다면 도가 아니다. 어울림은 또한 다만 리理를 따르는 것이다. 작용하되 어울리고 순하면 바로 몸에서 이 리理를 얻을 것이다. 만약 사용하더라도 어울리거나 순하지 않다면 몸에서 이 리理를 얻지 못할 것이다. 그러므로 아래에서 '인仁이 아니고, 의義가 아니며, 예禮가 아니고, 지智가 아니며 신信이 아닌 것은 모두 사특함이다.'라고 했다. 다만 이 리理이기 때문에, 또 '군자는 움직임을 삼간다.'라고 했다."

[2-5-3]

匪仁, 匪義, 匪禮, 匪智, 匪信, 悉邪矣.

인仁이 아니고, 의義가 아니며, 예禮가 아니고, 지智가 아니며, 신信이 아닌 것은 다 사특함이다.

[2-5-3-0]

所謂道者, 五常而已, 非此, 則其動也邪矣.

이른바 도란 오상일 뿐이니, 이것이 아니면 그 움직임이 사특하다.

[2-5-4]

邪動, 辱也. 甚焉, 害也.

사특하게 움직이면 욕된다. 심하면 해롭다.

195 『朱子語類』 권95, 24조목의 내용 가운데 일부이다. 직경이 또 말했다. "다만 덕은 또 체와 용을 겸한 것으로부터 말했습니다. 가령 『通書』에서는 다음과 같이 말했습니다. '움직이더라도 바른 것을 도라고 하고, 작용하되 어울리는 것을 덕이라고 한다.'" 대답했다. "바름은 理이니 비록 움직이되 그 바른 理를 얻는 것이 바로 도이고, 만약 움직이더라도 바르지 않다면 도가 아니다. 어울림은 또한 다만 理를 따르는 것인데, 작용하되 어울리고 순하면 바로 몸에서 이 理를 얻을 것이고, 만약 작용하더라도 어울리거나 순하지 않다면 이 理를 몸에서 얻지 못할 것이다. 그러므로 아래에서 '仁이 아니고, 義가 아니며, 禮가 아니고, 智가 아니며 信이 아닌 것은 모두 사특함이다.'라고 했다. 다만 이 理이기 때문에, 또 '군자는 움직임을 삼간다.'라고 했다.(直卿又云: "只是德又自兼體·用言. 如『通書』云: '動而正曰道, 用而和曰德.'" 曰: "正是理, 雖動而得其正理, 便是道; 若動而不正, 則不是道. 和亦只是順理, 用而和順, 便是得此理於身; 若用而不和順, 則此理不得於身. 故下云: '匪仁, 匪義, 匪禮, 匪智, 匪信, 悉邪也.' 只是此理. 故又云: '君子愼動.')"

[2-5-4-0]

無得於道, 則其用不和矣.

도를 얻지 못하면 그 작용이 어울리지 않을 것이다.

[2-5-5]

故君子愼動.

그러므로 군자는 움직임을 삼간다.

[2-5-5-0]

動必以正, 則和在其中矣.

움직임을 반드시 바르게 하면 어울림은 그 속에 있다.

[2-5-5-1]

問 : "'動而正曰道, 用而和曰德', '匪仁, 匪義, 匪禮, 匪智, 匪信, 悉邪也', 以『太極圖』配之, 五常配五行, 則道德配陰陽, 德陰而道陽也."

朱子曰 : "亦有此理."[196]

물었다. "'움직이되 바른 것을 도라고 하고, 작용하되 어울린 것을 덕이라고 한다.'라는 것과 '인仁이 아니고, 의義가 아니며, 예禮가 아니고, 지智가 아니며, 신信이 아닌 것은 다 사특하다.'라는 것을 『태극도』를 가지고 배당하면 오상은 오행에 짝이 되니, 도와 덕은 음과 양에 짝이 되어 덕은 음이 되고 도는 양이 됩니다."

주자가 대답했다. "또한 일리가 있다."

[2-5-5-2]

勉齋黃氏曰 : "'主靜, 審幾, 愼動', 三者循環, 與孟子'夜氣平旦之氣旦晝所爲'相似."

면재 황씨[黃榦]가 말했다. "'고요함을 주로 하고, 낌새를 살피며, 움직임을 삼간다.'라는 세 가지가 순환하는 것은 맹자의 '밤의 기운, 새벽의 기운, 한낮의 하는 일'[197]과 서로 비슷하다."

196 『朱文公集』 권51 「答萬正淳」

197 『孟子』「告子上」, "우산의 나무가 일찍이 아름다웠는데, 큰 나라의 교외에 있기 때문에 자귀와 도끼로 베니, 아름답게 될 수 있겠는가? 그날 밤에 자라나는 것과 비와 이슬이 적셔주는 것에 의해 싹이 나오지 않음이 없지만, 소와 양이 또 따라서 뜯어 먹으니 저와 같이 민둥민둥해졌다. 사람들이 그 민둥민둥한 것만을 보고 일찍이 재목이 된 적이 없다고 여기니, 이것이 어찌 산의 성질이겠는가? 비록 사람에게 보존된 것이라고 할지라도, 어찌 인의의 마음이 없겠는가? 그 양심을 놓아버린 것은 또한 자귀와 도끼가 나무에 대해 아침마다 벤 것과 같으니, 아름다워질 수 있겠는가? 밤에 자라나는 것과 아침의 맑은 기운에 좋아하고 미워함이 사람들과 서로 가까운 것이 아주 조금인데, 낮에 하는 것이 속박하여 잃어버림이 있으니, 반복적으로 본성을 속박한다면 밤의 기운이 보존될 수 없다. 밤의 기운이 보존되지 못하면 짐승으로부터 거리가 멀어지지 않는

[2-5-5-3]

節齋蔡氏曰 : “道即太極流行之道; 德即五性之德. 動而正, 即前所謂幾也. 用而和, 即後所謂中節也.”

절재 채씨蔡淵가 말했다. “도는 바로 태극이 유행하는 도이고, 덕은 바로 오성의 덕이다. 움직이되 바른 것은 바로 앞에서 말한 낌새이다. 작용하되 어울린 것은 바로 뒤에서 말한 절도에 맞는다는 것이다.”

道 第六 제6 도

[2-6-1]

聖人之道, 仁義中正而已矣.

성인의 도는 인仁·의義·중中·정正일 뿐이다.

[2-6-1-0]

中即禮, 正即智, 『圖解』備矣.

중中은 바로 예禮이고, 정正은 바로 지智이니, 『태극도설해』에 갖추어졌다.

[2-6-2]

守之貴.

지키는 것이 귀하다.

[2-6-2-0]

天德在我, 何貴如之?

천덕이 나에게 있으니, 어떤 귀한 것이 이와 같겠는가?

[2-6-3]

行之利.

다. 사람들이 짐승 같음을 보고 일찍이 재능이 있은 적이 없다고 하니, 이것이 어찌 사람의 실정이겠는가?(孟子曰牛山之木嘗美矣, 以其郊於大國也, 斧斤伐之, 可以爲美乎? 是其日夜之所息, 雨露之所潤, 非無萌蘖之生焉, 牛羊又從而牧之, 是以若彼濯濯也. 人見其濯濯也, 以爲未嘗有材焉, 此豈山之性也哉? 雖存乎人者, 豈無仁義之心哉? 其所以放其良心者, 亦猶斧斤之於木也, 旦旦而伐之, 可以爲美乎? 其日夜之所息, 平旦之氣, 其好惡與人相近也者幾希, 則其旦晝之所爲, 有梏亡之矣. 梏之反覆, 則其夜氣不足以存. 夜氣不足以存, 則其違禽獸不遠矣. 人見其禽獸也, 而以爲未嘗有才焉者, 是豈人之情也哉?)”

행하는 것이 이롭다.

[2-6-3-0]

順理而行, 何往不利?

리理대로 행하니, 어디에 간들 이롭지 않겠는가?

[2-6-4]

廓之配天地.

확충하는 것이 천지에 짝하는 것이다.

[2-6-4-0]

充其本然並立之全體而已矣.

그 본연의 (천지와) 병립한 전체를 확충할 뿐이다.

[2-6-5]

豈不易簡, 豈爲難知?

어찌 쉽고 간단하지 않겠으며, 어찌 알기가 어렵겠는가?

[2-6-5-0]

道體本然, 故易簡. 人所固有, 故易知.

도체가 본래 그러하므로 쉽고 간단하다. 사람이 본래부터 가지고 있으므로 알기가 쉽다.

[2-6-6]

不守不行不廓耳.

지키지 않고, 행하지 않으며, 넓히지 않을 뿐이다.

[2-6-6-0]

言爲之則是, 而嘆學者自失其幾也.

하면 되는데, 배우는 사람이 스스로 그 낌새를 잃는 것을 탄식하는 말이다.

師 第七 제7 스승

[2-7-1]

或問曰: "曷爲天下善?"

曰：“師.”

曰：“何謂也?”

曰：“性者，剛柔善惡中而已矣.”

어떤 사람이 물었다. “무엇이 세상의 선입니까?”

주돈이가 대답했다. “스승[師]이다.”

물었다. “무슨 말입니까?”

주돈이가 대답했다. “성性은 강선剛善, 유선柔善, 강악剛惡, 유악柔惡, 중中일 뿐이다.”

[2-7-1-0]

此所謂性，以氣稟而言也.

여기에서 말하는 성은 기품으로 말한 것이다.

[2-7-1-1]

問：“性者剛柔善惡中而已.”

朱子曰：“此性便是言氣質之性. 四者之中，去却剛惡柔惡，却於剛柔二善中擇中而主焉.[198]

물었다. “성性은 강선剛善, 유선柔善, 강악剛惡, 유악柔惡, 중中일 뿐이라는 것을 묻습니다.”

주자가 대답했다. “이 성은 바로 기질의 성을 말한다. 네 가지 가운데 강악剛惡과 유악柔惡을 제거하고, 강선剛善과 유선柔善 속에서 중을 택하여 주된 것으로 삼는다.”

[2-7-1-2]

太極之數，自一而二，剛柔也；自一(二)而四，剛善剛惡柔善柔惡也. 遂加其一，中也，以爲五行.[199]

태극의 수는 하나부터 둘로 나누어지니 강과 유이고, 둘부터 넷으로 나누어지니 강선剛善, 강악剛惡, 유선柔善, 유악柔惡이다. 마침내 그 하나를 첨가한 것이 중中이니 오행이 된다.[200]

198 『朱子語類』 권94, 166조목의 내용 가운데 일부이다. 물었다. “性은 剛善, 柔善, 剛惡, 柔惡, 中일 뿐입니다.” 대답했다. “이 성은 바로 기질의 성을 말한다. 네 가지 가운데 두 剛惡과 柔惡을 제거하고, 오히려 또 두 剛善과 柔善 속에서 중을 택하여 주된 것으로 삼는다. (지는 ‘정립’이라고 했다.)”(問“性者, 剛柔善惡中而已.” 曰：“此性便是言氣質之性. 四者之中, 去卻兩件剛惡·柔惡, 卻又剛柔二善中, 擇中而主(池作“立”)焉.”)

199 『朱文公集』 권46 「答黃直卿」의 내용 가운데 일부이다. “태극의 수는 또한 하나로부터 둘(강, 유)로 나누어지고, 둘로부터 넷(강선, 강악, 유선, 유악)으로 나누어지며, 마침내 그 하나(중)를 더하여, 오행이 된다.(太極之數, 亦自一而二(剛柔也), 自二而四(剛善剛惡, 柔善柔惡也), 遂加其一(中也), 以爲五行.)”

200 『性理大全』의 이 글은 이 글의 원천인 『朱文公集』 권46, 「答黃直卿」의 내용과 차이가 있다. 특히 ‘剛柔’, ‘二’, ‘剛善剛惡, 柔善柔惡也’, ‘中’ 등에서 차이가 있다. 『朱文公集』에서는 ‘剛柔’, ‘剛善剛惡, 柔善柔惡也’, ‘中’ 등을 ( ) 안에 배정하여 문맥을 바르게 이해하는데 많은 도움을 주고 있다. 그러나 『性理大全』의 판본에 의해도 뜻은 전달되기에 『性理大全』 판본대로 번역하였다. 다만 ‘自一而四’의 내용은 『朱文公集』에서 지적한

[2-7-1-3]

"所謂'天命之謂性'者, 是就人身中指出這箇是天命之性, 不雜氣禀者而言爾. 若纔說性時, 便是夾氣禀而言. 所以程子云'纔說性時, 便已不是性也.' 濂溪說'性者剛柔善惡中而已矣.' 濂溪說性只是此五者. 他又自有說仁·義·禮·智底性時, 若論氣禀之性, 則不出五者. 然氣禀底性, 便只是那四端底性, 非別有一種性也. 所謂'剛柔善惡中'者, 天下之性固不出此五者. 然細推之, 極多般樣, 千般百種, 不可窮究, 但不離此五者爾."[201]

(주자가 말했다.) "이른바 '천명을 성이라고 한다.'라는 것은 인간의 몸에 나아가 이것은 천명의 성性이며 기품과 섞지 않은 것을 지적하여 말했을 뿐이다. 만약 비로소 성을 말할 때라면 바로 기품을 끼고 말한 것이다. 따라서 정자程子는 '성을 말했을 때라면 이미 성이 아니다.'[202]라고 했다. 염계는 '성性은 강선剛善, 유선柔善, 강악剛惡, 유악柔惡, 중中일 뿐이다.'라고 했다. 염계가 성을 말한 것은 다만 이 다섯 가지일 뿐이다. 그는 또 본래 인·의·예·지의 성을 말할 때가 있는데, 만약에 기품의 성을 논한다면 (이것은) 다섯 가지에서 벗어나지 않는다. 그러나 기품의 성은 다만 그 사단四端의 성이지, 별도로 다른 성이 있는 것은 아니다. 이른바 '강선剛善, 유선柔善, 강악剛惡, 유악柔惡, 중中'이란 세상 사람들의 성이 진실로 이 다섯 가지에서 벗어나지 않는다는 것이다. 그러나 세밀하게 살피면 매우 다양하여 백 가지 천 가지를 다 궁구할 수는 없지만, 이 다섯 가지를 떠나지 않을 뿐이다."

[2-7-1-4]

問 : "濂溪論性自氣禀言, 却是上面已說'太極'·'誠'不妨. 如孔子云'性相近習相遠', 不成是不識. 如荀楊(揚)便不可."

曰 : "然. 他已說'純粹至善.'"[203]

것과 같이, '自二而四'로 表記하는 것이 타당하다고 생각하여, '둘로부터 넷으로 나누어지니'로 번역하였다.

201 『朱子語類』 권95, 53조목의 내용 가운데 일부이다. "이른바 '천명을 성이라고 한다.'라는 것은 인간의 몸에 나아가 이것은 천명의 性이며 기품과 섞지 않은 것을 지적하여 말했을 뿐이다. 만약 비로소 성을 말할 때라면 바로 기품을 끼고 말하는 것이기 때문에 때를 말하면 이미 성이 아니다. 濂溪는 "性은 剛善, 柔善, 剛惡, 柔惡, 中일 뿐이다."라고 했다. 濂溪가 성을 말한 것은 다만 이 다섯 가지일 뿐이다. 그는 또 본래 인·의·예·지의 성을 말할 때가 있는데, 만약에 기품의 성을 논한다면 (이것은) 다섯 가지에서 벗어나지 않는다. 그러나 기품의 성은 다만 그 四端(인·의·예·지의 단서)의 성이지, 별도로 다른 성이 있는 것은 아니다. 그러니 이른바 "剛善, 柔善, 剛惡, 柔惡, 中"이란 세상 사람들의 성이 진실로 이 다섯 가지에서 벗어나지 않는다는 것이다. 그러나 세밀하게 살피면 매우 다양하여 백 가지 천 가지를 다 궁구할 수는 없지만, 이 다섯 가지를 떠나지 않을 뿐이다."(所謂"天命之謂性"者, 是就人身中指出這箇是天命之性, 不雜氣稟者而言爾. 若才說性時, 則便是夾氣稟而言, 所以說時, 便已不是性也. 濂溪說: "性者, 剛柔善惡中而已矣." 濂溪說性, 只是此五者. 他又自有說仁義禮智底性時. 若論氣稟之性, 則不出此五者. 然氣稟底性, 便是那四端底性, 非別有一種性也. 然所謂"剛柔善惡中"者, 天下之性固不出此五者. 然細推之, 極多般樣, 千般百種, 不可窮究, 但不離此五者爾.)

202 『二程遺書』 권1 「端伯傳師說」

203 『朱子語類』 권94, 123조목에는 '楊'이 '揚'으로 되어 있다. '揚'이라야 '양웅'을 의미한다.

물었다. "염계가 성을 논할 때에 기품으로부터 말했지만, 오히려 위에서 이미 '태극'과 '성誠'을 말했으니, 해롭지 않습니다. 공자의 '성은 서로 가까운데 익히는 것에 따라 서로 멀어진다.'[204]라고 한 말과 같으니, 알지 못한다고 해서는 안 됩니다. 순자와 양웅 같은 경우는 옳지 않습니다."
(주자가) 대답했다. "그렇다. 그는 이미 '순수하고 지극히 선하다.'[205]라고 말했다."

[2-7-1-5]

"人之氣禀有偏，而所見亦不同．如氣禀剛底人，則見事剛處多，而處事失之太剛．柔底人，見事柔處多，而處事失之太柔．須先克治氣禀偏處．"[206]

(주자가 말했다) "사람의 기품에는 치우침이 있기에 소견 또한 같지 않다. 예컨대 기품이 강한 사람은 일을 볼 때에 강한 곳이 많고, 일을 처리할 때에도 너무 강해서 잘못한다. 부드러운 사람은 일을 볼 때에 부드러운 곳이 많고, 일을 처리할 때에도 너무 부드러워서 잘못한다. 반드시 먼저 기품의 치우친 곳을 다스릴 수 있어야 한다."

[2-7-1-6]

問："惡是氣禀，如何云'亦不可不謂之性'?"

曰："旣是氣禀惡，便牽引那性不好．蓋性只是搭附在氣禀上．"[207]

204 『論語』「陽貨」

205 『通書』「성상편」

206 『朱子語類』 권13, 30조목의 내용 가운데 일부이다. "그러나 사람의 기품에는 치우침이 있기에 소견 또한 자주 같지 않다. 예컨대 기품이 강한 사람은 일을 볼 때에 강한 곳이 많고, 일을 처리할 때에도 반드시 너무 강해서 잘못하고, 부드러운 사람은 일을 볼 때에 부드러운 곳이 많고, 일을 처리할 때에도 반드시 너무 부드러워서 잘못한다. 반드시 먼저 기품의 치우친 곳을 다스릴 수 있어야 한다.(然人之氣稟有偏, 所見亦往往不同. 如氣稟剛底人, 則見剛處多, 而處事必失之太剛; 柔底人, 則見柔處多, 而處事必失之太柔. 須先就氣稟偏處克治.)"

207 『朱子語類』 권95, 42조목의 내용 가운데 일부이다. 물었다. "'악 또한 성이라고 이르지 않을 수 없다.'라는 것은 선생께서 옛날에 程顥가 다음과 같이 성설을 논한 것을 말한 것입니다. '기가 악한 경우, 그 성 또한 선하지 않음이 없기 때문에 악 또한 성이라고 이르지 않을 수 없다.' 程顥는 또 말했다. '선악은 다 천리이다. 악이라고 이르는 것은 본래 악이 아니니, 다만 혹 지나치거나 혹 미치지 못하는 것이 바로 이와 같이 된다. 세상에서 성 이외의 것은 없으며, 본래는 다 선이지만 악으로 흐를 뿐이다.' 이와 같다면 악은 오로지 기품이고, 성의 일과는 관계가 없는데, 왜 악은 또한 性이라고 이르지 않을 수 없다고 말합니까?" 대답했다. "이미 기품이 악하여 그 성을 끌어당겨 좋지 않게 한다. 성은 다만 기품에 실려 있으니, 이미 기품이 좋지 않으면 그 성도 무너진 것이다. 따라서 흐림 또한 물이라고 이르지 않을 수 없다. 물은 본래 맑지만, 사람들이 어지럽게 하므로 흐려진다."(問: "'惡亦不可不謂之性', 先生舊做明道論性說云: '氣之惡者, 其性亦無不善, 故惡亦不可不謂之性.' 明道又云: '善惡皆天理. 謂之惡者, 本非惡, 但或過或不及, 便如此. 蓋天下無性外之物, 本皆善而流於惡耳.' 如此, 則惡專是氣稟, 不干性事, 如何說惡亦不可不謂之性?" 曰: "旣是氣稟惡, 便也牽引得那性不好. 蓋性只是搭附在氣稟上, 旣是氣稟不好, 便和那性壞了. 所以說濁亦不可不謂之水. 水本是淸, 卻因人撓之, 故濁也.")

물었다. "악은 기품인데, 왜 '또한 성性이라고 이르지 않을 수 없다.'라고 합니까?"
(주자가) 대답했다. "이미 기품이 악하면 그 성을 끌어당겨 좋지 않게 한다. 성이 다만 기품에 실려 있기 때문이다."

[2-7-1-7]

"性只是理, 然無那天地氣質, 則此理沒安頓處. 但得氣之淸明, 則不蔽固, 此理順發出來. 蔽固少者, 發出來天理勝; 蔽固多者, 則私欲勝. 便見得本原之性無有不善, 只被氣質來昏濁則隔了. '學以反之, 則天地之性存矣.' 故說性須兼氣質方備."[208]

(주자가 말했다.) "성性은 다만 리理이지만, 그 천지로부터 받은 기질이 없으면 이 리가 놓일 곳이 없다. 그러나 청명淸明한 기를 얻으면 가려지거나 막히지 않아, 이 리가 순하게 드러난다. 가려지거나 막힘이 적은 사람은 드러날 때에 천리가 이기고, 가려지거나 막힘이 많은 사람은 사욕이 이긴다. 이에 본원의 성이 선하지 않음이 없으나, 다만 기질이 혼탁해지면 막히게 된다는 것을 알 수 있다. '배워서 그것을 돌이키면 천지의 성이 보존된다.' 그러므로 성을 말할 때에는 반드시 기질을 겸해야 비로소 갖추어질 수 있다."

[2-7-1-8]

"論天地之性, 則專指理而言; 論氣質之性, 則以理與氣雜而言之."[209]

(주자가 말했다.) "천지의 성을 논할 때에는 리만을 가리켜 말하고, 기질의 성을 논할 때에는 리와 기를 섞어서 말한 것이다."

[2-7-1-9]

問: "天地之性旣善, 則氣稟之性如何不善?"

曰: "理固無不善, 纔賦於氣質, 便有淸濁·偏正·剛柔·緩急之不同. 蓋氣强而理弱, 管攝他不得."[210]

208 『朱子語類』 권4, 43조목의 내용 가운데 일부이다. "性은 다만 理이다. 그러나 그 하늘의 기와 땅의 질이 없으면 이 리가 놓일 곳이 없다. 그러나 淸明한 기를 얻으면 가려지거나 막히지 않아, 이 리가 순하게 드러난다. 가려지거나 막힘이 적은 사람은 드러날 때에 천리가 이기고, 가려지거나 막힘이 많은 사람은 사욕이 이기니, 본원의 성이 선하지 않음이 없다는 것을 볼 수 있다. 맹자가 말하는 性善, 주자周子가 말하는 純粹至善, 정자가 말하는 성의 근본, 근본을 돌이켜 근원을 궁구하는[反本窮源] 性이 이것이다. 다만 기질이 혼탁해지면 막히기 때문에 '기질의 성은 군자가 본성으로 여기지 않는다. 배움을 가지고 그것을 돌이키면 천지의 성이 보존된다.'라고 한다. 그러므로 성을 말할 때에는 반드시 기질을 겸해서 말해야 비로소 갖추어질 수 있다.(性只是理. 然無那天氣地質, 則此理沒安頓處. 但得氣之淸明則不蔽錮, 此理順發出來. 蔽錮少者, 發出來天理勝; 蔽錮多者, 則私欲勝, 便見得本原之性無有不善. 孟子所謂性善, 周子所謂純粹至善, 程子所謂性之本, 與夫反本窮源之性, 是也. 只被氣質有昏濁, 則隔了, 故'氣質之性, 君子有弗性者焉. 學以反之, 則天地之性存矣.' 故說性, 須兼氣質說方備.)"

209 『朱子語類』 권4, 46조목

물었다. “천지의 성이 이미 선하다면 기품의 성은 왜 선하지 않습니까?”
(주자가) 대답했다. “리는 본디 선하지 않음이 없으나, 막 기질을 부여받을 때에 맑음과 탁함·치우침과 바름·강함과 부드러움·느림과 급함 등의 다름이 있다. 기는 강하고 리는 약하여, (理가) 그것[氣]을 통솔할 수 없다.”

[2-7-1-10]

“天地間只有一箇道理, 性便是理. 人之所以有善有惡, 只緣氣質之稟各有淸濁.”[211]
(주자가 말했다.) “천지 사이에는 다만 하나의 도리가 있을 뿐인데, 성이 바로 도리이다. 사람이 선을 갖고 있고 악을 갖고 있는 까닭은 다만 받은 기질이 각각 맑음과 탁함을 갖고 있기 때문이다.”

[2-7-1-11]

問: “氣質之性.”
曰: “性譬之水, 本皆淸也, 以淨器盛之則淸, 以汚濁之器盛之則臭濁, 然本然之淸未嘗不在. 但旣臭濁, 卒乍也難得他便淸. 故‘雖愚必明, 雖柔必强’, 也煞用氣力, 然後可至此.”[212]
물었다. “기질의 성에 대해 묻습니다.”
(주자가) 대답했다. “성을 물로 비유하면 본래 다 맑아서 깨끗한 그릇에 담으면 맑고, 더럽고 흐린 그릇에 담으면 냄새나고 흐리지만, 본래 그러한 맑음은 있지 않은 적이 없다. 그러나 이미 냄새나고 흐리면 갑자기 그것을 맑게 하기가 어렵다. 그러므로 ‘비록 어리석더라도 반드시 밝아지고, 비록 유약하더라도 반드시 강해진다.’[213]라고 하는 것 또한 기력을 다 쓴 후에야 여기에 이를 수 있다.”

[2-7-1-12]

問: “形而後有氣質之性, 其所以有善惡之不同, 何也?”
勉齋黃氏曰: “氣有偏正, 則所受之理隨而偏正. 氣有昏明, 則所受之理隨而昏明. 木之氣盛, 則金之氣衰, 故仁常多而義常少. 金之氣盛, 則木之氣衰, 故義常多而仁常少. 若此者, 氣質之性有善惡也.”

210 『朱子語類』 권4, 64조목에는 ‘理管攝’이 ‘理가 그것[氣]을 통솔할 수 없다.’(‘理管攝他不得’)로 되어 있다.
211 『朱子語類』 권4, 50조목
212 『朱子語類』 권4, 66조목의 내용 가운데 일부이다. 선생께서 기질의 성을 말씀하셨습니다. 대답했다. “성을 물로 비유하면 본래 다 맑다. 깨끗한 그릇에 담으면 맑고, 깨끗하지 않은 그릇에 담으면 냄새나며, 더러운 그릇에 담으면 흐리다. 본래 그러한 맑음은 있지 않은 적이 없다. 그러나 이미 냄새나고 흐리면 갑자기 그것을 맑게 하기가 어렵다. 그러므로 ‘비록 어리석더라도 반드시 밝아지고, 비록 부드럽더라도 반드시 강해진다.’라고 하는 것 또한 기력을 다 쓴 후에야 여기에 이를 수 있다.”(先生言氣質之性. 曰: “性譬之水, 本皆淸也. 以淨器盛之, 則淸; 以不淨之器盛之, 則臭; 以汙泥之器盛之, 則濁. 本然之淸, 未嘗不在. 但旣臭濁, 猝難得便淸. 故‘雖愚必明, 雖柔必强’, 也煞用氣力, 然後能至.”)
213 『中庸』 제20장

물었다. "형상을 갖춘 후에 기질의 성이 있는데, 그것에 선과 악의 다름이 있는 까닭은 무엇 때문입니까?"
면재 황씨[黃榦]가 대답했다. "기氣에는 치우침과 바름이 있으니, 받은 리理가 그것에 따라 치우치거나 바르게 된다. 기에는 어두움과 밝음이 있으니, 받은 리가 그것에 따라 어둡거나 밝게 된다. 목木의 기가 왕성하면 금金의 기가 쇠약해지므로 인仁은 항상 많으나 의義는 항상 적다. 금金의 기가 왕성하면 목木의 기가 쇠약해지므로 의는 항상 많으나 인은 항상 적다. 이와 같은 것은 기질의 성에 선과 악이 있기 때문이다."

曰 : "旣言氣質之性有善惡, 則不復有天地之性矣. 子思子又有未發之中, 何也?"
曰 : "性固爲氣質所雜矣. 然方其未發也, 此心湛然, 物欲不生, 則氣雖偏而理自正, 氣雖昏而理自明, 氣雖有贏乏而理則無勝負. 及其感物而動, 則或氣動而理隨之, 或理動而氣挾之, 由是至善之性聽命於氣, 善惡由之而判矣. 此未發之前, 天地之性純粹至善, 而子思之所謂中也. 記曰'人生而靜, 天之性也', 程子曰'其本也眞而靜, 其未發也五性具焉.' 則理固有寂感, 而靜則其本也, 動則有萬變之不同焉. 愚嘗以是質之先師矣, 答曰 未發之前, 氣不用事, 所以有善而無惡', 至哉此言也."
물었다. "이미 기질의 성에 선과 악이 있다고 말하였으니, 다시 천지의 성이 있지 않습니다. 자사가 또 미발未發의 중이 있다고 한 것은 왜입니까?"
대답했다. "성은 본디 기질이 섞여 있는 것이다. 그러나 그것이 미발인 경우에 이 마음이 깊고 고요하여 물욕物欲이 생겨나지 않으니, 기는 비록 치우치더라도 리는 본래 바르고, 기는 비록 어두워지더라도 리는 본래 밝으며, 기는 비록 남거나 모자람이 있을지라도 리는 강성해지거나 쇠락함이 없다. 그것이 사물에 감지되어 움직임에 이르면 어떤 경우에는 기가 움직일 때 리가 따르고, 어떤 경우에는 리가 움직일 때 기가 부축하니, 이로부터 지극히 선한 성은 기에게서 명命을 따르고, 선과 악은 그것으로 말미암아 갈라진다. 이 미발의 전에는 천지의 성이 순수하고 지극한 선이며 자사가 말하는 중中이다. 『예기』에 '사람이 생겨나서 고요한 때가 천의 성이다.'[214]라고 말했고, 정자程子는 '그 근본은 참이며 고요함이니, 그것이 미발일 때에는 오성五性이 거기에 갖추어져 있다.'[215]라고 말했다. 그렇다면 리는 본디 고요함과 감지가 있지만, 고요함은 그것의 근본이고, 움직일 때에는 온갖 변화의 다름이 있다. 내가 일찍이 이것을 스승님[朱熹]에게 질문했었는데, '아직 발현하기 전에는 기가 일을 하지 않기 때문에 선은 있지만 악이 없다.'라고 대답하셨으니, 지극하도다! 이 말이여."

[2-7-1-13]

北溪陳氏曰 : "天所命於人以是理, 本有善而無惡. 故人所受以爲性, 亦本善而無惡. 孟子道性善, 是專就大本上說來, 說得極親切. 只是不曾發出氣稟一段, 所以起後世紛紛之論. 蓋

214 『禮記』「樂記, 第十九」 1장.
215 『二程文集』 권9 「伊川文集·雜著·顔子所好何學論」

人之所以有萬殊不齊，只緣氣禀不同. 這氣只是陰陽·五行之氣，如陽性剛，陰性柔，火性燥，水性潤，金性寒，木性溫，土性厚. 七者夾雜，便是參差不齊，所以人隨所值，便有許多般樣. 然這氣運來運去，參差不齊之時多，眞元會合之時少. 如一歲之間，極寒極暑陰晦之時多，不寒不暑光風霽月之時少，最難值好時節. 人生值此不齊之氣，如有一等人非常剛烈，是值陽氣多；有一等人極是軟弱，是值陰氣多；有人躁暴忿戾，又是值陽氣之惡者；有人狡譎姦險，此又值陰氣之惡者；有人性圓，一撥便轉. 也有一等極愚拗，雖一句善言亦說不入，都是氣禀如此. 陽氣中有善惡，陰氣中亦有善惡. 如此書問剛善剛惡柔善柔惡之類，不是陰陽氣本惡，只是分合轉移，齊不齊中，便自然成粹駁善惡耳. 因氣有粹駁，便有賢愚. 氣雖不齊，而大本則一. 雖下愚亦可變而爲善. 然工夫最難，非百倍其功者不能，故子思曰'人一能之己百之，人十能之己千之，果能此道，雖愚必明，雖柔必强'，正爲此耳."[216]

북계 진씨[陳淳]가 말했다. "하늘이 이 리理로 사람에게 명命한 것은 본래 선은 있으나 악이 없다. 그러므로 사람이 받아서 성性을 삼은 것도 본래 선하고 악이 없다. 맹자가 성性이 선善하다고 한 말은 오로지 큰 근본에 대해서만 말한 것이니, 말이 매우 친절하다. 다만 일찍이 기품에 관해 말하지 않았기 때문에 후세에 분분한 논의가 일어났다. 사람들이 만 가지로 달라서 가지런하지 않은 것은 다만 기품이 같지 않기 때문이다. 이 기는 다만 음양과 오행의 기일 뿐이니, 예컨대 양의 성질은 강하고, 음의 성질은 부드러우며, 화火의 성질은 건조하고, 수水의 성질은 축축하며, 금金의 성질은 차고, 목木의 성질은 따뜻하며, 토土의 성질은 두텁다. 이 일곱 가지가 끼어서 섞이면 들쭉날쭉하여 가지런하지 않기 때문에 사람이 만난 기에 따라 바로 여러 가지 모습을 갖게 된다. 그러나 이 기가 이리저리 움직여서 들쭉날쭉 가지런하지 않을 때가 많고, 진원眞元의 기[217]가 모일 때는 적다. 마치 한 해 사이에는 매우 춥고 매우 더우며 날이 흐리고 어두운 때가 많고, 춥지 않고 덥지 않으며 비 갠 뒤의 바람과 달이 비치는 때가 적어서 좋은 시절을 만나기가 가장 어려운 것과 같다. 사람이 생겨날 때에 이 가지런하지 않은 기를 만나는 것은 마치 어떤 사람이 매우 강렬한 것은 양기를 받은 것이 많고, 어떤 사람이 매우 연약한 것은 음기를 받은 것이 많으며, 어떤 사람이 조급하고 사나우며 울분을 토하는 것은 양기 가운데 악한 기를 받은 것이고, 어떤 사람이 교활하고 간악한 것은 음기 가운데 악한 기를 받은 것이며, 어떤 사람은 성품이 원만하여 한 번 바로잡으면 변화하는 것 등과 같다. 또한 어떤 사람은 매우 어리석고 고집스러워 비록 한 마디 좋은 말이라도 받아들이지 않으니, 모두 기품이 이와 같다. 양기 속에 선과 악이 있고, 음기 속에도 또한 선과 악이 있다. 예컨대 이 책에서 강선剛善·강악剛惡·유선柔善·유악柔惡 따위를 물은 것은 음양의 기가 본래 악한 것이 아니라, 다만 나뉘고 모이고 변하고 옮겨져서 가지런한 것과 가지런하지 않은 것 속에서 바로 순수한 선과 잡박한 악이 자연스럽게 이루어지게 된다. 기에 순수함과 잡박함이 있음으로 말미암아 바로 현명함과 어리석음이 있다. 기가 비록 가지런하지 않지만, 큰 근본은 같게 된다. 비록 아주

216 『北溪字義』 권상 「性」
217 眞元의 기 : 본래부터 있는 맑은 기로서 다른 것들과 섞이지 않은 기이다.

어리석은 사람이라도 또한 변하여 선하게 될 수 있다. 그러나 공부는 지극히 어려워서 그 노력을 백배로 하는 자가 아니면 할 수 없기 때문에 자사가 '다른 사람이 한 번에 잘하면 자기는 백 번에 하고, 다른 사람이 열 번에 잘하면 자기는 천 번에 하여, 과연 이 도를 수행할 수 있다면 비록 어리석은 사람이라도 반드시 밝아지고, 비록 부드러운 사람일지라도 반드시 강해질 수 있다.'[218]라고 말했으니, (그 이유는) 바로 이 때문이다."

[2-7-1-14]

西山眞氏曰 : "性之不能離乎氣, 猶水之不能離乎土也. 雖不雜乎氣, 而氣汨之, 則不能不惡矣. 雖不雜乎土, 而土汨之, 則不能不濁耳. 然淸者其先, 而濁者其後也. 善者其先, 而惡者其後也. 先善者, 本然之性也; 後惡者, 形而後有者也. 故所謂善者超然於降衷之初, 而所謂惡者雜出於有形之後, 其非相對而並出也昭昭矣. 張子曰, '形而後有氣質之性, 善反之, 則天地之性存焉. 故氣質之性, 君子有弗性者焉.' 程子曰, '性卽理也. 天下之理, 原其所自來, 未有不善. 喜·怒·哀·樂未發, 何嘗不善? 發而皆中節, 則無往而不善. 凡言善惡, 皆先善而後惡. 言吉凶, 皆先吉而後凶. 言是非, 皆先是而後非.' 觀二先生之言, 則本然之性, 與氣質之性, 其先後·主賓·純駁之辨, 皆判然矣."[219]

서산 진씨[眞德秀]가 말했다. "성이 기에서 떠날 수 없는 것은 물이 흙에서 떠날 수 없는 것과 같다. 비록 기에 섞이지 않지만 기가 그것을 어지럽히면 나빠지지 않을 수 없다. 비록 흙에 섞이지 않지만 흙이 그것을 흐리게 하면 탁해지지 않을 수 없다. 그러나 맑은 것이 그 앞이고, 탁한 것은 그 다음이다. 선한 것이 그 앞이고, 악한 것은 그 다음이다. 앞의 선은 본연의 성이고, 뒤의 악은 형상을 갖춘 후에 있는 것이다. 그러므로 이른바 선은 천명을 받은 처음에 초연한 것이고, 이른바 악은 형체가 있고 난 후에 섞여 나온 것이니, 그것은 서로 마주하여 함께 나오는 것이 아님이 분명하다. 장자[張載]가 '형체가 있은 후에 기질의 성이 있으니, 그것을 잘 돌이키면 천지의 성이 보존된다. 그러므로 기질의 성은 군자가 성으로 여기지 않는 것이 있다.'[220]라고 말했다. 정이[程頤]는 '성은 바로 리이다. 세상의 리는 그 유래를 살펴보면 선하지 않은 것이 없다. 희喜·노怒·애哀·락樂이 아직 발현하지 않을 때에 어찌 선하지 않은 적이 있겠는가? 발현하여 다 절도에 맞으면 가는 데마다 선하지 않음이 없다. 선과 악을 말할 때에는 모두 선을 먼저 하고 악을 뒤에 한다. 길吉과 흉凶을 말할 때에는 모두 길을 먼저 하고 흉을 뒤에 한다. 옳음과 그름을 말할 때에는 옳음을 먼저 하고 그름을 뒤에 한다.'[221]라고 말했으니, 두 선생의 말을 보면 본연의 성과 기질의 성은 앞과 뒤, 주인과 손님,

218 『中庸』 제20장

219 『西山讀書記』 권2 「氣質之性」

220 『張子全書』 권2 「正蒙」, 誠明篇, 第六

221 『二程遺書』 권22상 「伊川語錄」의 내용 가운데 일부이다. "성은 바로 리이다. 이른바 리와 성이 이것이다. 세상의 리는 그 유래를 살펴보면 선하지 않은 것이 없다. 喜·怒·哀·樂이 아직 발현하지 않을 때에 어찌 선하지 않은 적이 있겠는가? 발현하여 다 절도에 맞으면 가는 데마다 선하지 않음이 없다. 선과 악을 말할

순수함과 잡박함의 구별이 모두 분명하다."

[2-7-2]

不達. 曰 : "剛善, 爲義, 爲直, 爲斷, 爲嚴毅, 爲幹固. 惡, 爲猛, 爲隘, 爲彊梁. 柔善, 爲慈, 爲順, 爲巽. 惡, 爲懦弱, 爲無斷, 爲邪佞."

알지 못하겠습니다.

대답했다. "강선剛善은 의로움이 되고, 곧음이 되며, 단호함이 되고, 엄숙하고 굳셈이 되며, 확고함이 된다. 강악剛惡은 사나움이 되고, 편협함이 되며, 억셈이 된다. 유선柔善은 사랑함이 되고, 순함이 되며, 공손함이 된다. 유악柔惡은 나약함이 되고, 단호하지 못함이 되며, 사특하고 아첨함이 된다."

[2-7-2-0]

剛柔固陰陽之大分, 而其中又各有陰陽以爲善惡之分焉. 惡者固爲非正, 而善者亦未必皆得乎中也.

강함과 부드러움은 본디 음과 양이 크게 나누어진 것이지만, 그 속에는 또 각각 음과 양이 있어 선과 악으로 나누어진다. 악은 본래 바름이 아니지만, 선 또한 반드시 다 중中을 얻는 것은 아니다.

[2-7-2-1]

朱子曰 : "二氣五行, 始何嘗不正? 只衮來衮去, 便有不正. 如陽爲剛躁, 陰爲重濁之類."[222]

주자가 말했다. "음양과 오행이 어찌 처음에 바르지 않은 적이 있었겠는가? 다만 흐르고 흐르는 과정에서 바로 바르지 않은 것이 있게 되었다. 마치 양은 강하고 성급함이 되며, 음은 무겁고 탁함이 되는 따위와 같다."

[2-7-2-2]

問 : "人有剛柔過於中,[223] 如何?"

曰 : "只爲見彼善於此. 剛果勝柔, 故一向剛. 周子曰'剛善, 爲義, 爲直, 爲斷, 爲嚴毅, 爲幹固. 惡爲猛, 爲隘, 爲彊梁', 須如此別方可."

問 : "何以制之使歸於善?"

曰 : "須於中求之."[224]

때에는 모두 선을 먼저 하고 악을 뒤에 한다. 吉과 凶을 말할 때에는 모두 길을 먼저 하고 흉을 뒤에 한다. 옳음과 그름을 말할 때에는 옳음을 먼저 하고 그름을 뒤에 한다.(性即理也. 所謂理性是也. 天下之理, 原其所自, 未有不善. 喜·怒·哀·樂未發, 何嘗不善. 發而中節, 則無往而不善. 凡言善惡, 皆先善而後惡. 言吉凶, 皆先吉而後凶. 言是非, 皆先是而後非.)"

222 『朱子語類』 권4, 66조목

223 剛柔 : 「朱子語類」 권118, 28조목에 '剛果'로 되어 있다.

224 『朱子語類』 권118, 28조목

물었다. "사람은 강함과 과감함이 중中을 지나친 경우가 있는데, 왜 그렇습니까?"

주자가 대답했다. "다만 '저것이 이것보다 나아 보이고 강하고 과감함이 부드러움을 이기므로 줄곧 강하려고 한다. 주자周子가 '강선剛善은 의로움이 되고, 곧음이 되며, 단호함이 되고, 엄숙하고 굳셈이 되며, 확고함이 된다. 강악剛惡은 사나움이 되고, 편협함이 되며, 억셈이 된다.'라고 말한 것은 반드시 이와 같이 분별해야 타당해질 수 있다."

물었다. "어떻게 그것을 제어해야 선으로 돌아오게 할 수 있습니까?"

주자가 대답했다. "반드시 중에서 그것을 구해야 한다."

[2-7-2-3]

"自暴者, 便是剛惡之所爲. 自棄者, 便是柔惡之所爲."[225]

"스스로 해치는 것[自暴]은 바로 강악剛惡이 하는 것이고, 스스로 버리는 것[自棄]은 바로 유악柔惡이 하는 것이다."

[2-7-3]

惟中也者, 和也, 中節也, 天下之達道也, 聖人之事也.

오직 중은 어울림이고, 절도에 맞음이며, 세상의 달도達道[통용되는 도리]이니, 성인의 일이다.

[2-7-3-0]

此以得性之正而言也. 然其以和爲中, 與中庸不合, 蓋就已發無過不及者而言之. 如『書』所謂'允執厥中'者也.

이것은 성性의 바름을 얻은 것으로 말했다. 그러나 그것은 어울림을 중으로 여긴 것으로, 중용과는 합치하지 않으니, 이미 발현하여 넘치거나 모자람이 없는 것에 대해 말한 것이다. 예컨대 『서경』에서 말하는 '진실로 그 중을 잡아라[允執厥中]'라는 것과 같은 경우이다.

[2-7-3-1]

朱子曰 : "'中也者, 和也, 天下之達道也', 別人不敢恁地說. '君子而時中', 便是恁地看."[226]

주자가 말했다. "'중은 어울림이고 세상의 달도이다.'라고 하였으니, 다른 사람은 감히 이와 같이

225 『朱子語類』 권56, 19조목의 내용 가운데 일부이다. "스스로 해치는 것[自暴]과 스스로 버리는 것[自棄]"의 차이를 물었다. 대답했다. "맹자의 말이 이미 분명하다. 보기에 스스로 해치는 것[自暴]은 바로 剛惡이 하는 것이고, 스스로 버리는 것[自棄]은 바로 柔惡이 하는 것이다."(問"自暴 · 自棄"之別. 曰 : "孟子說得已分明. 看來自暴者便是剛惡之所爲, 自棄者便是柔惡之所爲也.")

226 『朱子語類』 권62, 143조목의 내용 가운데 일부이다. 이어서 말했다. "주자周子가 '중은 어울림이고 세상의 달도이다.'라고 말했는데, 다른 사람은 또한 감히 이와 같이 말하지 않았다. '군자가 때에 맞게 한다.'라는 것을 바로 이와 같이 보았다.(因說 : "周子云 : '中也者, 和也, 天下之達道也.' 別人也不敢恁地說. '君子而時中', 便是恁地看.")"

말하지 않았다. '군자가 때에 맞게 한다.'[227]라는 것을 바로 이와 같이 보았다."

[2-7-3-2]

"'中庸'之'中', 是兼以其(已)發而中節·無過不及者得名.[228] 故周子曰'惟中也者, 和也, 中節也, 天下之達道也.' 若不識得此理, 則周子之言更解不得. 所以程子謂'中者天下之正道', 『中庸章句』以'中庸'之'中', 實兼'中和'之義. 『論語集註』以'中者不偏不倚, 無過不及'之名, 皆此意也."[229]

(주자가 말했다.) "'중용'의 '중'은 이미 발현하여 절도에 맞음과 넘치거나 모자람이 없는 것을 겸하여 말한 것이다. 그러므로 주자周子는 '오직 중은 어울림이고, 절도에 맞음이며, 세상의 달도達道이다.'라고 했다. 만약 이 리理를 알지 못한다면 주자周子의 말을 더욱 이해할 수 없을 것이다. 따라서 정자程子가 '중은 세상의 정도正道이다.'[230]라고 말한 것, 『중용장구』에서 '중용'의 '중'이 실제로 '중中과 어울림[和]'의 뜻을 겸한 것, 『논어집주』에서 '중은 치우치지 않고 기울어지지 않으며, 넘치거나 모자람이 없다.'라고 말한 것은 다 이 뜻이다."

[2-7-3-3]

問: "注'中'字處引'允執厥中.'"

曰: "此只是'無過不及'之'中', 『書傳』中所言皆如此. 只有'喜·怒·哀·樂未發之中'一處, 是以體言. 到'中庸'字, 亦非專言體, 便有無過不及之意."[231]

물었다. "'중'을 주석한 곳에서 '진실로 그 중을 잡아라允執厥中'[232]라는 것을 인용한 것"에 대해 묻습니다.

(주자가) 대답했다. "이것은 다만 '넘치거나 모자람이 없다.'라는 것에서의 '중'인데, 『서전』에서 말한 중은 다 이와 같다. 다만 '희·노·애·락이 아직 발현하지 않은 중'이라고 말한 곳이 있으니, 이것은 체體로 말한 것이다. '중용'이라는 글자의 경우에는 또한 오로지 체로만 말한 것이 아니니, 바로 넘치거나 모자람이 없다는 뜻이 있다."

227 『中庸』 제2장의 내용이다. 공자가 말했다. "군자는 중용을 하고, 소인은 중용에 반대로 한다. 군자의 중용은 군자이면서 때에 맞게 하고, 소인이 중용에 반대로 하는 것은 소인이면서 꺼림이 없기 때문이다.(仲尼曰, 君子中庸, 小人反中庸. 君子之中庸也, 君子而時中; 小人之中庸也, 小人而無忌憚也.)"

228 여기에서 '以其'는 '已'로 하는 것이 보다 순조롭다. 왜냐하면 이 내용은 [2-7-3-0]의 일부('蓋就已發無過不及者而言之')를 설명하는 과정에서 사용한 것인데, [2-7-3-0]의 내용이 '已發'로 되어 있을 뿐만 아니라, 이 글의 원천인 『朱子語類』 권62, 10조목("'中庸'之'中', 是兼已發而中節, 無過不及者得名)에도 '已發'로 되어 있기 때문이다.

229 『朱子語類』 권62, 10조목에는 '其發'이 '已發'로 '程子'가 '伊川'으로 되어 있다.

230 『二程遺書』 권7

231 『朱子語類』 권94, 167조목

232 『書經』「虞書」 大禹謨

[2-7-3-4]

或問 : "子思子言中和如此, 而周子之言則曰'中者, 和也, 中節也, 天下之達道也', 乃擧中而合之於和. 然則又將何以爲天下之大本耶?"

曰 : "子思之所謂中, 以未發而言也. 周子之所謂中, 以時中而言也. 學者涵泳而別識之, 見其並行而不相悖焉者, 可也."[233]

어떤 사람이 물었다. "자사가 말한 중中과 어울림和은 이와 같은데,[234] '중은 어울림이고, 절도에 맞음이며, 세상의 달도達道이다.'라고 한 주자周子의 말은 중을 들어 어울림에 합치시킨 것입니다. 그렇다면 또 어떻게 세상의 큰 근본이 될 수 있습니까?"

(주자가) 대답했다. "자사가 말한 중은 미발未發로 말한 것이다. 주자周子가 말한 중은 시중時中으로 말한 것이다. 배우는 사람이 충분히 연구하여 식별하면 병행하면서도 서로 어긋나지 않는다는 것을 알게 된다."

[2-7-3-5]

北溪陳氏曰 : "中有二義, 有已發之中, 有未發之中. 未發是就性上說, 已發是就事上說. 已發之中, 當喜而喜, 當怒而怒, 那恰好處無過不及便是中, 此中即所謂和也. 所以周子亦曰'中也者, 和也', 是指已發之中而言也."

북계 진씨陳淳가 말했다. "중에는 두 가지 뜻이 있는데, 이발已發의 중이 있고 미발未發의 중이 있다. 미발은 성性의 측면에서 말한 것이고, 이발은 일의 측면에서 말한 것이다. 이발의 중은 기뻐해야 할 때 기뻐하고 성내야 할 때 성내는 것이니, 그 딱 맞는 곳에 넘치거나 모자람이 없는 것이 바로 중이며, 이 중이 바로 이른바 어울림이다. 따라서 주자周子가 또한 '중은 어울림이다.'라고 말한 것은 이발의 중을 가리키어 말한 것이다."

[2-7-4]

故聖人立教, 俾人自易其惡, 自至其中而止矣.

그러므로 성인이 가르침을 세우는 것은 사람들에게 스스로 그 악을 바꾸어, 스스로 그 중에 이르러 머무르게 하려고 한 것이다.

[2-7-4-0]

易其惡, 則剛柔皆善, 有嚴毅慈順之德, 而無强梁懦弱之病矣. 至其中, 則其或爲嚴毅, 或爲慈順也, 又皆中節而無太過不及之偏矣.

그 악을 바꾸면 강과 유가 다 선이고, 엄숙하고 굳세며 사랑하고 순한 덕이 있기에 억셈과 나약함의

233 『中庸或問』 권상

234 여기에서 이와 같다는 것은 '중은 세상의 큰 근본이고, 어울림은 세상의 달도이다(中者天下之大本, 和者天下之達道)'라는 내용을 가리킨다.

병통이 없게 된다. 그 중中에 이르면 간혹 엄숙하고 굳세게 되거나 혹은 사랑하고 순하게 되는 것이 또 다 절도에 맞아 너무 지나치거나 모자람의 치우침이 없게 된다.

[2-7-4-1]

朱子曰："'剛柔'一段，亦須看且先易其惡．旣易其惡，則至其中在人．"[235]

주자가 말했다. "'강과 유'의 부분은 또한 반드시 먼저 그 악을 바꾸어야 할 것을 보아야 한다. 이미 그 악을 바꾸면 그 중에 이르는 것은 사람에게 달려 있다."

[2-7-4-2]

"人性本善，然有生下來善底，有生下來便惡底，此是氣稟不同．人之爲學，却是要變化那氣稟，然極難變化．如氣稟偏於剛則一向剛暴，偏於柔則一向柔弱之類．人一向推托道氣稟不好，不向前又不得；一向不察這氣稟之害，只昏昏地又不得．須知氣稟之要害，力去用功克治，裁其勝而歸於中，乃可．"[236]

"사람의 성性은 본래 선하나, 태어난 이후 선한 사람도 있고, 태어난 이후 악한 사람도 있으니, 이것은 기품이 같지 않은 것이다. 사람이 배우는 것은 그 기품을 변화시키고자 하나, 변화하기가 매우 어렵다. 예를 들어 기품이 강剛으로 치우치면 줄곧 강포하고, 유柔로 치우치면 줄곧 유약한 따위와 같다. 사람은 줄곧 기품이 좋지 않다고 핑계대면서 앞으로 나아가지 않아서도 안 되고, 줄곧 이 기품의 해로움을 살피지 않아 단지 어리석은 상태로 있어도 안 된다. 반드시 기품의 가장 해로운 것을 알고 힘써 노력하여 이겨내 그 지나친 것을 다듬어 중中으로 돌아와야 비로소 옳다."

[2-7-4-3]

問："子路不能變化氣質．"

曰："言之非難，政懼行之不易，是以難輕言爾．周子有言'聖人立敎，使人自易其惡，自至其中而止矣．' 切意如子路者，可謂能易其惡矣．若至其中一節工夫則難．雖夫子每每提撕，未見其有用力處也．"[237]

물었다. "자로가 기질을 변화시킬 수 없었던 것에 대해 묻습니다."

(주자가) 대답했다. "말하기가 어려운 것이 아니라, 시행하기가 쉽지 않을까 정말로 두려우니, 이 때문에 가볍게 말하는 것을 조심할 뿐이다. 주자周子가 '성인이 가르침을 세운 것은 사람들에게 스스로 그 악을 바꾸어, 스스로 그 중에 이르러 머무르게 하려고 한 것이다.'라고 말한 것이 있다. 가만히 생각해보니 자로와 같은 사람은 그 악을 바꿀 수 있다고 말할 만하다. 그 중中에 이르는 한 가지 공부와 같은 것은 어려웠다. 비록 공자가 매 번 이끌었을지라도, 자로는 힘쓰는 곳이 있음을 보지

235 『朱子語類』 권62, 62조목
236 『朱子語類』 권4, 59조목
237 『朱文公集』 권35「書, 與劉子澄」

못했다.”

[2-7-4-4]

“所喩‘氣質過剛, 未能自克, 而欲求其所以轉移變化之道.’ 夫知其所偏而欲勝之, 在吾日用之間屢省而痛懲之耳. 故周子有‘自易其惡, 自至其中’之說, 豈他人之所得而與於其間哉?”[238]

“당신이 말하기를 ‘기질이 지나치게 강하여 아직 스스로 이겨낼 수 없어 옮기고 변화하는 도를 찾고자 한다.’라고 하였다. 그 치우친 것을 알고 이기고자 하면 우리가 일상에서 자주 살펴서 통렬히 잘라내는데 있을 뿐이다. 그러므로 주자周子는 ‘스스로 그 악을 바꾸어, 스스로 그 중에 이른다.’라는 말을 하였으니, 어찌 다른 사람이 그 사이에 관여할 수 있겠는가?”

[2-7-4-5]

黃氏巖孫曰. “‘張子云‘爲學大益, 在自求變化氣質’. 程子曰‘學至氣質變, 方是有功’, 皆此意也.”

황암손[239]이 말했다. “장재가 ‘배우는 큰 이익은 스스로 기질을 변화하기를 구하는데 있다[240]’라고 하고, 정자程子가 ‘배워서 기질이 변화하는데 이르러야 비로소 공이 있는 것이다.’[241]라고 한 것은 다 이 뜻이다.”

[2-7-5]

故先覺覺後覺, 闇者求於明, 而師道立矣.

그러므로 ‘먼저 깨달은 사람이 뒤에 깨닫는 사람을 깨닫게 하는 것’[242]이니, 어두운 사람이 밝은 이를 찾아야 스승의 도[師道]가 세워진다.

[2-7-5-0]

師者, 所以攻人之惡, 正人之不中而已矣.

스승[師]은 다른 사람의 악을 다스리고, 다른 사람의 중中이 아닌 것을 바르게 할 뿐이다.

[2-7-6]

師道立, 則善人多; 善人多, 則朝廷正而天下治矣.

238 『朱文公集』 권64 「書·答孫吉甫」

239 黃巖孫: 자는 景傅이다. 宋代 惠安(현재 복건성 소속) 사람으로 1256년에 진사에 급제하여 仙溪尉·知尤溪縣 등을 역임하였고 南溪書院을 중수하였다. 저서는 주희의 『太極解義』·『通書解』·『書銘解』에 대한 疏와 『集解』가 있다.

240 『張子全書』 권12 「語録」에는 ‘求’가 ‘能’으로 되어 있다.

241 『二程遺書』 권18 「劉元承手編」

242 『孟子』 「萬章上」

스승의 도가 세워지면 선한 사람이 많아지고, 선한 사람이 많아지면 조정이 바르게 되고 세상이 다스려진다.

[2-7-6-0]

此所以爲天下善也.

이것이 세상을 선하게 하는 것이다.

[2-7-6-01]

此章所言剛柔, 即『易』之兩儀, 各加善惡, 即『易』之四象. 『易』又加倍以爲八卦, 而此『書』及『圖』則止於四象, 以爲火·水·金·木, 而即其中以爲土. 蓋道體則一, 而人之所見詳畧不同. 但於本體不差, 則並行而不悖矣.

이 장에서 말하는 강과 유는 『역』의 양의兩儀[음과 양]이고, 각각 선과 악을 더한 것이 바로 『역』의 사상四象이다. 『역』은 또 배를 더하여 팔괘가 되지만, 이 『통서』와 『태극도』에서는 사상에서 그쳐서 화火·수水·금金·목木으로 삼고, 바로 그 중中을 토土로 삼았다. 도체道體는 하나이지만, 사람들이 본 것의 상세함과 간략함은 같지 않다. 그러나 본체를 본 것에는 틀리지 않았으니, 병행하여 어긋나지 않는다.

[2-7-6-1]

問 : "四象剛柔善惡, 皆是陰陽."

朱子曰 : "然."[243]

물었다. "사상四象은 강선剛善 강악剛惡 유선柔善 유악柔惡이니, 모두 음과 양입니다."

주자가 대답했다. "그렇다."

[2-7-6-2]

問 : "『解』云'剛柔即易之兩儀, 各加善惡即『易』之四象.' 『易』又'加倍以爲八卦, 而此『書』及『圖』則止於四象.' 疑'善惡'二字是虛字, 如易八卦之吉凶也. 今先生解以善惡配四象, 如何?"

曰 : "凡物具兩端, 如此扇便有面有背, 凡物皆然. 自一人之心言之, 則有善惡在其中, 便是兩物. 周子只說到五行住, 其理亦只消如此說, 自多說不得. 包括萬有, 擧歸於此. 康節却推到八卦, 太陽太陰, 少陽少陰. 太陽太陰, 各有一陰一陽, 少陽少陰, 亦有一陰一陽, 是分爲八卦也. 觀此, 則此『書』所說可知矣."[244]

물었다. "『통서해』에서 '강과 유는 바로 『역』의 양의[음과 양]이고, 각각 선과 악을 더한 것이 바로 『역』의 4상四象이다.' 『역』은 또 '배를 더하여 8괘가 되지만, 이 『통서』와 『태극도』에서는 4상에서

243 『朱子語類』 권94, 165조목

244 『朱子語類』 권94, 168조목

그쳤다.'라고 했습니다. 생각해보니 '선악' 두 글자는 허자이니, 『역』 8괘의 길흉吉凶과 같은 듯합니다. 이제 선생께서 선과 악을 풀이하면서 4상에 배당시켰는데, 왜 그렇습니까?"

(주자가) 대답했다. "사물은 두 측면을 가지고 있는데, 예컨대 이 부채에 바로 앞면과 뒷면이 있는 것과 같으니, 사물이 다 그렇다. 한 사람의 마음으로부터 말하면 그 속에 선과 악이 있는 것이 바로 두 가지이다. 주자周子는 다만 오행까지만 말하였으니, 그 이치도 이와 같이만 말해야 하고, 더 말할 수 없다. 온갖 것을 포괄하여 다 여기[五行]에 귀결시켰다. 강절[邵雍][245]은 8괘에 태양과 태음, 소양과 소음을 추구하였다. 태양과 태음에는 각각 일음과 일양이 있고, 소양과 소음에도 또한 일음과 일양이 있으니, 이것이 나누어져 8괘가 된다. 이를 보면 이 『통서』에서 말하는 것을 알 수 있다."

[2-7-6-3]

"前輩所見各異, 邵康節須是二四八. 周子只是二四, 中添一土爲五行, 如剛柔添善惡, 又添中於其間, 是也."[246]

(주자가 말했다.) "선배 학자가 본 것은 각기 다른데, 소강절邵雍은 반드시 2에서 4로, 4에서 8로 나아갔다. 주자周惇頤는 다만 2에서 4로 나아갔을 뿐이고, 그 속에 하나의 토土를 첨가하여 오행을 삼았으니, 예를 들어 강과 유에 선과 악을 첨가하고 또 그 사이에 중中을 첨가한 것이 이것이다."

[2-7-6-4]

問 : "『解』云'止於四象以爲水·火·金·木', 如何?"

曰 : "周子只推到五行. 如邵康節又從一分爲二, 極推之至於八萬四千, 縱橫變動, 無所不可. 如漢儒將十二辟卦分十二月, 康節推又別."[247]

물었다. "『통서해』에서 '사상에서 그쳐서 화火·수水·금金·목木으로 삼았다.'라고 했는데, 왜 그렇습니까?"

(주자가) 대답했다. "주자周惇頤는 다만 오행까지 추구하였다. 예컨대 소강절邵雍은 또 하나가 나뉘어 둘이 되는 것으로부터 끝까지 추구하여 팔만 사천에 이르렀으니, 종횡으로 변동하여 안 되는 것이 없다. 예컨대 한나라 유학자는 12벽괘를 12월로 분담시켰는데,[248] 강절邵雍이 추론한 것은 또 다른 것이다."

245 소옹(邵雍, 1011~1077) : 자는 堯夫이고, 호는 安樂先生이며, 蘇文山 百源가에 은거하여 百源先生이라고도 불리었다. 시호는 康節이다. 宋代 范陽(현 하북성 涿縣) 사람으로 만년에는 洛陽에 거주하였는데, 이때 司馬光·呂公著·富弼 등이 그를 존경하여 함께 교류하면서 대저택을 증여하였다. 李之才에게 圖書先天象數學을 배웠다고 한다. 그는 도가사상의 영향을 받고 유가의 易哲學을 발전시켜 독특한 數理哲學을 완성하였다. 그의 易學은 朱熹에게 큰 영향을 주었다. 저서는 『皇極經世』·『伊川擊壤集』·『漁樵問答』 등이 있다.

246 『朱子語類』 권94, 188조목

247 『朱子語類』 권94, 169조목

248 한나라 … 분담시켰는데 : 소식괘, 벽은 임금이고, 나머지는 신하이다. 이때 한나라 유학자는 京房인 듯하다.

幸 第八 제8 행복

[2-8-1]

人之生, 不幸不聞過; 大不幸無恥.

사람의 삶에서 불행은 허물을 듣지 못하는 것이고, 큰 불행은 부끄러워함이 없는 것이다.

[2-8-1-0]

不聞過, 人不告也. 無恥, 我不仁也.

허물을 듣지 못하는 것은 다른 사람이 알려주지 않는 것이다. 부끄러워함이 없는 것은 내가 인仁하지 못한 것이다.

[2-8-2]

必有恥, 則可教; 聞過, 則可賢.

반드시 부끄러워함이 있으면 가르칠 수 있고, 허물을 들으면 현명해질 수 있다.

[2-8-2-0]

有恥, 則能發憤而受教. 聞過, 則知所改而爲賢. 然不可教, 則雖聞過而未必能改矣. 以此見無恥之不幸爲尤大也.

부끄러워함이 있으면 분발하여 가르침을 받을 수 있다. 허물을 들을줄 알면 고칠 것을 알아 현명하게 된다. 그러나 가르칠 수 없다면 비록 허물을 듣더라도 반드시 고칠 수 있는 것은 아니다. 이로써 부끄러워함이 없는 불행이 더욱 큰 것임을 알 수 있다.

[2-8-2-1]

朱子曰 : "'人之生不幸不聞過, 大不幸無恥', 此兩句是一項事. 知恥是由內心以生, 聞過是得之於外. 人須知恥, 方能聞過而改, 故恥爲重."[249]

주자가 말했다. "'사람의 삶에서 불행은 허물을 듣지 못하는 것이고, 큰 불행은 부끄러워함이 없는 것이다.'라고 하는 이 두 구절은 하나의 일이다. 부끄러워함을 아는 것은 속마음으로부터 생겨나는 것이고, 허물을 듣는 것은 밖에서 얻는 것이다. 사람은 반드시 부끄러워함을 알아야 비로소 허물을 듣고 고칠 수 있으므로 부끄러워함을 중히 여긴다."

249 『朱子語類』 권94, 170조목

思 第九 제9 생각함

[2-9-1]

「洪範」曰. "思曰睿, 睿作聖."[250]

「홍범」에서 말했다. "생각함은 슬기로움이니, 슬기로움은 성聖을 만든다."

[2-9-1-0]

睿, 通也.

슬기로움[睿]은 통함이다.

[2-9-2]

無思, 本也; 思通, 用也. 幾動於彼, 誠動於此, 無思而無不通爲聖人.

생각함이 없는 것은 근본이고, 생각하여 통하는 것은 용用이다. 낌새는 저기에서 움직이고 성誠은 여기에서 움직이니, 생각함이 없으면서도 통하지 않음이 없는 사람이 성인이다.

[2-9-2-0]

無思, 誠也; 思通, 神也. 所謂'誠·神·幾'曰聖人也.

생각함이 없는 것은 성誠이고, 생각하여 꿰뚫어 보[通]는 것은 신묘함이다. 이른바 '성誠하고 신묘하며 낌새[幾]를 아는 사람'을 성인이라고 한다.

[2-9-2-1]

問: "'無思本也, 思通用也, 無思而無不通爲聖人', 不知聖人是有思耶無思耶."

朱子曰: "無思而無不通是聖人. 必思而後無不通是睿."

又問: "聖人'寂然不動'是無思, 纔感便通, 特應之耳."

曰: "聖人也不是塊然由人撥後方動, 如莊子云'推而行曳而止'之類. 只是纔思便動,[251] 不待大故地思索耳."

又問: "如此則是無事時都無所思, 事至時纔思而便通耳."[252]

曰: "然."

물었다. "'생각함이 없는 것은 근본이고, 생각하여 통하는 것은 용用이며, 생각함이 없으면서도 통하

250 『서경』「洪範」 5사: 모습-공손, 말-따름, 봄-밝음, 들음-귀밝음, 생각함-지혜(五事: 貌-恭, 言-從, 視-明, 聽-聰, 思-睿)

251 여기에서 '動'자는 '通'로 해야 뜻이 잘 통한다. 왜냐하면 앞 문장과 뒷 문장에서 '思'가 '動'과 연계되지 않고 계속 '通'과 연계될 뿐만 아니라, 『朱子語類』 권94, 171조목에서도 '動'이 아니라, '通'으로 되어 있기 때문이다.

252 『朱子語類』 권94, 171조목

지 않음이 없는 사람이 성인이다.'라는 것은 성인은 생각함이 있다는 것인지, 생각함이 없다는 것인지를 모르겠습니다."

주자가 대답했다. "생각함이 없으면서도 통하지 않음이 없는 사람이 성인이다. 반드시 생각한 후에 통하지 않음이 없는 사람은 슬기로운 사람이다."

또 물었다. "성인이 '고요하여 움직이지 않는 것'은 생각함이 없는 것이고, 감지하자마자 바로 통하는 것은 다만 응하는 것일 뿐이라고 하는 것"에 대해 묻습니다.

(주자가) 대답했다. "성인은 장자莊周[253]의 '밀면 가고, 당기면 멈춘다.'[254]라고 하는 따위와 같이 흙덩이처럼 남이 건드린 뒤에야 움직이는 사람이 아니다. 단지 생각하자마자 바로 통하는 것이지 대략적으로 사색을 기다리는 것은 아니다."

또 물었다. "이와 같다면 이것은 일이 없을 때에는 전혀 생각하는 것이 없고, 일이 닥쳤을 때에 생각하자마자 바로 통한다는 것입니다."

(주자가) 대답했다. "그렇다."

[2-9-3]

不思, 則不能通微; 不睿, 則不能無不通. 是則無不通生於通微, 通微生於思.

생각하지 않으면 은미함에 통할 수 없고, 슬기롭지 않으면 통하지 않음이 없을 수 없다. 이와 같다면 통하지 않음이 없음은 은미함을 통하는 데서 생기고, 은미함에 통하는 것은 생각함에서 생겨난다.

[2-9-3-0]

通微, 睿也; 無不通, 聖也.

은미함에 통하는 것은 슬기로움[睿]이고, 통하지 않음이 없음은 성聖이다.

[2-9-3-1]

朱子曰 : "'睿'只訓通, 對'智'而言. 智是體, 睿是深通處."[255]

주자가 말했다. "'슬기로움[睿]'은 통함을 뜻하니, '지혜로움[智]'에 상대해 말했다. 지혜로움[智]은 체體이고, 슬기로움[睿]은 깊이 통하는 것이다."

253 莊子(B.C.369?~B.C.286?) : 자는 子休이고, 이름은 周이며, 南華眞人으로 追號하기도 하였다. 전국시대 楚蒙(현재 하남성 商邱) 사람으로 정확한 생몰연대는 미상이나 孟子와 거의 비슷한 시대에 활약한 것으로 전해진다. 漆園吏를 역임하였다. 그의 사상은 주로 老子의 無爲思想을 계승·발전시켜, 道家의 근원이 되었다. 저서는 『莊子』가 전해진다.

254 『莊子』「천하」, "밀어준 이후에야 가고, 잡아끌어준 이후에야 간다."("推而後行, 曳而後往.") 이것은 '일이 급박하게 닥쳐야 응하고, 부득이한 경우가 발생해야 일어난다.'는 뜻이다. 그러나 주희는 『莊子』의 이 구절을 인용하면서, 장자가 사용한 '往'이라는 글자를 '止'자로 바꾸어서 사용하였다.

255 『朱子語類』 권64, 174조목

[2-9-4]

故思者, 聖功之本, 而吉·凶之機也.

그러므로 생각함은 성인이 되기 위한 공부의 근본이면서 길吉과 흉凶의 낌새이다.

[2-9-4-0]

思之至, 可以作聖而無不通. 其次亦可以見幾通微而不陷於凶咎.

생각함이 지극하면 성인이 되어 통하지 않음이 없을 수 있다. 그 다음은 또한 낌새를 보고 은미함에 통하여 흉凶과 구咎[허물]에 빠지지 않을 수 있다.

[2-9-4-1]

朱子曰 : "'幾', 是事之端緒. 有端緒, 方有討頭處. 這方是用得思."[256]

주자가 말했다. "'낌새'는 일의 단서이다. 단서가 있어야 비로소 실마리를 찾을 곳이 있다. 이제야 비로소 생각을 할 수 있다."

[2-9-5]

『易』曰 : "君子見幾而作, 不俟終日."[257]

『역』에서 말했다. "군자는 낌새를 보고 떠나지, 온 종일 기다리지 않는다."

[2-9-5-0]

睿也.

이것이 슬기로움이다.

[2-9-6]

又曰 : "知幾其神乎!"[258]

또 말했다. "낌새를 아는 것은 신묘함이로다!"

[2-9-6-0]

聖也.

이것은 성이다.

256 『朱子語類』 권94, 173조목

257 『周易』「繫辭下傳」

258 『周易』「繫辭下傳」

[2-9-6-1]

朱子曰："'思'一章，'幾'·'機'二字無異義. 擧『易』一句者，特斷章取義以解上文."[259]

주자가 말했다. "'사思'장에서 '기幾'와 '기機'의 두 글자는 뜻이 다름이 없다. 『역』의 한 구절을 거론한 것은 다만 단장취의斷章取義[문장을 잘라 의미를 채택함]하여 윗글을 풀이하였을 뿐이다."

[2-9-6-2]

節齋蔡氏曰："言學聖之事. '睿'，即'通微也.' '無思，本也.' 言聖人無思，則自然幾動而至於神，故曰'本.' '思通，用也'，言學聖人者，則當思誠，然後知幾而至於神，故曰'用.' '幾動於彼，誠動於此，無思而無不通爲聖人'，言聖之幾自然而動，不待思而無不通，所謂'神'也. '通微''幾'也，'無不通''神'也. 此言君子思誠然後見幾，幾動方能至神，故思者作聖之功也. 言作聖之功全在幾神，故擧『易』合幾與神結之. 上兩句說'幾'字，下一句說'幾'而'神'也. 擧『易』一句者，特斷章取義以解上文."

절재 채씨가 말했다. "성聖을 배우는 일을 말한 것이다. '슬기로움'은 바로 '은미함에 통하는 것이다.' '생각함이 없음은 근본이다.' 이것은 성인은 생각함이 없으니, 자연히 낌새가 움직여서 신묘함[神]에 이르므로 '근본[本]'이라고 한다는 것을 말한다. '생각하여 통하는 것이 용用이다.'라는 것은 성인을 배우는 사람은 성誠을 생각한 후에 낌새를 알고 신묘함[神]에 이르므로 '용'이라고 한다는 것을 말한다. '낌새가 저기에서 움직이고, 성誠이 여기에서 움직이는데, 생각함이 없으면서도 통하지 않음이 없는 사람이 성인이다.'라는 것은 성인의 낌새가 자연히 움직여서 생각할 필요가 없이 통하지 않음이 없는 것을 말하니, 이른바 '신묘함[神]'이다. '은미함에 통함'이라는 것은 '낌새'이고, '통하지 않음이 없음'이라는 것은 '신묘함'이다. 이것은 군자가 성誠을 생각한 후에 낌새를 보고 낌새가 움직여야 비로소 신묘함에 이를 수 있으므로 생각함은 성인이 되기 위한 공부라는 것을 말한다. 성인이 되기 위한 공부는 온전히 낌새와 신묘함에 달려 있으므로 『역』의 낌새와 신묘함을 결합한 내용을 거론하여 결론한 것임을 말한다. 위 두 구절은 '낌새'라는 글자를 설명했고, 아래 한 구절은 '낌새'와 '신묘함'을 설명했다. 『역』의 한 구절을 든 것은 다만 단장취의斷章取義하여 윗글을 풀이했을 뿐이다."

志學章 第十 제10 지학장

[2-10-1]

聖希天，賢希聖，士希賢.

성인은 하늘을 바라고, 현인은 성인을 바라며, 선비는 현인을 바란다.

259 『朱子語類』 권94, 174조목

[2-10-1-0]

希, '望'也; 字本作'晞.'

희希는 '바라다望'이니, 글자가 어느 판본에는 '희晞'로 되어 있다.

[2-10-1-1]

問: "'聖希天', 若論聖人自是與天相似了, 得非聖人未嘗自以爲聖, 雖已至聖處, 而猶戒慎恐懼, 未嘗頃刻忘所法則否?"

朱子曰: "天自是天, 人自是人. 人終是如何得似天? 自是用法天. '明王奉若天道', 無非法天者. 大事大法天, 小事小法天."[260]

물었다. "'성인은 하늘을 바란다.'에서 만약 성인을 논한다면, 본래 하늘과 비슷하나, 성인은 스스로를 성인으로 여긴 적이 없으니, 비록 이미 성인의 경지에 이르렀을지라도, 오히려 경계하고 삼가며 두려워하여 잠시라도 본받을 것을 잊은 적이 없다는 것인지요?"

주자가 대답했다. "하늘은 하늘이고, 사람은 사람인데, 사람이 끝내 어떻게 하늘과 같을 수 있겠는가? 스스로 하늘을 본받는 것이다. '현명한 군왕은 천도를 받들어 따른다.'[261]라는 것은 하늘을 본받지 않음이 없다는 것이다. 큰일에서는 하늘을 크게 본받고, 작은 일에서는 하늘을 작게 본받는다."

[2-10-2]

伊尹, 顔淵, 大賢也. 伊尹恥其君不爲堯·舜, 一夫不得其所, 若撻于市. 顔淵不遷怒, 不貳過, 三月不違仁.

이윤伊尹과 안연은 큰 현인이다. 이윤은 그 임금이 요임금이나 순임금처럼 되지 못하게 한 것을 부끄러워하였고, 한 사내라도 제 자리를 얻지 못하게 한 것을 시장에서 매를 맞는 것과 같이 여겼다.[262]

260 『朱子語類』 권94, 176조목

261 『書經』「說命中」

262 시장에서 매를 … 여겼다.: 『書經』「說命下」, 『孟子』「公孫丑上」 참조. 공손추가 물었다. "선생께서 제나라의 재상이 되어 도를 행한다면 비록 이로 말미암아 패도나 왕도를 이룬다 하더라도 이상하지 않을 것입니다. 이와 같다면 마음이 흔들릴 것입니까?" 맹자가 대답했다. "아니다. 나는 마흔 살 때에 마음이 흔들리지 않았다. (공손추가) 말했다. "이와 같다면 선생은 맹분보다 뛰어납니다." (맹자가) 말했다. "이것은 어렵지 않으니, 고자도 나보다 먼저 마음이 흔들리지 않았다. (공손추가) 말했다. 마음이 흔들리지 않는 것에는 방법이 있습니까?" (맹자가) 말했다. "있다. 북궁유가 용기를 기를 때에 살갗이 찔려도 흔들리지 않고 눈을 피하지 않아서, 조금이라도 다른 사람에게 좌절을 당하면 마치 시장이나 조정에서 종아리를 맞는 것처럼 생각하여, 보통사람에게도 모욕을 받지 않고, 또한 만승의 임금에게도 모욕을 받지 않아, 만승의 임금을 찌르는 것을 볼 때에 마치 보통 사람을 찌르는 것과 같이 했다. 제후를 두려워하는 마음이 없어서 나쁜 소리가 이르면 반드시 보복했다."(公孫丑問曰: "夫子加齊之卿相, 得行道焉, 雖由此霸王不異矣. 如此, 則動心否乎?" 孟子曰: "否. 我四十不動心." 曰: "若是, 則夫子過孟賁遠矣." 曰: "是不難, 告子先我不動心." 曰: "不動心有道乎?" 曰: "有. 北宮黝之養勇也, 不膚撓, 不目逃, 思以一豪挫於人, 若撻之於市朝. 不受於褐寬博, 亦不受於萬乘之君. 視刺萬乘之君, 若刺褐夫. 無嚴諸侯, 惡聲至, 必反之.")

안연은 성냄을 옮기지 않고, 같은 잘못을 다시 저지르지 않았으며, 세 달 동안 인仁을 떠나지 않았다.[263]

[2-10-2-0]

說見『書』及『論語』, 皆賢人之事也.

이 말은 『서경』과 『논어』에 보이는데, 모두 현인의 일이다.

[2-10-2-1]

朱子曰 : "遷, 移也. 貳, 復也. 怒於甲者不移於乙, 過於前者不復於後, 顏子克己之功至於如此."[264]

又曰 : "三月, 言其久. 仁者, 心之德. 心不違仁者, 無私欲而有其德也."[265]

주자가 말했다. "천遷은 옮김[移]이다. 이貳는 반복함[復]이다. 갑에게 성낸 것을 을에게 옮기지 않고, 이전에 잘못한 것을 이후에 다시 하지 않는 것은 안자가 사욕을 이기는 공부가 이와 같음에 이르렀다는 것이다."

(주자가) 또 말했다. "3개월은 그 오래됨을 말하는 것이다. 인仁은 마음의 덕이다. 마음이 인에서 떠나지 않은 것은 사욕이 없고 덕이 있는 것이다."

[2-10-3]

志伊尹之所志, 學顏子之所學.

이윤이 뜻한 것을 뜻으로 삼고, 안자[顏淵]가 배운 것을 배운다.

[2-10-3-0]

此言士希賢也.

이것은 선비가 현인을 바라는 것을 말한다.

[2-10-3-1]

問 : "'志伊尹之所志, 學顏子之所學', 所謂志者, 便是志於行道否?"

朱子曰 : "'志伊尹之所志', 不是志於私. 大抵古人之學, 本是欲行. 伊尹'耕於有莘之野, 樂堯·舜之道', 凡所以治國平天下者無不理會. 但方處畎畝之時, 不敢言必於大用耳. 及三聘幡然, 便一向如此做去, 此是堯·舜事業. 看二典之書, 堯·舜所以卷舒作用, 直如此熟."

물었다. "'이윤이 뜻한 것을 뜻으로 삼고, 안자[顏淵]가 배운 것을 배운다.'라는 것에서 이른바 뜻[志]이

263 『論語』「雍也」
264 『論語』「雍也」
265 『論語』「雍也」

란 바로 도를 행하는 데에 뜻을 둔 것입니까?"

주자가 대답했다. "'이윤이 뜻한 것을 뜻으로 삼는다.'라는 것은 사사로움에 뜻을 둔 것이 아니다. 대개 옛사람들의 배움은 본래 행하고자 하는 것이다. 이윤은 '신莘의 들[野]에서 농사지으면서 요순堯舜의 도를 즐길 때에'[266] 나라를 다스리고 세상을 평화롭게 하는 것을 알지 않음이 없었다. 다만 농사지을 때에는 반드시 크게 쓰일 것이라고 감히 말하지 않았을 뿐이다. 세 번 초빙을 받고나서야 마음을 확 바꾸어서 줄곧 이와 같이 행하였으니, 이것은 요순의 사업이다. 이전二典[요전, 순전]의 글을 보면 요순이 접고 펼쳤던 활동이 바로 이와 같이 익숙하였다."

因問 : "向曾說, '用之則行, 舍之則藏, 惟我與爾有是夫', 此非專爲用舍行藏. 凡所謂'治國平天下'之具, 惟夫子·顏子有之, 用之則抱持而往, 不用卷而懷之."

---

266 '신莘의 들[野]에서 … 때에' : 『孟子』「萬章上」 "만장이 물었다. '사람들이 말하기를 「이윤이 요리하는 것으로 탕에게 등용되기를 요구하였다.」라고 했는데, 그러한 일이 있습니까?' 맹자가 말했다. '아니다. 그렇지 않다. 이윤이 신의 들에서 농사를 지으면서 요순의 도를 즐길 때, 그 義가 아니고 그 道가 아니면 온 세상을 봉록으로 주더라도 돌아보지 않았고, 사천 필의 말을 매어 놓더라도 쳐다보지 않았다. 그 의가 아니고 그 도가 아니면 하나의 지푸라기라도 다른 사람에게 주지 않고, 하나의 지푸라기라도 다른 사람에게서 취하지 않았다. 탕이 사람을 시켜 폐백으로 부르니, 덤덤하게 「내가 탕이 부르는 폐백을 무엇에 쓰겠는가? 어찌 내가 밭이랑 가운데 살면서 요순의 도를 즐기는 것만 같겠는가?」라고 했다. 탕이 세 번 사람을 보내 부르니, 이윽고 마음을 확 바꾸어 「내가 밭이랑 사이에 살면서 요순의 도를 즐겼는데, 어찌 내가 이 임금으로 하여금 요순과 같은 임금이 되게 하는 것만 같겠고, 어찌 내가 이 백성으로 하여금 요순의 백성이 되게 하는 것만 같겠으며, 어찌 내가 나 자신이 이것을 직접 보는 것만 같겠는가? 하늘이 이 백성을 생겨나게 한 것은 먼저 아는 사람으로 하여금 뒤에 아는 사람을 깨닫게 하고, 먼저 깨달은 사람으로 하여금 뒤에 깨닫는 사람을 깨닫게 하기 위해서이다. 나는 하늘의 백성 가운데 먼저 깨달은 사람이다. 나는 장차 이 도를 가지고 이 백성을 깨닫게 할 것이다. 내가 그들을 깨우치지 않으면 누가 하겠는가?」라고 하였다. 그가 생각하기를, 세상의 백성 가운데 요순의 은택을 입지 않은 자가 있으면 마치 자신이 밀어 도랑 속에 들어가게 한 것처럼 하니, 스스로 세상의 중책을 떠맡는 것이 이와 같이 하였으므로 탕에게 나아가 설득함으로써 하나라를 치고 백성을 구제하였다. 나는 자기를 굽히어서 다른 사람을 바로잡았다는 사람을 아직까지 들은 적이 없다. 하물며 자기를 욕되게 하여 세상을 바로잡는 사람에게 있어서랴? 성인이 가는 길은 일정하지 않아서, 혹 (임금으로부터) 멀리 가기도 하고 혹 가깝게 가기도 하며, 혹 떠나가기도 하고 혹 가지 않기도 하나, 자신을 깨끗이 하는데 귀결할 뿐이다. 나는 이윤이 요순의 도로 탕에게 요구했다는 것은 들었어도, 요리하는 것으로 했다는 것은 아직까지 듣지 못했다.'(萬章問曰'人有言「伊尹以割烹要湯」有諸?' 孟子曰'否. 不然. 伊尹耕於有莘之野, 而樂堯舜之道焉. 非其義也, 非其道也, 祿之以天下, 弗顧也; 繫馬千駟, 弗視也. 非其義也, 非其道也, 一介不以與人, 一介不以取諸人, 湯使人以幣聘之, 囂囂然曰「我何以湯之聘幣爲哉? 我豈若處畎畝之中, 由是以樂堯舜之道哉?」 湯三使往聘之, 旣而幡然改曰「與我處畎畝之中, 由是以樂堯舜之道, 吾豈若使是君爲堯舜之君哉? 吾豈若使是民爲堯舜之民哉? 吾豈若於吾身親見之哉? 天之生此民也, 使先知覺後知, 使先覺覺後覺也. 予, 天民之先覺者也. 予將以斯道覺斯民也. 非予覺之, 而誰也?」 思天下之民匹夫匹婦有不被堯舜之澤者, 若己推而內之溝中. 其自任以天下之重如此, 故就湯而說之以伐夏救民. 吾未聞枉己而正人者也. 況辱己以正天下者乎? 聖人之行不同也, 或遠或近, 或去或不去, 歸潔其身而已矣. 吾聞其以堯舜之道要湯, 未聞以割烹也.')"

曰 : "不敢如此說. 若如此說, 則是孔·顏胷次無些洒落底氣象. 只是學得許多骨董, 將去治天下. 又如龜山說'伊尹樂堯·舜之道, 只是出作入息, 饑食渴飮而已.' 即是伊尹在莘野時, 全無些能解, 及至伐夏救民, 逐旋叫喚起來, 皆說得一邊事. 今世又有一般人, 只是飽食煖衣無外慕, 便如此涵養去, 須是一一理會去."[267]

이어서 물었다. "옛날에 일찍이 '등용되면 (도를) 행하고, 버려지면 은거하는 것은 오직 나와 너에게만 이러함이 있다.'[268]라고 말했는데, 이것은 오로지 등용되면 (도를) 행하고 버려지면 은거하는 것만을 위한 것이 아닙니다. 이른바 '나라를 다스리고 세상을 평화롭게 하는' 수단을 오직 공자와 안자[顏淵]만이 가지고 있기에 등용되면 끌어안고 나아가며 등용되지 않으면 거두어서 품습니다."

주자가 대답했다. "감히 이와 같이 말할 것이 아니다. 만약 이와 같이 말한다면 공자와 안자[顏淵]는 마음에 쇄락한 기상이 없이, 다만 많은 자질구레한 것들을 배워서 세상을 다스리려 하였을 것이다. 또 예컨대 구산[楊時]이 '이윤은 요순의 도를 즐기면서 다만 해가 뜨면 일하고 해가 지면 쉬며, 배고프면 먹고 목마르면 마셨을 뿐이다.'라고 말하는 것과 같다. 바로 이윤이 신의 들에 있을 때에는 일어날 뜻이 전혀 없다가 하나라를 치고 백성을 구제하는 일에 이르러 갑자기 생각을 불러일으킨 것으로 여겨지니, 다 한 쪽의 일을 말한 것이다. 지금 세상에도 어떤 사람은 다만 배불리 먹고 따뜻하게 입는 것 외에 다른 것은 생각하지 않고 이와 같이 함양해 나아갈 뿐이지만, 반드시 하나하나 알아야 한다."

[2-10-3-2]

問 : "'志伊尹之志', 乃是志於行."

曰 : "只是不志於私. 今人仕宦只爲祿, 伊尹却'祿之天下弗顧, 繫馬千駟弗視也.'"

又曰 : "雖志於行道, 看自家所學元未有本領, 如何便能擧而措之天下? 又須有那地位. 若身處貧賤, 又如何行? 然亦必自修身始. 修身齊家, 然後達之天下也."

又曰 : "此箇道理, 緣爲家家分得一分, 不是一人所獨得而專者. 經世濟物, 古人有這箇心, 若只是我自理會得, 自卷而懷之, 却是私."[269]

물었다. "'이윤이 뜻한 것을 뜻으로 삼다.'라는 것은 곧 실행에 뜻을 둔 것입니다."

(주자가) 대답했다. "단지 사사로움에 뜻을 두지 않는 것이다. 지금의 벼슬아치들은 다만 봉록만을 위하지만, 이윤은 '온 세상을 봉록으로 주어도 돌아보지 않고, 사천 필의 말을 매어 놓더라도 쳐다보지 않았다.'"[270]

(주자가) 또 말했다. "비록 뜻이 도를 행하는데 있어도, 보기에 자신이 배운 것은 원래 본령이 있은

267 『朱子語類』 권94, 177조목

268 『論語』「述而篇」

269 『朱子語類』 권94, 178조목에는 '雖'자 앞에 '又云'이 첨가되어 있고, '達之天下也' 부분이 '達諸天下也'로 되어 있다.

270 『孟子』「萬章上」

적이 없었으니, 어떻게 들어서 그것을 세상에 둘 수 있겠는가? 또 반드시 그 지위가 있어야 한다. 만약 자신의 처지가 가난하고 천하다면 또 어떻게 행할 수 있겠는가? 그러나 또한 반드시 몸을 닦는 것으로부터 시작해야 한다. 몸을 닦고 집안을 가지런히 한 후에 뜻을 세상에 실현시킬 수 있다."

(주자가) 또 말했다. "이 도리는 사람마다 한쪽씩 나누어 가진 것이기 때문에 한 사람이 홀로 독점할 수 있는 것이 아니다. 세상을 경영하고 만물을 구제하는 일에 옛 사람이 마음을 가지고 있으면서, 만약 자기 자신만이 할 수 있는 것을 거두어 품고만 있다면 사사로운 것이다."

[2-10-3-3]

"'志伊尹之所志, 學顔子之所學', 志固是要立得大. 然其中又有先後緩急之序, '致廣大而盡精微.' 若曰未到伊尹田地做未得, 不成塊然都不思量天下之事. 若是見州郡所行事有不可人意, 或民遭酷虐, 自家寧不惻然動心? 若是朝夕憂慮, 以天下國家爲念, 又那裏教你怎地來?"

或曰: "聖賢憂世之志, 樂天之誠, 蓋有並行而不相悖者, 如此方得."

曰: "然. 今人若不塊然不以天下爲志, 便又切切然理會不干己事. 如世間一樣學問, 專理會典故, 世務便是如此. '古之欲明明德於天下者', 合下學便是學此事. 旣曰'欲明明德於天下', 不成只恁地空說. 裏面有幾多工夫."[271]

(주자가 말했다.) "'이윤이 뜻한 것을 뜻으로 삼고, 안자顔淵가 배운 것을 배운다.'라는 것은 뜻을 본디 크게 세우고자 한 것이다. 그러나 그 가운데에는 또 앞과 뒤와 느림과 빠름의 차례가 있기에 '넓고 큰 것을 이루면서도 정밀하고 미세한 것을 다한다.'[272] 만약 이윤의 경지에 도달하지 않아서 하지 못한다고 말하면서, 흙덩이처럼 가만히 있으며 세상의 일을 생각하지 않는다면 안 될 것이다. 만약 고을에서 행한 일 가운데 사람들의 뜻이 옳지 않거나 혹은 백성이 참혹함을 당하는 것을 본다면 자신이 어찌 측은히 여겨서 마음을 움직이지 않겠는가? 이와 같이 하루 종일 근심하며 세상과 나라를 염려한다면, 또 그 속에서 너로 하여금 어떻게 하게 하겠는가?"

어떤 사람이 물었다. "성현이 세상을 염려하는 뜻과 하늘을 즐기는 성誠은 병행하여 서로 어긋나지 않으니, 이와 같이 해야 비로소 괜찮습니다."

(주자가) 대답했다. "그렇다. 지금 사람들은 만약 흙덩이처럼 가만히 있으면서 세상에 뜻을 두지 않는 것이 아니면 또 자기와 관계되지 않는 일을 간절하게 알려고 한다. 예컨대 세상에서 어느 하나의 학문에 오로지 옛 고사만 이해하니, 세상일도 바로 이와 같이 한다. '옛날에 세상에서 밝은 덕을 밝게 하고자 하는 사람'[273]은 원래 배우면 반드시 이 일을 배운다. 이미 '세상에서 밝은 덕을 밝게 하고자 한다.'고 하였으면 단지 이와 같이 공허한 말을 하면 안 되고, 안에 여러 가지 공부가 있어야 한다."

271 『朱子語類』 권94, 179조목

272 『中庸』 제27장

273 『大學』 제1장

[2-10-3-4]

問 : "'學顔子之所學', 一本作'顔淵', 孰是?"

曰 : "'顔淵'底須是."

물었다. "'안자(顔淵)의 배운 것을 배운다.'는 것에서 어느 판본은 '안연'이라고 했는데, 무엇이 옳습니까?"

(주자가) 대답했다. "'안연'이라고 한 것이라야 옳다."

[2-10-3-5]

勉齋黃氏曰 : "才說爲學, 便以伊尹顔子並言, 若非爲己務實之論, 蓋人之心量自是有許多事, 不然則褊狹了. 然又不可不知輕重·先後, 故伊尹則曰志; 顔子則曰學. 『大學』旣言明德, 便言新民, 聖賢無一偏之學."

又曰 : "顔子是明德, 伊尹是新民, 本非二事也."

면재 황씨가 말했다. "비로소 학문을 하는 것을 말하면서 바로 이윤과 안자(顔淵)를 함께 말한 것이니, 만약 자기를 위한 실제적인 의론이 아니라면 사람들의 마음에는 본래 많은 일이 있거나, 그렇지 않다면 편협한 것이다. 그러나 또 가벼움과 무거움, 앞과 뒤를 알지 않을 수 없으므로 이윤에는 뜻을 말했고, 안자(顔淵)에는 배움을 말했다. 『대학』에서 이미 밝은 덕을 말한 것은 바로 백성을 새롭게 하는 것이니, 성현에게는 조금이라도 치우치는 배움이 없다."

또 말했다. "안자가 밝은 덕이라면 이윤은 백성을 새롭게 하는 것이니, 본래 두 가지 일이 아니다."

[2-10-4]

過則聖; 及則賢. 不及則亦不失於令名.

(이윤과 안연의 경지를) 넘어서면 성인이고, 미치면 현인이다. 미치지 못하더라도 또한 좋은 명성을 잃지는 않을 것이다.

[2-10-4-0]

三者隨其所用之淺深, 以爲所至之近遠. 不失令名, 以其有爲善之實也.

세 가지(넘어섬, 미침, 미치지 못함)는 그 사용하는 것의 낮고 깊음에 따라 이른 것의 가깝고 먼 것을 삼는다. 좋은 명성을 잃지 않는 것은 그가 선한 일을 한 실질이 있기 때문이다.

[2-10-4-01]

胡氏曰 : "周子患人以發策決科, 榮身肥家, 希世取寵爲事也, 故曰'志伊尹之所志'; 患人以廣聞見, 工文詞, 矜智能, 慕空寂爲事也, 故曰'學顔子之所學.' 人能志此志而學此事, 則知此書之包括至大, 而其用無窮矣."[274]

274 『西山讀書記』 권2 「學」

호씨[胡宏]가 말했다. "주자[周子]는 사람이 시험을 보아 과거에 급제하여 자신을 영화롭게 하고 집안을 풍요롭게 하며 세속에 영합하여 명예를 취하는 것을 일로 삼는 것을 염려하였기 때문에 '이윤이 뜻한 것을 뜻으로 삼는다.'라고 했고, 견문을 넓히어 문장과 말을 다듬고 지혜와 재능을 자랑하며 공적空寂[佛敎의 法]을 사모하는 것을 일삼는 것을 염려하였기 때문에 '안자[顔淵]가 배운 것을 배운다.'라고 하였다. 사람들이 이 뜻을 뜻으로 삼고 이 일을 배울 수 있다면 이 책(『통서』)이 지극히 큰 것을 포괄하고 있기에 그 사용이 끝이 없음을 알 것이다."

[2-10-4-1]

問："'過則聖及則賢', 若過於顔子, 則工夫又更純細, 此固易見. 不知過伊尹時如何說?"

朱子曰："只是更加些從容而已, 過之便似孔子. 伊尹終是有擔當底意思多."[275]

물었다. "'넘어서면 성인이고 미치면 현인이다.'라는 것에서 만약 안자[顔淵]를 넘어서는 것이라면 공부도 더욱 순수하고 자세하니, 이는 진실로 쉽게 봅니다. 이윤을 넘어섰는지를 어떻게 말해야 할지 모르겠습니다.?"

주자가 대답했다. "다만 더욱 조용히 할 뿐이니, 넘어서면 공자와 같을 것이다. 이윤은 끝내 담당한다는 뜻이 많다."

順化 第十一 제11 순화

[2-11-1]

天以陽生萬物, 以陰成萬物. 生, 仁也; 成, 義也.

하늘은 양陽으로 만물을 생겨나게 하고, 음陰으로 만물을 이룬다. 생겨나게 함[生]은 인仁이고, 이룸[成]은 의義이다.

[2-11-1-0]

陰陽, 以氣言; 仁義, 以道言. 詳已見『圖解』矣.

음陰과 양陽은 기氣로 말하고, 인仁과 의義는 도道로 말한다. 상세한 것은 이미 『태극도해』에 보인다.

[2-11-1-1]

朱子曰："仁義如陰陽, 只是一氣. 陽是正長底氣. 陰是方消底氣. 仁便是方消底義, 義便是收回底仁."[276]

275 『朱子語類』 권94, 180조목에는 '純細'가 '絶細'로 되어 있다.
276 『朱子語類』 권6, 138조목에는 '消'가 '生'으로 되어 있다.

주자가 말했다. "인의仁義는 음양陰陽과 같으니, 다만 동일한 기氣이다. 양은 바로 자라는 기이고, 음은 바로 사그라지는 기이다. 인은 바로 막 사그라지는 의이고, 의는 바로 거두어 돌아오는 인이다."

[2-11-1-2]

問 : "'春作夏長, 仁也; 秋斂冬藏, 義也.' 此亦所謂天道人道之立歟?"

曰 : "此即此書二氣五行之說."[277]

물었다. "'봄에 생겨나고 여름에 자라는 것이 인이고, 가을에 거두어들이고 겨울에 저장하는 것이 의입니다.' 이것은 또한 이른바 천도와 인도가 세워지는 것입니까?"

(주자가) 대답했다. "이것이 바로 이 책(『通書』)의 두 기와 오행에 관한 이론이다."

[2-11-1-3]

"舒而爲陽, 慘而爲陰, 孰非天地生物之心哉? 仁義之於人, 亦猶是已. 若仁義而有窮, 則是天道之陰陽亦有窮也, 而可乎?"[278]

(주자가 말했다.) "펴서 양이 되고 움츠려서 음이 되니, 무엇인들 천지가 만물을 생겨나게 하는 마음이 아니겠는가? 인과 의가 사람에게는 또한 이와 같을 뿐이다. 만약 인의이면서 끝이 있다면 천도의 음양 또한 끝이 있으니, 타당하겠는가?"

[2-11-2]

故聖人在上, 以仁育萬物, 以義正萬民.

그러므로 성인은 위에서 인仁으로 만물을 기르고 의義로 만민을 바르게 한다.

[2-11-2-0]

所謂定之以仁義.

인과 의로 그것을 정定한다고 말하는 것이다.

[2-11-3]

天道行而萬物順; 聖德修而萬民化. 大順大化, 不見其迹, 莫知其然之謂神.

천도가 행하여서 만물이 따르고, 성덕聖德이 닦아져서 만민이 교화된다. 크게 따르고 크게 교화되는 것은 그 흔적을 보지 못하고, 그렇게 되는 것을 알지 못하는 것을 신묘함이라고 한다.

[2-11-3-0]

天地聖人, 其道一也

277 『朱子語類』 권87, 144조목

278 『朱文公集』 권25 「書·與建寧傅守劄子」

천지와 성인은 그 도가 동일하다.

[2-11-4]

故天下之衆, 本在一人. 道豈遠乎哉? 術豈多乎哉?

그러므로 세상의 무리들은 근본이 한 사람에게 있다. 도가 어찌 멀리 있겠으며, 방법이 어찌 많이 있겠는가?

[2-11-4-0]

天下之本在君, 君之道在心, 心之術在仁義.

세상의 근본은 임금에게 있고, 임금의 도는 마음에 있으며, 마음 쓰는 방법은 인의에 있다.

治 第十二 제12 다스림

[2-12-1]

十室之邑, 人人'提耳而教', 且不及, 況天下之廣, 兆民之衆哉? 曰純其心而已矣.

열 집쯤 되는 마을에 사람마다 '간절하게 가르치더라도'[279] 또한 미치지 못하는데, 하물며 광대한 세상과 수많은 백성들이겠는가? 그 마음을 순수하게 할 뿐이라고 말한다.

[2-12-1-0]

純者, 不雜之謂. 心, 謂人君之心

순수함은 섞이지 않은 것을 말한다. 마음은 임금의 마음을 말한다.

[2-12-1-1]

北溪陳氏曰 : "凡物一色謂之純."[280]

북계 진씨[陳淳]가 말했다. "모든 것들이 같은 색을 순수함이라고 한다."

[2-12-2]

仁·義·禮·智四者, 動·靜·言·貌·視·聽無違之謂純.

279 『詩經』「大雅, 抑」, "아 소자여! 옳고 그름을 알지 못하는가? 손으로 끌어줄 뿐만 아니라 일로 보이면서 말해주며, 얼굴을 대하여 명령할 뿐만 아니라 귀를 당겨서 말해주노라.(於乎小子! 未知臧否? 匪手攜之, 言示之事, 匪面命之, 言提其耳.)" 孔穎達 疏, "내가 또한 친히 그 귀를 이끌어다가, 그 뜻을 가까이 하여 잊지 않도록 하였다.(我又親提撕其耳, 庶其志而不忘.)" 뒷날에 '提耳'는 '간절하게 가르침'을 의미하였다.

280 『北溪字義』

인·의·예·지의 넷이 움직임·고요함·말·얼굴·봄·들음에서 어김이 없는 것을 순수함이라고 이른다.

[2-12-2-0]

仁·義·禮·智, 五行之德也. 動靜, 陰陽之用. 而言·貌·視·聽, 五行之事也. 德不言信, 事不言思者, 欲其不違, 則固以思爲主, 而必求是四者之實矣.

"인·의·예·지는 오행의 덕이다. 움직임과 고요함은 음양의 작용이다. 말·얼굴·봄·들음은 오행의 일이다. 덕은 믿음을 말하지 않고, 일은 생각함을 말하지 않으니, 어기지 않고자 한다면 진실로 생각함을 주로 삼아, 반드시 이 넷의 실제를 구해야 한다."

[2-12-3]

心純, 則賢才輔

마음이 순수하면 현명한 인재가 도와준다.

[2-12-3-0]

君取人以身, 臣道合而從也.

임금이 자신과 같은 사람을 취하면, 신하는 도가 합치하므로 따른다.

[2-12-4]

賢才輔, 則天下治.

현명한 인재가 도와주면 세상이 다스려진다.

[2-12-4-0]

衆賢各任其職, 則不待人人提耳而敎矣.

많은 현명한 사람들이 각각 그 직책을 맡으면 사람마다 간절하게 가르치지 않아도 교화될 것이다.

[2-12-5]

純心要矣, 用賢急焉.

마음을 순수하게 하는 것이 중요하고, 현명한 사람을 쓰는 것은 급하다.

[2-12-5-0]

心不純, 則不能用賢; 不用賢, 則無以宣化.

마음이 순수하지 않으면 현명한 사람을 쓸 수 없고, 현명한 사람을 쓰지 않으면 교화를 베풀 수 없다.[281]

281 교화를 베풀 수 없다. : 『漢書』「董仲舒傳」 "지금의 군수와 현령은 백성의 귀감이니, 풍속을 이어서 교화를

禮樂 第十三 제13 예악

[2-13-1]

禮, 理也; 樂, 和也.

예禮는 리理이고, 악樂은 어울림이다.

[2-13-1-0]

禮, 陰也; 樂, 陽也.

예는 음이고, 악은 양이다.

[2-13-1-1]

黃氏巖孫曰 : "『禮記』云, '樂由陽來者也, 禮由陰作者也.' 即此意."

황암손이 말했다. "『예기』에 '악은 양으로부터 나온 것이고, 예는 음으로부터 지은 것이다.'[282]라고 한 것이 바로 이 뜻이다."

[2-13-2]

陰陽理而後和. '君君, 臣臣, 父父, 子子, 兄兄, 弟弟, 夫夫, 婦婦', 萬物各得其理, 然後和. 故禮先而樂後.

음과 양이 이치를 얻은 후에 어울린다. '임금은 임금답고, 신하는 신하다우며, 부모는 부모답고, 자식은 자식다우며, 형은 형답고, 아우는 아우다우며, 남편은 남편답고, 아내는 아내다워서'[283], 만물이 각기 그 이치를 얻은 후에 어울린다. 그러므로 예가 먼저이고 악이 뒤이다.

베풀게 한다. 따라서 귀감이 현명하지 않으면 군주의 덕이 베풀어지지 않고, 은혜로운 혜택이 흐르지 않는다.(今之郡守·縣令, 民之師帥, 所使承流而宣化也. 故師帥不賢, 則主德不宣, 恩澤不流.)" 이 부분을 좀 더 보충하면 다음과 같다. 한나라는 초기에 黃老學을 위주로 하였으나 武帝가 儒學으로 전환시키고 동중서의 견해를 채용하였다. "어진 사람은 그 의리를 바로잡고 그 이익을 도모하지 않으며, 그 도를 밝히고 그 공로를 따지지 않는다(仁人者, 正其誼, 不謀其利; 明其道, 不計其功.)"라는 동중서의 말은 유학의 중요성을 분명히 인식한 것이다. 이 때문에 송나라의 유학자들은 동중서의 이 말을 매우 중시하여 인용하였다.

282 『禮記』「郊特生」, "악은 양으로부터 나오는 것이고, 예는 음으로부터 짓는 것이다. 음과 양이 어울려야 만물이 (각각 그 이치를) 얻는다.(樂由陽來者也, 禮由陰作者也, 陰陽和而萬物得.)"

283 『論語』「顔淵篇」 "제나라 경공이 공자에게 정치에 대해 묻자, 공자가 '임금은 임금답고, 신하는 신하다우며, 부모는 부모답고, 자식은 자식다운 것입니다.'라고 했다. 경공이 '좋습니다. 진실로 임금이 임금답지 못하고, 신하가 신하답지 못하며, 부모가 부모답지 못하고, 자식이 자식답지 못할 것 같으면 비록 곡식이 있더라도 내가 그것을 먹을 수 있겠습니까?'라고 했다.(齊景公問政於孔子, 孔子對曰'君君, 臣臣, 父父, 子子.' 公曰'善哉! 信如君不君, 臣不臣, 父不父, 子不子, 雖有粟, 吾得而食諸?')"

[2-13-2-0]

此定之以中正仁義而主靜之意. 程子論'敬則自然和樂', 亦此理也. 學者不知持敬而務爲和樂, 鮮不流於慢者.

이것은 중정中正과 인의仁義를 가지고 정하여 고요함을 주로 한다는 뜻이다. 정자程子가 '공경하면 자연히 화락和樂한다.'[284]라고 논한 것 또한 이 이치이다. 배우는 사람이 공경함을 유지하여야 힘써 화락하게 된다는 것을 모르면 거만함에 빠지지 않는 자는 드물 것이다.

[2-13-2-1]

朱子曰 : "禮樂必相須. 然所謂樂者, 亦不過胷中無事而自和樂爾. 非是著意放開一路, 欲其和樂也. 然欲胷中無事, 非敬不能. 故程子曰'敬則自然和樂', 而周子亦以爲'禮先而樂後', 此可見也."[285]

주자가 말했다. "예와 악은 반드시 서로가 의존해야 한다. 그러나 이른바 악은 또한 마음속에서 일이 없이 저절로 화락하는데 지나지 않을 뿐이다. 이것은 생각을 한 쪽으로 열어 화락하고자 하는 것이 아니다. 그러나 마음속에서 일이 없고자 하는 것은 공경이 아니면 할 수가 없다. 그러므로 정자程子가 '공경하면 자연히 화락한다.'라고 하고, 주자周惇頤 또한 '예가 먼저이고 악은 뒤이다.'라고 하였으니, 이것을 알 수 있다."

[2-13-2-2]

問 : "周子禮樂說如何?"

曰 : "也須先是嚴敬, 方有和. 若直是盡得敬, 不會不和. 如臣子入朝, 自然極其恭敬, 也自和. 這不待勉强如此, 只是他情願如此, 便自和. 君君臣臣, 父父子子, 兄兄弟弟, 夫婦朋友, 各得其位, 這自然和. 若君失其所以爲君, 臣失其所以爲臣, 這如何會和? 如諸公在此坐, 都恁地收斂, 這便是和. 若退去自放肆, 或乖爭, 便是不和. 此章說得最好."[286]

물었다. "주자周惇頤의 예악론은 어떻습니까?"

(주자가) 대답했다. "반드시 먼저 엄숙하고 공경해야 비로소 어울림이 있을 수 있다. 만약 다만 공경함을 다할 수 있다면 어울리지 않을 수 없다. 예컨대 신하가 조정에 들어갈 때 자연히 그 공경을 지극히 하면 저절로 어울려지는 것과 같다. 이것은 억지로 이와 같이 할 필요가 없이 단지 그 뜻이 이와 같이 원한다면 저절로 어울려진다. 임금은 임금답고, 신하는 신하다우며, 부모는 부모답고, 자식은 자식다우며, 형은 형답고, 아우는 아우다우며, 남편과 아내와 친구가 각각 그 역할을 얻으면

284 양시, 『二程粹言』 권하 「人物篇」. 이곳은 정이가 "공자가 말했다. '위와 아래가 한결같이 공경하면 천지가 저절로 자리 잡고, 만물이 저절로 길러지며, 기가 어울리지 않음이 없다.'(子曰 : '上下一於敬則天地自位, 萬物自育, 氣無不和.')"라고 말한 내용을 주희가 요약하여 정리한 것이다.

285 『朱文公集』 권45 「書·答廖子晦」

286 『朱子語類』 권22, 59조목

이러한 경우에는 자연히 어울려진다. 만약 임금이 그 임금다운 것을 잃고, 신하가 그 신하다운 것을 잃는다면 이러한 경우에 어떻게 어울릴 수 있겠는가? 예컨대 여러분들이 여기에 앉아서 모두 이와 같이 수렴한다면 여기가 바로 어울림인 것과 같다. 만약 물러나 제멋대로 방탕하거나 혹은 어긋나게 싸운다면 바로 어울리지 않는 것이다. 이 장(제13장)[287]의 설명이 가장 좋다."

[2-13-2-3]

問 : "'禮之用和爲貴'解者多以和爲樂, 某思以和爲樂, 恐未穩. 須於禮中自求所謂和, 乃可. 因問之長上, 或設喩曰'所謂禮者, 猶「天尊地卑而乾坤定, 卑高以陳而貴賤位,」截然甚嚴也. 及其用, 則「天道下濟而光明, 地道卑而上行,」此豈非和乎.' 亦恐只是影說. 畢竟禮中之和不可見. 如'曲禮'條目甚詳, 不知何者爲和."

曰 : "和固不可便指爲樂, 然乃樂之所由生. 所設喩亦甚當. 如曲禮之目, 皆禮也. 然皆理義所宜, 人情之所安, 行之而上下親疎各得其所, 豈非和乎?"[288]

又曰 : "無禮之節, 則無樂之和. 惟有節而後有和也."[289]

물었다. : "'예의 쓰임은 어울림이 귀하다.'[290]라는 내용에 대해, 풀이하는 사람들은 대부분 어울림을 악樂으로 여기는데, 제가 생각하기에 어울림을 악으로 여기는 것은 아마도 온당하지 않은 듯합니다. 반드시 예 속에서 이른바 어울림을 자연스럽게 찾아야만 합니다. 이어서 이것을 어른에게 물으니, 어떤 사람이 비유하여, '이른바 예란 「하늘은 높고 땅은 낮아 건도乾道와 곤도坤道가 정해지고, 낮고 높음이 펼쳐져 귀하고 천한 위치가 정해진다.」[291]라는 말처럼 확실히 매우 엄격하다. 그 쓰임에 미쳐서는 「천도가 아래로 이루어져서 밝게 빛나고, 땅의 도가 낮은 곳으로부터 위로 행해진다.」[292]라고 하니, 이것이 어찌 어울림이 아니겠는가?'라고 했습니다.' 또한 이것은 아마도 다만 변죽만 울린 것 같습니다. 결국 예 속의 어울림을 보지 못했습니다. 예컨대 「곡례」의 조목[293]이 매우 상세한데, 무엇이 어울림인지를 알지 못하겠습니다."

(주자가) 대답했다. "어울림은 본디 바로 악樂이라고 지칭할 수는 없으나, 악은 그것으로 말미암아 생겨난다. 비유를 사용하는 것 또한 매우 타당하다. 「곡례」의 조목은 다 예다. 그러나 모두 리理와

287 『通書』 제13장 「禮樂」 "禮는 理이고, 樂은 어울림이다. 음과 양이 리를 얻은 후에 어울린다. 임금은 임금답고, 신하는 신하다우며, 부모는 부모답고, 자식은 자식다우며, 형은 형답고, 아우는 아우다우며, 남편은 남편답고, 아내는 아내다우며, 만물이 각기 그 이치를 얻은 후에 어울린다. 그러므로 예가 먼저이고 악이 뒤이다.(禮, 理也; 樂, 和也. 陰陽理而後和. 君君, 臣臣, 父父, 子子, 兄兄, 弟弟, 夫夫, 婦婦, 萬物各得其理然後和, 故禮先而樂後.)"

288 『朱文公集』 권49 「書·答滕德粹」

289 『朱子語類』 권87, 136조목

290 『論語』「學而篇」

291 『周易』「繫辭上傳」

292 『周易』「謙卦」

293 『禮記』「曲禮」의 예를 나열한 조목

의義가 마땅한 것이고, 인정이 편안한 것이며, 그것이 행하여져서 위아래와 친함과 섬김에 각각 마땅함을 얻으니, 어찌 어울림이 아니겠는가?"

(주자가) 또 말했다. "예에 절도가 없다면 악의 어울림도 없다. 오직 절도가 있은 후에라야 어울림이 있게 된다."

[2-13-2-4]

問："周子以禮先於樂，而樂記以樂爲先，與濂溪異."

曰："他却將兩者分開了."[294]

물었다. "주자周子는 예를 악보다 먼저라고 하였지만, 「악기」에서는 악을 먼저라고 하였으니, 염계와 다릅니다."

(주자가) 대답했다. "그는 둘(예·악)을 분리시켰다."

[2-13-2-5]

北溪陳氏曰："禮樂不是判然兩物不相干涉. 禮只是箇序，樂只是箇和. 纔有序，便順而和. 失序，便乖戾而不和. 如父子君臣夫婦兄弟，所以相戕相賊，相怨相仇，如彼其不和者，都緣先無箇父子君臣兄弟夫婦之禮，無親義序別便如此."[295]

북계 진씨陳淳가 말했다. "예와 악은 분명하게 두 가지가 되어 서로 관여하지 않는 것이 아니다. 예는 다만 질서이고, 악은 다만 어울림이다. 질서가 있으면 그것에 따라 어울리게 된다. 질서를 잃으면 어그러져서 어울리지 않는다. 만일 부모와 자식, 임금과 신하, 남편과 아내, 형과 아우 등이 서로 죽이고 서로 도적질하며 서로 원망하고 원수가 되면, 그들이 어울리지 않은 것은 모두 먼저 부모와 자식, 임금과 신하, 형과 아우, 남편과 아내의 예가 없기 때문이고, 친함과 의리에 차례와 분별이 없으면 바로 이와 같이 된다."

[2-13-2-6]

"禮樂無所不在，所謂'明則有禮樂，幽則有鬼神'，如何離得? 如盜賊至無道，亦須上下有統屬，此便是禮意. 纔有統屬，便自相聽從，這便是樂底意. 又如行路人，兩箇同行，纔存長少次序，長先少後，便相和順而無爭. 其所以有爭鬪處，皆緣無箇少長之序，於此却見禮先而樂後."[296]

"예와 악은 있지 않은 곳이 없는데, 이른바 '밝으면 예와 악이 있고, 그윽하면 귀와 신이 있으니'[297],어떻게 떨어질 수 있겠는가? 예컨대 지극히 무도한 도적이라도, 또한 위와 아래에 통솔함과 종속됨이

294 『朱子語類』 권87, 151조목
295 『北溪字義』 권하 「禮樂」
296 『北溪字義』 권하 「禮樂」
297 『禮記』「樂記」

있으니, 이것이 바로 예의 뜻이다. 통솔함과 종속됨이 있으면 각자가 서로 듣고 따르니, 이것이 바로 악의 뜻이다. 또 예컨대 길 가는 사람이 둘이 함께 가는데 어른과 어린이의 질서가 있기에 어른이 앞에 가고 어린이가 뒤에 가는 것은 바로 서로 어울려 따르므로 다툼이 없는 것과 같은 경우이다. 그들이 다툼이 있게 되는 것은 어린이와 어른 사이에 질서가 없기 때문이니, 여기에서 예가 먼저이고 악이 뒤라는 것을 알 수 있다."

務實 第十四 제14 실제에 힘씀

[2-14-1]

實勝, 善也; 名勝, 恥也. 故'君子進德修業', 孳孳不息, 務實勝也. 德業有未著, 則恐恐然畏人知, 遠恥也. 小人則僞而已. 故君子日休; 小人日憂.

실제가 이기는 것은 선善이고, 명성이 이기는 것은 부끄러움이다. 그러므로 '군자는 덕에 나아가 업을 닦고',[298] 부지런히 힘써 쉬지 않으니, 실제에 힘씀이 (허위를) 이긴다. 덕에 나아가 업을 닦는 일이 아직 드러나지 않으면 두려워하고 두려워하여 다른 사람이 알까 염려하는 것은 부끄러움을 멀리하기 위해서다. 소인은 허위를 본받을 뿐이다. 그러므로 군자는 날마다 편안하고, 소인은 날마다 근심한다.

[2-14-1-0]

實修而無名勝之恥, 故休. 名勝而無實修之善, 故憂.

실제가 닦여져서 명성이 이기는 부끄러움이 없으므로 편안하다. 명성이 이겨서 실제가 닦여지는 선이 없으므로 근심한다.

[2-14-1-1]

程子曰 : "學者須是務實, 不要近名. 有意近名, 則爲僞也. 大本已失, 更學何事? 爲名與爲利, 清濁雖不同, 然其利心則一也."[299]

又曰 : "有實則有名, 名實一物也. 若夫好名者則徇名爲虛矣. 如'君子疾沒世而名不稱', 謂無善可稱耳, 非徇名也."[300]

정자程子가 말했다. "배우는 사람은 반드시 실제에 힘써야 할 것이지, 명성을 가까이 하면 안 된다. 명성을 가까이 하려는 생각이 있으면 허위가 된다. 큰 근본이 이미 상실되었는데, 다시 무슨 일을

298 『周易』「乾卦·文言」
299 『二程遺書』 권18
300 『二程遺書』 권11

배우겠는가? 명성을 위한 것과 이익을 위한 것은 맑음과 흐림이 비록 같지 않지만, 그 이익을 추구하는 마음은 동일하다."

또 말했다. "실제가 있으면 명성이 있게 되어 명성과 실제는 하나이다. 만약 명성을 좋아하는 사람이라면 명성을 따르기 위해 허위를 저지를 것이다. 예컨대 '군자는 죽을 때까지 명성이 일컬어지지 않는 것을 염려한다.'[301]라는 것과 같은 경우는 일컬어질 만한 선이 없는 것을 말하는 것이지, 명성을 따르는 것은 아니다."

愛敬 第十五 제15 사랑과 공경

[2-15-1]

有善不及?

선善에 미치지 못하는 것이 있다면?

[2-15-1-0]

設問"人或有善而我不能及, 則如之何?"

"다른 사람이 혹 선이 있는데 내가 미칠 수 없다면 어떻게 하겠는가?"라고 물어본 것이다.

[2-15-2]

曰: "不及則學焉."

대답했다. "미치지 못하면 배워야 한다."

[2-15-2-0]

答言"當學其善而已."

"그 선을 마땅히 배울 뿐이다."라고 대답한 것이다.

[2-15-3]

問曰: "有不善?"

물었다. "선하지 않음이 있다면?"

[2-15-3-0]

問"人有不善, 則何以處之?"

301 『論語』「衛靈公」

"그 사람이 선하지 않음이 있으면 어떻게 처신하겠는가?"라고 물은 것이다.

[2-15-4]

曰: "不善則告之不善, 且勸曰'庶幾有改乎, 斯爲君子.'"

대답했다. "선하지 않으면 그에게 선하지 않다고 알려주고, 또 권면하여 말한다. '고치기를 바란다. 그러면 군자가 된다.'"

[2-15-4-0]

答言"人有不善, 則告之以不善而勸其改." 告之者, 恐其不知此事之爲不善也; 勸之者, 恐其不知不善之可改而爲善也.

"사람이 선하지 않음이 있으면 그에게 선하지 않음을 알려주고, 그것을 고치도록 권고해야 한다."라고 답한 것이다. 그에게 알려주는 것은 그가 이 일이 선하지 않음이 되는 것을 알지 못할까 염려해서이고, 그에게 권고하는 것은 그가 선하지 않음을 고쳐서 선하게 될 수 있다는 것을 알지 못할까 염려해서이다.

[2-15-5]

有善一, 不善二, 則學其一而勸其二.

선한 것이 하나 있고 선하지 않은 것이 둘이 있다면 그 하나를 배우고 그 둘을 (고치도록) 권고해야 한다.

[2-15-5-0]

亦答詞也. 言人有善惡之雜, 則學其善而勸其惡.

역시 답한 말이다. 그 사람이 선과 악이 섞여 있으면 그 선을 배우고 그 악을 (고치도록) 권고해야 함을 말한다.

2-15-6

有語曰: "'斯人有是之不善, 非大惡也.' 則曰'孰無過, 焉知其不能改? 改則爲君子矣, 不改爲惡. 惡者天惡之, 彼豈無畏耶, 烏知其不能改.'"

어떤 사람이 말했다. "'이 사람에게 이러한 선하지 않음이 있지만, 큰 악은 아니다.'라고 한다면 다음과 같이 말한다. '누군들 허물이 없겠는가, 어찌 그가 고칠 수 없을 것을 알겠는가? 고치면 군자가 되고, 고치지 않으면 악인이 된다. 악인은 하늘이 미워하는데, 그가 어찌 두려움이 없겠으며, 어찌 그가 고칠 수 없을 것을 알겠는가?'"

[2-15-6-0]

此亦答言. 聞人有過, 雖不得見而告勸之, 亦當答之以此, 冀其或聞而自改也. 有心悖理謂之惡. 無心失理謂之過.

이 또한 답하여 말한 것이다. 사람들에게 허물이 있다고 들으면 비록 그를 만나서 그에게 권고하지 못하더라도, 또한 마땅히 이것으로 대답하여 그가 혹 듣고 스스로 고치기를 바라야 한다. 의도를 갖고 이치를 어긋나게 하는 것을 악[惡]이라고 하고, 의도가 없이 이치를 그르치는 것을 허물[過]이라고 한다.

[2-15-6-1]

西山眞氏曰 : "過雖聖賢不能無, 知其爲過而速改, 則無矣. 蓋無心而誤, 則謂之過. 有心而爲, 則謂之惡. 不待別爲不善, 方謂之惡, 只如過不改是有心, 便謂之惡."

서산 진씨[眞德秀]가 말했다. "허물은 비록 성현에게도 없을 수 없지만, 그것이 허물이라는 것을 알고 빠르게 고친다면 없어질 것이다. 의도하지 않고 오류를 범하는 것을 허물이라고 한다. 의도하여 (오류를) 범하는 것을 악이라고 한다. '선하지 않은 것을 별도로 하기를 기다릴 것이 없어도 악이라고 하겠으니, 단지 허물을 고치지 않는 것과 같은 경우에는 이 의도가 있어, 바로 악이라고 한다."

2-15-7

故君子悉有衆善, 無弗愛且敬焉.

그러므로 군자는 여러 선을 모두 다 갖추고 있으니, 사랑하고 또 공경하지 않을 수 없다.

[2-15-7-0]

善無不學, 故悉有衆善. 惡無不勸, 故不棄一人於惡. 不棄一人於惡, 則無所不用其愛敬矣.

선에는 배우지 않을 것이 없으므로 여러 선이 다 있다. 악에는 (고치기를) 권고하지 않을 것이 없으므로 한 사람이라도 악에 빠지도록 버려두지 않는다. 한 사람이라도 악에 빠지도록 버려두지 않으니, 그 사랑과 공경을 사용하지 않을 수 없다.

動靜 第十六 제16 움직임과 고요함

[2-16-1]

動而無靜, 靜而無動, 物也.

움직일 때에 고요함이 없고, 고요할 때에 움직임이 없는 것은 물[物]이다.

[2-16-1-0]

有形則滯於一偏.

형체가 있으면 한 쪽에 국한된다.

[2-16-2]

動而無動, 靜而無靜, 神也.

움직이지만 움직임이 없고, 고요하지만 고요함이 없는 것은 신神이다.

[2-16-2-0]

神則不離於形, 而不囿於形矣.

신神은 형체를 떠나지 않으면서도 형체에 얽매이지 않는다.

[2-16-3]

動而無動, 靜而無靜, 非不動不靜也.

움직이지만 움직임이 없고 고요하지만 고요함이 없는 것은, 움직이지 않는 것도 아니고 고요하지 않는 것도 아니다.

[2-16-3-0]

動中有靜, 靜中有動.

움직임 속에 고요함이 있고, 고요함 속에 움직임이 있다.

[2-16-4]

物則不通, '神妙萬物.'[302]

물物은 두루 통하지 않고, 신神은 만물을 오묘하게 한다.

[2-16-4-0]

結上文, 起下意.

윗글을 맺고, 아래 뜻을 일으켰다.

[2-16-4-1]

問 : "'動而無靜, 靜而無動, 物也. 靜而無靜, 動而無動, 神也.' 所謂物者, 人在其中否?"

朱子曰 : "人在其中."

問 : "所謂神者, 是天地之造化否?"

曰 : "神者, 即此理也."

問 : "物則拘於有形, 人則動而有靜, 靜而有動, 如何却同萬物而言?"

曰 : "人固是靜中動, 動中靜, 亦謂之物. 凡言物者, 指形氣有定體而言,[303] 然自有一箇變通

302 『周易』「說卦傳」 "신은 만물을 오묘하게 하는 것을 말한다.(神也者, 妙萬物而爲言者也.)"

303 形氣 : 『朱子語類』 권94, 185조목에는 '形器'로 되어 있다.

底在其中. 須是知器即道, 道即器, 莫離道而言器可也. 凡物皆有此理. 且如這竹器固是一器, 到其適用處, 便有箇道在其中."[304]

물었다. "'움직일 때에 고요함이 없고, 고요할 때에 움직임이 없는 것은 물物이다. 고요할 때에 고요함이 없고, 움직일 때에 움직임이 없는 것은 신神이다.'라고 한 것에서 말하는 물物은 사람이 그 속에 있는 것입니까?"

주자가 대답했다. "사람이 그 속에 있다."

물었다. "이른바 신神은 천지의 조화造化입니까?"

(주자가) 대답했다. "신은 바로 이 이치이다."

물었다. "물건物은 형체에 구속되지만, 사람은 움직일 때에 고요함이 있고 고요할 때에 움직임이 있는데, 왜 만물과 같은 것으로 말합니까?"

(주자가) 대답했다. "사람은 본디 고요함 속에서 움직이고 움직임 속에서 고요해도, 또한 물物이라고 한다. 일반적으로 물物은 형기形氣에 정해진 형체形體가 있는 것을 가리키어 말하지만, 그 속에 스스로 변통하는 도道가 있다. 반드시 기器는 곧 도이고, 도는 곧 기器라는 것을 알아야 도를 떠나지 않고 기器를 말하는 것이 가능하다. 일반적으로 물物에는 다 이 이치가 있다. 가령 이 대나무 그릇은 본디 하나의 기器이지만 그 적용하는 곳에 이르러서는 바로 그 속에 도가 있는 것과 같다."

[2-16-4-2]

"此章'動而無靜, 靜而無動, 物也', 此言形而下之器也. 形而下者則不能通, 故方其動時則無了那靜, 方其靜時則無了那動, 如水只是水, 火只是火. 就人言之, 語則不默, 默則不語. 以物言之, 飛則不植, 植則不飛, 是也. '動而無動, 靜而無靜', 非不動不靜, 此言形而上之理也. 理則神而莫測, 方其動時未嘗不靜, 故曰'無動;' 方其靜時未嘗不動, 故曰'無靜.' 靜中有動, 動中有靜, 靜而能動, 動而能靜, 陽中有陰, 陰中有陽, 錯綜無窮, 是也.

"이 장에서 '움직일 때에 고요함이 없고, 고요할 때에 움직임이 없는 것은 물物이다.'라고 했는데, 이것은 형이하의 기器를 말한다. 형이하의 것은 통할 수 없으므로 막 움직일 때에는 저 고요함이 없고, 막 고요할 때에는 저 움직임이 없는 것이 마치 물[水]은 단지 물[水]이고 불은 단지 불인 것과 같다. 사람의 측면에서 말하면 말을 할 때는 침묵하지 않고, 침묵할 때는 말을 하지 않는 경우이다. 물物의 측면으로 말하면 날면 땅에 뿌리박고 서 있을 수 없고, 땅에 뿌리박고 서 있으면 날지 못하는 경우가 이것이다. '움직일 때에 움직임이 없고, 고요할 때에 고요함이 없다.'라는 것은 움직이지 않거나 고요하지 않다는 것이 아니니, 이것은 형이상의 이치를 말한 것이다. 이치는 신묘[神]하여 헤아릴 수 없으니 막 움직일 때에 고요하지 않은 적이 없으므로 '움직임이 없다.'라고 하고, 막 고요할 때에 움직이지 않은 적이 없으므로 '고요함이 없다.'라고 한다. 고요함 속에 움직임이 있고, 움직임 속에 고요함이 있으며, 고요하면서 움직일 수 있고, 움직이면서 고요할 수 있으며, 양 속에 음이

304 『朱子語類』 권94, 185조목

있고 음 속에 양이 있는 것은 섞여서 끝이 없는 것이 이것이다.

下曰. '「水陰根陽, 火陽根陰.」 水陰火陽, 物也, 形而下者也. 所以根陰根陽, 理也, 形而上者也.'

다음에 말했다. '「수水는 음陰인데 양陽에 뿌리를 두고, 화火는 양陽인데 음陰에 뿌리를 둔다.」'[305]라고 한 것에서, 수水는 음이고 화火는 양이라는 것은 물物이고 형이하의 것이다. 따라서 음에 뿌리를 두고 양에 뿌리를 두는 것은 이치이며 형이상의 것이다.'

黃榦云. '兼兩意言之方備. 言理之動靜, 則靜中有動, 動中有靜, 其體也; 靜而能動, 動而能靜, 其用也. 言物之動靜, 則動者無靜, 靜者無動, 其體也; 動者則不能靜, 靜者則不動, 其用也.'"[306]

황간黃榦이 말했다. '두 뜻을 겸해서 말해야 비로소 갖추어질 수 있다. 리理의 움직임과 고요함으로 말할 때에는, 고요함 속에 움직임이 있고 움직임 속에 고요함이 있는 것이 그 체體이고, 고요하면서도 움직일 수 있고 움직이면서도 고요할 수 있는 것이 그 용用이다. 물物의 움직임과 고요함으로 말할 때에는, 움직임에는 고요함이 없고 고요함에는 움직임이 없는 것이 그 체이고, 움직임에는 고요할 수 없고 고요함에는 움직일 수 없는 것이 그 용이다.'"

[2-16-4-3]

問 : "'動而無動, 靜而無靜, 神也.' 此理如何?"[307]

曰 : "此說'動而生陽, 動極而靜, 靜而生陰, 靜極復動', 此自有箇神在其間, 不屬陰, 不屬陽, 故曰'陰陽不測之謂神.' 且如晝動夜靜,[308] 晝固是屬動,[309] 然在晝間, 神不與之俱動.[310] 夜固是屬靜,[311] 然在夜間, 神不與之俱靜. 神又自是神, 神却管得晝夜, 晝夜却管不得那神. 蓋神妙萬物,[312] 自是超然於形器之表, 貫動靜而言, 其體常如是而已矣.[313] 如說'水陰根陽, 火陽根陰', 已是有形象底, 是說粗底了."[314]

물었다. "'움직일 때에 움직임이 없고, 고요할 때에 고요함이 없는 것은 신神이다.'라고 한 것에서

305 『通書』 제16장(動靜)
306 『朱子語類』 권94, 181조목에는 '黃榦'이 '直卿'으로 되어 있다. '직경'은 황간의 자이다.
307 『朱子語類』 권94, 183조목
308 『朱子語類』 권94, 182조목
309 『朱子語類』 권94, 183조목
310 『朱子語類』 권94, 182조목
311 『朱子語類』 권94, 183조목
312 『朱子語類』 권94, 182조목
313 『朱子語類』 권94, 183조목
314 『朱子語類』 권94, 182조목

이 이치는 왜 그렇습니까?"

(주자가) 대답했다. "이것은 '움직여 양을 생겨나게 하며, 움직임이 지극해지면 고요함이 되고, 고요하여 음을 생겨나게 하며, 고요함이 지극해지면 움직임으로 돌아온다.'라는 것을 말하니, 이는 그 사이에 자연히 신神이 있기에 음에 속하지도 않고 양에 속하지도 않으므로 '음과 양을 헤아릴 수 없는 것을 신이라고 한다.'라고 했다. 가령 낮에는 움직이고 밤에는 고요한데, 낮은 본디 움직임에 속하나 낮에는 신이 그와 함께 움직이지 않는다. 밤은 본디 고요함에 속하나 밤에는 신이 그와 함께 고요하지 않다. 신은 또 스스로 신이니, 신은 낮과 밤을 주관하지만, 낮과 밤이 그러한 신을 주관하지는 않는다. 신은 만물을 오묘하게 하며 저절로 형기形器의 표면을 넘어서니, 움직임과 고요함을 꿰뚫는 것으로 말하면 그 체가 항상 이와 같을 뿐이다. 예컨대 '수水는 음陰인데 양陽에 뿌리를 두고, 화火는 양陽인데 음陰에 뿌리를 둔다.'라는 말은 이미 형상이 있는 것이니, 거친 것을 말했다."

[2-16-4-4]

"所謂神者, 初不離乎物. 如天地物也, 天之收斂豈專乎動, 地之發生豈專乎靜? 此即神也."[315]

(주자가 말했다.) "이른바 신神은 애초부터 물物을 떠나지 않는다. 예컨대 천지가 물物인 것과 같다. 하늘이 수렴하는 것이 어찌 오로지 움직임만이겠으며, 땅이 발생시키는 것이 어찌 오로지 고요함뿐이겠는가? 이것이 바로 신이다."

[2-16-4-5]

"動靜二字相對, 不能相無, 乃天理之自然, 非人力之所能爲也. 若不與動對, 則不名爲靜. 不與靜對, 亦不名爲動矣. 但衆人之動, 則流於動而無靜. 衆人之靜, 則淪於靜而無動. 此周子所謂'物則不通'也. 惟聖人無人欲之私, 而全乎天理, 是以其動也靜之理未嘗亡, 其靜也動之機未嘗息, 此周子所謂'神妙萬物'也."[316]

(주자가) 말했다. "움직임[動]과 고요함[靜]은 서로 마주하는 것이어서 서로 없을 수 없으니, 천리의 자연스러움이요 사람의 힘으로 할 수 있는 것이 아니다. 만약에 움직임과 마주하지 않는다면 고요함이라는 이름은 없을 것이다. 만약 고요함과 마주하지 않는다면 또한 움직임이라는 이름도 없을 것이다. 그러나 여러 사람들의 움직임은 움직임에 흘러서 고요함이 없다. 여러 사람들의 고요함은 고요함에 빠져서 움직임이 없다. 이것은 주자周子가 말한 '물物은 통하지 않는다.'라는 것이다. 오직 성인은 인욕의 사사로움이 없어서 천리를 온전히 하니, 그 움직임에도 또한 고요함의 이치가 없어진 적이 없고, 그의 고요함에도 또한 움직임의 낌새가 쉰 적이 없으니, 이것이 주자周子가 말한 '신은 만물을 오묘하게 한다.'라는 것이다."

315 『朱子語類』 권94, 184조목

316 『朱文公集』 권42 「答胡廣仲」

[2-16-5]

水陰根陽, 火陽根陰.

수水는 음陰인데 양陽에 뿌리를 두며, 화火는 양陽인데 음陰에 뿌리를 둔다.

[2-16-5-0]

水陰也, 而生於一, 則本乎陽也. 火陽也, 而生於二, 則本乎陰也. 所謂'神妙萬物'者如此.

수水는 음陰이고 하나에서 생겨나니, 양陽에 뿌리를 둔다. 화火는 양陽이고 둘에서 생겨나니, 음陰에 뿌리를 둔다. 이른바 '신은 만물을 오묘하게 한다.'라는 것은 이와 같다.

[2-16-5-1]

或問 : "神."

朱子曰 : "神在天地間, 所以妙萬物者, 如水爲陰則根陽, 火爲陽則根陰."[317]

어떤 사람이 물었다. "신神에 대해 묻습니다."

주자가 대답했다. "신神은 천지 사이에 있기에 만물을 오묘하게 하는 것이니, 마치 수水는 음陰인데 양陽에 뿌리를 두고, 화火는 양陽인데 음陰에 뿌리를 두는 것과 같다."

[2-16-6]

五行陰陽, 陰陽太極.

오행은 음양이고, 음양은 태극이다.

[2-16-6-0]

此即所謂'五行一陰陽, 陰陽一太極'者, 以'神妙萬物'之體而言也. 一云 : "承上文而言, 自五而一也."

이는 바로 이른바 '오행은 하나의 음양이고, 음양은 하나의 태극이다.'라는 것이니, (이것은) '신이 만물을 오묘하게 하는' 체를 가지고 말한 것이다. 일설에는 다음과 말하였다. "윗글을 이어 말한 것으로, 오행으로부터 하나의 태극까지이다."

[2-16-7]

四時運行, 萬物終始.

사계절이 운행하여, 만물이 시작하고 끝난다.

[2-16-7-0]

此即所謂'五氣順布, 四時行焉, 無極二五, 妙合而凝'者, 以'神妙萬物'之用而言也. 一云 : "四

317 『朱子語類』 권94, 185조목에는 '或問'이 '又問'으로, '天地間'이 '天地中'으로 되어 있다.

時，即五行也．反上文而言．自五而萬也．"[318]

이것은 바로 이른바 '오기五氣[수·화·목·금·토]가 순하게 펼쳐지고, 사계절이 운행되며, 무극과 음양과 오행이 오묘하게 합하여 응결한다.'라는 것이니, '신이 만물을 오묘하게 하는' 용을 가지고 말한 것이다. 일설에는 다음과 같이 말하였다. "사계절은 바로 오행이다. 윗글을 돌이키어 말했다. 오행으로부터 만물까지이다."

[2-16-7-1]

朱子曰："'四時行焉，萬物終始'，若道有箇物時，又無形骸；若道無箇物時，又怎生會恁地?"[319]

주자가 말했다. "'사계절이 운행하여, 만물의 끝과 시작을 이룬다.'라는 것에서, 어떤 것이 있다고 하자니 또 어떤 형체가 없고, 아무것도 없다고 하자니 그렇다면 또 어떻게 이와 같은 것을 생기게 할 수 있겠는가?"

[2-16-8]

混兮闢兮，其無窮兮．

혼돈이여! 개벽이여! 그 끝이 없음이여!

[2-16-8-0]

體本則一，故曰混．用散而殊，故曰闢．一動一靜，其運如循環之無窮．此兼擧其體用而言也．一云："混，合也．自五而一，動而靜，陽而陰也．闢，開也，自五而萬，靜而動，陰而陽也．一合一開，如循環之無端，而天地之造化無窮矣．"[320]

체는 근본이어서 하나이므로 혼합한다. 용은 흩어져 달라지므로 연다. 한 번은 움직이고 한 번은 고요하니, 그 운행은 순환이 끝이 없는 것과 같다. 이것은 체와 용을 겸하여 들어서 말한 것이다. 일설에는 다음과 같이 말했다. "혼混은 합하는 것이다. 오행으로부터 태극에 이르는 것으로 움직이면서 고요하고 양이면서 음이다. 벽闢은 열어감이다. 오행으로부터 만물에 이르는 것으로 고요하면서 움직이고 음이면서 양이다. 한 번은 합하고 한 번은 열어가는 것이 마치 순환이 끝이 없어서 천지의 조화가 끝이 없는 것과 같다."

[2-16-8-01]

此章發明『圖』意，更宜參考．

이 장은 『태극도』의 뜻을 드러내 밝힌 것이니, 다시 마땅히 참고해야 한다.

318 『西山讀書記』 권37 「陰陽」
319 『朱子語類』 권74, 130조목
320 『西山讀書記』 권37 「陰陽」

[2-16-8-1]

朱子曰："混言太極，闢言爲陰陽五行以後，故末句曰'其無窮兮.' 言旣闢之後爲陰陽五行，以後爲萬物無窮盡也."[321]

주자가 말했다. "혼混은 태극을 말하고, 벽闢은 음양과 오행이 된 이후를 말하므로 마지막 구절에서 '그것이 끝이 없다.'라고 했다. 이미 열어간 이후에 음양과 오행이 되고, 이후에 만물이 되어 끝이 없는 것을 말한다."

[2-16-8-2]

或問："周子之語，言合胡不自萬而一，言開胡不自一而萬?"

勉齋黃氏曰："周子之言造化至五行處，是一關隔. 自五行而上屬乎造化，自五行而下屬乎人物. 所以『太極圖』說到'四時行焉'，却說轉從五行說太極. 又從五行之生說'各一其性'，說出至變化無窮. 蓋天地造化，分陰分陽至五行而止. 五行旣具，則由是而生人物也. 有太極，便有陰陽. 有陰陽，便有五行. 三者初無斷際. 至此若不說合，却恐將作三件物事認了. 所以合而謂之妙合，非昔開而今合，莫之合而合也. 至於五行旣凝，而後有男女；男女旣交，而後生萬物. 此却是有次第，故有五行而下，節節開說，然其理氣未嘗有異，則恐未嘗不合也."[322]

어떤 사람이 물었다. "주자周子의 말은 합함[合]을 말하면서 어찌 만물로부터 태극에 이르는 것이라고 말하지 않으며, 열어감[闢]을 말하면서 어찌 태극으로부터 만물에 이르는 것이라고 말하지 않습니까?"

면재 황씨[黃幹]가 말했다. "주자周子는 조화를 말할 때 오행에 이르는 곳에서 한 차례 매듭을 지었다. 오행으로부터 이상은 조화에 속하고, 오행으로부터 이하는 사람과 사물에 속한다. 따라서 『태극도』에서 '사계절이 운행한다.'라는 것에 이르러서는 바로 말을 바꿔 오행으로부터 태극을 말했다. 또 오행의 생겨남으로부터 '각기 그 성을 하나로 한다.'라고 하여 변화가 끝이 없음을 말하였다. 천지의 조화는 음과 양을 나눈 것으로부터 오행에 이르러 멈춘다. 오행이 이미 갖추어지면 이로부터 사람과 사물이 생긴다. 태극이 있으면 바로 음양이 있다. 음양이 있으면 바로 오행이 있다. 셋은 애초부터 단절될 겨를이 없다. 여기에서 만약 합함을 말하지 않는다면 아마도 세 가지의 것으로 여겨질 것이다. 따라서 합함을 오묘한 합함이라고 말하는 것은 옛날에 열었던 것을 지금 합하는 것이 아니라, 합하지 않아도 합하기 때문이다. 오행이 이미 응결한 이후에 남자와 여자가 있고, 남자와 여자가 이미 교제한 이후에 만물을 생겨나게 한다. 이는 곧 순서가 있기 때문에 오행 이하는 점차 열어가는 것으로 말하나, 그 리理와 기氣는 다른 적이 없었으니, 아마도 합하지 않은 적이 없었을 것이다."

321 『朱子語類』 권94, 187조목

322 『勉齋集』 권13 「復甘吉甫」

樂上 第十七 제17 악상

[2-17-1]

古者聖王制禮法, 修教化, 三綱正, 九疇敍, 百姓大和, 萬物咸若.

옛날에 성왕聖王이 예의와 법도를 만들어 교화를 닦으니, 삼강三綱이 바르게 되고 구주九疇[323]가 펼쳐지며 백성이 크게 어울리고 만물이 다 따랐다.

[2-17-1-0]

綱, 網上大繩也. 三綱者, '夫爲妻綱, 父爲子綱, 君爲臣綱也.' 疇, 類也. 九疇, 見「洪範」. 若, 順也. 此所謂'理而後和也.'

강綱은 그물 위의 굵은 줄이다. 삼강은 '남편은 아내의 벼리가 되고, 부모는 자식의 벼리가 되며, 임금은 신하의 벼리가 된다.'라는 것이다. 주疇는 부류이다. 구주는 「홍범」에 보인다. 약若은 따름이다. 이것은 이른바 '리가 있은 후에 어울림이 있다.'라는 것이다.

[2-17-2]

乃作樂以宣八風之氣, 以平天下之情.

악樂을 지어 팔풍[324]의 기를 펼치고, 세상의 감정을 평화롭게 하였다.

[2-17-2-0]

八音以宣八方之風, 見『國語』. 宣, 所以達其理之分. 平, 所以節其和之流.

팔음은 여덟 지역의 바람을 펼치는 것으로 『국어』에 보인다. 선宣은 그 이치의 몫에 도달하는 것이다. 평平은 그 어울림의 부류를 절도 있게 하는 것이다.

323 『書經』의 「洪範九疇」를 의미하는데, 구주는 다음과 같다. 1, 5행, 5사(물-윤택하고 아래로 내려감, 불-불타고 위로 올라감, 나무-굽고 곧음, 쇠-따르고 바꿈, 흙-심고 거둠). 2, 5사(모습-공손, 말-따름, 봄-밝음, 들음-귀밝음, 생각함-지혜). 3, 8정(식량, 재물, 제사, 사공-토목 관장, 사도-교육 관장, 사구-법 관장, 손님-외교 관장, 군사). 4, 5기(해, 달, 날, 별, 역수). 5, 황극. 6, 3덕(정직, 강함으로 다스림, 부드러움으로 다스림). 7, 계의(점쳐서 상고함 : 비, 갬, 몽매함, 끊어짐, 이김, 곧음, 후회). 8, 서징(여러 방법으로 징험함 : 비, 볕, 더위, 추위, 바람, 때). 9, 5복(장수, 부유, 평안, 덕을 좋아함, 온당하게 죽음)과 6극(흉함과 요절, 질병, 근심, 가난, 사나움, 나약함).[1, 五行(水-潤下, 火-炎上, 木-曲直, 金-從革, 土-稼穡). 2, 五事(貌-恭, 言-從, 視-明, 聽-聰, 思-睿). 3, 八政(食, 貨, 祀, 司空, 司徒, 司寇, 賓, 師.). 4, 五紀(歲, 月, 日, 星辰, 曆數). 5, 皇極. 6, 三德(正直, 剛克, 柔克). 7, 稽疑(雨, 霽, 蒙, 驛, 克, 貞, 悔). 8, 庶徵(庶徵, 曰雨, 曰暘, 曰燠, 曰寒, 曰風). 9, 五福(壽, 富, 康寧, 攸好德, 考終命)과 六極(凶短折, 疾, 憂, 貧, 惡, 弱).]

324 팔풍 : 여덟 방위(동, 서, 남, 북, 동북, 동남, 서남, 서북)의 바람으로 동방은 明庶風이고, 서방은 閶闔風이며, 남방은 景風이고, 북방은 廣莫風이며, 동북방은 條風이고, 동남방은 淸明風이며, 서남방은 凉風이고, 서북방은 不周風이다. 『淮南鴻烈解』 권3 「天文訓」 및 張揖 撰, 『廣雅』 권9 「宿度」 등 참조.

[2-17-2-1]

黃氏瑞節曰："東北方條風；東方明庶風；東南方淸明風；南方景風；西南方凉風；西方閶闔風；西北方不周風；北方廣莫風."

황서절黃瑞節[325]이 말했다. "동북방은 조풍이고, 동방은 명서풍이며, 동남방은 청명풍이고, 남방은 경풍이며, 서남방은 양풍이고, 서방은 창합풍이며, 서북방은 부주풍이며, 북방은 광막풍이다."

[2-17-3]

故樂聲淡而不傷；和而不淫. 入其耳, 感其心, 莫不淡且和焉. 淡則欲心平；和則躁心釋.

그러므로 악의 소리는 담박하나 해치지 않고, 어울리되 음탕하지 않다. 그 귀로 들어가서 그 마음에 느끼니, 담박하고 어울리지 않음이 없다. 담박하면 하고자 하는 마음이 평안해지고, 어울리면 조급한 마음이 풀어진다.

[2-17-3-0]

淡者, 理之發；和者, 和之爲. 先淡後和, 亦'主靜'之意也. 然古聖賢之論樂曰和而已. 此所謂淡, 蓋以今樂形之, 而後見其本於莊正齊肅之意耳.

담淡은 이치가 발현한 것이고, 화和는 어울림이 하는 것이다. 담박함을 먼저 하고 어울림을 뒤에 하는 것 또한 '고요함을 주로 한다.'는 뜻이다. 그러나 옛 성현이 악을 논할 때에는 어울림을 말했을 뿐이다. 여기에서 말하는 담박함은 오늘날 악樂으로 드러난 이후에 장엄하고 바르며 가지런하고 엄숙한 뜻을 근본으로 하고 있음을 보인 것이다.

[2-17-3-1]

朱子曰："欲於'齊肅之意'下, 添'故希簡而寂寥'六字."[326]

주자가 말했다. "'가지런하고 엄숙한 뜻' 다음에 '그러므로 드물고 간략하며 고요하다故希簡而寂寥'라는 여섯 글자를 첨가하고자 한다."

[2-17-4]

優柔平中, 德之盛也. 天下化中, 治之至也. 是謂'道配天地', 古之極也.

넉넉하고 부드러우며 평화롭고 중도를 유지하는 것은 덕의 왕성함이다. 세상이 중도로 교화되는 것은 다스림의 지극함이다. 이것이 '도가 천지에 짝한다.'라는 것으로, 옛 성현의 지극함이다.

325 黃瑞節 : 자는 觀樂이다. 송·원대 安福 사람으로 송대에 泰和州學을 역임했으나, 원대에서는 은거하여 학문에 힘썼다. 주희가 편찬한 『太極解義』·『通書解』·『正蒙解』·『易學啓蒙』·『家禮』·『律呂新書』·『皇極經世』에 주석을 가하여 『朱子成書』라는 책을 지었다.

326 『朱文公集續集』 권2 「書·答蔡季通」

[2-17-4-0]

欲心平, 故平中. 躁心釋, 故優柔. 言聖人作樂功化之盛如此. 或云'化中', 當作'化成.'

하고자 하는 마음이 평안하기 때문에 평화롭고 중도를 유지한다. 조급한 마음이 풀어졌기 때문에 넉넉하고 부드럽다. 성인이 악을 지어 교화를 이룬 공로의 성대함이 이와 같음을 말한다. 어떤 사람은 '중도로 교화된다[化中]'를 마땅히 '교화되어 이룬다[化成]'로 써야 한다고 했다.

[2-17-4-1]

朱子曰 : "'優柔平中', 中字於動用上說. 明道云'「惟精惟一,」所以至之; 「允執厥中,」所以行之', 即此意. 然只云'於動用上說', 却覺未盡. 不若云'於動用上該本體說.'"[327]

주자가 말했다. "'넉넉하고 부드러우며 공평하고 중도를 유지한다.'에서 중도[中]는 움직여 쓰는 측면에서 말한 것이다. 명도[程顥]가 말한 '「오직 정밀하고 오직 한결같다.」라는 것은 거기에 이르는 방법이고 「진실로 그 중을 잡는다.」라는 것은 그것을 행하는 방법이다.'라고 한 것이 바로 이 뜻이다. 그러나 다만 '움직여 쓰는 측면에서 말한다.'라고 한다면 미진함을 느낀다. '움직여 쓰는 측면에 본체를 포함하여 말한다.'라고 하는 것만 못하다."

[2-17-5]

後世禮法不修, 政刑苛紊, 縱欲敗度, 下民困苦. 謂'古樂不足聽也', 代變新聲, 妖淫愁怨, 導欲增悲, 不能自止, 故有賊君棄父, 輕生敗倫, 不可禁者矣.

후세에 예와 법이 닦아지지 않고, 정치와 형벌이 가혹하고 문란하며, 욕심을 제멋대로 하고 법도를 손상시키니, 백성들이 고통스러워졌다. '옛날 악[樂]은 들을만한 것이 못된다.'[328]고 하여, 새로운 소리

327 『朱文公集』 권43 「答林充之」

328 '옛날 악은 … 못된다.' : 이 부분은 『禮記』「樂記」의 다음과 같은 내용을 참조한 후, 주돈이가 당시의 음악적 경향을 비판적으로 바라본 것이다. 고악에 대한 「樂記」의 이 부분을 소개한다. 위문후가 자하에게 물었다. "내가 예복을 입고 옛날 음악을 들을 때에는 듣기 싫어서 눕게 될까 우려하였으나, 정나라와 위나라의 음악을 들으면 권태로움을 알지 못합니다. 감히 묻노니, 옛날 음악은 왜 저와 같고 새로운 음악은 왜 이와 같습니까?" 자하가 대답했다. "지금에 옛날 음악은 춤추는 사람들이 함께 나아가고 함께 물러나며, 화음이 조화롭고 바르게 되어 넓게 퍼졌으며, 금과 슬과 피리 등 많은 악기를 모아 지키게 하였다가 북을 칩니다. 연주를 시작할 때에는 북을 치고, 끝마칠 때에는 징을 치며, 마지막을 조정할 때에는 상을 치고, 춤추는 사람의 동작의 빠름을 다스릴 때에는 아를 쳤습니다. 군자는 여기에서 음악의 의의를 말하고, 옛날의 훌륭한 일, 곧 몸을 닦는 것에서부터 집안을 가지런히 하고 나라를 다스리며 세상을 평화로이 고르게 하는 것을 말하였습니다. 이것은 옛날 음악이 그렇게 만든 것입니다. 그런데 지금의 새로운 음악은 춤추는 사람들은 나아가고 물러날 때에 구부리고 간사한 소리가 넘쳐나며 음란함에 빠지는 것을 멈추지 않고, 배우와 난쟁이들이 자녀들과 뒤섞여 부모와 자녀 사이의 예절을 알지 못합니다. 음악이 끝나도 의미를 말하지 않고 옛날의 훌륭한 일을 말하지 않으니, 이것은 새로운 음악이 그렇게 만든 것입니다. 이제 임금님이 물은 것은 음악이고 좋아하는 것은 음입니다. 음악[樂]은 音과 서로 가까우나 같지 않습니다." … 『詩經』(「大雅·皇矣」)에 '덕음을 맑게 하시니, 그 덕이 능히 밝도다. 능히 밝고 능히 분별하시며, 어른 노릇을 하시고 임금 노릇을 하시며,

를 만들어 대체하며, 요염하고 음탕하며 시름하고 원망하며, 욕심대로 하여 슬픔을 더하고, 스스로 멈출 수 없으므로, 임금을 해치고 부모를 버리며, 생명을 가볍게 여기고 윤리를 파괴시켜도 금지시키지 못한다.

[2-17-5-0]

廢禮敗度, 故其聲不淡而妖淫. 政苛民困, 故其聲不和而愁怨. 妖淫, 故導欲而至於輕生敗倫. 愁怨, 故增悲而至於賊君棄父.

예를 폐기하고 법도를 파괴하므로 그 소리가 담박하지 않고 요염하며 음탕하다. 정치가 가혹하고 백성이 곤궁하므로 그 소리가 어울리지 않고 시름하며 원망한다. 요염하고 음탕하므로 욕심대로 하여 생명을 가볍게 여기고 윤리를 파괴한다. 시름하고 원망하므로 슬픔이 더해지고 임금을 해치며 부모를 버리는 데까지 이른다.

[2-17-6]

嗚呼! 樂者, 古以平心, 今以助欲; 古以宣化, 今以長怨.

오호라! 악樂이 옛날에는 마음을 평화롭게 했으나 지금은 욕심을 조장하고, 옛날에는 교화를 펼쳤으나 지금은 원망을 자라게 한다.

이 큰 나라에 왕 노릇 하시어 능히 순하시며 능히 친하셨는데, 문왕에 이르러 그 덕이 뉘우칠 것이 없으시니, 이미 上帝의 복을 받으시어 자손에게까지 미치셨도다.'라고 말한 것은 이것을 말합니다. 이제 임금님께서 좋아하시는 것은 음란한 음입니까?" 문후가 물었다. "감히 묻노니, 음란한 음은 어디로부터 나왔습니까?" 자하가 대답했다. "정나라 음은 깨끗하지 못하고 음란한 가락을 좋아하기 때문에 듣는 사람의 뜻을 음탕하게 하고, 송나라 음은 여색을 즐겨 듣는 사람의 뜻을 탐닉하게 하며, 위나라 음은 가락이 빠르고 촉박하므로 듣는 사람의 뜻을 번거롭게 하고, 제나라 음은 오만하고 편벽된 가락이므로 듣는 사람의 뜻을 교만하게 합니다. 이 넷은 여색에 음탕하고 덕에 해로우므로 제사에 사용하지 않습니다. 『詩經』(「周頌·有瞽」)에서 '경건하고 화평하여 어울려 울려 퍼지니, 선조께서 이것을 들으신다.'라고 했습니다. 肅이란 삼가 공경하는 것이고, 雝이란 어울리는 것입니다. 공경하여 어울리면 무슨 일이든 행하지 않겠습니까? 임금이 된 자는 좋아하고 싫어하는 것을 신중히 해야 합니다. 임금이 좋아하여 행하면 신하도 행하고, 윗사람이 행하면 백성이 따릅니다. 『詩經』(「大雅·板」)에서 '백성을 일깨워줌이 심히 쉽다.'라고 한 것은 이것을 말합니다." (魏文侯問於子夏曰, "吾端冕而聽古樂, 則唯恐臥. 聽鄭衛之音, 則不知倦. 敢問古樂之如彼何也? 新樂之如此何也?" 子夏對曰, "今夫古樂, 進旅退旅, 和正以廣, 弦匏笙簧, 會守拊鼓. 始奏以文, 復亂以武, 治亂以相, 訊疾以雅. 君子於是語, 於是道古, 修身及家, 平均天下. 此古樂之發也. 今夫新樂, 進俯退俯, 姦聲以濫, 溺而不止, 及優侏儒, 獶雜子女, 不知父子. 樂終不可以語, 不可以道古, 此新樂之發也. 今君之所問者, 樂也, 所好者, 音也. 夫樂者與音相近而不同." … 『詩』云, '貊其德音, 其德克明, 克明克類, 克長克君. 王此大邦, 克順克比. 比于文王, 其德靡悔. 旣受帝祉, 施于孫子.' 此之謂也. 今君之所好者其溺音乎?" 文侯曰, "敢問溺音何從出也?" 子夏對曰, "鄭音好濫淫志, 宋音燕女溺志, 衛音趨數煩志, 齊音敖辟喬志. 此四者, 皆淫於色而害於德, 是以祭祀弗用也. 『詩』云, '肅雝和鳴, 先祖是聽.' 夫肅肅, 敬也. 雝雝, 和也. 夫敬以和, 何事不行? 爲人君者, 謹其所好惡而已矣. 君好之則臣爲之, 上行之則民從之. 『詩』云, '牖民孔易.' 此之謂也.")

[2-17-6-0]

古今之異, 淡與不淡, 和與不和而已.

옛날과 지금의 차이는 담박함과 담박하지 않음, 어울림과 어울리지 않음일 뿐이다.

[2-17-6-1]

朱子曰 : "此章極可觀, 有條理, 只是淡與不淡, 和與不和, 前輩所見各異."[329]

주자가 말했다. "이 장이 매우 볼 만하고 조리가 있는데, 다만 담박함과 담박하지 않음, 어울림과 어울리지 않음에 대해서는 선배들의 견해가 각각 다르다."

[2-17-7]

不復古禮, 不變今樂, 而欲至治者遠矣.

옛날 예를 회복하지 않고 오늘날의 악을 변화시키지 않으면서 잘 다스려짐[治]에 이르고자 하는 것은 (도와) 멀다.

[2-17-7-0]

復古禮, 然後可以變今樂.

옛날 예를 회복한 후에 오늘날의 악을 변화시킬 수 있다.

樂中 第十八 제18 악중

[2-18-1]

樂者, 本乎政也. 政善民安, 則天下之心和. 故聖人作樂以宣暢其和心, 達于天地, 天地之氣感而大和焉. 天地和, 則萬物順, 故神祇格, 鳥獸馴.

악樂은 정사에 뿌리를 둔다. 정사가 선하고 백성이 편안하면 세상 사람들의 마음이 어울려진다. 그러므로 성인이 악을 지어 그 어울리는 마음을 활짝 펼쳐 천지에 도달하게 하니, 천지의 기가 감화되어 크게 어울려진다. 하늘과 땅이 어울리면 만물이 순하므로 하늘의 귀신과 땅의 귀신이 이르고 새와 짐승들이 길들여진다.[330]

329 『朱子語類』 권94, 188조목

330 이 부분은 『書經』「순전」의 다음과 같은 내용을 참조하였다. 요임금이 말했다. "기야! 너에게 명하여 전악을 삼으니, 맏아들을 가르치되, 곧으면서도 따뜻하고, 너그러우면서도 엄격하며, 강하면서도 사나움이 없고, 간결하면서도 오만함이 없게 하라. 시는 뜻을 말하고, 노래는 말을 길게 읊으며, 소리는 길게 읊음에 의지하고, 율은 소리를 조화시키는 것이니, 8음이 잘 어울려서 서로 질서를 빼앗음이 없어야 신과 인간이 어울릴 것이다.(帝曰"夔! 命汝典樂, 教胄子, 直而溫, 寬而栗, 剛而無虐, 簡而無傲. 詩言志, 歌永言, 聲依永, 律和聲,

[2-18-1-0]

聖人之樂, 旣非無因而强作, 而其制作之妙, 又能眞得其聲氣之元. 故其志氣天人交相感動, 而其效至此.

성인의 악樂은 근거 없이 억지로 지은 것이 아니니, 그 제작의 오묘함은 또 참으로 성기聲氣의 근원[元]을 얻을 수 있는 것이다. 그러므로 그 지기志氣에 천天과 사람이 서로 감동하여 그 효과가 여기에 이른다.

[2-18-1-1]

問 : "聲氣之元."

朱子曰 : "律曆家最重這元聲. 元聲定, 向下都定. 元聲纔差, 向下都差.[331] 古人制度, 今皆無復存者, 只這些道理, 人尙說得去, 法度却杜撰不得. 且如樂, 今皆不可復考. 今人只會說得'凡音之生, 由人心也. 人心之動, 物使之然也.' 到得制度, 便說不去.

問 : "注云'制作之妙, 眞有以得其聲氣之元.' 不知今時尙可尋究否."

曰 : "今所爭, 秖是黃鍾一宮耳. 這裏高則都高, 這裏低則都低. 蓋難得其中耳."[332]

물었다. "성기聲氣의 근원元을 묻습니다."

주자가 대답했다. "율력가는 이 원성元聲(근원적인 소리)을 가장 중요하게 여긴다. 원성이 정해지면 다음 것도 모두 정해지고, 원성이 잘못되면 다음 것도 모두 잘못된다. 옛 사람들의 제도가 지금은 다 보존된 것이 없고, 다만 이 도리에 대해 사람들이 설명하는데, 법도는 잘못된 것이 많아 제대로 알지 못한다. 가령 악의 경우 지금 다 상고할 수 없다. 요즘 사람들은 다만 '모든 음音의 생겨남은 사람의 마음으로부터이다. 사람 마음의 움직임은 물物이 그렇게 하도록 시킨다.'라고 말한다. (그러나) 제도에 이르면 바로 설명하지 못한다."

물었다. "注에서 '제작의 오묘함은 참으로 그 성기의 근원을 얻는다.'라고 했습니다. 오늘날에도 여전히 탐구할 수 있는지 없는지를 모르겠습니다."

(주자가) 대답했다. "지금 쟁점이 되는 것은 다만 황종黃鍾[333] 한 궁[一宮]일 뿐이다. 여기가 높으면 모두 높고, 여기가 낮으면 모두 낮다. 그 중中을 얻는 것이 어려울 뿐이다."

八音克諧, 無相奪倫, 神人以和.)"

331 『朱子語類』 권92, 15조목에는 '元聲定'이 '元聲一定'으로 되어 있다.

332 『朱子語類』 권66, 35조목

333 黃鐘은 12율, 즉 6율 6려에서 가장 기본이 되는 소리이다. 곧 황종은 소리를 이루는 1기, 2체(文舞와 武舞), 3류(風·雅·頌), 4물(四方에서 생산한 물건들로 만든 악기), 5성(宮·商·角·徵·羽), 6율(黃鐘·太簇·姑洗·蕤賓·夷則·無射), 7음(宮·商·角·徵·羽·變宮·變徵) 등의 기초가 되는 소리이다.

樂下 第十九 제19 악하

[2-19-1]

樂聲淡則聽心平, 樂辭善則歌者慕, 故風移而俗易矣. 妖聲艶辭之化也亦然.

악樂의 성聲이 담박하면 듣는 마음이 평화롭고, 악의 가사가 선하면 노래하는 자가 사모하므로, 풍속이 달라지고 습속이 바뀐다. 요염한 소리와 농염한 가사가 일으키는 변화 또한 그렇다.

[2-19-1-1]

朱子曰 : "聖王爲政, 以寬爲本, 而今反欲其嚴, 正如古樂以和爲主, 而周子反欲其淡. 蓋今之所謂寬乃縱弛, 所謂和者乃哇淫, 非古之所謂寬與和者. 故必以是矯之, 乃得其平耳."[334]

주자가 말했다. "성왕은 정치를 하는데 너그러움을 근본으로 삼았으나, 지금은 오히려 엄격하고자 하니, 마치 옛날 악은 어울림을 주로 하였으나 주자周子는 오히려 담박하고자 한 것과 같다. 오늘날 이른바 너그러움은 방종으로 여겨지고, 이른바 어울림은 비속하고 음란한 것으로 여겨지니, 옛날에 말하던 너그러움과 어울림이 아니다. 그러므로 반드시 이것으로 바로잡아야 그 평정함을 얻을 뿐이다."

聖學 第二十 제20 성인 학문

[2-20-1]

"聖可學乎?"

曰 : "可."

曰 : "有要乎?"

曰 : "有."

"請聞焉."

曰 : "一爲要. 一者, 無欲也. 無欲, 則靜虛動直. 靜虛則明, 明則通. 動直則公, 公則溥. 明通公溥, 庶矣乎!"

"성聖은 배울 수 있습니까?"

대답했다. "그렇다."

물었다. "요점이 있습니까?"

334 『朱文公集』 권45 「答廖子晦」

대답했다. "있다."
"듣기를 청합니다."
대답했다. "하나가 중요하다. 하나란 욕심이 없는 것이다. 욕심이 없으면 고요할 때 비어 있고, 움직일 때 곧아진다. 고요할 때 비어 있으면 밝고, 밝으면 통한다. 움직일 때 곧으면 공의롭고, 공의로우면 두루 미친다. 밝음과 통함과 공의로움과 두루 미침은 성聖에 가깝다!"

[2-20-1-0]

此章之指, 最爲要切. 然其辭義明白, 不煩訓解. 學者能深玩而力行之, 則有以知無極之眞, 兩儀四象之本, 皆不外乎此心. 而日用間自無別用力處矣.

이 장에서 가리키는 것이 가장 중요하고 절실하다. 그러나 그 말의 뜻은 분명하고 뜻과 풀이가 번거롭지 않다. 배우는 사람이 깊이 탐구하고 힘써 행할 수 있다면 무극의 참됨, 음양과 사상四象[335]의 근본이 다 이 마음에서 벗어나지 않는다는 것을 알 수 있다. 그리하여 일상생활 사이에서도 각자가 별도로 힘쓸 곳이 있는 것은 아니다.

[2-20-1-1]

朱子曰 : "一, 即所謂太極. 靜虛, 即陰靜; 動直, 即陽動. 明通公溥, 便是五行. 大抵周子之書, 纔說起, 便都貫串太極許多道理."[336]

주자가 말했다. "하나는 바로 이른바 태극이다. 고요할 때 비어 있다는 것은 음의 고요함이고, 움직일 때 곧다는 것은 양의 움직임이다. 밝음과 통함과 공의로움과 두루 미침은 바로 오행이다. 주자周子의 책은 이론이 제기되자마자 모두 태극으로 많은 도리를 꿰뚫었다."

[2-20-1-2]

"周子只說'一者無欲也', 這話頭高, 卒急難湊泊. 常人如何便得無欲? 故伊川只說箇'敬'字. 教人只就敬上睚去, 庶幾執捉得定, 有箇下手處."[337]

"주자周子가 다만 '하나란 인욕이 없는 것이다.'라고 했는데, 이 말은 처음에는 높지만 끝에는 집중하기가 매우 어렵다. 보통 사람들이 어떻게 인욕이 없을 수 있겠는가? 그러므로 이천[程頤]은 다만 '공경[敬]'을 말했을 뿐이다. 사람들에게 다만 공경의 측면에서 보게 하면 거의 잡아 고정할 수 있기에 착수처가 있을 것이다."

[2-20-1-3]

問 : "周子云'一爲要, 一者無欲也.'如何?"

335 四象 : ⚌太陽, ⚍少陰, ⚎少陽, ⚏太陰
336 『朱子語類』 권94, 41조목
337 『朱子語類』 권12, 79조목

曰："'一者無欲'，一便是無欲. 今試看無欲之時，心豈不一?"

又問："比程子主一之謂敬，如何?"

曰："無欲與敬字一般，比敬字分外分明. 要之持敬頗似費力，不如無欲撇脫. 人只爲有欲，此心便千頭萬緒. 此章之言甚爲切要."[338]

물었다. "주자周子가 '하나가 중요하니, 하나란 인욕이 없는 것이다.'라고 했는데, 왜 그렇습니까?"

(주자가) 대답했다. "'하나란 인욕이 없는 것이다.'에서 하나는 바로 인욕이 없는 것이다. 이제 시험 삼아 인욕이 없는 것을 볼 때에 마음이 어찌 하나가 아니겠는가?"

또 물었다. "정자程子의 '하나를 주로 하는 것을 경敬이라고 한다.'라는 말에 비해 어떻습니까?"

(주자가) 대답했다. "인욕이 없는 것은 경과 같으나, 경敬에 비해 더욱 분명하다. 요컨대, 경敬을 유지하는 것은 자못 힘을 소비해야 할 것 같으니, 인욕이 없는 것만큼 간단명료하지는 않다. 사람은 단지 인욕이 있기 때문에 이 마음이 바로 천 갈래 만 갈래로 갈라진다. 이 장의 말이 더욱 절실하고 중요하다."

[2-20-1-4]

問："'聖可學乎?' '一爲要.'"

曰："這是分明底一，不是鶻突底一."

問："如何是鶻突底一?"

曰："須是理會得敬落著處. 若只塊然守一箇敬字，便不成箇敬. 這箇亦只是說箇大槩. 明通在己也，公溥接物也，須是就靜虛中涵養始得. 明通方能公溥，若便要公溥，定不解得. 靜虛明通，'精義入神'也. 動直公溥，'利用安身'也."[339]

물었다. "'성聖은 배울 수 있습니까?'와 '하나가 중요하다.'라는 내용을 묻습니다."

(주자가) 대답했다. "이것은 분명한 하나이지, 모호한 하나가 아니다."

물었다. "무엇이 모호한 하나입니까?"

(주자가) 대답했다. "반드시 경敬이 귀착되는 곳을 알아야 한다. 단지 흙덩이처럼 하나의 경敬이라는 글자만 지킨다면 경敬이 되지 못할 것이다. 이것은 또한 단지 대강을 말했을 뿐이다. 밝음과 통함은 자신에게 있고, 공의로움과 두루 미침은 대상[物]에 관계하는 것이니, 반드시 고요할 때 비우는 가운데 함양이 시작되어야 한다. 밝고 통해야 비로소 공의롭고 두루 미칠 수 있다. 만약 곧바로 공의롭고 두루 미치고자 한다면 반드시 이해할 수 없을 것이다. 고요할 때 비우고 밝으며 통한다는 것은 '뜻을 정밀하게 하여 신묘함에 들어간다.'[340]라는 경지이다. 움직일 때 곧고 공의로우며 두루 미친다

338 『朱子語類』 권94, 190조목

339 『朱子語類』 권94, 192조목에는 '這是'가 '這箇是'로 되어 있다.

340 『周易』「繫辭下」, 『역』에서 "자주 가고 오면 친구가 네 생각을 따른다."라고 하니, 공자가 "세상이 무엇을 생각하고 무엇을 염려하겠는가? 세상이 귀결되는 곳은 같아도 길이 다르며, 하나를 이루더라도 백 가지를 생각하는데, 세상이 무엇을 생각하고 무엇을 염려하겠는가? 해가 기울면 달이 뜨고 달이 가면 해가 나와서

는 것은 '쓰는 것을 이롭게 하여 몸을 편안하게 한다.'[341]라는 경지이다."

[2-20-1-5]

問："一是純一，靜虛是心心如明鑑止水，無一毫私欲塡於中，故其動也無非從天理流行，[342] 無一毫私欲撓之．靜虛是體，動直是用．"

曰："也是如此．靜虛易看，動直難看．靜虛，只是伊川云'中有主則虛，虛則邪不能入'，是也．若物來奪之則實，實則暗，暗則塞．動直，則是其動也更無所礙．若少有私欲，便礙便曲，要恁地做又不恁地做，便自有窒礙，便不是直．曲則私，私則狹．"[343]

又曰："無繫累故虛，無委曲故直．"[344]

물었다. "하나는 순수한 하나이고, 고요하게 비우는 것은 마음마다 마치 맑은 거울과 잠잠한 물과 같으니, 조금의 사욕도 그 속에 채워지지 않았으므로 움직일 때에는 천리가 유행하지 않음이 없고 조금의 사욕도 어지럽힐 것이 없습니다. 고요하게 비우는 것은 체이고, 움직임이 곧은 것은 용입니다."

(주자가) 대답했다. "또한 이와 같다. 고요하게 비우는 것은 보기가 쉽고, 움직임이 곧은 것은 보기가 어렵다. 고요하게 비우는 것은 다만 이천[程頤]이 '속에 중심이 있으면 텅 비고, 비어 있으면 사특함이 들어올 수 없다.'라고 말한 것이 이것이다. 만약 대상[物]이 와서 그것(고요하게 빈 것)을 뺏는다면 (사욕이) 채워질 것이고, 채워지면 어두워지며, 어두우면 막힐 것이다. 움직임이 곧으면 그 움직이는 것에는 다시 장애되는 것이 없을 것이다. 만약 조금이라도 사욕이 있다면 바로 막히고 바로 왜곡되어 이와 같이 하려고 하면서도 이와 같이 하지 않으니, 바로 저절로 막힘이 있는 것이고 바로 곧지 않은 것이다. 왜곡되면 사사롭고 사사로우면 좁아진다."

(주자가) 또 말했다. "얽매어두지 않았기 때문에 비어 있고, 왜곡이 없기 때문에 곧다."

해와 달이 서로 밀어 밝음이 나오며, 추위가 가면 더위가 오고 더위가 가면 추위가 와서 더위와 추위가 서로 미루어 나가서 한 해가 이루어진다. 가는 것은 굽힘이고 오는 것은 폄침이니, 굽힘과 폄침이 서로 감지하여 이로움이 생긴다. 자벌레의 굽힘은 폄을 구하는 것이고, 용과 뱀의 움츠림은 몸을 보존하기 위한 것이다. 의리를 정밀하게 하여 신묘함에 들어가는 것은 씀을 이루는 것이고, 쓰는 것을 이롭게 하여 몸을 편안히 하는 것은 덕을 높이는 것이다. 이것을 지나서 가는 것은 혹 알 수 없지만, 신묘함을 궁구하고 化를 아는 것은 덕의 성대함이다."라고 하였다.(『易』曰, "憧憧往來, 朋從爾思." 子曰, "天下何思何慮? 天下同歸而殊塗, 一致而百慮, 天下何思何慮? 日往則月來, 月往則日來, 日月相推而明生焉, 寒往則暑來, 暑往則寒來, 寒暑相推而歲成焉. 往者屈也, 來者信也, 屈信相感而利生焉. 尺蠖之屈, 以求信也, 龍蛇之蟄, 以存身也. 精義入神, 以致用也, 利用安身, 以崇德也. 過此以往, 未之或知也, 窮神知化, 德之盛也.")

341 『周易』「繫辭上」

342 『朱子語類』 권94, 191조목에는 '天理流行'이 '天理流出'로 되어 있다.

343 『朱子語類』 권94, 191조목

344 『朱文公集』 권49 「答林子玉」

[2-20-1-6]

問 : "明·通·公·溥, 於四象何所配?"

曰 : "只是春·夏·秋·冬模樣."

曰 : "明是配冬否?"

曰 : "似是就動處說."

曰 : "便是元否?"

曰 : "是. 然這處亦是偶然相合, 不是正恁地說."[345]

물었다. "밝음·통함·공의로움·두루 미침은 사상에 어떻게 배열이 됩니까?"

(주자가) 대답했다. "다만 봄·여름·가을·겨울의 모습일 뿐이다."

물었다. "밝음은 겨울에 배당됩니까?"

(주자가) 대답했다. "움직임과 비움의 측면에서 말하자면 그럴 듯하다."

물었다. "바로 원元입니까?"

(주자가) 대답했다. "그렇다. 그러나 이것은 또한 우연히 서로 합치하는 것이지, 바로 이와 같다고 말하는 것은 아니다."

[2-20-1-7]

問 : "'明·通·公·溥庶矣乎!' 舊見劉砥所記先生語, 以明配水, 通配木, 公配火, 溥配金, 溥何以配金?"

曰 : "溥如何以配金? 溥正是配水. 此四字只依春·夏·秋·冬之序相配將去. 明配木, 仁元. 通配火, 禮亨. 公配金, 義利. 溥配水, 智貞. 想是他記錯了."[346]

물었다. "'밝음·통함·공의로움·두루 미침은 성聖에 가깝다!'라고 한 것은 옛날에 유지劉砥[347]가 기록한 선생의 말을 보면 밝음을 수水에 배당시키고, 통함을 목木에 배당시키며, 공의로움을 화火에 배당시키고, 두루 미침을 금金에 배당시켰는데, 두루 미침을 왜 금에 배당시켰습니까?"

(주자가) 대답했다. "두루 미침을 어떻게 금金에 배당시킬 수 있겠는가? 두루 미침은 바로 수水에 배당시켜야 한다. 이 넷은 봄·여름·가을·겨울의 순서에 서로 배당시켜야 한다. 밝음은 목木에 배당되는 것으로 인仁의 근원元이다. 통함은 화火에 배당되는 것으로 예禮의 형통함亨이다. 공의로움은 금金에 배당되는 것으로 의義의 이로움利이다. 두루 미침은 수水에 해당되는 것으로 지智의 곧음貞이다. 생각해보니 그가 잘못 기록한 듯하다."

345 『朱子語類』 권94, 196조목에는 '便是'가 '便似是'로 되어 있다.

346 『朱子語類』 권94, 195조목

347 劉砥(1154~1199) 자는 履之이고 호는 存庵이며, 주희의 제자이다. 어려서부터 경전을 많이 읽었다. 채원정 및 황간과 교유하였고, 저서로 『王朝禮記』, 『論語·孟子解』 등이 있다.

[2-20-1-8]

"明通者靜而動. 公溥者動而靜."[348]

(주자가) 말했다. "밝음과 통함이란 고요하면서 움직이는 것이다. 공의로움과 두루 미침이란 움직이면서 고요한 것이다."

[2-20-1-9]

"在人言之, 則明是曉得事物. 通是透徹無窒礙. 公是正無偏陂. 溥是溥徧萬事."

又曰. "所謂'誠立明通'意又別. 彼處以明字爲重. 立如'三十而立', 通則'不惑, 知天命, 耳順也.'"[349]

(주자가 말했다.) "사람에 해당하는 것으로 말하면 밝음은 사물을 환히 아는 것이다. 통함은 투철하여 막힘이 없는 것이다. 공의로움은 바르게 되어 치우침이 없는 것이다. 두루 미침은 온갖 일에 두루 미치는 것이다."

또 말했다. "이른바 '성誠이 정립되면 밝게 통한다.'[350]라는 뜻과는 구별된다. 저것은 '밝음明'이라는 글자를 중시한 것이다. 정립은 마치 '삼십에 뜻이 확립되었다.'[351]라는 것과 같고, 통함은 '사십에 미혹되지 않으며, 오십에 천명을 알고, 육십에 귀에 순하게 들려온다.'[352]라는 것과 같다."

[2-20-1-10]

勉齋黃氏曰 : "'一爲要', 一字有數樣. 如作左右看, 則一爲純一之一. 如作前後看, 則一爲專一之一. 此所謂一, 是純一不雜之謂也. 譬如一物恁地光潔, 更無些物塵汚了他. 但看下文言'無欲'是一. '靜虛'虛也是一. '動直'直也是一. 何謂'無欲', 只是純然是箇天理, 無一點私欲. 此須作兩路看. 莫非欲也, 飮食男女, 人之大欲, 此不待說. 須看面前許多物, 苟有一念掛著底, 都是欲. 如一切嗜好之類, 此是一路. 又須識得欲, 不待沉溺其中而後謂之欲. 程子云,'纔有所向便是欲', 這箇甚微. 纔起念處便是欲. 譬如止水上打一動相似. 若到酒池肉林, 已狼當了. 無欲, 則自湛然一物不留, 故靜便虛. 未發時, 這虛靈知覺如明鏡止水恁地虛, 動便直. 做事時只有一路直出, 那裏有偏曲路徑? 纔虛便明. 明則見道理透徹, 故通. 直便公. 公自是無物我, 故溥."

면재 황씨黃榦가 말했다. "'하나가 중요하다.'라는 것에서 하나[一]에는 여러 형태가 있다. 예컨대 좌우左右로 본다면 하나는 순수한 하나[純一]에서의 하나와 같다. 예컨대 전후前後로 본다면 오로지 하나[專

348 『朱子語類』 권94, 194조목

349 『朱子語類』 권94, 193조목

350 『通書』「성상·제일」 "'건의 도가 변화하여 각기 性과 命을 바르게 한다.'라고 했으니, 誠이 여기에서 정립된다.('乾道變化, 各正性命', 誠斯立焉.)"라는 내용과 관련된다.

351 『論語』「爲政篇」

352 『論語』「爲政篇」

一]에서의 하나[一]와 같다. 이것은 이른바 하나란 순수한 하나로서 섞이지 않은 것을 말한다. 비유하자면 하나란 이와 같이 빛나고 깨끗하여 다시 조금이라도 그것을 오염시킬 것이 없는 것과 같다. 다만 다음 문장에서 '인욕이 없음'을 하나라고 말했을 뿐이다. '고요할 때 비운다.'라는 것에서 비움[虛] 또한 하나이다. '움직임이 곧다.'라는 것에서 곧음[直] 또한 하나이다. 무엇을 '인욕이 없음'이라고 말하느냐 하면 다만 순수한 천리로서, 조금의 사욕이 없는 것이다. 여기에서 반드시 두 가지 길이 인욕이 아님이 없음을 보아야 한다. 식욕과 성욕은 사람의 큰 인욕이니 이것은 말할 것도 없지만, 눈앞의 수많은 사물들을 보고, 구차하게 한 생각이 걸쳐져 붙는 것이 있으면 모두 인욕이다. 예컨대 일체 기호와 같은 부류가 그 한 가지 길이다. 또 인욕이 그 속에 깊이 빠진 뒤에야 인욕이라고 하는 것이 아님을 알아야만 한다. 정자程子가 '막 향하는 것이 있음이 바로 인욕이다.'라고 했는데, 이것은 매우 은미하다. 막 생각이 일어나는 것이 바로 인욕이다. 비유하자면 고요한 물위에 하나의 물결이 치는 것과 같다. 만약 주지육림酒池肉林의 상태에 이르렀다면 이미 이리와 같이 인욕이 극에 달한 것이다. 인욕이 없으면 자연히 맑아서 어떠한 것도 남아있지 않으므로 고요하면 바로 텅 비게 된다. 아직 발현하지 않을 때에 이 허령지각虛靈知覺은 마치 맑은 거울과 고요한 물과 같이 비어 있기에 움직이자마자 바로 곧아진다. 일을 할 때에는 다만 한결같이 곧게 나오니, 어디에 치우침과 왜곡된 길이 있겠는가? 막 비우자마자 바로 밝아진다. 밝으면 도리를 투철하게 보므로 통한다. 곧으면 공의로워진다. 공의로우면 저절로 대상과 나의 분별이 없으므로 두루 미친다."[353]

又曰 : "通者明之極, 溥者公之極."
또 말했다. "통함은 밝음이 지극한 것이고, 두루 미침은 공의로움이 지극한 것이다."

[2-20-1-11]

"'靜虛動直', 動字當就念慮之萌上看, 不可就視聽言動上看. 念慮之萌旣直, 則視聽言動自無非禮. 今以視聽言動爲動直, 則念慮之萌處有所略矣. 故動靜當以心言也. 虛直兩字, 亦當子細體認. 虛者, 此心湛然, 外物不能入, 故虛. 直者, 循理而發, 外邪不能撓, 故直. 敬則靜虛, 亦能動直. 敬該動靜者也. 今但言靜虛, 則偏矣. 心在則動皆直, 心不在則動皆邪, 此兩句却得之."

"'고요할 때 비고, 움직일 때 곧다.'라는 것에서 움직임[動]이라는 글자는 마땅히 생각의 싹의 측면에서 보아야 하지, 보고 듣고 말하고 행동한다는 측면에서 보면 안 된다. 생각의 싹이 이미 곧으면 보고 듣고 말하고 행동하는 것은 저절로 예禮가 아님이 없다. 이제 보고 듣고 말하고 행동하는 것을 움직임이 곧게 되면 생각이 싹트는 곳에 대해서는 생략함이 있게 된다. 그러므로 움직임과 고요함은 마땅히 마음을 가지고 말해야 한다. 비움과 곧음의 두 글자 또한 자세히 알아야 한다. 비움이란 이 마음이 맑아서 밖의 것이 들어올 수 없으므로 텅 비게 된다. 곧음이란 이치를 따라 발현하여 밖의 사특한 것이 어지럽힐 수 없으므로 곧게 된다. 경敬하면 고요하게 비우니 또한 움직일 때 곧을

353 『二程遺書』 권15 「入關語錄」

수 있다. 경敬은 움직임과 고요함을 포함하는 것이다. 다만 고요하게 비운다고만 말하면 치우쳐진다. 마음이 보존되어 있으면 움직일 때 다 곧게 되고, 마음이 보존되어 있지 않으면 움직일 때 다 사특해지니, 이 두 구절을 알아야 한다."

[2-20-1-12]

北溪陳氏曰 : "一者, 是表裏俱一, 純徹無二. 少有纖毫私欲, 便二矣. 內一則靜虛, 外一則動直, 而明通公溥則又無時不一也. 一者, 此心渾然, 太極之體. 無欲者, 心體粹然, 無極之眞. 靜虛者, 體之未發, 豁然絶無一物之累, 陰之性也. 動直者, 用之流行, 坦然由中道而出, 陽之情也. "[354]

북계 진씨陳淳가 말했다. "하나一란 겉과 속이 모두 한결같아서 순수하고도 철저하므로 둘이 없는 것이다. 조금이라도 작은 사욕이 있으면 둘이다. 속에서 한결같으면 고요할 때 비우고, 밖에서 한결같으면 움직일 때 곧으니, 밝음과 통함과 공의로움과 두루 미침은 또 하나가 아닌 때가 없다. 하나란 이 마음이 혼연한 것이니, 태극의 체體이다. 인욕이 없음이란 마음의 체가 순수하여 끝없이 참된 것이다. 고요할 때 비운다는 것은 체가 아직 발현하지 않은 상태로서, 툭 트여 결코 어떤 것에도 얽매이지 않으니 음의 성性이다. 움직일 때 곧다는 것은 용用의 유행이며, 평온하게 중도로부터 나오니 양의 정情이다."

354 『北溪字義』「補遺」

性理大全書卷之三

성리대전서 권3

通書二 통서 2

通書二
통서 2

公明 第二十一 제21 공명

[3-21-1]

公於己者公於人. 未有不公於己而能公於人也.

자기에게 공정한 사람은 다른 사람에게도 공정하다. 자기에게 공정하지 않은 사람이 다른 사람에게 공정한 경우는 없었다.

[3-21-1-0]

此爲不勝己私, 而欲任法以裁物者發.

이것은 자기의 사사로움을 이기지 않고, 법에 맡겨 대상을 마름질하고자 하는 사람을 위해 발언한 것이다.

[3-21-2]

明不至則疑生. 明無疑也. 謂能疑爲明, 何啻千里?

밝음이 이르지 않으면 의심이 생긴다. 밝으면 의심이 없다. 의심을 밝음으로 여길 수 있는 사람과는 어찌 천 리의 차이뿐이겠는가?

[3-21-2-0]

此爲不能先覺, 而欲以逆詐億不信爲明者發. 然明與疑正相南北, 何啻千里之不相及乎?

이것은 먼저 깨달을 수 없어서 남이 나를 속일까 미리 짐작하고 남이 나를 믿지 않을까 억측하는 것을 밝음으로 여기는 사람을 위해 발언한 것이다.[1] 밝음과 의심은 바로 남과 북만큼 서로 차이가

1 이 부분은 『論語』「憲問篇」의 "공자가 말하였다. '남이 나를 속일까 미리 짐작하지 않고, 남이 나를 믿어주지

나니, 어찌 서로 미치지 않는 것이 천 리의 차이뿐이겠는가?"

[3-21-2-1]

朱子曰 : "人有詐不信, 吾之明足以知之, 是之謂'先覺.' 彼未必詐, 未必不信, 而逆以詐不信待之, 此則不可. 周子云, '明則不疑.' 凡事之多疑, 皆生於不明. 如以察爲明, 皆主暗也. 唐德宗之流是也. 如'放齊稱胤子朱啓明, 而堯知其嚚訟.' 堯之明有以知之, 是先覺也."[2]

주자가 말했다. "다른 사람이 나를 속이고 나를 믿지 않더라도, 나의 밝음이 그것을 충분하게 아는 것을 '먼저 깨닫는 것'이라고 한다. 남이 꼭 나를 속이려는 것이 아니고, 꼭 나를 믿지 않는 것이 아닌데도, 남이 나를 속일까 미리 짐작하고 불신하는 태도로 대한다면 이것은 안 된다. 주자周子가 '밝으면 의심하지 않는다.'라고 한 것은 모든 일에서 의심이 많은 것은 다 밝지 않은데서 생겨난다는 것이다. (의심하여) 살피는 것을 밝음으로 여기는 것과 같은 것은 다 어두움을 위주로 하는 것이다. 당나라의 덕종과 같은 부류가 여기에 해당한다. 예컨대 '신하인 방제가 요임금의 맏아들인 주를 총명하다고 했지만, 요임금은 그가 신뢰가 없고 말싸움만 잘하는 것을 알았다.'[3] 요임금의 밝음으로써 그것을 안 것이니, 이것이 먼저 깨달은 것이다."

않을까 억측하지 않는다. 또한 먼저 깨달은 사람이 현인일 것이다!"("子曰'不逆詐, 不億不信. 抑亦先覺者, 是賢乎!'")라는 내용과 관련이 있다.

2 『朱子語類』 권44, 77조목의 내용 가운데 일부이다. 재중이 물었다. "張栻이 '속일까 미리 헤아리지 않는다.'라는 부분을 풀이할 때에 공영달의 '다른 사람의 마음을 먼저 깨달은 사람은 현명한 사람이 될 수 있을 것이다.'라는 주를 인용했는데, 이 말은 어떻습니까?" 대답했다. "그렇지 않다. 다른 사람이 나를 속이고 나를 믿지 않더라도, 나의 밝음이 그것을 충분하게 아는 것을 '먼저 깨닫는 것'이라고 한다. 남이 반드시 나를 속인 적이 없는데도 나를 속일까 미리 짐작하여 대하고, 남이 반드시 나를 믿지 않은 적이 없는 데에도 남이 나를 믿지 않을 것을 짐작한다면 이것은 안 된다. 周子가 '밝으면 의심하지 않는다.'라고 말한 것은 모든 일 가운데 많은 의심은 다 밝지 않은데서 생겨난다는 것이다. 살피는 것을 밝음으로 여기는 것과 같은 것은 다 지극히 어두운 것이니, 당나라 고종 같은 부류가 여기에 해당한다. 예컨대 '신하인 방제가 요임금의 맏아들인 주를 총명하다고 했지만', 요임금은 그를 신뢰가 없고 말싸움만 잘하는 것으로 알았는데, 요임금의 밝음이 그것을 알게 했으니, 이것이 먼저 깨달은 것이다."(才仲問 : "南軒解'不逆詐'一段, 引孔注 : '先覺人情者, 是能爲賢乎!'此說如何?" 曰 : "不然. 人有詐·不信, 吾之明足以知之, 是之謂'先覺'. 彼未必詐, 而逆以詐待之; 彼未必不信, 而先億度其不信, 此則不可. 周子曰 : '明則不疑.' 凡事之多疑, 皆生於不明. 如以察爲明, 皆至暗也, 唐高宗之流是也. 如放齊稱'胤子朱啓明', 而堯知其嚚, 堯之明是以知之, 是先覺也.")

3 『書經』「堯典」, 임금이 말했다. "누가 때에 따를 사람을 방문하여 등용할만한 사람인가?" 방제가 말했다. "맏아들인 주가 총명합니다." 임금이 말했다. "아! 주는 신뢰가 없고 말싸움만 잘하는데, 되겠는가?"(帝曰 : "疇咨若時登庸.?" 放齊曰 : "胤子朱啓明." 帝曰 : "吁! 嚚訟可乎.?")

理·性·命 第二十二 제22 리·성·명

[3-22-1]

厥彰厥微, 匪靈弗瑩.

그 밝음과 그 은미함은 신령스럽지 않으면 밝혀지지 않는다.

[3-22-1-0]

此言理也. 陽明陰晦, 非人心太極之至靈, 孰能明之?

이것은 리를 말한다. 양은 밝고 음은 어두우니, 사람의 마음과 태극의 지극한 신령스러움이 아니라면 누가 그것을 밝힐 수 있겠는가?

[3-22-1-1]

朱子曰 : "彰, 言道之顯. 微, 言道之隱. '匪靈弗瑩', 言彰與微. 須靈乃能了然照見, 無滯礙也. 此三句是言理. 別一本'靈'作'虛', 義短."[4]

주자가 말했다. "밝음(彰)은 도의 드러남을 말한다. 은미함(微)은 도의 숨김을 말한다. '신령스럽지 않으면 밝혀지지 않는다.'라는 것은 밝음과 은미함을 말한다. 반드시 신령스러워야 분명하게 비춰 볼 수 있고, 막힘이 없다. 이 세 구절은 리를 말한 것이다. 다른 책에는 '신령스러움(靈)'을 '비움(虛)'이라고 했는데, 의미가 부족하다."

[3-22-1-2]

"'厥彰厥微', 只是說理. 理有大小精粗, 如人事中自有難曉底道理. 如君仁臣忠, 父慈子孝, 此理甚顯然. 若陰·陽·性·命, 鬼神往來, 則不亦微乎?"[5]

주자가 말했다. "'그 밝음과 그 은미함'은 다만 리를 말한 것이다. 리에는 큼과 작음 및 정밀함과 거침이 있으니, 마치 사람의 일 가운데 스스로 깨닫기가 어려운 도리가 있는 것과 같다. 예컨대 임금은 어질고 신하는 충성스러우며, 부모는 자애롭고 자식은 효도하는 것과 같은 것은 이 리가 매우 분명하다. 음·양·성·명과 귀신의 왕래와 같은 것은 또한 은미하지 않은가?"

[3-22-2]

剛善剛惡, 柔亦如之, 中焉止矣.

강선(剛善)과 강악(剛惡)이 있고, 유(柔) 또한 그와 같으니, 중(中)에서 머무른다.

4 『朱子語類』 권94, 197조목
5 『朱子語類』 권94, 198조목

[3-22-2-0]

此言性也. 說見第七篇, 卽五行之理也.

이것은 성性을 말한 것이다. 설명이 제7편에 보이는데, 바로 오행의 리이다.

[3-22-3]

二氣五行, 化生萬物. 五殊二實, 二本則一, 是萬爲一. 一實萬分, 萬一各正, 小大有定.

두 기[二氣]와 오행은 만물을 변화시켜 생겨나게 한다. 오행의 다름은 두 기二氣의 실제를 근본으로 하고, 두 기의 근본은 하나[태극]이니, 이것은 만 가지가 하나가 되는 것이다. 하나의 실제가 만 가지로 나누어지니, 만과 하나가 각기 바르게 되고, 작음과 큼이 정해진다.

[3-22-3-0]

此言命也. 二氣五行, 天之所以賦受萬物而生之者也. 自其末以緣本, 則五行之異本二氣之實, 二氣之實又本一理之極, 是合萬物而言之爲一太極而已也. 自其本而之末, 則一理之實而萬物分之以爲體, 故萬物之中各有一太極, 而小大之物莫不各有一定之分也.

이것은 명命을 말한다. 두 기와 오행은 하늘이 만물에게 부여하여 만물을 생겨나게 하는 것이다. 그 끝으로부터 근본으로 찾아가면 오행의 다름은 두 기의 실제를 근본으로 하고, 두 기의 실제는 또 하나의 리인 태극을 근본으로 하니, 이것은 만물을 합하여 하나의 태극이 됨을 말하는 것일 뿐이다. 그 근본으로부터 끝으로 가면 한 리의 실제를 만물이 할당하여 체體가 되므로, 만물 속에는 각각 하나의 태극이 있기에 크고 작은 사물에 각각 일정한 분수가 있지 않음이 없다.

[3-22-3-01]

此章十六章同意.

이 장은 16장[6]과 뜻이 같다.

[3-22-3-1]

問 : "五殊二實."

朱子曰 : "分而言之有五, 總而言之只是陰陽."[7]

물었다. "'오행의 다름은 두 기[二氣]의 실제를 근본으로 한다.'라는 것에 대해 묻습니다."

주자가 대답했다. "나누어 말할 때에는 오행이 있다고 하고, 총체적으로 말할 때는 다만 음과 양일 뿐이다."

6 「動靜」

7 『朱子語類』 권94, 199조목

[3-22-3-2]

"自下推而上去, 五行只是二氣, 二氣又只是一理. 自上推而下來, 只是這一箇理, 萬物分之以爲體, 萬物之中又各具一理. 所以'乾道變化各正性命', 然總只是一箇理. 此理處處皆渾淪. 如一粒粟生爲苗, 苗便生花, 花便結實, 又成氣還復本形. 一穗有百粒, 每粒箇箇完全, 又將這百粒去種, 每粒又各成百粒, 生生只管不已, 初間只是這一粒分去. 物物各有理, 總只是一理."[8]

(주자가 말했다.) "아래로부터 미루어 위로 올라갈 때에는 오행은 다만 두 기이고, 두 기는 또 다만 하나의 리理일 뿐이다. 위로부터 미루어 아래로 내려올 때에는 다만 이 리일 뿐이니, 만물이 그것을 나누어 받아서 체體가 되고, 만물 속에는 또 각기 하나의 리를 갖추고 있다. 따라서 '건의 도가 변화하여 각기 성과 명을 바르게 한다.'[9]라고 하였으나, (그것은) 모두 다만 하나의 리일 뿐이다. 이 리는 곳곳에 다 섞여 있다. 예컨대 한 알의 벼가 생겨나 싹이 되고, 싹은 바로 꽃을 피우며, 꽃은 바로 열매를 맺고, 또 기氣가 되며 다시 본래의 모습으로 돌아오는 것과 같다. 하나의 이삭에 백 알이 있고, 매 알마다 완전하며, 또 이 백 알을 심으면 매 알이 또 각각 백 알을 이루고, 생겨나고 생겨나는 것이 오직 그치지 않으니, 처음에 다만 이 하나의 낱알이 나누어져 갈 뿐이다. 사물마다 각각 리가 있는데, 총체적으로는 다만 하나의 리일 뿐이다."

[3-22-3-3]

"夫'陰陽·五行化生萬物. 五殊二實, 二本則一.' 如千部文字, 字字如此好, 面面如此好, 人道'是聖人逐一寫得如此', 聖人告之曰'不如此, 我只是一箇印板印將.'"[10]

8 『朱子語類』 권94, 37조목의 내용 가운데 일부이다. "아래로부터 미루어 위로 올라갈 때에는 오행은 다만 두 기이고, 두 기는 또 다만 하나의 理일 뿐이다. 위로부터 미루어 아래로 내려올 때에는 다만 이 하나의 리일 뿐이니, 만물이 그것을 나누어 받아서 體가 되고, 만물 속에는 또 각기 하나의 리를 갖추고 있다. 이른바 '건의 도가 변화하여 각기 성과 명을 바르게 한다.'라고 하였으나, 모두 또 다만 하나의 리일 뿐이다. 이 리는 곳곳에 다 섞여 있는데, 예컨대 한 알의 벼가 생겨나 싹이 되고, 싹은 바로 꽃을 피우며, 꽃은 바로 열매를 맺고, 또 겉곡식을 이루며, 다시 본래의 모습으로 돌아오는 것과 같다. 하나의 이삭에 백 알이 있고, 매 알마다 완전하며, 또 이 백 알을 심으면 매 알이 또 각각 백 알을 이루고, 생겨나고 생겨나는 것이 오직 그치지 않으니, 처음에 다만 이 하나의 낱알이 나누어져 갈 뿐이다. 사물마다 각 리가 있는데, 총체적으로는 다만 하나의 리일 뿐이다."("自下推而上去, 五行只是二氣, 二氣又只是一理. 自上推而下來, 只是此一箇理, 萬物分之以爲體, 萬物之中又各具一理. 所謂'乾道變化, 各正性命', 然總又只是一箇理. 此理處處皆渾淪, 如一粒粟生爲苗, 苗便生花, 花便結實, 又成粟, 還復本形. 一穗有百粒, 每粒箇箇完全; 又將這百粒去種, 又各成百粒. 生生只管不已, 初間只是這一粒分去. 物物各有理, 總只是一箇理.")

9 『周易』「乾卦, 彖傳」

10 『朱子語類』 권27, 47조목의 내용 가운데 일부이다. "또 말했다. 『通書』의 한 곳에서 '음양과 오행은 만물을 변화시키고 생겨나게 하고, 오행의 다름은 두 기의 실제를 근본으로 하고, 두 기의 근본은 하나[태극]이다.'라고 했는데, 또한 이 뜻이다." 또 말했다. "예컨대 천 부의 문장과 만 부의 문장이 글자마다 이와 같이 좋고, 면면마다 이와 같이 좋은데, 사람들은 성현이 하나씩 쓴 것이 이와 같다고 말한다. 성인은 '이와 같지 않다.

(주자가 말했다.) "'음양과 오행은 만물을 변화시키고 생겨나게 한다. 오행의 다름은 두 기의 실제를 근본으로 하고, 두 기의 근본은 하나[태극]이다.' 예컨대 천 부의 문장이 글자마다 이와 같이 좋고, 면면마다 이와 같이 좋은데, 사람들은 '성인이 하나씩 쓴 것이 이와 같다.'고 말하지만, 성인은 '이와 같지 않다. 나는 다만 하나의 인쇄판에 인쇄해 나갈 뿐이다.'라고 하는 것과 같다."

[3-22-3-4]

"'萬一各正, 小大有定', 言萬箇是一箇, 一箇是萬箇. 蓋統體一太極, 然又一物各具一太極, 所謂'萬一各正', 猶言'各正性命'也."[11]

(주자가 말했다.) "'만과 하나가 각기 바르게 되어, 작음과 큼이 정해진다.'라는 것은 만 개가 한 개이고, 한 개가 만 개라고 하는 말이다. 총체적으로는 하나의 태극이지만, 또 하나의 것에는 각기 하나의 태극이 갖추어져 있으니, 이른바 '만과 하나가 각기 바르게 된다.'라는 것은 '각기 성과 명을 바르게 한다.'라고 말하는 것과 같다."

[3-22-3-5]

問 : "注云'自其本以之末, 則一理之實而萬物分之以爲體, 故萬物各具一太極.' 如此說, 則是太極有分裂乎?"

曰 : "本只是一太極, 而萬物各有禀受, 又自各全具一太極爾. 如月在天只一而已, 及散在江湖則隨處而見, 不可謂月分也."[12]

물었다. "주에서 '그 근본으로부터 끝으로 가면 한 리의 실제가 만물에 할당되어 체體가 되므로, 만물은 각각 하나의 태극을 갖추고 있다.'라고 했는데, 이와 같이 말한다면 이것은 태극에 분열이 있다는 것입니까?"

(주자가) 대답했다. "근본은 다만 하나의 태극이지만 만물은 각각 품수한 것이 있고, 또 본래 각각 하나의 태극을 온전히 갖추고 있다. 예컨대 달이 하늘에서는 다만 하나일 뿐이지만, 강과 호수에 흩어지면 처한 곳에 따라 나타나는 것을 달이 나누어졌다고 말할 수 없는 것과 같다."

[3-22-3-6]

問 : "此章何以下分字?"

曰 : "不是割成片去, 只如月映萬川相似."

나는 다만 하나의 인쇄판에 인쇄해 나갈 뿐이니, 천 부와 만 부가 비록 많더라도, 다만 하나의 인쇄판일 뿐이다.'라고 말했다."(又云 : "『通書』一處說'陰陽五行, 化生萬物, 五殊二實, 二本則一', 亦此意." 又云 : "如千部文字, 萬部文字, 字字如此好, 面面如此好, 人道是聖賢逐一寫得如此. 聖人告之曰'不如此. 我只是一箇印板印將去, 千部萬部雖多, 只是一箇印板.'")

11 『朱子語類』 권94, 201조목

12 『朱子語類』 권94, 203조목에는 '不可謂月分也'가 '달이 이미 나누어졌다고 말할 수 없다.'('不可謂月已分也.')로 되어 있다.

물었다. "이 장은 무엇 때문에 분分자를 썼습니까?"
대답했다. "조각으로 쪼개는 것이 아니고, 단지 달빛이 모든 내에 비추는 것과 비슷하다."

[3-22-3-7]

"『中庸』曰'如天之無不覆蓋, 如地之無不持載.' 此是一箇大底包在中間.[13] 又有'四時錯行, 日月代明', 自有細小去處. '道並行而不相悖, 萬物並育而不相害', 並行並育, 便是那天地之覆載底, 不相悖不相害, 便是那錯行代明底. '小德川流', 是說那細小底. '大德敦化', 是說那大底. 大底包小底, 小底分大底. 千五百年間不知人如何讀書, 這都似不理會得這箇道理." 又曰: "'一實萬分, 萬一各正', 便是'理一分殊'處."[14]

(주자가 말했다.) "『중용』에서 '하늘이 덮지 않음이 없는 것과 같고, 땅이 싣지 않음이 없는 것과 같다.'[15]라고 했는데, 이는 하나의 큰 것이 중간에서 감싸고 있는 것이다. 또 '4계절이 섞여 운행하고, 해와 달이 교대로 비춘다.'[16]라고 했으니, 세밀하고 작은 것으로부터 나아가는 것이다. '도가 함께 행하여져서 서로 어그러지지 않고, 만물이 함께 길러져서 서로 해치지 않으니',[17] 함께 행하여지고 함께 길러지는 것은 바로 그 천지의 덮음과 실음이고, 서로 어그러지지 않고 서로 해치지 않는 것은 바로 그 섞여 행하고 교대로 비추는 것이다. '작은 덕이 내처럼 흐르는 것'[18]은 그 세밀하고 작은 것을 말하고, '큰 덕이 돈독하게 교화되는 것'[19]은 그 큰 것을 말한다. 큰 것은 작은 것을 감싸고,

---

13 『性理大全』 판본에는 마침표(.)가 '包在'와 '中間'사이에 있다(此是一箇大底包在. 中間). 그러나 이곳의 문맥은 마침표(.)가 '中間' 다음에 있는 것이 낫다고 생각한다.(一箇大底包在中間.) 이 글의 출전인 『朱子語類』 권94, 202조목에서도 '一箇大底包在中間.'으로 되어 있다.

14 『朱子語類』 권94, 202조목의 내용 가운데 일부이다. 또 말했다. "『中庸』에서 '하늘이 덮지 않음이 없는 것과 같고, 땅이 싣지 않음이 없는 것과 같다.'라고 했는데, 다만 이것은 하나의 큰 것이 중간에서 감싸고 있는 것이다. 또 '4계절이 섞여 운행하고, 해와 달이 교대로 비춘다.'라고 했으니, 세밀하고 작은 것으로부터 나아가는 것이다. '도가 함께 행하여져서 서로 어그러지지 않고, 만물이 함께 길러져서 서로 해치지 않으니', 함께 행하여지고 함께 길러지는 것은 바로 그 천지의 덮음과 실음이고, 서로 어그러지지 않고 서로 해치지 않는 것은 바로 그 섞여 행하고 교대로 비추는 것이다. '작은 덕이 내처럼 흐르는 것'은 그 세밀하고 작은 것을 말하고, '큰 덕이 돈독하게 교화되는 것'은 그 큰 것을 말한다. 큰 것은 작은 것을 감싸고, 작은 것은 큰 것을 나눈다. 1500년 간 사람들이 어떻게 이것을 읽어야 하는지를 몰랐으니, 모두 마치 이러한 도리를 알지 못하는 것과 같다." 또 말했다. "'하나의 실제가 만 가지로 나누어지고, 만과 하나가 각기 바르게 된다.'라는 것이 바로 '리는 하나인데 나누어지는 것에 따라 다르다(理一分殊)'라는 것이다."(又云: "『中庸』'如天之無不覆幬, 地之無不持載', 止是一箇大底包在中間; 又有'四時錯行, 日月代明', 自有細小去處. '道並行而不相悖, 萬物並育而不相害.' 並行並育, 便是那天地覆載; 不相悖不相害, 便是那錯行代明底. '小德川流'是說小細底, '大德敦化'是說那大底. 大底包小底, 小底分大底. 千五百年間, 不知人如何讀這箇, 都似不理會得這道理." 又云: "'一實萬分, 萬一各正', 便是'理一分殊'處.")

15 『中庸』 제30장

16 『中庸』 제30장

17 『中庸』 제30장

18 『中庸』 제30장

작은 것은 큰 것을 나눈다. 1500년 간(맹자로부터 정주程朱까지 1천4백~5백 년 간임을 말한다.) 사람들이 어떻게 책을 읽어야 하는지를 몰랐으니, 이것은 모두 마치 이러한 도리를 알지 못하는 것과 같다."

(주자가) 또 말했다. "'하나의 실제가 만 가지로 나누어지고, 만과 하나가 각기 바르게 된다.'라는 것이 바로 '리는 하나인데 나누어지는 것에 따라 다르다理一分殊'라는 것이다."

[3-22-3-8]

問 : "'五殊二實, 一實萬分', 二謂陰陽, 一謂太極. 然否?"

曰 : "二氣一理, 而皆以實目之者, 蓋曰'此皆實有之理而强爲之名耳.'[20] 曰'五二一萬, 皆實字. 殊·實·實·分, 皆虛字.' 以此推之, 則所謂二實一實者不相礙也."[21]

물었다. "'오행의 다름은 두 기의 실제를 근본으로 하고, 하나의 실제가 만 가지로 나누어진다.'라는 것에서 두 기는 음과 양을 말하고 하나의 리는 태극을 말합니다. 그렇습니까?"

(주자가) 대답했다. "두 기와 하나의 리이지만, 모두 실제를 가지고 지목한 것이니, 대개 '이것은 다 실제로 있는 리이지만, 억지로 이름을 붙였을 뿐이다.'라고 한다. '오·둘·하나·만 등은 다 실제의 글자이다. 다름[殊]·실제[實]·실제[實]·나누어짐[分]은 다 빈 글자이다.'라고 한다. 이것으로 미루어 가면 이른바 2실과 1실은 서로 장애가 되지 않는다."

[3-22-3-9]

"周子此章, 其首二句言理, 次三句言性, 次八句言命, 故其章內無此三字, 而特以三字名其章以表之, 則章內之言固已各有所屬矣. 蓋其所謂'靈'所謂'一'者, 乃爲太極, 而所謂'中'者, 乃氣禀之得中, 與剛善·剛惡·柔善·柔惡者爲五性而屬乎五行, 初未嘗以是爲太極也."

"주자周子는 이 장의 첫 번째 두 구절에서 리理를 말하고, 다음 세 구절에서 성性을 말하며, 다음 여덟 구절에서 명命을 말했기 때문에 그 장 안에는 이 세 글자가 없지만, 다만 이 세 글자를 가지고 그 장을 명명하여 제목으로 삼았으니, 장 안의 말에는 진실로 이미 각기 속한 것이 있다. 이른바 '신령스럽다.'는 것과 이른바 '하나'라는 것은 태극이 되지만, 이른바 '중中'은 기를 부여받을 때 중을 얻은 것으로 강선·강악·유선·유악과 함께 5성性이 되기에 오행에 속하니, 애초부터 이것을 태극으로 삼은 적은 없었다."

19 『中庸』 제30장

20 『朱文公集』 권52 「書·答吳伯豊」에는 '而爲之名耳'가 '非但彊爲之名耳'로 되어 있다.

21 『朱文公集』 권52 「書·答吳伯豊」

顔子 第二十三 제23 안자

[3-23-1]

"顔子一箪食, 一瓢飮, 在陋巷, 人不堪其憂, 而不改其樂."

"안자는 하나의 대광주리에 담은 밥을 먹고 한 표주박의 물을 마시며 누추한 곳에 살았는데, 사람들은 그 근심을 감당하지 못하지만 (안자는) 그 즐거움을 고치지 않았다."[22]

[3-23-1-0]

說見『論語』.

(이) 말이 『논어』에 보인다.

[3-23-2]

夫富貴, 人所愛也. 顔子不愛不求, 而樂乎貧者, 獨何心哉?

부유와 귀함은 사람들이 좋아하는 것이다. 안자는 (그것을) 좋아하지도 않고 추구하지도 않으면서 가난함에서 즐긴 것은 홀로 무슨 마음이었을까?

[3-23-2-0]

設問以發其端.

물음을 설정하여 그 단서를 드러냈다.

[3-23-3]

天地間有至貴至愛可求而異乎彼者, 見其大而忘其小焉爾.

천지 사이에 지극히 귀하고 지극히 좋아하여 구할 만한 것이 있으나, (안자가) 다른 사람과 다른 점은 큰 것을 보고 작은 것을 잊은 것이다.

[3-23-3-0]

至愛之間, 當有富可二字. 所謂'至貴至富可愛可求'者, 卽周子之敎程子'每令尋仲尼顔子樂處所樂何事'者也. 然學者當深思而實體之, 不可但以言語解會而已.

지至와 애愛 사이에 마땅히 부富와 가可 두 글자가 있어야 한다. 이른바 '지극히 귀하고 지극히 부유하며 좋아할 만하고 구할 만한' 것은 바로 주자周子가 정자[程顥와 程頤]를 가르칠 때에 '매 번 공자와 안자가 즐거워하는 경지와 즐거워하는 것이 무엇인지를 찾도록 한' 것이다. 그러나 배우는 사람은 마땅히 깊이 생각하여 실제로 체득해야 하고, 단지 말로만 이해해서는 안 된다.

22 『論語』「雍也篇」

[3-23-3-1]

問 : “顔子‘不改其樂’, 是私欲旣去, 一心之中便是天理流行無有止息,[23] 此乃至富至貴之理, 擧天下之物無以尙之, 豈不大有可樂?”

朱子曰 : “周子所謂‘至貴至富’, 乃是對貧賤而言, 今引此說恐淺. 只是私欲未去, 如口之於味, 耳之於聲, 皆是欲. 得其欲, 卽是私欲, 反爲所累, 何足樂? 若不得其欲, 只管求之其心, 亦不樂. 惟是私欲旣去, 天理流行, 動靜語黙日用之間, 無非天理, 胸中廓然, 豈不可樂? 此與貧窶自不相干, 故不以此而害其樂.”[24]

물었다. “안자가 ‘그 즐거움을 고치지 않았다.’라는 것은 사욕이 이미 제거되어 한 마음속에 바로 천리가 유행하여 그치지 않는 것이니, 이는 지극히 부유하고 지극히 귀한 이치로서 세상의 것들을 들어도 더 높일 것이 없는데, 어떻게 크게 즐거워할 만한 것이 있지 않겠습니까?”

주자가 대답했다. “주자周子의 이른바 ‘지극히 귀하고 지극히 부유한 것’은 가난함과 천함에 상대해서 말한 것인데, 이제 여기에서 이 말을 인용한 것은 섣부른 듯하다. 단지 사욕이 아직 제거되지 않았을 때에는 입이 맛에 관계되고 귀가 소리에 관계되는 것과 같은 것은 다 하고자 하는 것[欲]이다. 그 하고자 하는 것을 얻는 것이 바로 사욕이어서 도리어 누가 되니 어찌 충분히 즐길 수 있겠는가? 예컨대 그 하고자 하는 것을 얻지 못하고 오로지 마음에서 구하는 것과 같은 것은 또한 즐거움이 아니다. 오직 사욕이 이미 제거되어야 천리가 유행하게 되어 움직일 때와 고요할 때와 말할 때와 침묵할 때와 날마다 생활하는 사이에 천리가 아님이 없어서 마음속이 확 트이니, 어찌 즐겁지 않을 수 있겠는가? 이것은 가난함과 본래 서로 관계하지 않으므로, 이것을 가지고 그 즐거움을 해칠 수 없다.”

[3-23-3-2]

問 : “顔子之樂, 只是天地間至富至貴底道理樂去求之否?”

曰 : “非也. 此一下未可便知, 須是窮究萬理要極徹.”

又曰 : “程子謂‘將這身來放在萬物中一例看, 大小大快活.’ 又謂‘人於天地間並無窒礙處, 大小大快活.’ 此便是顔子樂處. 這道理在天地間, 須是直窮到底, 至纖至悉, 十分透徹, 無有不盡, 則與萬物爲一, 無所窒礙, 胷中泰然, 豈有不樂?”[25]

23 『朱子語類』 권31, 60조목에는 ‘便是’가 ‘渾是’로 되어 있다.

24 『朱子語類』 권31, 60조목

25 『朱子語類』 권31, 59조목의 내용 가운데 일부이다. 물었다. “안자의 즐거움은 다만 천지 사이에 지극히 부유하고 지극히 귀한 도리를 즐겨가며 구한 것입니까?” 대답했다. “아니다. 이것은 이하를 아직 곧바로 알 수 없으니, 반드시 모든 이치를 궁구하여 지극하게 관철해야 한다.” 이어서 말했다. “程子는 ‘이 몸을 만물 속에 놓은 것과 같은 예로 보면 크고 작은 것이 매우 활발하다.’라고 했다. 또 ‘사람이 천지 사이에서 함께 막히는 것이 없으면 크고 작은 것이 매우 활발하다.’라고 했다. 이것이 바로 안자가 즐기는 것이다. 이 도리가 천지 사이에 있으니, 반드시 곧바로 끝까지 궁구하고, 지극히 섬세하고 지극히 남김없이 궁구하며, 충분히 투철하게 하여 다하지 않음이 없으면, 만물은 하나가 되어 막히는 것이 없고 가슴 속이 태연하니, 어떻게 즐거워하지

물었다. "안자의 즐거움은 다만 천지 사이에 지극히 부유하고 지극히 귀한 도리를 즐겨가며 구한 것입니까?"
(주자가) 대답했다. "아니다. 이 이하를 아직 곧바로 알 수 없으니, 반드시 모든 이치를 궁구하여 지극하게 관철해야 한다."
또 말했다. "정자程子는 '이 몸을 만물 속에 놓은 것과 같은 예로 보면 크고 작은 것이 매우 활발하다.'[26] 라고 했다. 또 '사람이 천지 사이에서 함께 막히는 것이 없으면 크고 작은 것이 매우 활발하다.'[27]라고 했다. 이것이 바로 안자가 즐기는 것이다. 이 도리가 천지 사이에 있으니, 반드시 곧바로 끝까지 궁구하고, 지극히 섬세하고 지극히 남김없이 궁구하며, 충분히 투철하게 하여 다하지 않음이 없으면, 만물과 하나가 되어 막히는 것이 없고 가슴 속이 태연하니, 어떻게 즐겁지 않을 수 있는가?"

[3-23-3-3]

"顏子胷中自有樂地, 雖貧窶不以累其心, 不是將那不以貧窶累心底做樂."[28]
(주자가 말했다.) "안자는 가슴 속에 저절로 즐거워하는 경지가 있기에, 비록 가난하더라도 그 마음에 누를 끼치지 않으니, 그처럼 가난함으로 마음에 누를 끼치지 않는 것을 즐거움으로 여긴 것은 아니다."

[3-23-3-4]

"顏子'不改其樂', 是他功夫到後自有樂處, 與富·貴·貧·賤了不相關, 自是改他不得."
(주자가 말했다.) "안자가 '그 즐거움을 고치지 않았다.'라는 것은 그 공부가 도달한 후에 자연히 즐거워하는 경지가 있으므로, 부유함·귀함·가난함·천함 등과 전혀 관계없이 자연히 그것을 고치지 않는다."

[3-23-3-5]

"顏子之樂, 其實却只是平日許多功夫到此成就. 見處通透無隔礙, 行處純熟無齟齬, 便自然快活, 不是別有一項功夫理會此事也."[29]
"안자의 즐거움은 사실 단지 평상시의 많은 공부가 이러한 성취에 도달한 것일 뿐이다. 안목이 확 트여 막힘이 없고, 행하는 것이 능숙하여 어긋남이 없어서 자연히 활발하게 되니, 별도로 하나의

않는 것이 있겠는가?"(問 : "顏子之樂, 只是天地間至富至貴底道理, 樂去求之否?" 曰 : "非也. 此以下未可便知, 須是窮究萬理要極徹." 已而曰 : "程子謂 : '將這身來放在萬物中一例看, 大小大快活!' 又謂 : '人於天地間並無窒礙, 大小大快活!' 此便是顏子樂處. 這道理在天地間, 須是直窮到底, 至纖至悉, 十分透徹, 無有不盡, 則於萬物爲一無所窒礙, 胸中泰然, 豈有不樂!")

26 『二程遺書』 권2상 「元豐己未呂與叔東見二先生語」
27 『二程遺書』 권15 「入關語録」
28 眞德秀 撰, 『西山讀書記』 권28 「孔子顏曾傳授」
29 『朱文公集』 권53 「書·答劉仲升」

공부가 있기에 이러한 일을 아는 것이 아니다."

[3-23-3-6]

問 : "顏子'不改其樂', 莫是樂箇貧否?"

曰 : "顏子私欲克盡, 故樂. 却不是專樂箇貧. 須知他不干貧事, 元自有箇樂始得."30

물었다. "안자가 '그 즐거움을 고치지 않았다.'라는 것은 가난함을 즐거워한 것입니까?"

(주자가) 대답했다. "안자는 사욕을 다 극복하였으므로 즐거워한 것이다. 오로지 가난함을 즐거워한 것은 아니다. 그가 가난한 일과 관계없이 원래 처음부터 즐거움이 있었음을 반드시 알아야 한다."

[3-23-3-7]

問 : "顏子樂處."

曰 : "未到他地位, 如何便能知得他樂處? 且要得就他實下功夫處做, 下梢亦須會到他樂時節."31

물었다. "안자의 즐거워하는 경지"를 묻습니다.

(주자가) 대답했다. "그의 경지에 이르지 않았는데, 어떻게 그의 즐거워하는 경지를 알 수 있겠는가? 그가 실제로 공부한 경지에 나아가서 실행해야 하고, 결국은 또 그가 즐거워하는 때에 반드시 이를 수 있어야 한다."

[3-23-3-8]

問 : "孔顏所樂何事?"

曰 : "不要去孔顏身上問, 只去自家身上討."32

물었다. "공자와 안자가 즐거워한 것은 무엇입니까?"

(주자가) 대답했다. "공자와 안자의 측면에서 묻지 말고, 다만 자신의 측면에서 살펴야 한다."

30 『朱子語類』 권31, 55조목

31 『朱子語類』 권31, 57조목의 내용 가운데 일부이다. 물었다. "안자가 즐거워하는 경지는 아마도 공부가 이 경지에 이르면 사사로운 뜻이 버려지고 천리가 통해질 것이니, 즐거운 것이 있겠지요?" 대답했다. "그의 경지에 이르지 않았다면, 어떻게 그의 즐거워하는 경지를 알 수 있겠는가? 그가 실제로 공부한 경지에 나아가서 실행해야 하고, 결국은 또 그가 즐거워하는 때에 반드시 이를 수 있어야 한다."(問 : "顏子樂處, 恐是工夫做到這地位, 則私意脫落, 天理洞然, 有箇樂處否?" 曰 : "未到他地位, 則如何便能知得他樂處? 且要得就他實下工夫處做, 下梢亦須會到他樂時節.")

32 『朱子語類』 권31, 61조목의 내용 가운데 일부이다. 물었다. "'즐거움을 고치지 않는다'라는 것과 '즐거움이 그 안에 있다'라는 것의 둘 가운데 가볍고 중요한 것은 무엇입니까?" 대답했다. "공자와 안자의 측면에서 묻지 말고, 다만 자신의 측면에서 살펴야 한다."(問 : "'不改其樂'與'樂在其中矣', 二者輕重如何?" 曰 : "不要去孔顏身上問, 只去自家身上討.")

[3-23-3-9]

"要尋樂處, 只是自去尋. 尋到那極苦澁處, 這便是好消息來. 尋到那意思不好處, 這便是樂底意思來. 却無不做工夫自然樂底道理. 如今做工夫, 只是平常恁地理會, 不要把做差異了去做."[33]

(주자가 말했다.) "즐거워하는 경지를 찾으려면 단지 스스로 찾아야 한다. 찾을 때에 매우 수고롭고 어려운 경지에 이르는데, 이것은 바로 좋은 징조이다. 찾을 때에 즐겁지 않은 마음에 이르게 되는데, 이것은 바로 즐거워하는 생각이 오는 징조이다. 곧 공부를 하는 것이 자연히 즐거워하는 도리가 아님이 없다. 오늘날 공부를 하는 것은 다만 평상시에 이와 같이 이해하고, 차이 나는 것을 찾아 진행해서는 안 된다."

[3-23-3-10]

問 : "學者看文字如何?"

對曰 : "方思量顔子樂處."

曰 : "不用思量, 他只是'博我以文, 約我以禮', 然後見得天理分明, 日用間禮義純熟, 不被人欲來苦楚, 自恁地快活. 如今且去博文約禮, 便自見得. 若只索之杳冥之際何益? 只要著實用功."[34]

물었다. "배우는 사람은 어떻게 글을 보아야 합니까?"

(주자가) 대답하여 말했다. "바야흐로 안자의 즐거워하는 경지를 생각해야 한다."

(또) 말했다. "생각할 필요가 없이, 그는 다만 '문文으로써 나를 넓혀주시고, 예禮로써 나를 가다듬어 주셨다.'[35]라고 한 후에 천리가 분명해짐을 터득하고, 일상생활에서 예의에 능숙해지며, 인욕人欲에

33 『朱子語類』 권117, 51조목의 내용 가운데 일부이다. "전 날에 강서의 친구가 와서 즐거운 경지를 찾는 것에 대해 물었다. 나는 다음과 같이 말했다. '다만 스스로 찾아야 하고, 찾을 때에 매우 수고롭고 어려운 경지에 이르는데, 이것은 바로 좋은 징조이다. 사람들은 반드시 찾을 때에 그러한 좋지 않은 생각에 이르게 되는데, 이것은 바로 즐거워하는 생각이 오는 징조이며, 곧 공부를 하는 것이 자연히 즐거워하는 도리가 아님이 없다.' 그러나 오늘날 공부를 하는 것은 다만 평상시에 이와 같이 이해하고, 차이 나는 것을 보려고 해서는 안 된다." (前日江西朋友來問, 要尋箇樂處. 某說 : '只是自去尋, 尋到那極苦澁處, 便是好消息. 人須是尋到那意思不好處, 這便是樂底意思來, 卻無不做工夫自然樂底道理.' 而今做工夫, 只是平常恁地去理會, 不要把做差異看了.)"

34 眞德秀 撰 『西山讀書記』 권28 「孔子顔曾傳授」의 내용 가운데 일부이다. 물었다. "배우는 사람은 어떻게 글을 보아야 합니까?" 대답하여 말했다. "바야흐로 안자의 즐거워하는 경지를 생각해야 한다." 선생이 말했다. "생각할 필요가 없이, 그는 다만 '文으로써 나를 넓혀주시고, 禮로써 나를 가다듬어 주셨다.'라고 한 후에 천리가 분명해짐을 터득하고, 일상생활에서 의리에 능숙해지며, 人欲에 의해 어려움을 당하지 않았으니, 자연히 이와 같이 활발해진다. 그러나 오늘날에는 다만 문으로 넓히고 예로 가다듬지 않으면서 스스로 터득하려고 한다. 만약 단지 낌새가 없는 아득한 경우에서 찾는 것이라면 무슨 유익이 있겠는가? 다만 착실하게 공부해야 한다."(問"學者看文字如何?" 對曰"方思量顔子樂處." 先生曰"不用思量, 他只是'博我以文, 約我以禮', 然後見得天理分明, 日用間義理純熟, 不被人欲來苦楚, 自恁地快活. 而今只去博文約禮, 便自見得. 若只索之於杳冥無朕之際何益? 只要着實用工.")

의해 어려움을 당하지 않았으니, 자연히 이와 같이 활발해진다. 오늘날에는 또한 문으로 넓히고 예로 가다듬는 것을 제거하고 곧바로 스스로 터득하려고 한다. 만약 단지 아득한 경우에서 찾는 것이라면 무슨 이익이 있겠는가? 다만 착실하게 공부해야 한다."

[3-23-3-11]

問 : "尋孔顔樂處."

曰 : "先賢到樂處, 已自成就向上了. 非幼學所能求. 況今師非濂溪, 友非二程, 所以說此事却似莽廣, 不如且就聖賢著實用功處求之. 如'克己復禮', 致謹於視聽言動之間, 久之當自純熟, 充達向上處."[36]

물었다. "공자와 안자의 즐거워하는 경지를 찾고자 합니다."

(주자가) 대답했다. "선현이 즐거워하는 경지에 이른 것은 이미 스스로 성취하여 위로 향한 것이다. 초학자가 구할 수 있는 것이 아니다. 그런데 지금의 선생은 염계가 아니고, 학우들도 이정二程이 아닌데, 이러한 일을 논하는 것은 오히려 장황한 듯하니, 또 성현이 착실하게 공부한 곳에 나아가 구하는 것만 못하다. 예컨대 '사욕을 이겨 예로 돌아온다.'[37]라는 것과 같이, 보고 듣고 말하고 행동하는 사이에서 삼감을 이루어 오래도록 노력하면 저절로 익숙해져서 충분히 위에 도달할 것이다."

[3-23-3-12]

問 : "程子云'使顔子以道爲樂, 則非顔子矣.' 然而此章又却言以道爲樂."

曰 : "顔子之樂, 非是自家有箇道至富至貴, 只管把來弄後樂. 見得這道理後自然樂. 故曰'見其大, 則心泰; 心泰, 則無不足; 無不足, 則富·貴·貧·賤處之一也."[38]

35 『論語』「子罕篇」

36 『朱子語類』 권31, 73조목의 내용 가운데 일부이다. 물었다. "濂溪는 二程에게 공자와 안자의 즐거워하는 경지를 찾도록 하였는데, 스스로는 그 즐거움이 있었지만, 그것을 찾는 것은 또한 매우 어려웠습니다." 대답했다. "선현이 즐거워하는 경지에 이른 것은 이미 스스로 성취하여 위로 향하여 간 것이다. 초학자가 구할 수 있는 것이 아니다. 그런데 지금의 선생은 濂溪가 아니고, 학우들도 二程이 아닌데, 이러한 일을 논하는 것은 오히려 장황한 듯하니, 또 성현이 착실하게 공부한 곳에 나아가 구하는 것만 못하다. 예컨대 '사욕을 이겨 예로 돌아온다.'라는 것과 같이, 보고 듣고 말하고 행동하는 사이에서 삼감을 이루어 오래도록 노력하면 저절로 익숙해져서 충분히 위에 도달할 것이다."(問: "濂溪教程子尋孔顔樂處, 蓋自有其樂, 然求之亦甚難." 曰: "先賢到樂處, 已自成就向上去了, 非初學所能求. 況今之師, 非濂溪之師, 所謂友者, 非二程之友, 所以說此事卻似莽廣, 不如且就聖賢著實用工處求之. 如'克己復禮', 致謹於視聽言動之間, 久久自當純熟, 充達向上去.")

37 『論語』「顔淵」

38 『朱子語類』 권31, 82조목의 내용 가운데 일부이다. 물었다. "程子가 '안자에게 도를 즐거움으로 삼게 한다면 안자가 아닐 것이다.'라고 했습니다. 그러나 『通書』의 「顔子」 장은 또 오히려 도를 즐거움으로 삼는 것을 말하는 것 같습니다." 대답했다. "안자의 즐거움은 자신에게 도가 있기에 지극히 부유하고 지극히 귀한 것이 아니고, 오직 그가 노력한 후에 즐거워한 것이다. 이러한 도리를 터득한 후에 자연히 즐거워졌다. 그러므로 '그 큼을 보면 마음이 편안해지고, 마음이 편안해지면 만족하지 않음이 없으며, 만족하지 않음이 없으면 부유

물었다. "정자程子가 '안자에게 도를 즐거움으로 삼게 한다면 안자가 아닐 것이다.'라고 했습니다. 그러나 이 장은 또 오히려 도를 즐거움으로 삼는 것을 말하고 있습니다."

(주자가) 대답했다. "안자의 즐거움은 자신에게 도가 있기에 지극히 부유하고 지극히 귀한 것이 아니고, 오직 그가 노력한 후에 즐거워한 것이다. 이러한 도리를 터득한 후에 자연히 즐거워졌다. 그러므로 '그 큼을 보면 마음이 편안해지고, 마음이 편안해지면 만족하지 않음이 없으며, 만족하지 않음이 없으면 부유함·귀함·가난함·천함에 처하는 것이 동일해진다.'[39]"

[3-23-3-13]

問 : "顔樂之說, 程子答鮮于侁之問, 其意何也?"

曰 : "程子蓋曰'顔子之心無少私欲, 天理渾然, 是以日用動靜之間, 從容自得而無適不樂, 不待以道爲可樂然後樂也.'"[40]

물었다. "안자의 즐거움에 관한 설에 대해 정자程子가 선우신[41]의 물음에 답을 했는데, 그 뜻은 무엇입니까?"

(주자가) 대답했다. "정자程子는 '안자의 마음에 조금의 사욕도 없어서 천리가 혼연하니, 이 때문에 일상의 움직이고 고요한 사이에 조용히 스스로 터득하여 즐겁지 않은 적이 없었으니, 도를 즐거움으로 삼기를 기다리고 나서야 즐거웠던 것이 아니다.'라고 했다."

[3-23-3-14]

問 : "周子令程子尋顔子所樂何事, 而周子程子終不言, 先生以爲所樂何事?".[42]

曰 : "人之所以不樂者, 有私意耳. 克己之私, 則樂矣.[43] 故程子云'人能克己, 則心廣體胖, 仰不愧俯不怍, 其樂可知. 有息則餒矣.'"[44]

물었다. "주자周子는 정자程子에게 안자가 즐거워한 것이 무엇인지를 찾게 하였지만, 주자周子와 정자는 끝내 말을 하지 않았으니, 선생께서는 즐거워한 것은 무엇이라고 생각합니까?"

함·귀함 ·가난함·천함에 처하는 것이 동일해진다.'"(問 : "程子謂 : '使顔子以道爲樂, 則非顔子.' 『通書』「顔子」章又卻似言以道爲樂." 曰 : "顔子之樂, 非是自家有箇道, 至富至貴, 只管把來弄後樂. 見得這道理後, 自然樂. 故曰'見其大, 則心泰; 心泰, 則無不足; 無不足, 則富·貴·貧·賤處之一也.'")

39 『通書』 제23장

40 眞德秀 撰 『西山讀書記』 권28 「孔子顔曾傳授」

41 鮮於侁(1018~1087) : 자는 子駿이다. 송나라 閬州(현, 四川省 閬中城) 사람이며, 進士이다. 1077년에 京東路轉運使를 역임하면서 萊蕪監을 겸하였는데, 주로 민영 형식으로 운영하여 높은 성과를 거두었다. 후에도 관직을 두루 수행하였다. 그의 친구인 蘇軾은 그의 정치에 대해 "위로는 법을 해치지 않고, 가운데로는 어버이를 폐하지 않았으며, 아래로는 백성을 상하게 하지 않았다."라고 평하였다. 학문적으로는 詩와 楚辭에 밝았다. 주요 저서로 『詩傳』과 『易斷』이 있다."

42 『朱子語類』 권31, 71조목에는 '先生' 앞에 '不審'이 첨가되어 '不審先生'으로 되어 있다.

43 『朱子語類』 권31, 71조목

44 『朱子語類』 권31, 72조목

(주자가) 대답했다. "사람이 즐거워하지 않는 까닭은 사사로운 뜻이 있기 때문이다. 자기의 사사로운 뜻을 이기면 즐겁다. 그러므로 정자程子는 '사람이 사욕을 이길 수 있으면 마음이 넓어지고 몸이 펴지며, 우러러 부끄러움이 없고 굽어 부끄러움이 없으니, 그 즐거움을 알 만하다. 끊어짐이 있으면 결핍된다.'[45]라고 했다."

[3-23-3-15]

"程子之言, 但謂聖賢之心與道爲一, 故無適而不樂. 若以道爲一物而樂之, 則心與道二, 非所以爲顔子爾."[46]

"정자程子의 말은 단지 성현의 마음은 도와 하나가 되었기 때문에 즐겁지 않은 것이 없다고 한다. 만약 도를 하나의 사물로 여겨서 그것을 즐거워한다면 마음과 도는 둘이어서 안자의 즐거움이 되지 않을 뿐이다."

[3-23-3-16]

"顔子之貧如此, 而處之泰然, 不以害其樂, 故夫子深嘆美之.[47] 程子云'顔子之樂, 非樂簞瓢陋巷也. 不以貧窶累其心而改其所樂也. 故夫子稱其賢.'[48] 又云'簞瓢陋巷非可樂, 蓋自有其樂爾. 「其」字當玩味, 自有深意.'[49] 又云'昔受學於周茂叔, 每令尋仲尼顔子樂處所樂何事.'[50] 按程子之言引而不發, 蓋欲學者深思而自得之. 今不敢妄爲之說, 學者但當從事於博文約禮之誨, 以至於'欲罷不能而竭其才', 則庶乎有以得之矣."[51]

(주자가 말했다.) "안자의 가난함이 이와 같지만 처하는 것이 편안하여 그 즐거움을 해치지 않으므로 공자가 깊게 찬탄하여 아름답게 여겼다. 정자程子가 '안자의 즐거움은 대광주리의 밥, 표주박의 물, 누추한 거리를 즐거워한 것이 아니다. 가난함이 그 마음에 누를 끼침으로 해서 그 즐거워하는 것을 고치지 않았다. 그러므로 공자가 그를 현명하다고 칭찬했다.'[52]라고 하고, 또 (정자程子는) '대광주리의 밥, 표주박의 물, 누추한 거리는 즐길만한 것이 아니니, 저절로 그 즐거움이 있을 뿐이다. 「기其[그의]」라는 글자를 마땅히 완미해야, 자연히 깊은 뜻이 있게 된다.'[53]라고 했다. 또 (정자程子는) 다음과 같이 말했다. '옛날에 주무숙[周惇頤]에게 배울 때에 매 번 공자와 안자가 즐거워하는 경지와 즐거워하는 것이 무엇인지를 찾도록 했다.' 정자의 말에 의하면 (스승이 제자를) 인도만 하고 밝혀주지 않은

45 『二程外書』 권3 「陳氏本拾遺」
46 眞德秀 撰 『西山讀書記』 권28 「孔子顔曾傳授」
47 眞德秀 撰 『西山讀書記』 권28 「孔子顔曾傳授」
48 『朱子語類』 권31 83조목
49 『朱子語類』 권31 83조목
50 『朱文公集』 권51 「書 · 答董叔重」
51 양시 『二程粹言』 권하 「聖賢篇」
52 양시 『二程粹言』 권하 「聖賢篇」
53 『二程遺書』 권12 「戊冬見伯淳先生洛中所聞」

것은 대개 배우는 사람이 깊게 생각하여 스스로 터득하게 하고자 하는 것이다. 이제 내가 감히 망령스럽게 말하지 않으니, 배우는 사람이 다만 글로 넓히고 예로 가다듬는 가르침에 종사함으로써, '그만 두려고 해도 그만 둘 수 없어서 그 재주를 다하는데'[54] 이른다면 거의 터득함이 있을 것이다."

[3-23-3-17]

問 : "顔子之樂, 與浩然之氣如何?"

曰 : "也是此意. 但浩然之氣說得較麤."

又問 : "'說樂道便不是', 如何?"

曰 : "才說樂道, 只是冒罩說, 不曾說得親切."

又問 : "伊川所謂'「其」字當玩味', 是如何?"

曰 : "是元有此樂."[55]

물었다. "안자의 즐거움은 호연지기浩然之氣와 견주어 볼 때, 어떻습니까?"

(주자가) 대답했다. "또한 이 뜻이다. 다만 호연지기는 말이 비교적 거칠다."

또 물었다. "'도를 즐기는 것이라고 말한다면 옳지 않다.'라는 것은 어떻습니까?"

(주자가) 대답했다. "도를 즐긴다고만 말한 것은 대충 덮어버린 설명이 될 뿐, 친근하고 적절하게 잘 설명되지 않았다."

또 물었다. "이천[程頤]이 말한 '「기其」 자를 마땅히 완미해야 한다.'라는 것은 어떻습니까?"

(주자가) 대답했다. "원래 이러한 즐거움이 있다는 말이다."

[3-23-3-18]

西山眞氏曰 : "『集註』所引程子三說, 皆不說出顔子之樂是如何樂, 其末却令學者於博文約禮上用功, 博文約禮亦有何樂, 程朱二先生似若有所隱而不以告人者, 其實無所隱而告人之深也. 又嘗有人謂顔子所樂者道, 程子以爲非. 由今觀之, 所樂者道之言, 豈不有理? 而程子乃非之, 何也?

서산 진씨[眞德秀]가 말했다. "『집주』에서 인용한 정자의 세 이론[56]은 다 안자의 즐거움이 어떤 즐거움인지를 말하지 않고, 그 끝은 오히려 배우는 사람에게 글로 넓히고 예로 가다듬는다[博文約禮]는 측면에서 노력하도록 하였으며, 박문약례에는 또한 어떤 즐거움이 있는지에 대해 두 선생인 정자程子와

54 『論語』「子罕」, "안연이 크게 탄식하며 말했다. '우러러볼수록 더욱 높고, 뚫을수록 더욱 견고하며, 바라봄에 앞에 있다가 어느새 뒤에 있구나. 선생께서 차분히 사람을 잘 이끌어 글로써 나를 넓히시고, 예로써 나를 가다듬어 주셨다. 그만두고자 해도 그만둘 수 없어 이미 나의 재주를 다하니, (선생의 도가) 마치 내 앞에 우뚝 서 있는 듯하다. 비록 따르고자 하나, 말미암을 데가 없구나.'(顔淵喟然歎曰'仰之彌高, 鑽之彌堅; 瞻之在前, 忽焉在後. 夫子循循然善誘人, 博我以文, 約我以禮. 欲罷不能, 旣竭吾才, 如有所立卓爾. 雖欲從之, 末由也已.')

55 『朱子語類』 권31, 60조목

56 1. 가난함으로 그 즐거워함을 고치지 않는다. 2. 대개 자연히 그 즐거움이 있다. 3. 즐거워하는 것은 무엇인가?

주자[朱熹]가 마치 숨기는 것이 있기에 다른 사람에게 알려주지 않은 듯하나, 사실은 숨기는 것이 없이 다른 사람에게 깊게 알려준 것이다. 또 일찍이 사람들은 안자가 즐거워하는 것이 도라고 하였는데, 정자程子는 아니라고 하였다. 지금으로부터 보면 '즐거워하는 것은 도'라고 하는 말이 어찌 이치가 있지 않겠는가? 정자程子가 아니라고 한 것은 무엇 때문인가?

蓋道只是當然之理而已, 非有一物事可以玩弄而娛悅也. 若云所樂者道, 則吾身與道各爲一物, 未到混融無間之地, 豈足以語聖賢之樂哉? 顔子工夫乃從博文約禮上用力. 博文者, 言於天下之理無不窮究, 而用功之廣也. 約禮者, 言以禮檢束其身, 而用力之要也. 博文者, 格物致知之事也. 約禮者, 克己復禮之事也.

대개 도는 당연한 이치일 뿐이니, 하나의 물건이 있기에 장난치거나 즐길 수 있는 것이 아니다. 만약 즐기는 것이 도라고 한다면 내 몸과 도는 각각 하나의 물건이 되어 틈이 없는 혼융의 경지에 이르지 못하니, 어찌 성현의 즐거움이라고 충분하게 말할 수 있겠는가? 안자의 공부는 박문약례의 측면에서 힘쓰는 것이다. 글로 넓힌다博文는 것은 세상의 이치에 궁구하지 않음이 없는 노력의 광대함을 말한다. 예로 가다듬는다約禮는 것은 예로 자신을 단속하는 노력의 중요함을 말한다. 박문은 사물의 이치를 연구하여 앎을 지극히 하는[格物致知] 일이다. 약례는 사욕을 이겨 예로 돌아오는[克己復禮] 일이다.

內外精粗二者並進, 則此身此心皆與理爲一, 從容游泳於天理之中, 雖簞瓢陋巷不知其爲貧, 萬鍾九鼎不知其爲富, 此乃顔子之樂也. 程朱二先生恐人知想像顔子之樂, 而不知實用其功, 雖日談顔子之樂何益於我? 故程子全然不露, 只使人自思而得之. 朱先生又恐人無下手處, 特說出博文約禮四字, 令學者從此用功, 眞積力久, 自然有得, 至于'欲罷不能'之地, 而顔子之樂可以庶幾矣."[57]

안과 밖 및 정밀함과 거침의 둘이 함께 나아가면 이 몸과 이 마음은 다 이치와 하나가 되고 조용히 천리의 속에 젖어들어, 비록 대광주리 밥과 표주박의 물과 누추한 거리라도 그 가난함을 모르고, 넉넉한 봉록과 많은 영토[58]라도 그 부유한 줄 모르니, 이것이 바로 안자의 즐거움이다. 두 선생인 정자程子와 주자[朱熹]는 사람들이 상상으로 안자의 즐거움을 알고, 실제로 그 노력을 알지 못하는 것을 염려하여, 비록 날마다 안자의 즐거움을 말할지라도 (안자의 즐거움이) 나에게 무슨 유익이 있겠는가라고 했다. 그러므로 정자程子가 온전히 드러내지 않은 것은 다만 사람들에게 스스로 생각하여 터득하게 하고자 해서이다. 주자[朱熹]도 사람들이 착수처가 없을까 염려하여 단지 박문약례의 네 글자만 말하여 배우는 사람들에게 이를 따라 노력을 하게 하였으니, 진실함으로 꾸준히 노력한다

57 眞德秀『西山文集』권31「問顔樂」

58 萬鍾은 풍부한 양식의 넉넉한 봉록을 의미하고, 九鼎은 夏나라의 禹王이 九州를 상징하는 솥을 만들었는데, 夏·商·周 3대에 걸쳐 국가 정권의 상징인 國寶로 삼았다. 따라서 만종구정이란 풍부한 봉록과 많은 영토를 의미한다.

면 자연히 터득함이 있어 '그만 두려고 해도 그만 둘 수 없는' 경지에 이르러 안자의 즐거움에 가까워질 수 있다."

[3-23-4]

見其大則心泰, 心泰則無不足; 無不足, 則富·貴·貧·賤處之一也. 處之一, 則能化而齊. 故顔子亞聖.

그 큼을 보면 마음이 편안해지고, 마음이 편안해지면 만족하지 않음이 없으며, 만족하지 않음이 없으면 부유함·귀함·가난함·천함에 처하는 것이 동일해진다. 처함이 동일해지면 변화하여 (성인과) 나란할 수 있다. 그러므로 안자는 아성亞聖이다.

[3-23-4-0]

齊字意複, 恐或有誤. 或曰. 化, 大而化也. 齊, 齊於聖也. 亞, 則將齊而未至之名也.

나란함齊이라는 글자는 뜻이 복잡하여 혹시라도 잘못이 있을까 염려된다. 어떤 사람이 말했다. 화化는 크고 변화한 것이다. 제齊는 성인과 나란한 것이다. 아亞는 장차 나란하게 될 것이지만 아직 이르지 않았음을 말한다.

[3-23-4-1]

程子曰 : "聖人則不思而得, 不勉而中. 顔子則必思而後得, 必勉而後中, 其與聖人相去一息, 所未至者守之也, 非化之也."[59]

정자가 말했다. "성인은 생각하지 않고도 얻고, 힘쓰지 않아도 적중한다. 안자는 반드시 생각한 후에 얻고, 반드시 힘쓴 후에 적중하여, 성인과 약간 거리가 있으니, 아직 이르지 못한 것은 지켜야 하고 완전히 변화된 것이 아니다."

[3-23-4-2]

問 : "'見其大則心泰', 周子何故就見上說?"

朱子曰 : "見, 便是識此味."[60]

물었다. "'그 큼을 보면 마음이 편안해진다.'라고 했으니, 주자周子는 무엇 때문에 본다는 측면에서 말했습니까?"

주자가 대답했다. "보면 바로 이 맛을 안다는 것이다."

[3-23-4-3]

問 : "顔子'能化而齊.'"

59 章如愚, 『羣書考索·續集』 권56 「顔子」

60 『朱子語類』 권31, 60조목

曰："此與'大而化之'之'化'異. 但言消化却富·貴·貧·賤之念，方能齊. 齊亦一之意."[61]
물었다. "안자는 '변화하여 성인과 나란할 수 있다.'라고 했습니다."
(주자가) 대답했다. "이것은 크고 화化한다'[62]라는 것에서의 '변화[化]'와 다르다. 다만 부유함·귀함·가난함·천함의 생각을 소화해야 비로소 나란할 할 수 있음을 말한다. 제齊는 또한 동일하게 한다는 뜻이다."

[3-23-4-4]

"'大而化之'，只是謂理與己一. 其未化者，如人操尺度量物，用之尚未免有差. 若至於化者，則己便是尺度，尺度便是己. 顔子正在此，若化則便是仲尼也."[63]

(정호가) 말했다. ""크고 화化한다'라는 것은 다만 이치와 자기가 하나라는 것을 말한다. 아직 변화하지 않은 것은 사람들이 자를 잡고 물건을 재는 것과 같으니, 그것을 사용하더라도 오히려 차이를 면하지 못할 것이다. 만약 변화에 이른 사람이라면 자기가 바로 자이고, 자가 바로 자기이다. 안자는 바로 이 경지에 있으니, 만약 변화한다면 바로 공자일 것이다."

師友上 第二十四 제24 스승과 친구 상

[3-24-1]

天地間至尊者道，至貴者德而已矣. 至難得者人. 人而至難得者，道德有於身而已矣.

천지 사이에 지극히 존엄한 것은 도이고, 지극히 귀한 것은 덕일 뿐이다. 얻기가 지극히 어려운 것은 사람이다. 사람이 지극히 얻기 어려운 것은 도와 덕을 자신에게 두는 것이다.

[3-24-1-0]

此略承上章之意. 其理雖明，然人心蔽於物欲，鮮克知之，故周子每言之詳焉.

이것은 대략 윗 장의 뜻을 이었다. 그 이치가 비록 밝으나, 인심人心이 물욕物欲에 가리면 그것을 알 수 있는 경우가 적으므로 주자周子가 매번 상세하게 말했다.

[3-24-2]

求人至難得者有於身，非師友則不可得也已.

사람이 지극히 얻기 어려운 것을 자신에게 있기를 구할 때, 스승과 친구가 아니면 얻을 수 없을 뿐

61 『朱子語類』 권94, 204조목
62 『孟子』「盡心下」
63 『二程遺書』 권15「入關語錄」

이다.

[3-24-2-0]

是以君子必隆師而親友.

이 때문에 군자는 반드시 스승을 높이고 친구를 가까이 한다.

師友下 第二十五 제25 스승과 친구 하

[3-25-1]

道義者, 身有之則貴且尊.

도와 의가 자신에게 있으면 귀하고 또 존엄하다.

[3-25-1-0]

周子於此一意而屢言之, 非複出也. 其丁寧之意切矣.

주자周子가 여기에서 한 뜻으로 여러 차례 말한 것은, 중복해서 나타낸 것이 아니다. 그 간곡한 뜻이 절실하다.

[3-25-2]

人生而蒙, 長無師友則愚. 是道義由師友有之.

사람은 태어날 때에 몽매한데, 장성해서도 스승과 친구가 없으면 어리석다. 이 도와 의는 스승과 친구로 말미암아 가지게 된다.

[3-25-2-0]

此處恐更有'由師友'字屬下句.

여기에 아마도 다시 '스승과 친구로 말미암는다.'라는 글이 있어야, 다음 글로 이어질 것이다.

[3-25-3]

而得貴且尊, 其義不亦重乎? 其聚不亦樂乎?

귀함과 존엄함을 얻으니, 그 뜻이 또한 중요하지 않는가? 그 모임이 또한 즐겁지 않은가?

[3-25-3-0]

此重此樂, 人亦少知之者.

이 중요함과 이 즐거움은 사람이 또한 그것을 아는 자가 적다.

過 第二十六 제26 허물

[3-26-1]

仲由喜聞過, 令名無窮焉. 今人有過, 不喜人規, 如護疾而忌醫, 寧滅其身而無悟也. 噫!

중유[子路]는 허물을 듣는 것을 기뻐하여 좋은 명성이 끝이 없다. 지금 사람들은 허물이 있어도 남이 바로잡아 주는 것을 기뻐하지 않으니, 마치 병을 키우면서도 치료하기를 꺼려하여 차라리 그 몸을 죽일지라도 깨닫지 못하는 것과 같다. 슬프다!

[3-26-1-1]

程子曰 : "子路亦百世之師也, '人告之以有過則喜.'"[64]

정자가 말하였다. "자로 또한 영원한 스승이니, '사람들이 허물이 있다고 충고하면 기뻐하였다.'[65]"

[3-26-1-2]

朱子曰 : "喜其得聞而改之, 其勇於自修如此."[66]

주자가 말했다. "허물을 듣는 것을 기뻐하여 고쳤으니, 스스로 수행하는 용기가 이와 같다."

勢 第二十七 제27 세

[3-27-1]

天下勢而已矣. 勢輕重也.

세상은 세勢일 뿐이다. 세에는 가벼움과 무거움이 있다.

[3-27-1-0]

一輕一重, 則勢必趨於重, 而輕愈輕重愈重矣.

하나는 가볍고 하나가 무거우면 세는 반드시 무거운 쪽으로 향하여서 가벼운 쪽은 더욱 가볍고 무거운 쪽은 더욱 무거워진다.

[3-27-1-1]

問 : "太王翦商, 是有此事否?"

64 『孟子』「公孫丑上」
65 『孟子』「公孫丑上」
66 『孟子』「公孫丑上」

朱子曰："此不可考矣. 要之周自日前積累以來, 其勢日大, 又當商家無道之時, 天下趨周, 其勢自爾. 周子曰'天下勢而已矣. 勢輕重也.' 周家基業日大, 其勢已重. 民又趨之, 其勢愈重. 此重則彼自輕, 勢也."[67]

물었다. "태왕[68]이 은나라를 멸망시키려고 했다는데, 이러한 일이 있었습니까?"

주자가 대답했다. "이것은 알 수 없다. 요컨대 주나라는 이전에 함축한 이래로 그 세가 날마다 확대되고, 또 은나라는 도가 없을 때이니, 세상이 주나라로 향하여 그 세가 저절로 형성되었다. 주자周惇頤는 '세상은 세勢일 뿐이다. 세에는 가벼움과 무거움이 있다.'라고 했다. 주나라의 기반 사업은 날마다 확대되고 그 세는 이미 무거워졌다. 백성들도 주나라로 향하니, 그 세가 더욱 무거워졌다. 여기가 무거우면 저기는 저절로 가벼워지는 것이 세다."

[3-27-2]

極重不可反. 識其重而亟反之, 可也.

지극한 무거움은 돌이킬 수 없다. 그 무거움을 알고 빨리 돌이키는 것이 옳다.

[3-27-2-0]

重未極而識之, 則猶可反也.

무거움이 아직 지극하지 않을 때에 그것을 알면 오히려 돌이킬 수 있다.

67 『朱子語類』 권35, 164조목의 내용 가운데 일부이다. 물었다. "태왕이 은나라를 멸망시키려고 했다는데, 이러한 일이 있었습니까?" (대답했다.) "이것은 알 수 없다. 그러나 『詩經』에서는 '태왕에 이르러 진실로 은나라를 멸망시키기 시작했다.'라고 하고, 『春秋左傳』에서는 '태백이 아버지의 명을 따르지 않았는데, 이 때문에 계승한 자가 되지 못하였다.'라고 했다. 요컨대 주나라는 이전에 함축한 이래로 그 세가 날마다 확대되고, 또 은나라는 도가 없을 때이니, 세상이 주나라로 향하여 그 세가 저절로 형성되었다. 문왕에 이르러 (세상의) 3분의 2를 소유하고서도 은나라에 복종하니, 공자가 그의 '지극한 덕'을 일컬었다. 만약 문왕이 아니라면 반드시 취했을 것이다. 공자가 '지극한 덕'이라고 칭한 사람은 단지 두 사람인데, 모두 할 수 있지만 하지 않은 사람이다. 주자周子는 '세상은 勢일 뿐이다. 세에는 가벼움과 무거움이 있다.'라고 했다. 주나라의 기반 사업은 날마다 확대되고 그 세는 이미 무거워졌다. 백성들도 날마다 주나라로 향하니, 그 세가 더욱 무거워졌다. 여기가 무거우면 저기는 저절로 가벼워지는 것이 세다."(問："太王翦商, 是有此事否?"；"此不可考矣. 但據『詩』云：'至于太王, 實始翦商.'『左傳』云："泰伯不從, 是以不嗣.' 要之, 周自日前積累以來, 其勢日大; 又當商家無道之時, 天下趨周, 其勢自爾. 至文王三分有二, 以服事殷, 孔子乃稱其'至德'. 若非文王, 亦須取了. 孔子稱'至德'只二人, 皆可爲而不爲者也. 周子曰：'天下, 勢而已矣. 勢, 輕重也.' 周家基業日大, 其勢已重, 民又日趨之, 其勢愈重. 此重則彼自輕, 勢也.")

68 周나라 문왕의 할아버지인 古公亶父를 말한다. 주나라 사람들은 본래 豳(지금의 陝西省 郴县)에 살았는데, 고공단보가 岐山 아래에 살 때부터 나라 이름을 정하여 주라고 하였다. 이때부터 흥성하였으므로 무왕이 은나라를 정벌한 후, 추존하여 태왕이라 하였다.

[3-27-2-1]

問：“‘極重不可反，識其重而亟反之’，何也?”

朱子曰：“是說天下之勢. 如秦至始皇强大，六國便不可敵. 東漢之末宦官權重，便不可除. 紹興初只斬陳少陽，便成江左之勢. 極重則反之也難. 識其重之機而反之則易. ”[69]

물었다. “‘지극한 무거움은 돌이킬 수 없으니, 그 무거움을 알면 빨리 돌이켜야 한다.’라는 것은 어째서입니까?”

주자가 대답했다. “이것은 세상의 세를 말한 것이다. 예컨대 진나라가 시황에 이르러서 강대하니, 여섯 나라[70]가 바로 대적할 수 없었다. 동한 말에 환관의 권세가 무거워서 곧바로 제거할 수 없었다. 소흥[71] 초에 단지 진소양만을 참수하였으나, 바로 강좌江左의 형세를 이루었다.[72] 지극히 무거우면 돌이키기가 어렵고, 그 무거워지는 낌새를 알고 돌이키면 쉽다.”

[3-27-3]

反之, 力也. 識不早, 力不易也.

돌이키는 것은 힘이다. 빨리 알아채지 않으면 힘쓰기가 쉽지 않다.

[3-27-3-0]

反之在於人力, 而力之難易, 又在識之早晚.

돌이키는 것이 사람의 힘에 달려 있지만, 힘쓰기의 어려움과 쉬움 또한 알아챔의 빠름과 느림에 달려 있다.

69 『朱子語類』 권94, 206조목의 내용 가운데 일부이다. 물었다. “‘지극한 무거움은 돌이킬 수 없는데, 그 무거움을 알면 빨리 돌이켜야 한다.’라는 것은 어째서입니까?” 대답했다. “이것은 세상의 세를 말한 것이다. 예컨대 진나라가 시황에 이르러서 강대하니, 여섯 나라가 바로 대적할 수 없었다. 동한 말에 환관의 권세가 무거워서 곧바로 제거할 수 없었다. 소흥 초에 단지 진소양만을 참수하였으나, 바로 바로 江左의 형세를 이루었다. 무거움이 지극하면 돌이키기가 어렵고, 그 무거워지는 낌새를 알고 돌이키면 쉽다.”(問“極重不可反, 知其重而亟反之可也”. 曰：“是說天下之勢, 如秦至始皇强大, 六國便不可敵. 東漢之末, 宦官權重, 便不可除. 紹興初, 只斬陳少陽, 便成江左之勢. 重極, 則反之也難; 識其重之機而反之, 則易.”)

70 전국 시대의 여섯 나라인 韓, 魏, 趙, 燕, 齊, 楚

71 南宋 高宗(趙構, 1127~1162) 때의 연호인데, 1131년부터 1162년까지 소흥 32년간이다.

72 이 부분을 보충하면 다음과 같다. 송나라가 진소양을 죽이고 나서 금나라에게 내몰려 북송의 수도 開封을 떠나 臨安(杭州)으로 쫓겨나 남송 시대의 형세를 이룬 것을 말한다. 진소양은 송나라 陳東을 맡는데, 소양은 자이다. 강좌는 중국 揚子江 남쪽이며 하류 지대인 江東의 별칭으로, 여기서는 남송의 서울 臨安(杭州)을 말한다. 진동은 欽宗 때 金나라의 침략에 대항하여 斥和論을 주창한 李綱이 파직 당하자 유생 수만 명을 이끌고 글을 올려 복직하게 하였으며, 高宗 때 이강이 조정에서 떠나게 되자, 또 글을 올려 留任시키기를 청하였다가 고종의 노여움을 사서 사형 당했다. 고종은 뒤에 진동을 추증하여 朝奉郎 秘閣修撰을 추증하였다. 『宋史』 권455 「陳東列傳」 참조

[3-27-4]

力而不競, 天也. 不識不力, 人也.

힘이 있으면서도 다투지 않는 것은 하늘이다. 알지 못하고 노력하지 않는 것은 사람이다.

[3-27-4-0]

不識, 則不知用力. 不力, 則雖識無補.

알지 못하면 노력하는 것을 알지 못한다. 노력하지 않으면 비록 알더라도 도움이 되지 못한다.

[3-27-5]

天乎? 人也. 何尤?

하늘인가? 사람이다. 무엇을 탓하는가?

[3-27-5-0]

問: "勢之不可反者, 果天之所爲乎?" 若非天而出於人之所爲, 則亦無所歸罪矣.

물었다. "세를 돌이킬 수 없는 것은 과연 하늘이 하는 것인가?" 만약 하늘이 아니라 사람이 한 것에서 나온다면 또한 죄를 되돌릴 곳도 없다.

文辭 第二十八 제28 글과 말

[3-28-1]

文, 所以載道也. 輪轅飾而人弗庸, 徒飾也. 況虛車乎!

글은 도를 싣는 것이다. 바퀴와 끌채가 꾸며졌어도 사람이 사용하지 않으면 헛된 꾸밈일 뿐이다. 하물며 빈 수레이랴!

[3-28-1-0]

文所以載道, 猶車所以載物. 故爲車者必飾其輪轅, 爲文者必善其詞說, 皆欲人之愛而用之. 然我飾之而人不用, 則猶爲虛飾而無益於實, 況不載物之車, 不載道之文, 雖美其飾, 亦何爲乎?

글이 도를 싣는 것은 수레가 물건을 싣는 것과 같다. 그러므로 수레를 만드는 사람이 반드시 그 바퀴와 끌채를 꾸미고, 글을 짓는 사람이 반드시 그 말을 잘 꾸미는 것은 모두 사람들이 좋아하여 그것을 사용하기를 바라서이다. 그러나 내가 그것을 꾸미더라도 남이 사용하지 않으면 빈 꾸밈이 되어 실제에 유익함이 없는 것과 같은데, 하물며 물건을 싣지 않는 수레와 도를 싣지 않는 글이라면 비록 그 꾸밈이 아름답더라도 또한 무슨 소용이 있겠는가?

[3-28-1-1]

黃氏巖孫曰：輪，車輪. 輗，車橫木，縛軛以駕牛者.

황암손이 말했다. "바퀴[輪]는 수레바퀴이다. 끌채[輗]는 수레의 가로 막대이며, 멍에를 묶어서 소의 목에 얹는 것이다."

[3-28-2]

文辭, 藝也; 道德, 實也. 篤其實而藝者書之, 美則愛, 愛則傳焉. 賢者得以學而至之, 是爲敎. 故曰'言之無文, 行之不遠.'

글文과 말은 재주이고, 도와 덕은 실제이다. 그 실제를 돈독히 하면서 재주 있는 자가 그것을 쓰는데[書], 아름다우면 좋아하고 좋아하면 전해진다. 어진 사람이 배워서 이를 수 있으면, 이것이 가르침이 된다. 그러므로 '말에 꾸밈이 없으면 멀리까지 행해지지 않는다.'[73]라고 했다.

[3-28-2-0]

此猶車載物而輪輗飾也.

이것은 수레에 물건을 싣고서 바퀴와 끌채로 꾸미는 것과 같다.

[3-28-3]

然不賢者, 雖父兄臨之, 師保勉之, 不學也. 强之不從也.

그러나 어질지 않은 사람은 비록 부모와 형제가 임하고 스승이 도와서 힘쓰게 하여도 배우지 않는다. 억지로 해도 따르지 않는다.

[3-28-3-0]

此猶車已飾而人不用也.

이것은 수레가 이미 꾸며졌으나, 사람이 사용하지 않는 것과 같다.

[3-28-4]

不知務道德而第以文辭爲能者, 藝焉而已. 噫! 弊也久矣.

도와 덕에 힘쓸 줄 모르고, 다만 글과 말을 재능으로 삼는 것은 재주일 뿐이다. 슬프다! 가려짐이 오래되었다.

[3-28-4-0]

此猶車不載物而徒美其飾也

이것은 수레에 물건을 싣지 않고, 단지 그 꾸밈을 아름답게 여기는 것과 같다.

73 『春秋左傳』「襄公 25년 10조목」『孔子家語』 권9「正論解·第四十一」

[3-28-4-01]

或疑"'有德者必有言', 則不待藝而後其文可傳矣. 周子此章似猶別以文辭爲一事而用力焉, 何也?"

曰 : "人之才德偏有長短. 其或意中了了, 而言不足以發之, 則亦不能傳於遠矣. 故孔子曰'辭達而已矣', 程子亦言'「西銘」吾得其意, 但無子厚筆力, 不能作耳', 正謂此也. 然言或可少而德不可無. 有德而有言者常多; 有德而不能言者常少. 學者先務, 亦勉於德而已矣."

어떤 사람이 의심하기를 "'덕이 있는 사람은 반드시 말이 있다.'[74]라고 하였으니, 재주가 있은 후에 그 글이 전해질 수 있는 것은 아닙니다. 주자周子는 이 장에서 마치 별도로 글과 말을 하나의 일로 삼아 노력해야 하는 것처럼 했는데, 왜 그렇습니까?"

대답했다. "사람의 재주와 덕은 치우쳐서 장점과 단점이 있다. 어떤 사람은 마음속으로는 분명하지만 말이 충분하게 표현되지 않으니, 또한 멀리까지 전해질 수 없다. 그러므로 공자는 '말은 (뜻을) 전달할 뿐이다.'[75]라고 하고, 정자程子 또한 '「西銘」에 대해서는 내가 그 뜻을 깨달았지만, 자후張載와 같은 글 쓰는 능력이 없어서 지을 수가 없다.'라고 한 것은 바로 이것을 말한다. 그러나 말이 어떤 경우에는 적게 할 수 있지만, 덕은 없어서는 안 된다. 덕이 있으면서 말이 있는 경우는 항상 많고, 덕이 있으면서 말할 수 없는 경우는 항상 적다. 배우는 사람이 먼저 해야 하는 것 또한 덕에 힘쓰는 일일 뿐이다."

[3-28-4-1]

或問 : "作文害道否?"

程子曰 : "害也. 凡爲文, 不專意則不工. 若專意, 則志局於此, 又安能與天地同其大也?" 曰"'玩物喪志', 爲文亦玩物也. 呂與叔有詩曰'學如元凱方成癖, 文似相如始類俳. 獨立孔門無一事, 只輸顔子得心齋', 此詩甚好. 古之學者爲務養情性, 其他則不學. 今爲文者, 專務章句悅人耳目. 旣務悅人, 非俳優而何?"[76]

어떤 사람이 물었다. "글을 짓는 것은 도에 해가 됩니까?"

정자程子가 말했다. "해롭다. 무릇 글을 지을 때 뜻을 오로지 하지 않으면 잘 쓰지 못한다. 만약 뜻을 오로지 하면 뜻이 여기에 국한되는데, 또 어찌 천지와 함께 그 큼을 같이 하겠는가?" "『서경』에서 '물건을 가지고 놀면 뜻을 잃는다.'[77]라고 했는데, 글을 짓는 것 또한 물건을 가지고 노는 것이다. 여여숙呂大臨[78]이 시詩에서 '배움이 원개元凱[79]와 같으면 비로소 습관이 되고, 글이 상여相如[80]와 같으

74 『論語』「憲問」

75 『論語』「衛靈公」

76 『二程遺書』 권18 「劉元承手編」

77 『書經』「旅獒」

78 呂大臨(1040~1092) : 자는 與叔이고, 당시 藝閣先生으로 불리었다. 宋代 藍田(현 섬서성 소속) 사람으로 『呂氏鄕約』을 쓴 呂大鈞의 동생이다. 처음에는 張載를 스승으로 모셨으나, 장재가 죽은 뒤 二程에게 배워 謝良佐 · 游酢 · 楊時와 함께 '程門四先生'이라 일컫는다. 太學博士 · 秘書省正字를 역임하였다. 저서는 『禮記傳』 ·

면 비로소 광대의 부류가 된다. 홀로 공자의 문하에 서서 하나라도 일삼음이 없이 다만 안자[顔淵]가 얻은 마음의 평정을 다할 뿐이다.'[81]라고 하였는데, 이 시가 매우 좋다. 옛날에 배우는 사람은 오직 감정과 본성을 기르는데 힘쓰고, 다른 것은 배우지 않았다. 지금 글을 짓는 사람은 오로지 글로 사람들의 귀와 눈을 즐겁게 하는데 힘쓴다. 이미 사람을 기쁘게 하는데 힘썼으니, 광대가 아니고 무엇이겠는가?"

問 : "古者學爲文否?"

曰 : "人見六經, 便謂聖人亦作文. 不知聖人亦攄發胸中之蘊, 自成文耳. 所謂'有德者必有言也.'"

曰 : "游夏稱文學何也?"

曰 : "游夏亦何嘗秉筆爲詞章也? 且如'觀乎天文以察時變, 觀乎人文以化成天下', 此豈詞章之文也?"[82]

물었다. "옛날 사람들은 글을 짓는 것을 배웠습니까?"

대답했다. "사람들은 육경을 보고, 바로 성인도 글을 짓는다고 말했다. 성인이 가슴 속에 쌓인 것을 드러낸 것이 또한 저절로 글이 되었다는 것을 몰랐다. 이른바 '덕이 있는 사람은 반드시 말이 있다는 것이다.'"

물었다. "자유와 자하가 문학이라고 일컬어지는 것[83]은 무엇 때문입니까?"

『考古圖』 등이 있다.

79 杜預(228~284) : 자는 元凱이며, 西晋 시대 사람이다. 정치가이고 군사 전문가이며, 시인이자 학자이다. 京兆 杜陵(현재 陝西 西安) 사람이다. 어려서부터 널리 배우고 많은 부분에 통했다. 여러 벼슬도 했지만, 항상 책을 손에서 놓지 않았다. 주요 저서로는 『春秋左氏經傳集解』와 『春秋释例』 등이 있다.

80 相如(B.C.179~117) : 자는 長卿이고, 사천 봉주(현, 南充 蓬安) 사람이다. 서한 시대 문학가이다. 한나라 때 賦의 대표적인 작가이다. 주요 저작으로 『天子遊獵賦』, 『哀二世賦』, 『長門賦』, 『大人賦』 등이 있다.

81 呂祖謙 編 『宋文鑑』 권28 「詩」(呂大臨 「送劉戶曹」)의 내용이다. 呂祖謙(1137~1181)은 자가 伯恭이고, 세칭 東萊先生이라 한다. 宋代 金華(현재 절강성 소속) 사람으로 주희·張栻과 함께 '東南三賢'으로 불리었다. 直秘閣著作郎·國史院編修·實錄院檢討를 역임하였다. 1175년 주희와 『近思錄』을 편찬하였고, 信州(현 강서성 上饒) 鵝湖寺에 주희와 육구연을 초청하여 두 사람의 논쟁을 중재하려 하였다. 저서는 『古周易』·『東萊左氏博儀』·『東萊集』 등이 있다.

82 『二程遺書』 권18 「劉元承手編」 조목의 내용 가운데 일부이다. 물었다. "옛날 사람들은 글을 짓는 것을 배웠습니까?" 대답했다. "사람들은 육경을 보고, 바로 성인 또한 글을 짓는다고 생각했다. 성인이 가슴 속에 쌓인 것을 드러낸 것이 또한 저절로 글이 되었다는 것을 몰랐다. 이른바 덕이 있는 사람은 반드시 말이 있다는 것이다." 물었다. "자유와 자하가 문학이라고 일컬어지는 것은 무엇 때문입니까?" 대답했다. "자유와 자하 또한 어찌 일찍이 붓을 잡고 문학적인 글을 지은 적이 있었겠는가? 천문을 보고서 때의 변화를 살피고, 인문을 보고서 세상을 교화하여 이루는 것과 같은데, 이것이 어떻게 문학적인 글이겠는가?"(曰"古者學爲文否?" 曰"人見六經, 便以爲聖人亦作文. 不知聖人亦攄發胸中所蘊, 自成文耳. 所謂有德者必有言也." 曰"游夏稱文學何也?" 曰"游夏亦何嘗秉筆學爲詞章也. 且如觀乎天文以察時變, 觀乎人文以化成天下, 此豈詞章之文也?")

대답했다. "자유와 자하 또한 어찌 일찍이 붓을 잡고 문학적인 글을 지은 적이 있었겠는가? '천문을 보고서 때의 변화를 살피고, 인문을 보고서 세상을 교화하여 이룬다.'[84]라는 것과 같은데, 이것이 어떻게 문학적인 글이겠는가?"

[3-28-4-2]

朱子曰 : "此一章大意, '輪轅飾而人弗庸徒飾也', 言有載道之實而人弗用也. '況虛車乎!' 此不載道之文也. 自'篤其實'至'行之不遠', 則是輪轅飾而人之庸之者也. 自'不賢者'至'强之不從也', 是弗庸者也. 自'不知務道德'至'藝焉而已', 則虛車也. "[85]

주자가 말했다. "이 한 장의 큰 뜻은 '바퀴와 끌채가 꾸며졌어도 사람이 사용하지 않으면 단지 꾸밈일 뿐이다.'라는 것인데, 말하자면 도를 싣는 실제가 있으면서도 사람이 사용하지 않는다는 것이다. '하물며 빈 수레이랴'라는 것은 이것이 도를 싣지 않는 꾸밈이라는 말이다. '그 실제를 돈독히 한다.'라는 것으로부터 '멀리까지 행해지지 않는다.'라는 말까지는 바퀴와 끌채가 꾸며지고 사람이 그것을 사용한다는 것이다. '어질지 못한 사람'으로부터 '억지로 해도 따르지 않는다.'라는 말까지는 사용하지 않는다는 것이다. '도와 덕에 힘쓰는 것을 알지 못한다.'라는 것에서부터 '재주일 뿐이다.'라는 말까지는 빈 수레이다."

聖蘊 第二十九 제29 성인의 함축

[3-29-1]

"不憤不啓, 不悱不發, 擧一隅不以三隅反, 則不復也."[86]

83 『論語』「先秦」 "덕행에는 안연·민자건·염백우·중궁이었고, 언어에는 재아·자공이었으며, 정사에는 염유·계로였고, 문학에는·자유·자하였다.(德行, 顔淵·閔子騫·冉伯牛·仲弓; 言語, 宰我·子貢; 政事, 冉有·季路; 文學, 子游·子夏.)"

84 『周易』「賁卦·彖傳」

85 『朱子語類』 권94, 207조목의 내용 가운데 일부이다. "글은 도를 싣는 것이다."라는 것이 이 한 장의 큰 뜻이다. "바퀴와 끌채가 꾸며졌어도 사람이 사용하지 않으면 단지 꾸밈일 뿐이다."라는 것은 말하자면 도를 싣는 글이 있으면서도 사람이 사용하지 않는다는 것이다. "하물며 빈 수레이랴?"라는 것은 이것이 도를 싣지 않는 꾸밈이라는 말이다. "그 실제를 돈독히 한다."라는 것으로부터 "멀리까지 행해지지 않는다."라는 말까지는 바퀴와 끌채가 꾸며지고 사람이 그것을 사용한다는 것이다. "어질지 못한 사람"으로부터 "억지로 해도 따르지 않는다."라는 말까지는 사용하지 않는다는 것이다. "도와 덕에 힘쓰는 것을 알지 못한다."라는 것에서부터 "재주일 뿐이다."라는 말까지는 빈 수레이다."("文所以載道", 一章之大意. "輪轅飾而人弗庸, 徒飾也", 言有載道之文而人弗用也. "況虛車乎?" 此不載道之文也. 自"篤其實"至"行而不遠", 是輪轅飾而人庸之者也. 自"不賢者"至"强之不從也", 是弗庸者也. 自"不知務道德"至"藝而已", 虛車也.)

86 『論語』「述而」

"열심히 하지 않으면 열어주지 않고, 답답해 하지 않으면 드러내주지 않으며, 한 모퉁이를 들어줌에 세 모퉁이를 증명하지 않으면 다시 알려주지 않는다."

[3-29-1-0]

說見『論語』. 言聖人之教, 必當其可而不輕發也.

말은 『논어』에 보인다. 성인의 가르침은 반드시 가르칠 만한 것만 가르치고, 가볍게 드러내 주지 않는다는 말이다.

[3-29-1-1]

朱子曰 : "憤者, 心求通而未得之意. 悱者, 口欲言而未能之貌. 啓, 謂開其意. 發, 謂達其辭. 物之有四隅者, 擧一可知其三. 反者, 還以相證之義. 欲學者勉於用力以爲受敎之地也. 程子云, '憤悱, 誠意之見於色辭者也. 待其誠至而後告之. 旣告之, 又必待其自得乃復告爾.' 又云, '不待憤悱而發, 則知之不能堅固. 待其憤悱而發, 則沛然矣.'"[87]

주자가 말했다. "열심히 함은 마음이 통하기를 구하지만 아직 얻지 못한다는 뜻이다. 답답해함은 입으로 말하고자 하나 아직 할 수 없는 모습이다. 열어줌은 그 뜻을 여는 것이다. 드러냄은 그 말을 표현하는 것이다. 물건에 네 모퉁이가 있는 경우에 하나를 들어줌에 셋을 알 수 있다. 반反이란 돌이켜 서로 증명한다는 뜻이다. 배우는 사람에게 힘쓰는데 애써서 가르침을 받을 만한 경지를 마련해 주고자 한다. 정자程子는 '열심히 함과 답답해함은 성誠한 뜻이 얼굴과 말에 드러나는 것이다. 그 성誠함이 이르는 것을 기다린 후에 알려준다. 이미 알려주고 또 반드시 스스로 터득하는 것을 기다려서 다시 알려줄 뿐이다.'라고 하고, 또 '열심히 함과 답답해함을 기다리지 않고 드러내 주면 아는 것이 견고할 수 없다. 열심히 함과 답답해함을 기다려서 드러내 주면 왕성해진다.'라고 했다."

[3-29-2]

子曰 : "予欲無言."[88] "天何言哉? 四時行焉, 百物生焉."[89]

공자가 말하였다. "나는 말을 하지 않으려고 한다." "하늘이 무슨 말을 하던가? 4계절이 운행하고, 만물이 생겨날 뿐이다."

[3-29-2-0]

說亦見『論語』. 言聖人之道, 有不待言而顯者. 故其言如此.

말이 또한 『논어』에 보인다. 성인의 도는 말을 기다리지 않아도 드러나는 것이 있음을 말한다. 그러므로 그 말이 이와 같다.

87 『論語集註』「述而」
88 『論語』「陽貨」
89 『論語』「陽貨」

[3-29-2-1]

朱子曰："學者多以語言觀聖人，而不察其天理流行之實有不待言而著者，是以徒得其言而不得其所以言，故夫子發此以警之."[90]

又曰："四時行，百物生，莫非天理發見流行之實，不待言而可見. 聖人一動一靜，莫非妙道精義之發，亦天而已. 豈待言而顯哉? 程子云'孔子之道，譬如日星之明，猶患門人未能盡曉，故曰「予欲無言.」若顏子則便默識，其他則未免疑問，故曰「小子何述?」又曰「天何言哉? 四時行焉，百物生焉,」則可謂至明白矣.'"[91]

주자가 말했다. "배우는 사람은 대부분 언어로 성인을 살펴보지만, 천리가 유행하는 실제는 말을 기다리지 않아도 드러난다는 것을 살피지 않으니, 이것은 다만 그 말을 알면서도 그 말이 되는 까닭을 알지 못하므로 공자가 이것을 드러내어 경계하였다."

또 말하였다. "4계절이 운행하고 만물이 생겨나는 것은, 천리가 발현하고 유행하는 실제를 드러내지 않음이 없으니, 말을 기다리지 않아도 볼 수 있다. 성인이 한 번 움직이고 한 번 고요하여 오묘한 도와 정밀한 의의를 드러내지 않음이 없는 것 또한 하늘일 뿐이다. 어찌 말을 기다려서 드러내는 것이겠는가? 정자程子는 '공자의 도는 비유하자면 해와 별의 밝음과 같은데, 제자들이 아직 다 깨닫지 못할까 근심하였으므로 「나는 말을 하지 않으려고 한다.」라고 하였다. 안자와 같은 사람은 바로 묵묵히 알고, 다른 사람은 아직 의문을 면하지 못했기 때문에 「저희들이 어떻게 기술하겠습니까?」[92] 라고 했다. 또 「하늘이 무슨 말을 하던가? 4계절이 운행하고, 만물이 생겨날 뿐이다.」라고 한 것은 지극히 분명한 것이라고 말할 수 있다.'라고 했다."

[3-29-2-2]

節齋蔡氏曰："'四時行，百物生，莫非天理流行發見之實.' 學者玩此而有得焉，不惟見聖人一動一靜純乎天理之妙，不待言而顯，便當反之於踐履事爲之實，俛焉孳孳，庶幾有得乎'希聖希天之事.' 更玩'四時行百物生'，尤見其'體用一原'，陰陽之理運行不息，而萬物各遂其生之妙，'聖人亦天而已.'"

절재 채씨가 말했다. "'4계절이 운행하고 만물이 생겨나는 것은, 천리가 유행하고 발현하는 실제가 아님이 없다.'[93] 배우는 사람이 이것을 음미하여 터득하면 성인의 한 번 움직임과 한 번 고요함이 순전히 천리의 오묘함임을 말을 기다리지 않고도 드러나는 것을 볼 뿐만 아니라, 바로 실제로 실천하는 일에서 돌이키어 부지런히 힘쓰면 거의 '성인을 바라고 하늘을 바라는 일'을 얻을 수 있다. 다시 '4계절이 운행하고 만물이 생겨난다.'는 것을 음미할수록 더욱 본체와 용用은 하나의 근원이며 음양의 이치는 쉬지 않고 운행하여 만물이 각기 그 생명의 오묘함을 이루니, '성인 또한 하늘일 뿐'[94]이라

90 『論語』「陽貨」 眞德秀 撰『西山讀書記』 권21「敎法」

91 『論語』「陽貨」 眞德秀 撰『西山讀書記』 권21「敎法」

92 『論語』「陽貨」

93 『論語集註』「陽貨」

는 것을 안다."

[3-29-3]

然則聖人之蘊, 微顔子殆不可見. 發聖人之蘊, 教萬世無窮者, 顔子也. 聖同天, 不亦深乎?

그러므로 성인의 함축含蓄은 안자가 아니라면 거의 볼 수 없을 것이다. 성인의 함축을 드러내어 영원히 만세토록 무궁하게 한 사람은 안자이다. 성인은 하늘과 같으니, 또한 심오하지 않은가?

[3-29-3-0]

蘊, 中所畜之名也. 仲尼無迹, 顔子微有迹, 故孔子之教旣不輕發, 又未嘗自言其道之蘊, 而學者唯顔子爲得其全, 故因其進修之迹, 而後孔子之蘊可見. 猶天不言而四時行百物生也.

온蘊[含蘊]은 속에 쌓은 것을 말한다. 공자는 흔적이 없고, 안자는 은미하게 흔적이 있으므로 공자의 가르침은 이미 가볍게 드러나지 않고, 또 일찍이 스스로 그 도의 함축이라고 말하지 않았으니, 배우는 사람은 오직 안자가 그 전체를 얻었기 때문에 그의 수행한 흔적에 근거한 이후에 공자의 함축을 볼 수 있다. 마치 하늘이 말을 하지 않으면서도 4계절이 운행하며 만물이 생겨나는 것과 같다.

[3-29-3-1]

朱子曰 : "夫子之道如天, 惟顔子得之. 夫子許多大意思, 盡在顔子身上發見. 譬如天地生一瑞物, 即此物上盡可以見天地純粹之氣. 謂之發者, 乃'亦足以發'之發, 不必待顔子言而後謂之發也. 顔子所以發聖人之蘊, 恐不可以一事言, 蓋聖人全體大用, 無不一一於顔子身上發見也."[95]

주자가 말했다. "공자의 도는 하늘과 같은데, 오직 안자가 그것을 얻었다. 공자의 많은 큰 뜻은 다 안자에게서 드러났다. 비유하자면 천지가 하나의 상서로운 물건을 생겨나게 할 때, 바로 이 물건에서 천지의 순수한 기氣를 다 볼 수 있는 것과 같다. 드러냄[發]이라고 하는 것은 '또한 충분하게 드러낸다.'라는 글에서의 드러냄이니, 반드시 안자의 말을 기다린 후에 드러내는 것이라고 말할 필요는 없다. 안자가 성인의 함축을 드러내는 것은 아마도 한 가지 일로 말할 수 없으니, 성인의 전체대용全體大用이 안자의 몸에서 일일이 드러나지 않음이 없다."

[3-29-4]

常人有一聞知, 恐人不速知其有也; 急人知而名也, 薄亦甚矣.

보통 사람은 하나를 들어 알면 남이 그것을 빨리 알아주지 않을까 염려하고, 남이 알아주어 불러주기를 시급해 하니, 가벼움 또한 심하다.

94 주희 『論語精義』 권4상 「述而第七」
95 『朱子語類』 권94, 208조목

[3-29-4-0]

聖凡異品, 高下懸絶, 有不待校而明者. 其言此者, 正以深厚之極, 警夫淺薄之尤耳. 然於聖人言深, 常人言薄者, 深則厚, 淺則薄. 上言首, 下言尾, 互文以明之也.

성인과 범인은 품등이 다르고, 높고 낮음이 현격하게 차이나나니, 비교할 필요도 없이 분명한 것이 있다. 이것을 말하는 것은 바로 깊고 두터움의 지극함으로 낮고 엷은 근심을 경계하기 위해서이다. 그러나 성인에 대해 깊은 것을 말하고, 보통 사람에 대해 엷은 것을 말하는 것은 깊으면 두텁고 낮으면 엷기 때문이다. 위에서는 머리를 말하고 아래에서는 꼬리를 말하여 상호보완의 글로 의미를 밝혔다.

精蘊 第三十 제30 정밀함과 함축

[3-30-1]

聖人之精, 畫卦以示; 聖人之蘊, 因卦以發. 卦不畫, 聖人之精不可得而見. 微卦, 聖人之蘊殆不可悉得而聞.

성인의 정밀함은 괘를 그어서 보이고, 성인의 함축은 괘를 근거로 하여 드러난다. 괘가 그어지지 않았다면 성인의 정밀함을 볼 수 없다. 괘가 아니면 성인의 함축은 거의 다 들을 수 없다.

[3-30-1-0]

精者, 精微之意, 畫前之易, 至約之理也. 伏羲畫卦, 專以明此而已. 蘊, 謂凡卦中之所有, 如吉凶消長之理, 進退存亡之道, 至廣之業也. 有卦則因以形矣.

정밀함[精]은 정밀하고 은미한 뜻으로 획이 있기 전의 역이니, 지극히 간략한 이치이다. 복희가 괘를 그어 오로지 이것을 밝혔을 뿐이다. 함축[蘊]은 모든 괘 속에 있는 것인데, 예를 들면 길하고 흉하며 사그라지고 자라나는 이치, 나아가고 물러나며 보존하고 망하는 도, 지극히 광대한 사업 등이다. 괘가 있으면 이를 근거로 하여 드러난다.

[3-30-1-1]

朱子曰 : "'聖人之精畫卦以示, 聖人之蘊因卦以發', 濂溪看『易』却看得活."[96]

주자가 말했다. "'성인의 정밀함은 괘를 그어서 보이고, 성인의 함축은 괘를 근거로 하여 드러난다.'라는 것은 염계가 『역』을 볼 때 의미가 살아 있게 본 것이다."

96 『朱子語類』 권94, 209조목에는 '卻看得活'이 '반드시 의미가 살아 있게 본 것이다.'('卻須看得活')로 되어 있다.

[3-30-1-2]

"『易』未有許多道理，因有此卦，遂將許多道理搭在上面，所謂'因卦以發'者也."[97]

(주자가 말했다.) "『역』에 아직 많은 도리가 있지 않았을 때, 이 괘가 있는 것에 근거하여 마침내 많은 도리를 위에 실었으니, 이른바 '괘를 근거로 하여 드러낸다.'라는 것이다."

[3-30-1-3]

"精與蘊字不同. 精，是精微之意. 蘊，是包許多道理."

問 : "伏羲始畫，而其蘊亦已發見於此否?"

曰 : "謂之已具於此則可，謂之已發見於此則不可. 方其初畫也，未有乾四德意思，到文王始推出來. 然文王孔子雖能推出意思，而其道理亦不出伏羲始畫之中，故謂之蘊. 蘊如'衣敝蘊袍'之'蘊'，是包得在裏面."[98]

(주자가 말했다.) "정밀함[精]과 함축[蘊]은 다르다. 정밀함은 정밀하고 은미한 뜻이다. 함축은 많은 도리를 포함한다."

물었다. "복희가 처음 획을 그을 때, 그 함축 또한 여기에서 이미 드러난 것입니까?"

(주자가) 대답했다. "여기에서 이미 갖추어졌다라고 하는 것은 옳지만, 여기에서 이미 드러났다라고 하는 것은 옳지 않다. 처음에 획을 그을 때에는 아직 건乾의 4덕[元亨利貞]의 뜻이 있지 않았고, 문왕에 이르러서야 비로소 나왔다. 그러나 문왕과 공자가 비록 뜻을 추리해 냈을지라도, 그 도리는 또한 복희가 처음 획을 그은 것에서 벗어나지 않았으므로 함축이라고 한다. 함축은 '겉옷이 해지면 속옷으로 감싼다.'라는 것에서의 '감쌈'과 같은 것으로 속에서 감싸는 것이다."

[3-30-1-4]

問 : "「序卦」以爲非聖人之蘊，信乎?"

曰 : "先儒亦以爲非聖人之蘊. 某以爲非聖人之精則可，謂之非聖人之蘊則不可. 周子分精與蘊字甚分明. 「序卦」却正是『易』之蘊，事事夾雜都在裏面."

曰 : "何謂『易』之精?"

曰 : "如'易有太極，是生兩儀，兩儀生四象，四象生八卦'，便是『易』之精."

問 : "如「序卦」中亦見消長進退之義，喚作不是精不得."

曰 : "此正是事事夾雜有在裏面，正是蘊. 須是自一箇生出來以至於無窮，便是精."[99]

물었다. "「서괘전」은 성인이 함축한 것이 아니라고 하는데, 믿을 수 있습니까?"

(주자가) 대답했다. "선배 유학자들 또한 성인이 함축한 것이 아니라고 한다. 나는 그것이 성인의 정수精髓가 아니라고 여기는 것은 괜찮지만, 성인이 함축한 것이 아니라고 하는 것은 안 된다. 주자周

97 『朱子語類』 권94, 211조목

98 『朱子語類』 권94, 212조목

99 『朱子語類』 권77, 65조목

子가 정수와 함축을 구분한 것이 매우 분명하다. 「서괘전」은 바로 『역』의 함축이고, 일들이 섞여서 모두 그 속에 있다."

물었다. "무엇을 『역』의 정수라고 합니까?"

(주자가) 대답했다. "'역에는 태극이 있으니, 이것이 음양을 낳고, 음양이 4상을 낳으며, 4상이 8괘를 낳는다.'[100]라고 하는 것과 같은 것이 바로 『역』의 정수이다."

물었다. "예컨대 「서괘전」 속에서도 또한 사그라지고 자라며 나아가고 물러나는 뜻을 보니, 정수가 아니라고 할 수 없습니다."

(주자가) 대답했다. "이것이 바로 일들이 섞여서 속에 있는 것이며, 바로 함축이다. 반드시 하나로부터 나와서 무궁한 데까지 이르는 것이고, 곧 정수이다."

[3-30-1-5]

"精是聖人本意. 蘊是偏傍帶來道理. 如『春秋』, 聖人本意只是載那事, 要見世變, '禮樂征伐自諸侯出', '臣弑其君, 子弑其父', 如此而已. 就那事上見得是非美惡曲折, 便是'因卦以發底.' 如'易有太極, 是生兩儀, 兩儀生四象, 四象生八卦', 皆是因陰陽之定, 自然如此畫出, 全無安排, 此是聖人本意底. 如「彖辭」·「文言」·「繫辭」等孔子之言, 皆是'因卦而發底', 不可一例作重看."[101]

(주자가 말했다.) "정밀함은 성인의 본뜻이다. 함축은 곁에 따라오는 도리이다. 예컨대 『춘추』에서 성인의 본뜻은 다만 그 일들을 기록하여, 세태가 변화하여 '예악과 정벌이 제후로부터 나오고',[102] '신하가 그 임금을 죽이며, 자식이 그 부모를 죽인다.'[103]라고 하는 것이 이와 같을 뿐임을 보이고자 한 것이다. 그러한 일의 측면에서 옳음과 그름, 아름다움과 추함 등의 곡절은 바로 '괘에 근거하여 드러내는 것'임을 알 수 있다. 예컨대 '역에는 태극이 있으니, 이것이 음양을 낳고, 음양이 4상을 낳으며, 4상이 8괘를 낳는다.'[104]라고 하는 것은 다 음양의 일정함에 근거하여 자연스럽게 이와 같이 획을 그어, 전혀 안배한 것이 없으니, 이것이 성인의 본뜻이다. 예컨대 「단전」, 「문언전」, 「계사전」 등에 있는 공자의 말은 다 '괘를 근거로 하여 드러낸 것'이니, 동일한 규례로 중요하게 여길 수는 없다."

100 『주역』「계사상」 11장

101 『朱子語類』 권66, 9조목

102 『論語』「계씨」 "공자가 말하였다. '세상에 도가 있으면 예악과 형벌이 천자로부터 나오고, 세상에 도가 없으면 예악과 형벌이 제후로부터 나온다.(孔子曰'天下有道, 則禮樂征伐自天子出; 天下無道, 則禮樂征伐自諸侯出.')"

103 『孟子』「등문공하」 "세상이 쇠퇴하고 도가 미약해져서 사특한 말과 포악한 행동이 일어나, 신하가 임금을 죽이는 자도 있고, 자식이 그 부모를 죽이는 자도 있다."("世衰道微, 邪說暴行有作, 臣弑其君者有之, 子弑其父者有之.")

104 『周易』「繫辭上」 11장

[3-30-1-6]

"精，謂心之精微也. 蘊，謂德所蘊蓄也."[105]

(주자가 말했다.) "정밀함은 마음이 정밀하고 은미한 것을 말한다. 함축은 덕이 온축된 것을 말한다."

[3-30-2]

『易』, 何止五經之源? 其天地鬼神之奧乎!

『역』이 어떻게 오경의 근원에 그칠 뿐이겠는가? 천지와 귀신의 심오함이로다!

[3-30-2-0]

陰陽有自然之變, 卦畫有自然之體, 此『易』之爲書, 所以爲文字之祖, 義理之宗也. 然不止此, 蓋凡管於陰陽者, 雖天地之大, 鬼神之幽, 其理莫不具於卦畫之中焉. 此聖人之精蘊, 必於此而寄之也.

음과 양에는 저절로 그러한 변화가 있고, 괘와 획에는 저절로 그러한 체體가 있으니, 이것이 『역』이라는 책이 문자의 비조가 되고,(8괘가 문자의 기원이라는 설이 있다. 예컨대 감☵은 수水의 고자古字라는 것이다.) 의리의 으뜸이 되는 까닭이다. 그러나 여기에 그치지 않고, 무릇 음과 양에 관계하는 것은 비록 천지의 큼과 귀신의 그윽함이라도, 그 이치가 괘와 획 속에 갖추어지지 않음이 없다. 이것이 성인의 정밀함과 함축이 반드시 여기에 붙어있는 이유이다.

[3-30-2-1]

朱子曰 : "天地是體. 鬼神是用. 鬼神只是陰陽二氣屈伸, 如春·夏是神, 秋·冬是鬼, 晝是神, 夜是鬼. 息底是神, 消底是鬼. 生是神, 死是鬼. 鼻息呼是神, 吸是鬼. 語是神, 黙是鬼."[106]

주자가 말했다. "천지는 체이고 귀신은 용이다. 귀신은 다만 음양 두 기의 굽힘과 펼침이니, 봄과 여름은 신神이고, 가을과 겨울은 귀鬼이며, 낮은 신이고 밤은 귀인 것과 같다. 자라는 것은 신이고 사그라지는 것은 귀이다. 삶은 신이고 죽음은 귀이다. 코로 숨을 쉴 때 내는 것은 신이고, 들이는 것은 귀이다. 말은 신이고 침묵은 귀이다."

乾損益動 第三十一 제31 건괘와 손괘와 익괘의 움직임

[3-31-1]

君子'乾乾'不息於誠, 然必'懲忿窒慾', '遷善改過'而後至. 「乾」之用其善是. 「損」「益」之大莫

105 『朱子語類』 권94, 210조목

106 鮑雲龍 撰 『天原發微』 권5하 「鬼神」

是過. 聖人之旨深哉!

군자는 '굳세고 굳세게 하여'[107] 성誠하기를 쉬지 않으나, 반드시 '성냄을 징계하고 욕심을 막으며',[108] '선함으로 옮기고 허물을 고친'[109] 뒤에 이르게 된다. 「건괘☰」의 쓰임은 이것보다 더 좋은 것이 없다. 「손괘☶」와 「익괘☳」의 큼은 이보다 더 나은 것이 없다. 성인의 뜻이 깊구나!

[3-31-1-0]

此以「乾卦」爻詞「損」·「益」「大象」發明思誠之方. 蓋乾乾不息者體也. 去惡進善者用也. 無體則用無以行, 無用則體無所措, 故以三卦合而言之. 或曰其字, 亦是莫字.

이는 「건괘」의 효사와 「손괘」·「익괘」의 「대상전」으로 성誠을 생각하는 방법을 밝혔다. 굳세고 굳세게 하여 쉬지 않는 것은 체體이다. 악惡을 제거하고 선善에 나아가는 것은 용用이다. 체가 없으면 용은 유행하지 못하고, 용이 없으면 체는 둘 곳이 없으므로 세 괘를 합하여 말했다. 어떤 사람은 '기其' 자는 또한 '막莫자라고 한다.

[3-31-1-1]

朱子曰 : "此章第一句言'乾乾不息', 而第二句言「損」, 第三句言「益」者, 蓋以解第一句, 若要不息, 須著去忿慾而有所遷改. 中間'乾之用其善是', '其'一字疑是'莫'字, 蓋與下兩句相對. 若只是'其'字, 則無義理, 說不通."[110]

주자가 말했다. "이 장은 첫째 구절에서 '굳세고 굳세게 하여 쉬지 않는다.'라고 말하였고, 둘째 구절에서 「손괘」를 말하고, 셋째 구절에서 「익괘」를 말했는데, 첫째 구절을 풀이하기를 쉬지 않는 것과 같은 것으로 하고자 한다면 반드시 성냄과 욕심을 제거하여 옮김과 고침이 있는 것을 드러내야 한다. 중간에 '건괘의 쓰임은 이것보다 선한 것이 없다.'라고 한 것에서 '기其'자는 '막莫'자로 해야 아래 두 구절과 서로 마주할 것 같다. 만약 '기其'자라고 한다면 의리가 없어서 말이 통하지 않는다."

[3-31-1-2]

"'遷善改過', 是修德中緊要事. 蓋只修德而不遷善改過, 亦不能得長進. '君子乾乾不息於誠', 便是修德底事. 下面便是接說遷善改過底事. 與『論語』'德之不修'章意正相類."

又曰 : "遷善改過, 又是兩項. 遷善便是有六七分是了, 遷而就教十分是者. 改過則是十分不

107 『周易』「乾卦」 구삼, "군자는 종일토록 굳세고 굳세게 하여 저녁에 두려울 것 같으면 위태로움은 있으나 허물은 없다.(君子終日乾乾, 夕惕若, 厲无咎.)"

108 『周易』「損卦」 "상에 말하기를 '산 아래에 연못이 있는 것이 「損卦」이니, 군자는 이를 본받아 성냄을 징계하고 욕심을 막는다.'(「象」曰'山下有澤, 「損」, 君子以懲忿窒欲.')"

109 『周易』「益卦」 "상에 말하기를 '바람과 우레가 「益卦」이니, 군자는 이를 본받아 선을 보면 옮기고, 허물이 있으면 고친다.'(「象」曰'風雷, 「益」, 君子以見善則遷, 有過則改.')"

110 『朱子語類』 권94, 216조목

是，全然要改．此遷善改過之別．”111

(주자가 말했다.) “‘선함으로 옮기고 허물을 고친다.’라는 것은 덕을 닦는 것 가운데 중요한 일이다. 다만 덕을 닦기만 하고 선으로 옮기지 않거나 허물을 고치지 않는다면 또한 발전할 수 없다. ‘군자가 굳세고 굳세게 하여 성誠에서 쉬지 않는다.’라는 것은 바로 덕을 닦는 일이다. 다음은 바로 이어서 선으로 옮기고 허물을 고치는 일을 말했다. 『논어』의 ‘덕이 닦이지 않는다.’112라는 장의 뜻과 바로 비슷하다.”

또 말했다. “선으로 옮기는 것과 허물을 고치는 것은 또 두 항목이다. 선으로 옮기는 것은 바로 60~70%가 옳음이 있고, 옮겨 가서 100%로 옳게 해야 한다. 허물을 고친다는 것은 충분히 옳지 않은 것을 완전하게 고쳐야 한다. 이것이 선으로 옮기는 것과 허물을 고치는 것의 구별이다.”

[3-31-1-3]

“「損」·「益」之義大矣，聖人獨有取於‘懲忿窒慾’，‘遷善改過’，何哉? 蓋‘正心修身’者，學問之大端，而‘齊家治國平天下’之本也．古之學者無一念不在身心之中，後之學者無一念不在身心之外，此賢愚之所由分，而聖賢之所爲深戒也．”113

“「손괘」와 「익괘」의 의미가 크니, 성인이 홀로 ‘성냄을 징계하고 욕심을 막으며’, ‘선으로 옮기고 허물을 고친다.’라는 것을 취한 것은 무엇 때문입니까? ‘마음을 바르게 하고 몸을 닦는다.’114라는 것은 학문의 중요한 단서이고, ‘집안을 가지런히 하고, 나라를 다스리며, 세상을 평화롭게 한다.’115라는 것의 근본이다. 옛날에 배우는 사람은 한 생각이라도 몸과 마음속에 있지 않음이 없었는데, 뒤에 배우는 사람은 한 생각이라도 몸과 마음 밖에 있지 않음이 없으니, 이것이 현명한 사람과 어리석은 사람이 구분되는 이유이고, 성현과 현인이 깊이 경계하는 것으로 삼은 것이다.”

111 『朱子語類』 권34, 19조목의 내용 가운데 일부이다. 어떤 사람이 물었다. “‘덕이 닦이지 않는다.’라는 것을 묻습니다.” 대답했다. “선으로 옮기고 허물을 고친다는 것은 또한 덕을 닦는 것 가운데 중요한 일이다. 다만 덕을 닦기만 하고 선으로 옮기지 않거나 허물을 고치지 않는다면 또한 발전할 수 없다.” 또 말했다. “선으로 옮기는 것과 허물을 고치는 것은 두 항목이니, 그 허물을 고치고서 선으로 옮긴다고 말하는 것이 아니다. 선으로 옮기는 것은 바로 60~70%는 옳고, 20~30%는 옳지 않을 때 스스로 그 20~30%를 옳다고 여기면 바로 옮겨 나아가서 100% 수행해야 한다. 허물을 고칠 때 100% 좋지 않으면 완전하게 고쳐야 한다. 이것이 선으로 옮기는 것과 허물을 고치는 것의 구별이다. 『通書』 속에서 ‘군자가 굳세고 굳세게 하여 誠에서 쉬지 않는다.’라는 것은 바로 덕을 닦는 일이다. 다음은 바로 이어서 선으로 옮기고 허물을 고치는 일을 말했으니, 마음을 바르게 하는 것과 비슷하다.”(或問“德之不修”一章．曰：“遷善·改過，是修德中緊要事．蓋只修德而不遷善·改過，亦不能得長進．” 又曰：“遷善·改過是兩項，不是說改其過而遷於善．遷善便是有六七分是，二三分不是，自家卻見得那二三分是處，卽遷而就之，要敎十分是著．改過則是十分不好，全然要改．此遷善·改過之別．如『通書』中云：‘君子乾乾不息於誠．’便是修德底事．下面便是接說遷善·改過底事，意正相類．”)

112 『論語』「述而」“德之不脩.”

113 黃榦 撰『勉齋集』 권22 「題跋·書晦菴先生所書損益大象」

114 『大學』 제1장

115 『大學』 제1장

[3-31-1-4]

"懲忿如摧山，窒慾如塡壑."[116]

"성냄을 징계하는 것은 산을 꺾는 것과 같고, 욕심을 막는 것은 골짜기를 메우는 것과 같다."

[3-31-1-5]

"遷善當如風之速，改過當如電之決."[117]

"선으로 옮기는 것은 마땅히 바람의 빠름과 같아야 하고, 허물을 고치는 것은 마땅히 번개의 세참과 같아야 한다."

[3-31-2]

'吉·凶·悔·吝生乎動.' 噫! 吉一而已, 動可不愼乎?

'길함·흉함·뉘우침·인색함 등은 움직임에서 나온다.'[118] 슬프다! 길함은 하나일 뿐이니, 움직일 때에 삼가지 않을 수 있는가?

[3-31-2-0]

四者一善而三惡, 故人之所値福常少而禍常多, 不可不謹.

넷에서 하나는 선이고 셋은 악이므로 사람이 만나는 것은 복이 항상 적고 재앙이 항상 많으니, 삼가지 않을 수 없다.

[3-31-2-01]

此章論『易』所謂聖人之蘊.

이 장에서는 『역』에서 말하는 성인의 함축[蘊]을 논하였다.

[3-31-2-1]

問 : "此章前面'懲忿窒慾', '遷善改過', 皆是自修底事. 後面忽說動者, 何故?"

朱子曰 : "所謂'懲忿窒慾', '遷善改過', 皆是動上有這般過失, 須於方動之前審之, 方無凶·悔·吝. 所以再說箇'動.'"[119]

물었다. "이 장이 앞에서 '성냄을 징계하고 욕심을 막으며', '선으로 옮기고 허물을 고친다.'라고 한

116 『朱子語類』 권72, 84조목

117 『朱子語類』 권72, 84조목과 93조목의 내용은 각각 다음과 같다. "선으로 옮기는 것은 바람의 빠름과 같아야 하고, 허물을 고치는 것은 번개의 세참과 같아야 한다.(遷善如風之迅, 改過如雷之烈.)" "선으로 옮기는 것은 바람의 빠름과 같아야 하고, 허물을 고치는 것은 번개의 맹렬함과 같아야 한다.(遷善如風之速, 改過如雷之猛.)"

118 『周易』「繫辭下」 "길함·흉함·뉘우침과 인색함은 움직임에서 나오는 것이다.(吉凶悔吝者, 生乎動者也.)"

119 『朱子語類』 권94, 217조목

것은 다 스스로 닦는 일입니다. 뒤에서 움직임[動]에 대해 갑자기 말한 것은 무엇 때문입니까?" 주자가 대답했다. "이른바 '성냄을 징계하고 욕심을 막으며', '선으로 옮기고 허물을 고친다.'라는 것은 다 움직일[動] 때에 이러한 잘못이 있으니, 막 움직이기 전에 반드시 살펴야, 비로소 흉함·뉘우침· 인색함 등이 없다. 따라서 '움직임[動]'에 대해 다시 말했다."

家人·睽·復·无妄 第三十二 제32 가인괘·규괘·복괘·무망괘

[3-32-1]

治天下有本, 身之謂也. 治天下有則, 家之謂也.

세상을 다스리는데 근본이 있으니, 몸을 말한다. 세상을 다스리는데 법칙이 있으니, 집안을 말한다.

[3-32-1-0]

則, 謂物之可視以爲法者, 猶俗言則例則樣也.

법칙은 사물 가운데 보아서 본받을 만한 것을 말하니, 세속에서 말하는 범례를 본받고 양상을 본받는다는 것과 같다.

[3-32-2]

本必端. 端本, 誠心而已矣. 則必善. 善則, 和親而已矣.

근본은 반드시 단정해야 한다. 근본을 단정하게 하는 것은 마음을 성[誠]하게 하는 것일 뿐이다. 법칙은 반드시 선해야 한다. 법칙을 선하게 하는 것은 친한 사람과 어울리는 것일 뿐이다.

[3-32-2-0]

心不誠, 則身不可正; 親不和, 則家不可齊.

마음이 성[誠]하지 않으면 몸이 바를 수 없고, 근친과 화목하지 못하면 집안이 가지런할 수 없다.

[3-32-3]

家難而天下易, 家親而天下疏也.

집안사람은 (다스리기) 어렵고 천하는 쉬운 것은, 집안은 친하고 천하는 소원하기 때문이다.

[3-32-3-0]

親者難處, 疏者易裁. 然不先其難, 亦未有能其易者.

친한 (집안) 사람은 처리하기 어렵고, 소원한 사람은 재단하기 쉽다. 그러나 어려운 일을 먼저 하지 않고서도 쉬운 일을 할 수 있는 경우는 아직 없다.

[3-32-4]

家人離, 必起於婦人, 故「睽」次「家人」, 以二女同居而志不同行也.

집안 사람들이 떠나는 것은 반드시 부인에 기인하므로 「규괘䷥」를 「가인괘䷤」 다음에 배열하였으니, 두 여자가 함께 살지만 뜻을 함께 하여 행하지 않기 때문이다.

[3-32-4-0]

'「睽」次「家人」', 『易』卦之序. '二女'以下, 「睽」「彖傳」文. '二女', 謂「睽卦」兌下離上, 兌少女, 離中女也. 陰柔之性, 外和悅而內猜嫌, 故同居而異志.

'「규괘䷥」를 「가인괘䷤」 다음에 배열한다.'라고 한 것은 『역』 괘의 순서이다. '두 여자' 이하는 「규괘」 「단전」의 글이다.[120] '두 여자'는 「규괘」에서 '태☱'가 아래이고 '리☲'가 위이며, 태는 막내딸이고 리는 가운데 딸을 말한다. 음의 부드러운 성품은 밖으로 어울리고 기뻐하더라도 안으로 시기하고 싫어하므로, 함께 살면서도 뜻은 다르다.

[3-32-5]

'堯所以釐降二女于嬀汭', 舜可禪乎, '吾茲試矣.'[121]

'요임금이 두 딸을 규수의 북쪽 물굽이에서 치장하여 순舜에게 시집보낸 것'은 순이 선양받을 만한 자격이 있는지를 '내가 이것으로 시험해보겠다.'라고 한 것이다.

[3-32-5-0]

釐, 理也. 降, 下也. 嬀, 水名. 汭, 水北, 舜所居也. 堯理治下嫁二女於舜, 將以試舜而授之天下也.

리釐는 다스림이다. 강降은 하사하는 것이다. 규嬀는 물의 이름이다. 예汭는 물의 북쪽이니, 순이 사는 곳이다. 요가 두 딸을 치장해 순에게 내려주어 시집가도록 한 것은 순을 시험하여 그에게 천하를 주려고 했기 때문이다.

120 『周易』「睽卦 ䷥」「彖傳」에서 말했다. "규는 불이 움직여서 위로 올라가고, 연못이 움직여서 아래로 내려오며, 두 여인이 한 곳에 사나 그 뜻은 함께 행하지 않는다. 기뻐해서 밝은데 걸려 있고, 부드러운 것이 나아가 위로 행해서 중을 얻어 강함에 응하니, 이 때문에 작은 일이 길하다. 하늘과 땅이 어긋나도 그 일은 같고, 남자와 여자가 어긋나도 그 뜻이 통하며, 만물이 어긋나더라도 그 일은 같으니, 규괘의 때의 쓰임이 크도다!" (「彖」曰. "睽, 火動而上, 澤動而下, 二女同居, 其志不同行. 說而麗乎明, 柔進而上行, 得中而應乎剛, 是以小事吉. 天地睽而其事同也, 男女睽而其志通也, 萬物睽而其事類也, 睽之時用大矣哉!")

121 『書經』「堯典 第一」 요임금이 "내가 그를 시험하겠다. 그에게 딸을 시집보내고, 두 딸을 통하여 그의 행동을 살펴보겠다."라고 말하고, 두 딸을 규수의 북쪽 물굽이에서 치장해 내려주어 우씨(순)에게 아내로 삼게 하였다."(帝曰, "我其試哉. 女于時, 觀厥刑于二女." 釐降二女于嬀汭, 嬪于虞.)

[3-32-6]

是治天下觀于家. 治家觀身而已矣. 身端, 心誠之謂也. 誠心, 復其不善之動而已矣.

이것이 세상을 다스릴 때에는 (먼저) 집안을 본다는 것이다. 집안을 다스릴 때에는 (먼저) 몸을 볼 뿐이다. 몸이 단정하다는 것은 마음이 성誠함을 말한다. 마음을 성誠하게 하는 것은 선하지 않은 움직임을 돌이킬 뿐이다.

[3-32-6-0]

不善之動息於外, 則善心之生於內者無不實矣.

선하지 않은 움직임이 밖에서 그치면 선한 마음이 안에서 생겨나 참되지 않음이 없다.

[3-32-6-1]

朱子曰 : "'誠心, 復其不善之動而已', 只是不善之動消於外, 則善心實於內. '操則存, 舍則亡', 只是操得此心便存."[122]

주자가 말했다. "'마음을 성誠하게 하는 것은 선하지 않은 움직임을 돌이킬 뿐이다.'라고 하는 것은 다만 선하지 않은 움직임이 밖에서 그치면 안으로 선한 마음이 안에 차오른다는 것이다. '잡으면 보존되고 버리면 없어진다.'라는 것은 다만 잡으면 이 마음이 바로 보존된다는 것이다."

[3-32-6-2]

西山眞氏曰 : "心不誠, 則私意邪念紛紛交作, 欲身之修得乎? 親不和, 則閨門乖戾, 情意隔絶, 欲家之正得乎? 夫治家之難, 所以甚於治國者, 門內尙恩, 易於揜義. 世之人固有勉於治外者矣, 至其處家, 則或狃於妻妾之私, 或牽於骨肉之愛, 鮮克以正自檢者, 而人君尤甚焉.

서산 진씨[眞德秀]가 말했다. "마음이 성誠하지 않으면 사사로운 뜻과 사특한 생각이 어지럽게 섞여 일어나니, 몸을 닦고자 하더라도 할 수 있겠는가? 친한 사람과 화목하지 않으면 부녀자들이 어그러지고 정이 막히어 끊어지니, 집안을 바르게 하고자 하더라도 할 수 있겠는가? 집안을 다스리기 어려움이 나라를 다스리기보다 심한 까닭은 집 안에서는 은혜를 높이고, 의를 가리는 일을 가벼이 하기 때문이다. 세상 사람들은 진실로 밖을 다스리는 것에는 힘쓰는 경우가 있지만, 집안을 다스리는데 이르러서는 사사롭게 아내와 첩에게 빠져들기도 하고, 형제 간의 사랑에 끌리기도 하여, 바르게 스스로 단속할 수 있는 자가 드문데 군주의 경우는 더욱 심하다.

漢高帝能誅秦蹙項, 而不能割戚姬如意之寵. 唐太宗能取孤隋攘羣盜, 而閨門慙德顧不免焉. 蓋疏則公道易行, 親則私情易溺, 此其所以難也. 不先其難, 未有能其易者. 漢唐之君立本作則旣已如此, 何恠其治天下不及三代哉? 夫女子陰柔之性, 鮮不妬忌而險詖者, 故二女同居, 則猜間易生. 堯欲試舜, 必降以二女者, 能處二女, 則能處天下矣. 舜之身正而刑家如

122 『朱子語類』 권59, 157조목

此，故堯禪以天下而不疑也. 身之所以正者，由其心之誠. 誠者無他，不善之萌動于中，則亟反之而已. 誠者，天理之眞. 妄者，人爲之僞. 妄去則誠存矣. 誠存則身正，身正則家治，推之天下，猶運之掌也.”

한나라 고조는 진나라를 멸망시키고 항우를 궁지에 몰아넣을 수 있었지만, 척희와 여의에 대한 총애를 끊어버릴 수 없었다.[123] 당나라 태종은 고립된 수나라를 취하고 여러 도적들을 물리칠 수 있었으나, 집안 여자관계의 부끄러운 일은 면하지 못했다.[124] (관계가) 소원하면 공적인 도를 행하기가 쉽고, 친하면 사사로운 정에 쉽게 빠지니, 이것이 어렵게 되는 까닭이다. 어려운 일을 먼저 하지 않고 쉬운 일을 할 수 있는 경우는 없었다. 한나라와 당나라의 임금이 근본을 세우고 법칙을 제정한 것이 이미 이와 같으니, 세상을 다스리는데 3대[125]에 미치지 못하는 것이 어찌 이상한 일이겠는가? 여자는 음의 유약한 성질이 있기에 시기하고 질투하며 위험하고 치우치지 않는 자가 드물기 때문에 두 여인이 함께 살면 시기가 쉽게 생긴다. 요가 순을 시험하고자 할 때 굳이 두 딸을 내려준 것은 두 딸을 다스릴 수 있으면 세상을 다스릴 수 있다고 여겼기 때문이다. 순이 몸을 바르게 하여 이와 같이 집안을 다스렸으므로 요가 세상을 선양하는 데에 의심이 없었다. 몸이 바르게 된 것은 마음이 성誠하기 때문이다. 성誠은 다른 것이 아니라, 선하지 않은 싹이 속에서 움직이면 빨리 그것을 돌이킬 뿐이다. 성誠은 천리의 참됨이다. 망령스러움妄은 인위人爲의 거짓[僞]이다. 망령스러움이 제거되면 성誠이 보존된다. 성誠이 보존되면 몸이 바르게 된다. 몸이 바르게 되면 집안이 다스려지고, 그것을 세상까지 미루어 가는 것은 손바닥을 움직이는 것과 같이 쉽다.”

[3-32-7]

不善之動，妄也. 妄復則无妄矣. 无妄則誠矣.

선하지 않은 움직임은 망령스러움[妄]이다. 망령스러움을 돌이키면 ‘망령스러움이 없게[无妄]’ 된다. 망령스러움이 없어지면 성誠하게 된다.

[3-32-7-0]

程子曰：无妄之謂誠.

정자가 말했다. ‘망령스러움이 없는 것[无妄]’을 성誠이라고 한다.

123 고조가 황후 呂后와 애정이 소홀하여지자, 太子 劉盈을 폐하고 사랑하는 戚姬의 아들 劉如意를 세우려고 한 고사를 말한다. 유여의는 趙王에 책봉되었으나 고조가 죽은 뒤에 呂后가 독살하였고, 척희는 여후에 의해 팔다리가 잘려지고 눈이 뽑히며 벙어리와 귀머거리가 된 뒤 변소에 버려져 人彘(사람 돼지)로 불렸다. 『史記』 권9 「呂太后本紀」 참조.

124 당나라 태종 李世民은 형제간의 싸움에서 형인 태자 李建成과 아우인 李元吉을 죽인 뒤 황제에 올라 이원길의 아내 巢剌王妃를 받아들였으므로, 閨門의 법이 바르지 못한 일을 말한다.

125 夏, 殷, 周

[3-32-8]

故「无妄」次「復」, 而曰"先王以茂對時育萬物." 深哉!

그러므로 「무망괘䷘」[126]가 「복괘䷗」[127] 다음에 와서, "선왕은 이를 본받아 때에 성하게 합하여 만물을 왕성하게 기른다."라고 했으니, 깊도다!

[3-32-8-0]

「无妄」次「復」, 小卦之序. 先王以下, 引「无妄卦」「大象」以明"對時育物"唯至誠者能之, 而贊其旨之深也.

「무망괘」를 「복괘」 다음에 놓은 것은 작은 괘의 차례이다. 선왕 이하는 「무망괘」 「대상전」을 인용하여, "때에 성誠하게 합하여 만물을 기르는" 일은 오직 지극히 성誠한 사람이라야 그것을 할 수 있음을 밝히고, 그 뜻이 깊음을 찬양한 것이다.

[3-32-8-01]

此章發明四卦, 亦皆所謂"聖人之蘊."

이 장에서 4괘를 드러내 밝혔는데, 이는 또한 모두 이른바 "성인의 함축"이다.

126 『周易』「无妄 ䷘」 "무망은 크게 형통하고 바름이 이로우니, 바르지 않으면 재앙이 있기에 가는 곳이 있음이 이롭지 않다." 「彖傳」에서 말했다. "무망은 강이 밖으로부터 와서 안에서 주가 되니, 움직여 굳세고, 강이 가운데서 응하여 크게 형통해 바르니, 하늘의 명이다. '바르지 않으면 재앙이 있기에 가는 곳이 있음이 이롭지 않다.'라고 했으니, 무망에서 간다면 어디로 가겠는가? 천명이 돕지 않는데, 갈 수 있겠는가?" 「상전」에서 말했다. "하늘 아래에서 우레가 쳐서 사물에 망령스러움이 없으니, 선왕이 이를 본받아 때를 성하게 합하여 만물을 기른다.(无妄, 元亨, 利貞, 其匪正有眚, 不利有攸往." 「彖」曰. "无妄, 剛自外來而爲主於內, 動而健; 剛中而應, 大亨以正, 天之命也. '其匪正有眚, 不利有攸往', 无妄之往, 何之矣? 天命不祐, 行矣哉!" 「象」曰. "天下雷行, 物與无妄, 先王以茂對時育萬物.)"

127 『周易』「復 ䷗」 "복은 형통하니, 나가고 들어옴에 병통이 없어 친구가 와야 허물이 없다. 그 도를 반복하여 7일 만에 회복하니, 갈 곳이 있음이 이롭다. 「彖傳」에서 말했다. '복이 형통하다'라는 것은 강이 돌아옴이니, 움직여서 순하게 행한다. 이 때문에 '나가고 들어옴에 병통이 없어 친구가 와야 허물이 없다. 그 도를 반복하여 7일 만에 회복한다.'라는 것은 하늘이 운행한 것이고, '갈 곳이 있음이 이롭다.'라는 것은 강이 자라는 것이니, 복에서 천지의 마음을 보는구나!" 「상전」에서 말했다. "우레가 땅 속에 있는 것이 복이니, 선왕이 이를 본받아 동짓날에 관문을 닫아 장사꾼과 나그네를 다니지 않게 하였으며, 임금이 사방을 살피지 않았다.(復, 亨, 出入无疾, 朋來无咎. 反復其道, 七日來復, 利有攸往." 「彖」曰. "'復, 亨' 剛反, 動而以順行. 是以'出入无疾, 朋來无咎. 反復其道, 七日來復', 天行也, '利有攸往', 剛長也, 復, 其見天地之心乎!" 「象」曰. "雷在地中, 復, 先王以至日閉關, 商旅不行, 后不省方.)"

富貴 第三十三 제33 부유함과 귀함

[3-33-1]

君子以道充爲貴, 身安爲富, 故常泰無不足, 而銖視軒冕, 塵視金玉, 其重無加焉爾.

군자는 도를 채우는 것을 귀함으로 여기고, 몸이 편안한 것을 부유함으로 여기므로, 항상 평안하여 부족함이 없어서 수레와 면류관을 하찮게 여기고, 금과 옥을 티끌처럼 여기니, 그보다 더 중요한 것은 없다.

[3-33-1-0]

此理易明而屢言之, 欲人有以眞知道義之重, 而不爲外物所移也.

이 이치가 쉽고 밝은데도 누누이 말하는 것은, 사람이 도의道義의 중요성을 참으로 알아서 바깥 것에 의해 옮겨지지 않게 하기 위해서이다.

[3-33-1-1]

朱子曰 : "周先生言道至貴者不一而足, 蓋是見世間之愚輩爲外物所搖動, 如墮在火坑中, 不忍見他, 故如是說不一. 世人心不在殼子裏面, 如發狂相似, 只是自不覺也."[128]

주자가 말했다. "주 선생[周惇頤]이 도란 지극히 귀한 것이라고 말한 것을 한 번으로 만족하지 않은 것은 세상의 어리석은 무리들이 바깥 것에 의해 흔들리는 것이 마치 불구덩이 속으로 떨어지는 것과 같은 것을 보고, 차마 그것을 볼 수가 없어서 이와 같이 여러 번 말했다. 세상 사람들이 마음을 몸속에 두지 않은 것이 마치 미쳐 날뛰는 것과 흡사 한데 다만 스스로 깨닫지 못할 뿐이다."

陋 第三十四 제34 비루함

[3-34-1]

聖人之道, 入乎耳, 存乎心, 蘊之爲德行, 行之爲事業. 彼以文辭而已者, 陋矣.

성인의 도는 귀로 들어와, 마음에 보존되니, 이를 함축하면 덕행이 되고, 행하면 사업이 된다. 그것을 글이나 말로만 하는 자는 비루하다.

[3-34-1-0]

意同上章. 欲人眞知道德之重, 而不溺於文辭之陋也.

128 『朱子語類』 권94, 205조목

뜻이 위의 장과 같다. 사람들이 참으로 도와 덕의 중요함을 알아서 글과 말의 비루함에 빠지지 않게 하려는 것이다.

[3-34-1-1]

程子曰 : "聖賢之言, 不得已也. 蓋有是言, 則是理明. 無是言, 則天下之理有闕焉. 如彼耒耜陶冶之器一不制, 則生人之道有不足矣. 聖賢之言, 雖欲已得乎? 然其包涵盡天下之理, 亦甚約也. 後之人始執卷則以文章爲先, 而其所爲動多於聖人, 然有之無所補, 無之無所闕, 乃無用之贅言也. 不止贅而已, 旣不得其要, 則離眞失正, 反害於道心矣."[129]

정자가 말했다. "성현이 말을 하는 것은 어쩔 수 없기 때문이다. 이 말이 있으면 이 이치가 밝아진다. 이 말이 없으면 세상의 이치에 빠진 부분이 있게 된다. 마치 저 쟁기와 보습 및 질그릇과 제철 기물 중에 하나라도 만들어지지 않으면 사람을 살아가게 하는 방법에 부족함이 있는 것과 같다. 성현이 말을 하는 것은 비록 그치고 싶더라도 그칠 수 있겠는가? 그러나 세상의 이치를 다 포함하고 있으면서, 또한 매우 간략하다. 후세 사람들이 처음 책을 잡을 때에는 문장을 우선으로 하여 지은 것이 성인보다 많지만, 있어도 도움 되는 것이 없고 없어도 아쉬울 것이 없으니, 쓸모없는 군더더기 말일 뿐이다. 다만 군더더기일 뿐만 아니라 이미 요지를 얻지 못하였으니, 참됨을 떠나 바름을 잃어서 오히려 도심道心에 해가 된다."

[3-34-1-2]

朱子曰 : "古之聖賢, 其文可謂盛矣, 然初豈有意學爲如是之文哉? 有是實於中, 則必有是文於外. 如天有是氣, 則必有日·月·星·辰之光耀; 地有是形, 則必有山川草木之行列. 聖賢之心, 旣有是精明純粹之實, 以磅礴充塞乎其內, 則其著見於外者, 亦必自然條理分明, 光輝發越而不可掩. 蓋不必托於言語, 著於簡冊而後謂之文, 但自一身接於萬事, 凡其語默人所可得而見者, 無適而非文也. 姑擧其最而言, 則『易』之卦畫, 『書』之記言, 『詩』之詠歌, 『春秋』之述事, 與夫『禮』之威儀, 『樂』之節奏, 皆已列爲六經而垂萬世, 其文之盛後世固莫能及. 然其所以盛而不可及者, 豈無所自來? 而世亦莫之識已."[130]

주자가 말했다. "옛날의 성현은 그 글이 성대하다고 이를 수 있지만, 처음부터 어찌 이와 같은 글을 짓는 것을 배울 뜻이 있었겠는가? 이러한 참됨이 마음 속에 있으면 반드시 이러한 글이 밖으로 표현된다. 예컨대 하늘에 이 기氣가 있으면 반드시 해·달·별·신辰 : 별 자리의 빛남이 있고, 땅에 이 형상이 있으면 반드시 산과 내와 풀과 나무의 대열이 있는 것과 같다. 성현의 마음은 이미 정밀하고 밝으며 순수한 참됨이 있기에 안에서 웅장하게 채워지니, 밖에서 드러나는 것 또한 반드시 자연히 조리가 분명하고 빛이 넘쳐서 가릴 수 없다. 반드시 언어에 기대거나 책에 드러낸 후에 글이라고

---

129 『二程文集』 권10 「伊川文集·書啓·答朱長文書」에는 '道心' 부분이 '道必'로 되어 있으나, 의미상으로는 '道心'이 적합한 것으로 판단된다.

130『朱文公集』 권70 「雜著·讀唐志」

할 것은 아니니, 다만 몸이 온갖 일에 접하면서부터 무릇 그 말과 침묵에 이르기까지 사람이 볼 수 있는 것은 무엇이든 글이 아님이 없다. 잠시 그 최고를 들어 말하면 『역』의 괘획卦畫, 『서』의 기록된 말, 『시』의 읊은 노래, 『춘추』의 진술된 일 등은 『예』의 위엄 있는 태도와 『악』의 박자와 함께 다 이미 육경에 들어가 만세에 드리워지니, 그 글의 성대함은 후세 사람들이 진실로 따라갈 수 없었다. 그러나 그 성대함을 후세에서 따라갈 수 없는 이유는 어찌 유래한 것이 없겠는가? 후세 사람들이 그것을 알지 못할 뿐이다."

[3-34-1-3]

又嘗答學者曰 : "諸詩固佳, 但此等亦是枉費工夫, 不切自己底事. 莫論爲學, 治己治人有多少事在. 如天文地理, 禮樂制度, 軍旅刑法, 皆是著實有用事業, 無非自己本分內事. 古人六藝之教所以游其心者, 正在於此. 其與空言以較工拙於篇牘之間者, 其損益相萬矣."

또 일찍이 배우는 사람에게 답하여 말하였다. "여러 시는 진실로 아름답지만, 이러한 것은 또한 잘못 소모하는 공부일 뿐이고, 자기의 절실한 일이 아니다. 배움을 논할 것도 없이 자기를 다스리고 다른 사람을 다스리는 경우에는 많은 일이 있다. 예컨대 하늘의 이치와 땅의 이치, 예악 제도, 군대 형법 등은 모두 실제적으로 유용한 사업이고, 자기 본분의 내적인 일이 아님이 없다. 옛 사람들이 6예六藝의 가르침을 마음에 노니는 것으로 여긴 까닭이 바로 여기에 있다. 공허한 말로 책 속에서 뛰어남과 서투름을 비교하는 일은 (옛 사람과 견주어 볼 때) 그 손익이 만 배나 차이날 것이다.

[3-34-1-4]

黃氏巖孫曰 : "此章當與'文辭章'參觀."

황암손이 말했다. "이 장은 반드시 '문사장文辭章'[131]과 함께 참고해서 보아야 한다."

131 제28장, "글은 도를 싣는 것이다. 바퀴와 끌채가 꾸며졌어도 사람이 사용하지 않으면 헛된 꾸밈일 뿐이다. 하물며 빈 수레이랴! 文과 말은 재주이고, 도와 덕은 실제이다. 그 실제를 돈독히 하면서 재주 있는 자가 그것을 쓰는데[書], 아름다우면 좋아하고 좋아하면 전해진다. 어진 사람이 배워서 이를 수 있으면, 이것이 가르침이 된다. 그러므로 '말에 꾸밈이 없으면 멀리까지 행해지지 않는다.'라고 했다. 그러나 어질지 않은 사람은 비록 부모와 형제가 임하고 스승이 도와서 힘쓰게 하여도 배우지 않는다. 억지로 해도 따르지 않는다. 도와 덕에 힘쓸 줄 모르고, 다만 글과 말을 재능으로 삼는 것은 재주일 뿐이다. 슬프다! 가려짐이 오래되었다.(文, 所以載道也. 輪轅飾而人弗庸, 徒飾也. 況虛車乎! 文辭, 藝也; 道德, 實也. 篤其實而藝者書之, 美則愛, 愛則傳焉. 賢者得以學而至之, 是爲教. 故曰'言之無文, 行之不遠.' 然不賢者, 雖父兄臨之, 師保勉之, 不學也. 强之不從也. 不知務道德而第以文辭爲能者, 藝焉而已. 噫! 弊也久矣.)"

擬議 第三十五 제35 견주고 따짐

[3-35-1]

至誠則動, 動則變, 變則化. 故曰"擬之而後言, 議之而後動, 擬議以成其變化."[132]

지극히 성誠하면 움직이고, 움직이면 변하며, 변하면 화化한다. 그러므로 "견준 후에 말하고, 따진 후에 움직이며, 견주고 따져서 그 변화를 이룬다."라고 말한다.

[3-35-1-0]

『中庸』·『易』大傳所指不同, 今合而言之, 未詳其義. 或曰 : "至誠者, 實理之自然. 擬議者, 所以誠之之事也."

『중용』과 『역』의 대전大全이 가리키는 것이 다른데, 이제 합하여 말하였으니, 그 뜻이 상세하지 않다. 어떤 사람이 말했다. "지극한 성誠은 참된 이치의 저절로 그러함이다. 견주고 따지는 것은 성誠하려고 하는 일이다."

[3-35-1-1]

朱子曰 : "動, 是方感動他. 變, 則已改其舊俗, 然尙有痕瑕在. 化, 則都消化了, 無復痕迹矣."[133]

주자가 말했다. "움직임[動]은 막 다른 것을 감동시킨 것이다. 변함[變]은 이미 옛 습속을 고쳤으나, 아직 흔적이 있는 것이다. 화化는 모두 사라져서 다시 흔적이 없는 것이다."

[3-35-1-2]

問 : "'擬之而後言, 議之而後動', 是一言一行皆即『易』而擬之否?"

曰 : "然."[134]

물었다. "'견준 후에 말하고, 따진 후에 움직인다.'라는 것은 한 번 말하고 한 번 행하는 것이 다 『역』에 나아가 견준다는 것입니까?"

말했다. "그렇다."

[3-35-1-3]

"這變化是就人動作處說."[135]

"이러한 변화는 사람의 행동하는 측면에서 말한 것이다."

---

132 『周易』「繫辭上」

133 『朱子語類』 권64, 70조목에는 '迹'이 '跡'으로 되어 있으나, 두 글자는 통용한다.

134 朱鑑 撰 『文公易說』 권11 「繫辭上傳」

135 『朱子語類』, 권75 17조목

刑 第三十六 제36 형벌

[3-36-1]

天以春生萬物, 止之以秋. 物之生也旣成矣, 不止則過焉, 故得秋以成. 聖人之法天, 以政養萬民, 肅之以刑. 民之盛也, 欲動情動, 利害相攻, 不止則賊滅無倫焉, 故得刑以治.

하늘은 봄에 만물을 생겨나게 하고, 가을에 그치게 한다. 사물의 생장이 이미 완성되었는데 그치지 않으면 지나치다. 그러므로 가을을 두어서 완성한다. 성인은 하늘을 본받아 정사로써 만민을 양육하며, 형벌로써 숙연하게 한다. 백성이 풍성해질 경우, 욕망이 움직이고 감정이 움직이며 이로움과 해로움이 서로 충돌하는데 제지하지 않으면 해치고 죽이면서 인륜이 없어지게 된다. 그러므로 형벌을 만들어 다스린다.

[3-36-1-0]

意與十一章略同.

뜻이 11장(順化章)과 대략 같다.

[3-36-1-1]

朱子曰 : "聖人之心, 涵養發生, 眞與天地同德. 品物或自逆于理以干天誅, 則夫輕重取舍之間, 亦自有決然不易之理, 如天地四時之運, 寒涼肅殺常居其半, 而涵育發生之心, 未始不流行乎其間."[136]

주자가 말했다. "성인의 마음은 머금어 기르고 발생시키니, 참으로 천지와 같은 덕이다. 온갖 것들이 혹 각자 이치에 거슬려서 하늘이 죽임에 걸린다면 가벼움과 무거움 및 취하고 버리는 사이에도 또한 결코 바뀌지 않는 이치가 있으니, 마치 천지가 4계절을 운행할 때 차갑고 서늘하며 초목을 말라죽게 하는 가을과 겨울이 항상 그 반을 차지하더라도, 머금어 기르고 발생시키는 마음이 처음부터 그 사이에 유행하지 않음이 없는 것과 같다."

[3-36-2]

情僞微曖, 其變千狀. 苟非中正明達果斷者不能治也. 「訟卦」曰 : "利見大人, 以剛得中也;" 「噬嗑」曰 : "利用獄, 以動而明也."

참과 거짓의 분별이 애매하고, 그 변화는 갖가지 모습이다. 진실로 중정中正하고 밝음이 통달하며 과감하게 결단하는 자가 아니라면 다스릴 수가 없다. 『역』의 「송괘」에서 "대인을 만나면 이로운 것은 굳셈이 중[九二·九五爻]을 얻었기 때문이다."[137]라고 말하고, 「서합괘」에서 "감옥을 사용하는 것이 이

136 『朱文公集』 권37 「書·答鄭景望」

137 『周易』「訟卦 ䷅」 "訟은 믿음이 있으나 막혀서 두려우니 중간이 길하고 끝은 흉하다. 대인을 만나면 이롭고

로운 것은 움직이고 밝기 때문이다."[138]라고 말했다.

[3-36-2-0]

中正, 本也; 明斷, 用也. 然非明則斷無以施, 非斷則明無所用, 二者又自有先後也. 「訟」之中兼乎正. 「噬嗑」之明兼乎達. 「訟」之剛, 「噬嗑」之動, 卽果斷之謂也.

중정은 근본이고, 밝음과 결단은 용이다. 그러나 밝지 않으면 결단도 시행되지 않고, 결단하지 않으면 밝음도 쓸 곳이 없으니, 둘은 또 본래 앞과 뒤가 있다. 「송괘」의 중中은 정正을 겸한다. 「서합괘」의 밝음은 통달을 겸한다. 「송괘」의 굳셈과 「서합괘」의 움직임은 바로 과감하게 결단하는 것을 말한다.

[3-36-2-1]

南軒張氏曰 : "夫中正者, 仁之所存. 而明達者, 知之所行. 果斷者, 又勇之所施也. 以是詳刑, 本末具矣."

남헌 장씨張栻가 말했다. "중정中正은 인仁이 보존된 곳이다. 그러나 밝게 통달하는 것은 지知가 행하는 것이다. 과감하게 결단하는 것은 용勇이 베풀어지는 것이다. 이것을 가지고 형벌을 상세하게 하면 근본과 말단이 갖추어진다."

[3-36-3]

嗚呼! 天下之廣, 主刑者民之司命也, 任用可不愼乎?

오호라! 세상은 넓고, 형벌을 주관하는 사람은 백성의 생명을 맡는데, 임용을 삼가지 않을 수 있겠는가?

큰 내를 건너면 이롭지 않다. 「彖傳」에서 말하기를, 송은 위는 굳세고 아래는 위험해서 위험하고 굳셈이 송이다. '송은 믿음이 있으나 막혀서 두려우니 중간이 길하다.'라고 하는 것은 굳셈이 와서 중을 얻었기 때문이다. '끝이 흉하다.'라고 한 것은 송사는 이루어져서는 안 되기 때문이다. '대인을 만나면 이롭다.'라고 한 것은 中正을 높이기 때문이다. '큰 내를 건너면 이롭지 않다.'라고 한 것은 연못 속에 빠지기 때문이다. 「상전」에서 말하기를, 하늘과 물이 어그러져 행하는 것이 송이니, 군자는 이를 본받아서 일을 하되 처음을 도모한다.(訟, 有孚窒惕, 中吉, 終凶. 利見大人, 不利涉大川. 「彖」曰, 訟, 上剛下險, 險而健, 訟. '訟, 有孚窒惕, 中吉', 剛來而得中也. '終凶', 訟不可成也. '利見大人', 尙中正也. '不利涉大川', 入于淵也. 「象」曰, 天與水違行, 訟, 君子以作事謀始.)"

138 『周易』「噬嗑卦 ䷔」, "서합은 형통함이니, 감옥을 사용함이 이롭다. 「彖傳」에서 말하기를, 턱 속에 물건이 있어 깨물어 합한다고 한다. 깨물어 합해야 형통하고, 굳셈과 부드러움이 나누어져 움직이고 밝고, 우레와 번개가 합해야 빛난다. 부드러움이 중을 얻어서 위로 올라가니, 비록 마땅한 자리가 아니라도 감옥을 사용하는 것이 이롭다. 「상전」에서 말하기를, 우레와 번개가 깨물어 합하니, 선왕이 이를 본받아 죄를 밝히고 법을 집행한다.(噬嗑, 亨, 利用獄. 「彖」曰, 頤中有物, 曰噬嗑. 噬嗑而亨, 剛柔分, 動而明, 雷電合而章. 柔得中而上行, 雖不當位, 利用獄也. 「象」曰, 雷電, 噬嗑, 先王以明罰勅法.)"

公 第三十七 제37 공의로움

[3-37-1]

聖人之道, 至公而已矣. 或曰：何謂也? 曰：天地至公而已矣.

성인의 도는 지극히 공의로울 뿐이다. 어떤 사람이 말했다. "무슨 말입니까?" 대답했다. "천지는 지극히 공의로울 뿐이다."

孔子上 第三十八 제38 공자 상

[3-38-1]

『春秋』正王道, 明大法也, 孔子爲後世王者而修也. 亂臣賊子誅死者於前, 所以懼生者於後也. 宜乎萬世無窮王祀夫子, 報德報功之無盡焉.

『춘추』는 왕도를 바르게 하고, 큰 법도를 밝힌 것으로 공자가 후세의 왕을 위해 편수하였다. 이전에 죽었지만 나라를 어지럽힌 신하와 부모를 해친 자식을 (『춘추』에서) 벌준 것이 뒤에 사는 자들을 두렵게 한 것이다. 영원히 공자에게 왕으로 제사를 지내고[139], 끝없이 그 덕과 공로를 갚는 것은 마땅하다.

孔子下 第三十九 제39 공자 하

[3-39-1]

道德高厚, 教化無窮, 實與天地參而四時同, 其惟孔子乎!

도의 높음과 덕의 두터움, 교화의 끝이 없음이 참으로 천지와 더불어 셋이 되어 4계절의 운행과 같은 것은 오직 공자일 것이다![140]

139 魯나라 諸侯國의 大夫였던 공자를 천자 칭호인 文宣王으로 추존하고 천자 제사인 釋奠을 올린 일을 말한다.

140 이것은 『中庸』 제22장, "오직 세상의 지극한 誠은 그 본성을 다할 수 있고, 그 본성을 다할 수 있으면 사람의 본성을 다할 수 있으며, 사람의 본성을 다할 수 있으면 사물의 본성을 다할 수 있고, 사물의 본성을 다할 수 있으면 천지의 화육을 도울 수 있고, 천지의 화육을 도울 수 있으면 천지와 더불어 셋이 될 수 있다.(唯天下至誠, 爲能盡其性; 能盡其性, 則能盡人之性; 能盡人之性, 則能盡物之性; 能盡物之性, 則可以贊天地之化育; 可以贊天地之化育, 則可以與天地參矣.)"라는 내용을 반영하여, 공자를 천지와 함께 하는 사람으로 여기고 있다.

[3-39-1-0]

道高如天者, 陽也; 德厚如地者, 陰也; 敎化無窮如四時者, 五行也. 孔子其太極乎!

도의 높음이 하늘과 같은 것은 양이고, 덕의 두터움이 땅과 같은 것은 음이며, 교화가 무궁한 것이 4계절과 같은 것은 오행이다. 공자는 태극일 것이다!

[3-39-1-1]

黃氏巖孫曰 : “按周子邵州新遷學釋菜祝辭, 曰‘惟夫子道德高厚, 敎化無窮, 實與天地參而四時同’, 與此章全同.”

황암손이 말했다. “주자周子의 소주신천학석래축사邵州新遷學釋菜祝辭에 의하면 ‘오직 공자의 도의 높음과 덕의 두터움, 교화의 끝이 없음이 참으로 천지와 더불어 셋이 되어 4계절의 운행과 같다.’라고 하였는데, 이 장과 완전히 같다.”

蒙艮 第四十 제40 몽괘와 간괘

[3-40-1]

童蒙求我, 我正果行, 如筮焉. 筮, 叩神也. 再三則瀆矣, 瀆則不告也.

몽매한 어린이가 나를 찾아오면 나는 바르고 과감하게 행동하는데, 마치 점을 치는 것과 같다. 점을 치는 것은 신에게 묻는 것이다. 두 세 번 하면 어지럽히게 되니, 어지럽히면 알려주지 않는다.[141]

[3-40-1-0]

此通下三節, 雜引「蒙卦」「彖」「象」而釋其義. 童, 稚也; 蒙, 暗也. 我, 謂師也. 筮, 揲蓍以決吉凶也. 言童蒙之人來求於我以發其蒙, 而我以正道果決彼之所行, 如筮者叩神以決疑, 而神告之吉凶以果決其所行也. 叩神求師, 專一則明. 如初筮則告. 二三則惑, 故神不告以吉

141 『周易』「蒙卦 ䷃」 “몽은 형통하다. 내가 몽매한 어린이를 찾는 것이 아니라, 몽매한 어린이가 나를 찾는 것이다. 처음 점을 치거든 알려주고, 두 세 번 하면 어지럽히게 되니, 어지럽히거든 알려주지 않는다. 바르게 함이 이롭다. 「彖傳」에서 이르기를, 몽은 산 아래에 험함이 있고, 험하여 그치는 것이 몽이다. ‘몽은 형통하다.’라는 것은 형통함으로 행하니 때에 맞는다는 것이다. ‘내가 몽매한 어린이를 찾는 것이 아니라, 몽매한 어린이가 나를 찾는 것이다.’라는 것은 뜻이 응하는 것이다. ‘처음 점을 치거든 알려준다.’라는 것은 굳셈(九二爻)이 중에 있기 때문이다. ‘두 세 번 하면 어지럽히게 되니, 어지럽히거든 알려주지 않는다.’라는 것은 몽매한 어린이를 어지럽히기 때문이다. 몽매할 때 바르게 기르는 것이 성인을 기르는 일이다. 「象傳」에 이르기를, 산 아래에 샘이 나는 것이 몽이니, 군자는 이를 본받아 과감하게 행동하며 덕을 기른다.(蒙, 亨. 匪我求童蒙, 童蒙求我. 初筮告, 再三瀆, 瀆則不告. 利貞. 「彖」曰, 蒙, 山下有險, 險而止, 蒙. ‘蒙, 亨’, 以亨行時中也. ‘匪我求童蒙, 童蒙求我’, 志應也. ‘初筮告’, 以剛中也, ‘再三瀆, 瀆則不告’, 瀆蒙也. 蒙以養正, 聖功也. 「象」曰, 山下出泉, 蒙, 君子以果行育德.)”

凶, 師亦不當決其所行也.

이것은 아래 3절과 통하는 것으로 「몽괘」의 「단전」과 「상전」을 섞어 인용하여 그 뜻을 풀이한 것이다. 동童은 어린이이고, 몽蒙은 어두움이다. 나我는 스승을 말한다. 서筮는 시초를 세어서 길함과 흉함을 결정하는 것이다. 말하자면 몽매한 어린 사람이 와서 나를 찾음으로써 그 몽매함을 드러내고 나는 그가 행할 것을 바른 도리로 과감하게 결정하니, 마치 시초점을 치는 사람이 신에게 의심을 결정해 달라고 묻고 신은 그에게 길함과 흉함으로 그가 행할 것을 과감하게 결정해 주는 것과 같다. 신에게 묻고 스승을 찾을 때 오로지 한결같이 하면 밝아진다. 예컨대 처음 점을 치면 알려주는 것과 같다. 두 세 번 하면 미혹되므로 신이 길함과 흉함을 알려주지 않고, 스승 또한 그가 행할 것을 마땅히 결정해 주지 않는다.

[3-40-2]

"山下出泉," 靜而淸也. 汩則亂, 亂不決也.

"산 아래에서 샘이 난다."라고 하니, 고요하고 맑다. 휘저으면 혼탁해지고, 혼탁해지면 결단하지 못한다.

[3-40-2-0]

山下出泉, 「大象」文. 山靜泉淸, 有以全其未發之善, 故其行可果. 汩, 再三也. 亂, 瀆也. 不決, 不告也. 蓋汩則不靜, 亂則不淸, 旣不能保其未發之善, 則告之不足以果其所行而反滋其惑, 不如不告之爲愈也.

"산 아래에서 샘이 난다."라는 것은 「대상전」의 글이다. 산은 고요하고 샘은 맑다는 것은 아직 발현하지 않은 선善을 온전히 갖추고 있으므로 행동이 과감할 수 있다. 골汩은 두 번 세 번 휘젓는 것이다. 란亂은 더럽히는 것이다. 결단하지 않은 것은 알려주지 않은 것이다. 휘저으면 고요하지 않고, 혼탁하면 맑지 않아서, 아직 발현하지 않은 선을 보호할 수 없다면, 알려주더라도 행할 것을 과감하게 하는데 부족하고 오히려 그 의혹만 더 불어나니, 알려주지 않는 편이 나은 것만 못하다.

[3-40-2-1]

朱子曰 : "泉水之始出者, 必行而有漸也."[142]

주자가 말했다. "처음 나온 샘물은 반드시 흘러가야 점차 이어지게 된다."

[3-40-3]

愼哉! 其惟時中乎!

삼가야 한다! 오직 때에 맞도록 할 것이로다!

142 『周易傳義大全』 권3 「蒙卦」

[3-40-3-0]

"時中"者,「彖傳」文. 敎當其可之謂也. 初則告, 瀆則不告, 靜而淸則決之, 汩而亂則不決, 皆時中也.

"때에 맞는다."라는 것은 「단전」의 글이다. 가르침이 그 행할만한 것에 해당함을 말한다. "처음 점을 치거든 알려주고, 두 세 번 하면 알려주지 않으며, 고요하고 맑으면 결단하고, 휘저어 혼탁하면 결단하지 못한다."라는 것은 다 때에 맞는 것이다."

[3-40-4]

艮其背. 背非見也, 靜則止. 止非爲也, 爲不止矣. 其道也深乎!

그 등에 그친다. 등은 보지 못하니, 고요하면 그친다. 그치면 작위하지 않고, 작위하면 그치지 않는다. 그 도가 깊도다![143]

[3-40-4-0]

此一節引「艮卦」之「彖」而釋之. 艮, 止也. 背非有見之地也. "艮其背"者, 止於不見之地也. 止於不見之地則靜. 靜則止而無爲. 一有爲之之心, 則非止之道矣.

이 절은 「간괘」의 「상전」을 인용하여 풀이한 것이다. 간艮은 그친다는 뜻이다. 등은 볼 수 있는 곳이 아니다. "그 등에 그친다."라는 것은 보지 못하는 곳에서 그친다는 것이다. 보지 못하는 곳에서 그치면 고요해진다. 고요하면 그치므로 작위함이 없다. 한 번 작위하는 마음이 있는 것은 그치는 도가 아니다.

[3-40-4-01]

此章發明二卦, 皆所謂"聖人之蘊," 而"主靜"之意矣.

이 장은 두 괘(「몽괘」와 「간괘」)가 다 이른바 "성인의 함축"과 "고요함을 위주로 한다."라는 뜻을 밝혔다.

[3-40-4-1]

問 : "「蒙」學者之事, 始之之意也. 「艮」成德之事, 終之之事也.

朱子曰 : "周子之意當是如此, 然於此亦可見'主靜'之意."[144]

---

143 『周易』「간괘 ䷳」"그 등에 그치면 그 몸을 얻지 못하며, 그 뜰에 가도 그 사람을 보지 못하여 허물이 없다. 「彖傳」에서 이르기를, 艮은 그친다는 뜻이다. 그쳐야 할 때 그치고, 행해야 할 때 행하여 움직임과 고요함에 그 때를 잃지 않으니 그 도가 밝게 빛난다. '그칠 곳에 그친다.'라는 것은 그곳에 그친다는 것이다. 위와 아래가 적대적으로 응하여 서로 함께하지 않는다. 이 때문에 '그 몸을 얻지 못하며, 그 뜰에 가도 그 사람을 보지 못하여 허물이 없다.'라고 했다. 「상전」에서는 '산이 중첩된 것이 간이니, 군자는 이를 본받아서 생각이 그 자리에서 벗어나지 않는다.'라고 말했다.(艮其背, 不獲其身, 行其庭, 不見其人, 无咎. 「彖」曰, 艮, 止也. 時止則止, 時行則行, 動靜不失其時, 其道光明. '艮其止', 止其所也. 上下敵應, 不相與也. 是以'不獲其身, 行其庭, 不見其人, 无咎'也. 「象」曰, '兼山, 艮, 君子以思不出其位.')"

물었다. "「몽괘」는 배우는 사람의 일이니, 시작한다는 뜻입니다. 「간괘」는 덕을 이룬 사람의 일이니, 마치는 일입니다."
주자가 대답했다. "주자周子의 뜻은 마땅히 이와 같으나, 여기에서 또한 '고요함을 위주로 한다.'는 뜻을 볼 수 있다."

[3-40-4-2]

"靜者爲主, 故以「蒙」·「艮」終焉."[145]

(주자가 말했다.) "고요함을 위주로 하기에 「몽괘」와 「간괘」로 끝맺었다."

[3-40-4-3]

問: "'艮其背. 背非見也.'"

曰: "只如'非禮勿視', 非謂耳無所聞, 目無所見也. '姦聲亂色不留聰明, 淫樂慝禮不接心術.' '艮其背'者只如此耳. 程子解'艮其背', 謂'止於其所不見', 恐如此說費力. 所謂'背'者, 只是所當止也. 看下文'艮其止', '止'字解'背'字, 所以謂之'止其所.' '艮其背', 只是止於其所當止. 如'人君止於仁, 人臣止於敬'之類. 人之四肢皆能動, 惟背不動, 有止之象. '艮其背', 是止於其所當止之地. '不獲其身, 行其庭不見其人', 萬物各止其所了, 便都純是理. 也不見有己, 也不見有人, 都只是箇理."[146]

144 『朱文公集』 권42 「書·答石子重」

145 『朱子語類』 권94, 82조목에는 '焉'이 '云'으로 되어 있다.

146 『朱子語類』 권94, 219조목의 내용 가운데 일부이다. 물었다. "'그 등에 그친다. 등은 보지 못한다.'라고 했습니다." 대답했다. "다만 '예가 아니면 보지 말라'라는 것과 '간사한 소리와 혼탁한 색은 귀와 눈에 담지 않고, 음란한 음악과 사특한 예는 마음으로 접하지 않는다.'라는 것과 같으니, 이는 귀로 듣는 것이 없고 눈으로 보는 것이 없음을 말하는 것이 아니다. 程子가 '그 등에 그친다.'라는 것을 풀이하여 '그 보지 않는 곳에서 그친다.'라고 한 것은 바로 이 말이지만, 『역』의 뜻은 아마도 이와 같지 않을 것이다. 괘의 「彖傳」 아래에서 '그침[止]'이라는 것은 바로 그 위의 '그침[止]'이라는 것에 그치는 것이다. '그칠 곳에서 그친다.[艮其止]'라는 한 구절에서 만약 '그침'이라는 글자를 틀리지 않고, 본래의 '背'자로 하면 바로 '그칠 곳에서 그친다.[艮其止]'라는 구절은 '그 등에 그친다.[艮其背]'라는 구절로 풀이된다. '그칠 곳에서 그친다.[艮其止]'라는 것은 마땅히 그쳐야 하는 것에서 그치는 것이니, 마치 『大學』에서 '임금은 仁에서 그치고, 신하는 공경에서 그친다.'라는 것과 같다. 程子는 이것을 '미치지 못한다[不及]'라고 풀이한 것이 좋다고 하였는데, '그침'이 어떻게 또 이와 같이 말할 수 있는지를 알지 못하겠다. 사람의 4지(두 팔과 두 다리)는 다 움직일 수 있지만, 오직 등은 움직이지 못하니, 그침이 있는 모습이다. '그 등에 그친다.'라는 것은 마땅히 그쳐야 할 곳에서 그친다는 것이다. '그 몸을 얻지 못하며, 그 뜰에 가도 그 사람을 보지 못한다.'라는 것은 만물이 각기 그곳에서 그치는 것이니, 바로 순수한 이치이다. 또한 자기에게 있는 것도 보지 못하고 다른 사람에게 있는 것도 보지 못하고, 모두 다만 도리를 볼 뿐이다."(問: "'艮其背', 背非見也." 曰: "只如'非禮勿視', '姦聲亂色, 不留聰明; 淫樂慝禮, 不接心術', 非是耳無所聞, 目無所見. 程子解'艮其背', 謂'止於其所不見', 卽是此說, 但『易』意恐不如此. 卦「彖」下'止', 便是去止那上面'止'. '艮其止'一句, 若不是'止'字誤, 本是'背'字, 便是'艮其止'句, 解'艮其背'一句. '艮其止', 是止於所當止, 如『大學』'君止於仁, 臣止於敬'之類. 程子解此'不及'卻好, 不知'止'如何又恁地說? 人之四肢

물었다. "'그 등에 그친다. 등은 보지 못한다.'라고 했습니다."
(주자가) 대답했다. "다만 '예가 아니면 보지 말라'라는 것과 같으니, 이는 귀로 듣는 것이 없고 눈으로 보는 것이 없음을 말하는 것이 아니다. '간사한 소리와 혼탁한 색은 귀와 눈에 담지 않고, 음란한 음악과 사특한 예는 마음으로 접하지 않는다.'[147] '그 등에 그친다.'라는 것은 다만 이와 같을 뿐이다. 정자[程頤]가 '그 등에 그친다.'라는 것을 풀이하여 '그 보지 않는 곳에서 그친다.'라고 하였는데, 이와 같이 말하는 것은 지나친 것 같다. 이른바 '등'은 다만 마땅히 그쳐야 하는 곳이다. 다음 글의 '그칠 곳에서 그친다.'라는 것에서 '그침[止]'이라는 글자는 '등[背]'자를 풀이한 것이기 때문에 '그곳에서 그친다.'라고 말하는 것이다. '그 등에 그친다.'라는 것은 다만 마땅히 그쳐야 할 곳에서 그친다는 것이다. 예컨대 '임금이 인[仁]에서 그치고 신하가 공경에서 그친다.'[148]라는 것과 같다. 사람의 4지(두 팔과 두 다리)는 다 움직일 수 있지만, 오직 등은 움직이지 못하니, 그침이 있는 모습이다. '그 등에 그친다.'라는 것은 마땅히 그쳐야 할 곳에서 그친다는 것이다. '그 몸을 얻지 못하며, 그 뜰에 가도 그 사람을 보지 못한다.'라는 것은 만물이 각기 그칠 곳에서 그치는 것이니, 바로 순수한 이치이다. 또한 자기에게 있는 것도 보지 못하고 다른 사람에게 있는 것도 보지 못하는 것이 모두 다만 이 이치일 뿐이다."

[3-40-4-4]

問："'止非爲也爲不止矣'，何謂也?"
曰："止便是不作爲，爲便不是止."
曰："止是以心言否?"
曰："是."
又曰："『易傳』'內欲不萌，外物不接'，亦卽是這止."[149]
물었다. "'그치면 작위하지 않고, 작위하면 그치지 않는다.'라고 하는 것은 무엇을 말합니까?
(주자가) 대답했다. "그침은 작위하지 않는다는 것이고, 작위는 그치지 않는다는 것이다."
물었다. "그친다는 것은 마음으로 말한 것입니까?"
대답했다. "그렇다."
또 말했다. "『역전』에서 '내면에서는 욕망이 싹트지 않고, 밖에서는 물건을 접하지 않는다.'[150]라는 것은 또한 바로 이 그침이다."

皆能動, 惟背不動, 有止之象. '艮其背', 是止於所當止之地; '不獲其身, 行其庭不見其人', 萬物各止其所, 便都純是理. 也不見己, 也不見有人, 都只見道理.")

147 『禮記』「樂記」

148 『大學』 3장 "임금은 인에서 그치고, 신하는 공경에서 그치며, 자식은 효도에서 그치고, 부모는 사랑에서 그치고, 나라 사람들과 교류할 때에는 믿음에서 그쳐야 한다.(爲人君, 止於仁; 爲人臣, 止於敬; 爲人子, 止於孝; 爲人父, 止於慈; 與國人交, 止於信.)"

149 『朱子語類』 권94, 220조목

150 『伊川易傳』 권4 「周易下經·艮卦」 "外物不接, 內欲不萌"

[3-40-4-5]

黃氏巖孫曰："按『傳耆家集』，'濂溪在吾州常以「姤」說示之，其後在零陵又以所改「同人」說寄之'，二說當即所謂『易通』·『易說』者．今其書獨有「乾」·「損」·「益」·「家人」·「睽」·「復」·「无妄」·「蒙」·「艮」等說，則是諸卦之散逸者多矣．豈不可惜也哉!"

황암손이 말했다. "『부기가집傳耆家集』[151]에 의하면 '염계가 오주吾州에 있을 때 항상 「구괘姤卦」설로 편지하고, 후에 영릉零陵에 있을 때 또 「동인괘同人卦」설을 고쳐서 편지하였다.'라고 하니, 두 이론이 바로 이른바 『역통』·『역설』이다. 이제 이 책에[통서]는 유독 「건괘」·「손괘」·「익괘」·「가인괘」·「규괘」·「복괘」·「무망괘」·「몽괘」·「간괘」 등의 이론만 있으니, 나머지 여러 괘는 흩어져 잃어버린 것이 많다. 어찌 애석하지 않을 수 있겠는가!"

[3-41-1]

右周子『太極圖』，并說一篇，『通書』四十章，世傳舊本，「遺文」九篇，「遺事」十五條，「事狀」一篇，熹所集次，皆已校定可繕寫．熹按先生之書，近歲以來，其傳旣益廣矣，然皆不能無繆誤，惟長沙建安板本爲庶幾焉，而猶頗有所未盡也．蓋先生之學之奧，其可以象告者，莫備於太極之一圖．若『通書』之言，蓋皆所以發明其蘊，而'誠'·'動靜'·'理·性·命'等章爲尤著．程氏之書亦皆祖述其意，而李仲通銘，程邵公誌，「顔子好學論」等篇，乃或并其語而道之．故清逸潘公誌先生之墓，而敍其所著之書，特以作『太極圖』爲首稱，而後乃以『易說』『易通』繫之，其知此矣．[152]

위[153] 주자周子의 『태극도설』 1편과 『통서』 40장은 세상에 전해진 옛 판본이고, 「유문遺文」 9편과 「유사遺事」 15조와 「사장事狀」 1편은 내가 모아서 차례를 매겼으니, 다 이미 교정하여 베껴쓸 만하다. 내가 살펴보건대 선생의 글은 근래에 전해진 것이 이미 매우 광범위하지만, 다 오류가 없을 수는 없는데, 오직 장사長沙의 판본과 건안建安의 판본이 원본에 가깝지만, 자못 미진한 것이 있는 듯하다. 선생의 학문이 심오하지만 상象으로 알릴 수 있는 것은 『태극도』보다 잘 갖추어진 것이 없다. 예컨대 『통서』의 말은 다 그 함축을 밝힌 것인데, '성誠'·'움직임과 고요함[動靜]'·'리·성·명理·性·命' 등의 장이 더욱 뚜렷하다. 정씨程氏의 책 또한 그 뜻을 조술하고, 이중통[李敏之][154]의 묘명墓銘, 정소공程邵公[155]의 묘지墓誌, 「안자호학론」[156] 등의 편은 또한 『태극도설』의 말과 함께 말하였다. 그러므로 청일

151 송나라 부기가 지은 책 이름. 傅耆：자는 伯成 또는 伯壽이다. 宋代 遂寧(현재 사천성 소속) 사람으로 1034년에 진사에 급제하여 知漢州에 이르렀다. 주돈이가 判合州 벼슬을 할 때 서신으로 교류하였다.

152 이 글은 『朱文公文集』 76권에 「再定太極通書後序」라는 제목이 붙어 있다.

153 여기에서 右를 위로 번역한 것은 옛 책이 주로 우측에서부터 좌측으로 글을 쓴 것과 달리, 현대에는 주로 위로부터 아래로 글을 쓰므로 옛날의 右는 현대에 上에 해당하기 때문이다.

154 李敏之：자는 仲通이고, 唐나라 개원(開元：713년~741년, 玄宗 때의 연호) 시대 사람이며, 鄢陵縣令을 역임하였다. 程顥의 『李仲通墓誌銘』에는 다음과 같은 글이 있다. "侍太夫人疾，衣不解帶者累月，及居喪，哀毁過甚."

반공[潘興嗣][157]이 선생의 묘지에서 염계의 저서를 서술할 때, 특히 『태극도』를 지은 것을 맨 앞에 일컫고, 뒤에 『역설』과 『역통』을 이었으니, 그도 이것을 알았던 것이다.

"按漢上朱震子發言陳摶以『太極圖』傳种放, 放傳穆修, 修傳先生. 衡山胡宏仁仲則以种穆之傳, 特先生所學之一師, 而非其至者. 武當祁寬居之又謂'『圖』象乃先生指畫以語二程, 而未嘗有所爲書', 此蓋皆未見潘誌而言. 若胡氏之說, 則又未考乎先生之學之奧始卒不外乎此『圖』也. 先生『易說』, 久矣不傳於世. 向見兩本皆非是. 其一卦說, 乃陳忠肅公所著. 其一繫辭說, 又皆佛老陳腐之談. 其甚陋而可笑者, 若曰'『易』之冒天下之道也', 猶狙公之罔衆狙也. 觀此, 則其決非先生所爲可知矣. 『易通』, 疑即『通書』. 蓋『易說』旣依經以解義, 此則通論其大旨而不係於經者也. 特不知其去『易』而爲今名, 始於何時爾?"

"살펴보건대 한상 주진 자발[158]은 진단[159]이 『태극도』를 충방[160]에게 전해주고, 충방은 목수[161]에게 전해주었으며, 목수는 선생에게 전해주었다고 말한다. 형산의 호굉 인중은 충방과 목수가 전해준 것은 다만 선생이 배운 스승 가운데 한 스승이지만, 그 지극한 것은 아니라고 했다. 무당의 기관 거지[162]는 또 '『태극도』의 상象은 선생이 그려서 두 분의 정자[程顥, 程頤]에게 말하였으나, 일찍이 책으로 만든 것이 있지 않았다.'라고 하니, 이는 다 반흥사의 묘지를 보지 않고 말한 것이다. 호굉의 학설과 같은 것은 또 선생 학문의 심오함이 처음부터 끝까지 이 『태극도』에서 벗어나지 않는다는 것을 아직까지 살피지 않았다. 선생의 『역설』은 오래도록 세상에 전해지지 않았다. 이전의 두 판본은 다 옳지 않다. 그 한 가지 괘에 대한 설명은 진충숙공[陳文龍][163]이 지은 것이고, 한 가지 계사에

155 정호의 둘째 아들.

156 정이 「顔子所好何學論」

157 潘興嗣 : 자는 延之이고, 自號를 淸逸居士라고 하였다. 宋代 新建(현 강서성 南昌) 사람으로 王安石 · 曾鞏 · 王回 · 袁陟 등과 친분이 두터웠다. 德化縣尉를 역임하였다. 저서는 『文集』과 『詩話補遺』가 있다.

158 朱震(1072~1138) : 자는 子發이고, 호는 漢上이며, 당시 漢上先生이라 불리었다. 宋代 荊門軍(현 호북성 소속) 사람으로 翰林學士를 여러 번 역임하였다. 저서는 『漢上易傳』이 있다.

159 陳摶(?~989) : 자는 圖南이고, 자호는 扶搖子이다. 황제가 하사한 호는 希夷先生이고, 세칭 白雲先生이라 하였다. 宋代 亳州眞源(현 하남성 鹿邑) 사람으로 武當山 · 居華山에 은거하여 수도하였다. 저서는 『指玄篇』 · 『三峰寓言』 · 『高陽篇』 · 『釣潭集』 등이 있다.

160 种放(956~1015) : 자는 明逸이고, 호는 雲溪醉侯 · 退士이다. 宋代 洛陽(현 하남성 낙양) 사람으로 終南山에 30여 년간 은거하면서 강학을 생업으로 삼았다. 죽기 전에 평생 지은 글을 모두 태웠으나, 『太一詞錄』 · 『時議』 · 『蒙書』 · 『嗣禹說』 등이 전해진다.

161 穆修(979~1032) : 자는 伯長이고, 穆參軍으로 불리었다. 宋代 鄆州 汶陽(현 산동성 汶上) 사람인데, 나중에 蔡州(현 하남성 汝南)에 살았다. 泰州司理參軍과 潁州 · 蔡州文學參軍을 역임하였다. 蘇舜 · 蘇欽 형제와 친교하고 고문에 뛰어났다. 陳摶에게서 易數學을 배우고 그것을 李之才에게 전수해 주었으며, 이지재는 또 邵雍에게 전수하였다고 한다. 또 种放에게서 진단의 「太極圖」를 얻어 주돈이에게 전수해 주었다고 한다. 저서는 『穆參軍集』이 있다.

162 祁寬 : 자는 居之이고, 송대 유학자이며, 和靖 尹焞의 문인으로 무당 사람이다.

대한 설명은 또 불교와 도교의 진부한 말이다. 매우 비루해서 가소로운 것은 예컨대 '『역』이 세상의 덕을 포괄한다.'라는 말에 대한 설명은 마치 원숭이 주인이 많은 원숭이를 속이는 것[朝三暮四로 원숭이를 속이는 것]과 같다. 이를 보면 그것은 결단코 선생이 한 것이 아니라는 것을 알 수 있다. 『역통』은 아마도 『통서』인 듯하다. 『역설』은 이미 경전에 의지하여 뜻을 풀이하였으니, 이것은 주요한 의미를 통론하였지만, 경에 얽매이지 않고 지은 것이다. 다만 그것이 『역』에서 멀어져서 지금의 이름이 된 것이 어느 때에 시작했는지를 알지 못하겠다.

然諸本皆附於『通書』之後, 讀者遂誤以爲書之卒章, 使先生立象之微旨, 暗而不明. 驟而語夫『通書』者, 亦不知其綱領之在是也. 長沙本旣未及有所是正, 而『通書』乃因胡氏所定, 章次先後, 輒頗有所移易, 又刋去章目, 而別以周子曰加之, 皆非先生之舊. 若'理·性·命'章之類, 則一去其目, 而遂不可曉. 其所附見銘·碣·詩·文, 視他本則詳矣, 然亦或不能有以發明於先生之道, 而徒爲重複. 故建安本特據潘誌, 置圖篇端, 而書之次序名章亦復其舊. 又即潘誌及蒲左丞孔司封黃太史所記先生行事之實, 刪去重複, 參互考訂, 合爲「事狀」一篇.

그러나 여러 판본이 『통서』의 뒤에 부쳐졌기 때문에 독자들이 마침내 책의 마지막 장章으로 잘못 여겨서 선생이 상象을 정립한 은미한 뜻이 흐려져 밝혀지지 않게 되었다. 갑자기 『통서』를 말하는 사람 또한 강령이 여기(『태극도설』)에 있음을 알지 못했다. 장사長沙의 판본은 이미 이것을 바르게 한 것이 있지 않고, 『통서』는 호굉이 정한 것에 따랐기 때문에 장의 앞뒤 차례가 문득 바뀐 것이 꽤 있다. 또 그것은 장의 제목을 제거하고 별도로 '주자왈周子曰'을 더했으니, 모두 선생의 옛 판본이 아니다. '리·성·명理·性·命'장 같은 부류는 한 번에 그 제목을 제거했으니, 마침내 분명해지지 않았다. 거기에 부쳐진 명銘·갈碣·시詩·문文은 다른 판본과 비교하면 자세하지만, 또한 어느 경우에는 선생의 도를 드러내 밝힐 수 없었고 단지 중복했을 뿐이다. 그러므로 건안建安의 판본은 특히 반흥사의 묘지에 근거하여 『태극도』를 책의 앞에 배치하였으니, 책의 차례와 장의 이름 또한 옛것을 회복하였다. 또 반흥사의 묘지, 포좌승[蒲宗孟][164]·공사봉孔司封[165]·황태사[黃庭堅][166] 등이 기록한 선생의 행적 가운데, 중복된 것은 제거하고 서로 참조하면서 교정하여 「사장事狀」 1편을 만들었다.

163 陳文龍(1232~1277) : 복건성 莆田 사람이며, 처음 이름은 子龍이고, 자는 君賁이며, 원나라에 항거한 남송의 명장이다. 시호는 忠肅이다. 주요 저서는 『元兵俘至合沙』, 『詩寄仲子』이다.

164 蒲宗孟 : 자는 傳正이고, 閬州新井(현 사천성 남서 지방) 사람이다. 송대 인종 때 진사로 벼슬을 한 후부터 철종 때까지 여러 벼슬을 하였다. 주요 저서로, 『蒲左丞集』이 있다.

165 孔司封 : 송대 사람이다.

166 黃庭堅(1045~1105) : 宋나라 때 詩人이며, 서예가이다. 호는 山谷이다. 蘇軾으로부터 배웠다. 濃艷한 시풍으로 유명하며, 奇異하고 破格的인 방법을 자주 사용하여, 새로운 시풍을 수립하였다. 송대 4대 서예가 중의 한 명이기도 하며, 시집으로 『山谷集』이 있다.

"其大者如蒲碣云'屠姦剪弊，如快刀健斧.' 而潘誌云'精密嚴恕，務盡道理.' 蒲碣但云'母未葬'，而潘公所爲鄭夫人誌，乃'爲水齧其墓而改葬'，若此之類，皆從潘誌. 而蒲碣又云'慨然欲有所施以見於世'，又云'益思以奇自名'，又云'以朝廷躐等見用 奮發感厲'，皆非知先生者之言. 又載先生稱頌新政，反覆數十言，恐亦非實. 若此之類，今皆削去."

"그 큰 것은 포종맹蒲宗孟의 묘갈에서는 '간사함을 도륙하고 폐단을 자르는 것을 날카로운 칼과 튼튼한 도끼와 같이 한다.'라고 하였으나, 반흥사의 묘지에 '엄격하고 포용하는 것을 정밀하게 하고 도리를 다하는데 힘쓴다.'라고 한 것과 같다. 포종맹의 묘갈에는 단지 '어머니를 장사지낸 적이 없다.'라고 했으나, 반흥사가 지은 정 부인[167]의 묘지에는 '물이 그 묘를 침식하여 장지를 옮겼다.'라고 하였으니, 이와 같은 부류는 다 반흥사의 묘지를 따랐다. 그러나 포종맹의 묘갈 또한 '개연히 펼쳐서 세상에 드러내고자 한다.'라고 하고, 또 '더욱 기이함으로써 스스로 명성을 떨치려고 생각하였다.'라고 하였으며, 또 '조정에서 비약적으로 등용되자, 분발하며 감격하고 노력하였다.'라고 했으니, 다 선생을 아는 자의 말이 아니다. 또 선생이 '신법'[168]을 칭송했다고 반복적으로 수십 차례 말한 것을 싣는 것은 아마도 사실이 아닐 것이다. 이와 같은 부류의 글은 이제 모두 제거하였다."

至於道學之微，有諸君子所不及知者，則又一以程氏及其門人之言爲正. 以爲先生之書之言之行，於此亦略可見矣. 然後得臨汀楊方本以校，而知其舛陋猶有未盡正者.

도학道學의 은미함에 이르러서는 여러 학자들이 미처 알지 못하는 것이 있으니, 또 한결같이 정씨와 그 문인들의 말을 가지고 바로잡았다. 선생이 지은 글과 말과 행함을 여기에서 또한 대략 알 수 있다. 뒤에 임정臨汀과 양방楊方의 판본을 얻어 교정하니, 그것(건안의 판본)도 어그러지거나 비루한 곳을 다 바로잡지 못한 곳이 있음을 알겠다.

"如'柔如之'當作'柔亦如之'，'師友'一章，當爲二章之類."

"예컨대 '유여지柔如之'는 마땅히 '유역여지柔亦如之'[169]로 써야 하고, '사우師友'[170] 한 장은 마땅히 두 장이 되어야 하는 것과 같은 부류다."

又得何君「營道詩序」，及諸嘗游春陵者之言，而知事狀所敍濂溪命名之說，有失其本意者.

또 하군何棄仲[171]의 「영도제시서營道齊詩序」와 일찍이 용릉春陵을 여행한 여러 사람들의 말을 듣고, 행장에 서술한 '염계濂溪'라고 명명한 말이 그 본래의 뜻을 잃었다는 것을 알았다.

167 주돈이의 어머니.
168 왕안석의 신법으로, 진보적인 개혁정책이었다.
169 『通書』 제22장 「理·性·命」
170 『通書』 제24장 제25장.
171 何棄仲 : 자는 農夫이고, 시인이며, 주요 문장으로 「營道齊詩序」가 있다.

"何君序見「遺事篇」內. 又按廣漢張栻所跋先生手帖, 據先生家譜云'濂溪隱居, 在營道縣榮樂鄉鍾貴里石塘橋西. 濂蓋溪之舊名, 先生寓之廬阜, 以示不忘其本之意.' 而邵武鄒㫰爲熹言嘗至其處, '溪之原委自爲上下保. 先生故居在下保, 其地又別自號爲樓田. 而濂溪之爲字, 則疑其出於唐刺史元結七泉之遺俗也. 今按江州濂溪之西, 亦有石塘橋, 見於陳令擧「廬山記」. 疑亦先生所寓之名'云."

"하군의 서문은 『周子全書』「유사편遺事篇」 안에 보인다. 또 광한 장식張栻이 선생의 수첩에 발문한 것에 의하면, 선생의 가보에 근거하여 '염계가 은둔하여 산 곳은 영도현 영락향 종귀리 석당교 서쪽이다. 염濂은 대개 그 시내의 옛 이름인데, 선생이 여산의 언덕에 살면서 그 근본을 잊지 않겠다는 뜻을 보인 것이다.'라고 하였다. 소무의 추부鄒㫰[172]가 나에게 일찍이 그곳에 갔었다고 말하면서, '그 시내의 원류와 지류는 저절로 상보와 하보로 되어 있습니다. 선생이 사는 곳은 하보에 있고, 그곳은 또 별도로 누전이라고 불립니다. 그러나 염계라는 글자는 당나라 때 자사였던 원결元結[173]의 칠천七泉의 전해온 풍속에서 나온 듯합니다. 이제 살펴보면 강주의 염계 서쪽에도 또한 석당교가 있다는 것이 진령거陳令擧[174]의 「여산기廬山記」에 보입니다. 아마도 이것은 또한 선생이 살던 곳의 이름인 듯합니다.'라고 하였다."

覆校舊編, 而知筆削之際, 亦有當錄而誤遺之者.

다시 옛 책을 교정하다가 더하고 줄일 즈음에 또한 마땅히 기록해야 할 내용을 잘못하여 빠트린 것이 있음을 알았다.

"如蒲碣自言'初見先生于合州, 相語三日夜, 退而歎曰「世乃有斯人邪!」' 而孔文仲亦有祭文序先生洪州時事曰'公時甚少, 玉色金聲, 從容和毅, 一府盡傾'之語. 蒲碣又稱'其孤風遠操, 寓懷於塵埃之外, 常有高棲遐遁之意', 亦足以證其前所謂'以奇自見'等語之謬."

"예컨대 포종맹은 묘갈에서 스스로 '선생을 처음 합주에서 뵙고, 서로 사흘 밤낮을 이야기하고, 물러날 때에 탄식하여 「세상에 이러한 사람이 있었구나!」라고 하였다.'라고 말했다. 공문중孔文仲[175] 또한 제문祭文에서 선생이 홍주에 있을 때의 일을 기록하여, '공은 당시에 매우 어렸지만, 옥과 같은 낯빛에 낭랑한 목소리를 가졌으며, 조용하고 온화하면서도 의연한 모습을 풍겨서, 그 지역 사람들이 다 그에게 관심을 기울였다.'라고 하는 말이 있다고 했다. 포종맹의 묘갈에는 또 '그 고고한 풍격과 원대한 지조는 속세 밖에 뜻을 두었기에 항상 고결하게 살면서 멀리 은둔하려는 뜻이 있었다.'라고

172 鄒㫰 : 송나라 사람이다. 「遊濂溪辞并序」를 지어, 주돈이가 '濂溪'라고 불리게 된 배경을 설명하였다.

173 元结(719~772) : 당나라 때 문학자이다. 자는 次山이고, 호는 漫叟이다. 河南 鲁山 사람이다. 道州刺史를 역임할 때, 七泉銘序를 지었다. 七泉은 道州(현 호남성 道縣)의 동쪽에 있는 7개의 샘물을 말한다.

174 陳令擧 : 陳舜俞이며, 송나라 때 문학자이다. 저서로 『廬山記』가 있다.

175 孔文仲(1038~1088) : 자는 經父이고 臨江新喩 사람이다. 문장력이 뛰어나고, 저서로 『孔文仲文集』 50권이 있다.

했으니, 또한 앞에서 말한 '기이함으로써 스스로 드러내려고 했다.'라는 것과 같은 말이 잘못임을 충분히 증명했다."

又讀張忠定公語, 而知所論希夷种穆之傳, 亦有未盡其曲折者.

또 장충정공[張詠][176]의 말을 읽고서 희이[陳摶]와 충방과 목수가 전하였다고 논하는 것에도 또한 그 곡절을 다 기록하지 못한 것이 있음을 알았다.

"按張忠定公嘗從希夷學, 而其論公事之有陰陽, 頗與『圖說』意合. 竊疑是『說』之傳, 固有端緖. 至於先生而後得之於心, 而天地萬物之理, 鉅細幽明, 高下精粗, 無所不貫. 於是始爲此『圖』以發其秘耳."

"살펴보니, 장충정공이 일찍이 진단으로부터 배웠는데, 그가 공적인 일에도 음과 양이 있다고 논한 것은 자못 『태극도설』과 뜻이 합치한다. 가만히 생각해보니 이 『태극도설』이 전해진 것은 진실로 단서가 있다. 선생에게 이른 후에 그것을 마음으로 터득하여 천지 만물의 이치의 크고 작음과 어둡고 밝음 및 높고 낮음과 정밀하고 거침을 꿰뚫지 않음이 없다. 이에 비로소 이 『태극도』를 지어서 그 비밀을 드러냈을 뿐이다."

嘗欲別加是正, 以補其闕, 而病未能也. 茲乃被命假守南康, 遂獲嗣守先生之遺敎於百有餘年之後. 顧德弗類, 慙懼已深. 瞻仰高山, 益切竊歎. 因取舊帙, 復加更定, 而附著其說如此. 鋟板學官, 以與同志之士共覽觀焉.

新安朱熹謹書.

일찍이 별도로 바로잡아 그 빠진 부분을 보충하고자 하였으나, 능력이 미치지 못함을 근심하였다. 이제 명을 받아 남강의 임시 수령이 되어, 마침내 선생이 남긴 가르침을 100여 년 뒤에 이어서 지키게 되었다. 돌아보건대 (나의) 덕이 (선생과) 같지 않으니 부끄러움과 두려움이 매우 깊다. 높은 산과 같은 선생을 우러르니 더욱 절실하게 감탄을 자아낸다. 이어서 옛 책을 취하여 다시 교정을 더하고, 이와 같이 말을 덧붙인다. 학문하는 기관에서 판각하여 뜻을 같이 하는 선비들과 함께 보고자 한다. 신안의 주희가 삼가 쓰다.

[3-41-1-1]

五峰胡氏曰 : "『通書』四十章, 周子之所述也. 粵若稽古, 孔子述三五之道, 立百王繼(經)世之法,[177] 孟軻氏闢楊墨, 推明孔子之澤, 以爲萬世不斬. 人謂'孟氏功不在禹下.' 今周子啓程

176 張詠(946~1015) : 자는 復之이고, 호는 乖崖이며, 시호는 忠定이다. 濮州 鄄城(현 산동성) 사람이다. 집이 비록 가난했지만, 어려서부터 재주가 뛰어났으며, 장성할 때까지 학문 탐구에 힘썼다. 벼슬은 進士로부터 禮部尙書까지 역임하였다. 주요 저서로 『文集』 10권이 있다.

177 『五峯集』 권3 「周子『通書』序」에는 '立百王繼世之法' 부분에서 '繼世'가 '經世'로 되어 있어 '수많은 왕들의

子兄弟以千古不傳之妙，其功蓋在孔孟之間矣．人見其書之約也，而不知其道之大也；見其文之質也，而不知其義之精也；見其言之淡也，而不知其味之長也．"[178]

오봉 호씨[胡宏]가 말했다. "『통서』 40장은 주자[周子]가 기술한 것이다. 옛 일을 곰곰이 생각하면 공자는 3황 5제의 도를 기술하여 수많은 왕들의 세상을 경영하는 방법을 세웠고, 맹자는 양주와 묵적을 물리쳤으며, 공자의 은택을 미루어 밝혀 영원히 끊어지지 않도록 했다. 사람들은 '맹자의 공이 우임금의 아래에 있지 않다.'[179]라고 했다. 이제 주자[周子]가 정자 형제[程顥, 程子]에게 오랫동안 전해지지 않은 오묘함을 열어주었으니, 그 공로가 공자와 맹자 사이에 있다. 사람들은 그 책의 간략함만 보고 그 도의 큼을 알지 못했고, 그 글의 질박함을 보고 그 뜻의 정밀함을 알지 못했으며, 그 말의 담백함을 보고 그 맛의 오래감을 알지 못했다."

[3-41-1-2]

"此書皆發端以示人者，度越諸子，直與『易』·『書』·『詩』·『春秋』·『語』·『孟』同流行乎天下．"[180]

"이 책은 단서를 드러내 사람들에게 보이는 것이 여러 학자들을 뛰어넘어 바로 『역경』·『서경』·『시경』·『춘추』·『논어』·『맹자』 등과 동일하게 세상에 유행할 것이다."

[3-41-1-3]

朱子曰："『通書』文雖高簡，而體實淵愨，且其所論不出乎'修己治人'之事，未嘗劇談無極之先，文字之外也．"[181]

주자가 말했다. "『통서』의 글은 비록 높고 간결하지만 기록된 내용이 깊고 신실하며, 또 논한 것이 '자기를 닦고 다른 사람을 다스리는' 일에서 벗어나지 않고, 무극 이전과 문자 밖에 대해 극심하게 말한 적이 없다."

[3-41-1-4]

問："『通書』便可以上接『語』·『孟』."

曰："比『語』·『孟』較分曉精深，結構得密，『語』·『孟』較說得闊．"[182]

세상을 경영하는 방법을 세웠다.'('立百王經世之法')라고 하였다.

178 『五峯集』 권3 「周子『通書』序」

179 『唐宋八大家文鈔』 권3 「與孟尚書書」 "한유가 일찍이 맹자를 추존하여, 공로가 우임금 아래에 있지 않은 것으로 여긴 것은 이 때문이다.(愈嘗推尊孟氏，以爲功不在禹下者爲此也.)"

180 曹端 『通書述解』 권하 「通書總論」

181 『朱文公集』 권40 「書·答何叔京」의 내용 가운데 일부이다. "『通書』의 글은 비록 높고 간결하지만 기록된 내용이 깊고 신실하며, 또 논한 것이 음양의 변화와 자기를 닦고 다른 사람을 다스리는 일에서 벗어나지 않고, 사물이 있기 전과 문자 밖에 대해 극심하게 말한 적이 없다.(『通書』文雖高簡，而體實淵愨，且其所論不出乎陰陽變化修己治人之事，未嘗劇談無物之先，文字之外也.)"

182 曹端 『通書述解』 권하 「通書總論」

"『통서』는 바로 위로 『논어』·『맹자』와 접할 수 있는지"에 대해 묻습니다."
대답했다. 『논어』·『맹자』에 비해 비교적 분명하고 정밀하며 심오하고, 구조도 엄밀한데, 『논어』·『맹자』는 비교적 말이 광범위하다."

[3-41-1-5]

"周子『通書』, 此近世道學之原也. 而其言簡質如此, 與世之'指天畫地喝風罵雨'者氣象不侔."[183]
"주자周子의 『통서』는 이 근래 도학道學의 근원이다. 그러나 그 말이 이와 같이 간략하고 질박하니, 세상의 '하늘을 가리키고 땅에 그으며 큰 소리로 떠드는' 사람과 기상이 같지 않다."

[3-41-1-6]

"五峰刻『通書』, 却去了所有篇名, 而於每篇首加一周子曰字. 有去了本篇名如'理·性·命'章者, 煞不可理會. 蓋'厥彰厥微, 匪靈弗瑩', 是說理. '剛善剛惡, 柔亦如之, 中焉止矣', 是說性. 自此以下却說命, 章內全無此三字. 及所加周子曰三字, 又却是本所無者."
問 : "五峰於『通書』何故輒以己意加損?"
曰 : "他病痛多."[184]
"오봉胡宏은 『통서』를 판각할 때 모든 편명을 제거하고 매 편의 앞부분에 하나의 '주자왈周子曰'이라는 글자를 더했다. 본 편명을 제거하면 '리·성·명理·性·命'장과 같은 것은 전혀 이해할 수 없다. '그 밝음과 그 은미함은 신령스럽지 않으면 밝혀지지 않는다.'[185]라는 것은 리理를 말하고, '강선剛善과 강악剛惡이 있고, 유柔 또한 그와 같으니, 중中에서 머무른다.'[186]라는 것은 성性을 말한다. 이로부터 이하는 모두 명命을 말하는데, 문장 안에는 전혀 이 세 글자가 없다. '주자왈周子曰'이라는 세 글자를 더한 것은 또한 본래는 없는 것이다."
물었다. "오봉胡宏은 『통서』에 대해 무엇 때문에 갑자기 자기의 뜻으로 더하거나 뺐습니까?"
(주자가) 답했다. "그의 문제점이 많다."

[3-41-1-7]

"『河圖』出而八卦畫, 『洛書』呈而九疇敍. 孔子於斯文興喪, 未嘗不推之於天. 若濂溪先生者, 其天之所畀而得乎斯道之傳者與! 不繇師傳, 默契道體; 建『圖』屬『書』, 根極領要. 當時見而知之有程氏者, 遂擴大而推明之, 使夫天理之微, 人情之著, 事物之衆, 鬼神之幽, 莫不洞然畢貫于一. 而周公·孔子·孟子之傳, 煥然復明於世."[187]

183 『朱文公續集』 권4 「書·答丘子服」
184 『朱子語類』 권140, 102조목
185 『通書』 제22장
186 『通書』 제22장
187 『朱文公集』 권78 「記·江州重建濂溪先生書堂記」의 내용 가운데 일부이다. "『하도』가 나와서 8괘가 그려지고, 『낙서』가 나타나자 9주가 펼쳐졌다. 공자는 斯文(儒學)의 흥망성쇠에 대해 일찍이 하늘에 추구하지 않은

"『하도』가 나와서 8괘가 그어지고, 『낙서』가 나타나자 9주가 펼쳐졌다. 공자는 사문斯文(儒學)의 흥망성쇠에 대해 일찍이 하늘에 추구하지 않은 적이 없다. 염계 선생은 하늘이 내려준 이 도의 전함을 얻은 사람일 것이다! 스승이 전함을 말미암지 않고 묵묵히 도체를 깨우치며, 『태극도』를 그려 『통서』에 위탁하니, 근본과 핵심이 되었다. 당시에 보고 안 사람으로 정 선생[程顥, 程頤]이 있기에 마침내 확대하고 미루어 나아가 밝혔으니, 천리의 은미함, 인정의 드러남, 사물의 많음, 귀신의 그윽함 등을 하나로 관통하지 않음이 없게 하였다. 그리하여 주공·공자·맹자가 전한 내용이 세상에 환하게 다시 밝혀졌다."

[3-41-1-8]

"先生之言, 高極乎無極太極之妙, 而其實不離乎日用之間. 幽探乎陰陽·五行之賾[188], 而其實不離乎仁·義·禮·智剛柔善惡之際. 其'體用之一原, 顯微之無間',[189] 秦漢以來誠未有臻斯理者,[190] 而其實則不外之乎六經·『論語』·『中庸』·『大學』·七篇之所傳也."[191]

"선생의 말씀은 높게는 무극과 태극의 오묘함에 이르렀지만, 사실은 일상의 일을 떠나지 않았다. 음양과 오행의 깊은 이치를 그윽하게 탐구하지만, 사실은 인·의·예·지와 강선·강악·유선·유악의 사이를 떠나지 않았다. '체와 용은 하나의 근원이고, 드러남과 은미함에 틈이 없다.'[192]라는 것은 진나라와 한나라 이래 진실로 이 이치에 이른 자가 있지 않지만, 사실은 육경六經·『논어』·『중용』·『대학』·7편[『孟子』]이 전한 것에서 벗어나지 않는다."

적이 없다. 성인이 여기에서 나를 속이지 않음을 알겠다. 濂溪 선생은 하늘이 내려준 이 도의 전함을 얻은 사람일 것이다! 그렇지 않다면 끊어진지가 오래되었는데도. 어떻게 『역』을 이었겠는가? 어둠이 깊을수록 밝음도 빨리 온다. 주나라가 쇠퇴하고 맹자가 죽은 때로부터 이 도가 전해지지 않았고, 다시 秦·漢·晋·隋·唐을 지나 우리 송나라에 이르러 거룩한 천자의 조상이 명을 받고, 오성이 규라는 별자리에 모여 문명의 운세를 실지로 연 후에 기의 탁한 것과 순수한 것이 청명을 품수받은 것과 합쳐서 사람에게 온전히 부여하여 선생이 출현하였다. 스승이 전함을 말미암지 않고 묵묵히 도체를 깨우치며, 『太極圖』를 그려 『通書』에 위탁하니, 근본과 핵심이 되었다. 당시에 보고 안 사람으로 정 선생[程顥, 程頤]이 있기에 마침내 확대하고 미루어 나아가 밝혔으니, 천리의 은미함, 인정의 드러남, 사물의 많음, 귀신의 그윽함 등을 하나로 관통하지 않음이 없게 하였다. 그리하여 주공·공자·맹자가 전한 내용이 당시의 세상에 환하게 다시 밝혀졌다.(『河圖』出而八卦, 畫『洛書』呈而九疇敍. 而孔子於斯文之興喪, 亦未嘗不推之於天. 聖人於此, 其不我欺也, 審矣. 若濂溪先生者, 其天之所畀而得乎斯道之傳者與! 不然, 何其絶之久而續之『易』? 晦之甚而明之亟也. 蓋自周衰孟軻氏沒, 而此道之傳不屬, 更秦及漢歷晉隋唐以至于我有宋, 聖祖受命, 五星集奎, 實開文明之運, 然後氣之漓者, 醇判者, 合淸明之稟得以全付乎人, 而先生出焉. 不繇師傳, 默契道體; 建『圖』屬『書』, 根極領要. 當時見而知之有程氏者, 遂擴大而推明之, 使夫天理之微, 人倫之著, 事物之衆, 鬼神之幽, 莫不洞然畢貫于一. 而周公·孔子·孟氏之傳, 煥然復明於當世.)"

188 『朱文公集』 권78, 「記·隆興府學濂溪先生祠記」에는 '五行之賾'이 '五行造化之賾'으로 되어 있다.

189 『伊川易傳』「序」

190 『朱文公集』 권78, 「記·隆興府學濂溪先生祠記」에는 '以來'가 '以下'로 되어 있다.

191 『朱文公集』 권78, 「記·隆興府學濂溪先生祠記」

192 『伊川易傳』「序」

[3-41-1-9]

"濂溪先生奮乎百世之下, 深探聖賢之奧, 疏觀造化之源, 而獨心得之. 立象著『書』, 闡發幽秘. 辭義雖約, 而天人性命之微, '修己治人'之要, 莫不畢擧. 二程先生旣親見之而得其傳, 於是其學遂行於世."[193]

"염계 선생은 백 세 뒤에 일어나, 성현의 심오함을 깊게 탐구하고, 조화의 근원을 통찰하여 혼자 마음으로 그것을 터득하였다. 상象을 세우고 『통서』를 지어서 그윽하고 신비스러운 것을 밝혀 드러냈다. 말과 뜻이 비록 간략하지만, 천인성명天人性命의 은미함과 '자기를 닦고 다른 사람을 다스리는' 핵심을 다 거론하지 않음이 없었다. 두 분 정선생[程顥, 程子]이 이미 그것을 직접 보고 그 전함을 얻었으니, 이에 그 학문이 마침내 세상에서 행해졌다."

[3-41-1-10]

"濂溪之圖與書, 雖其簡古淵源, 未易究測, 然其大指則不過語諸學者講學致思以窮天地萬物之理, 而勝其私以復焉. 其施則善始於家而達之天下, 其具則復古禮變今樂, 政以養民, 而刑以肅之也. 是乃所謂伊尹之志, 顔子之學, 而程氏傳之以覺斯人者, 亦豈有以外乎日用之間哉?"[194]

"염계의 『태극도』와 『통서』는 비록 그 간결하고 심오한 연원을 헤아리기가 쉽지 않지만, 그 큰 뜻은 배우는 사람들이 강구하고 집중적으로 생각함으로써 천지만물의 이치를 궁구하고, 사욕을 이김으로써 예를 회복하는 것을 말하는 것에 지나지 않는다. 그것의 시행은 집안에서 잘 시작하여 세상에 도달하고, 그것이 갖춤은 옛 예를 회복하고 지금의 음악을 변화시키며, 정치로 백성을 기르고 형벌로 엄숙하게 한다. 이것이 이른바 이윤의 뜻이고 안자의 학문이며, 정 선생[程顥, 程子]이 전하여서 이 사람들을 깨우치게 한 것이니, 또한 어찌 일상의 일에서 벗어남이 있겠는가?"

[3-41-1-11]

"『通書』一部, 皆是解『太極』, 說這道理自一而二, 二而五. 如'誠無爲, 幾善惡, 德'以下, 便配著太極·陰陽·五行. 須是子細看."[195]

"『통서』라는 책은 다 『태극』을 해석한 것인데, 이 도리는 1[太極]로부터 2[陰陽]로 나아가고, 2로부터

193 진덕수 『西山讀書記』 권30 「周子二程子傳授」의 내용 가운데 일부이다. "濂溪 선생은 백 세 뒤에 일어나, 성현의 심오함을 깊게 탐구하고, 조화의 근원을 통찰하여 혼자 마음으로 그것을 터득하였다. 象을 세우고 『通書』를 지어서 그윽하고 신비스러운 것을 밝혀 드러냈다. 말과 뜻이 비록 간략하지만, 天人性命의 은미함과 자기를 닦고 다른 사람을 다스리는 핵심을 다 거론하지 않음이 없었다. 하남의 두 분 정선생[程顥, 程子]이 이미 그것을 직접 보고 그 전함을 얻었으니, 그 학문이 마침내 세상에서 행해졌다.(濂溪先生奮乎百世之下, 乃始深探聖·賢之奧, 疏觀造化之原, 而獨心得之. 立象著『書』, 闡發幽秘. 辭義雖約, 而天人性命之微修己治人之要, 莫不畢擧. 河南兩程先生旣親見之而得其傳, 於是其學遂行於世.)"

194 曹端, 『通書述解』 권하 「通書總論」

195 『朱子語類』 권94, 114조목

5오행[水火木金土]로 나아간다는 것을 말하였다. 예컨대 '성誠은 작위함이 없고, 낌새는 선과 악의 갈림이며, 덕'[196] 이하는 바로 각각 태극과 음양과 오행을 짝짓게 한 것이니, 반드시 자세하게 보아야 한다."

[3-41-1-12]

"『通書』·『太極』之旨, 更宜虛心熟玩, 乃見鄙說一字不可易處. 政使濂溪復生, 亦必莞爾而笑也."[197]

"『통서』와 『태극』의 의미는 다시 마땅히 마음을 비우고 익숙하게 완미해야 하니, 나의 견해로 보면 한 글자도 바꿀 수 없을 것이다. 바로 염계가 다시 태어나더라도, 또한 반드시 빙그레 웃고 말 것이다."

[3-41-1-13]

"周子之言, 稱得輕重極是合宜."[198]

"주자周子의 말은 가벼움과 무거움을 저울질한 것이 매우 합당하다."

[3-41-1-14]

"近世知濂溪甚淺. 如『呂氏童蒙訓』記'其嘗著『通書』, 而用意高遠.' 夫『通書』·『太極之說』, 所以明天理之根源, 究萬物之始終. 豈用意而求之, 又何高下遠近之可道哉?"[199]

"요즈음 염계를 아는 정도가 매우 낮다. 예컨대 『여씨동몽훈』[200]에는 '그周惇頤가 일찍이 『통서』를 지었는데, 의도가 높고 멀다.'라고 기록되어 있다. 『통서』와 『태극도설』은 천리의 근원을 밝히고 만물의 시종始終을 궁구했다. 어떻게 의도를 가지고 찾았으며, 또 어떻게 높고 낮음과 멀고 가까움을 말할 수 있겠는가?"

---

196 『通書』 제3장

197 『朱文公集』 권62「書·答張元德」

198 『朱子語類』 권94, 152조목에는 '稱得' 이 '稱等得'으로 되어 있다.

199 『朱文公集』 권30「書·與汪尙書」의 내용 가운데 일부이다. "요즈음 여러 사람들이 濂溪를 아는 정도가 매우 낮다. 예컨대 『呂氏童蒙訓』에는 '그(周惇頤)가 일찍이 『通書』를 지었는데, 의도가 높고 멀다.'라고 기록되어 있다. 『通書』와 『太極圖說』은 천리의 근원을 밝히고 만물의 始終을 궁구했다. 어떻게 의도로 할 수 있고, 또 어떻게 높고 낮음과 멀고 가까움이라고 말할 수 있겠는가?(近世諸公知濂溪甚淺. 如呂氏童蒙訓記'其嘗著『通書』, 而曰用意高遠.' 夫『通書』太極之說, 所以明天理之根源, 究萬物之終始. 豈用意而爲之. 又何高下遠近之可道哉?)"

200 『呂氏童蒙訓』(『童蒙訓』)은 모두 三卷으로 되어 있는데, 송나라 呂本中(1084-1145)이 편찬하였다. 여본중의 원래 이름은 大中이고, 자는 居仁이며, 東萊先生이라고 불리었다. 이 책에서는 주로 그의 증조부인 呂公著와 조부인 呂希哲과 부친인 呂好問을 중심으로 하여 효도의 중요성을 강조하였다.

[3-41-1-15]

西山眞氏曰："自「湯誥」論'降衷'，『詩』人賦'物則'，人知性之出於天，而未知其爲善也. '繼善·成性'見於「繫」『易』，'性無不善'述於七篇，人知性之善，而未知其所以善也. 周子因群聖之已言而推其所未言者，於『圖』發無極二五之妙. 於『書』闡誠源誠立之指. 昔也太極自爲太極，今知吾身自有太極矣. 昔也乾元自爲乾元，今知吾心即乾元矣. 有一性則有五常，有五常則有百善，循源而流，不假人力. 道之全體，煥然復明者,[201] 周子之功也."[202]

서산 진씨[眞德秀]가 말했다. "『서경』「탕고」에서 '강충降衷[본성을 내려줌]'[203]을 논하고, 『시경』에서 시인이 '물칙物則[사물이 있으면 법칙이 있음]'[204]을 읊어, 사람들은 본성이 하늘에서 나왔다는 것을 알면서도, 그것이 선한 것임을 알지 못했다. '이어가는 것이 선이고, 이룬 것이 성이다.'라는 것은 『주역』「계사전」에 보이고, '본성이 선하지 않음이 없다.'라는 것은 『맹자』 7편에 기술되었는데, 사람들은 본성의 선함을 알면서도 그것이 선하게 된 까닭을 아직 알지 못했다. 주자周子는 여러 성인들이 이미 말한 것을 따라 아직 말하지 않은 것을 미루어 나아가 『태극도』에서 무극과 음양오행의 오묘함을 드러냈다. 『통서』에서는 성誠의 근원과 성誠이 정립되는 방향을 밝혔다. 옛날에는 태극은 독자적으로 태극이었는데, 오늘날에는 내 몸이 본래 태극을 갖고 있음을 알게 되었다. 옛날에는 건원乾元이 독자적으로 건원이었는데, 오늘날에는 내 마음이 바로 건원임을 알겠다. 하나의 본성이 있으면 오상[仁義禮智信]이 있고, 오상이 있으면 온갖 선이 있기에 근원을 따라 흐르니, 사람의 힘을 빌리지 않는다. 도의 전체가 환하게 다시 밝아진 것은 주자周子의 공로이다."

[3-41-1-16]

黃氏瑞節曰："周子二書，眞所謂'吐辭爲經'者. 朱子之解是書也，亦如解經然. 蓋朱子之追事周子也，猶周子之追事吾孔孟也，無一字不服膺焉耳. 嘗徧求其『易說』而不可得，僅令門人度正訪周子之友傅耆之子孫，求所寄「姤」說「同人」說，亦已不可見矣. 世之相去百有餘年，而其書散逸難合如此哉!

황서절黃瑞節이 말했다. "주자周子의 두 책(『태극도설』, 『통서』)은 참으로 이른바 '말을 하면 경전이 된다.'라는 것이다. 주자[朱熹]가 이 책을 풀이한 것 또한 경전을 풀이하는 것과 같이 했다. 주자朱熹가 주자周子를 후에 받든 것은 주자周子가 공자와 맹자를 후에 받든 것과 같으니, 한 글자라도 마음에 새기지 않은 것이 없을 뿐이다. 일찍이 그의 『역설』을 두루 구했지만 구할 수 없었고, 겨우 문인인 도정度正[205]에게 주자周子의 친구인 부기傅耆의 자손을 방문하여 그에게 주었던 「구괘」설과 「동인괘」

201 『西山文集』 권25 「記·濂溪二先生祠記」에는 '復'이 '益'으로 되어 있다.

202 『西山文集』 권25 「記·濂溪二先生祠記」

203 『書經』「湯誥」 "오직 큰 상제가 백성들에게 바른 본성을 내려주었다. 바른 본성을 갖추고 있으니, 그 도에 편안하게 하여야 임금노릇을 제대로 할 수 있을 것이다.(惟皇上帝, 降衷于下民. 若有恒性, 克綏厥猷惟后.)"

204 『詩經』「烝民」 "하늘이 뭇 백성을 내니, 사물이 있으면 법칙이 있다. 백성들이 지닌 떳떳한 본성으로 이 아름다운 덕을 좋아한다.(天生烝民, 有物有則. 民之秉彝, 好是懿德.)"

설을 구하게 하였지만 또한 이미 구할 수 없었다. 세월이 서로 떨어진지 100여 년이 지났지만, 흩어져 사라진 그 책을 모으기가 이와 같이 어렵도다!

或謂'無極二字出於老列', 或謂'『圖』得之穆修', 或謂'當時指畫以示二程而未嘗有所爲書', 或謂'二程言論文字至多, 未嘗一及無極字, 疑非周子所爲', 或謂'周子陸詵壻也, 說見司馬溫公『涑水記聞』, 一篤實長厚人也, 安知無所傳授', 或謂'周子與胡文定公同師鶴林寺僧壽涯', 是皆强求其所自出, 而於二書未知深信者. 朱子一言以斷之曰'不由師傳, 黙契道體.' 於是周子上承孔孟之說遂定, 而二書與『語』·『孟』並行矣."[206]

어떤 사람은 '무극無極 두 글자는 노자와 열자에게서 나왔다.'라고 하고, 어떤 사람은 '『태극도』는 목수에게서 얻었다.'라고 하며, 어떤 사람은 '당시에 『태극도』를 그려서 두 분 정선생[程顥, 程子]에게 보여줬으나, 일찍이 책으로 만든 것이 있지 않았다.'라고 하고, 어떤 사람은 '두 분 정선생[程顥, 程子]의 말과 글이 매우 많지만 일찍이 한 번도 무극이라는 글자를 언급한 적이 없었으니, 아마도 주자周子가 한 것이 아닌 듯하다.'라고 하며, 어떤 사람은 '주자周子는 육선陸詵[207]의 사위이고, 그 말이 사마온공[司馬光][208]의 『속수기문涑水記聞』[209]에 보이며, 독실하고 후덕한 사람인데, 어찌 전수한 것이 없겠는가?'라고 하고, 어떤 사람은 '주자周子와 호문정공[胡宿][210]은 함께 학림사의 승려인 수애壽涯[211]를 스승으로 모셨다.'라고 했는데, 모두 유래를 억지로 구한 것이지만, 두 책(『태극도』, 『통서』)에 대해 깊이 신뢰하는 것을 아직 알지 못하였다. 주자[朱熹]는 한 마디로 단언하여 '스승의 전함을 말미암지 않고, 묵묵히 도체를 깨달았다.'라고 하였다. 이에 주자周子가 위로 공자와 맹자의 이론을 계승한 것으로 마침내 확정하고, 두 책(『태극도』, 『통서』)을 『논어』·『맹자』와 병행하게 하였다."

---

205 度正 : 자는 周卿, 호는 性善·夷白齋이다. 사천성 合州 사람으로 1190년에 진사에 급제하고 國子監丞을 역임하였다. 주희의 제자이다. 저서에 『周子年譜』·『夷白齋詩話』·『性善堂稿』 등이 있다.

206 曹端 『通書述解』 권하 「通書總論」

207 陸詵(1012~1070) : 자는 介夫이고, 余杭 사람이다. 1034년에 진사가 된 이래 만년에 성도부의 지사[知成都府]까지 줄곧 벼슬을 하였다. 공직에 있을 때 줄곧 의리와 조화를 강조하였고, 왕안석의 변법에 대해서는 반대하였다.

208 司馬光(1019~1086) : 자는 君實이고, 호는 迂夫·迂叟이며, 시호는 文正이다. 세칭 司馬太師·溫國公·涑水先生이라 한다. 宋代 夏縣 涑水鄕(현 산서성 夏縣) 사람으로 翰林侍讀·權御使中丞·門下侍郞 등을 역임하였다. 왕안석의 신법에 반대하여 퇴출되었다가 재상으로 복직하여 신법을 폐지하였다. 저서는 『文集』과 『資治通鑒)』·『稽古錄』·『易說』·『潛虛』 등이 있다.

209 『涑水記聞』: 사마광이 지은 책. 사마광의 語錄體 필기이다. 권16

210 胡宿(995~1067) : 자는 武平이고, 常州晋陵(현 강소성 상주) 사람이다. 1024년에 진사 벼슬을 시작으로 줄곧 공직에 있었으며, 한림학사를 역임하였다. 시호는 文恭이다. 주요 저서로 『文集』 권70이 있다.

211 壽涯 : 송나라 때 禪師이다. 『鶴林寺志』에 의하면, 주돈이가 학림사에 있을 때 胡宿과 함께 수애 선사를 많이 의지하였으며, 그를 스승으로 여겼다. 특히 수애는 주돈이에게 사상적인 영향을 많이 주었다. 이를 근거로 일부 사람들은 주돈이의 『太極圖說』 역시 수애로부터 사상적인 영향을 받은 것으로 평가한다.

『通書』後錄 통서후록

[3-42-1]

先生名張宗範之亭曰'養心', 而爲之說曰 : "孟子曰'養心莫善於寡欲. 其爲人也寡欲, 雖有不存焉者寡矣. 其爲人也多欲, 雖有存焉者寡矣.' 予謂'養心不止於寡而存爾', 蓋寡焉以至於無. 無則'誠立明通.' 誠立, 賢也. 明通, 聖也. 是聖賢非性生, 必養心而至之. 養心之善有大焉如此, 存乎其人而已."

선생은 장종범[212]의 정자를 '양심정養心亭'이라고 명명하고, 다음과 같이 설명하였다. "맹자는 '마음을 기름[養心]은 욕심을 적게 하는 것보다 좋은 것이 없다. 그 사람됨이 욕심이 적으면, 비록 (본심本心을) 보존하지 못한 것이 있더라도 적을 것이다. 그 사람됨이 욕심이 많으면 비록 보존시킨 것이 있더라도 적을 것이다'[213]라고 했다. 나는 '마음을 기름이란 (욕심이) 적으나 남아있는 것에 그치지 않는다.'고 생각하는데, 대개 적게 하여 없어지는 경지까지 이르러야 하기 때문이다. 없어지면 성誠이 정립되고 밝음이 통한다.'[214] 성이 정립되는 것은 현인의 일이고, 밝음이 통하는 것은 성인의 일이

212 張宗範 : 북송 때 合州의 大鄕紳이다. 주돈이가 合州(현, 重京 合川)에서 황제의 명으로 通判을 역임할 때, 그는 합주의 사람이 많은데도 공부하는 사람이 적고 문화가 낙후한 것을 안타깝게 생각하여 강학을 펼치고자 하였다. 이때 합주의 大鄕紳인 장종범이 주돈이의 학식과 인품을 존경하여 그의 花園을 강학의 장소(學士山)로 제공하였다. 주돈이가 강학을 펼치자 그곳의 수많은 사람들이 와서 공부를 하였다. 후에 그곳에 '8각정'을 지었을 때, 주돈이가 직접 '養心亭'이라고 글을 써 주었는데, '사람은 마음을 기르는데 귀함이 있다.'라는 의미이다.

213 『孟子』「盡心下」

214 주자는 이 부분이 『通書』 제20장 「聖學」의 다음과 같은 내용과 구별되는 것으로 생각한다. "聖은 배울 수 있습니까?" 대답했다. "그렇다." 물었다. "요점이 있습니까?" 대답했다. "있다." "듣기를 청합니다." 대답했다. "하나가 중요하다. 하나란 人欲[사사로운 욕망]이 없는 것이다. 인욕이 없으면 고요할 때 비어 있고, 움직일 때 곧아진다. 고요할 때 비어 있으면 밝고, 밝으면 통한다. 움직일 때 곧으면 공의롭고, 공의로우면 두루 미친다. 밝음과 통함과 공의로움과 두루 미침은 聖에 가깝다."("聖可學乎?" 曰"可." 曰"有要乎?" 曰"有." "請聞焉." 曰"一爲要. 一者, 無欲也. 無欲, 則靜虛動直. 靜虛則明, 明則通. 動直則公, 公則溥. 明通公溥, 庶矣乎!") 주자는 여기에서 '정립[立]'을 『論語』「이인편」에서 말하는 '나이 30에 확립되었다.'라는 내용으로 생각하고 있을 뿐만 아니라, '통함[通]' 역시 '나이 40에 미혹되지 않고, 50에 천명을 알며, 60에 귀에 순하게 들려온다.'라는 내용으로 이해하고 있다. 『朱子語類』 권94, 193조목과 222조목의 다음과 같은 내용을 참조할 수 있다. 193조목 "사람에 해당하는 것으로 말하면 어떻습니까?" 대답했다. "밝음은 사물을 환히 아는 것이고, 통함은 투철하여 막힘이 없는 것이며, 공의로움은 바르게 되어 치우침이 없는 것이고, 두루 미침은 온갖 일에 두루 미쳐서 바로 각각 이치가 있게 되는 것이다." 직경이 물었다 "통함은 밝음의 지극함이고, 두루 미침은 공의로움의 지극함입니다." 대답했다. "또한 옳다. 후에 말하는 '誠이 정립되면 밝게 통한다.'라는 것과는 뜻이 구별된다. 저것은 '밝음(明)'이라는 글자를 중시한 것이다. 정립은 마치 '삼십에 뜻을 정립한다.'라는 것과 같고 통함은 '사십에 미혹되지 않고, 오십에 천명을 알며, 육십에 귀에 순하게 들려온다.'라는 것과 같다."(曰 : "在人言之, 則如何?" 曰 : "明是曉得事物, 通是透徹無窒礙, 公是正無偏陂, 溥是溥遍萬事, 便各有箇理去." 直

니, 성현은 본성에서 생겨나는 것이 아니라, 반드시 마음을 길러서 이르는 것이다. 마음을 기르는 것의 좋은 점은 이와 같이 크며, 사람에게 달려 있을 뿐이다."

[3-42-1-0]

'誠立', 謂實體安固. '明通', 則實用流行. '立', 如'三十而立'之立; '通'則'不惑知命'而鄕乎'耳順'矣.

'성誠이 정립되었다.'라는 것은 실제적인 본체가 편안하고 견고한 것을 말한다. '밝게 통한다.'라는 것은 실제적인 작용이 흘러간다는 것이다. '정립'이란 마치 '나이 30에 확립되었다.'[215]라는 것에서의 '확립'과 같고, 통함[通]은 미혹되지 않고 천명을 알아서, '귀에 순하게 들어오는'[216] 경지로 향하는 것이다.

[3-42-1-1]

朱子曰 : "周子恐人以寡欲爲便了. 故言不止於寡欲而已, 必至於無而後可耳. 然無底工夫則由於能寡欲, 到無欲非聖人不能也."

或問 : "欲字如何?"

曰 : "不同. 此寡欲則是合不當如此者, 如私欲之類. 若是飢而欲食, 渴而欲飮, 則此欲亦豈能無? 但亦是合當如此者."[217]

주자가 말했다. "주자周子는 사람들이 인욕을 적게 가지기만 하면 되는 것으로 여길까 염려하였기 때문에 인욕을 적게 가지는데서 멈추지 않고, 반드시 (인욕을) 없게 하는데 이른 후에야 괜찮다고

卿曰 : "通者明之極, 溥者公之極." 曰 : "亦是. 如後所謂'誠立明通', 意又別. 彼處以'明'字爲重. 立, 如'三十而立.' 通, 則'不惑, 知天命, 耳順'也.") 222조목 "성이 정립되면 밝게 통한다."에서 "정립(立)"자는 가볍고, 다만 "삼십에 뜻을 정립한다."라는 것에서의 "정립(立)"자와 같다. "밝음(明)"이라는 글자는 드러난 것에서 말한 것으로, "천명을 안다."라는 것 이상의 일인 듯하다.("誠立明通", "立"字輕, 只如"三十而立"之"立". "明"字就見處說, 如"知天命"以上之事.)

215 『論語』「里仁篇」

216 『論語』「里仁篇」

217 『朱子語類』 권94, 221조목의 내용 가운데 일부이다. "濂溪가 '인욕을 적게 함으로써 없음[無]에 이른다.'라고 말한 것은 사람들이 인욕을 적게 가지기만 하면 되는 것으로 여길까 염려하였기 때문에 인욕을 적게 가지는 데서 멈추지 않고, 반드시 (인욕을) 없게 하는데 이른 후에야 괜찮다고 말했다. 그러나 없게 하는 공부라면 인욕을 적게 가질 수 있는 것으로부터이다. 인욕을 없게 하는데 이르는 것은 성인이 아니라면 할 수 없다." 물었다. "그렇다면 '인욕'이라는 글자는 어떻습니까?" 대답했다. "같지 않다. 이 인욕을 적게 가진다는 것은 꼭 이와 같이 해서는 안 되는 것이니, 예를 들면 사욕과 같은 부류다. 만약 배고파서 먹고자 하고, 목말라서 마시고자 하는 것이라면 이러한 욕심을 또한 어떻게 없앨 수 있겠는가? 다만 또한 이와 같은 경우에는 합당하다.(濂溪言'寡欲以至於無', 蓋恐人以寡欲爲便得了, 故言不止於寡欲而已, 必至於無而後可耳. 然無底工夫, 則由於能寡欲. 到無欲, 非聖人不能也." 曰 : "然則'欲'字如何?" 曰 : "不同. 此寡欲, 則是合不當如此者, 如私欲之類. 若是飢而欲食, 渴而欲飮, 則此欲亦豈能無? 但亦是合當如此者.)"

말했다. 그러나 없게 하는 공부라면 인욕을 적게 가질 수 있는 것으로부터인데, 인욕을 없게 하는데 이르는 것은 성인이 아니라면 할 수 없다."

어떤 사람이 물었다. "인욕이라는 글자는 어떻습니까?"

(주자가) 대답했다. "같지 않다. 이 인욕을 적게 가진다고 할 때, 꼭 이와 같이 해서는 안 되는 경우가 있으니, 예를 들면 사욕과 같은 부류다. 만약 배고파서 먹고자 하고, 목말라서 마시고자 하는 것이라면 이러한 인욕을 또한 어떻게 없앨 수 있겠는가? 다만 또한 이와 같은 경우에는 합당하다."

[3-42-2]

荀子曰 : "養心莫善於誠." 先生曰 : "荀子元不識誠." 明道程先生曰 : "旣誠矣, 心安用養耶?"

순자가 말했다. "마음을 기르는 것은 성誠보다 좋은 것이 없다." 선생이 말했다. "순자는 원래 성誠을 알지 못했다." 명도 정 선생[程顥]이 말했다. "이미 성誠하면 마음이 어찌 기름을 쓸 것이겠는가?"

[3-42-2-1]

朱子曰 : "誠, 實也. 到這裏已成就了. 此心純一於理, 徹底皆實, 無夾雜, 亦無虛僞, 決定恁地, 又何用養耶?"[218]

주자가 말했다. "성은 참됨이다. 여기에 이르렀다면 이미 이룬 것이다. 이 마음이 이치에 순일하고 철저하게 다 참되어, 섞임이 없고 또한 허위도 없으며, 이와 같이 결정되니 또 어찌 기름을 쓸 것이겠는가?"

[3-42-3]

明道先生曰 : "昔受學於周茂叔, 每令尋仲尼顔子樂處所樂何事."

명도 선생[程顥]이 말했다. "옛날에 주무숙[周惇頤]에게서 학문을 전수받을 때, 매 번 공자와 안자가 즐거워하는 경지와 즐거워하는 것이 무엇인지를 찾도록 하였다."

218 『朱子語類』 권94, 223조목의 내용 가운데 일부이다. 유가 물었다. "마음이 이미 誠하면 진실로 기름을 쓰지 않을 것이지만, 또한 잡아 보존하여 잃어버리지 않아야 하겠지요?" 대답했다. "성은 참됨이다. 여기에 이르렀다면 이미 이룬 것이다. 그 참됨을 지극히 하고, 이와 같이 결정되었으니 풀려 잃어버리지 않는다. 〈지록에는 다음과 같이 언급하고 있다. '성은 참됨이다. 마음을 보존하며 性을 길러서 참됨에 이르면 마음이 이치에 순수하여, 다시 조금의 섞임도 없으니, 또 어떻게 지킬 것인가?〉 어찌 기름을 사용하겠는가? 어찌 보존을 사용하겠는가?" 또 "몸을 돌이키어 誠한다."라는 것을 묻습니다. 대답했다. "이 마음은 이치에 순일하고 철저하게 다 참됨이니, 섞임이 없고 또한 허위도 없다."(劉問 : "心旣誠矣, 固不用養, 然亦當操存而不失否?" 曰 : "誠是實也. 到這裏已成就了, 極其實, 決定恁地, 不解失了. 〈砥錄云 : "誠, 實也. 存養到實處, 則心純乎理, 更無些子夾雜, 又如何持守?"〉 何用養? 何用操存?" 又問"反身而誠". 曰 : "此心純一於理, 徹底皆實, 無夾雜, 亦無虛僞.")

[3-42-4]

明道先生曰 : "自再見周茂叔後, '吟風弄月以歸', 有'吾與點'也之意."

명도 선생[程顥]이 말했다. "다시 주무숙[周惇頤]을 만났을 때부터 '음풍농월하며 돌아온다.'라는 말과 (공자의) '나는 증점을 허여한다.'라는 뜻이 있었다.

[3-42-5]

明道先生曰 : "吾年十六七時, 好田獵. 旣見茂叔, 則自謂'己無此好矣.' 茂叔曰'何言之易也? 但此心潛隱未發, 一日萌動, 復如初矣.' 後十二年復見獵者, 不覺有喜心, 乃知果未也."

명도 선생[程顥]이 말했다. "내 나이 16·17세 때, 사냥을 좋아했다. 무숙[周惇頤]을 만나고 나서 스스로 '나는 이것을 좋아하지 않는다.'라고 말했다. 무숙[周惇頤]이 '어찌 말을 그렇게 쉽게 하는가? 다만 이 마음은 숨겨져서 아직 드러나지 않았는데, 하루에 싹이 움직이면 처음과 같이 회복된다.'라고 했다. 뒤에 12년이 지나서 다시 사냥하는 사람을 보았는데, 나도 모르게 기쁜 마음이 있었으니, '과연 아직 없어지지 않았음을 알았다.'[219]"

[3-42-6]

明道先生曰 : "周茂叔窻前草不除去. 問之, 云'與自家意思一般.' 子厚觀驢鳴亦謂如此."

명도 선생[程顥]이 말했다. "주무숙[周惇頤]은 창문 앞의 풀을 제거하지 않았다. 그것을 물으니, '각자의 뜻과 같다.'라고 했다. 자후[張載]도 나귀가 우는 것을 보면 또한 이와 같이 말했다."

[3-42-7]

伊川程先生見康節邵先生. 伊川指食卓而問曰 : "此卓安在地上, 不知天地安在何處?" 康節爲之極論其理, 以至六合之外. 伊川歎曰 : "平生唯見周茂叔論至此."

이천 정 선생[程頤]이 강절 소선생[邵雍]을 만났다. 이천이 식탁을 가리키며 물었다. "이 탁자는 땅 위에 편안하게 있는데, 천지는 어느 곳에 편안하게 있는지를 알지 못하겠습니다." 강절이 그를 위해 그 이치를 지극하게 논하여서 육합六合[인간 세상]의 밖에까지 이르렀다. 이천이 감탄하여 말했다. "평생 오직 주무숙[周惇頤]만이 여기에까지 논의했음을 보았다."

[3-42-7-0]

此康節之子伯溫所記. 但云'極論', 而不言其所謂云'何.' 今按康節之書有曰 : "天何依? " 曰 : "依乎地."

曰 : 地何附?"

219 『言行龜鑑』 권2 「德行門」에 의하면 '無'자가 추가되어, "과연 아직 없어지지 않았음을 알았다.(乃知果未無也)"라고 번역할 수 있다.

曰 : "附乎天."

曰 : "天地何所依附?"

曰 : "自相依附. 天依形, 地附氣, 其形也有涯, 其氣也無涯. 竊恐當時康節所論, 與伊川所聞於周先生者, 亦當如此. 因附見之云."

이것은 강절[邵雍]의 아들인 백온[邵伯溫][220]이 기록한 것이다. 그러나 '지극하게 논했다.'라고만 했지, 이른바 '무엇'을 이야기했는지를 말하지 않았다. 이제 강절[邵雍]의 책을 살펴보면 다음과 같은 말이 있다.

"하늘은 무엇에 의지합니까?"

대답했다. "지구에 의지한다."

물었다. "지구는 무엇에 붙어 있습니까?"

대답했다. "하늘에 붙어 있다."

물었다. "천지는 무엇에 의지하고 붙어 있는 것입니까?"

대답했다. "본래 서로 의지하고 붙어 있다. 하늘은 형체에 의지하고, 지구는 기氣에 붙어 있는데, 그 형체에는 끝이 있지만 그 기에는 끝이 없다. 가만히 생각해 보니 당시에 강절[邵雍]이 논한 것과 이천[程頤]이 주선생[周惇頤]에게 들은 것은 또한 마땅히 이와 같은 듯하다. 이에 여기에 첨부한다."

[3-42-8]

太史黄公庭堅曰 : "舂陵周茂叔, 人品甚高. 胸中灑落, 如光風霽月."

태사 황정견黃庭堅이 말했다. "용릉의 주무숙[周惇頤]은 인품이 매우 높다. 마음이 대범하여 광풍제월光風霽月과 같다."

[3-42-8-0]

延平先生每誦此言, 以爲善形容有道者氣象.

연평[李侗] 선생이 매번 이 말을 외워서 도를 갖추고 있는 사람의 기상을 잘 묘사한 것으로 여겼다.

[3-42-9]

明道先生識其子端慤之壙曰 : "夫動靜者, 陰陽之本. 況五氣交運, 則益參差不齊矣. 賦生之類, 宜其雜糅者衆, 而精一者間或値焉. 以其間値之難, 則其數或不能長亦宜矣."

명도 선생[程顥]이 그 아들인 단각端慤의 무덤에 다음과 같이 묘지문을 썼다. "움직임과 고요함은 음양의 근본이다. 더구나 오기가 교대로 운행하면 더욱 흩어져 가지런하지 않다. 부여된 생명의 부류

---

220 邵伯溫(1057~1134) : 송대의 유학자, 자는 子文. 낙양 출신. 소옹[소강절]의 아들. 大名府助敎와 永興軍鑄錢監 등을 역임하였다. 사마광을 사사하였으며, 정호·정이·呂公著와 친하게 지냈다. 역학에 뛰어났으며, 부친인 소옹의 『皇極經世書』에 주석을 달 정도로 상수역학에 밝았다. 저서로 『易學辨惑』·『皇極系述』·『觀物內外篇解』·『河南邵氏見聞錄』 등이 있다.

에서 당연히 뒤섞여 있는 것이 많지만 정밀하고 순일한 것은 가끔 만난다. 가끔 만나는 것도 어렵기 때문에 그 운명이 혹 오래 살 수 없는 것 또한 당연하다."

[3-42-9-0]

此一節, 全用『太極圖』及『通書』中意, 故以附之. 後三節放此.

이 한 구절은 『태극도』와 『통서』 속의 뜻을 온전히 사용하였기 때문에 여기에 붙였다. 뒤의 세 구절도 이와 같다.

[3-42-10]

明道先生銘其友李仲通之墓曰 : "二氣交運兮, 五行順施. 柔剛雜糅兮, 美惡不齊. 稟生之類兮, 偏駁其宜. 有鍾粹美兮, 會元之期. 聖雖學作兮, 所貴者資. 便儇皎厲兮, 去道遠而."

명도 선생[程顥]이 친구인 이중통李仲通의 묘비명에 다음과 같이 말하였다. "두 기[二氣]가 교대로 운행하니, 오행이 순조롭게 펼쳐진다. 강剛과 유柔가 뒤섞이니, 아름다움과 추함이 가지런하지 않다. 생명을 받은 것들이 치우치고 뒤섞이는 것은 마땅하다. 순수하고 아름다운 것을 모았으니, 원기가 모일 기약이다.[221] 성인은 오직 배워서 되는 것이니, 소중하게 여기는 자가 의지한다. 재빠르며 교활한 자들은 도道와 거리가 멀다."

[3-42-11]

伊川先生作「顔子所好何學論」曰 : "天地儲精, 得五行之粹者爲人. 其本也眞而靜. 其未發也五性具焉, 曰'仁·義·禮·智·信.' 形旣生矣, 外物觸其形而動於中矣, 其中動而七情出焉, 曰'喜·怒·哀·懼·愛·惡·欲.' 情旣熾而益蕩, 其性鑿矣. 故覺者約其情使合於中, 正其心養其性而已. 然必明諸心, 知所往, 然後力行以求至焉. 若顔子之'非禮勿視聽言動', '不遷怒(不)貳過', 則其好之之篤, 學之之道也."

이천 선생[程頤]이 「안자소호하학론」을 지어 다음과 같이 말했다. "천지가 정기精氣를 모아, 오행의 순수함을 얻은 것이 사람이다. 그 근본은 참이며 고요하다. 그것이 아직 발현하기 전에 오성이 갖추어졌으니, '인仁·의義·예禮·지智·신信'이라고 한다. 형체가 이미 생겨나고, 밖의 것들이 그 형체에 접촉하여 속에서 움직이고, 그 속에서 움직여서 칠정이 나오니, '희喜·노怒·애哀·구懼·애愛·오惡·욕欲'이라고 한다. 정이 이미 치열하여 더욱 들끓으니 그 성性이 깎여진다. 그러므로 깨달은 사람은 그 정을 단속하고 속(마음)에 부합하도록 하며, 마음을 바르게 하고 그 성을 기를 뿐이다. 그러나 반드시 그것을 마음에서 밝히며 갈 곳을 안 후에 힘써 행하여 도달하기를 구한다. 예컨대 안자의 '예가 아니면 보거나 듣거나 말하거나 행동하지 않는 것'[222]과 '성냄을 옮기지 않고 같은 잘못을 다시 하지

221 『朱子語類』 권97, 121조목에 "원기가 모이면 성현을 낳는다.(元氣會則生聖賢)"고 하였다.

222 『論語』「顔淵篇」

않는다.'[223]와 같은 것은 좋아하는 돈독함이고 배우는 길이다."

[3-42-11-1]

黃氏瑞節曰 : "此「論」乃程夫子十八歲所作."

황서절이 말했다. "이 「안자소호하학론」은 정 선생[程頤]이 18세에 지은 것이다."

[3-42-12]

程先生曰 : "二氣五行, 剛柔萬殊. 聖人所由惟一理. 人須要復其初."

정 선생[程頤]이 말했다. "두 기[二氣]와 오행은 강剛과 유柔가 만 가지로 다르다. 성인이 말미암는 것은 오직 하나의 이치이다. 사람은 반드시 그 처음을 회복해야 한다."

223 『論語』「雍也篇」

性理大全書卷之四
성리대전서 권4

西銘 서명

西銘

서명

[4-0-0-1]

朱子曰 : "橫渠姓張, 名載, 字子厚, 秦人也. 學古力行, 篤志好禮, 爲關中士子宗師. 嘗於學堂雙牖, 左書「砭愚」, 右書「訂頑」. 伊川先生曰, '是啓爭端'[1], 改曰「東銘」·「西銘」." "二銘雖同出於一時之作, 然其詞義之所指, 氣象之所及, 淺深廣狹, 判然不同. 是以程門專以「西銘」開示學者, 而於「東銘」則未嘗言. 蓋學者誠於「西銘」之言, 反復玩味而有以自得之, 則心廣理明, 意味自別. 若「東銘」, 則雖分別長傲遂非之失於毫釐之間, 所以開警後學亦不爲不切, 然意味有窮, 而於下學功夫, 蓋猶有未盡者, 又安得與「西銘」徹上徹下一以貫之之旨同日語哉?"[2]

주자朱子 : 朱熹[3]가 말했다. "횡거橫渠 : 張載[4]의 성은 장이고, 이름은 재載이며, 자는 자후子厚이고, 진秦[5] 사람이다. 옛것을 배우고 힘써 행하며, 뜻을 돈독히 하고, 예禮를 좋아하여, 관중 지역 학자들의

1 是啓爭端 : '啓'는 『河南程氏外書』 권11 「時氏本拾遺」에는 '起'로 되어 있다.

2 『朱文公集』 권30 「答汪尙書」

3 주희(朱熹 : 1130~1200) : 송대 성리학자이다. 자는 元晦 · 仲晦이고, 호는 晦庵 · 晦翁 · 考亭 · 紫陽 · 遯翁 등이다. 婺源(현 강서성 무원현) 사람으로 建陽(현 복건성 건양현)에서 살았다. 1148년에 진사에 급제하여 同安主簿 · 秘書郎 · 知南康軍 · 江西提刑 · 寶文閣待制 · 侍講 등을 역임하였다. 스승 李侗을 통해 二程의 新儒學을 전수받고, 북송 유학자들의 철학사상을 집대성하여 신유학의 체계를 정립하였다. 편저서는 『程氏遺書』 · 『程氏外書』 · 『伊洛淵源錄』 · 『古今家祭禮』 · 『近思錄』 등의 편찬과 『四書集注』 · 『西銘解』 · 『太極圖說解』 · 『通書解』 · 『四書或問』 · 『詩集傳』 · 『周易本義』 · 『易學啓蒙』 · 『孝經刊誤』 · 『小學』 · 『楚辭集注』 · 『資治通鑑綱目』 · 『八朝名臣言行錄』 등이 있다. 막내 아들 朱在가 편찬한 『朱文公集』(100권, 속집 11권, 별집 10권)과 黎靖德이 편찬한 『朱子語類』(140권)가 있다.

4 張載(1020~1077) : 송대 성리학자이다. 자는 子厚이고, 橫渠先生이라고 불린다. 大梁(현 하남성 開封) 사람으로 거주지는 郿縣橫渠鎭(현 섬서성 眉縣)이었다. 1057년 진사에 급제했고 雲巖令 · 崇政院校書 등을 역임하였다. 젊어서 병법을 좋아하여 范仲淹에게 서신을 보냈다가 『中庸』을 읽기를 권유받고, 얼마 뒤 『六經』에 전념하게 되었다. 특히 『易』과 『中庸』을 중시하여 『正蒙』 · 「西銘」 · 『易說』 등을 지었는데, 이로써 나중에 '關學'의 창시자가 되었다.

최고 스승이 되었다. 일찍이 학당의 두 창에 글을 썼는데, 왼쪽에는 「폄우砭愚」[6]라는 글을 써 붙이고, 오른쪽에는 「정완訂頑」[7]이라는 글을 써 붙였다. 이천伊川[程頤][8] 선생이 '이것은 논쟁의 빌미를 제공한다.'고 하여, 고쳐서 「동명」과 「서명」이라고 했다.[9] 두 명銘이 비록 같은 때에 지어져 함께 출현했지만, 말이 가리키는 뜻과 미치는 기상의 낮음과 깊음과 넓음과 좁음이 확연히 다르다. 이 때문에 정[程頤] 선생의 문하에서는 오로지 「서명」으로 배우는 사람을 일깨웠고, 「동명」에 대해서는 말한 적이 없다. 배우는 사람이 「서명」의 내용을 성실하게 실천하고, 반복적으로 음미하여 스스로 터득하는 것이 있으면 마음이 넓어지고 이치가 밝아지며 의미가 저절로 분별될 것이다. 「동명」과 같은 경우는 비록 오만함을 키우고 잘못을 이루어 나가는 실수[10]를 털끝만한 차이에서 분별하여 후학을 경계시키는 것 또한 매우 간절하나, 의미에 한계가 있고 하학下學 공부[11] 에도 여전히 미진한 점이

5 장재는 관중 사람이고, 관중은 秦나라의 수도였기 때문에 진 사람이라고 한다.

6 그것은 「東銘」이라고 전해지며, 내용은 다음과 같다. "장난치는 말은 생각에서 나오고, 장난치는 행동은 꾀함에서 형성된다. 소리로 발설하고 두 손과 두 발로 드러내면서 자기의 마음이 아니라고 하면 명철하지 못함이고, 다른 사람이 자기를 의심하지 않도록 하려고 해도 그렇게 할 수는 없다. 잘못된 말은 본심에서 나온 것이 아니고, 잘못된 행동은 성실에서 나온 것이 아니다. 소리에 잘못되고 그 두 손과 두 발을 잘못 미혹되게 쓰고는 자신이 마땅하다고 말하면 스스로 속이는 것이고, 다른 사람에게 자기를 따르게 하려 하는 것은 다른 사람을 속이는 것이다. 어떤 사람은 마음에서 나온 것을 허물로 돌리기를 자기의 농담으로 하고, 생각에서 잘못된 것을 스스로 속여 자기의 誠으로 삼는다. 너에게서 나오는 것을 경계할 줄 모르고, 오히려 허물을 너에게서 나오지 않는 것으로 돌리니 오만함을 키우고 잘못을 이루는 것이다. 알지 못함이 무엇이 이보다 심한가?(戲言出於思也, 戲動作於謀也. 發於聲, 見乎四肢, 謂非己心, 不明也, 欲人無己疑, 不能也. 過言非心也, 過動非誠也. 失於聲, 繆迷其四體, 謂己當然, 自誣也; 欲他人己從, 誣人也. 或者謂出於心者, 歸咎爲己戲, 失於思者, 自誣爲己誠. 不知戒其出汝者, 反歸咎其不出汝者, 長傲且遂非, 不知孰甚焉?)"

7 그것이 바로 「書銘」이다.

8 程頤(1033~1107) : 송대 성리학자이다. 자는 正叔이고, 호는 伊川이다. 洛陽(현 하남성 낙양) 사람으로 형 程顥와 함께 二程으로 불린다. 15세 무렵에 형과 함께 주돈이周敦頤에게 배운 적이 있으며, 18세에는 태학에 유학하면서 「顔子所好何學論」을 지어 胡瑗이 경이롭게 여겼다고 한다. 秘書省校書郎·崇政殿說書 등을 역임하였으나, 거의 30년을 강학에 힘을 쏟아 북송 시대 신유학의 기반을 정초하였다. 이정의 학문은 '洛學'이라고 하며, 특히 程頤의 학문은 주희에게 결정적으로 영향을 끼쳤다. 이른바 '程朱學'이라고 하면 정이와 주희의 학문을 지칭한다. 저서는 『易傳』·『經說』·『文集』 등이 있다.

9 『河南程氏外書』 권11 「時氏本拾遺」

10 '遂非'는 '잘못을 이루어 나가다.'라는 의미로, 漢 荀悅, 『前漢紀』 권16, 「孝昭一」에 "잘못을 이루어 나가 허물을 꾸미기를 알면서 고치지 않는다.(遂非文過, 知而不改.)"와 『孟子』「公孫丑下」의 "또한 옛날의 군자는 허물이 있으면 고치는데, 지금의 군자는 허물이 있으면 그것을 이룬다. 옛날의 군자에게 그 허물은 해와 달의 일식과 월식 같아서 백성들이 다 그것을 보고, 그것을 고침에 백성들이 다 우러른다. 지금의 군자는 어찌 다만 그것을 이룰 뿐이겠는가? 또한 변명을 한다.(且古之君子, 過則改之; 今之君子, 過則順之. 古之君子, 其過也, 如日月之食, 民皆見之; 及其更也, 民皆仰之. 今之君子, 豈徒順之? 又從爲之辭.)"라는 내용에 대한 주희의 주석("遂非文過.")에서 사용되고 있는 개념이다.

11 下學 공부 : 『論語』「憲問」 "공자가 말했다. '하늘을 원망하지 않고, 사람을 탓하지 않으며, 아래에서 배워서 위로 통달하니, 나를 알아주는 이는 하늘일 것이로다!'(子曰 : '不怨天, 不尤人, 下學而上達, 知我者其天乎!')"에

있으니, 철두철미하게 하나로 관통되는 「서명」의 뜻과 또 어떻게 동일하다고 말할 수 있겠는가?"

[4-1]

乾稱父, 坤稱母. 予玆藐焉, 乃混然中處.

건乾을 아버지라고 일컫고, 곤坤을 어머니라고 일컫는다. 나의 이 작은 몸이 혼연히 그 속에 있다.

[4-1-1]

天, 陽也. 以至健而位乎上, 父道也. 地, 陰也. 以至順而位乎下, 母道也. 人稟氣於天, 賦形於地, 以藐然之身, 混合無間而位乎中, 子道也. 然不曰天地而曰乾坤者, 天地其形體也, 乾坤其性情也. 乾者, 健而無息之謂, 萬物之所資以始者也. 坤者, 順而有常之謂, 萬物之所資以生者也. 是乃天地之所以爲天地, 而父母乎萬物者. 故指而言之.

하늘은 양이다. 지극한 굳셈으로 위에 자리하니, 아버지의 도이다. 땅은 음이다. 지극한 순함으로 아래에 자리하니, 어머니의 도이다. 사람은 하늘에서 기를 받고, 땅에서 형체를 받으며, 작은 몸으로 혼연히 하나가 되어 틈이 없이 가운데에 자리하니, 자식의 도이다. 그러나 하늘과 땅이라고 하지 않고 건과 곤이라고 말하는 것은 천지는 그것의 형체이고, 건곤은 그것의 성정性情이기 때문이다. 건은 굳세어 쉼이 없음을 말하니, 만물이 취하여[12] 시작하는 것이다. 곤은 순하여 항상성이 있음을 말하니, 만물이 취하여 생겨나는 것이다. 이것이 바로 천지가 천지가 되고, 만물의 부모가 되는 까닭이다. 그러므로 그것을 가리키어 말했다.

[4-1-1-1]

朱子曰 : "須子細看他說'理一而分殊.' 而今道天地不是父母, 父母不是天地, 不得. 分明是一理. '乾道成男, 坤道成女', 則凡天下之男, 皆乾之氣; 凡天下之女, 皆坤之氣. 從這裏便徹上徹下都即是一箇氣, 都透過了."[13]

주자가 말했다. "반드시 그것은 '리일理一[이치가 하나이다]'이면서 '분수分殊[나누어진 것이 달라진다]'라고 말하는 것임을 자세히 살펴보아야 한다. 지금 천지는 부모가 아니고, 부모는 천지가 아니라고 말하면 안 된다. 분명히 하나의 이치이다. '건도는 남자를 이루고 곤도는 여자를 이룬다.'[14]고 했으니, 세상의 모든 남자는 다 건의 기氣이고, 세상의 모든 여자는 다 곤의 기이다. 여기에서 위에서 아래까지 모두 하나의 기이니, 다 통해 있다."

서의 '하학' 공부를 의미한다.

12 『周易』「乾卦·彖傳」에 대한 공영달의 疏에서는 '資'를 '取'로 보고 있고, 주희도 『通書解』에서 "資, 取也"라고 했다. 이에 근거하여 '資'를 '取'로 번역한다.

13 『朱子語類』 권98, 94조목

14 『周易』「繫辭上」 1장

[4-1-1-2]

"自一家言之，父母是一家之父母；自天下言之，天地是天下之父母."[15]

(주자가) 말했다. "한 집안으로 말하면 부모는 한 집안의 부모이고, 천하로 말하면 천지는 천하의 부모이다."

[4-1-1-3]

"「西銘」自首至末，皆是'理一分殊.' 乾父坤母，固是一理. 分而言之，便見乾坤自乾坤，父母自父母. 惟'稱'字便見異也."[16]

(주자가) 말했다. "「서명」은 처음부터 끝까지 다 '리일분수理一分殊'이다. 건을 아버지라고 하고 곤을 어머니라고 하는 것은 진실로 하나의 이치이다. 나누어서 말하면 건곤은 건곤이고, 부모는 부모라는 것을 알게 된다. 오직 '일컬음[稱]'이라는 글자가 다른 점을 드러냈다.

[4-1-1-4]

"'乾稱父，坤稱母'，厲聲言一'稱'字."[17]

(주자가) 말했다. "'건을 아버지라고 일컫고, 곤을 어머니라고 일컫는다.'는 것에서 분명한 소리로 '일컬음[稱]'이라는 글자를 말했다."

[4-1-1-5]

"'混然中處'，言混合無間. 蓋此身便是從天地來."[18]

(주자가) 말했다. "'혼연히 그 속에 있다.'라고 하는 것은 혼연히 하나가 되어 틈이 없다는 말이다. 이 몸은 바로 천지에서 온 것이다."

[4-1-1-6]

"人之一身，固是父母所生. 然父母之所以爲父母者，即是乾坤. 若以父母而言，則一物各一父母；若以乾坤而言，則萬物同一父母矣. 萬物旣同一父母，則吾體之所以爲體者，豈非天地之塞，吾性之所以爲性者，豈非天地之帥哉? 古之君子，惟其見得道理眞實如此. 所以'親親而仁民，仁民而愛物.' 推其所爲，以至於能以天下爲一家，中國爲一人，而非意之也. 今若必謂'人物只是父母所生'，更與乾坤都無干涉，其所以有取於「西銘」者，但取其姑爲宏濶廣大之言，以形容仁體，破有我之私而已，則是所謂仁體者，全是虛名，初無實體，而小己之私却是實理，合有分別. 聖賢於此，却初不見義理，只見利害，而妄以己意造作言語，以增飾其

15 『朱子語類』 권98, 79조목
16 『朱子語類』 권98, 91조목
17 『朱子語類』 권98, 73조목
18 『朱子語類』 권98, 75조목

所無，破壞其所有也．"[19]

(주자가) 말했다. "사람의 한 몸은 진실로 부모가 낳은 것이다. 그러나 부모가 부모가 되는 까닭은 바로 건곤乾坤이다. 만약 부모로 말하면 한 사람에게는 부모가 각각 하나씩이다. 만약 건곤으로 말하면 만물은 똑같이 부모가 하나이다. 만물이 이미 똑같이 부모가 하나라면, 내 몸이 몸이 되는 까닭이 어찌 천지를 가득 채운 것이 아니겠으며, 내 성性이 성性이 되는 까닭이 어찌 천지를 거느린 것이 아니겠는가? 옛날의 군자는 오직 그 도리의 참됨이 이와 같음을 알았다. 따라서 '부모를 친애한 뒤에 백성을 사랑하고, 백성을 사랑한 뒤에 만물을 아낀다.'[20]고 하였다. 그 하는 것을 미루어서 세상 사람을 한 집안으로 여기고, 나라 안의 사람을 한 사람으로 여길 수 있는 데에 이르지만, 그것을 의도한 것이 아니다.[21] 그런데 만약 반드시 '사람과 만물은 다만 부모가 낳은 것'일 뿐 다시 건곤과 모두 관련이 없기 때문에 「서명」에서 취하는 것이 다만 잠시 크고 넓은 말을 지어 '인의 본체[仁體]'를 표현하고, 나의 사사로움을 깨뜨리는 것만을 취할 뿐이라고 한다면, 이것은 이른바 '인의 본체'는 온전히 허울뿐인 이름이고, 처음부터 실체가 없으며 작은 자기[小己]의 사사로움이 오히려 참된 이치가 되니, 마땅히 분별해야 한다. 그렇다면 성현[22]은 여기에서 오히려 처음에 의로움과 이치를 보지 않고, 다만 이로움과 해로움을 볼 뿐이며, 제멋대로 자기의 뜻으로 말을 조작하여 없는 것을 부풀리고 있는 것을 파괴하게 될 것이다."

[4-1-1-7]

"某所論「西銘」之意，正爲長者以橫渠之言不當謂'乾坤實爲父母'，而以'膠固'斥之，故竊疑之，以爲若如長者之意，則是人物實無所資於天地，恐有所未安爾．今來誨猶以橫渠只是假借之言，而未察父母之與乾坤，雖其分之有殊，而初未嘗有二體．但其分之殊，則又不得不辨也．"[23]

(주자가) 말했다. "내가 「서명」의 뜻을 논한 것은 바로 귀하長者[陸九韶][24]가 횡거橫渠[張載]의 말을 '건과

19 『朱文公集』 권36 「書·答陸子美」

20 『孟子』「盡心上」

21 송시열의 『大全箚疑』에는 "살펴보니, 『古今韻會擧要』에는 '意'는 '億'과 통하니 '억측하다.'이다. 참된 이치가 이와 같은 것이지 억측한 말이 아님을 말한다.(按『韻會』意通作億，億度也．謂實理如此而非億度之言)"라고 주석하였다. 任聖周 또한 『箚疑節補』에서 이 글이 『禮記』「禮運」의 "성인이 세상 사람들을 한 집안으로 여길 수 있고, 나라 안의 사람들을 한 사람으로 여길 수 있는 것은 의도한 것이 아니다.(聖人能以天下爲一家，以中國爲一人者，非意之也．)"라는 내용에서 차용한 것임을 밝히고, 이에 대한 孔穎達의 疏 즉, "의도를 가지고 억측하거나 헤아려 생각한 것이 아니다.(非是以意測度謀慮而已)"라는 내용을 소개하고 있다. 그러나 李滉의 문인이 기록한 『節要記疑』에는 "사사로운 뜻이 아니다.(非私意也．)"라고 풀이하고 있다.

22 宋時烈의 『大全箚疑』에 의하면, "'聖'은 세상 사람들을 한 집으로 여기고 나라 안의 모든 사람을 한 사람으로 여기는 성인을 가리키고, '賢'은 장재를 말한다.(聖指天下爲一家中國爲一人之聖人也，賢謂橫渠．)"

23 『朱文公集』 권36 「書·答陸子美」 『朱文公集』에는 '恐有所未安爾.'와 '今來誨' 사이에 '非熹本說，固欲如此也.'가 첨가되어 있고, '今來' 또한 '今詳來'라고 되어 있다.

24 여기에서 長者는 陸九韶를 의미한다. 이에 관해서는 李恒老 편저 『朱子大全箚疑輯補』 21 권36, 659쪽 참조.

곤은 진실로 부모가 된다.'고 말해서는 안 된다고 하여 '고루하다'는 말로 배척했기 때문에, 가만히 생각해보니 만약 귀하의 뜻과 같은 것으로 여긴다면 이는 사람과 만물이 진실로 천지에서 취한 것이 없다는 것으로 아마도 합당하지 못한 것이 있는 듯하다.[25] 지금 보내온 편지를 자세히 살펴보니 여전히 횡거의 「서명」을 단지 빌려온 말[26]로 여기고, 부모와 건곤이 비록 그 나누어진 것에 다름이 있지만 애초에 두 개의 실체가 있는 것이 아님을 살피지 못했다. 다만 나누어진 것의 다름 또한 변별하지 않을 수 없다."

西山眞氏曰："「西銘」推事親之心以事天. 蓋父母生我者也，而所以生之者，天地也. 天賦以氣，地賦以形；父母固我之父母也，天地亦我之父母也. 朱子曰，'父母者，一身之父母也，天地者，人與物己與人皆共以爲父母者也. 父母之生我也，四肢百骸，無一不全，必能全其身之形，然後爲不忝於父母. 天地之生我也，五常百善，無一不備，必能全其性之理，然後爲不負於天地.' 故仁人事親如事天，事天如事親. 此又「西銘」之妙指，不可以不知也."[27]

서산 진씨西山眞氏[眞德秀][28]가 말했다. "「서명」은 부모를 섬기는 마음을 미루어 하늘을 섬기게 한 것이다. 부모는 나를 낳은 사람이지만, 나를 낳게 한 것은 천지이다. 하늘은 기를 부여하고, 땅은 형체를 부여하니, 부모는 본래 나의 부모이지만, 천지 또한 나의 부모이다. 주자는 '부모는 한 몸의 부모이고, 천지는 사람과 만물, 나와 남이 모두 함께 부모로 삼는 것이다. 부모가 나를 낳았을 때에는 사지와 온몸이 하나라도 온전하지 않음이 없으니, 반드시 그 몸의 형체를 온전히 한 후에야 부모에

陸九韶：남송의 학자이다. 자는 子美이고, 호는 梭山居士이다. 金溪(현 강서성 금계현) 출신이다. 아우인 九齡·九淵 등과 함께 '三陸子의 학문'이라고 불리었다. 은거하여 벼슬을 하지 않고 梭山에서 강학에 힘썼다. 『太極圖說』은 주돈이의 저서가 아니라고 주장하고, 주희와 논쟁을 하여 태극 위에 무극을 설정함은 잘못이라고 하였다. 저서로 『梭山日記』·『梭山文集』 등이 있다.

25 "육구소(육자미)는 틀림없이 주희가 보낸 지난번 편지에서 '건곤과 전혀 상관이 없다.'는 등등의 문단을 자신이 말한 것이 아니라 주희가 억지로 주장한 것이라고 여겼을 것이다. 때문에 주희가 답장에서 육구소가 이미 횡거의 '건을 아버지로 삼고 곤을 어머니로 삼는다.'는 말을 '고루하다'는 것으로 여기니, 이것은 '사람과 사물이 천지에서 취한 것이 없다는 것을 말하므로 지난번 편지에서 말했던 것일 뿐 나 자신이 의도하여 이와 같이 주장한 것이 아니다.'고 한 것이다.(子美必以先生前書中與'乾坤都無干涉'云云一段爲非自己所言而先生抑勤(勒)爲說. 故先生答以長子旣以橫渠之'父乾母坤'爲膠固, 則是謂'人物無所資於天地, 故前書云耳, 非熹自以意爲說如此也.')" 任聖周 『箚疑節補』

26 宋時烈의 『大全箚疑』에서는 "「書銘」의 '이에 보존한다(于時保之)' 이하는 모두 빌려온 말이므로 선생 역시 「書銘」에 대해 빌려왔다[假借]는 글자를 썼다. 그러나 건곤의 경우에는 실제로 사람의 큰 부모이니 이것까지 모두 빌려온 말이라고 해서는 안 되기 때문에 이렇게 말한 것이다.(「西銘」自'于時保之'以下, 皆是假借之言, 故先生於「西銘」, 亦用假借字. 然至於乾坤, 則實是人之大父母, 不可幷謂之假借故云)."라고 하였다.

27 『西山文集』 권30 「問答·問父母惟疾之憂」

28 眞德秀(1178~1235)：송대 성리학자이다. 자는 希元·景元·景希이고, 호는 西山이다. 浦城(복건성 蒲城) 사람으로 1199년에 진사에 급제하여 太學正·參知政事에 이르렀다. 어려서는 주희의 문인인 詹體仁에게 배우고, 주희를 사숙하여 그 종지를 얻은 사람으로 평가된다. 저서는 『大學衍義』·『四書集編』·『西山文集』 등이 있다.

부끄럽지 않을 수 있다. 천지가 나를 낳았을 때에는 오상五常과 모든 선이 하나라도 갖추어지지 않음이 없으니, 반드시 그 성性의 이치를 온전히 한 후에야 천지를 저버리지 않게 된다.'"[29]라고 했다. 그러므로 어진 사람은 부모를 섬기기를 하늘을 섬기는 것과 같이 하고, 하늘을 섬기기를 부모를 섬기는 것과 같이 한다. 이 또한 「서명」의 오묘한 뜻이니, 알지 않아서는 안 된다."

[4-2]

故天地之塞, 吾其體; 天地之帥, 吾其性.

그러므로 '천지를 채우고 있는 것'[30]을 내가 몸으로 삼고, '천지를 거느리는 것'[31]을 내가 성性으로 삼는다.

[4-2-1]

乾陽坤陰, 此天地之氣塞乎兩間, 而人物之所資以爲體者也. 故曰, "天地之塞, 吾其體." "乾健坤順", 此天地之志爲氣之帥, 而人物之所得以爲性者也. 故曰"天地之帥, 吾其性." 深察乎此, 則父乾母坤, 混然中處之實可見矣.

건은 양이고 곤은 음인데, 이것은 천지의 기가 하늘과 땅 사이를 채우고 있는 것이니, 사람과 만물이 취하여 몸으로 삼은 것이다. 그러므로 "천지를 채우고 있는 것을 내가 몸으로 삼는다."라고 했다. "건은 굳세고 곤은 순하다"[32]고 했는데, 이것은 천지의 뜻이 기를 거느리는 것이니, 사람과 만물이 얻어 성性으로 삼은 것이다. 그러므로 "천지를 거느리는 것을 내가 성性으로 삼는다"라고 했다. 이것을 깊이 살피면 건乾을 아버지로 삼고 곤坤을 어머니로 삼는 것이며, 혼연히 그 속에 있는 실제를 볼 수 있다.

[4-2-1-1]

朱子曰: "「西銘」大要在'天地之塞, 吾其體; 天地之帥, 吾其性'兩句上. 塞是說氣. 孟子所謂'以直養而無害, 而塞乎天地之間', 即用這箇'塞'字. 張子此篇, 大抵皆古人說話集來."[33]

주자가 말했다. "「서명」의 요점은 '천지를 채우고 있는 것을 내가 몸으로 삼고, 천지를 거느리는 것을 내가 성性으로 삼는다.'는 두 구절에 있다. 가득 찬 것은 기氣를 말한다. 맹자가 이른바 '곧

29 衛湜 撰『禮記集說』권136(1205~1226). 주희의 글에는 이 문장이 없다.

30 이 글은『孟子』「公孫丑上」의 다음과 같은 '浩然之氣'의 부분을 축약한 것이다. "그 기는 지극히 크고 지극히 굳세니, 곧게 길러 해침이 없으면 천지 사이를 가득 채운다.(其爲氣也, 至大至剛, 以直養而無害, 則塞于天地之間.)"

31 이 글은『孟子』「公孫丑上」의 다음과 같은 '志'의 부분을 축약한 것이다. "뜻은 기를 거느리는 것[장수]이고, 기는 몸을 채운 것이다. 뜻이 지극한 것이고, 기는 다음가는 것이다.(夫志, 氣之帥也; 氣, 體之充也. 夫志至焉, 氣次焉.)"

32『周易』「說卦傳」7장

33『朱子語類』권98, 79조목

곧음으로 길러서 해침이 없으면 (浩然之氣가) 천지 사이에 가득 채워진다.'[34]고 한 것에서 바로 이 '색塞'자를 사용하였다. 장자張子(張載)의 이 편은 대개 모두 옛 사람의 말을 모은 것이다."

[4-2-1-2]

"塞, 只是氣, 吾之體, 即天地之氣; 帥, 是主宰, 乃天地之常理也. 吾之性, 即天地之理."[35]

(주자가) 말했다. "색塞은 단지 기이니, 나의 몸은 바로 천지의 기氣이고, 수帥는 주재이니, 바로 천지의 일정한 이치이다. 나의 성性은 바로 천지의 리理이다."

[4-2-1-3]

問 : "'天地之塞', 如何是'塞'?"

曰 : "'塞'與'帥'字, 皆張子用字妙處. 塞, 乃『孟子』'塞天地之間'; 體, 乃『孟子』'氣, 體之充'者, 有一毫不滿之處, 則非塞矣. 帥, 乃'志, 氣之帥', 而有主宰之意. 此「西銘」借用孟子論'浩然之氣'處. 若不是此二句爲之關紐, 則下文言'同胞', 言'兄弟'等句, 在他人中物, 皆與我初何干涉? 其謂之'兄弟'·'同胞', 乃是此一理與我相爲貫通. 故上說'父母', 下說'兄弟', 皆是其血脈過度處. 「西銘」解'塞'·'帥'二字, 只說大槪. 若要說盡, 須用起疏注可也."[36]

물었다. "'천지를 채운 것'에서 '채움'이란 무엇입니까?"

(주자가) 대답했다. "'색塞'과 '수帥'의 두 글자는 다 장자張子(張載)가 글자를 사용하는 오묘한 곳이다. 채워짐[塞]은 『맹자』의 '천지 사이에 가득 채워짐'[37]이고, 몸[體]은 『맹자』의 '기는 몸에 가득 채워져 있다.'[38]라는 것이니, 조금이라도 가득 차지 않는 곳이 있으면 채운 것이 아니다. 거느림[帥]은 '뜻은 기를 거느리는 것'[39]이기 때문에 주재의 뜻이 있다. 이 「서명」은 맹자가 '호연지기'[40]를 논한 것을 차용했다. 만약 이 두 구절을 핵심으로 여기지 않는다면 다음 글에서 '동포'라고 말하고 '형제'라고 말하는 것 등의 구절은 남에게 있는 것이니, 모두 나와 애초에 무슨 상관이겠는가? '형제'와 '동포'라고 말하는 것은 이 하나의 리理가 나와 서로 관통한다. 그러므로 위에서 '부모'라고 말하고, 아래에서 '형제'라고 말하는 것은 다 그 혈맥이 통과하는 것이다. 「서명」에서 '색塞'과 '수帥'의 두 글자를 풀이한 것은 다만 대강을 말한 것이다. 만일 다 말하려고 한다면 반드시 주注와 소疏를 달아야 한다."

34 『孟子』「公孫丑上」의 내용이다. 그런데 『孟子』의 원문은 "곧음으로 길러 해침이 없으면 천지 사이를 가득 채운다.(以直養而無害, 則塞于天地之間.)"라고 되어 있다. 장재는 이 글 가운데 '則'과 '于'를 각각 '而'와 '乎'로 바꾸었다. 그러나 의미는 차이가 나지 않는다.

35 『朱子語類』 권98, 76조목

36 『朱子語類』 권98, 91조목

37 『孟子』「公孫丑上」

38 『孟子』「公孫丑上」

39 『孟子』「公孫丑上」

40 『孟子』「公孫丑上」

[4-2-1-4]

問 : "'天地之帥, 吾其性', 先生解以'乾健·坤順'爲'天地之志', 天地安得有志?"

曰 : "'復, 其見天地之心', '天地之情可見', 安得謂天地無心情乎?"

或問 : "福善禍淫, 天之志否?"

曰 : "程先生說'天地以生物爲心', 最好. 此乃是無心之心也."[41]

물었다. "'천지를 거느리는 것을 내가 성性으로 삼는다.'는 것에서 선생은 '건이 굳세고 곤이 순하다'는 것을 '천지의 뜻'으로 삼는다고 풀이했는데, 천지에 어찌 뜻이 있을 수 있습니까?"

(주자가) 대답했다. "'복괘에서 그 천지의 마음을 본다.'[42]고 하고, (대장괘에서)'천지의 정을 볼 수 있다.'[43]고 했는데, 어찌 천지가 심정이 없다고 말할 수 있겠는가?"

어떤 사람이 물었다. "선에 복을 내리고 악에 재앙을 입히는 것은 하늘의 뜻입니까?"

(주자가) 대답했다. 정[程頤] 선생이 '천지는 만물을 낳는 것을 마음으로 여긴다.'[44]고 한 말이 가장 좋다. 이것은 마음이 없는 마음이다."

[4-2-1-5]

"'天地之塞', 似亦著'擴充'字未得. 但謂充滿乎天地之間莫非氣, 而吾所得以爲形骸者, 皆此氣耳. '天地之帥', 則天地之心, 而理在其中也."[45]

(주자가) 말했다. "'천지를 채우고 있는 것'은 또한 '확충'이라는 글자를 붙일 수 없다. 그러나 천지 사이에 충만한 것은 기氣가 아닌 것이 없다고 하니, 내가 얻어서 형체를 이룬 것은 다 이 기氣일 뿐이다. '천지를 거느리는 것'은 천지의 마음이니, 리理는 그 속에 있다."

[4-2-1-6]

問"「西銘」之義."

曰 : "他緊要血脈, 盡在'天地之塞, 吾其體; 天地之帥, 吾其性'兩句上. 上面'乾稱父'至'混然中處', 是頭; 下面'民吾同胞, 物吾與也', 便是箇項. 下面便撒開說許多.[46] '大君吾父母宗子'云云, 盡是從'民吾同胞, 物吾與也'說來. 到得'「知化」, 則善述其事, 「窮神」, 則善繼其志', 這志便只是那'天地之帥, 吾其性'底志. 爲人子便要述得父之事, 而繼得父之志. 如此, 方是事親. 如事天, 便要述得天之事, 繼得天之志, 方是事天. 若是違了此道理, 便是天之悖德之子. 若害了這仁, 便是天之賊子. 若是濟惡不悛, 便是天之不才之子. 若能'踐形'[47], 便是克

41 『朱子語類』 권98, 78조목

42 『周易』「復卦 ䷗」 彖傳

43 『周易』「大壯卦 ䷡」 彖傳

44 『이정외서』 권3 「陳氏本拾遺」

45 『朱文公集』 권58 「書·答黃道夫」

46 이 글의 출전인 『朱子語類』 권98, 80조목에는 '下面便撒開說許多.'라는 부분이 '下面便撒開說, 說許多.'라고 되어 있다.

肖之子. 這意思血脈, 都是從'天地之塞, 吾其體; 天地之帥, 吾其性'說. 緊要都是這兩句, 若不是此兩句, 則天自是天, 我自是我, 有何干涉?"

或問 : "此兩句, 便是理一處否?"

曰 : "然."[48]

「서명」의 뜻을 묻습니다.

(주자가) 대답했다. "그것의 중요한 혈맥은 '천지를 채우고 있는 것을 내가 몸으로 삼고, 천지를 거느리는 것을 내가 성性으로 삼는다.'는 두 구절에 있다. 위의 '건을 아버지라고 일컫는다.'는 것부터 '혼연히 그 속에 있다.'는 것까지가 머리이고, 아래의 '백성은 나의 동포이고, 만물은 나의 무리이다.' 고 하는 것은 바로 목이다. 아래는 바로 전개해서 많은 말을 하였다. '대군은 내 부모의 종자이다.'고 운운한 것은 다 '백성은 나의 동포이고, 만물은 나의 무리이다.'는 말에서 왔다. '「변화를 알」[49]면 그 일을 잘 따르고, 「신묘함을 궁구하」[50]면 그 뜻을 잘 잇는다.'[51]라는 것에 이르렀을 때, 이 뜻은 바로 그 '천지를 거느리는 것을 내가 성性으로 삼는다.'고 하는 뜻이다. 사람의 자식이 된 자는 바로 부모의 일을 따르고, 부모의 뜻을 이을 수 있어야 한다. 이와 같이 해야 비로소 부모를 섬길 수 있다. 하늘을 섬기는 것과 같은 경우는 바로 하늘의 일을 따르고 하늘의 뜻을 이을 수 있어야 비로소 하늘을 섬길 수 있다. 만약 이러한 도리를 위배한다면 하늘의 덕을 어긴 자식이다. 만약 이러한 인仁을 해치면 하늘의 도리를 해친 아들이다. 만약 악행을 저지르는 것을 고치지 않는다면 하늘의 못난 자식이다. 만약 '제 모습을 실천'할 수 있다면 하늘을 잘 닮은 자식이다. 이러한 뜻의 혈맥은

47 '踐形'의 출전은 『孟子』「盡心上」의 "모습과 빛깔은 천성이고, 오직 성인이 된 후에야 제 모습을 실천할 수 있다.(形色, 天性也 ; 惟聖人, 然後可以踐形.)"이다. 그런데 맹자의 이 글에 대해 정이와 양시는 『맹자대전』에서 다음과 같이 설명하고 있다. "정자는 '이것은 성인이 인도를 다 구현하여 그 모습을 채울 수 있음을 말한 것이다. 사람은 천지의 바른 기를 얻어 생겨나는데 만물과 다르다. 이미 사람이 되었으니 반드시 사람의 이치를 얻은 후에야 사람의 명칭을 부를 수 있다. 뭇사람들이 그것을 가지고 있지만 알지 못하고, 현인은 그것을 실천하지만 다 구현하지 못하는데, 그 모습을 채울 수 있는 사람은 오직 성인뿐이다.'고 말했다.(程子曰, '此言聖人盡得人道而能充其形也. 蓋人得天地之正氣而生, 與萬物不同. 旣爲人, 須盡得人理, 然後稱其名. 衆人有之而不知, 賢人踐之而未盡, 能充其形, 惟聖人也.')" "양씨는 '「하늘이 많은 백성을 낳으니, 物이 있으면 則이 있다.」는 글에서 物은 모습과 빛깔이고, 則은 본성이다. 각각 그 본성을 다하면 제 모습을 실천할 수 있다.'고 말했다.(楊氏曰'「天生烝民, 有物有則.」物者, 形色也 ; 則者, 性也. 各盡其則, 則可以踐形矣.')" 주희 역시 『孟子集註』에서 이 부분에 대해 다음과 같이 해석하고 있다. "사람에게는 모습이 있고 빛깔이 있으며, 각각 자연스러운 이치가 있지 않음이 없으니, 이른바 천성이다. 踐은 말을 실천한다고 할 때의 실천과 같다. 뭇사람들이 이 모습을 갖추고 있지만, 그 이치를 다 구현할 수 없으므로 그 모습을 실천할 수 없다. 오직 성인이 이 모습을 갖추고 있고 또 그 이치를 다 구현할 수 있게 된 다음에야 그 모습을 실천할 수 있어서 부족함이 없다.(人之有形有色, 無不各有自然之理, 所謂天性也. 踐, 如踐言之踐. 蓋衆人有是形, 而不能盡其理, 故無以踐其形. 惟聖人有是形, 而又能盡其理, 然後可以踐其形而無歉也.)"

48 『朱子語類』 권98, 80조목

49 『周易』「繫辭下」 5장

50 『周易』「繫辭下」 5장

51 「書銘」 7장

모두 '천지를 채우고 있는 것을 내가 몸으로 삼고, 천지를 거느리는 것을 내가 성性으로 삼는다.'는 말에 근거한다. 중요한 것은 이 두 구절이니, 만약 이 두 구절이 아니라면 하늘은 하늘이고 나는 나이니, 어떠한 관련이 있겠는가?"

어떤 사람이 물었다. "이 두 구절이 바로 리일理一인 것입니까?"

(주자가) 대답했다. "그렇다."

[4-2-1-7]

問 : "近見一士人云, '聞之先生, 「吾其體, 吾其性」, 其字有我去承當之意.' 今考經中, 初無是說."

曰 : "承當之說不記有無此語. 然實下'承當'字不得. 然當時只是說得禀受之意. 渠記得不子細也."[52]

물었다. "요즈음 한 선비가 '선생에게서 「내가 몸으로 삼고, 내가 성性으로 삼는다.」는 말에서 기其자에는 내가 담당한다는 뜻이 있는 것이라고 들었습니다.'라고 말하는 것을 보았습니다. 지금 경을 살펴보니, 처음부터 이 말이 없습니다."

(주자가 대답했다.) "담당한다는 말을 했는지 안 했는지 기억나지 않는다. 그러니 실제로 '담당'이라는 글자를 쓸 수 없다. 그러나 당시에는 오직 품수禀受의 뜻만 말했을 뿐이다. 그가 기억한 것은 자세하지 않다."

[4-2-1-8]

問 : "'天地之塞, 吾其體', 塞者, 日月之往來, 寒暑之迭更, 與夫星辰之運行, 山川之融結. 又五行質之所具, 氣之所行, 無非塞乎天地者."

曰 : "'塞'字意得之."[53]

물었다. "'천지를 채우고 있는 것을 내가 몸으로 삼는다.'는 것에서 채워짐은 해와 달의 가고 옴과 추위와 더위의 번갈은 바뀜과 별들의 운행과 산천의 형성입니다. 또 오행의 질이 갖추어진 것과 기가 유행한 것은 천지를 채우지 않은 것이 없습니다."

(주자가) 답했다. "'채워짐'이라는 글자의 뜻을 얻었다."

52 이 글은 『朱文公集』 권52 「書·答吳伯豐」의 내용 가운데 일부를 발췌한 것이다. 여기에 해당하는 전문은 다음과 같다. "'천지를 채우고 있는 것을 내가 몸으로 삼고, 천지를 거느리는 것을 내가 性으로 삼는다.'는 글에 대해, 요즘 남강의 한 선비가 '지난 해에 일찍이 선생에게서 其라는 글자는 내가 담당한다는 뜻이 있는 것이라고 들었습니다.'고 말하는 것을 보았습니다. 지금 경을 살펴보니, 처음부터 이 말이 없습니다.(天地之塞, 吾其體; 天地之帥, 吾其性.' 近見南康一士人云, '頃歲曾聞之於先生, 其字有我去承當之意.' 今考經中, 初無是說.)" "「書銘」에서 담당한다는 말은 이 말을 했는지 안 했는지 기억나지 않는다. 그러니 실제로 '담당[承當]'이라는 글자를 쓸 수 없다. 아마도 당시에는 오직 禀受의 뜻만 말했을 뿐이다. 그의 기억은 자세하지 않다.(「西銘」 承當之說不記有無此語. 然實下'承當'字不得. 恐當時只是說禀受之意. 渠記得不子細也.)"

53 『朱文公集』 권57 「書·答李堯卿」

[4-2-1-9]

“且逐日自把身心來體察，便見得吾身便是天地之性,[54] 吾性便是天地之帥.”[55]

(주자가 말했다.) “또한 날마다 스스로 몸과 마음을 직접 살피면 나의 몸은 바로 천지를 채우고 있는 것이고, 나의 성性은 바로 천지를 거느리는 것임을 볼 수 있다.”

[4-2-1-10]

問 : “先生解「西銘」‘天地之塞’，作‘窒塞’之‘塞’，如何?”

曰 : “後來又改了，只作‘充塞.’ 橫渠不妄下字，各有來處.”[56]

물었다. “선생께서 「서명」의 ‘천지를 채우고 있는 것’을 풀이할 때, ‘막힘[窒塞]’의 ‘색塞’으로 했는데, 왜 그렇습니까?”

(주자가) 대답했다. “뒷날에 다시 고쳤으니, 오직 ‘채워짐[充塞]’이라고 했다. 횡거橫渠(張載)는 망령스럽게 글을 쓰지 않았으니, 각각 유래하는 곳[57]이 있다.”

[4-2-1-11]

“向要到雲谷[58]，自下上山，半塗大雨，通身皆濕，得到地頭. 因思著‘天地之塞，吾其體；天地之帥，吾其性.’ 時季通及某人同在那裏. 某因各人解此兩句，自亦作兩句解. 後來看，也自說得著，所以迤邐便作「西銘」等解.”[59]

(주자가 말했다.) “예전에 운곡에 가려고 산 아래에서 오르다가 도중에 큰 비를 만나 온몸이 다 젖고서야 목적지에 도달할 수 있었다. 그 때문에 ‘천지를 채우고 있는 것을 내가 몸으로 삼고, 천지를 거느리는 것을 내가 성性으로 삼는다.’는 글을 생각했다. 그때 계통季通[蔡元定][60]과 어떤 사람이 그곳

54 여기에서 번역을 『性理大全』의 내용과 같이 ‘나의 몸은 바로 천지의 性’이 아니라, ‘천지를 채우고 있는 것[塞]’이라고 한 것은 이 글의 출전인 『朱子語類』(권98, 98조목)의 내용이 ‘天地之性’이 아니라 ‘天地之塞’으로 되어 있을 뿐만 아니라, 장재의 「書銘」 자체도 ‘천지를 채우고 있는 것을 내가 몸으로 삼는다.(天地之塞, 吾其體)’고 되어 있기 때문이다. 곧 이 글은 장재의 ‘천지를 채우고 있는 것을 내가 몸으로 삼는다.’는 글을 주희가 보충 설명하는 글인데, 『性理大全』의 편집자가 이 부분을 깊게 주의하지 않았기 때문에 발생하는 문제라고 할 수 있다.

55 『朱子語類』 권98, 98조목

56 『朱子語類』 권52, 101조목

57 이에 대해 주희는 ‘천지를 채우고 있는 것’이란 『孟子』(「公孫丑上」)의 “호연지기는 천지 사이에 채워짐이다.”라는 구절에 근거하고 있고, ‘천지를 거느리는 것’이란 『孟子』(「公孫丑上」)의 “뜻은 기를 거느리는 것이다.(志, 氣之帥也.)”라는 구절에 근거하고 있는 것으로 여긴다. 『朱子語類』 권52, 101조목 참조

58 雲谷 : 산 이름이다. 복건성 건양현에 있는데, 무이산과 가깝다. 일찍이 주희는 여기에서 초막을 짓고 공부를 하기도 했다. 주희는 自號를 雲谷老人이라고 하기도 하고, 『雲谷記』를 지어 이 산의 특징을 묘사하기도 했다.

59 『朱子語類』 권5, 20조목

60 蔡元定(1135~1198) : 송대의 성리학자이다. 자는 季通이고, 호는 西山이다. 시호는 文節이고, 建州 建陽 출신이다. 蔡發의 아들이며, 蔡沈의 아버지이다. 채원정은 아버지에게서 『이정어록』·『正蒙』·『皇極經世書』를

에 함께 있었다. 어떤 사람이 이어서 각자 이 두 구절을 풀이하자고 했고, 나 또한 이 두 구절을 풀이했다. 뒤에 생각해보니, 또한 내가 말한 것이 분명하기 때문에 이어서 「서명」 등의 해석서[61]를 짓게 되었다."

[4-2-1-12]

北溪陳氏曰 : "性只是理. 人之生不成只空得箇理. 須有箇形骸, 方載得此理. 其實理不外乎氣. 得天地之氣成這形; 得天地之理成這性. 所以橫渠曰'天地之塞, 吾其體; 天地之帥, 吾其性.' '塞'字, 只是就孟子'浩然之氣, 塞乎天地'句掇一字來說'氣'; '帥'字, 只是就孟子'志, 氣之帥'句掇一字來說'理'. "[62]

북계 진씨北溪陳氏[陳淳][63]가 말했다. "성은 다만 리理이다. 사람이 태어날 때에 그저 공허하게 리理를 얻었다고 해서는 안 된다. 반드시 형체가 있어야 비로소 이 리理를 실을 수 있다. 사실 리理는 기 밖에 있지 않다. 천지의 기를 얻어 이 형체를 이루고, 천지의 리理를 얻어 이 성性을 이룬다. 따라서 횡거橫渠(張載)는 '천지를 채우고 있는 것을 내가 몸으로 삼고, 천지를 거느리는 것을 내가 성性으로 삼는다.'고 했다. '채워짐[塞]'이라는 글자는 다만 『맹자』(「공손추상」)의 '호연지기가 천지 사이에 차 있다.'는 구절에서 한 글자를 따와서 '기氣'를 설명했고, '거느림[帥]'이라는 글자는 다만 『맹자』(「공손추상」)의 '뜻은 기를 거느리는 것이다.'는 구절에서 한 글자를 따와서 '리理'를 설명했다."

[4-3]

民吾同胞, 物吾與也.

백성은 나의 동포이고, 만물은 나의 무리이다.

[4-3-1]

人物竝生於天地之間. 其所資以爲體者, 皆天地之塞; 其所得以爲性者, 皆天地之帥也. 然體有偏正之殊, 故其於性也不無明暗之異. 惟人也得其形氣之正, 是以其心最靈而有以通乎性命之全, 體於竝生之中, 又爲同類而最貴焉, 故曰'同胞', 則其視之也, 皆如己之兄弟矣. 物則得夫形氣之偏, 而不能通乎性命之全, 故與我不同類, 而不若人之貴. 然原其體性

배웠다. 후에 주희를 찾아가 주희를 스승으로 여겼다. 그러나 주희는 채원정의 학문을 인정하여 벗으로 대우했으며, 여러 곳에서 오는 사람들로 하여금 먼저 채원정에게 질정하도록 했다. 채원정의 학문은 의리학과 상수학을 겸하는 『역』을 활용하여 소옹의 『皇極經世書』를 주석하였다. 그의 학문 방법은 '數'로 이치를 밝히는 것이다. 저서로 『律呂新書』·『大衍詳說』·『皇極經世』·『洪範解』·『太玄潛虛指要』 등이 있다.

61 장횡거의 여러 책(예, 『正蒙』 등)을 주해하였다.

62 『北溪字義』 권상 「性」

63 陳淳(1159~1223) : 송대의 성리학자이다. 자는 安卿이고, 호는 北溪이다. 宋代 龍溪(현 복건성 장주漳州) 사람으로 주희가 장주 지사일 때 제자가 되어, 주희에게 '남쪽에 와서 나의 도가 진순 한 사람을 얻었다.'는 칭찬을 받았다. 시호는 文安이다. 저서는 『北溪字義』·『北溪大全集』 등이 있다.

之所自, 是亦本之天地, 而未嘗不同也, 故曰'吾與', 則其視之也, 亦如己之儕輩矣. 惟'同胞'也, 故以天下爲一家, 中國爲一人, 如下文所云. 惟'吾與'也, 故凡有形於天地之間者, 若動若植, 有情無情, 莫不有以若其性, 遂其宜焉. 此儒者之道所以必至於'參天地, 贊化育', 然後爲功用之全, 而非有所强於外也.

사람과 만물은 함께 천지 사이에서 생겨났다. 사람과 만물이 취하여 몸으로 삼은 것은 모두 천지를 채우고 있는 것이고, 사람과 만물이 얻어서 성性으로 삼은 것은 모두 천지를 거느리는 것이다. 그러나 몸에는 치우치거나 바른 차이가 있으므로 그 성性 또한 밝고 어두운 차이가 없지 않다. 오직 사람만이 바른 형기形氣를 얻는데, 이 때문에 그 마음은 가장 신령스러워서 성性과 명命의 온전함에 통함이 있고, 몸은 함께 생겨나는 것들 속에서 또 같은 부류가 되면서도 가장 귀하기 때문에 '동포'라고 하니, 그들을 보기를 다 자기의 형제처럼 여긴다. 만물은 치우친 형기를 얻어서 성性과 명命의 온전함에 통할 수 없기 때문에 나와 같은 부류가 아니며, 사람만큼 귀하지는 않다. 그러나 그 몸과 성性이 유래한 근원을 추구하면 이 또한 천지를 근본으로 하여 같지 않은 적이 없으므로 '나의 무리'라고 하니, 그것을 보기를 또한 자기와 같은 무리로 여긴다. 오직 '동포'이기 때문에 세상 사람들을 한 집안으로 여기고, 나라 안의 사람들을 한 사람으로 여기니 다음 글에서 말한 것과 같다. 오직 '나의 무리'이기 때문에 천지 사이에 형체가 있는 것이 마치 동물이건 식물이건 감정이 있는 것이건 감정이 없는 것이건 그 본성대로 마땅함을 이루지 않음이 없다. 이것이 유가의 도가 반드시 '천지와 셋이 되어 화육을 돕는 데에'[64] 이른 후에 공용功用이 온전해지는 것이지 밖에 강요하는 것이 있지 않은 까닭이다.

[4-3-1-1]

朱子曰 : "通是一氣, 初無間隔. '民吾同胞, 物吾與也', 萬物雖皆天地所生, 而人獨得天地之正氣, 故人爲最靈. 故'民吾同胞', 物則亦我之儕輩. 孟子所謂'親親而仁民, 仁民而愛物', 其等差自然如此. 大抵即事親者以明事天."[65]

주자가 말했다. "모두 한 기氣이니, 처음부터 틈이 없다. '백성은 나의 동포이고, 만물은 나의 무리이다.'는 것에서 만물은 비록 다 천지가 생성한 것이지만, 사람이 유독 천지의 정기를 얻었기 때문에 사람이 가장 신령스럽다. 그러므로 '백성은 나의 동포이고', 만물은 또한 나의 무리이다. 맹자가

64 『中庸』 22장 "오직 천하의 지극한 誠이라야 그 性을 다 구현할 수 있고, 그 性을 다 구현할 수 있으면 사람의 性을 다 구현할 수 있으며, 사람의 性을 다 구현할 수 있으면 만물의 性을 다 구현할 수 있고, 만물의 性을 다 구현할 수 있으면 천지의 화육을 도울 수 있으며, 천지의 화육을 도울 수 있으면 천지와 더불어 셋이 될 수 있다.(唯天下至誠, 爲能盡其性; 能盡其性, 則能盡人之性; 能盡人之性, 則能盡物之性; 能盡物之性, 則可以贊天地之化育; 可以贊天地之化育, 則可以與天地參矣.)" 『中庸』 32장 "오직 천하의 지극한 誠이라야 천하의 큰 법을 경륜하고, 천하의 큰 근본을 정립하며, 천지의 화육을 알 수 있으니, 어찌 의지하는 것이 있겠는가?(唯天下至誠, 爲能經綸天下之大經, 立天下之大本, 知天地之化育, 夫焉有所倚?)"

65 『朱子語類』 권98, 79조목

'부모를 친애한 뒤에 백성을 사랑하며, 백성을 사랑한 뒤에 만물을 아낀다.'[66]고 말한 것에서 그 등급이 자연히 이와 같다. 대개 부모를 섬기는 것으로 하늘을 섬기는 것을 밝혔다."

[4-3-1-2]

問 : "「西銘」'理一分殊', 莫是'民吾同胞, 物吾與也'[67]之意否?"

曰 : "民物固是分殊, 須是就民物中又各知得分殊. 不是伊川說破, 也難理會. 然看久, 自覺裏面有分別."[68]

물었다. "「서명」에서 '리일분수理一分殊'는 '백성은 나의 동포이고, 만물은 나의 무리이다.'는 뜻입니까?"

(주자가) 대답했다. "백성과 만물은 진실로 분수分殊이니, 백성과 만물 속에서 또 각각 분수를 반드시 알아야 한다. 이천伊川[程頤]이 말하지 않았다면 또한 알기가 어려웠을 것이다. 그러나 오랫동안 살펴보면 그 안에 분별이 있음을 스스로 알게 된다."

[4-3-1-3]

問 : "'物吾與也', 莫是黨與之'與'否?"

曰 : "然."[69]

물었다. "'만물은 나의 무리이다.'는 것에서 (與는) 무리[黨與]의 '여與'입니까?"

(주자가) 대답했다. 그렇다.

[4-3-1-4]

西山眞氏曰 : "凡生於天壤之間者, 莫非天地之子, 而吾之同氣者也. 是之謂理一. 然親者吾之同體, 民者吾之同類, 而物則異類矣. 是之謂分殊. 以其理一, 故仁愛之施無不徧; 以其分殊, 故仁愛之施則有差."[70]

서산 진씨西山眞氏[眞德秀]가 말했다. "하늘과 땅 사이에서 태어난 것은 천지의 자식이어서 나와 기氣가 같지 않은 것이 없다. 이것을 리일理一이라고 한다. 그러나 부모는 나와 몸이 같고, 백성은 나와 부류가 같지만, 만물은 부류가 다르다. 이것을 분수分殊라고 한다. 리일理一이기 때문에 사랑[仁愛]이

66 『孟子』「盡心上」

67 그런데 이 글의 출전인 『朱子語類』 권98, 95조목에서는 '理一分殊'와 '莫是「民吾同胞」' 사이에 '分殊'라는 글이 있다(問: "「西銘」'理一而分殊', 分殊, 莫是'民吾同胞, 物吾與也'之意否?"). '分殊'라는 글이 있을 경우에 더 설득력이 있다. 왜냐하면 "천지를 채우고 있는 것을 내가 몸으로 삼고, 천지를 거느리는 것을 내가 性으로 삼는다.(天地之塞, 吾其體; 天地之帥, 吾其性)"는 내용이 '理一'이고, "백성은 나의 동포이고, 만물은 나의 무리이다.(民吾同胞, 物吾與也.)"는 내용이 '分殊'이기 때문이다.

68 『朱子語類』 권98, 95조목

69 『朱子語類』 권98, 89조목

70 『大學衍義』 권12 「格物致知之要一·明道術·吾道源流之正」

두루 펼쳐지지 않음이 없고, 분수分殊이기 때문에 사랑[仁愛]을 펼치는 것에는 차이가 있다."

[4-3-1-5]

黃巖孫曰 : "程子云'所以謂「萬物一體者」, 皆有此理, 只爲從那裏來. 「生生之謂易」, 生則一時生, 皆完此理. 人則能推, 物則氣昏推不得. 不可道他物不得有也. 人只爲自私, 將自家軀殼上頭起意, 故看得道理小了他底. 放這身來, 都在萬物中一例看, 大小大快活.'"

황암손[71]이 말했다. "정자程子가 '「만물은 한 몸이다.」고 말하는 까닭은 다 이 리理가 있으니, 단지 그곳에서 나오기 때문이다. 「생겨나고 생겨나는 것을 역이라고 한다.」[72]는 것에서 생겨남은 한때에 생겨나지만, 모두 이 리理를 완전하게 갖추고 있다. 사람은 미루어 알 수 있지만, 만물은 기가 어두워서 미루어 알 수 없다. 다른 것은 (리를) 가질 수 없다고 말해서는 안 된다. 사람은 다만 자기를 위하기 때문에 자신의 몸을 먼저 생각하므로 도리를 보는 것이 다른 것을 작게 했다. 이 몸을 내려놓고, 모두 만물 가운데 한가지로 보면, 매우 분명하다.'[73]고 말했다."

[4-4]

大君者, 吾父母宗子; 其大臣, 宗子之家相也. 尊高年, 所以長其長; 慈孤弱, 所以幼其幼. 聖其合德, 賢其秀也. 凡天下疲癃殘疾惸獨鰥寡, 皆吾兄弟之顚連而無告者也.

대군大君[君主]은 내 부모의 종자宗子이고, 대신大臣은 종자의 비서이다. 나이 많은 사람을 존중하는 것은 어른을 어른으로 대하는 것이고, 고아와 연약한 사람을 사랑하는 것은 어린이를 어린이로 대하는 것이다. 성인은 덕에 합치하는 사람이고, 현인은 빼어난 사람이다. 세상에서 병든 사람과 외로운 사람[74]등은 모두 내 형제 가운데 가난하고 외로우면서도 하소연할 곳이 없는 사람들이다.

[4-4-1]

乾父坤母, 而人生其中, 則凡天下之人皆天地之子矣. 然繼承天地, 統理人物, 則大君而已, 故爲父母之宗子. 輔佐大君, 綱紀衆事, 則大臣而已, 故爲宗子之家相.

건을 아버지라고 하고 곤을 어머니라고 하며, 사람은 그 속에서 생겨나니, 세상 사람들은 다 천지의 자식이다. 그러나 천지를 계승하고 사람과 만물을 통괄적으로 다스리는 사람은 대군일 뿐이기 때문에 부모의 종자가 된다. 대군을 보좌하고 뭇 일에 기강을 세우는 것은 대신일 뿐이므로 종자의 비서가 된다.

71 黃巖孫 : 송대 성리학자이다. 자는 景傅이다. 惠安(현 복건성 소속) 사람으로 1256년에 진사에 급제하여 仙溪尉 · 知尤溪縣 등을 역임하였고 南溪書院을 중수하였다. 저서는 주희의 『太極解義』 · 『通書解』 · 『書銘解』에 대한 疏와 『集解』가 있다.

72 『周易』「繫辭上」 5장

73 『二程遺書』 권2상 「元豐己未呂與叔東見二先生語」 "다른 것은 (리를) 갖추고 있지 않다고 말해서는 안 된다. (不可道他物不與有也.)"

74 힘없는 사람, 노쇠한 사람, 불구자, 병든 사람, 고아, 자식 없는 노인, 홀아비, 과부

[4-4-1-1]

朱子曰："「西銘」狀仁之體，元自昭著. 以昧者不見，故假'父母宗子家相'等名以曉譬之. 初未嘗謂與乾坤都無干涉，而姑爲是言以形容之也."[75]

주자가 말했다. "「서명」은 인仁의 체體를 형용했는데, 원래 분명하다. 몽매한 자들이 알지 못하기 때문에 '부모와 종자와 비서' 등의 이름을 빌려 그것을 비유해 밝혔다. 처음에 건곤과는 전혀 관련이 없다고 말한 적이 없지만, 잠시 이 말로 형용하였다."

[4-4-1-2]

"人皆天地之子，而大君乃其適長子，所謂宗子有君道者也. 故曰'大君者，乃吾父母之宗子'爾，非如所謂旣爲父母，又降而爲子也."

問："宗子如何是適長子?"

曰："此正以繼禰之宗爲喩爾. 繼禰之宗，兄弟宗之，非父母之適長子而何?"[76]

(주자가 말했다.) "사람은 다 천지의 자식이고, 대군은 그 적장자이니, 이른바 종자로서 군주의 도가 있는 자이다. 그러므로 '대군은 나의 부모의 종자이다.'고 말했을 뿐, (그대가 말한) 이미 부모가 되어 있는데, 또 낮추어서 아들로 삼는 것과 같지 않다."

물었다. "종자宗子가 왜 적장자입니까?"

(주자가) 대답했다. "이것은 바로 아버지를 잇는 종자를 비유했을 뿐이다. 아버지를 잇는 종자는 형제들이 그를 받드니, 부모의 적장자가 아니면 무엇이겠는가?"

[4-4-2]

天下之老一也，故凡尊天下之高年者，乃所以長吾之長. 天下之幼一也，故凡慈天下之孤弱者，乃所以幼吾之幼. 聖人與天地合其德，是兄弟之合德乎父母者也. 賢者才德過於常人，

75 이 글은 『朱文公集』 권36 「答陸子美」의 다음과 같은 내용과 관련이 된다. "그런데 만약 인물이 반드시 다만 부모가 생성한 것이고 다시 건곤과 전혀 관련이 없다고 한다면, 그 「書銘」에서 취함이 있는 것은 단지 그것을 취할 때 잠시 넓고 큰 말로 仁의 體를 형용하여 나의 사사로움을 깨트린 것일 뿐이다. 그렇다면 이것은 이른바 인의 체란 전적으로 공허한 이름이고 애초에 실제적인 體가 없으며, 한 사람의 사사로움이 오히려 실제적인 이치이니, 마땅히 분별이 있어야 한다. 성현은 이것에 대해 오히려 처음부터 공의로움과 이치를 보지 않고 단지 이로움과 해로움을 보며, 함부로 자기의 의도로 언어를 조작하여 없는 것을 증식하고 있는 것을 파괴할 뿐이다. 만약 이와 같다면 말의 잘못을 확립한 것이 '膠固(굳음)'라는 두 글자로 어찌 그것을 충분히 다하겠는가? 또 어찌 사람을 한 사람의 사사로움에 빠지도록 충분히 파괴시킬 수 있겠는가?(今若必爲人物只是父母所生，更與乾坤都無干涉，其所以有取於「西銘」者，但取其姑爲宏闊廣大之言以形容仁體而破有我之私而已. 則是所謂仁體者全是虛名，初無實體，而小己之私却是實理，合有分別. 聖賢於此却初不見義理，只見利害，而妄以己意造作言語，以增飾其所無，破壞其所有也. 若果如此，則其立言之失，'膠固'二字豈足以盡之? 而又何足以破人之梏於一己之私哉?)"

76 『朱文公集』 권71 「雜著·記林黃中辨易「西銘」」에는 '非如'와 '旣爲父母' 사이에 '所謂'가 아니라, '侍郎所說'로 되어 있어, 말한 사람의 관직을 보충하여 완전한 문장을 이루었다.

是兄弟之秀出乎等夷者也. 是皆以天地之子言之, 則'凡天下之疲癃殘疾, 惸獨鰥寡', 非吾兄弟無告者而何哉?

세상의 노인은 같으므로 세상의 나이 많은 사람을 존중하는 것은 나의 어른을 어른으로 대하는 것이다. 세상의 어린이는 같으므로 세상의 고아와 연약한 사람을 사랑하는 것은 나의 어린이를 어린이로 대하는 것이다. 성인은 천지와 그 덕이 합치하니, 형제로서 부모와 덕을 합친 사람이다. 현인의 재주와 덕이 보통 사람보다 뛰어나니, 형제로서 동년배에서 빼어난 사람이다. 이것은 다 천지의 자식으로 말한 것이니, '세상의 병든 사람과 외로운 사람' 등은 하소연할 곳 없는 내 형제가 아니고 누구이겠는가?

[4-4-2-1]

朱子曰："許多人物生於天地之間, 同此一氣, 同此一性, 便是吾兄弟黨與. 大小等級之不同, 便是親疎遠近之分."[77]

주자가 말했다. "많은 사람과 만물이 천지 사이에서 생겨나는데, 이 기氣가 같고 이 성性이 같으니, 바로 나의 형제와 무리들이다. 크고 작은 등급이 같지 않은 것은, 바로 친근함과 소원함의 구분이다."

[4-4-2-2]

"'凡天下疲癃殘疾惸獨鰥寡, 吾兄弟顚連而無告者也', 君子之爲政, 且要主張這一等人."[78]

(주자가 말했다). "'세상의 병든 사람과 외로운 사람 등은 모두 내 형제 가운데 가난하고 외로우면서도 하소연할 곳이 없는 사람들이다.'고 하였으니, 군자가 정치를 할 때에 우선 이러한 사람을 구제해야 한다[79]는 것이다."

[4-5]

"于時保之", 子之翼也; "樂"且"不憂", 純乎孝者也.

"이에 보존하는 것은"[80] 자식의 공경이고, "즐거워하며"[81] 또 "근심하지 않는 것은"[82] 효도에 순수한

77 『朱子語類』 권98, 98조목

78 『朱子語類』 권106, 7조목

79 원문에서 '주장'이란 뜻에는 '구제한다'는 의미가 있다.

80 이 글의 출전은 『詩經』「周頌·淸廟之什·我將」의 다음과 같은 내용이다. "하늘의 위엄을 두려워하여 이에 보존한다.(畏天之威, 于時保之.)"

81 이 글의 출전은 『孟子』「梁惠王下」의 다음과 같은 내용이다. "제나라 선왕이 묻기를 '이웃나라와 교류하는데 도가 있습니까?'라고 했다. 맹자가 대답하기를 '있습니다. 오직 어진 사람[仁者]이라야 큰 나라로 작은 나라를 사랑할 수 있습니다. 이 때문에 탕이 갈을 섬겼고 문왕은 곤이를 섬겼습니다. 오직 지혜로운 사람[智者]이라야 작은 나라로 큰 나라를 섬길 수 있습니다. 그러므로 태왕은 훈육을 섬겼고, 구천은 오를 섬겼습니다. 큰 나라로 작은 나라를 섬기는 사람은 하늘을 즐거워하는 사람이고, 작은 나라로 큰 나라를 섬기는 사람은 하늘을 두려워하는 사람입니다. 하늘을 즐거워하는 사람은 세상을 보존하고, 하늘을 두려워하는 사람은 그 나라를 보존합니다. 『詩經』에서는 「하늘의 위엄을 두려워하여 이에 보존한다.」고 하였습니다.'(齊宣王問曰, '交鄰國

자이다.

[4-5-1]

畏天以自保者, 猶其敬親之至也; 樂天而不憂者, 猶其愛親之純也.

하늘을 두려워하여 스스로 보존하는 것은 지극히 부모를 공경하는 것과 같고, 천도를 즐거워하고 근심하지 않는 것은 순수하게 부모를 사랑하는 것과 같다.

[4-5-1-1]

朱子曰 : "「西銘」首論天地萬物與我同體之意, 固極宏大. 然其所論事天功夫, 則自'于時保之'以下方極親切."[83]

주자가 말했다. "「서명」이 첫머리에서 천지 만물은 나와 같은 몸이라는 뜻을 논한 것은 확실히 매우 크다. 그러나 하늘을 섬기는 공부를 논한 것은 '이에 보존한다.'[84]는 것 이하에서야 비로소 매우 절실하다."

[4-5-1-2]

問 : "「西銘」自'乾稱父, 坤稱母', 至'民吾同胞, 物吾與也'處, 是仁之體; '于時保之'以下, 是做工夫處?"

曰 : "若言'同胞''吾與'了, 便說著'博施濟衆', 却不是. 所以只教人做工夫處[85], 只在敬與恐懼. 故曰'「于時保之」, 子之翼也.' 能常敬而恐懼, 則這箇道理自在."[86]

물었다. "「서명」에서 '건을 아버지라고 칭하고, 곤을 어머니라고 칭한다.'는 것부터 '백성은 나의 동포이고, 만물은 나의 무리이다.'는 것에 이르기까지는 인仁의 체體이고, '이에 보존한다.'는 것 이하는 공부하는 곳입니까?"

(주자가) 대답했다. "만약 '동포'와 '나의 무리'를 말했다고 해서 바로 '널리 베풀어 구제함이 많다.'[87]

有道乎? 孟子對曰, '有. 惟仁者爲能以大事小. 是故湯事葛, 文王事昆夷. 惟智者爲能以小事大. 故太王事獯鬻, 句踐事吳. 以大事小者, 樂天者也; 以小事大者, 畏天者也. 樂天者保天下, 畏天者保其國. 『詩』云, 「畏天之威, 于時保之.」')"

82 이 글의 출전은 『論語』「憲問」의 다음과 같은 내용이다. "공자는 '군자의 도는 세 가지인데, 나는 할 수 없다. 어진 사람은 근심하지 않고, 지혜로운 사람은 미혹되지 않으며, 용기 있는 사람은 두려워하지 않는다.'고 말했다.(子曰, '君子道者三, 我無能焉. 仁者不憂, 知者不惑, 勇者不懼.)" 공자는 여기에서 군자의 세 가지 도 가운데, '어진 사람은 근심하지 않는다.'는 말을 매우 중시했다. 왜냐하면 그는 어진 사람을 하늘의 도를 즐길 수 있는 사람이라고 생각하기 때문이다. 이와 같이 장재는 이 구절에서 공자와 맹자의 사상을 적절하게 활용하며 자신의 주장을 확장해갔다.

83 『朱文公集』 권49 「書·答廖季碩」

84 『詩經』「周頌·淸廟之什·我將」 "이에 보존한다.(于時保之)"

85 그런데 이 글의 출전인 『朱子語類』 권98, 81조목에는 '所以只'와 '敎人做工夫處' 사이에 '說'자가 있다.

86 『朱子語類』 권98, 81조목

는 것이라고 말한다면 옳지 않다. 따라서 다만 사람들에게 공부를 하게 하는 곳은 단지 공경함과 두려워함에 있을 뿐이다. 그러므로 '「이에 보존한다.」는 것은 자식이 공경한다는 것이다.'[88]고 했다. 항상 공경하고 두려워할 수 있으면 이 도리가 (그 속에) 저절로 있을 것이다."

[4-6]

違曰悖德, 害仁曰賊, 濟惡者"不才", 其"踐形"惟肖者也.

위배하는 것을 덕을 어그러뜨리는 것이라고 하고, 인仁을 해치는 것을 적賊이라고 하며, 악을 쌓는 자는 "못된 자식"이니[89], "제 모습을 실천하는"[90] 자만이 닮은 사람이다.

87 『論語』「雍也」의 다음과 같은 내용을 축약한 것이다. "자공이 '만일 백성에게 널리 베풀어 구제할 수 있는 것이 많다면 어떻습니까? 仁이라고 할 수 있습니까?'하고 말했다. 공자가 '어찌 仁만을 일삼는 것이겠는가? 반드시 성스러움일 것이다. 요임금과 순임금도 그것을 부족하게 여겼다.'고 말했다.(子貢曰, '如有博施於民而能濟衆, 何如? 可謂仁乎?' 子曰, '何事於仁? 必也聖乎. 堯舜其猶病諸.')"

88 「書銘」

89 『春秋左傳』「文公18년」 6월. "옛날에 帝鴻氏에게 못된 자식이 있었는데, 의로움을 가로막고 도적을 숨기며, 흉한 덕을 행하기를 좋아하고, 나쁜 사람을 같은 부류로 여겼으며, 완악하고 어리석으며 우애하지 않는 자들을 친하게 대하니, 세상의 백성들이 그를 '渾敦'이라고 하였다. 少皞氏에게 못된 자식이 있었는데, 믿음을 헐뜯고 忠을 폐하며, 나쁜 말을 과대하게 꾸미고, 헐뜯는 사람을 편히 여기고 사악한 사람을 신뢰하며, 참소를 자행하고 나쁜 사람을 옹호하여 덕이 왕성한 사람을 모함하니, 세상의 백성들이 그를 '窮奇'라고 하였다. 顓頊氏에게 못된 자식이 있었는데, 가르칠 수 없고, (좋은) 말을 알지 못하며, 그것을 알려주면 완악해지고, 그것을 버리면 어리석으며, 밝은 덕을 업신여기고, 하늘의 일정한 도를 어지럽히니, 세상의 백성들이 그를 '檮杌'이라고 했다. 이 세 부류는 대대로 그 흉악함을 더하고, 그 악명을 더하더니, 요임금 때에 이르러서도 요임금이 제거할 수 없었다. 縉雲氏에게 못된 자식이 있었는데, 음식을 탐하고, 뇌물을 탐하며, 침탈하려는 탐욕이 많아 만족할 수 없었고, 거두어들여 축적한 재물이 많음에도 한도를 알지 못하며, 고아나 과부에게 나누어 주지 않고, 곤궁한 사람을 구휼하지 않으니, 세상의 백성들이 세 흉악한 사람과 비교하여 그를 '饕餮'이라고 했다. 순임금이 요임금의 신하가 되었을 때 사방의 문에서 어진 사람들을 손님의 예로 맞이하고, 이 네 흉악한 사람들을 유배시켜 '渾敦'·'窮奇'·'檮杌'·'饕餮'을 네 변방으로 보내 괴물들을 막도록 하였다. 이 때문에 요임금이 죽자 세상 사람들이 한결같이 한 마음으로 순임금을 추대하여 천자로 삼으니, 이는 순임금이 16명을 재상으로 천거하고 4흉(渾敦·窮奇·檮杌·饕餮)을 제거했기 때문이다.(昔帝鴻氏有不才子, 掩義隱賊, 好行凶德, 醜類惡物, 頑嚚不友, 是與比周, 天下之民謂之'渾敦.' 少皞氏有不才子, 毁信廢忠, 崇飾惡言, 靖譖庸回, 服讒蒐慝, 以誣盛德, 天下之民謂之'窮奇.' 顓頊氏有不才子, 不可敎訓, 不知話言, 告之則頑, 舍之則嚚, 傲很明德, 以亂天常, 天下之民謂之'檮杌.' 此三族也, 世濟其凶, 增其惡名, 以至于堯, 堯不能去. 縉雲氏有不才子, 貪于飮食, 冒于貨賄, 侵欲崇侈, 不可盈厭, 聚斂積實, 不知紀極, 不分孤寡, 不恤窮匱, 天下之民以比三凶, 謂之'饕餮.' 舜臣堯, 賓于四門, 流四凶族, '渾敦'·'窮奇'·'檮杌'·'饕餮', 投諸四裔, 以禦螭魅. 是以堯崩而天下如一, 同心戴舜, 以爲天子, 以其擧十六相, 去四凶也.)" 이와 같은 내용은 이황의 『「西銘」考證講義』에도 소개되어 있다.

90 『孟子』「盡心上」, "맹자는 '모습과 빛깔은 천성이니, 오직 성인이 된 이후에야 제 모습을 실천할 수 있다.'고 말했다.(孟子曰'形色, 天性也; 惟聖人, 然後可以踐形.')"

[4-6-1]

不循天理而循人欲者, 不愛其親而愛他人也, 故謂之悖德. 戕滅天理自絶本根者, 賊殺其親大逆無道也, 故謂之賊. 長惡不悛不可教訓者, 世濟其凶增其惡名也, 故謂之'不才.' 若夫盡人之性而有以充人之形, 則與天地相似而不違矣, 故謂之肖.

천리를 따르지 않고 인욕을 따르는 자는 그 부모를 사랑하지 않고 다른 사람을 사랑하므로 '덕을 어그러지게 한다.'고 한다. 천리를 손상시켜 없애고 스스로 근본을 끊는 자는 그 부모를 시해하여 크게 어긋나 도가 없으므로 적賊이라고 한다. 오랫동안 악을 저지르고도 고치려 하지 않아 가르칠 수 없는 자는 대대로 그 흉함을 이루어 나가 그 나쁜 이름을 더하므로 '못된 자식이다.'라고 한다.[91] 그런데 사람의 성性을 다 구현하여 사람의 모습을 채우면 천지와 서로 비슷하여 위배하지 않으므로 닮았다고 한다.

[4-6-1-1]

朱子曰 : "人之有形有色, 無不各有自然之理, 所謂天性也. 踐, 如踐言之'踐.' 蓋衆人有是形, 而不能盡其理, 故無以踐其形. 惟聖人有是形, 又能盡其理, 然後可以踐其形而無慊也."[92]

주자가 말했다. "사람의 모습과 빛깔에는 각각 자연스러운 이치가 있지 않음이 없으니, 이른바 천성

91 『春秋左傳』「隱公6年」의 다음과 같은 내용 가운데 일부를 인용하였다. "5월 경신에 정백이 陳나라를 침공하여 큰 성과를 거두었다. 지난해에 정백이 진나라에 평화를 청하였으나, 陳侯가 허락하지 않았다. 오부가 간하여 '어진 사람을 가까이 하고 이웃과 우호적으로 관계하는 것이 나라의 보배입니다. 임금께서는 정나라의 청을 허락하십시오!'라고 하였다. 진나라 侯가 '송나라와 위나라는 실제로 우리에게 환란이 되지만, 정나라가 어떻게 할 수 있겠는가?'라고 하고, 마침내 허락하지 않았다. 군자가 '「善을 잃어서는 안 되고, 惡을 키워서는 안 된다」라고 한 것은 진나라 환공을 이르는 것인 듯하다. 악을 키우고 고치지 않으면 (재앙이) 자기에게 미칠 것이다. 비록 구제하고자 하나, 그것을 장차 할 수 있겠는가? 『商書』에 「악이 쉽게 번지는 것은 마치 불이 들판에서 타오르는 것과 같아서 가까이 갈 수 없거늘, 그것을 오히려 끌 수 있겠는가?」라고 말했다. 주임은 말한 것이 있는데, 「국가를 다스리는 사람이 악을 보면 마치 농부가 힘써서 풀을 제거하듯이 잡초를 베어내어 쌓아두고, 그 뿌리를 잘라서 번식할 수 없게 하면 善이 펼쳐질 것이다.」라고 하였다.(五月庚申, 鄭伯侵陳, 大獲. 往歲, 鄭伯請成于陳, 陳侯不許. 五父諫曰, '親仁·善鄰, 國之寶也. 君其許鄭!' 陳侯曰, '宋·衛實難, 鄭何能爲?' 遂不許. 君子曰, '「善不可失, 惡不可長」, 其陳桓公之謂乎. 長惡不悛, 從自及也. 雖欲救之, 其將能乎? 『商書』曰, 「惡之易也, 如火之燎于原, 不可鄕邇, 其猶可撲滅?」 周任有言曰, 「爲國家者, 見惡, 如農夫之務去草焉, 芟夷薀崇之, 絶其本根, 勿使能殖, 則善者信矣.」')"

92 이 글은 『朱子語類』 권60, 150조목의 내용을 부분적으로 발췌함과 아울러, 일부 내용의 순서를 바꾸어 편집하였다. 『朱子語類』 권60, 150조목의 원문은 다음과 같다. "사람의 모습과 빛깔에는 각각 자연스러운 이치가 있지 않음이 없으니, 이른바 天性이다. 오직 성인이라야 그 性을 다 구현할 수 있으므로, 모습에 나아가고 빛깔에 나아가는 것은 자연스러운 이치가 아님이 없다. 따라서 사람들은 다 이 모습을 갖추고 있지만, 반드시 성인이 된 이후에야 그 모습을 실천하여 유감이 없을 수 있다. 실천[踐]은 말을 실천하는 '踐'과 같다. 이천이 '사람의 모습을 채운다.'고 하는 것이 이것이다.(人之有形有色, 無不各有自然之理, 所謂天性也. 惟聖人能盡其性, 故卽形卽色, 無非自然之理. 所以人皆有是形, 而必聖人, 然後可以踐其形而無歉也. 踐, 如踐言之'踐', 伊川以爲'充人之形'是也.)"

天性이다. 실천踐은 말을 실천하는 '천踐'과 같다. 뭇사람들은 이 모습이 있지만, 그 이치를 다 구현할 수 없기 때문에 그 모습을 실천하지 못한다. 오직 성인만이 이 모습이 있고, 또 그 이치를 다 구현할 수 있으니, 그런 다음에 그 모습을 실천하여 유감이 없을 수 있다."

[4-6-1-2]

西山眞氏曰 : "天之予我以是理也, 莫非至善, 而我悖之, 即天之不才子也. 具人之形而能盡人之理,[93] 即天之克肖子也."[94]

서산 진씨西山眞氏[眞德秀]가 말했다. "하늘이 나에게 부여한 이 이치는 지극히 선하지 않음이 없으나, 내가 그것을 어그러지게 하면 하늘의 못된 자식이다. 사람의 모습을 갖추어 사람의 이치를 다 구현할 수 있다면 하늘의 잘 닮은 자식이다."

[4-7]

"知化", 則善述其事; "窮神", 則善繼其志.

"변화를 알"[95]면 그 일을 잘 따르고, "신묘함을 궁구"[96]하면 그 뜻을 잘 잇는다.

[4-7-1]

"孝子, 善繼人之志, 善述人之事者也." 聖人知變化之道, 則所行者無非天地之事矣. 通神明之德, 則所存者無非天地之心矣. 此二者, 皆樂天踐形之事也.

"효자는 사람의 뜻을 잘 잇고, 사람의 일을 잘 따르는 사람이다."[97] 성인은 변화의 도를 아니, 행하는 것이 천지의 일이 아님이 없다. 신명神明의 덕에 통하니 보존하는 것은 천지의 마음이 아님이 없다. 이 둘은 다 천도를 즐거워하고 제 모습을 실천하는 일이다.

[4-7-1-1]

問 : "'知化, 則善述其事. 窮神, 則善繼其志', 其旨如何?"

朱子曰 : "聖人之於天地, 如孝子之於父母.[98] 化者, 天地之用一過而無迹者也. 知之, 則天地之用在我, 如子之述父事也. 神者, 天地之心常存而不測者也. 窮之, 則天地之心在我, 如子之繼父志也. 得其心, 而後可以語其用, 故曰'窮神知化.' 而『中庸』曰'致中和, 天地位焉,

93 이 글의 원전인 『大學衍義』 권6 「格物致知之要一 · 明道術 · 天理人倫之正」에는 '사람의 모습을 갖추어 사람의 이치를 다 구현할 수 있다.(具人之形而能盡人之理)'라는 글에서의 '理'자가 아니라, '性'자로 되어 있다. 그러나 편집 과정에서 비록 '性'자가 '理'자로 바뀌었다고 할지라도, 의미는 다르지 않다.

94 『大學衍義』 권6 「格物致知之要一 · 明道術 · 天理人倫之正」

95 『周易』「繫辭下」 5장

96 『周易』「繫辭下」 5장

97 『中庸』 19장

98 『朱子語類』 권98, 100조목

萬物育焉', 亦此之謂歟."

물었다. "'변화를 알면 그 일을 잘 따르고, 신묘함을 궁구하면 그 뜻을 잘 잇는다.'고 했는데, 그 뜻은 무엇입니까?"

주자가 대답했다. "성인에게 천지는 효자에게 부모와 같다. 변화는 천지의 작용이 한 번 지나가서 흔적이 없는 것이다. 그것을 알아내면 천지의 용이 나에게 있으니, 자식이 부모의 일을 따르는 것과 같다. 신묘함은 천지의 마음이 항상 보존되어 헤아릴 수 없는 것이다. 그것을 궁구해 내면 천지의 마음이 나에게 있으니, 자식이 부모의 뜻을 잇는 것과 같다. 그 마음을 얻은 후에 그 작용을 말할 수 있기 때문에 '신묘함을 궁구하고 변화를 안다.'[99]고 한다. 『중용』에서 '중화를 지극히 하면 천지가 제자리를 잡고 만물이 길러진다.'[100]는 것 또한 이것을 말할 것이다."

[4-7-1-2]

"如知得恁地便生, 知得恁地便死, 知得恁地便消, 知得恁地便長, 此皆是繼天地之志. 隨他恁地進退·消長·盈虛, 與時偕行, 小而言之, '飢食渴飲, 出作入息'; 大而言之, 君臣便有義, 父子便有仁. 此都是述天地之事.[101] 化底是氣, 故喚做天地之事. 神底是理, 故喚做天地之志. 窮神者, 窺見天地之志. 這箇無形無迹, 那化底却又都見得."

(주자가 말했다.) "예컨대 이런 것이 바로 삶임을 알 수 있고, 이런 것이 바로 죽음임을 알 수 있으며, 이런 것이 바로 사그라짐임을 알 수 있고, 이런 것이 바로 자람임을 알 수 있으니, 이것은 모두 천지의 뜻을 잇는 것이다. 그것을 따라 이렇게 나아가고 물러나며, 사그라지고 자라며, 채우고 비우는 것은 때와 더불어 동행하는 것이니, 작은 것으로 말하면 '배고플 때 먹고, 목마를 때 마시며,

99 『周易』「繫辭下」 5장

100 『中庸』 1장. 이에 대해 주희는 다음과 같이 주석하고 있다. "致는 미루어 지극히 하는 것이다. 位는 그곳을 편안히 한 것이다. 育은 그 생명을 이룬 것이다. 경계하고 두려워하여 간략히 하는 것에서 지극히 고요한 가운데 이르기까지 조금의 치우침과 기울어짐이 없이 그 지킴을 잃지 않았으니, 그 중도에 지극히 하여 천지가 제자리를 잡는다. 홀로 있을 때에 삼가며 정밀히 하는 것에서 사물에 감응하는 곳에 이르기까지 조금의 오류가 없이 가는 곳마다 그러하지 않음이 없으니, 그 어울림을 지극히 하여 만물이 길러진다. 천지 만물은 본래 나와 한 몸이니, 나의 마음이 바르면 천지의 마음 또한 바르다. 나의 氣가 순조로우면 천지의 기 또한 순조롭다. 그러므로 그 효험이 이와 같은 데에 이른다. 이것은 학문의 지극한 공부이고, 성인이 할 수 있는 일이어서 애초에 밖에 기다릴 필요가 있지 않으니, 도를 닦는 가르침 또한 그 속에 있다. 이것은 그 하나의 體와 하나의 用이 비록 움직임과 고요함의 다름이 있지만, 반드시 그 체가 정립된 후에 용이 행하니, 사실은 또한 두 가지 일이 있지 않다. 그러므로 여기에서 종합해서 말하여 윗글의 뜻을 맺는다.(致, 推而極之也. 位者, 安其所也. 育者, 遂其生也. 自戒懼而約之, 以至於至靜之中, 無少偏倚, 而其守不失, 則極其中而天地位矣. 自謹獨而精之, 以至於應物之處, 無少差謬, 而無適不然, 則極其和而萬物育矣. 蓋天地萬物本吾一體, 吾之心正, 則天地之心亦正矣, 吾之氣順, 則天地之氣亦順矣. 故其效驗至於如此. 此學問之極功, 聖人之能事, 初非有待於外, 而修道之敎亦在其中矣. 是其一體一用雖有動靜之殊, 然必其體立而後用有以行, 則其實亦非有兩事也. 故於此合而言之, 以結上文之意.)"

101 『朱子語類』 권116, 30조목

해가 뜨면 나아가 일하고, 해가 지면 들어와 쉰다.'[102]는 것이며, 큰 것으로 말하면 임금과 신하는 바로 의리가 있고 부모와 자식은 바로 사랑이 있다는 것이다. 이것은 모두 천지의 일을 서술하는 것이다. 변화하는 것은 기氣이므로 천지의 일이라고 부른다. 신묘한 것은 리理이므로 천지의 뜻이라고 부른다. 신묘함을 궁구하는 것은 천지의 뜻을 살피는 것이다. 이것은 형체도 없고 흔적도 없으나, 그 변화하는 것은 오히려 또 모두 볼 수 있다."

[4-7-1-3]

陳氏曰："'神', 是天地之心; '化', 是天地之用. '窮神', 以至到言; '知化', 非見聞之知. 如'知化育'之'知', 乃默契之謂耳."[103]

진씨陳氏[陳淳]가 말했다. "'신묘함[神]'은 천지의 마음이고, '변화[化]'는 천지의 작용이다. '신묘함을 궁구한다.'는 것은 지극함으로 말에 이르고, '변화를 안다.'는 것은 보고 듣는 (감성적인) 앎이 아니다. '화육을 안다.'고 할 때의 '앎'과 같으니, 묵묵히 깨닫는 것을 말할 뿐이다."

[4-8]

"不愧屋漏"爲"無忝"; "存心養性"爲"匪懈."

"방 귀퉁이에서도 부끄럽지 않다."[104]라는 것은 "욕되게 함이 없는 것"[105]이고, "마음을 보존하여 성性을 기른다."[106]라는 것은 "게으르지 않는 것"[107]이다.

102 『龜山集』 권8 「經解·堯舜之道孝弟而已」의 내용 가운데 일부를 발췌했다. 이와 관련된 『龜山集』 권8 「經解·堯舜之道孝弟而已」의 원문은 다음과 같다. "요순의 도가 어찌 멀겠는가? 효도와 공손일 뿐이다. 공손하거나 공손하지 않은 것은 행함에 있다. 다만 빠르고 느린 사이에 사람들의 결점은 추구하지 않는 것일 뿐이다. 이윤이 요순의 도를 즐긴 것은 유신의 들에서 농사를 지은 것이 그것이다. 추우면 입고 배고프면 먹는다. 해가 뜨면 일하고 해가 지면 쉬는 생활도 도가 아님이 없다. 공자가 소경인 음악사를 도와준 것 또한 도다. 백성은 날마다 생활하면서 알지 못할 뿐이다. 알면 가는 곳마다 도가 아님이 없다.(堯舜之道, 豈遠乎哉? 孝弟而已矣. 弟不弟, 乃在乎行. 止疾徐之間, 人病不求耳. 伊尹樂堯舜之道, 即耕于有莘之野是已. 寒而衣, 饑而食. 日出而作, 晦而息, 無非道也. 孔子之相師, 亦道也. 百姓日用而不知耳. 知之, 則無適而非道也.)"

103 『北溪大全集』 권41 「答問·答陳伯澡問近思録」 그런데 이에 관한 진순의 원전은 "이것은 천지의 작용이다."("是天地之用")는 글과 "신묘함을 궁구한다."("窮神")는 글 사이에 '신묘함에 들어가는 것은 앎으로 말을 보는 것이다.'('入神, 以知見言')는 글이 있는데, 편집 과정에 이 부분을 생략했다.

104 이 글의 출전은 『詩經』 「大雅·蕩之什·抑」의 다음과 같은 글이다. "네가 방에 있을 때를 살펴보니, 방 귀퉁이에서도 부끄럽지 않구나.(相在爾室, 尙不愧于屋漏.)" 여기에서 '옥루'는 아무도 보지 않는 외진 서북쪽의 모퉁이를 의미한다. 주희는 『中庸』 33장에서 이 부분에 대해 다음과 같이 주석을 달았다. "相은 살펴보는 것이다. 옥루는 방의 서북쪽 모퉁이다.(相, 視也. 屋漏, 室西北隅也.)"

105 『詩經』 「小雅·節南山之什·小宛」, "너를 낳아준 부모를 욕되게 하지 마라.(毋忝爾所生.")에서 '忝'은 '辱'의 뜻이다. 『상서』 「周書·君牙第二十七」에서도 "조상을 욕되게 하지 마라.(無忝祖考)"라는 말이 나온다.

106 이 글은 『孟子』 「盡心上」의 다음과 같은 글을 요약하여 발췌한 것이다. "맹자는 '그 마음을 다 구현하는 자는 그 性을 아니, 그 性을 알면 하늘을 안다. 그 마음을 보존하여 그 性을 기르는 것이 하늘을 섬기는 것이다. 일찍 죽거나 오래 사는 것을 의심하지 않고, 몸을 수양하고서 기다리는 것이 命을 세우는 것이다.'고

[4-8-1]

『孝經』引『詩』曰'無忝爾所生', 故事天者, 仰不愧, 俯不怍, 則不忝乎天地矣. 又曰, '夙夜匪懈', 故事天者, '存其心, 養其性', 則不懈乎事天矣. 此二者畏天之事, 而君子所以求踐夫形者也.

『효경』은 『시경』의 '너를 낳아준 부모를 욕되게 하지 마라.'를 인용하여 말하였으므로 하늘을 섬기는 자가 우러러 부끄러워하지 않고, 구부려 부끄러워하지 않음은 천지를 욕되게 하지 않는 것이다. 또 '밤낮으로 게을리 하지 않는다.'를 인용하여 말하였으므로, 하늘을 섬기는 자가 '그 마음을 보존하여 그 성性을 기름은', 하늘을 섬기는 일을 게을리 하지 않는 것이다. 이 둘은 하늘을 경외하는 일이며, 군자가 제 모습을 다 실천하는 일을 찾는 근거이다.

[4-9]

惡旨酒, 崇伯子之顧養; 育英才, 潁封人之錫類.

맛있는 술을 싫어한 것은 숭백의 아들崇伯子[禹]이 부모의 봉양을 생각한 것이고[108], 영재를 기르는 것은 영봉인潁封人[潁考叔]이 선을 내려준 것이다.[109]

말했다.(孟子曰, '盡其心者, 知其性也, 知其性, 則知天矣. 存其心, 養其性, 所以事天也. 殀壽不貳, 修身以俟之, 所以立命也.')"

107 『詩經』「大雅 · 蕩之什 · 烝民」, "아침부터 저녁까지 게으르지 않다.(夙夜匪解)", 解는 懈와 같은 의미이다.

108 이 글은 『孟子』「離婁下」의 다음과 같은 내용에서 인용한 것이다. "맹자는 '우임금은 맛있는 술을 싫어하였고, 선한 말을 좋아하였다.'고 하였다.(孟子曰, '禹惡旨酒, 而好善言.')" 여기에서 崇伯子는 禹임금을 말한다. 곧 숭백은 우의 아버지인 鯀이 崇나라의 伯爵에 봉해졌으므로 숭백이라고 한다. 『戰國策』 권23 「魏二 · 梁王魏嬰觴諸侯於范臺」에 의하면 우는 義狄이 만든 술을 마셔보니 맛이 있었다. 그러나 우는 그 술맛 때문에 아버지를 봉양하지 못할까 두려워하여, 의적을 멀리 했을 뿐만 아니라 술도 마시지 않았다.

109 이 글은 『春秋左傳』「隱公元年」의 다음과 같은 내용을 함축한 것이다. "정나라 무공이 申에서 아내를 맞이하였는데, 그가 무강이다. 그는 장공과 공숙단을 낳았다. 장공이 寤生(難産 혹은 逆産의 의미)하여 강씨를 놀라게 했으므로 이름을 오생이라고 하며 마침내 그를 미워하였다. 무강은 공숙단을 사랑하여 그를 (태자로) 세우려고 자주 무공에게 청하였으나, 무공이 허락하지 않았다. … 장공이 '신하의 의리를 지키지 않고, 형을 친애하지 않으니, 영토가 넓더라도 장차 붕괴될 것이다.'고 말했다. 태숙이 성곽을 축조하고 백성을 모으며, 갑옷과 무기를 수선하고, 병사와 수레를 갖추어서 장차 정나라를 습격하려고 하자, 부인[武姜]이 성문을 열어주려고 하였다. 장공이 그 시기를 듣고는 '조치를 할 때가 되었다.'고 하고, 자봉에게 명하여 兵車 200승을 거느리고 경성을 치도록 했다. … 마침내 강씨를 城潁에 안치하고서 맹서하여 '황천에 이르지 않는 한 서로 만나지 않을 것이다!'라고 하였다. 이윽고 그것을 후회하였다. 潁考叔은 潁谷의 封人으로 있었다. 그것을 듣고는 장공에게 헌상하는 기회를 가졌다. 장공이 그에게 음식을 주었는데, 그는 먹을 때에 고기를 먹지 않고 한 곳에 두었다. 장공이 이유를 묻자, 대답하여 '소인에게는 어머니가 있는데, 소인이 드리는 음식은 모두 맛보았으나, 임금님의 국은 맛보지 않았으니, 이 고깃국을 어머니께 드리고자 합니다.'라고 말했다. 장공이 '당신에게는 가져다 드릴 어머니가 있는데, 나만 홀로 없구나!'라고 하였다. 영고숙이 '감히 묻사오니, 무슨 말씀입니까?'라고 했다. 장공은 그 까닭을 말하고, 또 후회한다고 했다. 영고숙이 대답하여 '임금님은 무엇을 근심합니까? 만약 물이 나는 데까지 땅을 파고 들어가 굴속에서 서로 만난다면 누가 황천에 이르러

[4-9-1]

好飮酒而不顧父母之養者, 不孝也. 故遏人欲如禹之惡旨酒, 則所以顧天之養者至矣. 性者, 萬物之一源, 非有我之得私也. 故育英才如潁考叔之及莊公, 則所以永錫爾類者廣矣.

술 마시는 것을 좋아하여 부모의 봉양을 생각하지 않는 것은 불효다. 그러므로 인욕을 막는 것을 우가 맛있는 술을 싫어하는 것과 같이 하면 하늘의 봉양을 생각하는 것이 지극해진다. 성性은 만물의 동일한 근원이지, 내가 사사롭게 얻은 것이 아니다. 그러므로 영재를 기르는 것을 영고숙이 장공에게 영향을 미친 것과 같이 하면, 영원히 너에게 선을 내려 주는 것이 광대해진다.

[4-10]

不弛勞而底豫, 舜其功也; 無所逃而待烹, 申生其恭也.

수고를 게을리 하지 않아 부모를 기쁘게 한 것은 순의 공로이고[110], "도망갈 곳이 없어서"[111] 팽형烹刑을 기다린 것은 신생의 공손함이다.[112]

만났다고 하지 않겠습니까?'라고 했다. 장공이 영고숙의 말을 따랐다. … 마침내 어머니와 아들이 처음처럼 되었다. 군자가 '영고숙은 순수한 효자이다. 그 어머니를 사랑함이 장공에게까지 미쳤다. 『詩經』에 「효자의 효성이 그치지 않으니, 영원히 당신에게 착함을 줄 것이다.」라고 한 것은 이것을 말함이로다!'.(鄭武公娶于申, 曰武姜. 生莊公及共叔段. 莊公寤生, 驚姜氏, 故名曰寤生, 遂惡之. 愛共叔段, 欲立之, 亟請於武公, 公弗許. … 公曰, '不義, 不暱. 厚將崩.' 大叔完·聚, 繕甲·兵, 具卒·乘, 將襲鄭, 夫人將啓之. 公聞其期, 曰, '可矣.' 命子封帥車二百乘以伐京. … 遂寘姜氏于城潁, 而誓之曰, '不及黃泉, 無相見也!' 既而悔之. 潁考叔爲潁谷封人, 聞之, 有獻於公. 公賜之食, 食舍肉. 公問之, 對曰, '小人有母, 皆嘗小人之食矣; 未嘗君之羹, 請以遺之.' 公曰, '爾有母遺, 緊我獨無!' 潁考叔曰, '敢問何謂也?' 公語之故, 且告之悔. 對曰, '君何患焉? 若闕地及泉, 隧而相見, 其誰曰不然?' 公從之. … 遂爲母子如初. 君子曰, '潁考叔, 純孝也. 愛其母, 施及莊公. 詩曰, 「孝子不匱, 永錫爾類.」 其是之謂乎!')"

『詩』「大雅·既醉」, "효자의 효성이 그치지 않으니, 영원히 당신에게 착함을 줄 것이다.(孝子不匱, 永錫爾類.) 『毛傳』, "류는 선이다.(類, 善也.)"

110 이 글은 『孟子』「離婁上」의 다음과 같은 글을 요약하여 재구성한 것이다. "맹자는 '세상이 크게 기뻐하여 장차 자신에게 돌아오려고 할 때에, 세상이 기뻐하여 자신에게 돌아옴을 마치 초개와 같이 여긴 것은 오직 순임금이 그렇게 했으니, 부모에게 뜻을 얻지 못하면 사람이 될 수 없고, 부모에게 순종하지 않으면 자식이 될 수 없다고 생각하였다. 순임금이 부모를 섬기는 도를 다하자 고수가 기뻐하고, 고수가 기뻐하자 세상이 교화되며, 고수가 기뻐하자 세상의 부모와 자식의 관계가 안정되니, 이것을 큰 효도라고 한다.'라고 했다.(孟子曰, '天下大悅而將歸己, 視天下悅而歸己, 猶草芥也, 惟舜爲然, 不得乎親, 不可以爲人; 不順乎親, 不可以爲子. 舜盡事親之道而瞽瞍底豫, 瞽瞍底豫而天下化, 瞽瞍底豫而天下之爲父子者定, 此之謂大孝.')"

111 『莊子』「인간세」 "신하가 임금을 섬기는 것이 의로움이다. 가는 곳마다 임금이 아님이 없으니, 천지 사이에 도망갈 곳이 없다.(臣之事君, 義也. 無適而非君也, 無所逃於天地之間.)"

112 이 글은 『禮記』「檀弓上」第三의 다음과 같은 글을 요약하여 재구성한 것이다. "진나라 헌공이 장차 세자인 신생을 죽이려고 하니, 공자인 중이가 일러 '그대는 어찌하여 그대의 뜻을 헌공에게 말하지 않습니까?'라고 했다. 세자가 '안 된다. 임금이 여희와 편안하게 지내니, 내가 말하면 임금의 마음을 상하게 하는 것이다.'라고 말했다. 중이가 '그렇다면 어찌하여 도망가지 않습니까?'라고 하자, 세자가 '안 된다. 임금은 내가 임금을 시해하고자 한다고 한다. 세상에 어찌 아버지 없는 나라가 있겠는가? 내가 장차 어디로 가겠는가?'라고 하였

[4-10-1]

舜盡事親之道而瞽瞍底豫, 其功大矣. 故事天者, 盡事天之道, 而天心豫焉, 則亦天之舜也. 申生無所逃而待烹, 其恭至矣. 故事天者, "夭壽不貳, 而修身以俟之", 則亦天之申生也.

순은 부모를 섬기는 도를 다하여 고수가 기뻐하는 데에 이르렀으니 그 공로가 크다. 그러므로 하늘을 섬기는 자가 하늘을 섬기는 도를 다하여 천심이 기뻐한다면 또한 하늘의 순이다. 신생은 도망갈 곳이 없어서 팽형을 기다렸으니, 그 공손함이 지극하다. 그러므로 하늘을 섬기는 자는 "일찍 죽거나 오래 사는 것을 의심하지 않고 몸을 수양하고서 기다린다."[113]라고 하니, 또한 하늘의 신생이다.

[4-11]

體其受而歸全者, 參乎; 勇於從而順令者, 伯奇也.

부모에게서 받은 것을 몸으로 잘 간직하여[體化] 온전하게 되돌린 사람은 삼參(증자)이고, 부모의 뜻을 따르는 데 용감하여 명령에 순종한 사람은 백기[114]이다.

[4-11-1]

父母全而生之, 子全而歸之. 若曾子之'啓手啓足', 則體其所受乎親者而歸其全也. 況天之所以與我者, 無一善之不備, 亦全而生之也. 故事天者, 能體其所受於天者而全歸之, 則亦天之曾子矣. 子於父母, 東西南北, 唯令之從. 若伯奇之履霜中野, 則勇於從而順令也. 況天之所以命我者, 吉凶禍福, 非有人欲之私. 故事天者, 能勇於從而順受其正, 則亦天之伯

다. 신생이 사람을 보내 스승인 호돌에게 치사하여 '저는 죄가 있으니, 선생님의 말을 새기지 않아(5년 전에 헌공이 신생을 東山 皐落氏를 정벌하는 데 출정시켰다. 이것은 여희가 음모를 꾸며 신생을 태자의 지위에서 폐위시키기 위한 술책이었다. 이때 스승인 호돌이 이러한 여희의 음모를 알고 신생에게 도망가라고 충고했는데, 신생은 스승의 말을 듣지 않았다.) 죽는 지경에 이르렀습니다. 저는 감히 죽음을 애석하게 여기지 않습니다. 비록 그렇지만, 저의 아버지는 늙었고 자식은 어리며 나라에는 어려움이 많은데, 선생님께서는 조정에 나아가 우리 임금을 위해 도모하지 않으십니다. 선생님께서 진실로 조정에 나아가 우리 임금을 위해 도모하신다면 저는 은혜를 입어 편안하게 죽을 수 있습니다.'라고 말했다. 신생은 머리를 북면하여 두 번 절하고 마침내 죽었다. 이 때문에 그의 시호는 공세자가 되었다.(晉獻公將殺其世子申生, 公子重耳謂之曰, '子蓋言子之志於公乎?' 世子曰, '不可. 君安驪姬, 是我傷公之心也.' 曰, '然則蓋行乎?' 世子曰, '不可. 君謂我欲弑君也. 天下豈有無父之國哉? 吾何行如之?' 使人辭於狐突, 曰, '申生有罪, 不念伯氏之言也, 以至于死. 申生不敢愛其死. 雖然, 吾君老矣, 子少, 國家多難, 伯氏不出而圖吾君. 伯氏苟出而圖吾君, 申生受賜而死.' 再拜稽首, 乃卒. 是以爲恭世子也.)" 또한 『春秋左傳』「僖公4년」에도 이와 관련된 내용이 있다. 그리고 여기에서 '蓋'은 '盍'의 의미이다.

113 『孟子』「盡心上」

114 伯奇 : 주나라 宣王 때 사람이며 효자라고 알려졌다. 尹吉甫의 장자이다. 어머니가 죽자 계모는 그의 아들인 伯封을 태자로 삼고자 하여, 백기를 모함하자 아버지인 윤길보가 성내어 백기를 들에 방치했다. 백기는 아버지의 명을 따랐다. 백기는 배고파도 먹을 것이 없었고, 추워도 입을 것이 없을 정도로 고생하였다. 그래도 그는 아버지를 원망하지 않았다. 훗날에 길보가 자신의 잘못을 깨닫고 후처를 죽였다.

奇矣.

부모는 온전하게 낳고, 자식은 온전하게 되돌린다. 예컨대 증자가 '이불을 걷어 손을 보라고 하고, 발을 보라고 한 것'[115]은 부모에게서 받은 것을 몸으로 잘 간직하여 온전하게 되돌린 것이다. 게다가 하늘이 나에게 준 것은 하나의 선善이라도 갖추어지지 않음이 없으니, 또한 온전하게 낳은 것이다. 그러므로 하늘을 섬기는 자가 하늘에서 받은 것을 몸으로 잘 간직하여 온전하게 되돌릴 수 있다면 또한 하늘의 증자이다. 아들은 동서남북 어디서든 오직 부모의 명령을 따른다. 예컨대 백기가 들에서 서리를 밟은 것은 따르는 데 용감하여 명령에 순종한 것이다. 게다가 하늘은 나에게 명하기를 길흉화복吉凶禍福 어느 것에든 사사로운 인욕을 두지 않게 하였다. 그러므로 하늘을 섬기는 자가 따르는 데 용감하여 그 바름을 순순히 받아들일 수 있다면 또한 하늘의 백기이다.

[4-11-1-1]

問 : "自'惡旨酒', 至'勇於從令', 此六聖賢事, 可見'理一分殊'乎?"

朱子曰 : "'惡旨酒', '育英才', 是事天. '顧養'及'錫類', 則是事親. 每一句皆存兩義. 推類可見."[116]

물었다. "'맛있는 술을 싫어한다.'는 것부터 '명령을 따르는 데 용감하다.'는 것까지 이 여섯 가지 성현의 일에서 '리일분수理一分殊'를 볼 수 있습니까?"

주자가 대답했다. "'맛있는 술을 싫어한다.'는 것과 '영재를 기른다.'라는 것은 하늘을 섬기는 일이다. '봉양을 생각한다.'는 것과 '선을 준다.'는 것은 부모를 섬기는 일이다. 매 한 구절마다 다 두 뜻(리일과 분수)이 보존되어 있으니, 그것을 미루어 보면 알 수 있다."

[4-11-1-2]

問 : "'潁封人之錫類', '申生其恭', 二子皆不能無失處, 豈能盡得孝道?"

曰 : "「西銘」本不是說孝, 只是說事天. 但推事親之心以事天耳. 二子就此處論之, 誠是如此. 蓋事親却未免有正不正處. 若天道純然, 則無正不正之處, 只是推此心以奉事之耳."[117]

물었다. "'영봉인潁封人[潁考叔]이 선을 준 것이다.'라는 일과 '신생의 공손함이다.'라는 일은 두 사람 모두 잘못이 없을 수 없는데, 어찌 효도를 다했다고 할 수 있습니까?

(주자가) 대답했다. "「서명」은 본래 효를 말한 것이 아니고, 단지 하늘을 섬기는 것을 말한 것이다. 그러나 부모를 섬기는 마음을 미루어 하늘을 섬길 뿐이다. 두 사람은 이러한 관점에서 논한 것이니,

115 『論語』「泰伯」 "증자가 병에 걸리자, 제자들을 불러놓고 '내 발의 이불을 걷고 보아라! 내 손의 이불을 걷고 보아라! 『詩經』에 「조심하고 조심하는 것을 깊은 연못에 임하는 것 같이 하고, 엷은 얼음을 밟듯이 하라.」라고 했다. 지금 이후에야 나는 면했음을 알겠다. 얘들아!'라고 말했다.(曾子有疾, 召門弟子曰, '啓予足! 啓予手! 詩云, 「戰戰兢兢, 如臨深淵, 如履薄冰.」 而今而後, 吾知免夫. 小子!')"

116 『朱子語類』 권98, 91조목

117 『朱子語類』 권98, 83조목

진실로 이와 같다. 부모를 섬기는 것은 오히려 바르거나 바르지 않은 것이 있음을 면하지 못한다. 천도와 같은 것은 순수하니, 바르거나 바르지 않은 것이 없고, 다만 이 마음을 미루어서 받들고 섬길 뿐이다."

[4-11-1-3]

問 : "「西銘」'無所逃而待烹', 申生未盡此道, 何故取之?"

曰 : "天不到得似獻公也. 人有妄, 天則無妄. 若教自家死, 便是理合如此, 只得聽受之耳."[118]

물었다. "「서명」에서 '도망갈 곳이 없어서 팽형을 기다렸다.'고 했으니, 신생은 이 도를 다 구현하지 않았는데, 무엇 때문에 그것을 취했습니까?"

(주자가) 대답했다. "하늘은 헌공[119]과 같이 하는 데까지는 이르지 않는다. 사람은 망령스러움이 있지만, 하늘은 망령스러움이 없다. 만약 자기가 죽는 것이 이치상 이와 같이 해야 한다면 단지 받아들일 뿐이다."

[4-11-1-4]

問 : "申生之不去, 伯奇之自沈, 皆陷父於惡, 非中道也. 而取之與舜曾同, 何也?"

曰 : "舜之底豫, 贊化育也, 故曰功; 申生待烹, 順受而已, 故曰恭. 曾子歸全, 全其所以與我者, 終身之仁也; 伯奇順令, 順其所以使我者, 一事之仁也. 伯奇, 尹吉甫之子, 其事不知據何書爲實, 自沈恐未可盡信. 然彼所事者人也, 人則有妄, 故有陷父之失. 此所事者天也, 天豈有妄, 而又何陷邪? 「西銘」大率借彼以明此, 不可著迹論也."

물었다. "신생이 도망가지 않은 것과 백기가 스스로 물에 빠져 죽은 것은 다 아버지를 악에 빠뜨리는 것으로 중도中道가 아닙니다. 그러나 이 두 사람의 예를 취하여 순과 증자와 동일하게 다룬 것은 왜 그렇습니까?"

(주자가) 대답했다. "순이 아버지를 기뻐하는 데 이르게 한 것은 화육을 도운 것이므로 공로라고 하고, 신생이 팽형烹刑을 기다린 것은 순순히 받아들였을 뿐이므로 공손하다고 하였다. 증자가 (임종에 임해서) 온전한 몸으로 돌려준 것은 나에게 준 것을 온전하게 한 것이니 평생의 인仁이고, 백기가 명령에 순종한 것은 나를 부리는 자를 따른 것이니 한 사건의 인仁이다. 백기는 윤길보의 아들이고, 그 일을 어떤 책에 근거하여 사실로 여겼는지 모르겠으나, 스스로 물에 빠져 죽었다는 것은 아마도 다 믿을 수 없을 것 같다. 그러나 그가 섬긴 것은 사람이고, 사람은 망령스러움이 있으므로 아버지를 (죄에) 빠트린 잘못이 있다. 여기에서 섬기는 것은 하늘이니, 하늘이 어찌 망령스러움이 있겠으며, 또 어떻게 빠트릴 수 있겠는가? 「서명」은 대체로 저것을 빌려 이것을 밝혔으니, 행적만 가지고 논해서는 안 된다."

118 『朱子語類』 권98, 84조목에서는 '此道'를 '子道'라고 表記하고 있고, '只得聽受之耳'를 '只得聽受之'로 表記하고 있다.

119 신생의 아버지

[4-11-1-5]

黃巖孫曰："「履霜操」[120]，伯奇所作也．吉甫聽後妻之言逐之．伯奇編水荷而衣，採楟花而食．清朝履霜，自傷無罪見逐，乃援琴而歌．曲終，投河而死．『家語』曰'曾參遣妻，告其子曰「高宗以後妻殺孝己，尹吉甫以後妻殺伯奇．」' 伯奇事後母至孝，而後母譖之，伯奇乃亡走山林．『說苑』王國子奇事，與此正同，必有一誤．"

황암손이 말했다. "「이상조」는 백기가 지은 것이다. 길보는 후처의 말을 듣고 백기를 내쫓았다. 백기는 물가의 연잎을 엮어서 옷을 만들고, 팥배나무 꽃을 따서 먹었다. 추운 새벽에 서리를 밟으며, 스스로 죄 없이 내쫓긴 것을 슬퍼하고는 마침내 거문고를 켜 노래를 하였다. 곡이 끝나자 물에 투신하여 죽었다. 『공자가어』에 '증자는 아내를 내보내고, 그 아들에게 「고종은 후처 때문에 효기孝己를 죽였고, 윤길보는 후처 때문에 백기를 죽였다.」라고 말했다.'[121]고 했다. 백기는 계모를 섬기기를 지극히 효성스럽게 하였지만, 뒷날에 계모가 그를 모함하니, 백기는 마침내 산속으로 도망하였다. 『설원』에서 왕국王國의 자기子奇[122]에 관한 일은 이것과 바로 같지만, 반드시 한 가지 오류가 있다."

[4-11-1-6]

又按程子『遺書』，問："舜與曾子之孝優劣如何?"

120 한나라 때 채옹이 지은 『琴操』에 실려 있는 詩로 윤길보의 아들인 백기가 지은 것이다. 당나라 때 韓愈가 지은 「履霜操」라는 시에는 다음과 같은 내용이 있다. "백기는 죄가 없는데, 계모가 참소하여 쫓겨났다. 물가의 연잎을 엮어서 옷을 만들고, 팥배나무 꽃을 따서 먹었다. 추운 새벽에 서리를 밟으며, 스스로 죄 없이 내쫓긴 것을 슬퍼하고는 마침내 거문고를 잡아 연주하여 이 노래를 지었다. 곡이 끝나자 물에 투신하여 죽었다.(伯奇無罪, 爲後母譖而見逐. 乃集芰荷以爲衣, 採楟花以爲食. 晨朝履霜, 自傷見放, 於是援琴鼓之而作此操. 曲終, 投河而死.)" 또한 송나라 때 곽무천의 『악부시집(樂府詩集)』 권57 「履霜操」에도 다음과 같이 기록되어 있다. "거문고 곡조는 '이상조'라고 하는데 윤길보의 아들인 백기가 지은 것이다. 백기는 죄가 없는데, 계모가 참소하여 쫓겨났다. 연잎을 엮어서 옷을 만들고, 팥배나무 꽃을 따서 먹었다. 추운 새벽에 서리를 밟으며, 스스로 죄 없이 내쫓긴 것을 슬퍼하고는 마침내 거문고를 잡아 연주하여 이 노래를 지었다. 곡이 끝나자 물에 투신하여 죽었다.(琴操曰'履霜操', 尹吉甫之子, 伯奇所作也. 伯奇無罪, 爲後母譖而見逐, 乃集芰荷以爲衣, 採楟花以爲食, 晨朝履霜, 自傷見放, 於是援琴鼓之而作此操. 曲終, 投河而死.)"

121 魏 王肅 注, 『孔子家語』 권9 「七十二弟子解第三十八」. 곧 이 자료에 의하면 증자는 계모 밑에서 설움을 받으며 자랐지만, 아버지는 물론 계모에 대해서도 불평하지 않고 지극하게 대했다. 그러나 증자의 아내가 부모의 밥상에 나물을 다 익히지 않은 채로 올리자, 아내를 내보내고 평생 혼자 살았다. 그러자 그의 아들인 元이 다시 후처를 들일 것을 청하자 위와 같이 말했다.

122 子奇는 춘추시대 제나라 사람이다. 18세에 阿縣을 다스렸는데, 아현이 크게 다스려졌다. 뒷날에 나이가 젊은 유능한 사람을 일컫는다. 『後漢書』「順帝紀」에는 "안연과 자기의 경우는 나이에 구애되지 않았다.(若顏淵子奇, 不拘年齒.)"라는 내용이 있다. 李賢의 注에는 "'『新序』에는 「자기는 나이 열여덟에 제나라 임금이 아현을 교화시키라고 했다. 아현에 이르자 창고의 무기를 녹여 농기구로 만들고, 창고의 곡식을 내어 가난한 사람들을 구휼하니, 아현이 크게 교화되었다.」라고 하였다.' 살펴보니, 지금 유향의 『신서』에는 이러한 글이 없다.(『新序』曰, 「子奇年十八, 齊君使之化阿. 至阿, 鑄其庫兵以爲耕器, 出倉廩以賑貧窮, 阿縣大化.」' 按, 今本漢劉向『新序』無此文.)"

曰："『家語』載耘瓜事，雖不可信，却有此義理. '曾子耘瓜，誤斬其根. 曾皙建大杖以擊其背，曾子仆地，不知人事. 良久而蘇，欣然起進，曰「大人用力敎參，得無疾乎?」，乃退援琴而歌，使知體康. 孔子聞而怒.' 曾子至孝如此，亦有這些失處. 若是舜，百事事父母，只殺他不得."

又問："如申生待烹之事如何?"

曰："此只是恭. 若舜須逃也."[123]

"또 살피건대 정자程子의 『유서』에서 물었다. '순과 증자의 효 가운데 우열을 가리면 어떻습니까?' (정자가) 대답했다. "『공자가어』에 오이 밭에서 김매는 일이 있는데, 비록 믿을 수 없지만 도리어 이러한 의리가 있다. '증자가 오이 밭에서 김을 매는데, 잘못하여 오이의 뿌리를 베었다. 증석이 큰 지팡이를 세워 증자의 등을 치자, 증자가 땅에 고꾸라져 사람을 알아보지 못했다. 한참 있다가 깨어나서 기쁘게 증석에게 나아가, 「아버지가 힘을 써서 저를 가르치시니, 아프지 않습니까?」라고 하고, 물러나 거문고를 켜 노래를 불러 몸이 건강하다는 것을 알게 했다. 공자가 듣고서 화를 냈다.'[124] 증자의 지극한 효가 이와 같은데도 이러한 실수가 있다. 순과 같은 경우는 모든 일에 부모를 섬길 때에 단지 다른 사람을 죽일 수 없었다."

또 물었다. "신생이 팽형을 기다리는 일과 같은 경우는 어떻습니까?"

(정자가) 대답했다. "이것은 단지 공손일 뿐이다. 만약 순이라면 반드시 도망갔을 것이다."

---

123 『二程遺書』 권23 「鮑若雨録」

124 『공자가어』 권4 「六本第十五」의 다음과 같은 내용을 요약하여 발췌하였다. 특히 『二程遺書』에는 공자가 화를 냈다고만 하고 그 이유에 대해 말하지 않았는데, 『공자가어』 권4에서는 공자가 화를 낸 이유에 대해 자세하게 언급하고 있다. "'증자가 오이 밭에서 김을 매는데, 잘못하여 오이의 뿌리를 베었다. 증석이 화가 난 상태에서 큰 지팡이를 세워 증자의 등을 치자, 증자가 땅에 고꾸라져 사람을 알아보지 못했다. 한참 있다가 깨어나서 기쁘게 일어나 증석에게 나아가, '아까는 제가 아버지께 죄를 지었는데, 아버지가 힘을 써서 저를 가르치시니, 아프지 않습니까?'라고 하고, 물러나 방으로 들어가서 거문고를 켜고 노래를 불러 증석이 듣도록 하여 몸이 건강하다는 것을 알리고자 했다. 공자가 듣고서 화를 내면서 제자들에게 고하여 '삼을 들이지 말라.'라고 했다. 증삼이 스스로 죄가 없다고 여기고 사람을 시켜 공자에게 청하였다. 공자가 '너는 듣지 못하였는가? 옛날에 고수의 아들이 있었는데 순이라고 한다. 순이 고수를 섬길 때에 (고수가 순을) 곁에 있지 않은 적이 없도록 하여 찾아 죽이려 했지만 그렇게 할 수 없었다.(순은) 작은 매는 맞는 것을 기다렸지만, 큰 매는 도망하였기 때문에 고수는 아버지답지 못한 죄를 범하지 않았고, 순은 지극한 효를 잃지 않았다. 그런데 삼이 아버지를 섬길 때에는 몸을 맡기고서 포악한 성냄을 기다려 죽더라도 피하지 않았고, 몸이 죽고 나면 아버지를 불의에 빠트리게 되니, 그 불효가 얼마나 큰가? 너는 천자의 백성이 아니다. 천자의 백성을 죽게 하면 그 죄가 어떠하겠는가?'라고 말했다. 증삼이 듣고 '저의 죄가 큽니다.'라고 하고, 마침내 공자를 찾아가 잘못을 빌었다.(曾子耘瓜，誤斬其根. 曾晳怒建大杖以擊其背，曾子仆地而不知人. 久之有頃，乃蘇，欣然而起，進於曾晳曰，'嚮也參得罪於大人，大人用力敎參，得無疾乎?' 退而就房，援琴而歌，欲令曾晳而聞之，知其體康也. 孔子聞之而怒，告門弟子曰，'參來勿內.' 曾參自以爲無罪，使人請於孔子. 子曰，'汝不聞乎? 昔瞽瞍有子曰舜. 舜之事瞽瞍，欲使之未嘗不在於側，索而殺之，未嘗可得. 小棰則待過，大杖則逃走，故瞽瞍不犯不父之罪，而舜不失烝烝之孝. 今參事父委身以待暴怒，殪而不避，旣身死而陷父於不義，其不孝孰大焉？ 汝非天子之民也，殺天子之民，其罪奚若？' 曾參聞之曰，'參罪大矣'，遂造孔子而謝過.)"

[4-12]

富·貴·福·澤, 將厚吾之生也; 貧·賤·憂·戚, 庸玉女於成也.

부유함·귀함·복·은택은 나의 삶을 두텁게 하고, 가난함·천함·근심·슬픔은 너를 완성시켜주는 보배이다.

[4-12-1]

富·貴·福·澤所以大奉於我, 而使吾之爲善也輕; 貧·賤·憂·戚戚所以拂亂於我, 而使吾之爲志也篤. 天地之於人, 父母之於子, 其設心豈有異哉? 故君子之事天也, 以周公之富而不至於驕; 以顔子之貧而不改其樂; 其事親也, 愛之則喜而弗忘; 惡之則懼而無怨, 其心亦一而已矣.

부유함·귀함·복·은택은 나를 크게 받들어주니, 내가 쉽게 선을 행하도록 하고,[125] 가난함·천함·근심·슬픔은 나를 어지럽히니, 내가 돈독하게 뜻을 행하도록 한다. 천지가 사람을 대할 때나 부모가 자식을 대할 때 베푸는 마음이 어찌 다르겠는가? 그러므로 군자가 하늘을 섬길 때에는, 주공과 같은 부유함으로도 교만함에 이르지 않고,[126] 안자와 같은 가난함으로도 그 즐거워함을 고치지 않으며,[127] 군자가 부모를 섬길 때에는 (부모가 나를) 사랑하면 기뻐하면서 잊지 않고, 미워하면 두려워하더라도 원망하지 않으니,[128] 그 마음은 또한 하나일 뿐이다.

[4-12-1-1]

朱子曰 : "敬天當如敬親, 戰戰兢兢, 無所不至. 愛天當如愛親, 無所不順. 天之生我, 安頓得好, 令我富貴崇高, 便如父母愛我, 當喜而不忘. 安頓得不好, 令我貧賤憂戚, 便如父母欲成就我, 當勞而不怨."[129]

125 『孟子』「梁惠王上」의 다음과 같은 글을 응용한 것이다. "그러므로 밝은 임금이 백성들의 일거리를 만들어주는데, 반드시 우러러 백성들이 부모를 충분히 섬기게 하고, 굽어 아내와 자식을 충분히 부양하도록 하여, 풍년에는 평생 배부르고 흉년에는 죽음에서 면하게 합니다. 그런 후에 몰아서 착함으로 가게 하므로 백성들이 따르기가 쉽습니다.(是故明君制民之産, 必使仰足以事父母, 俯足以畜妻子, 樂歲終身飽, 凶年免於死亡. 然後驅而之善, 故民之從之也輕.)"

126 『論語』「泰伯」의 다음과 같은 글을 응용한 것이다. "공자는 '만일 주공과 같은 재주와 아름다움을 가졌더라도 교만하고 인색하다면, 그 나머지는 볼 필요가 없다.'고 말했다.(子曰, '如有周公之才之美, 使驕且吝, 其餘不足觀也已.')"

127 『論語』「雍也」의 다음과 같은 글을 응용한 것이다. "공자는 '어질도다. 안회여! 한 대광주리의 밥을 먹고, 한 표주박의 물을 마시며, 누추한 곳에 사는 것에 대해 사람들은 그 근심을 감당하지 못하는데, 안회는 그 즐거움을 고치지 않으니, 어질도다. 안회여!'라고 말했다.(子曰, '賢哉. 回也! 一簞食, 一瓢飮, 在陋巷, 人不堪其憂, 回也不改其樂, 賢哉. 回也!')"

128 『孟子』「萬章上」의 다음과 같은 내용을 응용한 것이다. "부모가 나를 사랑하면 기뻐하여 잊지 않고, 부모가 나를 미워할 때에는 수고롭더라도 원망하지 않는다.(父母愛之, 喜而不忘; 父母惡之, 勞而不怨.)"

129 『朱子語類』 권98, 98조목

주자가 말했다. "하늘을 공경하기를 마땅히 부모를 공경하는 것처럼 두려워하고 조심하여 이르지 않는 것이 없어야 한다. 하늘을 사랑하기를 마땅히 부모를 사랑하는 것처럼 따르지 않는 것이 없어야 한다. 하늘이 나를 낳을 때에 안배를 잘해서 나를 부귀하게 하고 숭고하게 하는 것은 바로 부모가 나를 사랑하는 것과 같아서 기뻐하더라도 잊지 않아야 한다. 안배가 잘 안 되어서 나를 빈천하게 하고 근심하며 슬프게 하는 것은 바로 부모가 나를 성취시키고자 하는 것과 같아서 수고롭더라도 원망하지 말아야 한다."

[4-12-1-2]

西山眞氏曰 : "禍福吉凶之來, 當順受其正. 天之福澤我者, 非私我也. 予之以爲善之資, 乃所以厚其責. 譬之事親, 則父母愛之, 喜而不忘也. 天之憂戚我者, 非厄我也. 將以拂亂其心志, 而增其所不能. 譬之事親, 則父母惡之, 懼而不怨也. 即此推之, 親即天也, 天即親也. 其所以事之者, 豈容有二哉?"[130]

서산 진씨西山眞氏[眞德秀]가 말했다. "재앙과 복과 길함과 흉함이 올 때에는 마땅히 그 바름을 순순히 받아야 한다. 하늘이 나에게 복과 은택을 주는 것은 나를 사사롭게 사랑하는 것이 아니다. 나에게 선을 실행할 자질을 준 것은 바로 그 책임을 무겁게 하는 것이다. 부모를 섬기는 것에 비유하자면 부모가 사랑하면 기뻐하여 잊지 않아야 한다. 하늘이 나를 근심하게 하고 슬프게 하는 것은 나를 불행하게 하는 것이 아니다. 장차 그 마음과 뜻을 어지럽게 하여 할 수 없는 것을 할 수 있게 하려는 것이다.[131] 부모를 섬기는 것에 비유하자면 부모가 미워하면 두려워하더라도 원망하지 않아야 한다. 이것으로 미루어 보면 부모는 바로 하늘이고, 하늘은 바로 부모이다. 섬기는 것이 어찌 두 가지이겠는가?"

[4-13]

存吾順事, 沒吾寧也.

살아서는 내가 순리대로 섬기고, 죽어서는 내가 편안하다.

[4-13-1]

孝子之身, 存則其事親者, 不違其志而已, 沒則安而無所愧於親也. 仁人之身, 存則其事天者, 不逆其理而已, 沒則安而無所愧於天也. 蓋所謂"朝聞夕死", "吾得正而斃焉"者, 故張子

130 『大學衍義』 권6 「格物致知之要一 · 明道術 · 天理人倫之正」

131 『孟子』 「告子下」의 다음과 같은 내용을 응용한 것이다. "하늘이 장차 이 사람에게 큰 임무를 내리려 할 때, 반드시 먼저 그 마음과 뜻을 힘들게 하고, 그 힘줄과 뼈를 수고롭게 하며, 그 몸과 살갗을 주리게 하고, 그 몸을 비어 모자라게 하여, 행할 때에 그 할 것을 어그러지고 어지럽게 하니, 마음을 움직이고 성품을 참아 그 할 수 없는 것을 더욱 할 수 있게 하는 것이다.(天將降大任於是人也, 必先苦其心志, 勞其筋骨, 餓其體膚, 空乏其身, 行拂亂其所爲, 所以動心忍性, 曾益其所不能.)"

之銘以是終焉.

효자의 몸은 살아서는 부모를 섬김에 그 뜻을 어기지 않을 뿐이고, 죽어서는 편안하여 부모에게 부끄러운 것이 없다. 어진 사람의 몸은 살아서는 하늘을 섬김에 그 리理를 거스르지 않을 뿐이고, 죽어서는 편안하여 하늘에 부끄러운 것이 없다. 이것이 이른바 "아침에 도를 들으면 저녁에 죽어도 좋다."[132]라는 것과 "내가 바름을 얻고서 죽는다."[133]라는 것이므로, 장자張子(張載)의 「서명」은 이것으로 끝맺었다.

[4-13-1-1]

問, "存吾順事, 沒吾寧也."

朱子曰 : "二句所論甚當. 舊說[134]誤矣. 然以上句富貴貧賤之語例之, 則亦不可太相連說. 今改云'孝子之身, 存則其事親也, 不違其志而已, 沒則安而無所愧於親也. 仁人之身, 存則其事天也, 不逆其理而已, 沒則安而無所愧於天也. 蓋所謂「夭壽不貳, 而修身以俟之」者, 故張子之『銘』以是終焉', 似得張子之本意."[135]

"살아서는 내가 순리대로 섬기고, 죽어서는 내가 편안하다."라고 한 것에 대해 묻습니다.

주자가 대답했다. "두 구절이 논한 것은 매우 합당하다. (나의) 옛 학설은 잘못되었다. 그러나 위 구절에서 부귀와 빈천의 말로 예를 들면 또한 서로 매우 관련된다고는 말할 수 없다. 이제 '효자의 몸은 살아서는 부모를 섬기며 그 뜻을 어기지 않을 뿐이고, 죽어서는 편안하여 부모에게 부끄러운 것이 없다. 어진 사람의 몸은 살아서는 하늘을 섬기며 그 리理를 거스르지 않을 뿐이고, 죽어서는 편안하여 하늘에 부끄러운 것이 없다. 이는 이른바 「일찍 죽거나 오래 사는 것을 의심하지 않고 몸을 수양하고서 기다린다.」[136]라고 하므로, 장자張子(張載)의 「서명」은 이것으로 끝맺었다.'고 고쳤으니, 장자의 본뜻을 얻은 듯하다."

[4-13-1-2]

黃巖孫曰 : "'其事親也'兩'也'字, 今作'者'字. 所謂'夭壽不貳, 而修身以俟之'者, 今作'朝聞夕死', '吾得正而斃焉'者."

황암손이 말했다. "'부모를 섬긴다(其事親也)'는 것에서 두 '야也'자는 이 책에는 '자者'자로 되어 있다. 이른바 '일찍 죽거나 오래 사는 것을 의심하지 않고 몸을 수양하고서 기다린다.'[137]는 것은 여기에서

132 『論語』「里仁」 "子曰, '朝聞道, 夕死可矣.'"

133 『禮記』「檀弓上第三」

134 여기에서 구설은 앞의 13-1의 다음과 같은 내용이다. "효자의 몸은 살아서는 부모를 섬김에 그 뜻을 어기지 않을 뿐이고, 죽어서는 편안하여 부모에게 부끄러운 것이 없다. 어진 사람의 몸은 살아서는 하늘을 섬김에 그 理를 거스르지 않을 뿐이고, 죽어서는 편안하여 하늘에 부끄러운 것이 없다.(孝子之身, 存則其事親者, 不違其志而已; 沒則安而無所愧於親也. 仁人之身, 存則其事天者, 不逆其理而已; 沒則安而無所愧於天也.)"

135 『朱文公集』 권52 「書·答吳伯豐」

136 『孟子』「盡心上」

'아침에 도를 들으면 저녁에 죽어도 좋다.'[138]와 '내가 바름을 얻어서 죽는다.'[139]라고 되어 있다."

[4-14-1]

論曰：天地之間，理一而已．然"'乾道成男，坤道成女．' 二氣交感，化生萬物"，則其大小之分，親疎之等，至於十百千萬而不能齊也．不有聖賢者出，孰能合其異而反其同哉?「西銘」之作，意蓋如此．程子以爲'明理一而分殊'，可謂'一言以蔽之'矣．蓋以乾爲父，以坤爲母，有生之類，無物不然，所謂'理一'也．而人物之生，血脈之屬，各親其親，各子其子，則其分亦安得而不殊哉? 一統而萬殊，則雖天下一家，中國一人，而不流於兼愛之敝．萬殊而一貫，則雖親疎異情，貴賤異等，而不梏於爲我之私，此「西銘」之大指也．觀其推親親之厚，以大無我之公，因事親之誠，以明事天之道，蓋無適而非所謂'分立而推理一'也．夫豈專以"民吾同胞，長長幼幼"爲'理一'，而必黙識於言意之表，然後知其分之殊哉? 且所謂"稱物平施"者，正謂稱物之宜，以平吾之施云爾．若無稱物之義，則亦何以知夫所施之平哉? 龜山第二書蓋欲發明此意，然言不盡而理有餘也．故愚得因其說而遂言之如此，同志之士，幸相與折衷焉.

(주자가) 다음과 같이 논하여 말했다. 천지 사이에는 하나의 리理일 뿐이다. 그러나 "'건도는 남자를 이루고 곤도는 여자를 이룬다.'[140] 두 기(음과 양)가 교감하여 만물을 화생化生하면"[141] 크고 작음의 구분과 친근하고 소원함의 차등은 십 배, 백 배, 천 배, 만 배에 이르러 가지런해질 수 없다. 성현이 출현하지 않는다면 누가 그 다른 것을 합하여 같은 것으로 되돌릴 수 있겠는가? 「서명」을 지은 의도가 이와 같을 것이다. 정자程子[程頤]가 "리理는 하나이지만 나누어진 것이 다름을 밝혔다."[142]고 했으니, "한 마디 말로써 그것을 포괄했다."고 할 수 있다. 건을 아버지로 삼고 곤을 어머니로 삼은 것은 생명이 있는 부류는 그것들마다 그러하지 않음이 없으니, 이른바 '리일理一'이다. 그러나 인간과 만물이 생겨날 때에는 혈맥에 속한 것들이 각각 그 부모를 부모로 친애하고, 각각 그 자식을 자식으로 사랑하니, 나누어진 것이 또한 어찌 다르지 않을 수 있겠는가? 하나로 통합되면서도 만 가지로 다르다면 비록 세상 사람들이 한 집안이고 나라 안의 사람들이 한 사람이라고 할지라도, 겸애兼愛[143]의 폐해로 흐르지 않는다. 만 가지로 다르면서도 하나로 관통된다면 비록 친근함과 소원함이 다른 감정이고 귀함과 천함이 다른 등급일지라도, 자신만을 위하는[144] 사사로움에 구애되지 않으니, 이것이

137 『孟子』「盡心上」
138 『論語』「里仁」, "공자는 '아침에 도를 들으면 저녁에 죽어도 괜찮다.'고 했다.(子曰, '朝聞道, 夕死可矣.')"
139 『禮記』「檀弓上第三」
140 『周易』「繫辭上」 1장
141 주돈이 『太極圖說』
142 『二程文集』 권10 「答楊時論西銘書」
143 '兼愛'는 "서로의 사랑을 겸하고, 서로의 이로움을 교류한다.(兼相愛, 交相利)"는 묵자의 사상으로 무차별적 사랑을 의미한다.
144 '爲我'는 남을 위해 머리카락 한 올이라도 줄 수 없다는 양주의 사상을 의미한다.

「서명」의 큰 뜻이다. 부모를 친애하기를 두텁게 하는 것을 미루어 사심을 없애는 공의로움을 크게 하고, 부모를 섬기는 성誠을 따름으로써 하늘을 섬기는 도를 밝히는 것을 보면, 어느 곳에서나 이른바 '나누어진 것이 정립된 곳에서 리理가 하나임을 미룬다.'[145]라는 것이 아님이 없다. 어떻게 오로지 "백성은 나의 동포이고", "어른을 어른으로 대하고 어린이를 어린이로 대한다."라는 것만을 '리일理一'로 여겨 반드시 말과 뜻의 밖에서 묵묵히 깨달은 후에 그 나누어진 것의 다름을 알 수 있겠는가? 또 이른바 "물건을 저울질하여 베푸는 것을 고르게 한다."[146]라는 것은 바로 물건의 마땅함을 저울질하여 내가 베푸는 것을 고르게 하는 것을 말할 뿐이다. 만일 물건을 저울질하는 뜻이 없다면 또한 어떻게 베푸는 것이 고른지를 알 수 있겠는가? 구산龜山[楊時][147]은 두 번째 편지에서 이 뜻을 밝히고자 하였으나, 말로 다 드러내지 못했고, 말해야 할 이치는 아직도 남아 있다. 그러므로 나는 그 말에 따라 마침내 이와 같이 말했으니, 뜻을 같이하는 선비들은 서로 함께 절충하기를 바란다.

[4-14-2]

熹旣爲此『解』, 後得尹氏書云, "楊中立答伊川先生論「西銘」書, 有'釋然無惑'之語. 先生讀之曰'楊時也未釋然.'" 乃知此論所疑第二書之說, 先生蓋亦未之許也. 然『龜山語錄』有曰"「西銘」'理一而分殊', 知其'理一', 所以爲仁; 知其'分殊', 所以爲義. 所謂'分殊', 猶孟子言'親親而仁民, 仁民而愛物', 其分不同, 故所施不能無差等耳. 或曰'如是, 則體用果離而爲二矣', 曰'用未嘗離體也. 以人觀之, 四肢百骸具於一身者, 體也, 至其用處, 則首不可以加屨, 足不可以納冠. 蓋卽體而言, 而分已在其中矣.'"[148] 此論分別異同, 各有歸趣, 大非答書之

145 『二程文集』 권10 「答楊時論西銘書」

146 이 글은 『周易』「謙卦 ䷎」의 "「象傳」에서 '땅 가운데 산이 있는 것이 겸이다. 군자는 이를 본받아 많은 것을 덜어 적은 것을 더하여 사물을 알맞게 하고 고르게 펼친다.'고 말했다.(「象」曰, '地中有山, 謙. 君子以裒多益寡, 稱物平施.')"라는 내용에서 인용하였다.

147 楊時(1053~1135) : 북송의 성리학자이고, 閩學의 창시자이다. 자는 中立이고 호는 龜山이며 시호는 文靖이다. 南劍州(지금의 복건성) 將樂縣 출신이다. 1076년에 과거에 합격하였으나, 10년 간 벼슬하지 않다가 후에 벼슬하여 龍圖閣直學士에 올랐으며, 金나라에 대항하고, 和議를 반대하였다. 정호와 정이 형제에게서 학문을 배워, 주희와 장식과 여조겸 등에게 전수하였다. 『中庸』의 '誠'으로 정호와 정이의 격물치지설을 설명하였고, 理一分殊를 설명하면서, 그것을 유가의 도덕관념과 인생철학에 구체적으로 운용하고자 하였다. 정호의 우주관을 조술하여 氣一元論을 주장하였다. 주저서로 『龜山集』·『龜山語錄』·『二程粹言』 등이 있다.

148 楊時 『龜山集』 권11 「語録二·京師所聞丙」의 다음과 같은 원문과 약간 차이 있지만, 의미는 크게 다르지 않다. "「書銘」은 '하남 선생이 「理一分殊」를 말한 것에서 그 「理一」을 아는 것이 仁이 되는 것이고, 그 「分殊」를 아는 것이 義가 되는 것이다. 이른바 「分殊」는 맹자가 「부모를 친애하면서 백성을 사랑하고, 백성을 사랑하면서 만물을 아낀다.」고 말한 것과 같으니, 그 나누어진 것이 같지 않으므로 베푸는 것에 차등이 없을 수 없다.'고 말한다. 어떤 사람이 '이와 같다면 체와 용은 결국 떨어져서 둘이 된다.'고 하니, '용은 이 체를 떠난 적이 없다. 한 몸으로 보면 사지와 모든 뼈가 한 몸에 갖추어진 것은 體이고, 그 작용처에 이르면 머리에 신을 써서는 안 되고, 발에 갓을 신어서는 안 된다. 체의 측면에서 말하면 분수는 그 속에 있다.'고 하였다."(「西銘」曰'河南先生言「理一而分殊」, 知其「理一」, 所以爲仁; 知其「分殊」, 所以爲義. 所

比, 豈其年高德盛, 而所見始益精與! 因復表而出之, 以明答書之說誠有未釋然者, 而龜山所見蓋不終於此而已也.

乾道壬辰孟冬朔旦熹謹書.

내가 이 『서명해』를 짓고 나서 윤씨尹氏[尹焞]의 편지를 보았는데, "이천伊川[程頤] 선생이 「서명」을 논한 것에 대한 양중립楊中立[楊時]의 답장에는 '분명하여 의혹이 없다.'는 말이 있었다. 선생이 그것을 읽고서 '양시는 아직 분명하지 않다.'고 말하였다." 이에 이 논의에서 의심한 두 번째 편지[149]의 내용을 선생[程頤] 또한 인정하지 않았음을 알았다. 그러나 『구산어록龜山語錄』에는 "「서명」의 '리일분수理一而分殊'에서 그 '리일理一'을 아는 것이 인仁이 되는 것이고, 그 '분수分殊'를 아는 것이 의義가 되는 것이다. 이른바 '분수分殊나누어진 것이 다르다는 것'는 맹자가 '부모를 친애하면서 백성을 사랑하고, 백성을 사랑하면서 만물을 아낀다.'[150]고 말한 것과 같으니, 그 나누어진 것이 같지 않으므로 베푸는 것에 차등이 없을 수 없다. 어떤 사람이 '이와 같다면 체와 용은 결국 떨어져서 둘이 된다.'고 하니, '용은 체를 떠난 적이 없다. 사람으로 보면 사지와 모든 뼈가 한 몸에 갖추어진 것은 체體이고, 그 작용처에 이르면 머리에 신을 써서는 안 되고, 발에 갓을 신어서는 안 된다. 체의 측면에서 말하면 나누어진 것은 이미 그 속에 있다.'고 하였다." 이 논의에서 같음과 다름을 분별한 것이 각각 돌아갈 곳이 있어서 답서와 비할 바가 전혀 아니니, 아마도 나이가 높고 덕이 왕성하여 견해가 비로소 더욱 정밀했을 것이다! 이어서 다시 드러내어 답서의 설명이 진실로 분명하지 않은 것이 있으나, 구산이 본 것은 여기에서 끝나지 않을 뿐이라는 것을 밝힌다.

건도 임진(1172)년 초겨울(음력 10월) 초하룻날에 주희가 삼가 쓰다.

[4-14-2-1]

龜山楊氏上程子書曰："竊謂'道之不明, 知者過之', 「西銘」之書, 其幾於過乎. 昔之問仁於孔子者多矣. 雖顏子仲弓之徒, 所以告之者, 不過求仁之方耳, 至於仁之體未嘗言也. 孟子曰'仁, 人心也; 義, 人路也', 言仁之最親, 無如此者. 然亦體用兩言之, 未聞如「西銘」之說也. 孔孟豈有隱哉? 蓋不敢過之, 以起後學之弊也. 且墨氏之兼愛, 固仁者之事也, 其流遂至於無父, 豈墨氏之罪哉? 孟子力攻之, 必歸罪於墨子者, 正其本也. 故君子'言必慮其所終, 行必稽其所敝', 正謂此耳. 「西銘」發明聖人之微意至深, 然而言體而不及用, 恐其流遂至於兼愛, 則後世有聖賢者出, 推本而論之, 未免歸罪於橫渠也. 時竊妄意此書, 蓋西人共守而謹行之者, 欲得先生一言, 推明其用, 與「西銘」並行, 庶乎體用兼明, 使學者免於流蕩也. 橫

謂「分殊」, 猶孟子言「親親而仁民, 仁民而愛物」, 其分不同, 故所施不能無差等.' 或曰'如是, 則體用果離而爲二矣', 曰'用未嘗離體也. 且以一身觀之, 四體百骸皆具所謂體也; 至其用處, 則屨不可加之於首, 冠不可納之於足. 則即體而言, 分在其中矣.')"

149 『西山讀書記』 권31 「張子之學」과 송나라 때 李幼武가 편찬한 『宋名臣言行錄外集』 권4 「張載橫渠先生明公」에는 '第一書'로 表記되어 있다.

150 『孟子』「盡心上」

渠之學，造極天人之蘊，非後學所能窺測. 然所疑如此，故輒言之. 先生以謂如何?”[151]

구산 양씨龜山楊氏[楊時]가 정자程子[程頤]에게 올린 편지 글에서 다음과 같이 말했다. “제가 생각하기에 ‘도가 밝아지지 않는 것은 지혜로운 사람이 지나쳤기 때문이다.’[152]고 하니, 「서명」의 글은 지나친 경우에 가깝습니다. 옛날에 공자에게 인을 물은 사람이 많습니다. 비록 안자와 중궁의 무리들이라도 알려준 것[153]은 인을 구하는 방법에 지나지 않을 뿐이고, 인의 체에 대해서는 말한 적이 없었습니다. 맹자는 ‘인仁은 사람의 마음이고, 의義는 사람의 길이다.’[154]고 했는데, 인을 말한 것에서 가장 친절하기가 이만한 것은 없습니다. 그러나 또한 체體와 용用 둘로 말하였는데, 「서명」의 설명과 같은 것을

151 『龜山集』 권16 「寄伊川先生」의 다음과 같은 원문과 약간 차이 있지만, 의미는 크게 다르지 않다. “제가 생각하기에 ‘도가 밝아지지 않는 것은 지혜로운 사람이 지나쳤기 때문이다.’고 하니, 「書銘」이라는 글은 지나침에 가까운 것입니다. 옛날에 공자에게 인을 물은 사람이 많습니다. 비록 안연과 중궁의 무리들에게 알려준 것은 인을 구하는 방법에 지나지 않을 뿐이지만, 인의 체에 대해서는 일찍이 말하지 않았습니다. 맹자는 ‘仁은 사람의 마음이고, 義는 사람의 길이다.’고 했는데, 인의 구현을 말한 것에서 가장 친절한 것이 이만한 것은 없습니다. 그러나 또한 體와 用 둘을 함께 들어 말하였는데, 「書銘」의 설명과 같은 것을 들은 적이 없습니다. 공자와 맹자가 어찌 숨기는 것이 있겠습니까? 감히 지나치게 하여 후학들에게 폐단을 일으키게 하지 않았습니다. 게다가 묵자의 겸애는 확실히 仁者의 일인데, 그 유폐가 끝내 아버지를 없애는 데까지 이른 것이 어찌 묵자의 죄이겠습니까? 맹자가 힘써 그를 공격하여 반드시 묵자에게 죄를 돌린 것은 근본을 바르게 하는 것입니다. 그러므로 군자가 ‘말을 할 때에는 반드시 그 끝나는 것을 생각하고, 행할 때에는 반드시 그 가리는 것을 헤아린다.’고 한 것은 바로 이것을 이를 뿐입니다. 「書銘」의 글은 성인의 은미한 뜻을 지극히 깊게 밝혔지만, 체를 말하면서도 용을 언급하지 않았으니, 아마도 그 유폐가 겸애에까지 이르면 후세에 성현이 나와서 근본을 미루어 논하여 橫渠[張載]에게 죄를 돌리는 것을 면하지 못할까 염려됩니다. 제 생각을 미루어볼 때 이 글은 관서 지방의 사람들이 함께 지키며 신중히 행하는 것인데, 한 말씀으로 그 용을 미루어 밝혀 「書銘」과 병행하도록 하면 아마 배우는 사람들이 체와 용을 함께 밝혀 방탕에 이르지 않을 것입니다. 橫渠[張載]의 학문은 천과 인간 문제의 깊은 경지에 이르렀으니, 후학이 엿볼 수 있는 정도가 아닙니다. 그러나 의심한 것이 이와 같으므로 번번이 말하였습니다. 선생은 어떻게 생각하십니까?(某竊謂‘道之不明, 知者過之’, 「西銘」之書, 其幾於過乎. 昔之問仁於孔子者多矣. 雖顔淵仲弓之徒, 所以告之者, 不過求仁之方耳, 至於仁之體未嘗言也. 孟子曰‘仁, 人心也; 義, 人路也.’ 言仁之盡最親, 無如此者. 然亦體用兼擧兩言之, 未聞如「西銘」之說也. 孔孟豈有隱哉? 蓋不敢過之, 以起後學之弊也. 且墨氏之兼愛, 固仁者之事也, 其流卒至於無父, 豈墨氏之罪耶? 孟子力攻之, 必歸罪於墨子者, 正其本也. 故君子‘言必慮其所終, 行必稽其所敝’, 正謂此耳. 「西銘」之書發明聖人微意至深, 然而言體而不及用, 恐其流遂至於兼愛, 則後世有聖賢者出, 推本而論之, 未免歸罪於橫渠也. 推某竊意此書, 蓋西人共守而謹行之者, 也願得一言, 推明其用, 與之並行, 庶乎學者體用兼明, 而不至於流蕩也. 橫渠之學, 造極天人之蘊, 非後學所能窺測. 然所疑如此, 故輒言之. 先生以謂如何?)”

152 『中庸』 4장의 다음과 같은 내용을 응용한 것이다. “공자는 ‘도가 행해지지 않는 것을 내가 아는데, 지혜로운 사람은 지나치고 어리석은 사람은 미치지 못한다. 도가 밝아지지 않은 것을 내가 아는데, 현인은 지나치고 어리석은 사람은 미치지 못한다. 사람들이 마시고 먹지 않은 적이 없는데, 맛을 아는 경우는 드물다.’라고 하였다.(子曰, ‘道之不行也, 我知之矣, 知者過之, 愚者不及也. 道之不明也, 我知之矣, 賢者過之, 不肖者不及也. 人莫不飮食也, 鮮能知味也.’)”

153 『論語』「顔淵」

154 『孟子』「告子上」

들은 적이 없습니다. 공자와 맹자가 어찌 숨기는 것이 있겠습니까? 감히 지나치게 하여 후학들에게 폐단을 일으키게 하지 않았습니다. 게다가 묵자의 겸애는 확실히 인자仁者의 일인데, 그 유폐가 아버지를 없애는 데까지 이른 것이 어찌 묵자의 죄이겠습니까? 맹자가 힘써 그를 공격하여 반드시 묵자에게 죄를 돌린 것은 근본을 바르게 하는 것입니다. 그러므로 군자가 '말을 할 때에는 반드시 그 끝나는 것을 생각하고, 행할 때에는 반드시 그 가리는 것을 헤아린다.'[155]고 했는데 바로 이것을 이를 뿐입니다. 「서명」에서는 성인의 은미한 뜻을 밝힌 것이 지극히 깊지만, 체를 말하면서도 용을 언급하지 않았으니, 아마도 그 유폐가 겸애에까지 이르면 후세에 성현이 나와서 근본을 미루어 논하여 횡거橫渠[張載]에게 죄를 돌리는 것을 면하지 못할까 염려됩니다. 제 생각에 이 글은 관서 지방의 사람들이 함께 지키며 신중히 행하는 것인데, 선생님의 한 말씀으로 그 용을 미루어 밝혀 「서명」과 병행하도록 하면 아마 체와 용이 함께 밝아져서 학자에게 방탕에서 면하게 할 것입니다. 횡거의 학문은 천과 인간 문제의 깊은 경지에 이르렀으니, 후학이 엿볼 수 있는 정도가 아닙니다. 그러나 의심한 것이 이와 같으므로 번번이 말하였습니다. 선생님은 어떻게 생각하십니까?"

程子曰 : "前所寄『史論』十篇, 其意甚正. 才一觀, 便爲人借去. 俟更子細. 「西銘」之論則未然. 橫渠之言誠有過者, 乃在『正蒙』. 「西銘」之爲書, 推理以存義, 擴先聖所未發, 與孟子'性善'·'養氣'之論同功. 二者亦前聖所未發, 豈墨氏之比哉? 「西銘」明'理一而分殊', 墨氏則二本而無分. '老幼及人', '理一'也; 愛無差等, '本二'也. '分殊'之敝, 私勝而失仁; 無分之罪, 兼愛而無義. 分立而推'理一', 以正私勝之流, 仁之方也. 無別而迷兼愛, 至於無父之極, 義之賊也. 子比而同之過矣. 且謂'言體而不及用', 彼欲使人推而行之, 本爲用也, 反謂'不及', 不亦異乎?"[156]

정자程子[程頤]가 말했다. "이전에 부친 『사론』 10편은 그 뜻이 매우 바르다. 한 번 보자마자 다른 사람이 빌려갔다. 돌려주면 더욱 자세히 보겠다. 「서명」에 대한 논의는 옳지 않다. 횡거의 말에 진실로 지나침이 있는 것은 바로 『정몽』이다. 「서명」의 글은 리理를 미루어 의義를 보존하는 것이 이전 성현들이 아직 발견하지 않은 것을 확충한 것이니, 맹자의 '성선性善'·'양기養氣'론[157]과 공로가 같다. 둘(맹자와 횡거)의 이론은 또한 이전 성현들이 아직 발견하지 않은 것인데, 어찌 묵자와 견주겠는가? 「서명」은 '리일분수理一分殊'를 밝혔고, 묵자는 근본을 둘로 하고 구분을 없앴다.[158] '나의 노인

155 『禮記』「緇衣」
156 『龜山集』 권16 「伊川答論西銘」
157 맹자의 '성선'설과 '호연지기'론 및 '夜氣'론을 의미한다.
158 『孟子』「滕文公上」의 다음과 같은 내용을 응용한 것이다. "徐辟가 夷之에게 알리자, 이자가 '유학자들의 도에 옛사람이 「갓난아이를 보호하는 것과 같이 한다.」(『書經』「周書·康誥」)라고 했는데, 이 말은 무엇을 이르는 것입니까? 나는 사랑에는 차등이 없고, 베풂은 부모로부터 시작한다고 생각합니다.'라고 말했다. 서자가 맹자에게 알리자, 맹자는 '이자는 진실로 사람이 그 형의 자식을 친애하는 것이 그 이웃의 갓난아이를 친애하는 것과 같다고 여기는가? 저 『書經』의 뜻은 다른 것을 취함이 있으니, 갓난아이가 기어서 장차 우물에 들어가려고 하는 것은 갓난아이의 죄가 아니라는 것이다. 또 하늘이 만물을 생겨나게 한 것은 근본을 하나로

을 노인으로 여겨 다른 사람의 노인에게까지 미치고, 나의 어린이를 어린이로 여겨 다른 사람의 어린이에게까지 미치는 것'[159]은 '리일理一'이고, 사랑에 차등이 없는 것은 '본이本二[근본이 둘]'이다. '나누어진 것이 다르다는 것分殊'의 폐단은 사사로움이 이겨 인仁을 잃는 것이고, 구분이 없는 죄는 겸애이어서 의義가 없는 것이다. '나누어진 것이 다르다는 것'이 세워져 '리일理一'을 미룸으로써 사사로움이 이기는 유폐를 바르게 하는 것이 인의 방법이다. 구별을 없애고 겸애에 미혹되어 아버지를 없애는 극단에 이르는 것은 의義의 해악이다. 그대가 그와 나란히 하여 똑같이 한 것은 지나치다. 또 '체體를 말하면서도 용用을 언급하지 않았다.'고 하는데, 횡거는 사람들에게 미루어 행하게 하고자 한 것이 본래 용인데, 오히려 '용을 언급하지 않았다.'고 하니, 또한 이상하지 않은가?"

龜山第二書曰："辱示「西銘」微旨，伏讀竟日．曉然具悉，如侍几席親訓誨也．時昔從明道，即授以「西銘」使讀之．尋繹累日，乃若有得．於是始知爲學之大方，固將終身佩服．豈敢妄疑其失，比同於墨氏？前書所論「西銘」之書，以民爲同胞，長其長，幼其幼，以鰥寡孤獨爲兄弟之無告，蓋所謂明'理一'也．然其辭無親親之殺，非明者嘿識於言意之表，烏知所謂理一而分殊哉？故竊恐其流遂至兼愛，非謂「西銘」之書爲兼愛而發，與墨氏同也．

하게 하는 것인데, 이자가 근본을 둘로 했기 때문이다.'라고 말했다.(徐子以告夷子，夷子曰，'儒者之道，古之人「若保赤子」，此言何謂也？之則以爲愛無差等，施由親始．' 徐子以告孟子．孟子曰，'夫夷子，信以爲人之親其兄之子，爲若親其鄰之赤子乎？彼有取爾也，赤子匍匐將入井，非赤子之罪也．且天之生物也，使之一本，而夷子二本故也．')" 이에 대해 주희는 『孟子集註』「滕文公下」에서 다음과 같이 해석한다. "'갓난아이를 보호하는 것과 같이 한다.'라는 것은 『書經』「周書·康誥篇」의 글인데, 이것은 유학자들의 말이다. 이자가 그것을 인용한 것은 유학을 끌어다 묵가에 들어가 맹자의 비난을 막기 위해서다. 또 '사랑에는 차등이 없고, 베풂은 부모로부터 시작한다.'라고 한 것은 묵가를 밀치고 유학에 부쳐서 자신이 부모를 후하게 장례한 뜻을 풀이한 것이니, 모두 이른바 회피하는 말이다. 맹자는 '사람들이 그 형의 자식을 사랑하는 것과 이웃의 자식을 사랑하는 것에는 본래 차등이 있다.'라고 말한다. 『書經』이 비유를 한 것은 본래 백성이 무지해서 법을 범하는 것은 갓난아이가 무지해서 우물에 들어가는 것과 같다고 여기기 때문이다. 또한 사람과 만물이 생겨나는 것은 반드시 각기 부모에 근본하면서 둘이 없음이 자연스러운 이치로 하늘이 그렇게 하도록 한 것과 같다. 그러므로 그 사랑은 이로부터 세워지고, 미루어 다른 사람에게 미쳐가서 저절로 차등이 있다. 이제 이자의 말과 같다면 이것은 그 부모 보기를 본래 거리의 사람과 다름이 없이 하고, 다만 베푸는 순서가 우선 이로부터 비롯할 뿐이니, 두 개의 근본이 아니고 무엇이겠는가? 그러나 이자는 선후의 사이에서 선택할 것을 알았으니, 또 그 본심의 밝음이 끝내 종식되지 않음이 있었던 것이다. 이것이 마침내 命을 받아 스스로 그 잘못을 깨달은 것이다.("若保赤子'，「周書·康誥篇」文，此儒者之言也．夷子引之，蓋欲援儒而入於墨，以拒孟子之非己．又曰，'愛無差等，施由親始'，則推墨而附於儒，以釋己所以厚葬其親之意，皆所謂遁辭也．孟子言'人之愛其兄子與鄰之子，本有差等．'『書』之取譬，本爲小民無知而犯法，如赤子無知而入井耳．且人物之生，必各本於父母而無二，乃自然之理，若天使之然也．故其愛由此立，而推以及人，自有差等．今如夷子之言，則是視其父母本無異於路人，但其施之之序，姑自此始耳．非二本而何哉？然其於先後之間，猶知所擇，則又其本心之明有終不得而息者．此其所以卒能受命而自覺其非也.)"

159 『孟子』「梁惠王上」"나의 노인을 노인으로 여겨 다른 사람의 노인에게 미치고, 나의 어린이를 어린이로 여겨 다른 사람의 어린이에게까지 미친다.(老吾老，以及人之老；幼吾幼，以及人之幼.)"

구산龜山[楊時]은 두 번째 편지에서 다음과 같이 말했다. "황공하게도 「서명」의 은미한 뜻을 가르쳐 주셔서 종일토록 공손하게 읽었습니다. 훤히 모두 알게 된 것이 안석과 자리에서 모시고 직접 가르침을 받는 것 같았습니다. 제가 예전에 명도明道[程顥]에게 따라 배울 때, 「서명」을 지도하면서 읽으라고 하였습니다. 여러 날을 연구하자 마침내 터득함이 있는 것 같았습니다. 여기에서 비로소 학문의 큰 방법을 알아서, 진실로 평생토록 마음에 새기겠습니다. 어찌 감히 망령스럽게 그것이 잘못이라고 의심하여 묵자와 같다고 하겠습니까? 앞 편지에서 논한 「서명」의 글은 백성을 동포로 삼고, 그 어른을 어른으로 여기며, 그 어린이를 어린이로 여기고, 외로운 사람(홀아비·과부·고아·자식 없는 노인)을 하소연할 곳 없는 형제로 여긴 것이니, 다 이른바 '리일理一'을 밝힌 것입니다. 그러나 그 말이 친한 사람을 친하게 하는 등급이 없으니, 명철한 사람이 언어만의 의미 이외에서 묵묵히 깨닫는 것이 아니라면 어찌 이른바 '리일분수理一分殊'를 알겠습니까? 그러므로 나는 그 유폐가 마침내 겸애에 이를까 염려한 것이지, 「서명」이라는 글이 겸애를 나타내어 묵자와 같음을 말하는 것이 아닙니다.

古之人所以大過人者無他, 善推其所爲而已. '老吾老以及人之老, 幼吾幼以及人之幼', 所謂推之也. 孔子曰'老者安之, 少者懷之', 則無事乎推矣. 無事乎推者, '理一'故也. '理一而分殊, 故聖人'稱物平施', 玆所以爲仁之至義之盡也歟! 何謂'稱物?' 遠近親疎各當其分, 所謂'稱'也. 何謂'平施?' 所以施之其心一焉, 所謂'平'也. 時昔者竊意「西銘」之書, 有平施之心, 無稱物之義, 故曰'言體而不及用.' 蓋指仁義爲說也, 故仁之過, 其敝無分, 無分則妨義. 義之過, 其流自私, 自私則害仁. 害仁, 則楊氏之爲我也. 妨義, 則墨氏之兼愛也. 二者其失雖殊, 其得罪於聖人則均矣. 「西銘」之旨, 隱奧難知, 固前聖所未發也. 前書所論竊謂過之者, 疑其辭有未達耳, 今得先生開諭丁寧, 傳之學者, 自當釋然無惑也."[160]

옛사람이 다른 사람보다 크게 뛰어난 것은 다른 것이 아니라, 자신이 하는 것을 잘 미루었을 뿐입니다. '나의 노인을 노인으로 여겨 다른 사람의 노인에게까지 미치고, 나의 어린이를 어린이로 여겨 다른 사람의 어린이에게까지 미치는 것'[161]이 이른바 미루는 것입니다. 공자가 '노인을 편안하게 하고, 어린이를 품는다.'[162]라고 한 것은 미루는 것을 일삼음이 없이 한 것입니다. 미루는 것을 일삼음이 없이 한 것은 '리일理一'이기 때문입니다. '리일분수理一分殊'이기 때문에 성인이 '물건을 저울질하여 베푸는 것을 고르게 한다.'라고 하니, 이것은 지극한 인이 되고 극진한 의가 될 것입니다! 무엇을 '물건을 저울질한다.'라고 하는가 하면 친근한 것과 소원한 것이 각각 그 몫을 합당하게 하니, 이른바 '저울질한다.'라고 합니다. 무엇을 '베푸는 것을 고르게 한다.'라고 하는가 하면 베푸는 그 마음이 한결같으니, 이른바 '고르게 한다.'라고 합니다. 옛날에 저는 「서명」이라는 글은 베푸는 것을 고르게 하는 마음이 있지만, 물건을 저울질하는 뜻이 없다고 생각했기 때문에 '체를 말하면서도 용을 언급하지 않는다.'라고 했습니다. 인仁과 의義를 가리켜 말하기 때문에 인이 지나치면 그 폐단이

160 『龜山集』 권16 「答伊川先生」
161 『孟子』「梁惠王上」
162 『論語』「公冶長」

구분되는 것이 없고, 구분되는 것이 없으면 의를 방해합니다. 의가 지나치면 그 유폐가 각자 사사로워지고, 각자 사사로워지면 인을 해칩니다. 인을 해치는 것은 양주의 자신만을 위하는 것입니다. 의를 방해하는 것은 묵자의 겸애입니다. 둘은 그 잘못이 비록 다르지만, 성인에게 죄를 짓는 것은 같습니다. 「서명」의 뜻은 은미하고 심오하여 알기가 어려워서 확실히 이전 성현들이 밝혀내지 못한 것입니다. 앞 편지의 논한 것에서 제가 지나쳤다고 말한 것은 아마 그 말이 통하지 않아서였는데, 지금 선생께서 간곡하게 일깨워주셔서, 학자에게 전해주셨으니, 저절로 분명하여 미혹됨이 없습니다."

[4-14-2-2]

延平李氏答朱子書曰："來諭'仁是心之正理，能發能用底一箇端緒，如胎育包涵．其中生氣無不純備，而流動發生自然之機，又無頃刻停息；憤盈發洩，觸處貫通，體用相循，初無間斷'，此說推廣得甚好．但又云'人之所以爲人而異乎禽獸者，以是而已．若犬之性，牛之性，則不得而與焉'，若如此說恐有礙．蓋天地中所生物，本源則一．雖禽獸草木，生理亦無頃刻停息間斷者．但人得其秀而最靈，五常中和之氣所聚，禽獸得其偏而已，此其所以異也．若謂'流動發生自然之機，與夫無頃刻停息間斷'，即禽獸之體，亦自如此．若以爲此理惟人獨得之，即恐推測體認處未精，於他處便見差也．

연평 이씨延平李氏[李侗][163]가 주자에게 답하는 편지에서 다음과 같이 말했다. "보내온 편지에서 '인仁은 마음의 바른 이치이고, 발현하고 작용할 수 있는 하나의 실마리이니, 잉태하여 감싸고 있는 것과 같다. 그 속에서 생기가 순수하게 갖추어지지 않음이 없고, 흘러 움직여서 발생하는 자연스런 기틀 또한 잠깐의 쉼도 없으며, 충만하여 발설하고 닿는 곳마다 관통하며 체와 용이 서로 좇아 처음부터 끊어지지 않는다.'라고 하니, 이 말은 미루어 넓힌 것이 매우 좋다. 그러나 또 '사람이 사람이 되어 짐승과 다른 까닭은 이 때문이다. 개의 성性이나 소의 성性과 같은 것은 여기에 낄 수 없다.'라고 하였으니, 이와 같은 말은 아마도 장애가 있는 듯하다. 천지 속에서 생겨나는 물건은 본원이 하나이다. 비록 짐승과 초목이라도 생의 이치는 또한 잠깐도 쉬거나 끊어지지 않는다. 다만 사람은 그 빼어난 것을 얻어 가장 신령스러워지게 되고, 오상五常을 중화中和시킨 기가 모였지만, 짐승은 그 치우침을 얻었을 뿐이니, 이것이 다른 까닭이다. '흘러 움직여 발생하는 자연스런 기틀과 잠깐도 쉬거나 끊어지지 않는다.'라고 한 것과 같은 말은 짐승의 체體 또한 본래 이와 같다. 만약 이러한 이치를 오직 사람만이 홀로 얻는다고 한다면 아마도 추측하고 체인하는 곳이 정밀하지 못한 것이고, 다른 곳에서도 바로 착오가 드러날 것이다.

又云'須體認到此純一不雜處，方見渾然與物同體氣象'一段，語却無病．又云'從此推出分殊

163 李侗(1093~1163) : 송대 학자이며, 자는 願中이고, 延平先生이라고 불린다. 南劍州劍浦(현재 복건성 南平) 사람으로 楊時 · 羅從彦과 함께 '南劍三先生'이라 불린다. 나종언에게서 二程의 학문을 배우고, 40여 년 간 세속을 끊고 연구한 뒤에 '理一分殊' 등 이정의 학문을 주희에게 전수해주었다. 저서는 『延平文集』이 있다.

合宜處便是義. 以下數句莫不由此, 而仁一以貫之. 蓋五常百行, 無往而非仁也.' 此說大槩是. 然細推之, 却似不曾體認得伊川所謂'理一而分殊', 龜山云'知其「理一」所以爲仁, 知其「分殊」所以爲義'之意, 蓋全在'知'字上用著力. 『謝上蔡語錄』云'不仁便是死漢, 不識痛癢了', 仁字只是有知覺了了之體段. 若於此不下工夫令透徹, 即何因見得本源毫髮之分殊哉. 若於此不了了, 即體用不能兼擧矣. 此正是本源體用兼擧處. 人道之立, 正在於此. 仁之一字, 正如四德之元; 而仁義兩字, 正如立天道之陰陽, 立地道之柔剛, 皆包攝在此二字爾."[164]

또 '반드시 이 순수하고 섞이지 않는 것을 체인해야 비로소 혼연히 만물과 같은 몸의 기상을 본다.'라는 단락은 말에 병통이 없다. 또 '여기에서 분수分殊의 합당한 곳을 미루어나간 것이 바로 의義이다. 다음의 여러 구절은 이로 말미암지 않음이 없으니, 인仁이 하나로 관통하는 것이다. 오상과 모든 행위는 어디에서든 인이 아님이 없다.'라고 했다. 이 말은 대개 옳다. 그러나 그것을 자세히 미루어보면 오히려 일찍이 이천伊川[程頤]이 말한 '리일분수理一分殊'를 깨닫지 못한 듯하고, 구산龜山[楊時]이 말한 '그 「리일理一」을 아는 것이 인이 되는 것이고, 그 「분수分殊」를 아는 것이 의가 되는 것이다.'라는 뜻은 전적으로 '지知'자에서 노력하는 것이다. 『사상채어록』의 '인하지 않으면 죽은 사람이니, 아픔과 가려움을 알지 못한다.'라는 말에서 인仁이라는 글자는 다만 명료하게 지각이 있는 본체일 뿐이다. 만약 여기에서 공부를 철저하게 하지 않는다면 무엇에 근거해서 본원에서 털끝처럼 나누어져 달라지는 것을 볼 수 있겠는가? 만약 이것을 알지 않는다면 체와 용은 함께 들 수 없다. 이것이 바로 본원에서 체와 용이 함께 드는 것이다. 인도의 정립은 바로 여기에 있다. 인仁이라는 한 글자는 바로 네 덕의 원元과 같고, 인의仁義 두 글자는 바로 천도天道를 세울 때의 음양陰陽이나 지도地道를 세울 때의 유강柔剛과 같으니, 모두 이 두 자에 포섭될 뿐이다."

[4-14-2-3]

朱子問 : "昨謂'仁之一字, 乃人之所以爲人而異乎禽獸者', 先生不以爲然. 某因以先生之言思之而得其說. 竊[165]謂'天地生物, 本乎一源, 人與禽獸草木之生, 莫不各具此理. 其一體之中, 即無絲毫欠剩; 其一氣之運, 亦無頃刻停息, 所謂仁也.'"

延平李氏曰 : "有有血氣者, 有無血氣者, 更體究此處."[166]

주자가 물었다. "어제 '인仁이라는 한 글자는 바로 사람이 사람이 되어 짐승과 다른 까닭이다.'라고 했는데, 선생님께서 그렇지 않다고 했습니다. 저는 이어서 선생님의 말을 가지고 그것을 생각하여 그 말의 의미를 알았습니다. 저는 '천지가 만물을 생겨나게 할 때 하나의 근원에 근본하니, 사람과 짐승과 초목의 생겨남에는 각각 이 리理를 갖추고 있지 않음이 없습니다. 그 한 체體의 속에는 조금도 모자라거나 남음이 없고, 한 기氣의 운행 또한 잠깐의 쉼도 없는 것이 이른바 인입니다.'라고

164 주희, 『延平答問』. 그런데 『延平答問』(임오년 6월 11일)에는 "透徹, 即何見得本源"에서 '卽'자와 '何'자 사이에 '緣'자가 첨가되어 있다.

165 주희 『延平答問』(신사년 8월 7일)에는 '竊'자 앞에 '喜'자가 있다.

166 주희 『延平答問』(신사년 8월 7일)

생각합니다."
연평 이씨延平李氏[李侗]가 대답했다. "혈기가 있는 것도 있고, 혈기가 없는 것도 있으니, 더욱 이러한 것을 절실하게 궁구해야 한다."

又問 : "氣有淸濁, 故稟有偏正. 惟人得其正, 故能知其本具此理而存之, 而見其爲仁. 物得其偏, 故雖具此理而不自知, 而無以見其爲仁. 然則仁之爲仁, 人與物不得不同; 知仁之爲仁而存之, 人與物不得不異, 故伊川夫子旣言'理一分殊', 而龜山又有'知其理一, 知其分殊'之說, 而先生以爲全在知字上用著力. 恐亦是此意否?"
曰 : "大槩得之."
(주자가) 또 물었다. "기에는 맑음과 흐림이 있으므로 품수에도 치우침과 바름이 있습니다. 오직 사람만이 그 바름을 얻었기 때문에 본래 이 리理가 갖추어졌음을 알아 보존하여서 그것이 인이 됨을 볼 수 있습니다. 사물은 그 치우침을 얻었기 때문에 비록 이 리理를 갖추었더라도 스스로 알지 못하여 그것이 인이 됨을 보지 못합니다. 그렇다면 인이 인이 되는 것은 사람과 사물이 같지 않을 수 없고, 인이 인이 되는 것을 알아 보존하는 것은 사람과 사물이 다르지 않을 수 없으므로, 이천伊川[程頤] 선생님이 이미 '리일분수理一分殊'를 말하고, 구산龜山[楊時] 또한 '그 리일理一을 알고 그 분수分殊를 안다.'라는 말이 있었는데, 선생님이 그가 전적으로 지知자에만 노력하는 것이라고 여긴 것입니다. 아마도 또한 그것이 이 뜻입니까?"
(이통이) 대답했다. "대체로 맞다."

又問 : "詳伊川之語推測之, 竊謂'理一而分殊', 此一句言理之本然, 故盡在性分之內本體未發時看?"
曰 : "須是兼本體已發未發時看, 合內外爲可."[167]
(주자가) 또 물었다. "이천의 말을 상세히 추측해보니, '리일분수理一分殊'라는 이 한 구절은 리理가 본래 그러함을 말했기 때문에 성분性分 안에서 본체가 아직 발현하지 않을 때에 보는 것입니까?"
(이통이) 대답했다. "반드시 본체가 이미 발현했을 때와 발현하지 않을 때를 함께 봐야 하니, 안팎을 합하는 것이 좋다."

又問 : "合而言之, 則莫非此理. 然其中無一物之不該, 便自有許多差別. 雖散殊錯揉不可名狀, 而纖毫之間, 同異畢顯, 所以'理一而分殊'也. '知其「理一」, 所以爲仁; 知其「分殊」, 所以爲義', 此二句乃是於發用處, 該攝本體而言, 因此端緖而下工夫以推尋之處也. 大抵仁者, 正是天理流動之機. 以其包容·和粹·涵育·融漾不可名貌, 故特謂之仁. 其中自然文·理·密·察各有定體處, 便是義. 只此二字, 包括人道已盡. 義固不能出乎仁之外, 仁亦不離乎義之

167 주희 『延平答問』(신사년 8월 7일)

內也. 然則'理一而分殊'者, 乃是本然之仁義. 前此乃以'從此推出分殊合宜處爲義', 失之遠矣."

曰: "推測一段甚密爲得之. 加以涵養, 何患不見道也?"[168]

(주자가) 또 물었다. "합하여 말하면 이 리理가 아님이 없습니다. 그러나 그 속에 어떠한 것도 갖추어지지 않음이 없으니, 바로 본래 많은 차별이 있는 것입니다. 비록 흩어지고 섞여서 모습을 형용할 수는 없지만, 미세한 사이에서 같음과 다름이 모두 드러나기 때문에 '리일분수理一分殊'인 것입니다. '그 「리일理一」을 아는 것이 인이 되는 것이고, 그 「분수分殊」를 아는 것이 의가 되는 것이다.'라고 하는 이 두 구절은 바로 발용처發用處[169]에서 본체를 통섭하여 말한 것이니, 이러한 실마리로 인하여 공부를 함으로써 미루어 찾아가는 곳입니다. 대개 인은 바로 천리가 흘러 움직이는 기틀입니다. 그 포용包容·화수和粹·함육涵育·융양融漾은 형용할 수 없으므로 단지 인이라고 합니다. 그 속에 저절로 문장·조리·세밀함·살핌[170]에 각각 체體를 정함이 있는 것이 바로 의입니다. 다만 이 두 글자 : 仁과 義는 인도人道를 이미 다 포괄하고 있습니다. 의는 진실로 인의 밖으로 벗어나는 것이 아니고, 인 또한 의의 안을 떠나는 것이 아닙니다. 그렇다면 '리일분수理一分殊'라는 것은 바로 본연의 인의입니다. 앞에서 이것을 '이로부터 분수에 합당한 곳을 미루어낸 것이 바로 의이다.'라고 한 것은 잘못이 큰 것입니다."

(이통이) 대답했다. "미루어 헤아린 이 단락은 매우 정밀하니, 옳다. 더욱 함양하면 어찌 도를 알지 못할까 근심하겠는가?"

[4-14-2-4]

或問: "「西銘」'理一而分殊', '知其「理一」, 所以爲仁; 知其「分殊」, 所以爲義?'"

朱子曰: "仁, 只是流出來底便是仁, 各自成一箇物事底便是義. 仁只是那流行底, 義是合當做處. 仁只是發出來底, 及至發出來有截然不可亂處, 便是義. 且如愛其親, 愛兄弟, 愛親戚, 愛鄕里, 愛宗族, 推而大之, 以至於天下國家, 只是這一箇愛流出來, 而愛之中, 便有許多等差. 且如敬, 只是這一箇敬; 便有許多合當敬底. 如敬長·敬賢, 便有許多分別."[171]

어떤 사람이 물었다. "「서명」의 '리일분수理一分殊'라는 것은 '그 「리일理一」을 아는 것이 인이 되는 것이고, 그 「분수分殊」를 아는 것이 의가 된다는 것입니까?'"

168 주희 『延平答問』(신사년 8월 7일)

169 '풀어내어 쓴 곳'의 의미이다.

170 『中庸』 31장의 다음과 같은 내용 가운데, '文理密察'의 개념을 가져온 것이다. "오직 세상의 지극한 성인이어야 총명예지가 충분히 임할 수 있고, 너그럽고 넉넉하며 따뜻하고 부드러움은 충분히 포용할 수 있으며, 분발하고 강하며 굳세고 꿋꿋함은 충분히 잡을 수가 있고, 재계하고 장중하며 중을 지키고 바르게 함은 충분히 공경할 수 있으며, 문장과 조리와 세밀함과 살핌은 충분히 분별할 수 있다.(唯天下至聖, 爲能聰明睿知, 足以有臨也; 寬裕溫柔, 足以有容也; 發强剛毅, 足以有執也; 齊莊中正, 足以有敬也; 文理密察, 足以有別也.)"

171 『朱子語類』 권98, 104조목

주자가 대답했다. "인은 다만 흘러나오는 것이 바로 인이고, 각자가 하나의 일을 이루는 것이 바로 의이다. 인은 다만 그렇게 유행하는 것이고, 의는 합당하게 하는 것이다. 인은 다만 발현한 것이고, 발현하여 확실히 어지럽지 않음에 이르는 것이 바로 의이다. 예컨대 그 부모를 사랑하고, 형제를 사랑하며, 친척을 사랑하고, 고향을 사랑하며, 종족을 사랑하여 미루고 확장하여 천하와 국가에 이르는 것은 다만 이러한 사랑이 흘러나온 것이지만, 사랑 속에는 바로 많은 차등이 있다. 예컨대 공경은 다만 공경일 뿐이지만, 바로 많은 합당한 공경이 있다. 어른을 공경하고 현인을 공경하는 것에는 바로 많은 분별이 있는 것과 같다."

[4-14-2-5]

問 : "龜山說'知其「理一」所以爲仁, 知其「分殊」所以爲義.' 仁便是體, 義便是用否?"

曰 : "仁只是流出來底, 義是合當做底. 如水, 流動處是仁; 流爲江河, 匯爲池沼, 便是義. 如惻隱之心便是仁; 愛父母, 愛兄弟, 愛鄕黨, 愛朋友, 自有許多等差, 便是義. 且如敬, 只是一箇敬; 到敬君, 敬長, 敬賢, 便有許多般樣. 禮也是如此. 如'天子七廟, 諸侯五廟', 這箇便是禮, 其或七或五之不同, 便是義. 禮是理之節文, 義便是事之所宜處. 呂與叔說'天命之謂性', '自斬而緦, 喪服異等, 而九族之情無所憾, 自王公至皂隷, 儀章異制, 而上下之分莫敢爭, 自是天性合如此.'

물었다. "구산龜山[楊時]이 '그 「리일理一」을 아는 것이 인이 되는 것이고, 그 「분수分殊」를 아는 것이 의가 되는 것이다.'라고 말한 것에서 인은 바로 체體이고, 의는 바로 용用입니까?"

(주자가) 대답했다. "인은 다만 흘러나오는 것이고, 의는 합당하게 하는 것이다. 예컨대 물에서 흘러 움직이는 것은 인이고, 흘러서 강이 되고 고여 못이 되는 것은 바로 의이다. 예컨대 측은히 여기는 마음은 인이지만, 부모를 사랑하고 형제를 사랑하며 고향을 사랑하고 친구를 사랑하는 것에 각자 많은 차등이 있는 것은 바로 의이다. 또 공경과 같은 것은 다만 하나의 공경이지만, 임금을 공경하고 어른을 공경하며 현인을 공경하는 것에 이르기까지 바로 다양함이 있다. 예禮 또한 이와 같다. 예컨대 '천자는 칠묘이고, 제후는 오묘이다.'[172]라는 것에서 이것은 예이지만, 그것이 어떤 경우에는 칠묘이고 어떤 경우에는 오묘로서 같지 않은 것이 바로 의이다. 예는 리理의 절문節文이고, 의는 바로 일을 마땅하게 하는 것이다. 여여숙呂與叔[大臨][173]은 '하늘이 명한 것을 성이라고 한다.'[174]라는 것에

172 『禮記』「禮器」 "禮에는 많은 것을 가지고 귀하게 여기는 것이 있는데, 천자는 7묘, 제후는 5묘, 대부는 3묘, 士는 1묘이다. 천자의 豆數는 26이고, 제공은 16이며, 제후는 12이고, 상대부는 8이며, 하대부는 6이다. 제후는 7개이고 7뢰이며, 대부는 5개이고 5뢰이다. 천자의 자리는 5중이고, 제후의 자리는 3중이며, 대부의 자리는 再重이다. 천자가 崩하면 7개월에 장사 지내고, 5중 8삽이며, 제후는 5개월에 장사 지내고 3중 6삽이다. 대부는 3개월에 장사 지내고 재중 4삽이다. 이것이 많은 것을 귀하게 여기는 것이다.(禮有以多爲貴者, 天子七廟, 諸侯五, 大夫三, 士一. 天子之豆二十有六, 諸公十有六, 諸侯十有二, 上大夫八, 下大夫六. 諸侯七介七牢, 大夫五介五牢. 天子之席五重, 諸侯之席三重, 大夫再重. 天子崩, 七月而葬, 五重, 八翣; 諸侯五月而葬, 三重, 六翣. 大夫三月而葬, 再重, 四翣. 此以多爲貴也.)"

173 呂大臨(1040~1092) : 송대 학자이다. 자는 與叔이고, 당시 藝閣先生으로 불리었다. 藍田(현 섬서성 소속)

대해, '참최복에서 시마복에 이르기까지 상복에 차등을 두어 구족九族[175]의 정情에 한 될 것이 없고, 왕공에서 종에 이르기까지 의장 제도를 다르게 하여 상하의 구분에 감히 다투는 것이 없으니, 본래 천성상 마땅히 이와 같이 해야 한다.'라고 했다.[176]

且如一堂有十房父子, 到得父各慈其子, 子各孝其父, 而人不嫌者, 自是合如此也. 其慈, 其孝, 這便是仁, 各親其親, 各子其子, 這便是義. 這箇物事分不得, 流出來便是仁; 仁打一動, 義禮智便隨在這裏了. 不是要仁使時, 義却留在後面, 少間放出來使. 其實只是一箇道理, 論著界分, 便有許多分別."[177]

예컨대 한 집에 열 쌍의 부자父子가 있어서 아버지는 각각 그 아들을 사랑하고 아들은 각각 그 아버지에게 효도하더라도, 사람들이 싫어하지 않는 것은 각자 이와 같이 합당하기 때문이다. 그 사랑과 그 효, 이것이 바로 인이고, 각각 그 부모를 친애하고, 각각 그 자식을 사랑하는 것은 바로 의이다. 이러한 일들은 나누어지지 않으니, 흘러나오는 것은 인이지만, 인仁이 한 번 움직이면 의義와 예禮와 지智가 바로 여기에 수반한다. 인을 행하려고 할 때에 의가 뒤에 머물러 있다가 잠깐 사이에 나오는 것이 아니다. 사실은 단지 하나의 도리일 뿐이니, 경계를 논하면 바로 많은 분별이 있다."

[4-14-3]

始予作『太極』「西銘」二『解』, 未嘗敢出以示人也. 近見儒者多議兩書之失, 或乃未嘗通其文義, 而妄肆詆訶. 予竊悼焉, 因出此『解』以示學徒, 使廣其傳, 庶幾讀者由辭以得意, 而知其未可以輕議也.

淳熙戊申, 二月己巳晦翁題.

처음 내가 『태극』과 「서명」의 두 『해』를 지었으나, 감히 드러내어 사람들에게 보여주지 못했다. 근래에 학자들이 두 책의 결점에 대해 많이 논의하면서 어떤 사람은 글의 의미에 통하지 못한 채 망령스럽게 비방하는 것을 보았다. 나는 애석하게 생각하여, 이 『해』를 출간하여 학도들에게 보여서 그 전함을 넓게 하고자 하니, 독자들은 말로 인하여 뜻을 얻고, 그것이 가볍게 논의할 수 없다는 것을 알기 바란다.

순희 무신(1188)년 2월 기사에 회옹[朱熹]은 쓰다.

사람으로 『呂氏鄕約』을 쓴 呂大鈞의 동생이다. 처음에는 張載를 스승으로 모셨으나, 장재가 죽은 뒤 二程에게 배워 謝良佐 · 游酢 · 楊時와 함께 '程門四先生'이라 일컫는다. 太學博士 · 秘書省正字를 역임하였다. 저서는 『禮記傳』 · 『考古圖』 등이 있다.

174 『中庸』 1장

175 九族 : 高祖 · 曾祖 · 祖 · 父母 · 본인 · 아들 · 손자 · 증손 · 현손의 9대를 말하는데, 일설에 의하면 父族 넷, 母族 셋, 妻族 둘을 말하기도 한다.

176 『朱子語類』 권116, 30조목에는 '天命之謂性'과 '自斬而緦' 사이에 '云'자가 있다.

177 『朱子語類』 권116, 30조목. 그런데 『朱子語類』 권116, 30조목에는 '少間放出來使'에서 '使'자가 생략되어 있다.

「西銘」總論「서명」총론

[4-15-1]

程子曰 : 「訂頑」之言, 極純無雜. 秦漢以來學者所未到.[178]

정자程子[程顥]가 말했다. 「정완」[「서명」]의 말은 매우 순수하여 잡스럽지 않다. 진나라와 한나라 이래로 배우는 사람들이 이르지 못한 경지이다.

[4-15-2]

「訂頑」一篇, 意極完備, 乃仁之體也. 學者其體此意, 令有諸己, 其地位已高, 到此地位, 自別有見處. 不可窮高極遠, 恐於道無補也.[179]

「정완」[「서명」] 한 편은 뜻이 매우 완벽하게 갖추어졌으므로 바로 인仁의 체體이다. 배우는 사람들이 이 뜻을 체득하여 그것을 자기에게 있게 하면 그 경지가 이미 높아지고, 이러한 경지에 이르면 저절로 터득하는 것이 있을 것이다. 고원한 것을 궁구해서는 안 되니, 도에 보탬이 없을까 염려된다.

[4-15-2-1]

問 : "'「訂頑」意極完備, 乃仁之體', 此篇只發明萬物爲一之意, 如何見得仁體?"

北溪陳氏曰 : "非指與萬物爲一處爲仁之體, 乃言天理流行無間爲仁之體也."

又問 : "此下云'實有諸己, 其地位已高, 到此地位, 自別有見處, 不可窮高極遠.'"

曰 : "見得此理渾然無間, 實有諸己後, 日用酬酢, 無往而非此理. 更有何事, 更何用窮高極遠?"[180]

물었다. "'「정완」[「서명」]은 뜻이 매우 완벽하게 갖추어졌으므로 바로 인仁의 체體이다.'라고 하였는데, 이 책에서는 다만 만물이 하나라는 뜻을 밝혔을 뿐이니, 어떻게 인仁의 체體를 볼 수 있습니까?"

북계 진씨北溪陳氏[陳淳]가 대답했다. "만물과 하나 되는 곳이 인의 체가 됨을 가리키는 것이 아니고, 천리가 유행하여 틈이 없는 것이 인의 체가 됨을 말하는 것이다."

또 물었다. "이 다음에는 '참으로 그것을 자기에게 있게 하면 그 경지가 이미 높아지고, 이러한 경지에 이르면 저절로 남다르게 터득하는 곳이 있으니, 고원한 것을 궁구해서는 안 된다.'라고 했습니다."

(북계 진씨가) 대답했다. "이 리理가 혼연하여 틈이 없음을 보고, 그것을 참으로 자기에게 있게 한 다음에는 날마다 어디에서 응대하든지 이 리理가 아님이 없을 것이다. 다시 어떤 일을 할 것이 있겠으며, 다시 어찌 고원한 것을 궁구할 필요가 있겠는가?"

178 『二程遺書』 권2상 「元豐己未呂與叔東見二先生語」
179 『二程遺書』 권2상 「元豐己未呂與叔東見二先生語」
180 『北溪大全集』 권40 「答問·答陳伯澡再問論語」

[4-15-3]

「訂頑」立心, 便可達天德.[181]

(정이가 말했다.) 「정완」[「서명」]으로 마음을 정립하면 바로 천덕天德에 도달할 수 있다.

[4-15-4]

學者須先識仁. 仁者, 渾然與物同體. 義·禮·知·信, 皆仁也. 識得此理, 以誠敬存之而已, 不須防檢, 不須窮索. 若心懈, 則有防, 心苟不懈, 何防之有? 理有未得, 故須窮索. 存久自明, 安待窮索? 此道與物無對, 大不足以名之. 天地之用, 皆我之用. 孟子言"萬物皆備於我", 須"反身而誠", 乃'爲大樂.' 若反身未誠, 則猶是二物有對, 以己合彼, 終未有之, 又安得樂? 「訂頑」意思, 乃備言此體. 以此意存之, 更有何事? "必有事焉而勿正, 心勿忘, 勿助長", 未嘗致纖毫之力, 此其存之之道. 若存得, 便合有得. 蓋良知良能元不喪失, 以昔日習心未除, 却須存養此心, 久則可奪舊習. 此理至約, 惟患不能守. 旣能體之而樂, 亦不患不能守也.[182]

(정이가 말했다.) 배우는 사람은 반드시 먼저 인仁을 알아야 한다. 인仁은 혼연히 만물과 한 몸이다. 의·례·지·신義·禮·知·信은 다 인이다. 이 리理를 알아서 성誠과 敬으로 그것을 보존할 뿐이니, 막고 단속할 필요가 없고, 궁구하여 찾을 필요도 없다. 만약 마음이 게을러지면 막을 것이 있겠지만, 마음이 진실로 게으르지 않다면 어찌 막을 것이 있겠는가? 리理를 아직 알지 못하기 때문에 반드시 궁구하여 찾아야 한다. 오래 보존하면 저절로 밝아지는데, 어찌 궁구하여 찾을 필요가 있겠는가? 이 도는 상대할 물건이 없으니, 너무 커서 충분하게 형용할 수 없다. 천지의 작용은 모두 나의 작용이다. 맹자는 "만물은 모두 나에게 갖추어져 있으니"[183], 반드시 "내 몸에 돌이키어 성誠하게 되면"[184], '큰 즐거움이 된다'[185]라고 말했다. 만약 내 몸을 돌이키어 성誠하지 못하면 이것은 두 가지 대립이 있어서 자기를 대상에 합치하여도 결국 대립 없음이 있지 않는 것과 같으니, 또한 어찌 즐거워함을 얻을 수 있겠는가? 「정완」[「서명」]의 뜻은 이 체體를 말하는 것을 갖추었다. 이 뜻을 보존하면 다시 어떤 일을 할 것이 있겠는가? "반드시 일삼아 하지만 효과를 미리 기대하지 말며, 마음에 잊지도 말고, 조장하지 않아야 한다"[186]라는 것은 털끝만큼의 힘도 쓴 적이 없는 것이니, 이것이 그것을 보존하는 방법이다. 만약 보존할 수 있다면 마땅히 얻음이 있을 것이다. 양지와 양능은 원래 잃어버린 것이 아닌데, 그동안 버릇 들인 마음이 제거되지 않아서 이 마음을 반드시 보존하고 길러야 하니, 오래도록 하면 옛 버릇에서 벗어날 수 있다. 이 리理가 지극히 간략하지만 오직 지킬 수 없음을 근심한다. 이

181 『二程遺書』 권5 「理與心一而人不能會之爲一」에는 "「訂頑」立心, 便達得天德"이라고 되어 있다.

182 『二程遺書』 권2상 「元豐已未呂與叔東見二先生語」. 그런데 '須存養此心' 부분이 『二程遺書』에는 '須存習此心'으로 되어 있다.

183 『孟子』「盡心上」

184 『孟子』「盡心上」

185 『孟子』「盡心上」 그런데 『孟子』에는 이 부분이 "樂莫大焉."으로 되어 있다.

186 『孟子』「公孫丑上」

미 그것을 체득하여 즐거워할 수 있다면 또한 지킬 수 없음을 근심하지 않는다.

[4-15-4-1]

朱子曰："明道'學者須先識仁'一段說話極好. 只是說得太廣, 學者難入."[187]

주자가 말했다. "명도가 '배우는 자들은 반드시 먼저 인仁을 알아야 한다.'라고 한 말이 매우 좋다. 다만 말이 너무 넓어서 배우는 사람이 입문하기 어렵다."

[4-15-4-2]

北溪陳氏曰："明道此一段說話, 乃地位高者之事, 學者取此甚遠. 在學者工夫, 只從'克己復禮'入爲最要. 此工夫徹上徹下, 無所不宜."[188]

問："'物'字, 是人物, 是事物?"

曰："'仁者與物同體', 只是言其理之一爾. 人物與事物, 非判然絶異, 事物只自人物而出. 凡己與人物接, 方有許多事物出來. 若於己獨立時, 初無甚多事. 此'物'字皆可以包言. 所謂'「訂頑」備言此體'者, 亦只是言其理之一爾."[189]

북계 진씨北溪陳氏[陳淳]가 말했다. "명도의 이 말은 경지가 높은 사람의 일이어서, 배우는 사람이 이것을 그대로 하기에는 너무 멀다. 배우는 사람의 공부는 다만 '자기의 사사로움을 이겨 예로 돌아가야 한다.'[190]라는 것에서 시작하는 것이 가장 중요하다. 이러한 공부는 높고 낮은 것을 모두 통하여 마땅하지 않은 것이 없다."

물었다. "'물物'이라는 글자는 사람입니까, 아니면 사물事物입니까?"

(북계 진씨가) 대답했다. "'인仁은 만물과 한 몸이다.'라는 것은 다만 그 리理가 하나임을 말하는 것일 뿐이다. 사람과 사물은 판이하게 다른 것이 아니니, 사물은 다만 사람으로부터 나온 것이다. 자기가 남과 만나야 비로소 많은 사물이 나온다. 만약 자기가 홀로 있을 때라면 애초부터 매우 많은 일이 없다. 이 '물物'이라는 글자는 다 포함해서 말할 수 있다. 이른바 '「정완」[「서명」]은 이 체體에 대한 말을 갖추었다.'라는 것은 또한 단지 그 리理가 하나임을 말하는 것일 뿐이다."

[4-15-4-3]

延平李氏答朱子曰："所云'見『語錄』中有「仁者渾然與物同體」'[191]一句, 即認得「西銘」意旨', 所見路脉甚正, 宜以是推廣求之. 然要見'一視同仁'氣象却不難, 須是理會分殊. 雖毫髮不可失, 方是儒者氣象."[192]

187 眞德秀 撰『西山讀書記』권11「父子」
188『北溪大全集』권40「答問·答陳伯澡再問論語」
189『北溪大全集』권40「答問·答陳伯澡再問論語」
190『論語』「顔淵」
191『二程遺書』권2상「元豐己未呂與叔東見二先生語」
192 주희『延平答問』(경진년 7월)

연평 이씨延平李氏[李侗]가 주자에게 답하여 말했다. "지난번 편지에서 '『어록(이정유서)』 속에 「인仁은 혼연히 만물과 한 몸이다.」[193]라는 구절을 보고서 바로 「서명」의 뜻을 이해했다.'라고 한 말은 맥락을 매우 바르게 봤으니, 마땅히 이것으로 미루어 넓게 추구해야 한다. 그러나 만일 '하나로 보고 똑같이 사랑한다.'[194]라는 기상을 본다면 오히려 어렵지 않을 것이니, 반드시 분수分殊[나누어진 것이 다르다는 것]를 알아야 한다. 비록 조금이라도 잘못하지 않아야 비로소 유학자의 기상이라고 할 수 있다."

[4-15-5]

「西銘」某得此意, 只是須得子厚如此筆力, 他人無緣做得. 孟子以後, 未有人及此. 得此文字, 省多少言語. 要之仁孝之理備乎此, 須臾而不於此, 則便不仁不孝也.[195]

「서명」에서 내[196]가 이 뜻을 얻을 수 있었던 것은 다만 자후子厚[張載]의 이와 같은 필력筆力에서 터득한 것일 뿐이니, 다른 사람은 도저히 이런 글을 쓸 수 없었다. 맹자 이래로 여기에 이른 사람은 있지 않았다. 이러한 글을 지어내어 많은 말을 줄이게 되었다. 요컨대 인仁과 효孝의 리理가 여기에 갖추어져 있으니, 잠깐이라도 이대로 하지 않으면 바로 불인不仁과 불효不孝이다.

[4-15-6]

游酢於「西銘」, 讀之已能不逆於心. 言語外立得箇意思, 便能道中庸矣.[197]

유작은 「서명」을 읽을 때에 이미 마음에 걸림이 없었다. 문자 밖에서 뜻을 세웠으니, 바로 중용이라고 말할 수 있다.

[4-15-6-1]

問 : "游氏讀「西銘」, 曰'此『中庸』之理也.' 是言人物體性之所自來否?"

北溪陳氏曰 : "不止是言體性之所自來. 須兼事天節目言之, 皆是日用切己之實. 無過無不及, 所以謂中庸之理也."[198]

193 『二程遺書』 권2상 「元豐己未吕與叔東見二先生語」

194 韓愈 「原人」 "이 때문에 성인은 하나로 보고 똑같이 사랑하며, 가까운 사람을 돈독히 하고 먼 사람을 잘 길러준다.(是故聖人一視而同仁, 篤近而舉遠.)" 『朱子語類』 권20, 78조목 "'리일분수'는 비록 하나로 보고 똑같이 사랑하는 것을 귀하게 여기지만, 친한 이에서부터 시작하지 않으면 또한 안 된다.(理一而分殊, 雖貴乎一視同仁, 然不自親始, 也不得.)"

195 『二程遺書』 권2상 「元豐己未吕與叔東見二先生語」에는 "다만 자후의 이와 같은 필력에서 터득한 것일 뿐이다.(只是須得子厚如此筆力)" 부분이 "다만 그 자후가 이와 같은 필력이 있음에서 터득한 것일 뿐이다.(只是須得他子厚有如此筆力)"라고 되어 있다.

196 程顥

197 朱子 編 『河南程氏外書』 권10 「大全集拾遺」

198 『北溪大全集』 권42 「答陳伯澡問「西銘」」

물었다. "유씨는 「서명」을 읽고, '이것은 『중용』의 리理이다.'라고 했으니, 이것은 사람과 사물의 몸과 성性의 유래를 말하는 것입니까?"
북계 진씨北溪陳氏[陳淳]가 말했다. "단지 몸과 성性의 유래를 말하는 것만이 아니다. 반드시 하늘을 섬기는 항목을 겸하여 말해야 하니, 모두 날마다 자기에게 절실한 실제이다. 넘치지도 않고 모자라지도 않기 때문에 『중용』의 리理를 말한 것이다."

[4-15-6-2]

西山眞氏曰 : "昔游先生見「西銘」, 卽渙然不逆於心, 曰'此『中庸』之理也.' 明道先生稱其能求之語言之外. 近世學者或未諭其旨. 愚謂'『中庸』綱領, 在性道敎三言, 而終篇之義, 無非敎人以全天命之性.' 「西銘」綱領, 亦只在其體其性之二言."[199] "而終篇反復推明, 亦欲人不失乾父坤母之所賦予者爲天地克肖之子而已. 故游先生以爲卽'『中庸』之理也', 豈不信哉?"
서산 진씨西山眞氏[眞德秀]가 말했다. "옛날에 유선생이 「서명」을 보고 얼음 녹듯이 마음에 걸림이 없이 '이것은 『중용』의 리理이다.'라고 했다. 명도明道[程顥] 선생은 그가 문자 밖에서 구할 수 있었던 것을 칭찬했다. 요즘의 학자는 간혹 그 뜻을 깨닫지 못한다. 나는 '『중용』의 강령은 성性과 도道와 교敎의 세 마디에 담겨 있지만, 책 전체의 뜻은 사람들에게 천명의 성을 온전히 하도록 하지 않음이 없다.'라고 말했다. 「서명」의 강령은 또한 단지 그 몸과 그 성性이라는 두 마디에 담겨 있다." "그러나 책 전체에 걸쳐 반복적으로 밝히려고 한 것은 또한 사람들에게 건부곤모乾父坤母[하늘은 아버지이고, 땅은 어머니이다]가 부여한 것이 천지의 잘 닮은 자식이 될 뿐이라는 것을 잃지 않게 하려는 것이다. 그러므로 유선생이 바로 '『중용』의 리理'라고 한 것이니, 어찌 진실하지 않겠는가?"

[4-15-7]

孟子之後, 只有「原道」[200]一篇. 其間言語固多病, 然大要儘近理. 若「西銘」, 則是「原道」之宗祖也. 「原道」却只說道, 元未到「西銘」意思. 據子厚文醇, 然無出此文也. 自孟子後, 蓋未見此書.[201]

맹자 이후에 단지 「원도原道」 한 편이 있다. 그 편의 말들은 확실히 문제가 많지만, 대체로 다 리理에 가깝다. 예컨대 「서명」은 「원도」의 조상이다. 「원도」는 단지 도만 말했지, 애초에 「서명」의 뜻에까지는 이르지 못했다. 확실히 자후子厚의 글은 순수하지만 이 글보다 나은 것은 없다. 맹자 이후로 아

199 眞德秀 撰, 『西山讀書記』 권1 「天命之性」
200 唐 韓愈(768~824)의 글로 그 일부를 소개하면 다음과 같다. "널리 사랑하는 것을 인이라고 하고, 행동할 때에 마땅하게 하는 것을 의라고 하며, 이에서부터 가는 것을 도라고 하고, 자기에게 충분히 있어서 밖의 것을 기다릴 필요가 없는 것을 덕이라고 한다. 인과 의는 확정된 이름이고 도와 덕은 비어 있는 지위이다. 그러므로 도에는 군자와 소인이 있고, 덕에는 흉함도 있고 길함도 있다.(博愛之謂仁, 行而宜之之謂義, 由是而之焉之謂道, 足乎己而無待于外之謂德. 仁與義爲定名, 道與德爲虛位. 故道有君子小人, 而德有凶有吉.)"
201 『二程遺書』 권2상 「元豐己未呂與叔東見二先生語」

직까지 이러한 글을 보지 못했다.

[4-15-7-1]

或問 : "伊川謂'「西銘」「原道」之宗祖', 如何?"

朱子曰 : "「西銘」更從上面說來. 「原道」言'率性之謂道', 「西銘」連'天命之謂性'說了."[202]

어떤 사람이 물었다. "이천伊川[程頤]이 '「서명」은 「원도」의 조상이다.'라고 했는데, 왜 그렇습니까?"

주자가 말했다. "「서명」은 더 위에서부터 말했다. 「원도」는 '성性을 따르는 것을 도라고 한다.'[203]를 말했고, 「서명」은 '천명을 성性이라고 한다."[204]와 연결시켜 말했다."

[4-15-7-2]

問 : "「原道」上數句如何?"

曰 : "首句極不是. '定名'·'虛位'却不妨. 有仁之道·義之道·仁之德·義之德, 故曰'虛位', 大要未說到上頭, 故伊川言, '「西銘」「原道」之宗祖.'"[205]

물었다. "「원도」의 몇몇 구절은 어떻습니까?"

(주자가) 대답했다. "첫 번째 구절[206]은 매우 옳지 않다. '정명定名'과 '허위虛位'는 오히려 괜찮다. 인의 도가 있고, 의의 도가 있으며, 인의 덕이 있고, 의의 덕이 있으므로 '허위'라고 하였다. 중요한 것은 위쪽을 말하지 않았으므로, 이천伊川이 '「서명」은 「원도」의 조상이다.'라고 했다."

[4-15-7-3]

"韓子於道, 見其大體規模極分明, 但未能究其所從來, 而體察操履處皆不細密. 其排佛老, 亦據其所見而言之耳. 程先生說, '「西銘」乃「原道」宗祖', 此言可以推其深淺也."[207]

"도에 대해 한자韓子[韓愈][208]가 큰 틀과 규모를 본 것은 매우 분명하지만, 그 유래를 궁구할 수 없어서 살피고 실천하는 곳이 모두 세밀하지 않다. 불교와 도가를 배척한 것 또한 자신이 본 것에 근거해 말했을 뿐이다. 정 선생程先生[程頤]이 '「서명」은 「원도」의 조상이다.'라고 하였으니, 이 말을 가지고 그것들의 깊이를 추측할 수 있다."

202 『朱子語類』 권96, 77조목

203 『中庸』 1장

204 『中庸』 1장

205 『朱子語類』 권137, 61조목

206 "博愛之謂仁, 行而宜之之謂義, 由是而之焉之謂道, 足乎己而無待于外之謂德."

207 『朱文公集』 권58 「答宋深之」

208 韓愈(768~824) : 자는 退之이고, 세칭 韓昌黎 · 韓吏部라고 한다. 당대 鄧州南陽(현 하남성 孟縣) 사람으로 792년에 진사에 급제하여 四門博士 · 監察御史 · 國子祭酒 · 吏部侍郎 등을 역임하였다. 고문 운동을 창도하여 송명리학의 선구자가 되었으며, 「論佛骨表」를 지어 불교배척운동에도 앞장섰다. 그의 性三品論은 후대의 심성론에 영향을 끼쳤다. 문장은 당송팔대가의 으뜸으로 꼽는다. 저서는 『昌黎先生集』이 있다.

[4-15-7-4]

"韓退之却見得又較活，亦只是見得第二層，上面一層却不曾見得．大槩諸子之病，皆是如此，都只是見得下面一層，源頭處都不曉．所以伊川說，'「西銘」是「原道」之宗祖'，蓋謂此也．"[209]

"한퇴지가 비교적 넓게 보았지만, 또한 단지 두 번째 단계만을 보았을 뿐 위의 한 단계를 미처 보지 못했다. 대개 여러 학자들의 결점이 다 이와 같으니, 모두 단지 아래 단계만 보았을 뿐 근원이 되는 곳은 전혀 알지 못한다. 따라서 이천이 '「서명」은 「원도」의 조상이다.'라고 한 것은 이것을 두고 말했을 것이다."

[4-15-8]

問: "「西銘」如何?"

曰: "此橫渠文之粹者也."

曰: "充得盡時如何?"

曰: "聖人也."

"橫渠能充盡否?"

曰: "言有兩端. 有有德之言, 有造道之言. 有德之言, 說自己事, 如聖人言聖人事也. 造道之言, 則知足以知此, 如賢人說聖人事也. 橫渠道儘高, 言儘醇. 自孟子後, 儒者都無他見識."[210]

물었다. "「서명」은 어떻습니까?"

대답했다. "이것은 횡거橫渠[張載] 문장 가운데 순수한 것이다."

물었다. "충분히 실현할 때에는 어떻습니까?"

대답했다. "성인이다."

(물었다.) "횡거는 충분히 실현할 수 있었습니까?"

대답했다. "말에는 두 종류가 있다. 덕이 있는 말도 있고, 도에 나아가는 말도 있다. 덕이 있는 말은 자기의 일을 말하는 것이니, 성인이 성인의 일을 말하는 것과 같다. 도에 나아가는 말은 지혜가 이것을 충분히 아는 것이니, 현인이 성인의 일을 말하는 것과 같다. 횡거의 경우 도는 매우 높고, 말은 매우 순수하다. 맹자 이후에는 선비들이 모두 그와 같은 식견을 갖추지 못했다."

[4-15-9]

「西銘」明理一而分殊.[211]

「서명」은 '리일분수理一分殊'임을 밝혔다.

209 『朱子語類』 권137, 24조목에는 '亦只是見得第二層' 부분이 '然亦只是見得下面一層'으로 되어 있다.
210 『二程遺書』 권18 「劉元承手編」에는 '言有兩端' 부분이 '言有多端'으로 되어 있다.
211 『二程文集』 권10 「伊川文集·書啓·答楊時論「西銘」書」

[4-15-9-1]

朱子曰："「西銘」要句句見'理一而分殊.'"[212]

주자가 말했다. "「서명」은 구절마다 '리일분수理一分殊'를 보여주고자 했다."

[4-15-9-2]

"「西銘」本不曾說'理一分殊.' 因人疑，後方說此一句."[213]

(주자가) 말했다. "「서명」은 본래 '리일분수理一分殊'라는 말을 한 적이 없다. 사람들이 의문을 가졌기 때문에 이후에 비로소 이 한 마디 말을 했다."

[4-15-9-3]

「西銘」通體是一箇'理一分殊'，一句是一箇'理一分殊'，只先[214]看'乾稱父'三字. 一篇中錯綜此意.[215]

(주자가) 말했다. 「서명」은 전체가 하나의 '리일분수理一分殊'이고, 한 구절도 하나의 '리일분수理一分殊'이니, 우선 '건칭부乾稱父' 세 글자를 볼 것이다. 한 편 속에 이러한 뜻이 종합되어 있다.

[4-15-9-4]

問："「西銘」言'理一'處，某頗見之，言'分殊'處，却未見."

曰："有父，有母，有宗子家相，此即'分殊'也."

물었다. "「서명」에서 '리일理一'을 말한 곳은 내가 자주 보았지만, '분수分殊'를 말한 곳은 아직 보지 못했습니다."

(주자가) 대답했다. "아버지, 어머니, 종자와 가상家相이 있으니, 이것이 바로 '분수分殊'이다."

[4-15-9-5]

問："看「西銘」覺得句句是'理一分殊.'"

曰："合下便有一箇'理一分殊'，從頭至尾又有一箇'理一分殊'，是逐句恁地."

又曰："合下一箇理'一分殊'，截作兩截(段)，只是一箇天人."

又問："他說'乾稱父，坤稱母，予玆藐焉，乃混然中處.' 如此，則是三箇."

曰："'混然中處'，則便是一箇. 許多物事都在我身中，更那裏去討一箇乾坤?"[216]

물었다. 「서명」을 보면 구절마다 '리일분수理一分殊'라는 것을 깨닫습니다.

---

212 『朱子語類』 권98, 86조목

213 『朱子語類』 권95, 175조목

214 '只先'은 『宋元語言詞典』(龍潛庵 編著, 上海辭書出版社, 1985, 237쪽)에 의하면 '首先'의 의미로 사용한다. 이 글에도 이러한 의미를 적용하여 '우선'으로 번역한다.

215 『朱子語類』 권98, 87조목에는 "一篇中錯綜此意"가 주로 처리되어 있다.

216 『朱子語類』 권98, 89조목

(주자가) 대답했다. "원래 하나의 '리일분수理一分殊'가 있으니, 처음부터 끝까지 또 하나의 '리일분수理一分殊'가 있다는 것은 구절마다 이와 같다는 것이다."
(주자가) 또 말했다. "원래 하나의 '리일분수理一分殊'이지만, 둘로 나누면 다만 천과 인간일 뿐이다."
또 물었다. "그는 '건乾을 아버지라고 일컫고, 곤坤을 어머니라고 일컬으며, 나의 이 작은 몸이 혼연히 그 속에 있다.'라고 했습니다. 이와 같다면 이것은 셋입니다."
(주자가) 대답했다. "'혼연히 그 속에 있다.'라는 것이 바로 하나이다. 많은 것들이 모두 내 몸 속에 있는데, 다시 어느 곳에서 건과 곤을 찾겠는가?"

[4-15-9-6]

問 : "「西銘」'理一而分殊.'"
曰 : "今人只說得中間五六句'理一而分殊', 據某看時, '乾稱父, 坤稱母', 直至'存吾順事, 沒吾寧也', 句句皆是'理一分殊.' 喚做'乾稱'·'坤稱', 便是'分殊.' 如云'知化, 則善述其事', 是我述其事; '窮神, 則善繼其志', 是我繼其志. 又如'存吾順事, 沒吾寧也.' 以自家父母言之, 生當順事之, 死當安寧之; 以天地言之, 生能順事而無所違拂, 死則安寧也. 此皆是'分殊'處. 逐句渾淪看, 便見'理一'; 當中橫截斷看, 便見'分殊.'"
因問 : "如先生復論云'推親親之厚以大無我之公, 因事親之誠以明事天之道.' 看此二句, 足以包括「西銘」之統體, 可見得'理一分殊'處分曉."
曰 : "然."[217]
물었다. "「서명」은 '리일분수理一分殊'라고 합니다."
(주자가) 대답했다. "지금 사람들은 단지 중간의 대여섯 구절에서만 '리일분수理一分殊'라고 말하지만, 내가 보기에 '건乾을 아버지라고 일컫고, 곤坤을 어머니라고 일컫는다.'라는 것부터 줄곧 '살아서는 내가 순리대로 섬기고, 죽어서는 내가 편안하다.'라는 데까지 구절마다 다 '리일분수理一分殊'이다. '건칭乾稱'과 '곤칭坤稱'이라고 한 것이 바로 '분수分殊'이다. 예컨대 '변화를 알면 그 일을 잘 따른다.'라고 하는 것은 내가 그 일을 따르는 것이고, '신묘함을 궁구하면 그 뜻을 잘 잇는다.'라는 것은 내가 그 뜻을 잇는다는 것이다. 또 예컨대 '살아서는 내가 순리대로 섬기고, 죽어서는 내가 편안하다.'라는 것은 자기의 부모로써 말하면 살아서는 마땅히 순리대로 섬기고 죽어서도 마땅히 편안해야 한다는 것이며, 천지로써 말하면 살아서는 순리대로 섬길 수 있어서 위배한 것이 없고 죽어서는 편안하다는

217 『朱子語類』 권98, 88조목 여기에서 『性理大全』과 다른 『朱子語類』의 일부 내용은 다음과 같다. "今人只說(지금 사람들이 단지 말했다.)"→"今人說(지금 사람들이 말했다.)", "生能順事而無所違拂(살아서는 순리대로 섬길 수 있어서 위배한 것이 없다.)"→"生當順事而無所違拂(살아서는 마땅히 순리대로 섬길 수 있어서 위배한 것이 없다.", "如先生復論(예컨대 선생님은 다시 논하여)"→"如先生後論(예컨대 선생님은 뒤에 논하여)", "推親親之厚以大無我之公(어버이를 친애하는 후덕함을 미루어 나의 사사로움이 없는 공의로움을 키운다.)"→"推親親之恩以示無我之公(어버이를 친애하는 은혜를 미루어 나의 사사로움이 없는 공의로움을 보인다.)", "明事天之道(하늘을 섬기는 도를 밝힌다.)"→"明事天之實(하늘을 섬기는 실제를 밝힌다.)", "「西銘」之統體('「書銘」'의 전체)"→"「西銘」一篇之統體(「書銘」 한 편의 전체)"

것이다. 이것이 모두 '분수分殊'처이다. 구절마다 전체적으로 보면 바로 '리일理一'을 보고, 속에서 가로로 끊어 보면 '분수分殊'를 보게 된다."
이어서 물었다. "예컨대 선생님은 다시 논하여 '어버이를 친애하는 후덕함을 미루어 나의 사사로움이 없는 공의로움을 키우고, 부모를 섬기는 성誠으로 하늘을 섬기는 도를 밝힌다.'라고 했습니다. 이 두 구절을 보면 「서명」의 전체를 충분히 포괄하니, '리일분수理一分殊'처를 분명하게 알 수 있습니다."
(주자가) 대답했다. "그렇다."

[4-15-9-7]

"「西銘」一篇, 始末皆是'理一分殊'. 以乾爲父, 坤爲母, 便是'理一'而'分殊'; '予兹藐焉, 混然中處', 便是'分殊'而'理一.' '天地之塞, 吾其體; 天地之帥, 吾其性', '分殊'而'理一'; '民吾同胞, 物吾與也', '理一'而'分殊.' 逐句推之, 莫不皆然. 某於篇末, 亦嘗發此意. 乾父坤母, 皆是以天地之大, 喩一家之小; 乾坤是天地之大, 父母是一家之小; 大君大臣是大, 宗子家相是小, 類皆如此推之. 舊嘗看此, 寫作旁通圖子, 分爲二截, 上下推布, 亦甚分明."[218]

(주자가) 말했다. "「서명」이라는 글은 처음부터 끝까지 다 '리일분수理一分殊'이다. 건乾을 아버지로 여기고 곤坤을 어머니로 여기는 것은 바로 '리일분수理一分殊'이고, '나의 이 작은 몸이 혼연히 그 속에 있다.'라는 것은 바로 '분수分殊'이면서 '리일理一'이다. '천지를 채우고 있는 것을 내가 몸으로 삼고, 천지를 거느리는 것을 내가 성性으로 삼는다.'라는 것은 '분수分殊'이면서 '리일理一'이고, '백성은 나의 동포이고, 만물은 나의 무리이다.'라는 것은 '리일분수理一分殊'이다. 구절마다 미루면 다 그러하지 않음이 없다. 나는 책 끝부분에서 또한 일찍이 이 뜻을 드러냈다. 건을 아버지라고 하고 곤을 어머니라고 하는 것은 모두 큰 천지를 작은 한 집안에 비유한 것이니, 건과 곤은 큰 천지이고 부모는 작은 한 집안이며, 대군大君[君主]과 대신大臣은 크고, 종자와 비서는 작으니, 모두 이와 같이 미룬 것이다. 옛날에 일찍이 이것을 보았을 때 방통도旁通圖[219]를 그려 둘로 나누어 위아래로 배치해 놓으니, 또한 매우 분명해졌다."

[4-15-9-8]

"「西銘」大綱是'理一'而分自爾殊. 然有二說. 自天地言之, 其中固自有分別; 自萬殊觀之, 其中又自有分別. 不可認是一理了, 只衮做一看, 這裏各自有等級差別. 且如人之一家, 自有等級之別. 所以乾則稱父, 坤則稱母, 不可棄了自家父母, 却把乾坤做自家父母看. 且如'民吾同胞', 與自家兄弟同胞, 又自別. 龜山疑其兼愛, 想亦未深曉「西銘」之意."[220]

(주자가) 말했다. "「서명」의 대강은 '리일理一'이지만, 나누어진 것은 저절로 다르다. 그러나 다음과 같은 두 이론이 있다. 천지로부터 말하면 그 속에 진실로 본래 분별이 있고, 만 가지 다른 것으로부터

218 『朱子語類』 권98, 90조목
219 「書銘」의 내용을 두루 통할 수 있도록 그림으로 그린 것.
220 『朱子語類』 권98, 93조목

보면 그 속에 또한 본래 분별이 있다. 하나의 리理로 알아 단지 한 덩어리로 보아서는 안 되니, 여기에는 각각 본래 등급의 차별이 있다. 예컨대 한 집안에서도 본래 등급의 차별이 있는 것과 같다. 따라서 건은 아버지라고 일컫고 곤은 어머니라고 일컫지만, 자기의 부모를 버리고 오히려 건과 곤을 자기의 부모로 여겨서는 안 된다. 예컨대 '백성은 나의 동포이다.'라고 하는 것도 자기의 형제 동포와는 또 본래 구별된다. 구산龜山[楊時]은 그것을 겸애로 의심하였으니, 또한 「서명」의 뜻을 깊게 깨닫지 못한 듯하다."

[4-15-9-9]

問 : "「西銘」'理一而分殊', 若大君宗子, 大臣家相, 與民·物等, 皆是'分殊'處否?"

曰 : "也是如此. 但這有兩種看. 這是一直看下, 更須橫截看. 若只恁地看, 怕淺了. 且如'乾稱父, 坤稱母', 道是父母, 固是天氣而地質; 然與自家父母, 自是有箇親疏, 從這處便'理一分殊'了. 等而下之, 以至爲'大君', 爲'宗子', 爲'大臣', 爲'家相', 其理則一, 其分未嘗不殊. '民吾同胞', '同胞'裏面便有'理一分殊'底意; '物吾與也', '吾與'裏面也有'理一分殊'底意, 無不如此看. 見伊川說這意較多, 龜山便正是疑'同胞'·'吾與'爲近於墨氏之兼愛. 不知他'同胞'·'吾與'裏面, 便自分箇'理一分殊'了. 如公所說恁地分別'分殊', '殊'得也不多. 這處若不細分別, 直是與墨氏兼愛一般."[221]

221 『朱子語類』 권98, 96조목의 다음과 같은 내용 가운데 일부이다. 용지가 물었다. "「書銘」이 '理一分殊'라는 것은 예컨대 백성과 만물은 '동포'와 '나의 무리'로 나누어지고, 대군과 家相 및 어른과 어린이와 병든 사람 모두가 본래 차등이 있는 것과 같습니다. 또 예컨대 하늘을 섬기는 것, 어른을 어른으로 대하고 어린이를 어린이로 대하는 것 등은 다 부모를 섬기고 형을 따르는 마음을 미루어 미치니, 이것은 다 分殊처입니까? (주자가) 대답했다. "또한 이와 같다. 그러나 여기에는 두 종류의 관점이 있다. 이것은 한결같이 세로로 내려 보는 것이고, 다시 반드시 가로로 잘라서 봐야 한다. 만약 이와 같이만 본다면 아마도 얕게 보는 것이다. '백성은 나의 동포이다.'라는 것에서 동포 속에는 바로 '리일분수'의 뜻이 있고, '만물은 나의 무리다.'라는 것에서 나의 무리 속에도 바로 '리일분수'의 뜻이 있다. '건을 아버지라고 일컫고 곤을 어머니라고 일컫는 것'에서 부모라고 말한 것은 본디 天氣와 地質이지만, 자기 부모와는 본래 친함과 소원함이 있으니, 이곳으로부터 바로 '理一分殊'이다. 伊川의 학설을 보면 이러한 뜻이 비교적 많지만, 龜山은 바로 '동포'와 '나의 무리'을 묵자의 겸애에 가까운 것으로 생각했다. 그는 '동포'와 '나의 무리' 속에도 바로 본래 '理一分殊'로 나누어진다는 것을 몰랐다. 그대가 이와 같이 '分殊'를 분별한 것에는 '殊' 또한 많지 않다. 여기에서 자세하게 분별하지 않으면 단지 묵자의 겸애와 같아진다. 〈탁록이 말했다. "유용지가 물었다. '「書銘」은 '理一分殊'인데, 대군과 종자, 대신과 家相, 백성과 만물 등은 모두 '리일분수'처입니까?' (주자가) 대답했다. '이와 같이 보면 또한 옳다. 그러나 아직 깊게 살펴보지 않았으니, 마땅히 잘라서 봐야 한다. 예컨대 「書銘」의 첫머리를 쪼개면 바로 「리일분수」이다. 또 「건을 아버지라고 일컫고, 곤을 어머니라고 일컫는다.」라는 것이 비록 건과 곤을 아버지와 어머니로 여기지만, 자신의 부모와는 본래 친근함과 소원함이 있으니, 이것이 「理一分殊」이다. 등급지어 내려가면 대군과 종자와 대신과 家相에 이르기까지 그 理는 하나이지만, 나누어진 것은 다르지 않은 적이 없다. 백성은 나의 동포이고, 만물은 나의 무리라는 것은 다 이와 같다. 구산은 바로 이 한 부분을 의심하여 바로 백성은 나의 동포이고 만물은 나의 무리라는 것은 묵자의 겸애와 가까운 것으로 생각했다. 그는 동포와 동일한 무리 속에도 바로 '理一分殊'가 있다는 것을 몰랐다. 만약 그대가 말한 것이 이와 같이

물었다. “「서명」은 ‘리일분수理一分殊’인데, 대군과 종자, 대신과 비서, 백성과 만물 등은 모두 ‘분수分殊’처입니까?”

(주자가) 대답했다. “또한 이와 같다. 그러나 여기에는 두 종류의 관점이 있다. 이것은 한결같이 세로로 내려 보는 것이고, 다시 반드시 가로로 잘라서 봐야 한다. 만약 이와 같이만 본다면 아마도 얕게 보는 것이다. 예컨대 ‘건을 아버지라고 일컫고 곤을 어머니라고 일컫는 것’에서 부모라고 말한 것은 본디 천기天氣와 지질地質이지만, 자기 부모와는 본래 친함과 소원함이 있으니, 이곳으로부터 바로 ‘리일분수理一分殊’이다. 등급지어 내려가면 ‘대군’과 ‘종자宗子’와 ‘대신’과 ‘가상家相’에 이르기까지 그 리理는 하나이지만, 나누어진 것은 다르지 않은 적이 없다. ‘백성은 나의 동포이다.’에서 ‘동포’ 속에는 바로 ‘리일분수理一分殊’의 뜻이 있고, ‘만물은 나의 무리이다.’에서 ‘나의 무리’ 속에도 또한 ‘리일분수理一分殊’의 뜻이 있으니, 이와 같이 보지 않음이 없다. 이천伊川의 학설을 보면 이러한 뜻이 비교적 많지만, 구산은 바로 ‘동포’와 ‘나의 무리’를 묵자의 겸애에 가까운 것으로 생각했다. 그는 ‘동포’와 ‘나의 무리’ 속에도 바로 본래 ‘리일분수理一分殊’로 나누어진다는 것을 몰랐다. 그대가 이와 같이 ‘분수分殊’를 분별한 것에는 ‘수殊’ 또한 많지 않다. 여기에서 자세하게 분별하지 않으면 단지 묵자의 겸애와 같아진다.”

[4-15-9-10]

問：“「西銘」句句是‘理一分殊’, 亦只是事天·事親分否?”

曰：“是. ‘乾稱父, 坤稱母’, 只下‘稱’字, 便別. 這箇有直說底意思, 有橫說底意思. ‘理一而分殊’, 龜山說得又別. 他只是以‘民吾同胞, 物吾與’, 及‘長長幼幼’爲‘理一分殊’.”

曰：“龜山是直說底意思否?”

曰：“是. 然龜山只說得頭一小截, 伊川意則濶大, 統一篇言之.”

曰：“何謂橫說底意思?”

분별된다면 아마 그를 이기는 것 또한 많지 않을 것이다. 이곳에서 분별하지 않는다면 곧바로 묵자의 겸애설과 같아진다.”’)”(用之問：“「西銘」所以‘理一分殊’, 如民·物則分‘同胞’·‘吾與’, 大君家相, 長幼殘疾, 皆自有等差. 又如所以事天, 所以長長幼幼, 皆是推事親從兄之心以及之, 此皆是分殊處否?” 曰：“也是如此. 但這有兩種看：這是一直看下, 更須橫截看. 若只恁地看, 怕淺了. ‘民吾同胞’, 同胞裏面便有‘理一分殊’底意; ‘物吾與也’, 吾與裏面便有‘理一分殊’底意. ‘乾稱父, 坤稱母’, 道是父母, 固是天氣而地質; 然與自家父母, 自是有箇親疏; 從這處便‘理一分殊’了. 看見伊川說這意較多, 龜山便正是疑‘同胞’·‘吾與’爲近於墨氏. 不知他‘同胞’·‘吾與’裏面, 便自分‘理一分殊’了. 如公所說恁地分別分殊, ‘殊’得也不大段. 這處若不子細分別, 直是與墨氏兼愛一般.” 〈卓錄云：“劉用之問：‘「西銘」「理一而分殊」, 若大君宗子, 大臣家相, 與夫民·物等, 皆是「理一分殊」否?’ 曰：‘如此看, 亦是. 但未深, 當截看. 如「西銘」劈頭來便是「理一而分殊.」 且「乾稱父, 坤稱母」, 雖以乾·坤爲父母, 然自家父母自有箇親疏, 這是「理一而分殊.」 等而下之, 以至爲大君, 爲宗子, 爲大臣家相, 若理則一, 其分未嘗不殊. 民吾同胞, 物吾黨與, 皆是如此. 龜山正疑此一著, 便以民吾同胞, 物吾黨與, 近于墨氏之兼愛. 不知他同胞·同與裏面, 便有箇「理一分殊.」 若如公所說恁地分別, 恐勝得他也不多. 這處若不分別, 直是與墨子兼愛一般.’”〉)

曰："'乾稱父，坤稱母'，便是這箇. 不是即那事親底便是事天底."

曰："橫渠只是借那事親底來形容那事天底做箇樣子否?"

曰："是."[222]

물었다. "「서명」의 구절구절이 '리일분수理一分殊'라는 것은 또한 단지 하늘을 섬기는 것과 부모를 섬기는 것으로 나누는 것입니까?"

(주자가) 대답했다. "그렇다. '하늘을 아버지라고 일컫고, 땅을 어머니라고 일컫는다.'라는 것에서 단지 '일컫는다稱'라는 글자를 쓴 것이 바로 구별될 뿐이다. 이것에는 세로로 말하는 뜻[223]도 있고, 가로로 말하는 뜻[224]도 있다. '리일분수理一分殊'라는 것은 구산의 말에서도 또한 구별된다. 그는 다만 '백성은 나의 동포이고, 만물은 나의 무리이다.'라는 것과 '어른을 어른으로 대하고 어린이를 어린이로 대한다.'라는 것을 '리일분수理一分殊'로 여겼다."

물었다. "구산의 주장은 세로로 말하는 뜻입니까?"

(주자가) 대답했다. "그렇다. 그러나 구산은 다만 앞의 몇 구절만 잘라서 말했고, 이천伊川[程頤]의 뜻은 넓고 커서 한 편을 통틀어서 말했다."

물었다. "가로로 말하는 뜻이란 무엇입니까?"

(주자가) 대답했다. "'건을 아버지라고 일컫고, 곤을 어머니라고 일컫는다.'라는 것이 바로 이것이다. 그 부모를 섬기는 것이 바로 하늘을 섬기는 것은 아니다."

물었다. "횡거橫渠[張載]는 단지 그 부모를 섬기는 것을 빌려서 그 하늘을 섬기는 것을 묘사하여 본보기로 삼았습니까?"

(주자가) 대답했다. "그렇다."

[4-15-9-11]

"「西銘」之書，橫渠先生所以示人至爲深切. 而伊川先生又以'理一而分殊'者贊之. 言雖至約，而理則無餘矣. 蓋乾之爲父，坤之爲母，所謂'理一'者也. 然乾坤者，天下之父母也；父母者，一身之父母也，則其分不得而不殊矣. 故以'民爲同胞，物爲吾與也.' 自其天下之父母者言之，所謂'理一'者也. 然謂之民，則非眞以爲吾之同胞；謂之物，則非眞以爲吾之同類矣. 此自其一身之父母者言之，所謂'分殊'者也. 又況其曰'同胞'，曰'吾與'，曰'宗子'，曰'家相'，曰'老'，曰'幼'，曰'聖'，曰'賢'，曰'顚連而無告'，則於其中間又有如是等差之殊哉? 但其所謂'理

222 『朱子語類』 권98, 97조목. 그런데 "'건을 아버지라고 일컫고, 곤을 어머니라고 일컫는다.'라는 것이 바로 이것이다. 그 부모를 섬기는 것이 바로 하늘을 섬기는 것은 아니다.('乾稱父，坤稱母', 便是這箇. 不是即那事親底便是事天底.)"라는 내용이 『朱子語類』 권98, 97조목 후반부에는 "'건을 아버지라고 일컫고, 곤을 어머니라고 일컫는다.'라는 것이 이것이다. 이것은 그 부모를 섬기는 것이 아니라, 바로 하늘을 섬기는 것인가?('乾稱父，坤稱母'是也. 這不是即那事親底，便是事天底?)"라고 表記하여, 방점과 물음표 부분에서 『性理大全』본과 차이를 보이고 있다.

223 '리일'이라는 총체적인 면으로 말하는 것

224 '분수'라는 구체적인 면을 세분화해서 말하는 것

一'者，貫乎'分殊'之中，而未始相離耳．此天地自然，古今不易之理，而二夫子始發明之．"[225]

(주자가 말했다.) "「서명」이라는 글에서 횡거 선생이 사람들에게 보여준 것이 매우 깊고 절실하다. 그리고 이천伊川[程頤] 선생님은 또 '리일분수理一分殊'로 그것을 찬미했다. 말은 비록 지극히 간략하지만, 리理는 남김없이 표현했다. 건이 아버지가 되고, 곤이 어머니가 되는 것이 이른바 '리일理一'이라는 것이다. 그러나 건과 곤은 천하의 부모이고, 부모는 한 사람의 부모이니, 그 나누어진 것이 다르지 않을 수 없다. 그러므로 '백성을 동포로 여기고 만물은 나의 무리로 여긴다.'라는 것은 천하의 부모로부터 말하면 이른바 '리일理一'이다. 그러나 백성이라고 말했으니 참으로 나의 동포로 여긴 것이 아니고, 만물이라고 말했으니 참으로 나와 같은 무리로 여긴 것이 아니다. 여기에서 그 한 사람의 부모로부터 말하는 것이 이른바 '분수分殊'라는 것이다. 또 하물며 '동포', '나의 무리', '종자', '가상家相', '노인', '어린이', '성인', '현인', '가난하고 외로우면서도 하소연할 곳이 없는 사람들' 등이라고 말하였으니, 그 사이에 또 이와 같은 차등의 다름이 있는 경우에는 어떻겠는가? 다만 이른바 '리일理一'은 '분수分殊'의 속을 관통하여 애초에 떨어진 적이 없었다. 이것이 천지의 자연스러움이고 옛날부터 지금까지 바꾸어지지 않는 리理이며, 두 선생님이 처음으로 밝힌 것이다."

[4-15-9-12]

問："謝艮齋說「西銘」'理一分殊'，在上之人當理會'理一'，在下之人當理會'分殊.' 如此，是分「西銘」做兩節了．艮齋看得「西銘」錯．"

曰："然．"[226]

물었다. "사간재謝艮齋[227]는 「서명」의 '리일분수理一分殊'에 대해 위에 있는 사람은 마땅히 '리일理一'을 알아야 하고, 아래에 있는 사람은 마땅히 '분수分殊'를 알아야 하는 것이라고 말했습니다. 이와 같다면 이것은 「서명」을 두 절로 나누는 것입니다. 간재艮齋는 「서명」을 잘못 보았습니다."

(주자가) 대답했다. "그렇다."

[4-15-10]

橫渠之言不能無失．若「西銘」一篇，誰說得到此? 今以管窺天，固是見北斗．別處雖不得見，不可謂不是也．[228]

225 『朱文公集』 권37 「與郭沖晦」

226 『朱子語類』 권98, 106조목

227 謝諤(1121~1194) : 號는 艮齋이고, 字는 昌國이다. 郭雍에게서 배우고, 정이의 학문을 전했으며, 많은 제자들에게 실천의 중요성을 강조했다. 저서로 『性理學淵源』과 『艮齋集』 등이 있다.

228 『二程遺書』 권23, 「鮑若雨録」. 그런데 『二程遺書』의 원문은 다음과 같다. "횡거의 말에도 잘못이 없을 수 없다. 부류가 이와 같다. 「書銘」과 같은 책이라면 누가 이 지경으로 말할 수 있겠는가? 이제 대롱으로 하늘을 보면 진실로 북두칠성을 본다. 다른 곳은 비록 보지 못하더라도 북두칠성을 보는 것을 옳지 않다고 말할 수는 없다(橫渠之言不能無失. 類若此. 若「西銘」一篇, 誰說得到此? 今以管窺天, 固是見北斗. 別處雖不得見, 然見北斗, 不可謂不是也.)"

횡거橫渠[張載]의 말에도 잘못이 없을 수 없다. 「서명」과 같은 글이라면 누구의 말이 이런 경지에 도달할 수 있겠는가? 이제 대롱으로 하늘을 보면 진실로 북두칠성을 본다. 다른 곳은 비록 보지 못하더라도 (북두칠성을 본 것을) 옳지 않다고 말할 수는 없다.

[4-15-10-1]

或問 : "橫渠'淸虛一大'之說, 又要兼淸濁虛實?"

朱子曰 : "渠初云'淸虛一大', 爲伊川詰難, 乃云'淸兼濁, 虛兼實, 一兼二, 大兼小.' 渠本要說形而上, 反成形而下, 最是於此處不分明. 如「參兩」云, '以參爲陽, 兩爲陰, 陽有太極, 陰無太極.' 他要强索精思, 必得於己, 而其差如此."

又問 : "橫渠云'太虛卽氣', 乃是指理爲虛, 似非形而下."

曰 : "縱指理爲虛, 亦如何夾氣作一處?"

問 : "「西銘」所見又的當, 何故却於此差?"

曰 : "伊川云'譬如以管窺天, 四旁雖不見, 而其見處甚分明.' 渠他處見錯, 獨於「西銘」見得."[229]

어떤 사람이 물었다. 횡거의 '청허일대淸虛一大'의 이론은 또 청탁허실淸濁虛實을 겸하려고 하였습니까?"

주자가 말했다. "횡거는 처음에 '청허일대'라고 말했다가, 이천에게 힐난을 당하자 마침내 '청淸은 탁濁을 겸하고, 허虛는 실實을 겸하며, 하나는 둘을 겸하고, 큰은 작음을 겸한다.'라고 했다. 횡거는 본래 형이상을 말하려고 했는데, 도리어 형이하가 되었으니, 이곳이 가장 분명하지 않다. 예컨대 「삼양」에서는 '삼參을 양陽으로 여기고, 양兩을 음陰으로 여기며, 양에는 태극이 있고, 음에는 태극이 없다.'[230]라고 했다. 그는 억지로 찾고 골똘히 생각하여 반드시 혼자서 터득하려고 했지만, 그 잘못이 이와 같다."

또 물었다. "횡거가 '태허는 기이다.'[231]라고 한 것은 바로 리理를 가리켜 허虛라고 하는 것으로, 형이하가 아닌 듯합니다."

(주자가) 말했다. "리理를 가리켜 허虛라고 한다면, 또한 어떻게 기氣를 포함해서 한 곳으로 할 수 있겠는가?"

물었다. "「서명」에서 본 것이 또 정확한데, 무엇 때문에 여기에서 잘못이 있습니까?"

(주자가) 말했다. "이천은 '비유하자면 대롱으로 하늘을 보면 사방을 비록 보지 못하더라도, 그가

229 『朱子語類』 권99, 37조목 그런데 『朱子語類』에는 마지막 부분이 "유독 「書銘」에 대해서는 잘 보았다.('獨於「西銘」見得好.'로 되어 있다.)"

230 『正蒙』「三兩篇」의 다음과 같은 내용을 요약한 것이다. "땅은 둘이기 때문에 굳셈과 부드러움 및 남자와 여자를 나누어 본받는 것이 법이고, 하늘은 셋이기 때문에 하나의 태극과 두 개의 음양을 본뜨니 性이다. 태극과 음양은 기이고, 하나이기 때문에 신묘함(둘이 있기 때문에 헤아릴 수 없다.)이며, 둘이기 때문에 변화(하나로 진행한다.)하니, 이것이 하늘이 셋인 까닭이다.(地所以兩, 分剛柔男女而效之, 法也; 天所以參, 一太極兩儀而象之, 性也. 一物兩體, 氣也; 一故神(兩在故不測), 兩故化(推行于一), 此天之所以參也.)"

231 『正蒙』「太和篇」

본 곳은 매우 분명하다.'라고 했다. 횡거가 다른 곳에서는 잘못 보았지만, 유독 「서명」에서는 잘 보았다."

[4-15-11]

弘而不毅，則難立. 毅而不弘，則無以居之. 「西銘」言弘之道.[232]

넓지만 굳세지 않으면 서기가 어렵다. 굳세지만 넓지 않으면 거처하지 못한다. 「서명」은 넓히는 도리[233]를 말했다.

[4-15-12]

觀張子厚所作「西銘」，能養'浩然之氣'者也.[234]

장자후張子厚[張載]가 지은 「서명」을 보면 '호연지기浩然之氣'[235]를 기를 수 있을 것이다.

[4-15-13]

和靖尹氏曰："見伊川後，半年方得『大學』·「西銘」看."

화정윤씨和靖尹氏[尹焞][236]가 말했다. "이천伊川[程頤]을 만난 후, 반년이 지나서야 비로소 『대학』과 「서명」을 볼 수 있었다."

[4-15-13-1]

道夫問："尹彦明'見伊川後，半年方得『大學』·「西銘」看'，此意如何?"

朱子曰："也是教他自就切己處思量，自看平時箇是不是，'未'[237]便把那書與之讀耳."

又問："如此，則未後以此二書併授之，還是以尹子已得此意，還是以二書互相發故?"

曰："他好把「西銘」與學者讀. 也是教他知天地間有箇道理恁地開闊."[238]

도부가 물었다. "윤언명이 '이천을 만난 후, 반년이 지나서야 비로소 『대학』과 「서명」을 보았다.'라고 했는데, 이 뜻은 무엇입니까?"

---

232 『二程遺書』 권14 「亥九月過汝所聞」

233 『論語』「衛靈公」, "공자가 말했다. '사람이 도를 넓힐 수 있지, 도가 사람을 넓히지 않는다.'(子曰, '人能弘道, 非道弘人.')"

234 『河南程氏外書』 권11 「時氏本拾遺」

235 『孟子』「公孫丑上」

236 尹彦明(尹焞, 1071~1142) : 북송의 성리학자이다. 자는 彦明, 호는 三畏齋, 자호는 和靖處士, 낙양 출신이다. 정이의 문인으로 오랫동안 벼슬을 사양하다가 말년에 崇政展說書兼侍講을 잠시 역임했다. 저서로 『和靖集』과 『論語孟子解』 등이 있다.

237 『朱子語類』 권95, 175조목에 의하면 '未欲'으로 되어 있다. 의미상 '未欲'이 타당할 것으로 생각하여, '未欲'으로 번역하였다.

238 『朱子語類』 권95, 176조목

주자가 말했다. "또한 그에게 스스로 자기에게 절실한 곳에서 생각하게 하고, 스스로 평상시에 옳은지 옳지 않은지를 살펴보도록 하며, 곧바로 그 책을 읽도록 하지 않았다."

또 물었다. "이와 같다면 뒤에는 이 두 책을 모두 준 것이니, 윤자尹子[尹焞]가 이미 이 뜻을 얻었기 때문입니까, 아니면 두 책이 서로 밝혀주었기 때문입니까?"

(주자가) 말했다. "그程頤는 「서명」을 학자들과 읽기를 좋아했다. 또한 학자들에게 천지 사이에 도리가 이와 같이 광활하게 있다는 것을 알게 하였다."

[4-15-13-2]

"尹和靖從伊川半年後, 方得見「西銘」·『大學』, 不知那半年是在做甚麽. 想見只是且教他聽說話."

曾光祖云: "也是初入其門, 未知次第, 驟時與他看未得."

曰: "豈不是如此?"[239]

"윤화정尹和靖[尹焞]이 이천을 따른 지 반년 후에야 비로소 「서명」과 『대학』을 보았는데, 그 반년 동안 무엇을 했는지를 모르겠다. 생각해보니 다만 또 그에게 말을 듣게 했을 뿐이다."

증광조曾光祖가 말했다. "또한 처음에 그 문하에 들어갈 때에는 순서를 알지 못하니, 갑자기 그에게 보게 할 수 없었습니다."

(주자가) 말했다. "어찌 이와 같지 않겠는가?"

[4-15-14]

人本與天地一般大, 只爲人自小了. 若能自處以天地之心爲心, 便是與天地同體. 「西銘」備載此意. 顔子克己, 便是能盡此道.

사람은 본래 천지와 같이 큰데, 다만 사람이 스스로 작게 여길 뿐이다. 만약 천지의 마음을 마음으로 자처할 수 있다면 천지와 더불어 같은 몸이다. 「서명」은 이러한 뜻을 다 갖추었다. 안자顔子가 사욕을 이긴 것이 바로 이 도를 다한 것이다.

[4-15-15]

龜山楊氏曰: "「西銘」只是發明一箇事天底道理. 所謂事天者, 循天理而已."[240]

구산양씨龜山楊氏[楊時]가 말했다. "「서명」은 다만 하늘을 섬기는 도리를 밝혔을 뿐이다. 이른바 하늘을 섬긴다는 것은 천리를 따르는 것일 뿐이다."

[4-15-16]

「西銘」會古人用心要處爲文. 正如杜順作法界觀樣.

239 『朱子語類』 권95, 175조목

240 『龜山集』 권12 「語録三·餘杭所聞」

「서명」은 옛사람의 마음 쓰는 중요한 곳을 모아 글로 삼은 것이다. 바로 두순杜順[241]이 법계관法界觀[242]을 지은 모습과 같다.

[4-15-17]

「西銘」只是要學者求仁而已.

「서명」은 다만 학자가 인仁을 구하도록 하는 것일 뿐이다.

[4-15-18]

朱子曰 : "「西銘」前一段如棊盤, 後一段如人下棊."

주자가 말했다. "「서명」은 앞부분은 바둑판과 같고, 뒷부분은 사람이 바둑을 두는 것과 같다."

[4-15-18-1]

勉齋黃氏曰 : "嘗記師說, 「西銘」自'乾稱'處以下至'顚連無告', 如棊局; '子之翼'也以下, 如人下棊. 未曉其意, 後因思之, 方知其然. '乾父坤母'至'混然中處', 此四句是綱領, 言天地, 人之父母; 人, 天地之子也. '天地之塞帥爲吾之體性', 言吾所以爲天地之子之實. '民吾同胞'至'顚連無告', 言民物並生天地之間, 則皆天地之子, 而'吾之兄弟黨與', 特有差等之殊. 吾旣爲天地之子, 則必當全'吾體', 養'吾性', 愛敬'吾兄弟黨與', 然後可以爲孝子. 不然, 則謂之悖逆之子. '于時保之'以下, 即言人子盡孝之道, 以明人之所以事天之道, 所以全'吾體'養'吾性', 愛敬'吾兄弟黨與'之道, 盡於此矣."[243]

241 杜順(557~640) : 華嚴宗의 시조이다. 세속의 성은 杜이고 휘는 法順이며, 호는 帝心尊者인데, 세속에서는 그를 炖煌菩薩이라고 불렀다. 당나라 때 雍州萬年(현, 陝西 西安) 사람이다. 성품이 온화하고 악한 일을 생각하지 않았으며, 배울 때에 어려움을 준비했다. 18세에 출가하여 禪業에 종사하였다. 후에 終南山에 은거하여 華嚴教綱을 크게 펼쳤다. 당태종이 그의 학덕에 관한 소식을 듣고 궁에 초대하여 예우를 했다. 640년 11월 15일에 입적하였다. 저서로 『十門實相觀』, 『會諸宗別見頌』, 『華嚴法界觀門』, 『華嚴五教止觀』 등이 있다.

242 杜順이 지은 관문으로, 眞空觀, 理事無碍觀, 周邊含容觀 등의 三觀을 말한다. 첫째, 眞空觀에는 會色歸空觀, 明空卽色觀, 空色無碍觀, 泯絶無寄觀 등 네 개의 문이 있다. 會色歸空觀에 의하면 色은 실제 있는 것이 아니라 인연에 의해 생겨난 거짓이다. 따라서 우리는 그것이 空이라는 것을 알아야 한다. 明空卽色觀에 의하면 空은 바로 色이다. 따라서 우리는 이러한 내용을 정확하게 알아야 한다. 空色無碍觀에 의하면 공이 바로 색이고, 색이 바로 공이니, 공과 색은 서로 걸림이 없다. 따라서 우리는 이러한 이치를 정확히 알아야 한다. 泯絶無寄觀에 의하면 공과 색을 구분하는 생각 자체를 끊어야 한다. 따라서 우리는 이것과 저것을 구분하는 대립적인 마음을 끊고, 있는 것을 그 자체로 보아야 한다. 둘째, 理事無碍觀은 어떠한 차별도 없이 그 자체로 존재하는 보편적 법칙을 의미하는 理와 현상계에서 이것과 저것이 구별되는 事 사이에 걸림이 없음을 의미하는 관점이다. 셋째, 周邊含用觀은 理와 事가 이미 걸림이 없으므로, 리와 사는 圓融의 관계라는 것을 의미한다.

243 黃榦 『勉齋集』 권34 「雜著·「西銘」說」

면재 황씨勉齋黃氏[黃榦]가 말했다. "일찍이 선생님의 말씀을 기억해 보면 「서명」은 '건乾을 일컫는다.' 라는 곳으로부터 '가난하고 외로우면서도 하소연할 곳이 없는 사람들이다.'라는 곳까지는 바둑판과 같다고 하고, '자식이 공경한다.'라는 곳 이하는 바둑을 두는 것과 같다고 했다. 그 뜻을 알지 못했는데, 후에 말씀을 따라 생각하고 나서야 비로소 그렇다는 것을 알았다. '건을 아버지라고 일컫고 곤을 어머니라고 일컫는다.'라는 것부터 '혼연히 그 속에 있다.'라는 것까지는 이 네 구절이 강령이니, 천지는 사람의 부모이고, 사람은 천지의 자식임을 말한 것이다. '천지를 채우고 있는 것을 내가 몸으로 삼고, 천지를 거느리는 것을 내가 성性으로 삼는다.'라는 것은 내가 천지의 자식이 되는 실제임을 말한 것이다. '백성은 나의 동포이다.'라는 것부터 '가난하고 외로우면서도 하소연할 곳이 없는 사람들이다.'라는 곳까지는 백성과 만물이 아울러 천지 사이에서 생겨나니 모두 천지의 자식이어서 '나의 형제와 무리'이나, 다만 차등의 다름이 있을 뿐임을 말한 것이다. 내가 이미 천지의 자식이 되었다면 반드시 '나의 몸'을 온전히 하고 '나의 성性'을 기르며, '나의 형제와 무리'들을 사랑하고 공경한 후에야 효자가 될 수 있다. 그렇지 않으면 어그러지고 거스르는 자식이라고 이른다. '이에 보존한다.'라는 것 이하는 바로 사람의 자식이 효를 다하는 도를 말하여 사람이 하늘을 섬기는 도를 밝혔으니, '나의 몸'을 온전히 하며 '나의 성性'을 기르고, '나의 형제와 무리'를 사랑하고 공경하는 도가 여기에서 다한다."

[4-15-19]

「西銘」一篇, 首三句似人破義題; '天地之帥之塞'兩句, 恰似做原題; 乃一篇緊要處. '民吾同胞'至'顚連而無告者也', 乃統論如此. '于時保之'以下, 是做工夫處.[244]

「서명」의 글에서 첫 세 구절[245]은 사람들이 의제義題[의미상의 제목]를 설파하는 것 같고, '천지를 거느리는 것과 채우는 것'의 두 구절[246]은 마치 원제原題로 삼은 것 같으니, 이 책의 핵심적인 곳이다. '백성은 나의 동포이다.'라는 곳부터 '가난하고 외로워도 하소연할 곳이 없는 사람들이다.'라는 구절[247]까지는 통틀어 논한 것이 이와 같다. '이에 보존한다.'[248]라는 구절 이하는 공부하는 곳이다.

244 『朱子語類』 98권, 72조목 그런데 『朱子語類』에는 '首三句'와 '似人破義題' 사이에 '卻'자가 있고, '是做工夫處'가 '是做處'로 되어 있다. 또한 제목을 설파하는 것을 '做破題'라고 한다.

245 "乾을 아버지라고 일컫고, 坤을 어머니라고 일컫는다. 나의 이 작은 몸이 혼연히 그 속에 있다.(乾稱父; 坤稱母. 予玆藐焉乃混然中處.)"

246 "그러므로 '천지를 채우고 있는 것'을 내가 몸으로 삼고, '천지를 거느리는 것'을 내가 性으로 삼는다.('天地之塞', 吾其體; '天地之帥', 吾其性.)"

247 "백성은 나의 동포이고, 만물은 나의 무리이다. 大君은 내 부모의 종자이고, 大臣은 종자의 비서이다. 나이 많은 사람을 존중하는 것은 어른을 어른으로 대하는 것이고, 고아와 연약한 사람을 사랑하는 것은 어린이를 어린이로 대하는 것이다. 성인은 덕에 합치하는 사람이고, 현인은 빼어난 사람이다. 세상에서 병든 사람과 외로운 사람 등은 모두 내 형제 가운데 가난하고 외로우면서도 하소연할 곳이 없는 사람들이다.(民吾同胞, 物吾與也. 大君者, 吾父母宗子; 其大臣, 宗子之家相也. 尊高年, 所以長其長; 慈孤弱, 所以幼其幼. 聖其合德, 賢其秀者也. 凡天下疲癃殘疾惸獨鰥寡, 皆吾兄弟之顚連而無告者也.)"

248 『詩經』「周頌·淸廟之什·我將」

[4-15-20]

「西銘」有箇直劈下底道理, 又有箇橫截斷底道理.

「서명」은 세로로 쪼개 내려가는 도리가 있고, 또 가로로 자르는 도리도 있다.

[4-15-20-1]

勉齋黃氏曰 : "竊意當時語意, 似謂每句直下而觀之, 事天事親之理皆在焉; 全篇中斷而觀之, 則上專是事天, 下專是事親, 各有攸屬."

면재 황씨勉齋黃氏[黃榦]가 말했다. "당시 말의 의미를 가만히 생각해보니, 매 구절마다 세로로 내려가 보면 하늘을 섬기고 부모를 섬기는 리理가 다 있고, 책 전체를 중간에서 끊어 보면 위는 오로지 하늘을 섬기고 아래는 오로지 부모를 섬기는데 각각 연계되는 것이 있다고 말하는 것 같다."

[4-15-21]

問 : "「西銘」仁孝之理."

曰 : "他不是說孝, 是將這孝來形容這仁. 事親底道理, 便是事天底樣子."[249]

물었다. "「서명」은 인과 효의 리理입니다."

말했다. "그것은 효를 말한 것이 아니라, 이 효를 가지고 이 인을 형용한 것이다. 부모를 섬기는 도리는 바로 하늘을 섬기는 모습이다."

[4-15-21-1]

朱子曰 : "道理只是一箇道理. 中間句句段段只說事親·事天."[250]

주자가 말했다. "도리는 단지 하나의 도리일 뿐이다. 중간의 구절과 단락은 단지 부모를 섬기는 것과 하늘을 섬기는 것을 말했을 뿐이다."

[4-15-21-2]

問 : "「西銘」只是言仁·孝·'繼志·述事'?"

曰 : "是以父母比乾坤. 主意不是說孝, 只是以人所易見者, 明其所難曉耳."[251]

물었다. "「서명」은 단지 인과 효와 '뜻을 잇는 것과 일을 따르는 것'[252]만 말했습니까?"

(주자가) 대답했다. "이것은 부모로 건곤乾坤을 비유한 것이다. 주된 뜻은 효를 말하지 않고, 단지

249 『朱子語類』 권98, 98조목

250 『朱子語類』 권98, 79조목

251 『朱子語類』 권98, 82조목 그런데 『朱子語類』에는 "단지 사람이 알기 쉬운 것으로 이해하기 어려운 것을 밝혔을 뿐이다(只是以人所易見者, 明其所難曉耳)" 부분이 "단지 사람이 이해하기 쉬운 것으로 이해하기 어려운 것을 밝혔을 뿐이다(只是以人所易曉者, 明其所難曉者耳)"로 되어 있다.

252 『中庸』 19장 "효는 사람의 뜻을 잘 잇고, 사람의 일을 잘 따르는 것이다.(夫孝者, 善繼人之志, 善述人之事者也.)"

사람이 알기 쉬운 것으로 이해하기 어려운 것을 밝혔을 뿐이다."

[4-15-21-3]

"因事親之誠，以明事天之道，只是譬喩出來．下面一句事親，一句事天，如'匪懈'·'無忝'是事親，'不愧屋漏'·'存心養性'是事天．下面說事親，兼常變而言．如曾子是常，舜伯奇之徒皆是變．此在人事言者如此，天道則不然．直是順之，無有不合者．"[253]

(주자가 말했다.) "부모를 섬기는 성誠을 통하여 하늘을 섬기는 도를 밝힌 것은 다만 비유로 드러낸 것이다. 아래에서 부모를 섬긴다는 구절과 하늘을 섬긴다는 구절은, 예컨대 '게으르지 않다.'[254]라는 것과 '욕되게 함이 없다.'[255]라는 것은 부모를 섬기는 것이고, '방 귀퉁이에서도 부끄럽지 않다.'[256]라는 것과 '마음을 보존하여 성性을 기른다.'[257]라는 것은 하늘을 섬기는 것이다. 아래에서 부모를 섬긴다고 말한 것은 상常[정상]과 변變[비정상]을 겸하여 말한 것이다. 예컨대 증자는 상常이고, 순과 백기의 무리는 다 변變이다. 이는 사람의 일로 말한 것이 이와 같고, 천도로 말하면 그렇지 않다. 다만 순리대로 하면 합치되지 않는 것이 없다."

[4-15-21-4]

徐子融曰："先生曰'事親是事天底樣子'，只此一句，說盡「西銘」之意矣．"[258]

서자융이 말했다. "선생이 '부모를 섬기는 것은 바로 하늘을 섬기는 모습이다.'라고 말했으니, 단지 이 한 구절이 「서명」의 뜻을 다 말한 것입니다."

[4-15-22]

"「西銘」之書，指吾體性之所自來，以明父乾·母坤之實；極'樂天'·'踐形'·'窮神知化'之妙，以至於無一行之不慊而沒身焉．故伊川先生以爲'充得盡時便是聖人'，恐非專爲始學者一時所見而發也．"[259]

「서명」의 글은 나의 몸과 성性의 유래를 가리켜 건乾을 아버지로 삼고 곤坤을 어머니로 삼는 실제를 밝혔고, '천도를 즐거워하고'[260] '제 모습을 실천하며'[261] '신묘함을 궁구하고 변화를 아는'[262] 오묘함

253 『朱子語類』 권98, 81조목
254 『詩經』「大雅·蕩之什·烝民」
255 『詩經』「小雅·節南山之什·小宛」 "너를 낳은 사람을 욕되게 하지 마라.(毋忝爾所生.)" 『尙書』「周書·君牙第二十七」, "조상을 욕되게 하지 마라.(無忝祖考.)"
256 『詩經』「大雅·蕩之什·抑」 "네가 방에 있을 때를 살펴보니, 방 귀퉁이에서도 부끄럽지 않구나.(相在爾室, 尙不愧于屋漏.)"
257 『孟子』「盡心上」 "그 마음을 보존하여 그 性을 기른다(存其心, 養其性.)"
258 『朱子語類』 권98, 98조목
259 『朱文公文集』 권37 「與郭沖晦」
260 이 글은 『孟子』「梁惠王下」의 다음과 같은 내용을 축약한 것이다. "큰 나라로 작은 나라를 섬기는 사람은

을 지극하게 하여, 한 가지 행실도 부족함이 없이 죽는 데까지 이르게 한 것이다. 그러므로 이천伊川[程頤] 선생이 '충분히 실현할 때가 바로 성인'[263]이라고 여긴 것은 아마도 오로지 처음 배우는 사람만을 위해 일시적인 견해로 말한 것이 아닌 듯하다.

[4-15-23]

"橫渠之意, 直借此以明彼, 以見天地之間, 隨大隨小, 此理未嘗不同耳. 其言則固爲學者而設. 若大賢以上, 又豈須說耶? 伊川嘗言'若是聖人, 則乾坤二卦亦不消得', 正謂此也."[264]

횡거橫渠[張載]의 뜻은 다만 이것을 빌려 저것을 밝혀서 천지 사이에서 큰 것을 따르건 작은 것을 따르건 이 리理가 같지 않은 적이 없었던 것을 드러냈을 뿐이다. 그 말은 진실로 배우는 사람을 위해서 한 것이다. 대현大賢 이상이라면 또 어찌 말해줄 필요가 있겠는가? 이천이 일찍이 '성인과 같은 사람이라면 건괘와 곤괘 또한 필요하지 않다.'라고 한 말은 바로 이것을 말한다.

[4-15-24]

"所論「西銘」, '名虛而理實', 此語甚善. 名雖假借, 然其理則未嘗有少異也. 若本無此理, 則又如之何而可强假耶?"[265]

"(그대(강숙권)는) 「서명」을 '명칭은 공허하나 리理는 알차다'라고 논했으니[266], 이 말이 매우 좋다. 명칭은 비록 빌린 것이지만, 그 리理는 조금도 다른 적이 없다. 만약 본래 이 리理가 없다면 또한 어떻게 억지로 빌릴 수 있겠는가?"

[4-15-25]

"橫渠「西銘」, 初看有許多節, 却似狹, 充其量, 是甚麼樣大? 合下便有箇'乾健'·'坤順'意思. 自家身己便如此, 形體便是這箇物事, 性便是這箇物事, '同胞'是如此, '吾與'是如此, 主腦

하늘을 즐거워하는 사람이고, 작은 나라로 큰 나라를 섬기는 사람은 하늘을 두려워하는 사람입니다. 하늘을 즐거워하는 사람은 그 천하를 보존하고, 하늘을 두려워하는 사람은 그 나라를 보존합니다. 『詩經』에서는 '하늘의 위엄을 두려워하여 이에 보존한다.'라고 하였습니다.(以大事小者, 樂天者也; 以小事大者, 畏天者也. 樂天者保天下, 畏天者保其國. 『詩』云, '畏天之威, 于時保之.')"

261 『孟子』「盡心上」의 다음과 같은 내용을 축약한 것이다. "맹자는 '모습과 빛깔은 천성이니, 오직 성인이 된 이후에야 제 모습을 실천할 수 있다.'라고 말했다.(孟子曰, '形色, 天性也; 惟聖人, 然後可以踐形.')"

262 『周易』「繫辭下」 5장

263 『二程遺書』 권18 「劉元承手編」. 그런데 이 내용은 『二程遺書』의 다음과 같은 글을 축약한 것이다. "물었다. '「書銘」은 어떻습니까?' 대답했다. '이것은 횡거 글 가운데 순수한 것이다.' 물었다. '충분히 실현할 때에는 어떻게 됩니까?' 대답했다. '성인이다.'(問: '「西銘」何如?' 曰: '此橫渠文之粹者也.' 曰: '充得盡時如何?' 曰: '聖人也.')"

264 『朱文公文集』 권52 「書·答姜叔權」

265 『朱文公文集』 권52 「書·答姜叔權」

266 李恒老 편저 『朱子大全箚疑輯補』 권8, 590쪽

便是如此. '尊高年, 所以長其長; 慈孤弱, 所以幼其幼', 又是做工夫處, 後面節節如此. '「于時保之」, 子之翼也.' '「樂」且「不憂」, 純乎孝者也', 其品節次第又如此. 橫渠說這般話, 體用兼備, 豈似他人只說得一邊?"

問: "自其節目言之, 便是'各正性命'; 充其量而言之, 便是流行不息."

曰: "然."[267]

(주자가 말했다.) "횡거橫渠[張載]의 「서명」은 처음 볼 때에는 많은 마디가 있어서 협소한 것 같지만, 그 양을 채우면 얼마나 큰가? 원래 '건의 굳셈'[268]과 '곤의 순함'[269]의 뜻이 있다. 자기 자신이 이미 이와 같다면 형체가 바로 이러한 것이고 성性이 바로 이러한 것이며, '동포'가 이와 같고, '나의 무리'가 이와 같으니, 중심[핵심, 주된 뜻]이 바로 이와 같다. '나이 많은 사람을 존중하는 것은 어른을 어른으로 대하는 것이고, 고아와 연약한 사람을 사랑하는 것은 어린이를 어린이로 대하는 것이다'라는 것은 또 공부하는 곳이니, 뒤의 구절들도 이와 같다. '「이에 보존한다.」[270]라고 하는 것은 자식이 공경하는 것'[271]이고, '「천도를 즐거워하고」[272] 또 「근심하지 않는다.」[273]라는 것은 효도에 순수한 자이다.'[274]라는 것은 그 등급과 순서가 또 이와 같다. 횡거의 이 말은 체와 용을 겸비하였으니, 어찌 다른 사람이 한 쪽만 말한 것과 같겠는가?"

물었다. "그 항목으로부터 말하면 바로 '각기 성과 명을 바르게 한다'[275]라는 것이고, 그 양을 채우는 것으로부터 말하면 바로 '유행하여 쉬지 않는다.'라는 것입니다."

대답했다. "그렇다."

[4-15-26]

又語林夔孫曰: "公旣久在此, 可將一件文字與衆人共理會."

夔孫請所看文字.

曰: "且將「西銘」看." 及看畢, 夔孫依先生所解說過.

先生曰: "而今解得分曉了, 便易看."[276]

267 『朱子語類』 94권, 20조목

268 『周易』「說卦傳」 7장

269 『周易』「說卦傳」 7장

270 『詩經』「周頌·淸廟之什·我將」, "이에 보존한다.(于時保之)"

271 「書銘」

272 『孟子』「梁惠王下」 "하늘을 즐거워하는 자는 세상을 보호한다.(樂天者保天下.)"

273 『論語』「憲問」 "공자가 '군자의 도는 세 가지인데, 나는 할 수 없다. 어진 사람은 근심하지 않고, 지혜로운 사람은 미혹되지 않으며, 용기 있는 사람은 두려워하지 않는다.'라고 말했다.(子曰, '君子道者三, 我無能焉. 仁者不憂, 知者不惑, 勇者不懼.')"

274 「書銘」

275 『周易』「乾卦」 彖傳

276 『朱子語類』 권116, 30조목 『朱子語類』의 원문은 다음과 같다. 선생이 임기손에게 말했다. "귀하가 이미

(주자가) 또 임기손林夔孫에게 말했다. "귀하가 이미 오랫동안 여기에 있었으니, 하나의 글을 많은 사람들과 함께 이해할 수 있을 것이오."
기손이 봐야 할 글을 청했다.
(주자가 말했다.) "우선 「서명」을 보시오." 보는 것을 마치자, 기손이 선생이 풀이한 것에 근거하여 말했다.
선생이 대답했다. "지금 분명하게 풀이하였으니, 잘 본 것이오."

[4-15-27]

南軒張氏曰 : "「西銘」謂'以乾爲父, 坤爲母, 有生之類無不皆然, 所謂「理一」也. 而人物之生, 血脈之屬, 各親其親, 各子其子, 則其分亦安得而不殊哉?' 是則然矣. 然卽其'理一'之中, 乾則爲父, 坤則爲母, 民則爲同胞, 物則爲吾與, 若此之類, 分固未嘗不具焉. 龜山所謂'用未嘗離體'者, 蓋有見於此也, 似更須說破耳."[277]

남헌 장씨南軒張氏[張栻]가 말했다. "(주자가) 「서명」에 대해 '건을 아버지로 삼고 곤을 어머니로 삼은 것은 생명이 있는 부류는 그것들마다 다 그러하지 않음이 없으니, 이른바 「리일理一」이다. 그러나 인간과 만물이 생겨날 때에는 혈맥에 속한 것들이 각각 그 부모를 부모로 친애하고, 각각 그 자식을 자식으로 사랑하니, 나누어진 것 또한 어찌 다르지 않을 수 있겠는가?'[278]라고 하였으니, 이것은 옳다. 그렇다면 그 '리일理一' 가운데 건은 아버지가 되고, 곤은 어머니가 되며, 백성은 동포가 되고, 만물은 나의 무리가 되니, 이와 같은 부류는 나누어진 것이 진실로 갖추지 않은 적이 없었다. 구산龜山[楊時]이 '용은 일찍이 체를 떠난 적이 없다.'[279]라고 한 것은 여기에서 본 것이니, 더 논의해야 할 것 같다."

오랫동안 여기에 있었으니, 하나의 글을 많은 사람들과 함께 이해할 수 있을 것이다. 과정을 세워 민첩한 자에게 먼저 깨닫지 않게 하고, 우둔한 자에게 뒤에 깨닫지 않도록 하시오. 예컨대 이러한 일은 어느 경우에는 갑이 생각하지 못하는데 을은 생각하니, 이것이 바로 친구가 갈고닦는 뜻이오." 기손이 봐야 할 글을 청했다.(주자가) 말했다. "우선 「書銘」을 보시오." 보는 것을 마치자, 기손이 선생이 풀이한 것에 근거하여 말했다. 선생이 대답했다. "지금 분명하게 풀이한 것은 잘 본 것이니, 당초에는 정말로 어려운 말이었소.(先生謂夔孫云 : "公旣久在此, 可將一件文字與衆人共理會, 立箇程限, 使敏者不得而先, 鈍者不得而後. 且如這一件事, 或是甲思量不得, 乙或思量得, 這便是朋友切磋之義." 夔孫請所看底文字. 曰 : "且將「西銘」看." 及看畢, 夔孫依先生解說過. 先生曰 : "而今解得分曉了, 便易看, 當初直是難說.")

277 『南軒集』 권30 「答問·論語何有於我哉文義」

278 李幼武 纂集 『宋名臣言行錄外集』 권4 「張載橫渠先生明公」에 의하면 이 말은 주희가 장식에게 보낸 편지의 내용이다. 따라서 여기에서 인용된 내용은 장식의 말이 아니라, 주희의 말로 여기는 것이 타당하다. 장식은 주희의 이 말에 대해 긍정적으로 평가했다.

279 『龜山集』 권11 「語錄二·京師所聞」

[4-15-28]

"人之有是身也, 則易以私, 私則失其正理矣. 「西銘」之作, 唯患夫'勝私'[280]之流也, 故推明理之一以示人. 理則一, 而其分森然自不可易. 惟識夫'理一', 乃見其分之殊. 明其'分殊', 則所謂理之一者, 斯周流而無敝矣. 此仁義之道所以常相須也. 學者存此意, 涵泳體察, 求仁之要也."[281]

(장식이 말했다.) "사람에게는 이 몸이 있으니 사사로워지기 쉽고, 사사로워지면 바른 리理를 잃는다. 「서명」을 지은 것은 오직 '사사로움이 이기는' 유폐를 걱정했기 때문에 리理가 하나라는 것을 미루어 밝혀서 사람들에게 제시한 것이다. 리理는 하나이지만, 그 나누어진 것은 뚜렷하여 저절로 바꿀 수 없다. 오직 '리일理一'을 알 때에 그 나누어진 것이 다름을 본다. 그 '분수分殊'를 밝히면 이른바 리일理一이 두루 흘러도 폐단이 없다. 이는 인과 의의 도가 항상 서로 의존하는 까닭이다. 배우는 사람이 이 뜻을 보존하며 충분히 이해하고 살피는 것이 인을 구하는 요체이다."

[4-15-29]

"天地位而萬物散殊, 其親疎皆有一定之勢. 然不知'理一', 則私意將勝, 而其流敝將至於不相管攝而害夫仁. 故「西銘」因其分之立, 而明其理之本一, 所謂'以止私勝之流, 仁之方也.' 雖推其理之一, 而其分森然者自不可亂, 義蓋所以存也. 大抵儒者之道, 爲仁之至, 義之盡者. 仁立則義存, 義精而後, 仁之體爲無敝也."[282]

(장식이 말했다.) "천지가 자리를 잡고 만물이 흩어져 달라지니, 그 친함과 소원함에 다 일정한 형세가 있다. 그러나 '리일理一'을 알지 않으면 사사로운 뜻이 장차 이겨서 그 유폐가 장차 서로 관여하지 않아서 인을 해치는 데 이를 것이다. 그러므로 「서명」은 분수의 확립을 통해 그 리理가 본래 하나라는 것을 밝혔으니, 이른바 '사사로움이 이기는 유폐를 그치게 하는 것[283]이 인仁의 방법이다.' 비록 그 리理가 하나라는 것을 미룰지라도, 그 분수가 뚜렷한 것은 본래 어지럽힐 수 없으니, 의義가 보존되는 까닭이다. 유학자들의 도는 인을 지극하게 하고, 의를 다하는 것이다. 인이 세워지면 의가 보존되고, 의가 정밀해진 뒤에 인의 체에 폐단이 없게 된다."

[4-15-30]

"如以民爲同胞, 謂'尊高年'爲'老其老', '慈孤弱'爲'幼其幼', 是推其'理一', 而其'分殊'固自在也. 故曰'分立而推「理一」, 以「止私勝之流, 仁之方也.」' 若龜山'以無事乎推爲「理一」, 且引

280 이 글의 출전인 『南軒集』 권33 「題跋·跋「西銘」」에 따르면 '勝私'가 아니라, '私勝'이다. '私勝'이 문맥에 합당하다고 생각하여 '私勝' 개념으로 번역하였다.

281 『南軒集』 권33 「題跋·跋「西銘」」

282 『南軒集』 권22 「書·又」

283 『二程文集』 권10 「書啓·答楊時論「西銘」書」

聖人「老者安之，少者懷之」爲說'，恐未知「西銘」推'理一'之指也."[284]

(장식이 말했다.) "예컨대 백성을 동포로 여기는 것은 '나이 많은 사람을 존중한다'[285]라는 것이 '어른을 어른으로 대한다'[286]라는 것이고, '고아와 연약한 사람을 사랑한다'[287]라는 것이 '어린이를 어린이로 대한다'[288]라는 것을 말하니, 이것은 그 '리일理一'을 미룬 것이지만, 그 '분수分殊'는 본래 저절로 있는 것이다. 그러므로 '분수가 세워짐에 따라 그 「리일理一」을 미룸으로써 「사사로움이 이기는 유폐를 그치게 하는 것이 인仁의 방법이다」'[289]라고 하였다. 구산龜山[楊時]이 '미룸을 일삼지 않는 것을 「리일理一」이라고 여기고, 또 성인의 「노인을 편안하게 하고, 어린이를 품는다」[290]라고 한 것을 인용하여 주장한'[291] 것은 아마도 「서명」이 '리일理一'을 미룬다는 취지를 알지 못한 듯하다."

[4-15-31]

雙峰饒氏曰："「西銘」一書，規模宏大，而條理精密，有非片言之所能盡．然其大指，不過中分爲兩節．前一節，明人爲天地之子；後一節，言人事天地，當如子之事父母．何謂人爲天地之子？蓋人受天地之氣以生而有是性，猶子受父母之氣以生而有是身．父母之氣，即天地之氣也．分而言之，人各一父母也；合而言之，擧天下同一父母也．人知父母之爲父母，而不知天地之爲大父母．故以人而視天地，常漠然與己如不相關．人於天地旣漠然如不相關，則其所存所發，宜乎無適而非己私．而欲其順天理遏人欲，以全天地賦予之本然，亦難矣．此「西銘」之作，所以首因人之良知而推廣之．言天以至健而始萬物，則父之道也；地以至順而成萬物，則母之道也；吾以藐然之身生於其間，稟天地之氣以爲形，而懷天地之理以爲性，豈非子之道乎？

쌍봉요씨雙峰饒氏[饒魯][292]가 말했다. "「서명」의 글은 규모가 매우 크고, 조리가 정밀하여, 한 마디로

284 『南軒集』 권22 「書·又」
285 「書銘」
286 이 글은 『孟子』「梁惠王上」의 '老吾老'를 응용한 것이다.
287 「書銘」
288 이 글은 『孟子』「梁惠王上」의 '幼吾幼'를 응용한 것이다.
289 『二程文集』 권10 「伊川文集·書啓·答楊時論「西銘」書」
290 『論語』「公冶長」
291 『龜山集』 권16 「答伊川先生」 "'노인을 나의 노인으로 여겨 다른 사람의 노인에게까지 미치고, 어린이를 나의 어린이로 여겨 다른 사람의 어린이에게까지 미친다.'라는 것이 이른바 '미룬다.'라는 것이다. 공자가 '노인을 편안하게 하고, 어린이를 품는다.'라고 한 것은 미룸을 일삼을 것이 없다. 미룸을 일삼을 것이 없는 것은 '리일'이기 때문이다.('老吾老，以及人之老；幼吾幼，以及人之幼'，所謂'推之也.' 孔子曰'老者安之，少者懷之'，則無事乎推矣．無事乎推者，'理一'故也.)"
李幼武 纂集 『宋名臣言行錄外集』 권4 「張載橫渠先生明公」
292 饒魯(1194~1264) : 송대의 유학자이다. 호는 쌍봉이고, 자는 伯輿·仲元이다. 饒州의 餘干 출신이다. 어려서부터 성인의 학문에 전념하였으며, 황간에게서 배웠고, 곳곳에서 강의를 하였다. 평생 동안 벼슬을 하지

다할 수 있는 것이 아니다. 그러나 큰 뜻은 중간에 두 부분으로 나누는 것에 지나지 않는다. 앞부분은 사람이 천지의 자식이 됨을 밝힌 것이고, 뒷부분은 사람이 천지를 섬기는 것이 마땅히 자식이 부모를 섬기는 것과 같이 해야 함을 말하였다. 왜 사람은 천지의 자식이 된다고 말하는가? 사람이 천지의 기氣를 받아 태어나 이 성性을 갖고 있는 것은 자식이 부모의 기를 받아 태어나 이 몸을 갖고 있는 것과 같다. 부모의 기는 바로 천지의 기이다. 나누어 말하면 사람은 각각 부모가 하나이고, 합해 말하면 온 천하는 똑같이 부모가 하나이다. 사람은 부모가 부모가 됨을 알아도, 천지가 큰 부모가 됨을 알지 못한다. 그러므로 사람을 기준으로 천지를 볼 때에 항상 막연하여 자기와 서로 관련이 없는 것처럼 한다. 사람이 천지에 대해 이미 막연하여 서로 관련이 없는 것처럼 한다면 보존된 것과 발현한 것이 마땅히 어디에서든 자기를 사사롭게 하지 않음이 없을 것이다. 그러므로 천리를 따르고 인욕을 막아 천지가 부여한 본연을 온전히 하고자 하는 것 또한 어렵다. 이것이 「서명」이 우선 사람의 양지良知를 통하여 그것을 미루어 넓히려는 까닭이다. 말하자면, 하늘은 지극히 굳셈으로 만물을 시작하니 아버지의 도이고, 땅은 지극히 순함으로 만물을 이루니 어머니의 도이며, 나는 아주 작은 몸으로 그 사이에서 생겨나 천지의 기氣를 받아 형체가 되고, 천지의 리理를 품어 성性이 되니, 어찌 자식의 도가 아니겠는가?

其下繼之以'民吾同胞, 物吾黨與', 而同胞之中, 復推其'大君者爲宗子, 大臣者爲宗子之家相', '高年'者爲兄, '孤弱'者爲弟, 聖者爲兄弟之合德乎父母, 賢者爲兄弟之秀出乎等夷, '疲癃殘疾惸獨鰥寡'者, 爲'兄弟之顚連而無告者', 則皆所以著夫並生天地之間, 而與我同類者雖有貴賤·貧富·長幼·賢愚之不齊, 而均之爲天地之子也. 知並生天地之間而與我同類者均之爲天地之子, 則天地爲吾之父母也, 豈不昭昭矣乎? 故曰前一節明人爲天地之子. 何謂人事天地當如子之事父母? 蓋子受父母之氣以生, 則子之身, 卽父母之身; 人受天地之氣以生, 則人之性, 亦卽天地之性. 子之身卽父母之身, 故事親者不可不知所以保愛其身. 人之性卽天地之性, 則事天者亦豈可不知所以保養其性邪?

그 다음으로 이어서 '백성은 나의 동포이고, 만물은 나의 무리이다.'[293]라고 하였으니, 동포 가운데 다시 '대군大君은 종자宗子이고, 대신大臣은 종자의 가상家相이며'[294], '나이 많은 사람'은 형이고, '고아와 연약한 사람'은 동생이다. 성인은 부모와 덕이 같은 형제이고, 현인은 동년배보다 빼어난 형제이고, '병든 사람과 외로운 사람'[295]은 '가난하고 외로우면서도 하소연할 곳이 없는 형제'[296]이다. 이렇게 미루어 본다면, 모두 천지 사이에 함께 생겨나서 나와 같은 부류로서 비록 귀함과 천함, 가난함

않았다. 저서로 『五經講義』·『論孟紀聞』·『春秋節傳』·『學庸纂述』·『近思錄註』·「太極三圖」·「庸學十二圖」·「西銘圖」 등이 있다.

293 「書銘」

294 「書銘」

295 「書銘」

296 「書銘」

과 부유함, 어른과 어린이, 현명함과 우매함 등이 가지런하지 않을지라도, 모두 천지의 자식임을 드러내는 것이다. 천지 사이에 함께 생겨나서 나와 같은 부류로서 모두 천지의 자식임을 안다면 천지가 나의 부모라는 것이 어찌 밝게 드러나지 않겠는가? 그러므로 앞부분은 사람이 천지의 자식임을 밝혔다고 하였다. 왜 사람이 천지를 섬기는 것은 마땅히 자식이 부모를 섬기는 것과 같이 해야 한다고 하는가? 자식은 부모의 기를 받아 생겨나니, 자식의 몸은 바로 부모의 몸이고, 사람은 천지의 기를 받아 생겨나니, 사람의 성性은 또한 바로 천지의 성性이다. 자식의 몸이 바로 부모의 몸이므로 부모를 섬기는 자는 그 몸을 보호하고 사랑하는 까닭을 알지 않을 수 없다. 사람의 성性이 바로 천지의 성性이니, 하늘을 섬기는 자가 또한 어찌 그 성性을 보호하고 기르는 까닭을 알지 않을 수 있겠는가?

此「西銘」之作, 所以旣明人爲天地之子, 而復因事親之孝, 以明事天之道也. '樂天'者, 不思不勉而順行乎此性, 猶人子愛親之純而能愛其身者也. 畏天者, 戰戰兢兢以保持乎此性, 猶人子敬親之至而能敬其身者也. 若夫徇私以違乎理, 縱欲以害其仁, 無能改於氣稟之惡而復增益之, 則是反此性而爲天地悖德·賊親·不才之子矣. 盡此性而能踐其形者, 其惟天地克肖之子乎!

이것이 「서명」이 이미 사람이 천지의 자식이 됨을 밝히고, 다시 부모를 섬기는 효도로 인하여 하늘을 섬기는 도를 밝히는 까닭이다. '천도를 즐거워하는'[297] 사람은 생각하지 않고 힘쓰지 않으면서도 이 성性을 따라 행하니, 마치 사람의 자식이 부모를 사랑하는 바가 순수하여 그 몸을 사랑할 수 있는 것과 같다. 하늘을 두려워하는 사람은 조심하고 조심하여서 이 성性을 유지하는 것이니, 마치 사람의 자식이 부모를 공경하는 바가 지극하여 그 몸을 공경할 수 있는 것과 같다. 그런데 사사로움을 따라 리理를 어기고, 욕심내기를 제멋대로 하여 인仁을 해쳐서, 기품氣稟의 악을 고칠 수 없고 다시 악을 더한다면, 이것은 이 성性에 반하면서 천지의 덕을 어그러지게 하고 부모를 해치며 못된 자식이 되는 것이다. 이 성性을 다하여 제 모습을 실천할 수 있는 자만이 천지를 닮은 자식일 것이다!

'窮神知化', '樂天'·'踐形'者之事也. '存心養性'而'不愧屋漏', '畏天'以求踐乎形者之事也. 以此修身, 則爲'顧養'; 以此及人, 則爲'錫類'; 以此處常而盡其道, 則爲'底豫'·爲'歸全'; 以此

297 『孟子』「梁惠王下」 "제나라 선왕이 묻기를 '이웃 나라와 교류하는데 도가 있습니까?'라고 했다. 맹자가 대답하기를 '있습니다. 오직 어진 사람이라야 큰 나라로 작은 나라를 섬길 수 있습니다. 이 때문에 탕이 갈을 섬겼고 문왕은 곤이를 섬겼습니다. 오직 지혜로운 사람이라야 작은 나라로 큰 나라를 섬길 수 있습니다. 그러므로 태왕은 훈육을 섬겼고, 구천은 오를 섬겼습니다. 큰 나라로 작은 나라를 섬기는 사람은 하늘을 즐거워하는 사람이고, 작은 나라로 큰 나라를 섬기는 사람은 하늘을 두려워하는 사람입니다. 하늘을 즐거워하는 사람은 그 천하를 보존하고, 하늘을 두려워하는 사람은 그 나라를 보존합니다. 『詩經』에서는 「하늘의 위엄을 두려워하여 이에 보존한다.」라고 하였습니다.'(齊宣王問曰, '交鄰國有道乎?' 孟子對曰, '有. 惟仁者爲能以大事小. 是故湯事葛, 文王事昆夷. 惟智者爲能以小事大. 故大王事獯鬻, 句踐事吳. 以大事小者, 樂天者也; 以小事大者, 畏天者也. 樂天者保天下, 畏天者保其國. 詩云, 「畏天之威, 于時保之」.')"

處變而不失其道, 則爲'待烹'·爲'順令', 愛惡·逆順, 處之若一, 生順死安, 兩無所憾. 事親而至於是, 則可以爲孝子. 事天而至於是, 豈不可以爲仁人乎? 故曰'後一節, 言人之事天地, 當如子之事父母.' 此篇之指, 大畧如此.

'신묘함을 궁구하여 변화를 안다.'[298]라는 것은 '천도를 즐거워하고'[299] '제 모습을 실천하는'[300] 자의 일이다. '마음을 보존하여 성性을 길러서'[301] '방 귀퉁이에서도 부끄럽지 않다.'[302]라는 것은 '하늘을 두려워함'[303]으로써 제 모습을 실천하는 것을 구하는 자의 일이다. 이것으로 몸을 닦는다면 '부모의 봉양을 생각하는 것'[304]이 되고, 이것으로 다른 사람에게 미치면 '선을 내려준 것'[305]이 되며, 이것으로 정상에 대처하여 도를 다한다면 '부모를 기쁘게 하는 것'[306]이 되고 '온전하게 되돌린 것'[307]이 되며, 이것으로 변화에 대처하여 그 도를 잃지 않는다면 '팽형을 기다린 것'[308]이 되고 '명령에 순종한

298 『周易』「繫辭下」 5장

299 『孟子』「梁惠王下」

300 『孟子』「盡心上」 "맹자가 말했다. '모습과 빛깔은 천성이니, 오직 성인이 된 이후에야 제 모습을 실천할 수 있다.'라고 말했다.(孟子曰: '形色, 天性也; 惟聖人, 然後可以踐形.')"

301 『孟子』「盡心上」 "存其心, 養其性."

302 『詩經』「大雅·蕩之什·抑」 "네가 방에 있을 때를 살펴보니, 방 귀퉁이에서도 부끄럽지 않구나.(相在爾室, 尙不愧于屋漏.)"

303 『詩經』「周頌·淸廟之什·我將」, "하늘의 위엄을 두려워한다.(畏天之威.)"

304 『孟子』「離婁下」 "우는 맛있는 술을 싫어하고, 좋은 말을 좋아했다.(孟子曰: '禹惡旨酒, 而好善言.')" 『戰國策』 권23 「魏二·梁王魏嬰觴諸侯於范臺」

305 여기에서 '錫類'란 선을 준다는 뜻이다. 類는 善, 너에게 착함을 준다. 『詩』「大雅·既醉」, "효자의 효성이 그치지 않으니, 영원히 당신에게 착함을 줄 것이다.(孝子不匱, 永錫爾類.) 『毛傳』 "류는 선이다.(類, 善也.)"

306 『孟子』「離婁上」 "맹자는 '세상이 크게 기뻐하여 장차 자신에게 돌아오려고 할 때에 세상이 기뻐하여 자신에게 돌아옴을 마치 초개와 같이 여긴 것은 오직 순임금이 그렇게 했으니, 부모에게 뜻을 얻지 못하면 사람이 될 수 없고, 부모에게 순종하지 않으면 자식이 될 수 없다고 생각하였다. 순임금이 부모를 섬기는 도를 다하자 고수가 기뻐하고, 고수가 기뻐하자 세상이 교화되며, 고수가 기뻐하자 세상의 부모와 자식의 관계가 안정되니, 이것을 큰 효도라고 한다.'라고 했다.(孟子曰, '天下大悅而將歸己, 視天下悅而歸己, 猶草芥也, 惟舜爲然, 不得乎親, 不可以爲人; 不順乎親, 不可以爲子. 舜盡事親之道而瞽瞍底豫, 瞽瞍底豫而天下化, 瞽瞍底豫而天下之爲父子者定, 此之謂大孝.')"

307 『論語』「泰伯」 "증자가 병에 걸리자, 제자들을 불러놓고 '이불을 걷고 내 발을 보아라! 이불을 걷고 내 손을 보아라! 『詩經』에 「조심하고 조심하기를 깊은 연못에 임하는 것 같이 하고, 엷은 얼음을 밟듯이 하라.」라고 했다. 지금 이후에야 나는 면했음을 알겠다. 애들아!'라고 말했다.(曾子有疾, 召門弟子曰, '啓予足! 啓予手! 詩云, 「戰戰兢兢, 如臨深淵, 如履薄冰.」 而今而後, 吾知免夫. 小子!')"

308 『禮記』「단궁상제3」 "진나라 헌공이 장차 세자인 신생을 죽이려고 하니, 공자인 중이가 일러 '그대는 어찌하여 그대의 뜻을 헌공에게 말하지 않습니까?'라고 했다. 세자가 '안 된다. 임금이 여희와 편안하게 지내니, 내가 말하면 임금의 마음을 상하게 하는 것이다.'라고 말했다. 중이가 '그렇다면 어찌하여 도망가지 않습니까?'라고 하자, 세자가 '안 된다. 임금은 내가 임금을 시해하고자 한다고 생각한다. 세상에 어찌 아버지 없는 나라가 있겠는가? 내가 장차 어디로 가겠는가?'라고 하였다. 신생이 사람을 보내 스승인 호돌에게 하직하여 '저는 죄가 있으니, 선생님의 말을 새기지 않아(5년 전에 헌공이 신생을 東山 皐落氏를 정벌하는데 출정시켰

것'[309]이 되니, 사랑함과 미워함, 거스름과 순함에 처하기를 한결같이 하여, 살아서는 순리대로 섬기고 죽어서는 편안하여 둘 다 유감이 없다. 부모를 섬겨서 여기에 이르면 효자라고 할 수 있다. 하늘을 섬겨서 여기에 이르면 어찌 어진 사람이 될 수 없겠는가? 그러므로 '뒷부분은 사람이 천지를 섬기는 것이 마땅히 자식이 부모를 섬기는 것처럼 해야 한다.'라고 하였다. 이 글의 뜻이 대략 이와 같다.

朱夫子所謂'推親親之厚, 以大無我之公, 因事親之誠, 以明事天之道', 亦此意也. 嗚呼! '繼志'·'述事', 孝子之所以事親也; '存心養性', 君子之所以事天也. 事親事天, 雖若兩事, 然事親者, 即所以爲事天之推; 而善事天者, 乃所以爲善事其親者也."

주부자朱夫子[朱熹]의 이른바 '부모를 친애하는 두터움을 미루어 사사로움을 없애는 공의로움을 크게 하고, 부모를 섬기는 성誠을 따름으로써 하늘을 섬기는 도를 밝힌다.'[310]라는 것 또한 이러한 뜻이다. 오호라! '뜻을 잇는 것'[311]과 '일을 따르는 것'[312]은 효자가 부모를 섬기는 것이고, '마음을 보존하여 성性을 기른다.'[313]라는 것은 군자가 하늘을 섬기는 것이다. 부모를 섬기고 하늘을 섬기는 것은 비록 두 가지 일인 듯하지만, 부모를 섬기는 것은 바로 하늘을 섬기는 것으로 미루어 가는 것이고, 하늘을 잘 섬기는 것은 바로 그 부모를 잘 섬기는 것이다."

[4-15-32]

臨川吳氏曰: "天地者, 吾之父母也; 父母者, 吾之天地也. 天即父, 父即天; 地即母, 母即

다. 이것은 여희가 음모를 꾸며 신생을 태자의 지위에서 폐위시키기 위한 술책이었다. 이때 스승인 호돌이 이러한 여희의 음모를 알고 신생에게 도망가라고 충고했는데, 신생은 스승의 말을 듣지 않았다.) 죽는 지경에 이르렀습니다. 저는 감히 죽음을 애석하게 여기지 않습니다. 비록 그렇지만, 저의 아버지는 늙었고 자식은 어리며 나라에는 어려움이 많은데, 선생님께서는 조정에 나아가 우리 임금을 위해 도모하지 않으십니다. 선생님께서 진실로 조정에 나아가 우리 임금을 위해 도모하신다면 저는 은혜를 입어 편안하게 죽을 수 있습니다.'라고 말했다. 신생은 머리를 조아려 두 번 절하고 마침내 죽었다. 이 때문에 그의 시호는 공세자가 되었다.(晉獻公將殺其世子申生, 公子重耳謂之曰, '子蓋言子之志於公乎?' 世子曰, '不可. 君安驪姬, 是我傷公之心也.' 曰, '然則蓋行乎?' 世子曰, '不可. 君謂我欲弒君也. 天下豈有無父之國哉? 吾何行如之?' 使人辭於狐突, 曰, '申生有罪, 不念伯氏之言也, 以至于死. 申生不敢愛其死. 雖然, 吾君老矣, 子少, 國家多難, 伯氏不出而圖吾君. 伯氏苟出而圖吾君, 申生受賜而死.' 再拜稽首, 乃卒. 是以爲恭世子也.)" "晉獻公將殺其世子申生, 公子重耳謂之曰, '子蓋言子之志於公乎?' 世子曰, '不可. 君安驪姬, 是我傷公之心也.' 曰, '然則蓋行乎,?' 世子曰, '不可. 君謂我欲弒君也. 天下豈有無父之國哉! 吾何行如之?' 使人辭於狐突, 曰, '申生有罪, 不念伯氏之言也, 以至于死. 申生不敢愛其死. 雖然, 吾君老矣, 子少, 國家多難, 伯氏不出而圖吾君. 伯氏苟出而圖吾君, 申生受賜而死.' 再拜稽首, 乃卒. 是以爲恭世子也.)"

309 「書銘」. 여기에 해당하는 사람은 백기伯奇이다.

310 李幼武 纂集『宋名臣言行錄外集』 권4 「張載橫渠先生明公」

311 『中庸』 19장 "善繼人之志."

312 『中庸』 19장 "善述人之事者也."

313 『孟子』「盡心上」"存其心, 養其性"

地. 人事天地當如事父母, 子事父母當如事天地. '保者', 持守此理而不敢違, 賢人也; 樂者, 從容順理而自然中, 聖人也. 蓋是理, 即天地之理; 而天地, 即吾之父母也. 持守而不敢違吾父母之理, 非子之翼敬者乎? 從容而自然順吾父母之理, 非孝之極純者乎?

임천오씨臨川吳氏[吳澄][314]가 말했다. "천지는 나의 부모이고, 부모는 나의 천지이다. 하늘은 바로 아버지이고, 아버지는 바로 하늘이며, 땅은 바로 어머니이고, 어머니는 바로 땅이다. 사람이 천지를 섬기는 것은 마땅히 부모를 섬기는 것처럼 해야 하고, 자식이 부모를 섬기는 것은 마땅히 천지를 섬기는 것처럼 해야 한다. '보존하는 사람'[315]은 이 리理를 지켜서 감히 어기지 않으니 현인이고, 즐거워하는 사람은 조용히 리理를 따라 저절로 도에 알맞으니 성인이다. 이 리理는 천지의 리理이고, 천지는 바로 나의 부모이다. 지켜서 감히 내 부모의 리理를 어기지 않으니, 공경하는 자식이 아니겠는가? 조용히 자연스럽게 내 부모의 리理를 따르니 지극히 순수한 효도가 아니겠는가?

不愛其親而愛他人者謂之悖德. 天理者, 父母所以與我者也. 而乃違之, 是不愛其親也. 賊仁者謂之賊. 仁者, 父母所以與我之心德也. 而乃害之, 是戕其親也. 世濟其惡, 增其惡名, 則是父母之不才子矣. 若能踐其所以得五行秀爲萬物靈者之形, 則是與天地相似而克肖乎父母矣.

부모를 사랑하지 않고 다른 사람을 사랑하는 것을 덕을 어그러지게 한다고 한다. 천리란 부모가 나에게 부여한 것이다. 그런데 그것을 어기면 부모를 사랑하는 것이 아니다. 인仁을 해치는 것을 적賊이라고 한다. 인이란 부모가 나에게 부여한 마음의 덕[心德]이다. 그런데 그것을 해치면 그 부모를 해치는 것이다. 대대로 그 악을 쌓고, 그 악명을 더한다면 부모의 못난 자식이다. 만약 오행 가운데 빼어난 것을 얻어 만물 가운데 신령한 자의 형상을 실천할 수 있다면, 이것은 천지와 서로 비슷하여 부모를 잘 닮는 것이다.

知者, 聖人'踐形惟肖', 有以黙契乎是理, 非但聞見之知也. 化, 則'天地化育'之事, '乾道變化', '發育萬物', '各正性命'者. 知得'天地化育'之事, 則吾亦能爲天地之事. 是善述吾父母所爲之事矣. 窮者, 聖人'窮理盡性', 有以究極乎是理, 而知之無不盡也. 神, 則天地神妙之心, '維天之命', '至誠無息', '於穆不已'者. 窮得天地神妙之心, 則吾亦能心天地之心. 是善繼吾父母所存之志矣. 此造聖之終事, '踐形惟肖'者之盛德, 所謂'樂且不憂純之孝者也.' '不愧屋

314 吳澄(1249~1333) : 자는 幼淸이고, 이른바 草廬先生으로 불린다. 宋元 교체기 崇仁(현재 강서성) 사람으로 國子監司業·翰林學士를 역임하였다. 시호는 文正이다. 그의 학문은 주로 주희와 육구연의 사상을 절충하는 경향이 있으며, 특히 주희 이래의 道統을 은연중에 자임하고 있다. 저서는 『學基』·『學統』·『書·易·春秋·禮記纂言』·『吳文正公集』·『孝經章句』 등이 있다.

315 「書銘」 "'이에 보존한다.'라고 하는 것은 자식이 공경하는 것이고, '천도를 즐거워하고' 또 '근심하지 않는다.'라는 것은 효도에 순수한 자이다.('于時保之', 子之翼也; '樂'且'不憂', 純乎孝者也.)"

漏'者, 己私克盡, 心自然存, 性得其養, 雖於屋漏之奧, 尙無愧怍之事. 夫其無愧於天, 則是無忝辱所生之父母也.

지知란 성인이 '제 모습을 실천하고 하늘을 닮아'[316] 이 리理를 묵묵히 깨닫는 것이니, 단지 견문의 지見聞의 知[감성적 앎]뿐만은 아니다. 화化는 '천지 화육'[317]의 일이니, '건도가 변화하여'[318] '만물을 발육시키고'[319] '각기 성性과 명命을 바르게 한다'[320]라는 것이다. '천지화육'의 일을 안다면 나 또한 천지의 일을 할 수 있다. 이것은 내 부모가 하는 일을 잘 따른다는 것이다. 궁窮이란 성인이 '리理를 궁구하고 성性을 다하여'[321] 이 리理를 끝까지 궁구하는 것이니, 지知에 다하지 않음이 없다. 신神이란 천지의 신묘한 마음이니, '천의 명'[322]이 '지극히 성하여 쉼이 없어'[323] '아! 심원하여 그치지 않는다.'[324]라는 것이다. 천지의 신묘한 마음을 궁구하면 나 또한 천지의 마음을 마음으로 삼을 수 있다. 이것이 내 부모의 보존한 뜻을 잘 잇는 것이다. 이것은 성인에 이르는 마지막 단계의 일로 '제 모습을 실천하는 닮은 사람'[325]의 왕성한 덕이니, '천도를 즐거워하고 또 근심하지 않는 효도에 순수한 자이다.[326]' 라고 말하는 것이다. '방 귀퉁이에서도 부끄럽지 않다.'[327]라는 것은 자기의 사사로움이 다 사라져 마음이 저절로 보존되고, 성性이 그 기름을 얻어서 비록 방 귀퉁이에서라도, 오히려 부끄러울 일이 없다는 것이다. 하늘에 부끄럽지 않은 것은 낳아준 부모를 욕되게 하는 점이 없는 것이다.

316 「書銘」

317 『中庸』 22장 "오직 천하의 지극한 誠이라야 그 性을 다 구현할 수 있게 되고, 그 性을 다 구현할 수 있으면 사람의 性을 다 구현할 수 있으며, 사람의 性을 다 구현할 수 있으면 만물의 性을 다 구현할 수 있고, 만물의 性을 다 구현할 수 있으면 천지의 화육을 도울 수 있으며, 천지의 화육을 도울 수 있으면 천지와 더불어 셋이 될 수 있다.(唯天下至誠, 爲能盡其性; 能盡其性, 則能盡人之性; 能盡人之性, 則能盡物之性; 能盡物之性, 則可以贊天地之化育; 可以贊天地之化育, 則可以與天地參矣.)" 『中庸』 32장 "오직 천하의 지극한 誠이라야 천하의 큰 법을 경륜하고, 천하의 큰 근본을 정립하며, 천지의 화육을 알 수 있으니, 어찌 의지하는 것이 있겠는가?(唯天下至誠, 爲能經綸天下之大經, 立天下之大本, 知天地之化育. 夫焉有所倚?)"

318 『周易』「乾卦·彖傳」

319 『中庸』 27장 "크도다! 성인의 도여. 창창하도다! 만물을 발육하고, 높음이 하늘에 닿는구나.(大哉! 聖人之道. 洋洋乎! 發育萬物, 峻極于天.)"

320 『周易』「乾卦·彖傳」

321 『周易』「說卦傳」 1장 "옛날에 성인이 『易』을 지음에 神明의 그윽한 도움을 받아 시초를 생기게 하고, 하늘을 셋으로 하고 땅을 둘로 하여 수에 의존하며, 음양의 변함을 보아 괘를 세우고, 굳셈과 부드러움을 발휘하여 효를 생기게 하니, 도와 덕에 어울려 따르고 義를 따르며, 리를 궁구하고 性을 구현하여 命에 이른다.(昔者聖人之作『易』也, 幽贊於神明而生蓍, 參天兩地而倚數, 觀變於陰陽而立卦, 發揮於剛柔而生爻, 和順於道德而理於義, 窮理盡性以至於命.)"

322 『詩經』「周頌·淸廟之什·維天之命」 "維天之命."

323 『中庸』 26장

324 『詩經』「周頌·淸廟之什·維天之命」 "於穆不已."

325 「書銘」

326 「書銘」

327 『詩經』「大雅·蕩之什·抑」

'存心養性'者, 用力克己, 惕然惟恐有愧於天; 操而不舍其主於身之心, 順而不害其具於心之理, '存心養性'所以事天. 夫其不怠於存養此天理, 則是不懈怠於事父母也. 此作聖之始事, 學'踐形惟肖'者之工夫, 所謂'于時保之, 子之翼也.' 然'知化'者必能'窮神', '窮神'然後能'知化'; '不愧屋漏'者必能'存心養性', '存心養性'然後能'不愧屋漏'.

'마음을 보존하여 성性을 기르는'[328] 것은 힘써 사욕을 이기고 조심조심 오직 하늘에 부끄러움이 있을까 염려하여, 몸을 주관하는 마음을 잡지 않고, 마음에 갖추어진 리理를 따라 해치지 않으니, '마음을 보존하여 성性을 기르는 것'은 하늘을 섬기는 것이다. 이 천리를 보존하고 기르는 일을 게을리 하지 않으면 이것이 부모를 섬기는 데 게을리 하지 않는 것이다. 이것은 성인이 되는 첫 단계의 일로 '제 모습을 실천하여 하늘을 닮기'[329]를 배우는 사람의 공부이니, 이른바 '이에 보존하는 것이 자식이 공경하는 것이다.[330]'라는 것이다. 그러나 '변화를 아는'[331] 사람은 반드시 '신묘함을 궁구할'[332] 수 있으나, '신묘함을 궁구한' 후에 '변화를 알' 수 있다. '방 귀퉁이에서도 부끄럽지 않은' 사람은 반드시 '마음을 보존하여 성性을 기를'[333] 수 있지만, '마음을 보존하여 성性을 기른' 후에 '방 귀퉁이에서 부끄럽지 않을' 수 있다.

'善述事'者必能'繼志', '善繼志'者然後能'述事.' '無忝'者必能'匪懈', '匪懈'然後能'無忝.' '存心養性'然後有以'不愧屋漏', '不愧屋漏'然後可以至於'窮神', '窮神'然後有以'知化.' '匪懈'然後有以'無忝', '無忝'然後可以至於'善繼志', '善繼志'者然後可以'善述事'也."

'일을 잘 따르는'[334] 사람은 반드시 '뜻을 이을'[335] 수 있지만, '뜻을 잘 이은'[336] 후에 '일을 따를' 수 있다. '욕되게 함이 없는'[337] 사람은 반드시 '게으르지 않게 할'[338] 수 있지만, '게으르지 않게 한' 후에 '욕되게 함이 없을' 수 있다. '마음을 보존하여 성性을 기른'[339] 후에 '방 귀퉁이에서도 부끄럽지 않게'[340] 되고, '방 귀퉁이에서도 부끄럽지 않은' 후에 '신묘함을 궁구하는 데'[341] 이를 수 있으며,

328 『孟子』「盡心上」"存其心, 養其性"
329 「書銘」
330 「書銘」
331 『周易』「繫辭下」 5장
332 『周易』「繫辭下」 5장
333 『孟子』「盡心上」"存其心, 養其性"
334 『中庸』 19장 "善述人之事者也."
335 『中庸』 19장 "善繼人之志."
336 『中庸』 19장 "善繼人之志."
337 『詩經』「小雅·節南山之什·小宛」
338 『詩經』「大雅·蕩之什·烝民」
339 『孟子』「盡心上」"存其心, 養其性"
340 『詩經』「大雅·蕩之什·抑」
341 『周易』「繫辭下」 5장

'신묘함을 궁구한' 후에 '변화를 알게'[342] 된다. '게으르지 않게 한' 후에 '욕되게 함이 없고'[343], '욕되게 함이 없은' 후에 '뜻을 잘 잇는 데'[344]이를 수 있으며, '뜻을 잘 이은' 후에 '일을 잘 따를' 수 있다."

342 『周易』「繫辭下」 5장
343 『詩經』「小雅·節南山之什·小宛」
344 『中庸』 19장 "善繼人之志."

해제解題

『성리대전性理大全』 해제

목 차

Ⅰ. 머리말

명明 3대 성조成祖 영락제永樂帝 시대에는 경서의 송대적宋代的 신해석의 집대성과 통일을 위해 여러 학자들을 동원하여 『사서대전四書大全』, 『오경대전五經大全』, 『성리대전性理大全』[1]을 편찬하였다. 특히 송대 성리학性理學의 집대성이라할 수 있는 『성리대전』은 영락제 13년(1415) 성조가 호광胡廣(1370~1418)등 42인의 학자에게 명하여 사서오경을 해석하는데 필요한 주렴계, 장횡거, 이정자, 주자 등 121가[2]의 설을 모아 집대성한 것이다. 1415년에 완성된 이 책은 총 권70으로 이 중 권1에서 권25까지는 송대 학자들의 중요한 저서를 수록하였고, 권26 이하 권70까지의 권45은 주제별로[3] 여러 학자들의 학설을 분류 편집한 것이다. 명초에 성리학이 관학官學으로 채택되면서 송대 이후 성리학자들의 중요한 저술과 성리설이 『성리대전』으로 집대성된 것이다.

그러나 이들 『대전大全』은 너무나도 단시일 내에 편찬되고, 더구나 확고한 편찬방침도 없이 편집되었기 때문에 후세의 불만도 샀었으나, 사상과 교육의 통제정책으로서는 성공한 것이었다. 이들 대전은 관료가 되기 위한 필독서로서 현실적으로 강력한 세력을 가지고 있었으며, 이 과거용 표준적 학설 외의 경서해석이나 『대전』을 벗어난 사고는 허용되지 않고, 사상계는 주자학朱子學 일색이 되었던 것이다.[4]

우리나라에는 중국에서 편찬된 지 4년만인 세종 원년(1419) 12월에 사은사謝恩使로 간 경녕군 이비敬寧君 李裶편으로 영락제의 하사를 통해 수입되었다. 『성리대전』이 수입된 지 8년만인 세종 9년(1427)에 최초로 간행된[5] 이후 세종대에 경연에서 처음 강독되고[6] 이후로도 경연에서 지속적으로 강독되었으며 성리학을 연구하려는 학자들에게 활용되었다. 이후 조선시대 학자들에게 지대한 영향을 끼쳤다.

이 책의 내용은 철학에 관한 것뿐만 아니라 음악, 예학 등에서부터 역사, 정치, 종교, 문학 등 유학(성리학)적 세계관을 이해하는데 필요한 여러 내용이 담겨 있다. 『조선왕조실록』에서 92회 언급되고 있는데, 새로 인쇄하고, 경연에서 강의하고, 전문학자를 양성하는 등 한결같이 이 책이 학문과 정치에서 중심적인 역할을 하는 것들이다.[7]

1 영락 3대전이라 불린다.

2 정호, 정이, 소식, 소철 형제(眉山 蘇氏), 여대충, 여대림 형제(藍田 呂氏)를 포함하여 총 121명이다.

3 理氣, 鬼神, 性理, 道統, 聖賢, 諸儒, 學, 諸子, 歷代, 君道, 治道, 詩, 文 등 13항목

4 강신항, 「훈민정음해례이론과 성리대전의 연관성」, 『국어국문학』26, 178쪽, 1963

5 변계량, 『춘정집』 권12, 29b~30a, 「사서오경성리대전발」.

6 세종 14년(1432)에는 경연에서 처음으로 『성리대전』을 강의하였다. 『세종실록』 권55, 14년 2월 6일(을미)

Ⅱ. 『성리대전』의 편찬 경위와 목적 및 모본模本

1. 편찬 경위와 목적

먼저 편찬 경위에 대해 살펴본다. 『성리대전』은 명나라 영락 12년(1414) 11월 영락제의 명에 따라 호광胡廣, 양영楊榮, 김유자金幼孜[8] 등 42명의 학자가 송유宋儒들의 학설을 수집 편찬하여 다음 해(1415) 9월에 간행하였다. 이 책은 송대와 원대의 성리학자 121명의 학설을 채택하였다. 15년(1417) 3월에는 어제御製서문을 첫머리에 두고 6부部와 양경兩京 국자감 및 전국의 군현학郡縣學에 나누어 주었다.

영락제는 서문에서

> 선유들의 저서와 그 논의와 격언들이 오경사서五經四書를 보익하고 이 도에 도움이 있는 것을 모아 유별로 편집하여 『성리대전서』라고 하였다.[9]

라고 그 편찬 취지를 밝히고, 또 "그 주정장주周程張朱 등 여러 군자의 성리설 예컨대 『태극도설』, 『통서』, 『서명』, 『정몽』 같은 것은 모두 육경의 우익羽翼일 것이다."[10]라고 파악하였다.

다음으로 편찬 목적에 대해 살펴보자.

명나라 성조가 『성리대전』을 편찬하게 한 것은 『사서대전』, 『오경대전』을 편찬하게 한 것과 같이 경전과 성리설에 관한 이론을 집대성함으로써 사상적 통일을 도모하려는 의도가 담겨있었다고 할 수 있다. 따라서 『성리대전』의 경우 편집 체계의 짜임새가 부족하고 졸속한 점이 많다는 비판도 일어났지만, 방대한 집대성으로 성리학의 권위적 체계를 확보하여 사상과 교육에서 통제력을 발휘할 수 있었던 것이 사실이다.[11]

『성리대전』은 사서오경대전과 함께 각급 학교에 반포되고 과거科擧의 필수과목으로 채택되어 사대부 교육의 중심 교재가 되었다. 이를 통해 영락제는 정난靖難[12]을 비난하는 길을 막고 사상계

7 윤용남, 「성리대전 연구번역 지침의 이론과 실제」, 81쪽, 2010.

8 『성리대전』의 편찬은 당시의 최고 인물들에게 위촉한 것이다.

9 영락제, 『성리대전』, 「어제성리대전서」. "又輯先儒成書, 及其論義格言, 輔翼五經四書, 有裨於斯道者, 類編爲帙, 名曰性理大全."

10 『명태종실록』 권158, 1803쪽, 영락 12년 11월 갑인. 권중달, 「성리대전의 형성과 그 영향」, 『중앙사론』4, 73쪽에서 재인용(1985)

11 금장태, 「성리대전」, 『민족문화대백과사전』

는 황제의 통치권에 의해 제재가 가능하여 학자들은 비판정신을 상실하였던 것이다.[13]

이에 명대에는 성리학의 도문학道問學과 존덕성尊德性 중에서 학문의 관심이 실천궁행적 존덕성만을 강조하게 되는 학풍을 형성하게 된 것도 이 『성리대전』의 편찬과 밀접한 관계를 갖는 것이라 하겠다. 명초에 이르러 정주학을 관학으로 정리하여 『성리대전』을 편찬함으로써 명대 정주학의 심학화心學化를 재촉했다고 볼 수 있다. 이러한 명초 정주학의 심학화 현상에서 명 중기 이후의 양명학이 등장할 수 있는 기반이 조성되었음을 살필 수 있다.[14]

2. 『성리대전』의 모본模本

『성리대전』의 모본에 대해 살펴보기로 한다. 기존에는 『사고전서총목제요』 「성리군서구해性理群書句解」의 기술을 바탕으로 『성리대전』의 저본으로는 『성리(군서)구해』와 『근사록近思錄』을 참고해 편찬하였다고 추측하였다.[15] 『총목제요』의 기술을 보자.

> 명 영락 시기에 『성리대전』을 편찬할 때 제유諸儒의 말은 모두 『근사록』에 기초하여 넓혔고, 제유의 글은 『성리군서구해』를 근본으로 하여 넓혔다. 그리고 '성리性理'라는 명칭도 이 책에 근거한 것 같다.[16]

『성리군서』는 『성리대전』이 편찬되기 이전인 송대의 저술로 송대 웅절熊節이 편찬하고 웅강대熊剛大가 여기에 주를 더한 것이다. 『근사록』은 송 효종 2년(1175) 여름에 주자와 여조겸이 함께 편찬한 것으로 주렴계, 정명도, 정이천, 장횡거의 말 중 학문의 대체와 관련이 있고 일상생활에 절실한 글들을 채록하여 622조항으로 구성하고 14권으로 편집한 것이다. 그러나 실제로 『성리대전』은 전반부는 원대에 황서절黃瑞節이 편찬한 『주자성서朱子成書』[17]를 근본으로 하였고, 후반부는

12 靖難 : 燕王 朱棣(1360~1424)가 1399년 南京을 공격하여 조카인 建文帝(1377~?)를 쫓아내고 찬탈한 사건. 주체는 바로 成祖 永樂帝이다.

13 지부일, 「조선초의 대명 문화교류와 성리대전의 수용」, 『동양학연구』 3, 50쪽, 권중달, 「성리대전의 형성과 그 영향」, 『중앙사론』 4, 85~88쪽 참조

14 권중달, 「성리대전의 형성과 그 영향」, 『중앙사론』 4, 89~90쪽

15 김윤제, 「성리군서구해의 내용과 편찬 경위」 20쪽, 『규장각』 23, 2000. 우정임, 「조선전기 성리대전의 이해과정」, 282쪽에서 재인용. 『성리군서』와 『性理字義』(陳淳 撰)에서 유래되었다고 보기도 한다.(『중국철학명저제요』, 「철학권」, 복단대학출판사, 1992)

16 『사고전서총목제요』, 권92(「자부」2 「유가류」2), 787쪽. 중화서국, 1987. 「성리군서구해」. "明永樂中, 詔修性理大全, 其錄諸儒之語, 皆因近思錄而廣之, 其錄諸儒之文, 則本此書而廣之. 倂其性理之名似亦因此書之舊."

『주자어류』를 바탕으로 편찬한 것이다.

전반부에서 『성리대전』에 실린 송유의 저술과 『주자성서』에 실린 저술 목록을 비교 대조하면 저술 순서나 내용이 거의 일치한다. 이에 비해 『성리군서구해』와는 유사점이 많지 않음을 알 수 있다.

후반부에서도 『성리대전』의 목차와 『주자어류』, 『근사록』의 목차를 비교 대조해 보면 『근사록』보다는 『주자어류』의 분류 목차를 주로 참고하여 증보하였음이 드러난다.

결론적으로 『성리대전』은 『주자성서』를 기본으로 하여 주자의 문집이나 『어류』 『역학계몽통석』, 『홍범황극내편』 등 송대에서 원대에 달하는 타서의 기재를 받아들여 성립되고 있는 것이다. 송대 도학자들의 주요한 단행 저작들을 모아서 수록하여, 이것에 주석을 덧붙인 책은 아마도 『주자성서』가 처음이며 도학(주자학) 사상의 전체를 알고 검토하는 데에 편리한 서적이었다.[18]

참고로 『성리대전』, 『성리군서구해』, 『주자성서』(전반부) 목차와 『성리대전』, 『근사록』, 『주자어류』(후반부) 목차를 비교하여 제시한다.

전반부 목차 비교(1~25권)

총서	내용
『성리대전』	『태극도』, 『통서』, 『서명』, 『정몽』, 『황극경세서』, 『역학계몽』, 『가례』, 『율려신서』, 『홍범황극내편』
『성리군서구해』	贊, 訓, 戒, 箴, 規, 銘, 詩, 賦, 序, 記, 說, 錄, 辨, 論, 圖, 『정몽』, 『황극경세』, 『통서』, 文
『주자성서』	『태극도』, 『통서』, 『서명』, 『정몽』, 『역학계몽』, 『가례』, 『율려신서』, 『황극경세지요』, 『주역참동계』, 『음부경』

표 5) 고딕체 글자는 『성리대전』과 『주자성서』가 다른 부분임

후반부 목차 비교(26~70권)

총서	내용
『성리대전』	理氣, 鬼神, 性理, 道統, 聖賢, 諸儒, 學, 諸子, 歷代, 君道, 治道, 詩, 文
『근사록』	道體, 爲學, 致知, 存養, 克己, 家道, 出處, 治體, 治法, 政事, 敎學, 警戒, 辨異端, 觀聖賢[19]
『주자어류』	理氣, 鬼神, 性理, 學, 大學, 論語, 孟子, 中庸, 易, 尙書, 詩, 孝經, 春秋, 禮, 樂, 孔孟周程張子, 周子之書, 程子之書, 張子之書, 邵子之書, 程子門人, 楊氏門人, 羅氏門人, 朱子, 呂伯恭, 陳君擧, 陸氏, 老氏, 釋氏, 本朝, 歷代, 戰國漢唐諸子, 雜類, 論文[20]

17 元 至正 원년(1342) 日新書堂 간행본

18 吾妻重二, 「성리대전의 성립과 주자성서」, 130쪽, 135쪽. 『송대 사상의 연구』 관서대학출판부, 2009

19 『근사록』의 목차는 『근사록』 서문과 『주자어류』에 나오는 『근사록』 각권에 대한 설명 내용이 다르고, 섭채가

Ⅲ. 『성리대전』의 구성 및 체재

1. 구성 및 체제[21]

먼저 『성리대전』 전체의 세부 구성을 살펴보면 다음과 같다.

권1: 『太極圖』
권2~3: 『通書』(이상 周濂溪)
권4: 『西銘』
권5~6: 『正蒙』(이상 張橫渠)
권7~13: 『皇極經世書』(邵康節)
권14~17: 『易學啓蒙』
권18~21: 『家禮』(이상 朱子)
권22~23: 『律呂新書』(蔡元定)
권24~25: 『洪範皇極內篇』(蔡沈)
권26: 理氣1(總論, 太極, 天地, 天度: 曆法附)
권27: 理氣2(天文: 日月, 星辰, 雷電, 風雨雪雹霜露, 陰陽, 五行, 四時, 地理: 潮汐附)
권28: 鬼神(總論, 論在人鬼神兼精神魂魄, 論祭祀祖考神祇, 論祭祀神祇, 論生死)
권29: 性理1(性命, 性, 人物之性)
권30: 性理2(氣質之性)
권31: 性理3(氣質之性: 命才附)
권32: 性理4(心)
권33: 性理5(心性情: 定性, 情意, 志氣志意, 思慮附)
권34: 性理6(道, 理, 德)
권35: 性理7(仁)

주해한 『근사록』의 제목도 이것들과 약간의 차이가 있다. 섭채의 분류는 주자의 설명을 보다 압축하여 제목을 삼았으므로 섭채의 분류를 제시하였다. 이에 대한 자세한 내용은 이광호 역주, 『근사록집해』1, 12~5쪽 참조, 아카넷, 2013

20 각권의 첫 항목만을 제시하고 附論은 생략하였음

21 본 구성 체제는 『성리대전』 목차와 본문을 면밀히 대조하여 종합한 것임

권36: 性理8(仁義, 仁義禮智)

권37: 性理9(仁義禮智信, 誠, 忠信, 忠恕, 恭敬)

권38: 道統, 聖賢(總論, 孔子, 顔子, 曾子, 子思, 孟子, 孔孟門人)

권39: 諸儒1(周子, 程子(明道), 程子(伊川), 張子, 邵子)

권40: 諸儒2(程子門人, 羅從彦, 李侗, 胡安國: 子寅·宏附)

권41: 諸儒3(朱子, 張栻)

권42: 諸儒4(呂祖謙, 陸九淵, 朱子門人, 眞德秀, 魏華父, 許衡, 吳澄)

권43: 學1(小學, 總論爲學之方)

권44~45: 學2~3(總論爲學之方)

권46: 學4(存養: 持敬附)

권47: 學5(存養: 持敬, 靜附. 省察)

권48: 學6(知行: 言行附. 致知)

권49: 學7(力行: 克己, 改過, 雜論處心立事附)

권50: 學8(力行: 理欲義利君子小人之辨, 論出處附)

권51: 學9(教人)

권52: 學10(人倫: 師友附)

권53: 學11(讀書法1)

권54: 學12(讀書法2: 讀諸經法, 論解經, 讀史附)

권55: 學13(史學, 字學, 科擧之學)

권56: 學14(論詩, 論文)

권57: 諸子1(老子, 列子, 莊子, 墨子, 管子, 孫子, 孔叢子, 申韓, 荀子, 董子)

권58: 諸子2(揚子, 文仲子, 韓子: 總論荀揚王韓附, 歐陽子, 蘇子: 王安石附)

권59: 歷代1(唐虞三代, 春秋戰國, 秦)

권60~61: 歷代2~3(西漢)

권62: 歷代4(東漢, 三國)

권63: 歷代5(晉, 唐)

권64: 歷代6(五代, 宋)

권65: 君道(君德, 聖學, 儲嗣, 君臣, 臣道)

권66: 治道1(總論, 禮樂, 宗廟)

권67: 治道2(宗法, 諡法, 封建, 學校, 用人)

권68: 治道3(人才, 求賢, 論官: 蒞政附, 諫諍, 法令, 賞罰)

권69: 治道4(王伯, 田賦, 理財, 節儉, 賑恤, 禎異, 論兵, 論刑, 夷狄)

권70: 詩(古詩, 律詩, 絶句), 文(贊, 箴, 銘, 賦)

이상에서 살펴보았듯이 『성리대전』은 크게 두 가지 방향에서 편찬되었음을 알 수 있다. 첫 부분은(권1~25) 송대 학자의 중요한 전문적인 저서를 그대로 수록한 것이고(총 25권), 둘째 부분은(권26~70) 각론으로서 주제별로 여러 학자의 학설을 분류 정리한 것이다.(총 45권)

첫째 부분에는 총 9종의 전문적인 저서가 실려 있다. 주렴계의 『태극도』(1권. 주렴계 저술 『태극도』 및 『태극도설』. 주자 『태극도설해』의 주석)와 『통서』(2권. 주렴계 『통서』 및 주자 『통서해』의 주석), 장횡거의 『서명』(1권. 장횡거 『서명』 및 주자 『서명해』의 주석. 권말에 「서명총론」)과 『정몽』(2권. 장횡거 『정몽』의 주석), 소강절의 『황극경세서』(7권. 소강절 『황극경세서』 주석. 실제로는 권1에서 2까지는 채원정의 『황극경세지요』에 근거하여 증보하였음), 주자의 『역학계몽』(4권. 주자 『역학계몽』의 주석. 원서는 남송 호방평胡方平의 『역학계몽통석易學啓蒙通釋』을 전재하고 주자설을 더한 것임)과 『가례』(4권. 주자 『가례』의 주석), 채원정의 『율려신서』(2권. 채원정 『율려신서』의 주석), 채침의 『홍범황극내편』(2권. 채침의 『홍범황극내편』을 수록한 것)으로 총 25권이 실려 있다.

둘째 부분은 총 13주제로서(『주자어류』의 분류를 기본으로 하여 여러 설들을 인용해 증보한 것임) 리기(2권), 귀신(1권), 성리(9권), 도통, 성현(이상 1권), 제유(4권), 학(14권), 제자(2권), 역대(6권), 군도(1권), 치도(4권), 시, 문(이상 1권)으로 구성되어 있다. 둘째 부분을 자세히 살펴보면 일곱 부분으로 나누어진다. 즉 성리학의 개념을 정리한 부분, 도통과 제유에 대해 논한 부분, 학에 대해 논한 부분, 제자에 대해 논한 부분, 역대에 대해 논한 부분, 군도와 치도에 대해 논한 부분, 그리고 시문에 관한 부분이다.[22]

여기서 서술형식에 대해 살펴보기로 한다. 『성리대전』은 전문적인 저술의 경우 먼저 본문과 주석을 제시하고 쌍행雙行으로 선유들의 주석을 자세히 수록하고 있다. 그리고 각론의 경우 본문으로 선유의 학설을 수록하고 있으며 필요시 쌍행으로 주석을 수록하고 있다. 하나의 주제 아래 또 작은 분류를 배치하였는데 모두 130여 항목이다. 또한 『성리대전』이라는 책명에 걸맞게 '성리'

22 『성리대전』은 크게 5부분으로 구분하기도 한다. 즉 권1~25까지의 송유의 저술 부분, 권26~37까지의 성리학의 중요한 철학적 내용을 담은 부분, 권38~42, 권57~8, 권59~64의 성현과 제유, 제자, 역대인물을 소개한 부분, 권43~56, 권65~9까지 도를 닦고 이를 어떻게 세상에 펼쳐야 할지를 다룬 학과, 군도, 치도를 논한 부분, 권70의 제유의 시문을 실은 부분이다. (우정임, 「조선전기 성리대전의 이해과정」, 281쪽)

부분이 9권을 차지하고 '학'부분에도 14권이라는 가장 많은 양을 할애한 것으로 보아 '학'에 대한 관심과 중요성을 알 수 있다.

2. 편집 사례 분석

사례	성리대전	원전	출전	설명
몇 자 생략하고 정리한 경우	遂以靜字形容天地之妙則不可.	如廣仲, 遂以靜字形容天地之妙則不可	朱文公文集 75권 記論性答藁後	고유명사 '如廣仲' 3자를 생략하여 간단히 함
간단히 줄이고 윤문한 경우	前後乎萬古, 而無不徹	前乎上古, 後乎萬古, 而無不徹	朱文公文集 57권 答陳安卿	'上古'를 생략하고 윤문함
간단히 줄이고 내용이 통하게 윤문한 경우	遺書言氣化處可見	遺書中論氣化處可見	朱文公文集 49권 答林子玉振	'中論'을 '言'으로 바꾸었으나 사실상의 의미 변화는 없음
여러 문장을 생략하고 이은 경우	大凡人須是沉靜, 周先生所以有'主靜'之說. 如蒙艮二卦, 皆有靜止之體.	大凡人須是子細沉靜, 大學謂'知止而後有定, 定而後能靜, 靜而後能安, 安而後能慮, 慮而後能得.' 如一件物事, 自家知得未曾到這裏, 所見未曾定; 以無定之見, 遂要決斷此事, 如何斷得盡? 一件物事, 有長有短. 自家須實見得他那處是長, 那處是短. 如今便一定把著他短處, 便一齊沒他長處. 若只如此, 少間一齊不通. 禮記云: '疑事毋質, 直而勿有.' 看古人都是恁地不敢草草. 周先生所以有'主靜'之說, 如蒙艮二卦, 皆有靜止之體.	朱子語類 120권 111조목	중간의 여러 설명을 생략하고 말이 되도록 이어서 정리함
내용이 더 잘 통하게 윤문한 경우	曰: 五性感動, 善惡未分處便是.	曰: 五性感動, 動而未分者, 便是.	주자어류 94권 160조목	이것은 幾微를 설명한 것인데 원전의 '동하여 아직 나뉘지 않았다'보다는 '선악이 아직 나뉘지 않았다'는 것이 더 적합함

사례	성리대전	원전	출전	설명
여러 글을 이어붙인 경우	"以陰陽善惡論之, 則陰陽之正, 皆善也, 其沴, 皆惡也. 以象類言之, 則陽善而陰惡." 問: "孟子言'乃若其情則可以爲善', 而周子有'五性感動而善惡分', 以善惡於動處並言, 不同, 如何?" 曰: "情未必皆善, 然本則可以爲善而不可以爲惡. 惟反其情故爲惡. 孟子言其正. 周子則兼其正與反者而言也."		以陰陽善惡論之 이하 朱文公文集 49권 答王子合. 問孟子言 이하 朱文公文集 58권 答張敬之	출처가 서로 다른 것을 한 곳에서 나온 것처럼 이어 붙임
원전의 오탈자를 바로잡은 경우	二公蓋有未嘗見此誌	公蓋皆未見此誌	朱文公文集 75권 周子太極通書後序	원전에 없는 二자를 추가한 것은 맞고, 皆자를 有자로 바꾼 것은 잘못이고, 嘗자를 추가한 것은 의미를 확실히 함
윤문, 추가, 삭제 등 변형이 심하여 원전을 알기 어려운 경우	問: "易言'有萬物然後有男女'. 此圖却先言'乾成男, 坤成女, 方始萬物化生', 如何?" 曰: "太極所說, 乃生物之初, 陰陽之精, 自凝結成兩箇, 蓋是氣化而生, 如蝨子自然爆出來. 旣有此兩箇, 一牝一牡, 後來却從種子漸漸生去, 便是以形化. 萬物皆然, 故曰二五之精, 妙合而凝."	或問: "太極圖下二圈, 固是'乾道成男, 坤道成女', 是各有一太極也." 如曰: "'乾道成男, 坤道成女', 方始萬物化生." "易中却云: '有天地然後有萬物, 有萬物然後有男女', 是如何?" 曰: "太極所說, 乃生物之初, 陰陽之精, 自凝結成兩箇, 後來方漸漸生去. 萬物皆然. 如牛羊草木, 皆有牝牡, 一爲陽, 一爲陰. 萬物有生之初, 亦各自有兩箇. 故曰'二五之精, 妙合而凝'.	朱子語類 94권 69조목	원출전의 주장을 살리면서 문장의 상당부분을 윤문, 추가 삭제 등을 하여 원전을 알기 어려움. 이런 경우 胡廣등 성리대전 편찬자들이 직접 한 것인지, 다른 학자의 것을 차용한 것인지도 알기 어려움
착각하여 잘못 수정한 경우	天地生氣	天地生物	朱文公文集 49권 答林子玉振	'物'을 '氣'로 바꾼 것은 傳寫과정에서의 잘못이거나 착각임
빠뜨리고 인용한 경우	周子所謂二五之精妙合而凝	周子所謂無極之眞, 二五之精, 妙合而凝	大學或問	無極之眞이 빠지면 妙合이 되기에 부족함
상황을 바꿔서 문답 형식으로 만들어 놓은 경우	問: "陰陽都將做好說也得, 以陽爲善陰爲惡亦得." 曰: "陽善陰惡, 聖賢如此說處極多."	(蔡丈)又云: 陰陽都將做好說也得. 以陰爲惡, 陽爲善亦得. 伏蒙賜教以爲"陽善陰惡, 聖賢如此說處極多."	朱文公文集 62권 答甘吉甫	질문하면서 이전에 문답한 것을 인용하였는데 이를 따로 떼어내어 독립 문답으로 윤문함

사례	성리대전	원전	출전	설명
출처가 모호한 경우	“陰陽以氣言, 剛柔則有形質可見矣. 至仁與義, 則又合氣與形而理具焉, 然亦一而已矣. 蓋陰陽者, 陽中之陰陽. 柔剛者, 陰中之陰陽也. 仁義者, 陰陽合氣, 剛柔成質, 而是理始爲人道之極也. 然仁爲陽剛, 義爲陰柔, 仁主發生, 義主收斂, 故其分屬如此.” 或問: “揚子雲云, ‘君子於仁也柔, 於義也剛’ ‘蓋取其相濟而相爲用之意.” 曰: “仁體剛而用柔. 義體柔而用剛.”	“陰陽以氣言剛柔則有形質可見矣至仁與義則又合氣與形而理具焉然仁爲陽剛義爲陰柔仁主發生義主收斂故其分屬如此” “或謂楊子雲君子於仁也柔於義也剛蓋取其相濟而相爲用之意“ 仁體剛而用柔義體柔而用剛 77:31 陰陽, 是陽中之陰陽; 剛柔, 是陰中之陰陽. 剛柔以質言, 是有箇物了, 見得是剛柔, 柔底. 陰陽以氣言.	朱文公文集 51권 答董叔重 朱子語類 77권 31조목 文公易說 17권	성리대전에서 인용한 것 전체 틀은 朱文公文集에 나오는 것인데, 앞부분은 董叔重의 질문이고, 曰이 후만이 주자의 답변임. 그런데 “然亦一而已矣 … 人道之極也”까지의 일부는 朱子語類에서 인용한 것이지만 또 그중의 일부는 출처가 불분명함 그런데 성리대전에 인용된 전체가 文公易說에 있으니, 이것은 문공역설에서 가져온 것으로 보임. 다만 文公易說에는 문답이 제대로 나누어져 있는데, 성리대전에서는 질문 내용을 모호하게 만듦
출전을 잘못 밝힌 경우	問: “太極圖, 周先生手授二程先生者也. 今二程先生之所講論答問, 獨未嘗及此圖, 何耶?” 曰: “二程先生雖不及此圖, 然其說固多本之矣. 試嘗攷之, 當自可見也.”		周元公集 1권 太極圖解後序	주자의 글로 인용하였으나, 經義考, 古今事文類聚 등에는 모두 南軒 張栻의 글로 되어 있음
출전를 알 수 없는 경우	“衆人所以失之者, 以其不能全得仁義中正之極. 而聖人全體太極無所虧缺, 故其定之也, 乃所以一天下之動. 而爲之教化, 制其情慾, 使之有以檢押相率而趍於善也.”			현재 가지고 있는 자료에서는 출전을 찾지 못함

Ⅳ. 『성리대전』의 조선 전래와 보급, 영향 및 평가

1. 전래

『성리대전』이 우리나라에 처음 들어온 것은 세종 원년(기해) 12월 정축丁丑(7일)일이다.(명 성조 영락 17년. 1419년) 당시 사은사 일행에 수행하였던 경녕군 이비敬寧君 李裶가 찬성 정역鄭易과 형조참판 홍여방洪汝方 등과 더불어 특별히 하사한 『(어제서신수)성리대전』 및 『사서오경대전』을 가지고 북경으로부터 돌아온 것이다.[23] 또 7년 뒤인 명 선종 선덕 원년(1426, 세종 8년)에도 황제가 세종의 부탁에 응하여 조선 사신 김시우金時遇를 통하여 『성리대전』을 하사하였다.[24]

2. 보급

『성리대전』의 수입 간행은 성리학의 본격적인 수용을 의미한다고 할 수 있다. 세종 9년(1427) 7월에 『성리대전』이 경상도에서 간행되었고[25] 세종 10년 12월에는 『성리대전』 및 경서대전을 간행한 사람에게 쌀과 곡식을 내려주기도 하였다.[26]

그리고 변계량은 「사서오경성리대전발」에서

> 신이 가만히 생각하옵건대 우리 동방에 서적이 드물어서 배우고 연구하는 사람들이 능히 다 널리 보지 못함을 걱정하였습니다. 송나라 이후 여러 유학자의 학설로서 경서를 보익한 자만도 무릇 1백 20명이 되는데 모두 이 책에 갖추어 있어 일목요연하니, 이제 이번의 간행이 어찌 우리 동방 학자에게 크게 다행한 일이 아니겠습니까?[27]

라고 『성리대전』의 조선 간행의 의미를 부여하고 있다.

특히 세종은 "여러 차례 흠사欽賜를 받아 그 내용을 자세히 읽어본즉 자상하고 정밀하여 실로 남김이 없다…", "특히 이치공부에 있어서는 5경4서와 『성리대전』이 더할 나위 없으니… 만약에 『대전大全』 판본이 있거든 종이와 먹을 대준다면 비공식으로 인쇄해 올 수 있는가도 물어보라 …"[28]라고 하여 『성리대전』의 보급에 적극 노력하고 있다.

또 세종 17년(1435)에는 각도 감사에게 전지를 내려 『성리대전』을 지방의 향교에 비치하고자

23 『성리대전』이 처음으로 1418년(태종 18. 권중달, 「성리대전의 형성과 그 영향」, 85쪽)과 1416년(태종 16)에 들어왔다고 보기도 한다(김항수, 「16세기 사림의 성리학 이해」. 126쪽 주5)

24 『세종실록』 권6, 1년 12월 7일(정축); 『세종실록』, 권34, 8년 11월 24일(계축)

25 『세종실록』 권37, 9년 7월 18일(갑진)

26 『세종실록』 권42, 10년 12월 13일(경인)

27 변계량, 『춘정집』 권12, 「사서오경성리대전발」, 29b~30a, 『동문선』 권103. "臣竊惟吾東方文籍鮮少, 學者病其未能盡博. 大宋以來, 諸儒之說輔翼經書者, 凡百二十人, 而皆具此書, 一覽瞭然. 今此刊行, 豈非吾東方學者之幸也耶"

28 『세종실록』 권69, 세종 17년 을묘 8월 24일(계해)

하는 자나 인쇄하기를 원하는 자는 종이를 수령이 모아 올려 보내면 주자소에 보관된 판으로 인쇄하여 보내겠다고 하고 있다.[29] 세종이 이러한 전지를 내린 것은 이들 대전류 경서의 간행과 반포가 유교적 통치이념의 확립과 주자학의 진흥을 위해 무엇보다 중요했던 것이라 파악된다.[30]

한편 김안국金安國은 경상도 관찰사 재임시 『성리대전』을 간행하였다.(중종13. 1518) 김안국은 『성리대전』이 이학理學의 본원이며 경서의 우익羽翼이어서 고도古道에 뜻을 둔 학자에게는 반드시 필요한데 널리 유포되지 못하여 지방학자들은 그 이름만 들었을 뿐 책을 볼 수 없다고 하여 서울에서 선본善本을 구하여 간행 광포하였다.[31]

3. 영향 및 평가

1) 영향

『성리대전』이 수입 간행되고 시간이 지남에 따라 초기의 『성리대전』을 단순히 강독 이해하는 단계를 지나 1510년대에는 사림에 의해 『성리대전』에 대한 연구가 새롭게 시작되었다.

먼저 김정국金正國은 기묘사화 후에 은거하면서 『성리대전』의 격언 중에서 절실한 것을 뽑아 『성리대전서절요性理大全書節要』를 만들었다. 『성리대전』이 분량이 너무 많아 구하여 얻기도 어렵고 얻어도 요령을 이해하는 자도 드물다고 하여 요체를 뽑아 『절요』 4권을 편찬했다.[32] 김정국은 전서全書에서 지리한 것을 깍아내고 어록은 빼고 대략 모범이 될 만한 것을 취하였는데, 의취意趣가 심절深切한 것이 있으면 비록 편언척사片言隻辭라도 또한 취록取錄하였다.[33] 권1에서 『성리대전』의 권1~25 송유의 저술 가운데 일부를 수록하였고, 나머지 부분은 『성리대전』의 권26~69까지의 내용을 요약한 것으로 『근사록』의 체제와 비슷하다. 1538년(중종 33년) 김정국이 호남관찰사로 근무하던 때에 나주목에서 4권 4책으로 편집하여 목활자로 간행하였다. 『절요서』의 간행은 『성리대전』에 대한 이해가 어느 정도 축적되었다는 사실을 반증하는 것이다.

그리고 이정李禎은 『성리유편性理遺編』을 만들어 1564년(명종 19) 순천順天에서 간행하였다. 『성리유편』은 『성리군서』와 『성리대전』에서 찬贊, 명銘, 잠箴, 시詩, 서序, 기記, 문文, 설說, 부賦, 론論, 행실行實 등 중요하고 절실한 것들을 뽑아 만든 책이다. 그는 이 책의 여러 편을 익히고 송유宋儒의

29 『세종실록』 권70, 세종 17년 10월 25일(계해)
30 지부일, 「조선초의 대명 문화교류와 성리대전의 수용」, 『동양학연구』 3, 51쪽
31 김안국, 『모재집』, 권12, 「서신간성리대전후」, 1b~2a
32 주세붕, 『무릉잡고』, 권6(별집) 「신간성리절요서」, 28b~30a
33 김정국, 『성리대전서절요』, 「성리대전서절요발」

전서全書에 들어가면 쉽게 문호를 얻을 수 있다고 하였다.[34]

또한 박승임朴承任(1517~1586. 퇴계 문인)은 『성리대전』 가운데 중요한 부분을 추리고 정수를 뽑아 분류하여 『성리유선性理類選』을 편찬하였는데 조선시대에는 간행되지 못하다가 1913년에 처음 간행되었다. 박승임은 『성리대전』 가운데 이정이 『성리유편』에서 생략한 권26~69까지를 중심으로 편집하여 『성리유선』을 편찬했다. 『성리유선』은 10권으로 구성되었는데, 성리철학을 다룬 권1~3 부분(리기, 귀신, 성리)과 역대 인물을 중심으로 배움과 다스림의 도리를 다룬 권3~10 부분(성현, 학, 역대, 군신, 치도)으로 나뉘어져 있다.[35]

『성리대전』은 아직 성리서가 충분히 보급되지 않은 16세기 전반에 중요한 참고서로 이용되었다. 먼저 서경덕의 「황극경세수해皇極經世數解」 「성음해聲音解」 등에서 『성리대전』 수록 문헌의 영향을 볼 수 있다.[36] 다음으로 퇴계의 「서명고증강의西銘考證講義」와 『계몽전의啓蒙傳疑』는 『성리대전』에 수록된 문헌의 주석이다. 그리고 『송계원명이학통록宋季元明理學通錄』은 성리대전의 권39에서 권42 사이의 제유諸儒편을 보완, 완성한 것이라 볼 수 있다. 아울러 『성리대전』의 「도통편道統篇」에 영향 받아 도통 문제는 조선조 도학의 이념적 기초로 강조되어, 율곡의 『성학집요聖學輯要』에도 「성현도통편」이 큰 비중으로 다루어지고 있다. 또한 『성리대전』에 포함된 군도君道, 치도治道의 문제는 도학의 경세론으로서 매우 중요한 영역으로 발전되어 율곡은 『동호문답東湖問答』을 저술하고 있다.[37]

『성리대전』은 세종대부터 경연의 교재로 채택되어 진강되었다. 잠시 침체기를 거쳐 성종대에는 경연교재로 다시 채택되고 그에 대한 이해도 한층 더 깊어졌다. 특히 중종대에는 『성리대전』의 이해를 위한 노력이 한층 더 강화되었다.

『조선왕조실록』에서 『성리대전』에 관한 92회 언급 중 대표적인 기사(초)를 들면 다음과 같다.

> 세종 1년 12월 7일: 경녕군 이비敬寧君 李裶가 명나라에서 『성리대전』을 가져오다
> 세종 7년 10월 15일: 『성리대전』 등을 인쇄할 종이를 진상하라고 충청 전라 경상도 감사에게 전지하다
> 세종 8년 11월 24일: 진헌사 김시우金時遇가 명나라에서 『성리대전』을 가져오다
> 세종 9년 7월 18일: 경상도 감사가 『성리대전』을 바치다.

34 이정, 『구암집』, 권1(별집), 「성리유편보록발」, 33b~34a
35 우정임, 「조선전기 성리대전의 이해과정」, 『지역과 역사』31호, 2012, 288쪽.
36 김항수, 「16세기 후반 사림의 경세론」, 『한국사상과 문화』, 108~9쪽 참조
37 금장태, 『민족문화대백과사전』(한국정신문화연구원 간) 『성리대전』 해제. 『성리대전』의 조선조에서의 연구에 대한 자세한 사항은 위 해제 참조

세종 10년 윤4월 1일: 경상도 감사 이승직李繩直이 『성리대전』 50부를 진상하다
세종 10년 12월 13일: 『성리대전』과 경서대전을 간행한 자들에게 미곡을 내리다
세종 14년 2월 6일: 경연에 나가 처음으로 『성리대전』을 강하다
세종 15년 8월 13일: 경연에 나가 『성리대전』을 강하다
세종 16년 3월 5일: 『성리대전』의 강독을 마치다
세종 17년 8월 24일: 북경에 『대전』의 판본이 있으면 사사로이 인쇄할 수 있는가를 물어보게 하다
세종 17년 10월 25일: 『성리대전』, 『사서오경대전』 등 서를 향교에 안치케 하다
성종 7년 11월 5일 : 『사서』 『삼경』과 『성리대전』 등의 일정 부수를 성균관에 간직하게 하다.
성종 12년 3월 23일: 조강, 석강, 주강에 『성리대전』, 『근사록』, 『고려사』를 각각 강독하게 하다
성종 20년 3월 9일: 홍문관에 명하여 『성리대전』의 주석을 달게 하다
중종 4년 6월 10일: 홍문관 관원과 젊은 문신을 가려, 병조판서 김응기에게 나아가 『성리대전』을 배우게 하다
중종 8년 10월 7일: 김응기金應箕로 하여금 홍문관에 와서 『성리대전』을 가르치게 하다
영조 20년 3월 5일: 순천부順天府에 있는 희귀본 『성리대전』을 개수하게 하다

조선에서는 세종년간에 『성리대전』 등을 수입하고 집현전에서 학문을 연구한 것은 성리학적 기준을 제시하였다는 점에서 큰 의미를 갖고 있다. 『성리대전』의 수입으로 조선의 학자들은 성리학의 지식을 넓힐 수 있었다.

『성리대전』의 영락판본이 세종년간에 반입되면서 이를 그대로 모각하여 간행한 것은 조선의 학문발달 및 학문경향에도 큰 영향을 미쳤다. 특히 관학체제가 확립된 세종년간에 『성리대전』이 『소학』 『효경』 『사서』 『오경』 『주자가례』 『근사록』 등과 함께 성균관과 사부학당은 물론 지방향교에도 교재로 사용되었다. 이처럼 『성리대전』이 조선에 수용되고, 수용 초기부터 관학의 중요한 교재로 채택되었다는 것은 세종년간에 중앙집권적 수성체제가 완성되면서 학문을 일으켜 고려에서 뿌리내린 폐풍을 일신하려 한 세종의 고뇌라 하겠다.[38]

대표적으로 세종문화를 『성리대전』과 대비한다면 역상曆象은 이기편理氣篇의 역법과 관련이 있고, 아악雅樂은 『율려신서』와 관련이 있고, 『오례의五禮儀』는 『가례』와 관련이 있고, 『치평요람治平要覽』은 군도, 치도 등의 편과 관련이 있다. 특히 언어부분에서는 『훈민정음』의 제자해制字解 및 그 무렵의 여러 신편新編 운서韻書 서문序文 등은, 일반적 이론에 있어서 주렴계 등의 이론과, 성음聲音에 관한 이론에 있어서 소강절의 『황극경세서』 및 여기에 대한 제유들의 주석과 일맥

38 지부일, 「조선초의 대명 문화교류와 성리대전의 수용」, 『동양학연구』3, 1997, 44쪽, 52~3쪽.

상통하는 바가 많다. 「훈민정음해례」, 『훈민정음』의 정인지서문, 「동국정운서」, 「홍무정훈역훈서」 등도 그 내용에 있어서 『황극경세서』의 내용과 통한다. 「훈민정음해례」의 설명문은 시종 『성리대전』에서의 인용구로써 엮어져 있는 것이다.[39]

위에서 살핀 바와 같이 『성리대전』은 언어철학, 성리학, 음악 등 제 방면에서 조선시대 사상계(특히 유학)에 지대한 영향을 끼쳤던 것이다.

2) 평가

『성리대전』에 대한 평가를 살펴본다.

청淸 강희제는 『성리대전』의 모은 내용이 너무 조잡하고 표절하였다고 지적하고 이에 대학사 이광지李光地 등에게 명하여 『성리대전』의 지리함을 깎아내고 강요만을 보존하고 조리를 정밀하게 하여 정화만을 모아 『성리정의性理精義』(12권)를 편찬하게 하였다.[40] 그리고 고염무는 경학의 폐지가 『대전』의 편찬으로부터 시작되었으며, 『대전』이 나오자 경설이 망하였다고까지 하여 『대전』의 폐해를 극언하였다.[41]

조선에서의 평가를 알아보기로 한다.

먼저 세종은 『성리대전』이 선유의 학설을 채집하여 이를 절충한 것이므로 실로 이학理學의 연원이니 학자들이 마땅히 먼저 강구해야 될 것으로 파악하였다.[42]

다음으로 김안국은 『성리대전』은 이학理學의 본원이요 경서의 우익이니 선비가 진실로 고대에 뜻을 두고 한갓 기송사장記誦詞章에만 힘쓰지 않는다면 『성리대전』을 대신할 책이 없다고 강조하였다.[43]

그리고 조광조는 『성리대전』은 체용이 모두 갖추어진 책으로, 천문, 지리, 예악, 법제, 도덕, 성명의 이치가 모두 다 갖추어져 있으니, 세상을 다스리는 방법을 다른데서 구할 것이 없다고 평가하였다.[44]

아울러 김정국은 『성리대전』이 선유의 정론과 격언을 편집한 것인데 의리를 발명한 것이 있으면 비록 사제지간의 구어口語일지라도 모두 취록하고 빠뜨리지 않았다고 강조하였다.[45]

39 강신항, 「훈민정음 해례이론과 성리대전과의 연관성」, 182~4쪽.
40 『사고전서총목』상 권93, 790쪽. 「성리대전서」. 전체 양은 『성리대전』의 1/7 정도임.
41 고염무. 『일지록집석』중 권18, 「사서오경대전」조, 「書傳會選」조 참조, 상해고적출판사, 1985
42 『세종실록』, 권70, 17년 10월 25일(계해)
43 김안국, 『모재집』, 권12, 「서신간성리대전후」, 1b~2a
44 조광조, 『중종실록』, 권34, 13년 11월 4일(경자). 『국조보감』 권19, 중종조 2(13년 무인, 1518)
45 김정국, 『성리대전서』, 「성리대전서절요발」

또한 주세붕은 역대성현의 성리지설로서 심학心學에 도움이 되는 것을 편집한 것이라고 파악하였다.[46]

이밖에 퇴계는 "염락 이후의 제유의 논술이 모두 이 책에 있으니 참으로 성리의 연해淵海인지라 학자가 숙독해야만 한다"고 평가하였다.[47]

한편 『성리대전』에 대한 이해는 중종 말엽 『주자대전』과 같은 성리서들의 보급과 이해를 계기로 새로운 전기를 맞게 되는데, 지금까지 극복의 대상에 머무르고 있던 단계에서 『성리대전』의 체제와 내용을 비판하는 단계로 진입하게 된 것이다. 이처럼 일부 학자들에 의해서 『성리대전』에 대한 비판이 제기되지만, 그럼에도 불구하고 『성리대전』은 여전히 조선의 지식인들에게 있어서는 유용한 서적으로 꾸준히 애독되었다.[48]

게다가 주자성리학이 정착되는 선조초에 이르면 기대승은 경연에서 『성리대전』은 주자의 의도를 알지 못하고 찬수한 곳도 많이 있다고 지적하였다.[49] 또 (사서의 소주小注나) 『성리대전』에 편집된 것들이 선유의 정론과는 틀린 점이 많음을 지적하여 『성리대전』의 편집의 오류에 대하여 의문을 제기하고 비판하였다.[50]

특히 김창협은 『성리대전』의 엉성함과 오류가 『사서대전』 소주 보다 더욱 심하다고 평가하고[51] 주자문인류朱子門人類의 경우는 기재된 문인이 너무나 소략한 데다 인물을 취사선택하고 경중을 나누는 데에 기준이 전혀 없다고 비판하였다.[52]

V. 『성리대전』의 특징 및 의의

먼저 장점으로는 다음과 같은 점을 들 수 있다.

첫째, 거질이라는 점이다. 총 70권으로서 철학서로서는 방대한 양이다.

둘째, 전문적인 저술+분류 형식을 취하고 있다는 점이다.

46 주세붕, 『무릉잡고』, 권6(별집), 「신간성리절요서」, 28b～30a
47 이황, 『퇴계집』, 권40, 「답완질」, 31a. "濂洛以後諸儒論述, 皆在此書. 眞性理之淵海, 學者不可不熟."
48 규장각 도서해제
49 『선조실록』 권3, 2년 4월 19일(임진). 기대승, 『고봉집』, 『논사록』상(4월 29일)
50 『선조수정실록』, 권3, 2년 4월 1일(갑술), 『국조보감』 권24, 선조조1 2년(기사, 1569, 4월)
51 김창협, 『농암집』, 권33, 「잡지」 내편3, 「논어설」(庚午辛未間所錄), 5b～6a
52 김창협, 『농암집』 권31, 「잡지」 내편1, 17a

셋째, 흩어져 있는 다양한 저술들과 제유의 학설을 쉽게 구득 열람할 수 있다는 점이다.

넷째, 『근사록』[53]과 같은 편찬서가 있긴 하지만 비슷한 종류 서적의 선하先河라는 점이다. 이후로 성리류 저작 편찬 기풍을 열어주는 작용을 하였다.

다섯째, 당시까지의 성리학을 집성하여 결산하는 의의가 있다.

여섯째, 제유의 설을 편찬하여 자료가 매우 풍부하여 성리학 연구에 자료를 제공하였다는 점이다.

그리고 단점으로는

첫째, 관찬서여서 아무래도 專著의 선별이라든가 제유 학설의 수집에 있어 자유롭지 못하다는 점이다. 실제로 『성리대전』의 편찬은 영락제의 모종의 정치적인 의도가 있다고 볼 수 있다.

둘째, 짧은 시간에 편찬되어 조략한 면이 있다는 점이다. 즉 잡되고 정밀하지 않다는 것이다.

셋째, 참여 학자들의 학문적인 기준에 의해서가 아닌 기존의 저서를 그대로 모방 전재하다시피 한 점이다. 실제로 『성리대전』은 전반부의 경우 황서절의 『주자성서』를 모본으로 하고 있다.[54]

아울러 『성리대전』 편찬의 의의를 살펴보면 다음과 같다.

첫째, 삼대전三大全이 국가 교학敎學의 중심을 이루었다는 점이다.

둘째, 명말까지 200여년 동안 과거의 판정기준으로서 널리 이용되어 왔다는 점이다.

셋째, 후세에 여러 교학敎學이 만들어졌다는 것이다.

넷째, 조선 및 일본에서 이 삼대전이 여러 번 다시 쓰여, 계속해서 독자들을 재생산해 나갔다는 점을 들 수 있다.[55]

Ⅵ. 맺음말

이상에서 살펴본 바와 같이 『성리대전』은 송대 이래 제유들의 다양한 학설을 모아 놓은 방대한 분량의 편찬서였다. 『성리대전』은 사서오경을 해석하고 이해하는 방향이자 목표이며, 명대 관학

53 중국에서 제유의 성리설을 모아 한권의 책으로 편찬하는 것은 『근사록』으로부터 시작되었다고 볼 수 있다.

54 청대의 고염무는 『사서대전』의 경우 짧은 시간에 편찬되어 대부분 원나라 倪士毅의 저술인 『四書輯釋』을 거의 그대로 전재했으며, 『오경대전』의 경우에도 마찬가지일 것이라는 비판을 제기하였다.(고염무. 『일지록집석』 권18, 「사서오경대전」조 참조, 상해고적출판사, 1985)

55 吾妻重二, 「성리대전의 성립과 주자성서」, 『송대사상의 연구』, 관서대학출판부, 2009, 122쪽.

의 필수 교과서였으며 교학지침서로 활용되었고,[56] 과거에서도 권위있는 저술의 지위를 차지하였다. 또한 『성리대전』은 명초 정치와 사상 상의 통치와 성리학 통치 지위의 확립에 일정한 작용을 한 것도 사실이다.

조선 초기에 수입 전래된 『성리대전』은 성리서가 비교적 많이 보급되지 못했던 시기에 학자들에게 성리학의 연원을 담고 있는 책으로 인식되었으며 성리학 백과사전으로도 활용되었다. 따라서 16세기 중엽에 이르러 성리학의 이해가 『성리대전』에서 『주자대전』과 『주자어류』를 중심으로 주자에 대한 직접적인 이해단계로 나아가기 이전까지 조선전기 성리학의 이해에 있어서 『성리대전』은 중심이 되는 서적이라고 할 수 있다.[57]

결론적으로 말해서 『성리대전』은 조선시대의 학자들의 수용 체인 비판을 거쳐 이후의 조선성리학을 확립하는데 지대한 영향을 미친 매우 중요한 저술이다. 따라서 『성리대전』은 조선성리학의 연원과 전개 변용을 고찰할 수 있는 안내서이자 그 지침서라 할 수 있다. 『성리대전』에 대한 연구는 곧 조선성리학 탐구의 기반이자 그 시발점이라고 해도 과언이 아닐 것이다.

참고문헌

黃瑞節, 『朱子成書』, 日新書堂 간행본(元至正 원년(1342) 영인본)

胡廣 外, 『性理大全』(『공자문화대전』본), 산동우의서사, 1989

胡廣 外, 『성리대전』, 경문사, 1981

『주자어류』, 중화서국, 1986

이광호 역주, 『근사록집해』, 아카넷, 2004

金安國, 『性理大全書節要』, 1518

고염무. 『일지록집석』중, 상해고적출판사, 1985

永瑢 外, 『사고전서총목제요』, 중화서국, 1987

永瑢 外, 『사고전서간명목록』, 상해고적출판사, 1985

『조선왕조실록』 DB

『한국문집총간』 DB

56 권중달, 「성리대전의 형성과 그 영향」, 『중앙사론』 4, 87쪽 참조.

57 우정임, 「조선전기 성리대전의 이해 과정」, 『지역과 역사』 31호, 264쪽.

『규장각 도서해제』, 서울대 규장각
『민족문화대백과사전』, 한국정신문화연구원
『辭海』(철학분책), 상해사서출판사, 1986
『중국대백과전서』(철학1,2), 중국대백과전서출판사, 1987
『중국유학백과전서』, 중국대백과전서출판사, 1997
『중국학술명저제요』(철학권), 복단대학출판사, 1992
『철학대사전』(중국철학사권), 상해사서출판사, 1985
이정호, 『훈민정음의 구조원리』, 아세아문화사, 1990
강신항, 「훈민정음 해례이론과 성리대전과의 연관성」, 『국어국문학』26, 1963
권중달, 「성리대전의 형성과 그 영향」, 『중앙사론』4, 1985
김항수, 「16세기 사림의 성리학 이해」, 『한국사론』7, 1981
김항수, 「16세기 후반 사림의 경세론」, 『한국사상과 문화』6, 1999
우정임, 「조선전기 성리대전의 이해과정」, 『지역과 역사』31, 2012
윤용남, 「성리대전 연구번역 지침의 이론과 실제」, 성리대전연구번역사업단, 2010
이숭녕, 「성리대전과 이조언어의 연구」, 『동양학』2, 1972
정형우, 「조선 초기의 서적 수입 및 그 관리」, 『인문과학』39, 1978
지부일, 「조선초의 대명 문화교류와 성리대전의 수용」, 『동양학연구』3, 1997
吾妻重二, 「성리대전의 성립과 주자성서」, 『송대사상의 연구』 관서대학출판부, 2009

성리대전 권1 「태극도설太極圖說」 해제

Ⅰ. 『태극도설』은 어떤 자료인가?

주돈이의 『태극도설』은 후대의 학자들로부터 『주역』 「계사전」과 함께 '도리道理의 대두뇌처' 또는 '이학理學의 본원' 등의 평가를 받았다. 그런데 『태극도설』이 이러한 평가를 받게 된 결정적 이유는 이에 대한 주희의 해석 때문이다. 『태극도설』에 대한 주희의 해석을 『태극해의』라 한다. 『태극해의』가 없었다면 『태극도설』과 주돈이는 동아시아 철학사상사에서 어떤 평가를 받았을지 짐작할 수 없다.

주돈이의 『태극도설』은 「태극도」와 『도설』 즉 그림과 이에 관련된 문자적 설명 두 부분으로 이루어져 있는데 주희는 「태극도」를 해석하고 또 『도설』을 해석하였다. 그런데 호칭에 있어서 「태극도」와 『태극도설』을 합쳐서 『태극도』라고도 하고 『태극도설』이라고도 한다. 따라서 후대의 학자들이 『태극도해』·『태극도설해』·『태극해의』 등의 용어를 사용하였는데 이는 구별되는 경우도 있고 같은 대상을 지칭하는 경우도 있다. 즉 『태극도해』는 좁은 의미로는 주돈이의 「태극도」만을 풀이한 주희의 글을 지칭하기도 하고, 또 「태극도」와 『도설』을 모두 풀이한 것을 가리키기도 한다. 『태극도설해』 역시 『도해』와 『도설해』를 모두 지칭하는 경우도 있고 『도설』에 대한 해석만을 뜻하기도 한다.

『태극도』는 『성리대전』의 첫머리에 수록되어 있다. 『근사록』의 첫 장 「도체류道體類」에 제일 먼저 『태극도설』이 편집된 것과 같은 취지라고 할 수 있다. 『성리대전』에서는 주희의 『태극해의』 외에 「주자태극통서후서」의 글에서 『태극도』와 관련된 것을 발췌 편집하여 서론을 삼았고, 이어 『태극도』와 『태극도해』를 수록한 후 『태극도』와 관련된 주희의 글 및 여러 학자의 크고 작은 글 132조를 취하여 붙였다. 이어 주돈이의 『태극도설』을 해석한 주희의 『태극도설해』를 10개의 장으로 나누어 수록하고, 각 장마다 크고 작은 관련 주장들을 각 문집이나 어록 등에서 발췌 수록하여 모두 266조항의 해석을 참고할 수 있게 하였다. 이어서 『태극해의』에 관한 주희의 후기를 수록한 후 이와 관련된 7개 조항의 집주를 두었고, 부록으로 총론 부분에 15개 조항의 주를 두었으며, 『태극도설』이 다른 책과 차이나는 점을 9개 조항에 걸쳐 소개하였다. 즉 『성리대전』판 『태극해의』는 『태극도설』의 이해를 돕기 위해 모두 429조항의 집설集說을 하였으니 이는 관련 자료를 거의 모두 동원한 것이라고 할 수 있다.

『태극해의』는 그 초고가 1170년(주희 나이 41세)에 이루어졌고, 중간에 장식張栻 여조겸呂祖謙 등과의 토론 과정을 거쳐 1173년(주희 나이 44세)에 기본적인 원고가 완성되었다. 『태극해의』 후기의 간기刊記가 1173년이다. 이에 따르면 주희는 이미 완성한 『해의』를 장식에게 보내어 의견을 구했다. 그러나 이를 간행한 것은 1188년(주희 나이 59세)으로, 그가 육구연과 무극태극에 관한 논변을 벌일 무렵이었다. 황서절[1]은 다음과 같이 말했다.

> "주희朱熹는 책에 대하여 근본을 찾아서 바로잡지 않음이 없었으니, 주자[周敦頤]의 두 책에 대한 그의 해설서는 건도 9년(1173년)에 이미 탈고되었으나, 순희 15년(1188년)에 이르러서야 비로소 출간되어 배우는 사람들에게 건네지게 되었다. 경원 5년(1199년) 3월, 임종 5일전에도 여전히 여러 학생들을 위해 『태극도설』을 한밤중까지 강의하였으니, 이 책으로 일생을 마친 셈이다. 육구소陸九韶, 육구연陸九淵 형제와 서신왕래를 통해 논쟁한 것도 이것 때문이고, 병부시랑이었던 임율[2]과 의론이 합치하지 않아 탄핵을 받은 것도 이것 때문이며, 최후에 대각의 신하들이 위학을 배격할 때 장귀모[3]라는 사람이 『태극도설』의 잘못을 지적하자 마침내 결연히 관직을 떠나 일생을 마친 것도 이것 때문이다. 오호라! 선생이 일념으로 강론하여 전수하되 시간을 쪼개어 배우는 사람에게 가르쳐준 것은 오직 조금이라도 분명하고 완전하게 되지 못할까 염려했기 때문이다. 그럼에도 사람들이 이단을 좋아하니 또한 경계해야 할 것이다. 나중에 이 책을 읽는 사람은 선생의 고심을 알게 될 것이다."[4]

황서절의 기록과 같이 주희는 그의 만년 30년 동안 『태극해의』에 전력을 기울였고 이로 인하여 탄핵도 받고 위학으로 지목되어 고통도 겪었고, 육구연 형제와 신랄한 논쟁도 전개했다. 주희 저술 가운데 주옥같은 것이 하나 둘이 아니지만 『태극해의』야말로 주희철학의 체계가 온전히 담겨있는 회심의 역작이라고 할 수 있다.

---

1 黃瑞節 : 자는 觀樂이다. 송 · 원대 安福사람으로서 벼슬은 송대에 泰和州學을 역임했으나, 원대에서는 벼슬하지 않고 은거하여 학문에 힘썼다.

2 林栗 : 자는 黃中 · 寬夫이고, 시호는 簡肅이다. 송대 福淸(현 복건성 소속)사람으로 1188년 6월 주희를 탐방하여 『역』과 「서명」을 토론하였는데 의견이 일치하지 않았다. 이를 계기로 주희는 학문이 천박한데도 고관대작을 탐내고 병부랑의 벼슬에 부임하지 않으려 한다고 탄핵하였으나 태상박사인 葉適의 상소로 도리어 임율이 처벌되었다.

3 張貴謨 : 字는 子智이고 수창현 개국남에 봉해졌다. 저서에 『九經圖述』 등이 있다.

4 『태극도설』 부록 총론 참조.

한편 『태극해의』는 주희의 역학철학을 드러낸 것이라고 할 수 있다. 주백곤은 『태극해의』는 『통서해』와 더불어 주돈이 저작에 대한 해석이지만, 주희의 역학철학이 집중적으로 구현된 것이며 역학철학사에서 중요한 지위를 차지한다고 하였다.

Ⅱ. 『태극도설』은 유학의 본원本源 탐구론

유학에는 본원本源 즉 만물의 근본 또는 시원始原에 대한 탐구론이 있는가? 물론 있다고 해야 한다. 세상 사람 또는 세상의 어느 문화권에서 사물이나 존재의 뿌리 혹은 근거 찾기가 없는 삶을 살고 있겠는가? 장대년張岱年은 그의 『중국철학대강中國哲學大綱』에서 우주론의 분야에 '본근론本根論'이라는 장을 설정하고 중국우주론에서 최구경자最究竟者를 본근本根이라 하였다. 그가 제시하는 본근에 해당하는 개념은 도道, 태극음양太極陰陽, 기氣, 이기理氣, 유심唯心 등이 있다. 그럼에도 흔히 유학에는 존재론이나 우주론적 관심이 다른 사상에 비하여 상대적으로 덜하다고 인식되어왔다. 그것은 이들 개념이 주로 노장이나 불교 또는 그들의 영향을 받은 상태에서 보다 활발하게 사용해온 것들이기 때문이다.

우리는 송대 이학理學에 이르러 우주론, 천지만물의 존재에 대한 본격적인 탐구의 논리를 발전시켜 왔다고 이해한다. 그 발단은 주돈이의 『태극도설』과 이에 대한 주희의 『태극도설해太極圖說解』이다. 주희가 『태극도설』과 『통서』를 이학의 주요 전거가 되는 문헌으로 인정하여 각각 그 해설을 한 것과 이를 『근사록』 첫머리 「도체류」에 편집해 둔 것 등이 계기가 되어 이후 이학자들은 이 두 문헌을 소중히 다루었다. 당시로서는 '태극' 개념의 부각도 다소 낯설었지만 이를 '무극'과 결합한 것에 대하여는 더더욱 생소하였고, 따라서 그 문장적 결합 의도에 대한 해석이 분분할 수밖에 없었다. 이에 관련하여 주희와 육구연 형제 사이에 본격적인 논변이 전개되었을 뿐만 아니라 문인들과의 담론이 활발했다. 그리고 이후 학술사에서 다양한 논변의 소재로 작용하였다.

물론 송대 이전에도 본근本根에 대한 논의는 있었다. 그것은 흔히 말하듯 위진남북조시대에 시작되었다고 한다. 그러나 위진 남북조시대에 나온 본근론은 이전 양한시대 이전부터 있었던 생성론으로부터 발전해 나온 것으로 본다. 물론 여기에도 핵심에 자리 잡고 있는 개념은 태극이다.

태극은 역학사 또는 철학사에서 우주의 생성론과 본근론에서 핵심 주제어였다. 그 담론의 대부분은 「계사전」의 '역유태극 시생양의易有大極, 是生兩儀'였다. 일단의 역학자들은 이 구절과 "크게 불린 수는 오십인데 그 쓰는 것은 49이다[大衍之數五十, 其用四十有九]"를 묶어 우주만물의 생성과정과 서법筮法의 연변과정으로 해석한다. 특히 우주의 생성변화에 논의를 집중했던 한대 사상가들은

「계사」의 이 구절들에 대한 해석을 통해서 각자의 우주생성론을 전개하였다.

중국철학사에서 양한시대의 태극은 우주만물의 생성모체이고, 위진의 태극은 우주만물의 본체라고 말한다. 한대학자들은 대체로 태극을 원기元氣로 규정하였지만, 왕필王弼을 비롯한 위진의 역학자들 가운데 일부가 태극을 무無로 규정하기 시작했다.

태극을 원기元氣로 보는 견해는 태극이 혼돈미분混沌未分의 원기元氣이며 이로부터 천지만물이 생겨난다는 관점이다. '원기'라는 말은 『회남자淮南子』에서 처음 사용했고,[5] '태극원기설'은 『역전』과 관련하여 유흠劉歆이 제시했다. 원기와 태극의 결합은 위진魏晉 현학玄學의 전형이다. 주돈이의 『태극도설』에 대한 해석에는 이러한 선하적先河的 논의를 염두에 두어야 한다.

Ⅲ. 「태극도」의 유래

1. 「태극도」의 문제

주돈이의 『태극도설』은 그림과 그림에 대한 설명의 두 부분으로 되어 있다. 현재 통용되고 있는 『태극도설』은 주희가 정리하여 전한 것이다. 그런데 주희가 전한 「태극도」와 해설에는 논란의 여지가 있다. 주돈이가 그렸다는 「태극도」는 어디서 유래한 것이냐, 『태극도설』은 주돈이가 직접 지은 것이냐, 현재 전하는 『태극도설』은 당초의 원문과 동일한 것이냐 등의 문제가 그것이다.

『태극도설』이 주돈이가 지은 것이 아닐 것이라는 문제 제기는 먼저 육상산이 하였다. 그것은 『태극도설』이 『통서』의 내용과 다르므로, 주돈이가 지은 것이 아니거나 혹 아직 학문이 완성되기 이전에 지은 것이거나 다른 사람의 것을 잘못 전한 것일 수 있다는 견해이다. 훗날 전조망은 『주정학통론周程學通論』에서 "무극의 진실은 도가류에서 기원한 것이니 결코 주돈이의 저작이 아니다. 이는 바뀔 수 없는 주장이다"라고 하였다. 그러나 주희는 반홍사의 기록에 의거하여 『태극도설』의 저자가 주돈이라고 단정하였다. 두 번째로는 호광중이 제기한 문제가 있었다. 그는 자신이 본 옛날 판본 「태극도」가 주희의 견해와는 차이가 있다고 했다. 이때 주희는 어느 정도 수긍하면서 다음과 같은 논리를 펼쳤다.

> "주자周子는 앞에 도상을 세우고 뒤에 설명을 붙였다. 그리하여 서로 그 의미를 드러나게 함이

5 "天地未形, 馮馮翼翼, 洞洞灟灟, 故曰太始. 道始于虛霩, 虛霩生宇宙, 宇宙生氣." 『淮南子』「天文訓」

평정하고 통달하게 하여 조금도 의심할 만한 것이 없었다. 그런데 예전에 전해오던 도서에는 모두 오류가 있다. 다행히 여기서 잃은 것이 저기에는 있는 수가 있다. 이런 까닭에 줄곧 서로 고증하고 참고하여 고쳤다. 무릇 고친 것은 모두 근거가 있고 내 사사로운 견해로 한 것이 아니다. 만약 그대가 논한 것처럼 옛 도상을 근거로 왜곡된 설명을 하면 그 의미가 교묘하게 된다. 그러나 이미 제 1권圈을 음정陰靜이라 하고 제 2권圈을 양동陽動이라고 하면 이른바 태극은 어찌 존재하겠는가?"[6]

이를 근거로 「태극도」에 호광중이 본 이른바 구본이 있고 주희가 본 연평본이 있는 등 여러 판본이 있었다는 것을 짐작할 수 있다. 주희는 자신이 본 구강본九江本에는 '무극이태극無極而太極'이 '무극이생태극'으로 되어있어서 연평본에 의거하여 '무극이태극'으로 고쳤다고도 하였다. 그는 「기염계전記濂溪傳」에서 그가 본 『사조국사四朝國史』에 '자무극이위태극自無極而爲太極'으로 되어있는 것 역시 '무극이태극'에 글자를 잘못 더한 것이라고 하였다. 이로써 미루어본다면 주희는 주돈이의 『태극도』의 여러 판본을 보았고 그것들을 참조해서 그 스스로 개작했음을 추단할 수 있다.

주희가 개정한 『태극도』에 대하여 청대의 모기령毛奇齡은 직접 이의를 제기하였다. 그는 『태극도설유의太極圖說遺議』에서 남송시절 주진朱震이 고종에게 『주역』을 강의할 때 제시했던 주돈이의 『태극도설』이 "가장 참되고 가장 앞서는 것임이 분명하다.(其圖之最眞, 而最先已瞭然矣.)"고 하였다. 또한 모기령은 도설에 대해서도 『사조국사』에 실려 있는 것과 같이 '자무극이위태극'이 옳다고 하였다. 이는 『태극도』가 무극을 우선시한다는 사상이 여러 자료에 나타나있고, 따라서 육구연 형제가 무극을 태극 위에 놓는 것은 유가사상이 아니라고 하는 반론을 제기했던 정황을 보여주는 것이다. 그렇다면 '무극이태극'이라고 하는 것은 주희가 개정한, 주희의 사상이 반영된 구절이 된다. 그리고 이것은 주진이 제시했던 『태극도』에 있는 것을 바탕으로 했다고 할 수 있다.

청대의 주이존朱彝尊(1629~1709)은 『태극도수수고太極圖授受考』에서 주돈이의 원래 그림의 유래는 도교라고 하였다. 그는 도교의 『상방대동진원묘경上方大洞眞元妙經』에서 「태극도」가 나왔고 송대 이전에 이미 존재했었다고 본다. 그가 말한 것은 「태극선천지도太極先天之圖」의 것이다. 당왕조 때의 것으로 추정되는 이 그림에는 해석이 붙어있다. 그리고 그림의 기본 윤곽은 주진이 제시한 「태극도」와 일치한다.

황종염黃宗炎(1616~1686)의 『태극도설변太極圖說辯』에서는 주돈이의 「태극도」가 진단의 「무극도」에서 유래한다고 하였다. 즉 주돈이는 진단의 「무극도」 아랫부분에 있는 것을 윗부분으로 향하는 연단의 순서를 위로부터 아래로 순서에 따라 개정한 것으로 본 것이다. 이는 내단內丹 수련의 도식을 우주의 발생을 설명하는 도식으로 개정한 것이다. 결국 청대학자들의 고증에 따르면

6 『주희집』 42권, 「답호광중」

주돈이의 「태극도」의 유래에 대해서는 도교의 「선천태극도」설과 진단의 「무극도」설로 갈라진다.

풍우란은 『도장道藏』의 「태극선천지도」가 주돈이의 「태극도」와 대략 비슷하다고 하고 혹 이것이 주돈이 「태극도」의 원본이었을까 하는 유예적 표현으로 가능성을 시사하였다. 또 주이존 · 황종염의 주장에 대해서는 그 주요 내용을 소개하면서도 무엇에 근거한 것인지는 모르겠다고 하였다. 그러면서도 주돈이가 도사들이 수련을 논할 때 사용한 「태극도」를 취하여 새로운 해석과 새로운 의미를 부여하였으며 『태극도설』은 송명 도학파 내의 체계적 저작의 하나이고 그들이 논한 우주론은 주로 『태극도설』의 부연이었다고 한다. 노사광은 「태극도」의 유래에 관한 기존의 학설들을 상세히 소개하면서 「태극도」는 도교의 단결丹訣에서 나온 것이며, 특히 진단에게서 유래한 것으로 볼 수 있다고 조심스레 정리하였다. 다만 『태극도설』은 『역전』의 관념을 근거로 한 것으로서 「태극도」보다는 『태극도설』이 주돈이 사상을 대표하는 이론이라고 하였다. 주백곤은 이들 견해를 절충하여 "주돈이의 「태극도」는 대부분 도교의 「선천태극도」를 원본으로 하고 진단의 「무극도」를 참조하여 제작해낸 것이다"라고 하였다. 진래는 『태극도설』의 「무극도」 관련설이나 「태극선천도」 관련설 등이 비록 진일보한 것임에는 틀림없으나 논의의 여지가 있다고 하고, 도식이란 어떤 이론의 표현방식일 뿐 중요한 것은 도식을 통해 드러내고자 하는 이론이라고 하여 『태극도설』을 주돈이 사상의 핵심으로 보았다.

2. 『태극도설』의 문제

「태극도」만이 아니라 『태극도설』에 대해서는 황종염이 선사禪師 수애壽涯의 게송偈頌 연관설을 제기하였다. 황백가黃百家 역시 이러한 주장을 제기한다. 주돈이가 학림사의 선사 수애를 사사하여 그로부터 '하늘과 땅보다 앞선 것이 있고 그것은 형체가 없어 본래 적요하고 온갖 형상을 지닌 것들의 주인이 될 수 있다'는 게송을 받았다고 하는데 이 게송이 그의 무극사상과 관련이 있다는 지적이다.

『도장』의 「태극선천도」 뒤에는 해설이 있는데 여기에서는 "만물은 모두 태극 양의 사상의 형상을 지니고 있는데, 사상과 팔괘가 갖추어졌으나 아직 움직이지 않는 것을 태극이라고 한다. 태극이란 하늘과 땅의 큰 근본이다"라고 했다. 이는 도교에서 『주역』 「계사전」의 구절을 인용하여 우주의 발생과정을 설명한 것인데 그 목적은 연단술을 위한 것이었다. 「태극선천지도」에서 말한 태극이 궁극적으로 말하는 것이 무엇인지는 문제가 된다. 이것이 아직 분화하지 않은 기를 가리키는 것인지 허무의 실체를 가리키는 것인지의 문제이다. 그림의 해석에 따르면 태극을 『노자』에서 말한 도라고 본 것이다. 「태극선천도」가 주돈이의 「태극도」보다 먼저인지 나중인지 확증할 길은 없으나, 주돈이의 「태극도」는 기존의 「태극도」와 다소 다른 것이 사실이고 또 「태극도」에 대한 해석도 다르다. 주돈이는 도교의 우주론은 수용하였지만 연단술은 제거하였다. 그는 기본적으로 유가였고, 성인이 된다는 것에 주안점을 두었다.

주진이 제시한 「태극도」가 원형에 가까운 주돈이의 「태극도」였을 것이며, 거기에 있는 『태극도설』은 현행 『태극도설』과 일치한다. 따라서 진래를 비롯한 일단의 학자들은 『태극도설』이 주진이 말한 『태극도역설』이며, 이는 주돈이의 사상이 주역에서 나왔음을 나타내는 것이라고 한다. 주진이 제시한 「태극도」가 주돈이의 원래 「태극도」라는 전제에서 주백곤은 주돈이 『태극도설』의 역학철학사적 의의를 다음과 같이 정리한다. 첫째, 유가에서 주역을 해석하는 계통에 도가의 무극관념을 넣은 것은 주돈이가 처음이다. 무극을 태극의 근원으로 간주한 결론이 도출되었다. 둘째, 음양과 동정으로써 태극과 양의의 관계를 해석한 것이다. 이는 주돈이의 독창이다. 태극이 어떻게 양의를 낳는지에 대해서는 한대 역학에서 언급이 없었는데, 주돈이가 "움직여 양을 낳고, 고요하여 음을 낳는다"고 한 것이다. 셋째, 주돈이의 『태극도설』은 유가의 우주론에 완정한 체계를 제시하였다. 무극 태극 오행 만물과 인간이라는 체계는 이전의 유가에서는 볼 수 없었던 것이다. 넷째, 『태극도설』에 있는 그림과 해설은 이른바 유가적 상학象學 계통에 속한다는 점이다.

Ⅳ. 주희가 개정한 『태극도설』과 해석

주희가 개정하고 해석한 주돈이의 『태극도설』은, 따라서 주진이 제시한 것에 따른 해석과는 다소 다르다. 주희는 『태극도』에서 도가적 요소를 도식에서도, 논리에서도 모두 지워버렸다. 그의 작업에 의하여 『태극도설』은 유가적 우주론에서 유가적 본체론으로 나아가는 길을 열었다. 그의 『태극해의』는 이러한 그의 개작 작업에 대한 논리적 설득이라고 할 수 있다.

『태극해의』에 대하여 주희 당시 함께 토론한 장식은 "『태극도해』는 리理를 정밀하게 분석하여 편집하였으므로 일깨우는 점이 많다"고 평가하였는데[7], 이는 『태극해의』가 기본적으로 리의 철학체계에서 이루어진 것임을 밝힌 것이다. 주희는 태극을 리로 보았다. 태극은 '형이상의 도요, 동정음양의 리이다'라고 한 것이다. 이는 그가 이학理學의 체계 속으로 『태극도설』을 끌어간 것이라고 할 수 있다. 『태극도설』 첫머리에 나오는 '무극이태극無極而太極'을 주희는 "형상은 없으나 리는 있다"라고 하였고, 또 태극을 "형이상의 도이며, 움직이고 고요함·음과 양의 리이다"라고 하여

7 『남헌문집』「張栻答朱元晦秘書」(46), 庚寅年條.

태극을 리로 음양을 기로 규정하였다.

그는 본체와 작용의 관계 개념을 갖고 이기관계를 이해하고 있다. 『태극도해』에서 주희는 「태극도」의 한 가운데 있는 원을 가리켜 본체本體 또는 근根이라고 했고 또 본체의 정립, 작용의 유행이라는 개념을 사용했다. 그는 태극 밖에 다시 무극이 있는 것이 아니라고 하였다. 또 문인들과의 대화 속에서 태극을 천지만물의 리를 합하여 하나로 이름한 것, 천지만물을 총괄하는 리가 바로 태극이라고 했다.

태극에 대한 주희의 대표적인 규정은 조화造化의 추뉴樞紐, 품휘品彙의 근저根柢이다. 조화의 추뉴란 말은 천지가 만물을 생성 변화시키는 중심축이란 뜻이고, 근저란 말은 만물 종류의 뿌리라는 뜻이다. 세상에는 음양陰陽 동정動靜과 합벽闔闢이 있을 따름인데 태극이 이것을 가능하게 하기에 마치 문의 지도리나 손잡이끈 같다고 한 것이고, 남녀만물의 생생불식함에 이 리가 주가 됨이 마치 나무에 뿌리가 있는 것과 같다고 한 것이다. 사방숙謝方叔은 "조화의 추뉴라고 함은 음양오행이 하나의 태극임을 밝힌 것이고 품휘의 근저라고 함은 남녀만물이 하나의 태극임을 밝힌 것"이라고 한다. 추뉴가 기계적 비유라면 근저는 식물적 발상에서 나온 용어이다.

또 태극론을 '극본궁원론極本窮源論'이라 하였는데 이는 천지만물의 근본과 시원에 대한 지극한 탐구란 뜻이다. 『성리대전』에 수록된 『태극해의』와 집록된 주석들에서 태극이 본원에 해당한다는 것을 암시하는 표현을 다수 볼 수 있다. 장식은 "반드시 '무극이태극'이라고 말하는 이유는 동정의 근본을 밝히고, 천지의 뿌리를 내리며, 유무有無를 겸하고, 현미顯微를 일관하고, 체용에 모두 해당하기 때문이다"라고 하였다. 황간黃榦은 "태극이 이 도의 본체이고 온갖 조화의 영회領會이며, 자사子思가 말한 천명지성天命之性이고, 맹자가 말한 생지위성生之謂性이다"라고 하였다. 진순陳淳은 "리는 비록 형상과 일정한 위치와 일정한 형체가 없으나 온갖 조화가 그것을 근저와 추뉴로 삼지 않음이 없고, 그것이 매우 완전하고 지극하므로 태극이라 한다"고 하였다. 이는 모두 태극을 우주론적 시간적 선후개념으로서가 아니라 본체론적 관점에서 이해하고 있음을 보여준다. 뿐만 아니라 태극에 대해 극호지선極好至善의 도리, 만선지호萬善至好의 표덕表德, 리의 극치極致, 구경지극究竟至極의 이름붙일 수 없는 것, 지극과 표준의 뜻을 겸한 것[至極兼有標準之義], 리의 존호尊號 등의 표현도 사용하였다. 문맥에 따라서 지칭하는 대상의 변화에 따라서 그때그때 적절하게 변하였던 것이다. 『태극도설』에 대한 주희의 해설은 육구연 형제의 반론에 부딪혔고 이들 사이에 치열한 논쟁이 전개되었다.

Ⅴ. 주희와 육구연의 태극 논변

1. 『태극도설』이 주돈이의 저작인가 여부

주희와 육구연 사이의 태극 논변은 동아시아 사상계의 가장 주목되는 논변중의 하나이다. 두 사람 사이의 교유에 대해서는 전목이 그의 『주자신학안朱子新學案』에서 매우 상세하게 고찰하고 있고, 또한 근래 진래의 『주희의 철학』과 주백곤의 『역학철학사』에서 보다 상세한 고증과 해석이 이루어졌다.

두 사람은 여조겸의 주선으로 아호에서 처음으로 만났다. 그리고 두 번째 만남은 남강을 방문한 육구연을 주희가 백록동서원 강단에 세운 일로 이루어졌다. 육구연이 성시에 응시할 때 시험관이었던 여조겸이 그의 답안지를 알아보고 적극적 관심을 가지면서 교류가 이루어졌고, 주희는 전해지는 말에 육구연이 "문자를 간단히 하고 곧장 근본으로 들어간다"거나 그 논변이 "완전히 선학과 같거나 다만 그 이름만 바꾸었을 뿐"이라는 인식을 갖고 있었을 뿐 직접적 교제는 이루어지지 않았다. 여조겸의 주선에 의하여 육구령 · 육구연 · 주희 · 유청지 · 하숙경 · 채계통 · 범백숭 · 연숭경 · 반숙창 · 장원선 · 서수신 등 참여하였던 이른바 아호논쟁은 여조겸 주희와 육구연 형제간의 대립양상으로 전개되었다. 주희는 사람으로 하여금 널리 보고 관찰하게 한 후에 요약해야한다는 입장을 취했고 육구연은 먼저 사람의 본심을 드러낸 후에 널리 보게 해야 한다는 주장을 펼쳤다. 주희는 육구연의 방법이 지나치게 '간이簡易하다'고 여겼고 육구연은 주희의 방법이 너무 '지리支離하다'고 비판했다. 당시 유청지나 여조겸 등은 모두 육구연의 주장이 '문자를 소홀히 하고 바로 근본에 들어가는 것', '독서를 하지 않고서도 단번에 본심을 깨달을 수 있다는 것', '강학을 다 폐하고 실천에만 전념하는 것' 등으로 이해하고 있었다. 아호모임 후에 장식이 주희에게 편지를 보내 육씨 형제에 대해서 물었을 때 주희는 "자수 형제의 기상이 참으로 좋으나 강학을 모두 폐기하고 오로지 실천에만 전념하며 실천 중에서도 또 사람들로 하여금 성찰을 분발토록 하여 본심을 깨닫게 하려는 병폐가 큽니다. 중요한 것은 그들의 기질인데 겉과 속이 다르지 않아 참으로 보통사람이 아닙니다. 다만 안타까운 것은 자신自信이 지나쳐서 그 규모가 작은 것과 다른 사람의 좋은 것을 취하지 않고 이단에 흐르게 될 것을 스스로 알지 못하는 것입니다"라고 하였다.

육구연과 주희의 두 번째 회동은 남강에서 이루어졌다. 그가 남강 태수시절 순희 8년 육구연이 여조겸의 편지를 갖고, 또 형의 묘지명을 부탁하기 위해 주희를 방문한 것이다. 육구연은 주희에게 부탁을 하러 간 경우이고, 또 주희는 육구연을 예우하여 백록동서원 강단에 세우기까지 하였으니 비교적 우호적인 분위기에서 담론이 전개되었다. 그러나 주희는 육구연이 아직 전날의 태도와 방법을 버리지 않았다고 생각했다.

그러는 사이에 주희와 더불어 동남 3현賢이라 불리던 장식과 여조겸이 죽었고 이제 사상계에는 주희와 육구연 학파로 양분되는 상황이 되었다. 물론 장식의 문파도 건재했고 여조겸의 문인들도 집단을 이루고 있었다. 그러나 뚜렷한 지도자는 남아있는 두 사람이었다. 양자는 직접 편지를 주고받으면서 의견을 나누기도 하였지만 그들의 제자들 또한 서로의 문하에 출입하면서 논변이 이루어지고 있었다. 자연 경우에 따라 자기의 스승과 문파의 입장을 비판하는 내용을 듣고 전하면서 두 진영 사이의 대립이 날카로워지고 있었다.

그러는 즈음 순희 12년 주희는 육구연의 학문적 폐단을 적극적으로 공격하였다. 주 내용은 육구연의 학문 속에 선학禪學적 의미가 있다는 것이었고 이를 '강서기상'이라는 말로 표현하였다. 한편 육구연과 그 문인들 또한 격렬하게 반발하였다. 주·육 양자 사이에 주고받는 편지도 매우 격앙되어 있었고 신랄하게 비판하고 있었다. 순희 14년 정미년 5월 2일자 편지에서 주희는 육학의 병폐를 개괄하여 "고론高論과 망상妄想 및 내외정추內外精粗에 대한 구별을 소홀히 하고 양심養心과 일용日用을 별개의 것으로 삼고 성현의 가르침을 다 믿을 필요가 없다고 하고 용모와 말하는 가운데서 깊이 살필 필요가 없다"라고 지적하였는데 이에 대해 육구연은 주희가 "단지 억측으로 선현의 가르침을 증거로 끌어대 그 죄를 꾸민다"고 반박하면서 그와 같다면 해롭기만 할 뿐 유익함은 없다고 하였다. 이러는 사이에 주희는 1187년 『통서해』를 간행하였고, 1188년 『태극해의』와 『서명해』를 간행하였으며, 1190년 『주역본의』를 완성하였다. 이는 이미 1173년 경에 이루어놓은 것을 그때까지 연구와 수정을 거듭하다가 드디어 세상에 내놓은 것이다. 이것은 이제 자기 학설에 대한 확신을 갖고 있음을 의미하는 것이며, 따라서 그동안의 유예적 온건한 태도와는 다른 단호한 태도로 육학에 대하여 공격하게 된 것이라고 할 수 있다.

2. 무극無極이 왜 필요한가

주희의 『태극해의』와 『통서해』 『서명해』에 대하여 육구소가 그리고 나중에 육구연이 문제를 제기하여 논변이 전개되었다. 병오(1186)년 정미(1187)년 경에 주희와 주고받은 편지에서 육구소는 주돈이의 저서인 『태극도설』과 『통서』의 성격이 다름을 지적하여 『태극도설』이 주돈이의 저작이 아니거나 그의 학술이 아직 미완성 시절의 저작이거나 또는 타인의 것을 그의 것으로 오인한 것이라고 하여 논변이 시작되었다. 『통서』에는 태극이 등장하나 무극이란 용어는 보이지 않는 것과, 태극에 무극을 붙여 놓으면 허무虛無 호고好高의 폐단이 생길 우려가 있음도 제기한다. 육구소의 관점은 판본의 문제로서 논란 자체를 원천적으로 없앨 수 있는 중요 문제이다. 이에 대하여 주희는 주돈이가 태극에 무극을 붙여 놓은 것은 사람들이 태극을 별개의 어떤 물건으로 오인하는 것을 막고자 함이라 하고, 무극을 말하지 않으면 태극이 하나의 사물이 되어 모든 변화의 뿌리가 되지 못하고, 태극을 말하지 않으면 무극이 공적空寂에 빠지게 되어 모든 변화의 뿌리가 될 수 없다고 하였다. 사실상 주돈이 자신의 해명이 없는 상태에서 주희의 해석은 매우 따뜻하고 우호적이라 할 수 있는데, 이는 주돈이의 의도를 넘어서서 주희 자신의 입론의 근거를 마련하기 위하여 그렇게 강변하는 것이 아니냐 하는 문제를 낳는다.

3. 태극은 중中·표준標準으로 보아야 하지 않는가

육구연도 주희에게 태극을 잘 이해한다면 여기에 무극을 덧붙일 필요가 없는 것인데도 덧붙인 것은 마치 상床 위에 상을 겹친 것과 같다고 하면서, '무無'자를 태극 위에 놓는 것은 바로 노자의 학문이라고 공박하였다. 주희가 이미 '극極'이란 것은 그것이 구경究竟 지극至極하여 이름 지어 부를 수 없기 때문에 태극이라 했다'했고, '이는 마치 천하의 지극함을 다 들어도 이보다 더 지극함이 없다는 말과 같다'고 했으니, 이미 그렇다면 무극이란 용어를 덧붙일 필요가 없다는 것이다. 그러면서 육구연은 『중용』에서 중中을 천하의 큰 근본, 화和를 천하의 두루 통하는 도라 하고, 중화中和를 이루면 천지가 제자리에 서고 만물이 길러진다고 하여 이미 이치가 지극해졌으니 이밖에 어찌 다시 태극이 있겠는가라고 의문을 표하였다. 태극이 그 개념상 온갖 변화의 근본임을 인정하면서도 그것을 『중용』의 중中으로 본 것이다.

이에 대하여 주희는 공자 이전의 선현들이 태극을 말하지 않았다고 해서 태극을 말한 공자를 비난할 수 없듯이 주돈이 이전의 성현들이 무극을 말하지 않은 것을 들어 주돈이를 공박할 수 없다고 하였다. 주돈이가 도체를 환하게 본 결과 사람들의 시비나 이해를 고려하지 않고 용감하게 남이 하지 못한 말을 한 것으로 이해하면서, 뒷사람들이 태극의 오묘함이 유有에도 무無에도 속하지 않고 어떤 형체적 제약도 벗어나는 것임을 알게 했으니 주돈이야말로 맹자 이후 도통을 이은 사람이라고 하였다. 또한 극極을 중中으로 풀이하면 안 되며 극은 다만 지극至極의 뜻일 따름이라고 하였고, 『노자』의 "무극으로 복귀한다"의 무극은 무궁의 뜻이고, '무궁의 문으로 들어가서 무극의 들에서 노닌다'는 『장자』에 나온 무극과 주돈이의 무극은 뜻이 전혀 다르다고 한다. 왜냐하면 노장의 '유'와 '무'는 둘이지만 주돈이의 '유'와 '무'는 하나라고 보기 때문이라고 하였다.

어쨌든 육씨 형제의 주장과 이에 대한 주희의 반론은 "명칭과 지엽적인 뜻에 있어서 사소한 차이가 있을 따름이지 큰 뜻에 있어서는 별 차이가 없다"는 것이 일반적 평가이다. 심지어 진래는 "무극태극 논쟁은 주희 육구연의 견해가 나뉘게 된 원인이 아니라 이들 논쟁의 부산물에 불과하다. 주희 육구연이 분기하는 실질적 작용을 이해하는데 무극태극을 과대평가하는 것은 아무런 의미가 없다.", "이미 이들 사이에는 전체 논변의 배경과 쌍방의 태도가 이미 결정되어 있었기 때문에 "이 논변은 쌍방을 위하여 진리를 찾거나 오류를 수정하게 하는 진지한 학술토론이 되지 못하였고 진정한 결론에도 도달하지 못하였다", "육구연의 죽음으로 인하여 두 사람 사이의 무의미한 논쟁들과 복잡한 개인관계의 문제에서 빠져나올 수 있었다."라고 하였다.

그럼에도 불구하고 우리는 주희의 풀이가 주돈이의 본래 뜻에 부합되느냐의 여부를 떠나서 어떤 텍스트에 대한 철학적 해석의 태도와 그를 자기 주장의 근거로 활용하는 주희의 학문적 자세를 긍정적으로 평가할 수 있을 것이다. 육씨 형제의 주장은 위에서 드러났듯이 굳이 무극이 필요하냐는 것, 더구나 노자학이라는 혐의가 있는 무극을 굳이 태극과 함께 묶어 써야 하느냐의 문제와 더불어 구극자究極者를 조화의 중심축과 모든 품종의 뿌리와 같은 본근론本根論의 관점에서 이해하는 것보다는 『중용』에 그 전거가 있는 중中의 개념, 궁극적 표준의 뜻으로 이해하는 것이 보다 인륜일용과 존심양성存心養性의 유학 본령과 잘 부합하지 않는가의 도전이 있는 것이 사실이다. 『태극도설』은 '무극'과 더불어 '주정主靜'이라는 용어로 인하여 그 도가적 영향을 받았다는 판정은 피할 수 없는 것임을 고려할 때 육씨 형제의 주장은 비록 이후 대세를 얻지 못했을지라도 의미 있는 주장이며, 따라서 그들이 끝내 주희에게 승복하지 않은 이유가 될 것이다.

Ⅵ. 11세기 이후 동아시아 지성계의 본원에 대한 철학적 사유의 틀

12세기 이래 동아시아 철학적 논변의 중심에 『태극도설』과 관련된 문제들이 자리한다. 마테오 리치가 유학에 대하여 비판할 때에 태극을 들어 말한 것은 근거가 없지 않다. 태극은 이학자들에게 있어서 도리의 핵심처였고 이학의 본원처였으며 리의 존호尊號였다. 그러나 또 다른 집단에게 있어서 『태극도설』은 주희에 의하여 개작된 문헌이며, 원래는 도가철학적 유래를 갖는 것이고, 따라서 그 권위에 대한 근본적 문제제기가 송대는 물론 그 이후에도 끊이지 않았다.

주희와 육구연 형제들 사이에서 벌어진 논변은 진리를 찾아가는 또는 모색하는 논변이라기보다는 쌍방 이미 확립된 이론과 주장을 서로 확인하고 또는 공격하는 성격이었다. 그리고 이들 사이에 이루어진 논변은 그리 오래 동안 전개되지 않았다. 관련된 편지도 몇 차례 되지 않았고 종결이 빨랐다. 논변의 필요성을 느끼지 않았던 것이다. 역사적으로 이후에 주육을 절충하려는 시도가 없지 않았으나 이는 학문방법론과 궁극적 지향에 있어서였지 무극태극설을 종합하거나 절충하려는 것은 별로 없었다. 태극설에 관한 한 이후 주희의 주장이 학계를 풍미했다고 할 수 있다.

그러나 청대에 이르러서는 우선 주돈이와 주희의 권위가 실린 문헌 자체에 대한 비판이 제기되었고 그 해석에 있어서 주희에 대한 도전이 있었으며, 결과적으로 주희철학체계 전반에 대한 공세가 전개되었다. 주이준·모기령·황종염 등에 의하여 전개된 「태극도」의 유래, 도설의 원본과 유래에 대한 고증학적 도전이 그것이다. 그리고 이러한 비판적 관점은 오늘의 학계에서도 이어지고 있다.

조선조 유학자들 역시 왕조 수립 이후 숭유억불의 기치 아래 성리학적 제문제에 대한 매우 심도 있는 탐구와 논쟁을 전개하였다. 특히 17세기 이래로 상당수의 학자들이 『태극도설』과 관련한 논변을 전개하였고 학술적 성과도 적지 않다. 조한보와 이언적 사이에 전개된 무극 태극의 논변은 주희 학설 체계를 벗어날 수도 있는 논변이었다. 그러나 이후의 논변은 누가 더 주희의 『태극도설해』에 나와 있는 내용이나 주희 이학체계를 정합성 있게 이해하느냐의 문제였지 주희에 대한 비난이나 대안을 제시하려고 하는 성격의 논변은 아니었다. 왕조 초기는 아직 주자학의 권위를 수립하여 가는 과정이었고 이후는 이미 수립된 성리학적 패러다임 안에서 이를 정합적으로 이해하는 것이 주된 관심사였다. 이언적 철학의 승계로 볼 수 있는 이황과 그 문파의 태극론은 이황의 이발설에 초점을 맞추어 전개되었다. 태극의 동정과 태극의 주재 여부에 초점을 맞추고 있다는 것이다. 이이와 그 문파에서의 태극론은 극본궁원론으로서 또는 그것이 진정 조화의 중심축이 되며 만물의 뿌리 역할을 하는지에 대한 해명에로 모아졌다. 태허론을 펼치는 서경덕과 그 문인들은 태극을 원기 또는 태허기와 동일시하는 사고의 여지를 갖고 있으나 이 또한 조선조의 경직된 학문 분위기에서 더 이상의 발전은 없었다. 송시열 문하에서 활발하게 전개된 『태극도설』 논변은 정미를 다한 것이라고 할 수 있다. 그리고 이후 인물성동이 논쟁은 태극의 보편성과 특수성 그 일원성과 분수성에 대한 논의가 파생한 것이며 미발심체선악의 문제 역시 『중용』의 중화론과 함께 『태극도설』의 '기선악幾善惡'과 관련이 있다. 이항로는 기학器學에 대한 도학道學의 우위성을 입증하는 견지에서 태극을 이해하고 있다. 전우에게 있어서 태극은 우주 자연 만물의 조화의 본근本根으로서보다는 도덕과 인륜과 문화의 바탕으로서의 성선과 지선으로 이해되었다. 이처럼 조선조의 태극론은 그때그때 문파의 학문적 흐름과 필요에 의하여 변용되었다.

총괄적으로 주돈이의 『태극도설』과 이에 대한 주희의 창조적 해석이라 할 수 있는 『태극해의』는 11세기 이후 동아시아 지성계 또는 철학계에 있어서 우주의 본원이나 만물의 본근에 대한 철학적 사유의 틀로서 작용하였고, 성인聖人론 윤리倫理론 등 인간사 전반에 대한 심도 있는 사색의 훈련범주로 기능하였다. 그것은 『태극도설』이 '도리의 대두뇌'이고 '이학의 본원'이라는 평가가 내려졌듯이 『태극도설』에 대한 주희의 창조적 해석 『태극해의』는 도리의 범위範圍요, 이학理學의 지남指南이었다.

성리대전 권2~3 「통서通書」 해제

Ⅰ. 『통서』와 『통서해』

『통서』는 주돈이의 저술이다. 그가 56세경 저술한 것으로 추정된다. 이 책은 주돈이에게서 수학한 정호·정이 형제에게서 나와 그 형제들의 문인에게 알려져 그 가치가 널리 인정되기 시작했고 여러 학자들이 관심을 가졌는데 특히 남송의 주희가 오랜 기간 동안 『통서』에 전념하여 몇 차례 주석을 하여 점차 완성도를 높였다. 주희의 『통서』 주석을 『통서해』라고 한다. 주희가 『통서』 주해에 많은 공을 기울인 것은 이것이 그의 철학체계를 수립하고 또 정당화하는 데 꼭 필요한 작업이었던 까닭으로 보인다. 주희가 주돈이를 이학理學의 비조로 추앙했는데, 그 비조로 불릴만한 철학적 내용이 『태극도설』과 『통서』에 담겨있음을 입증하는 작업이었기 때문이다. 훗날 『성리대전』이 편찬될 때 『통서』는 주돈이의 『태극도설』 다음에 배치되었는데 이는 주희가 주돈이를 비조로 추대한 정신과 일치한다.

『성리대전』에 수록된 『태극도설』과 『통서』는 모두 주희의 『태극해의』와 『통서해』라 불리는 주석이 붙어있는 형태이다. 주희의 주석뿐만이 아니라 여러 학자들의 관련 해석들 역시 주희의 주석 밑에 망라되어있다. 즉 저자인 주돈이의 『통서』만 수록되어 있는 것이 아니라는 말이다.

아무튼 『통서해』는 이후 이학의 도덕론 형성에 큰 영향을 끼쳤다. 곧 『태극도설』이 『주역』 「계사전」에 토대를 둔, 역학적 우주론과 인간론을 제시한 것이라면 『통서』는 여기에 『중용』의 사상이 곁들여졌다고 할 수 있다. 즉 『통서』는 『주역』과 『중용』의 사상이 어우러진 수양론이라고 할 수 있다.

『성리대전』에 수록된 『통서』는 위에 말한 대로 주희의 해석이 붙어있는 것으로 두 권으로 이루어져 있다. 즉 『성리대전』 권2의 『통서』1과 권3의 『통서』2이다. 『성리대전』판 『통서』의 구성은 우선 『통서』를 큰 글씨로 수록하고 이 부분에 대한 주희의 해석을 그 아래에 붙였으며 그 다음에 『통서』에 대한 주돈이 이후 여러 학자들의 주석을 수록하고 있는데 이번 번역도 이 부분까지 모두 다루었고 비교적 풍부하게 역자의 주석을 붙였다. 40장에 이르는 『통서』의 원문을 152개의 단락으로 나누고 각 단락에 번호를 붙였는데 이는 독자의 편의를 위해 역자들이 붙인 것이다. 각 단락의 번호에는 그에 해당하는 주희의 해석이 붙어있고 그 아래 여러 학자들의 주석에는 다시 하위번호를 붙였다. 예를 들면 제7장의 「스승」에서 [2-7]은 『통서』의 원문 단락이고 [2-7-1-0]은 주희의 해석이며 [2-7-1-1]에서 [2-7-1-14]까지는 주희 해석을 뒷받침하는 주희를 비롯한 여러 학자들의 풀이이다.

『성리대전』판 『통서』에는 주희의 「통서후기通書後記」가 머리에 붙어있다. 그리고 말미에 「태극도설통서서후太極圖說通書書後」와 「통서후록通書後錄」이 붙어있다. 이를 통하여 『통서』에 대한 이해에 쉽게 접근할 수 있다.

Ⅱ. 『통서』의 저자 주돈이는 이학의 비조鼻祖

『통서』의 저자는 주돈이(1017~1073)이다. 이에 대해서는 의심의 여지가 없는 것으로 본다. 그의 시대는 북송시대이다. 주돈이의 자는 무숙茂叔 호는 염계濂溪이다. 출생지는 호남성湖南省 영주永州 도현道縣이다. 죽은 뒤에 신종神宗(1067~1085)에게 '원元'이라는 시호를 받아 '원공元公'으로 불린다. 염계濂溪라는 호는 1072년 강서성江西省의 여산廬山 시냇가에 집을 짓고 살면서, 그 개울을 염계라 한데서 비롯되었다. 부친 보성輔成은 현縣의 지사知事를 지냈다. 그러나 주돈이는 어려서 아버지를 잃어 8살 때인 1025년, 모친과 함께 호남성 형양衡陽에 사는 외삼촌 정항鄭向에게 가서 지냈다. 1031년에는 성의 수도인 개봉開封으로 거처를 옮겼다가, 1037년 외삼촌이 양절전운사兩浙轉運使로 임명되자 다시 모친과 함께 윤주潤州의 단도현丹徒縣(지금의 강소성)으로 옮겨 살았다. 그 뒤 용도각龍圖閣 학사學士로 있던 외삼촌의 추천을 받아 분녕현分寧縣의 주부主簿를 거쳐 복건성福建省 남안南安 사리참군司理參軍으로 임명되었다. 남안 시절에 대리시승大理寺丞 정향程珦과 친교를 맺었는데 정향은 그의 두 아들 정호程顥(1032~1085)와 정이程頤(1033~1107) 형제를 그에게 보내 가르침을 받게 했다. 주돈이는 두 형제에게 많은 가르침을 내렸지만 항시 '공자와 안자가 즐긴 것이 무엇인지를 찾으라'고 했다고 한다. 그 뒤 합주판관合州判官, 건주통판虔州通判 등을 거쳐 광동전운판관廣東轉運判官으로 발탁되었다. 만년에는 지남강군知南康軍으로 임명되어 강서성의 성자현星子縣에 머무르다가 여산의 연화봉蓮花峰 아래에 집을 짓고 은거했고 그곳에서 죽었다. 57세를 일기로 했다.

주돈이는 송대 이학의 비조로 추앙된다. 그는 노장과 불교의 사상적 체계와 개념 그리고 방법 등을 수용하여 이제까지 유학에서 미진한 영역이었던 형이상학 우주론의 틀을 수립하였는데, 그의 사상은 정호·정이 형제에게 직접 큰 영향을 미쳤고 이후 주희 등을 거치며 이른바 신유학 또는 이학이라고 하는 유학의 큰 변화를 이룬 줄기를 형성하였다.

그의 주요 저술은 7권의 『주자전서周子全書』로 전해지는데, 그 가운데 『태극도설』과 『통서』가 대표적인 저작이다.

Ⅲ. 『통서』의 주제: 성인이 되는 길

『통서』는 『역통易通』, 『주자통서周子通書』로도 불리는데, 그 의미는 분명하지 않다. 『역』에 대한 통론을 한 책이라는 뜻인지, 통通을 주제로 한 책이라는 것인지 분명하지 않다는 말이다. 『태극도설』과 『통서』가 모두 『주역』에 근거한 책임은 부인할 수 없고 『통서』가 『주역』에 대한 통론의 성격을 갖는 것도 부인할 수 없다. 그럼에도 『태극도설』이 우주론·인성론을 밝히려는데 주안점을 두었다면, 『통서』는 성인이 되는 위학爲學론을 중심으로 하며 그 핵심 개념이 '통通'이라고 할 수 있기에 '통'을 주제로 한 책이라고 해도 안 될 것은 없는데 명확한 전거는 보이지 않는다. 다만 제9장 「생각함思」에서 주돈이는 『홍범』의 "생각함은 슬기로움이니, 슬기로움은 성聖을 만든다.(思曰睿, 睿作聖.)"를 인용하여 기술하고 있는데, 주희는 여기서의 '슬기로움睿'를 '통通'으로 풀이하고 있다. 주돈이가 성인이 되는 것, 성스러운 경지에 이르는 것을 목표로 하고 있음은 분명한데 그 방편이 '슬기로움'이라고 함은 곧 '통'이 성인에 이르는 길, 아니 '통'이 곧 성스러움의 내용이 되는 것이라고 할 수 있기 때문이다. 그는 바로 이어서 "생각함이 없으면서도 통하지 않음이 없는 사람이 성인이다"라고 하였다. 또한 그는 제16장 「움직임과 고요함動靜」 편에서 "움직일 때에 고요함이 없고, 고요할 때에 움직임이 없는 것은 물物"이며, "움직이지만 움직이지 않고, 고요하지만 고요하지 않은 것은 신神"으로, "물物은 두루 통할 수 없고, 신神은 만물에 오묘하게 작용한다."고 하였으니 그가 신의 경지를 통의 경지로 보았음을 알 수 있다. 제23장 「안자顏子」 편에서는 성인에 뜻을 둔 안자를 논하면서 "안자는 천지간에서 큰 것을 보고 작은 것을 잊었는데 큰 것을 보면 마음이 태연泰然해지며 마음이 태연해지면 만족하지 않음이 없다"고 했다. 그런데 『주역』에서 천지가 교감하는 것을 '태泰'라 하고, 천지가 교감하지 않는 것을 '막힘'이라 한 것과 같이, '태'는 소통의 뜻이라고 할 수 있다. 이런 것으로 미루어 볼 때 『통서』는 '통론通論의 책'이라는 의미보다는 '통'을 주제로 다룬 책이라는 것으로 보는 것이 어떨까 싶다.

주희는 『태극도설』과 『통서』를 서로 표리관계에 있다고 하였다. 그는 『태극도설』을 이학의 지남, 도리의 두뇌처라는 평가를 하고 우주와 인간의 원리를 「태극도太極圖」를 중심으로 설명하고 있다. 『통서』에 대해서는 모두 태극을 해석한 것이라고 하기도 했고, 특히 「성誠」, 「움직임과 고요함動靜」, 「리·성·명理·性·命」 장이 그러하다고 하였다.

『통서』는 모두 40장으로 구성되어 있는데 첫머리 1장과 2장에서 성誠을 다루고 마지막장에서는 『주역』의 괘인 몽蒙괘와 간艮괘를 다룬다. 『통서』 자체의 글자는 모두 2601자이며 이것이 40장에 나뉘어져 있으니 평균으로 계산하면 각장은 65자에 지나지 않는다. 가장 짧은 것은 37장의 「공公」과 39장 「공자하孔子下」로 모두 22글자 한 단락에 지나지 않는다. 각장의 제목은 일정한 체계를 갖추고 있는 것이라고 할 수는 없다. 성誠·도道·사師·지학志學·무실務實·과過·세勢·형刑·공公·의의擬議 등 경전에 사용된 개념 설명을 시도한 것도 있고, 순화順化·동정動靜·리성명理性命 등 신유학자들의 관심사가 드러난 용어해설도 있으며, 안자顔子·사우師友·공자孔子 등의 인물을 다룬 것도 있고, 건乾·손損·익益·가인家人·규睽·복復·무망无妄·몽蒙·간艮 등 『주역』의 괘를 해설한 것 등이 일정한 순서 없이 여기저기 배치되어 있다. 물론 위의 용어들은 번역과정에서 적절한 우리말로 옮겼다. 예를 들면 공公은 '공의로움'으로, 의의擬議는 '견주고 따짐' 등으로 하였다.

40개 장이라고 하나 각장은 한두 단락으로 이루어진 것이 많다. 「성誠」·「스승과 친구師友」·「공자孔子」는 상하로 나뉘어 있으나 왜 나누었는지 의도를 알 수 없을 정도로 분량도 많지 않고 내용의 구별도 선명하지 않다. 24장 「스승과 친구 상師友上」은 두 단락, 25장 「스승과 친구 하師友下」는 세 단락인데 단락의 내용도 간단하다. 38장 「공자 상孔子上」과 39장 「공자 하孔子下」는 각각 한 단락씩이며 글자 수는 각각 53자, 22자이다. 21장은 「공명公明」이고 37장은 「공의로움公」인데, 21장은 각각 공公을 언급한 한 단락 20자, 명明을 언급한 한 단락 19자이고, 37장은 공의로움公에 대한 한 단락 22글자에 지나지 않는다. 따라서 『통서』는 어떤 체계를 갖춘 저서라기보다는 그때그때 그가 중시하는 개념들을 생각나는 대로 써 놓은 것이 아닌가 한다. 각장의 상하 연관성도 크지 않고 무엇보다 한 제목 아래 담긴 내용 자체가 빈약하다보니 어떤 일관성 있는 체계를 갖춘 글이라고 하기 어려우며, 그 자체의 체계를 구성하는 것이 용이하지 않다. 다만 여기저기 흩어져 있다고 하더라도 주희의 노력과 같은 작업을 통하여 다소 억지스런 구성을 해볼 수 있다. 마치 저 희랍의 철학자들의 사상을 그 얼마 남아있지 않는 단편單片들을 창조적으로 엮어 구성하는 듯이 말이다. 이점이 우리가 주돈이 『통서』를 읽으면서 주희의 해석을 가까이 하게 되는 요인인 것이다. 주희만큼 그나마 체계적으로 해설해 놓은 사람이 없기 때문이다.

『통서』 자체가 일정한 체계를 엄정하게 갖춘 것은 아니지만 주목할 만한 내용이 많이 눈에 띈다. 그리고 전체를 일관하는 『통서』의 주제는 성인, 또는 성인이 되는 길이라고 할 수 있다. 우선 책의 첫머리 문장인 "성이란 것은 성인의 근본이다(誠者, 聖人之本)"라는 명제에서 이런 시사를 얻게 된다. 그리고 그가 이어서 『주역』「계사전」에서 관련되는 문장을 끌어다가 직접적으로 또 부연적으로 성誠에 대한 개념적 설명을 하고 있는 것에서 흐름에 대한 다소의 짐작을 할 수 있다.

그는 '성誠'을 인간의 모든 덕德과 행위의 근본 규범으로 설정하였는데, 고요하고 움직임이 없는 마음의 상태를 나타내는 「계사전」의 '적연부동寂然不動'을 끌어와서 그러한 상태의 성誠을 순수지선純粹至善으로 본다. 그리고 그것을 완전하게 체득하면 오상五常의 덕도 완성할 수 있다고 하였고, 이러한 경지에 도달하려면 주정主靜과 무욕無慾의 태도가 필요하다고 하였다. 성인聖人이라는 유학에서 최고개념을 성誠으로 동일시하고 그 연관성을 주로 『주역』에서 취했다는 것이 『통서』 1장의 특징적 면모라면 성誠을 다시 음양 오상 및 『논어』의 여러 가지 연관개념으로 설명하고 있음이 2장의 내용이다. 3장에서는 제목을 "성·낌새·덕誠·幾·德"이라고 했는데 역시 성과 음양과 오덕의 연관성을 해명한 것이다. 첫 장에서부터 『주역』의 내용이 많고 마지막 장이 괘를 설명하고 있다는 점에서 이 책이 『역통易通』이라고 불리기도 한 이유를 짐작하게 한다.

주돈이의 학문을 성인이 되기 위한 학문이라고도 할 수 있음은 제10장의 '배움에 뜻을 둔다'는 「지학장志學章」에서 "성인은 하늘을 바라고, 현인은 성인을 바라며, 선비는 현인을 바란다.(聖希天, 賢希聖, 士希賢.)"라고 했던 데에서 확신을 갖게 된다. 그는 이윤과 안연을 대현(大賢)이라 하고, 이윤은 그 군주가 요순이 되지 못함을 부끄러워하고 평범한 사람 하나라도 제자리를 얻지 못함이 있으면 마치 저잣거리에서 종아리를 맞는 것처럼 여겼으며, 안연은 노여움을 옮기지 않고 과실을 되풀이 하지 않았으며 석 달 동안 인을 어기지 않았는데, 모름지기 배우는 사람은 이윤이 뜻한 바를 뜻하고 안연이 뜻한 바를 뜻해야 한다고 하였다. 곧 성인에 뜻을 두어야 한다는 것이다.

주돈이는 제20장에서 다시 "성인은 배울 수 있다"는 말을 하고 있다. 이 장은 한 단락으로 되어 있지만 주희는 이 장의 요지가 가장 요긴하고 절실[要切]하다고 하였다. 성인이 배워서 가능한 경지라는 생각은 사실 이전에도 없지는 않았다 그러나 주돈이는 여기서 성인이 될 수 있는 요령을 하나라고 하고 그 하나는 곧 인욕이 없는 것이며, 이것이 이루어질 때 고요할 때 비어있고 움직일 때 곧아지며, 이것이 이루어지면 밝고明 통하며通 공의롭고公 두루 미치는 것溥이 이루어진다고 하였다. 주돈이의 이 말이 주목을 받는 이유로 주희는 이것이 무극無極의 진眞과 양의兩儀 사상四象의 근본이 바로 이를 벗어나는 것이 아니기 때문이라고 하였다. 인욕이 없음을 무극지진의 태극으로, 고요하여 비어 있음을 음, 움직여 곧음을 양으로 보아 양의로 삼은 것이고, 밝음·통함·공의로움·두루 미침을 사상으로 이해한 것이다.

34장 「비루함陋」에서는 "성인의 도는 귀로 들어와, 마음에 보존되니, 이를 함축하면 덕행이 되고, 행하면 사업이 된다. 그것을 글과 말로만 표현하는 자는 비루하다.(聖人之道, 入乎耳, 存乎心, 蘊之爲德行, 行之爲事業. 彼以文辭而已者, 陋矣.)"라고 하였다.

37장 「공의로움公」에서는 "성인의 도는 지극히 공의로울 뿐이다. 어떤 사람이 말했다. "무슨 말입니까?" 대답했다 "천지는 지극히 공의로울 뿐이다(聖人之道, 至公而已矣. 或曰: 何謂也? 曰: 天地至公

而已矣.)"라고 했다. 주희는 이 장에 대해서는 한 글자도 해설하지 않았다. 즉 『통서해』에 이 부분에 대해 한 글자의 주석도 가하지 않았다. 이는 유자들에게 너무도 당연한 말이기 때문이었을 것이다.

주희는 『통서』의 제3장 「성 · 낌새 · 덕」의 "성은 작위가 없다. 낌새는 선과 악의 갈림길이다.(誠, 無爲. 幾, 善惡.)"를 『근사록』의 제1편 「도체류」에 「태극도설」 다음 순서로 배치하였고 10장과 34장의 내용을 비롯한 주돈이의 글을 『근사록』의 제2편 「위학」편에 수록하는 등 상당한 부분을 발췌하여 『근사록』에 편집하였다.

Ⅳ. 『통서』의 판본

정자의 제자인 기관祁寬이 1144년에 쓴 『통서』후발에 따르면 『통서』는 정자의 제자인 후사성侯師聖으로부터 고원거高元擧와 주자발朱子發에게 전해졌고 이를 기관이 얻었다고 했다. 『통서』 후발의 저작 연도는 1144년이다. 그런데 훗날 주돈이의 집에서 다른 저본을 얻게 되었다. 정자가 전한 것을 정본, 주돈이의 집에서 나온 것을 구강본이라고 한다. 판본의 내용상 차이는 없고 다만 정본에 태극도가 첨부되어있을 뿐이다. 반흥사의 「염계묘지명」에서는 구강본을 『역통易通』이라 했다.

여기서 주목할 것은 주희가 『통서』에 대하여 전후 네 차례나 정리하고 해석하여 간행했다는 사실이다. 1165년 주희의 나이 36세 때에 장사에서 남헌 장식과 함께 지내면서 교정한 것이 첫 번째이고 1169년 이른바 40세에 주자정론이 확립될 무렵에 『태극도설』과 함께 해석한 것으로 이를 건안본이라 하며 세 번째는 남강군지사시절에 이루어져 남강본이라 하는 데 곧 1179년에 정리한 것이다. 마지막이 1187년에 남강본을 다시 정리하여 『통서해』라고 한 것이다. 이 남강본이 현행 『성리대전』의 판본이 되고 있다.

『성리대전』본 『통서』는 앞서 말한 대로 『통서해』라고 해도 될 만큼 주희의 『통서』 해석이 중시되고 있다. 그런데 김병환과 소현성 등은 주희가 해석한 『통서』가 과연 주돈이의 『통서』에 대한 바른 해석이냐 하는데 의문을 제기하기도 한다. 주희 이후 많은 사람들이 주희의 학문적 권위에 의하여 주돈이를 해석하는 일이 벌어졌는데, 주돈이 『통서』에 대한 바른 이해를 위해서는 『통서』와 주희의 『통서해』를 떼어놓아야 한다는 것이다. 이들의 이러한 주장은 마치 『주역』경문과 『주역』의 십익을 떼어놓아야 한다는 주장, 이른바 십익으로 『주역』경문을 해석하는 이전해경以傳解經이 아니라 『주역』의 경만을 따로 읽어야 한다는 주장이 있는데, 마찬가지로 『통서』와 『통서해』를 떼어 놓으라는 것이며 『통서』는 굳이 『통서해』를 통해서 이해할 필요가 없다는 시각인데 이는 나름대로 일리 있다. 그러나 13세기 이래 주희를 통해서 주돈이를 이해해온 것이 옳고 그름을 떠나서 역사적 사실이며 그것이 미친 영향 또한 부인할 수 없다는 점에서 우리는 주희의 해석을 통한 『통서』도 문제 삼고 또 이와 다른 주돈이의 사상을 드러낼 수 있다면 이 또한 드러낼 필요가 있을 것이다. 여기서 문제삼는 것은 주희가 『태극도설』을 크게 드러냈고, 또 『태극도설』 중심으로 『통서』를 이해했으므로 이것이 『통서』의 진면목을 해쳤다는 시각이 된다. 한 저자의 두 저술이 상호 관련성을 지녔다고 보는 것은 그럴 근거가 있다면 당연한데, 주희는 앞서의 기술과 같이 양자를 표리관계로 보았고 사람에 따라서는 이를 『태극도설』 중심으로 『통서』를 이해했다고 판단하기도 한다. 나아가 『통서해』가 『통서』에 대한 최초의 주해서로서 널리 그 권위를 인정받아 왔기 때문에 후대의 연구자들은 『통서해』와 『통서』를 엄정하게 구별하지 않은 채 동일시하기도 했지만 『통서』는 주돈이의 사상 틀 안에서, 『통서해』는 주희의 사상 체계에서 이해하여야 한다고 말한다. 소현성은 『통서』를 바라보는 주희의 관점을 정합적 사유에서 이분법적 사유로, 물과 신: 동정의 양태에서 기와 이의 구별로, 동정의 묘합에서 형이상과 형이하의 구별로, '태극-음양-오행' 논리의 적용, 체용 논리의 적용 등으로 분석하고, 나아가 『통서』「순화」, 『통서』「움직임과 고요함」, 『통서』「성 · 낌새 · 덕」 등을 중심으로 주돈이와 주희 간에 존재하는 사유와 관점의 차이를 분석하고 그 의미를 해명하려고 노력하였다. 그리고 이런 작업은 주돈이에서 주희로, 『통서』에서 『통서해』로, 북송 유학에서 남송 이학으로의 발전과 변화의 양상을 이해하는데 보다 도움이 된다고 하였다.

Ⅴ. 『통서』의 두 번째 우리말 번역본

우리나라에서 『통서』에 대한 번역이 이미 있었다. 그리고 『통서해』에 대한 번역도 주돈이 전공자인 권정안 교수와 김상래 교수의 공동작업으로 이루어졌고, 2000년에 출간되어 또 다른 주돈이 전공자가 나서서 서평을 하는 등 학계의 관심을 이끌어내기도 하였다. 즉 권정안 김상래가 번역한 『통서해』를 김병환이 서평을 통하여 장단점을 지적하고 평가한 일이 있다. 김병환은 위 번역본에 대하여 기본적으로 주희의 시각에 의한 『통서』가 아니라 주돈이의 『통서』연구가 이루어져야 한다는 입장을 밝히면서 번역상의 오류라고 할 수 있는 부분을 지적하였고 또 바람직하고 독자 친화적인 번역을 위한 몇 가지 문제점을 지적하였으며, 무엇보다도 주돈이의 철학체계에 정합성을 갖는 번역을 요청한 일이 있다. 그는 '주자의 주돈이 읽기 탈피'를 강력하게 선언하기도 하였다.

이번이 국내에서는 『통서』에 대한 두 번째 번역이 되는 셈인데 역자는 다르지만 한국연구재단이라는 같은 기관에서 발주하여 이루어졌다. 다만 앞의 번역은 단행본으로 『성리대전』에 수록된 것을 취하여 번역한 것이고 이것은 『성리대전』 전체를 반역하는 사업의 일환으로 이루어졌고 연구팀이 함께 강독하는 과정을 거친 다음에 번역이 이루어졌다는 점에서 보다 충실한 번역이 이루어졌다는 것을 담보할 수 있다. 독자들은 앞서 기술한 김병환이 지적한 번역상의 문제점들이 이번 번역에서는 보완 극복되었다는 것을 발견할 수 있을 것이다. 다만 『성리대전』본 『통서』가 『통서해』라고 할 수 있는 제약에서 『통서』의 번역이 『통서해』의 번역과 정합성을 가져야 한다는 생각을 역자들이 가졌던 것을 나무랄 수는 없고, 이점에서 주돈이 철학체계와 정합성을 갖는 번역의 요구는 다소 무리한 점이 있다는 것을 말할 수밖에 없다.

국역 이외에 『통서』의 외국어 번역은 아직 그리 활발하다고 할 수는 없다. 그루베(Wilhelm Grube)가 1880년, 『성리정의』에 의거하여 『통서』와 주희의 이에 대한 주석을 독일어로 번역하여 출판한 일이 있다. 일본에서는 1975년, 거세진巨勢進이 주자학대계 제2권 「주자의 선구先驅」에서 『통서』와 주희의 해석을 번역하였다. 주의경(Chow Yih-ching)이 『주돈이의 도덕철학』에서 『통서』를 불어로 번역하여 책의 부록으로 삼은 일도 있다. 영역본은 아직 찾지 못하였다.

성리대전 권4 「서명西銘」 해제

Ⅰ. 장재의 생애

횡거 장재張載(1020~1077)의 자는 자후子厚이며 호는 횡거橫渠이다. 횡거라는 호는 장안長安 봉상미현鳳翔郿縣 횡거진橫渠鎭(현 섬서성 眉縣)에서 살았던 것에서 유래한 것이다. 그의 학문은 관중지방을 대표하는 관학關學이라 일컫는데, 주돈이의 염학濂學, 이정의 낙학洛學, 주자의 민학閩學과 함께 송대 리학의 중요한 한 맥을 차지하고 있다. 그의 생애는 송사 도학열전을 통해 잘 알려져 있다. 송사의 도학열전 외에도 송원학안과 이락연원록 등에도 그의 생애가 정리되어 전해진다. 후자는 전자에 비해 개략적으로 기술되어 있으며, 전자는 장재의 제자인 여대림呂大臨(1046~1092)이 지은 행장에서 주요한 것을 추려 정리한 것으로, 장재의 생애는 행장에 가장 상세히 기술되어 있다.

장재의 조상들은 대대로 대량大梁(현 하남성 개봉)에서 살았으며, 장재는 장안 횡거진에서 태어나 자란 것으로 알려져 있다. 장재가 오랫동안 머물렀던 횡거진은 서하 국경 지역으로 지리적으로 군사적 요충지였다. 이러한 연유로 인해 장재는 어려서부터 병법에 관심을 갖게 된다. 21세 때 서하의 세력을 견제하기 위해 연주延州로 파견된 범중엄范仲淹(989~1052)에게 군사적 계책을 제안하는 편지를 올렸는데, "선비는 즐길 수 있는 명교名教를 가지고 있는데, 어찌 병법을 일삼으려 하는가라고 경계의 말로 타이르며 『중용』을 읽을 것을 권하였다. 그는 『중용』만으로 만족하지 못하고 수년 동안 불교와 도교의 경전도 연구하였으나 얻은 바가 없음을 알고 돌이켜 육경을 공부하였다.

일반적으로 관학파의 대표적 인물인 장재의 사승관계는 잘 알려져 있지 않다. 『송원학안』에서는 장재를 유가의 경전으로 인도하여 성인의 경지에 들어가는 데 공헌을 했다는 것에 근거하여 장재를 범중엄의 문인으로 분류하기도 하였고, 구산龜山 양시楊時(1053~1135)는 하남 정씨의 영향을 받았다고 보기도 하였지만 논란의 여지를 갖고 있다. 횡거의 학문은 묵묵히 고심하여 얻은 것으로 스스로 지극히 노력하여 얻은 것이라는 주자의 입장을 취하는 것이 무방할 것으로 생각된다.

장재의 조부 장복張復이 벼슬에 오르며 하남 정씨 가문과 인척관계를 맺게 된다. 그는 정호·정이와 가계도 상 친척 관계이다. 즉 장재는 이정 형제와 외숙과 외종질 간이다. 그러나 학문적인 점에서는 장재가 이정의 학문을 존중하는 입장을 취하였다. 이정 형제가 장재를 찾아와 함께 『주역』을 강론하였는데, 강론을 마치고나서는 이정 형제가 주역의 도리에 밝아서 내가 미칠 바가 못 되니 그를 스승으로 삼을 만 하다고 하며 자리를 걷고 『주역』 강의를 그만 두었다는 행장의 기록은 그 단적인 측면을 보여준다. 다른 한편 이천은 장재가 주장한 것이 우리 형제와 같다고 하는 것은 옳지만, 우리 형제에게서 배웠다고 한다면 이런 일은 없었다고 말한 것을 함께 놓고 보면 넓은 의미에서 영향을 주고받았다고 보아야 할 것이다.

행장에서 소개하는 장재는 남루한 옷을 입고 채식을 하며 학생들을 가르치는 선생의 모습이다. 특히 배우는 이들이 물을 때 항상 예를 알고 성性을 이루어서 기질氣質을 변화시키는 도를 말해주고, 반드시 성인처럼 된 뒤에야 그만두어야 한다고 하니 듣는 이가 감동하여 발전하지 않은 이가 없었다고 한다.

『송사』「도학열전」에서 장재의 학문에 대해 평가한 것은 뚜렷한 사승 관계를 알 수 없는 장재의 학문적 성격을 미루어 알 수 있게 하는 부분이다. 장재의 학문은 예禮를 존중하고 덕德을 귀히 여기며 하늘의 이치를 즐기고 천명을 편안히 받아들인다. 주역을 종지宗旨로 삼고, 중용을 본체로 삼았으며, 공맹孔孟을 법으로 삼았다고 한다. 장재의 학문적 평가는 그의 대표적 저술인 『정몽』에도 잘 드러나 있다. 『정몽』을 살펴보면 역시 『주역』과 『중용』을 골간으로 하며, 『논어』와 『맹자』 등의 예증을 통하여 그 내용을 전개하고 있으며 『시경』, 『서경』, 『예기』 등의 덕치가 실현되었거나 패도가 드러난 고대 정치의 사례들을 들어 학자들이 본받고 경계하게 하는 한편 도가와 불교의 초현실적인 이단적 사유와 대비시키며 리학의 실천적 도덕정치의 구현을 꿈꾸고 있다.

장재의 대표적인 저서는 「서명」과 「동명」 그리고 『정몽』을 들 수 있다. 『경학이굴經學理窟』과 『역설易說』 등의 저술들도 그의 주요한 저작이다. 그의 문집인 『장재전서張載全書』와 『장재집張載集』이 전하고 있다. 그의 저작 중 가장 대표적으로 알려진 「서명」과 「동명」은 『정몽』에서 분리된 단편의 문장이며, 『정몽』은 리기론의 선하가 되는 그의 기론적 사유체계를 대표한다고 할 수 있다. 『정몽』은 주자가 주해를 달면서 송대 리학의 중요한 교재로 부각되었으며, 명나라 말기와 청나라 초기의 선산船山 왕부지王夫之(1619년~1692년)가 주해한 『장자정몽주張子正蒙註』를 통해서 기론의 대표적 저술로 간주된다. 성리대전에는 제4권 서명 뒤인 제5권과 제6권에 각각 『정몽』 1(1. 태화편부터 8. 중정편까지)과 정몽 2(9. 지당편부터 17 건칭편까지)로 나뉘어 수록되어 있다.

Ⅱ. 『정몽』「건칭」편과 서명

「서명西銘」은 북송의 횡거橫渠 장재張載(1020~1077)의 만년 저작으로 『정몽』 중 마지막 17번째

편인 「건칭」편의 도입부를, 「동명東銘」은 「건칭」편의 뒷부분을 각각 독립시켜 걸어 둔 명문이다. 「서명」의 글자 수는 불과 253자에 지나지 않는 단문이며, 「동명」 역시 112자의 짧은 글이다. 장재의 「서명」과 「동명」의 장재의 서재 서쪽 창과 동쪽 창 즉 방의 우측과 좌측 양 편에 걸어 둔 것으로 학문의 좌우명으로 삼은 글이다. 「동명」과 「서명」의 원 제목은 완고함을 바로 잡아서 완고함을 고쳐서 인仁하게 된다는 의미인 정완訂頑과 돌침을 놓아 병을 치료하듯이 어리석음을 물리친다는 폄우貶愚였다. 그러나 이천伊川 정이程頤(1033~1107)가 정완과 폄우라는 제목이 은유적이고 심오하여 학자들이 어지럽게 변론하고 힐문할 폐단이 있고 논쟁의 단서가 될 것을 염려하여 정완을 서명西銘으로, 폄우를 동명東銘으로 개칭할 것을 제안한 이후 서명과 동명이라는 명칭으로 불렸다. 그리고 주희가 「서명」에 대해 독립적으로 주해한 「서명해西銘解」로 인해 『정몽』에서 분리된 「서명」은 리학의 주요한 독립된 저술처럼 간주된다. 아울러 성리대전이 수찬되면서 서명을 『정몽』 앞에 배치함으로써 리학을 공부하는 학자들에게 중요한 저작으로 자리잡게 된다. 「동명」과 「서명」, 이 두 명문은 짧은 글이지만 정자와 주자의 리학에 미친 영향이 크며, 특히 서명은 리기론적 이론체계의 정립과 리기론적 사유를 사회정치적 실천으로 확대시키는 중요한 이론적 토대를 마련해 주었다.

「서명」과 「동명」이 장재의 『정몽』 마지막편인 「건칭」편의 수미라는 점에서 「서명」은 『정몽』의 결론이자, 장재철학의 핵심적 철학을 집약적으로 나타낸 글이라 할 수 있을 것이다. 리학사에서 「서명」이 차지하고 있는 위상에 비해 「동명」의 비중은 상대적으로 미미하다. 양자의 특징을 대비시켜 설명해 보면, 「서명」은 윤리적 정치와 리일분수를 연결시킨 도덕형이상학적이라면, 「동명」은 장난스러운 말과 행동[戱言, 戱動], 지나친 말과 행동[過言, 過動]을 경계함으로써 「서명」의 이론적 내용을 현실로 옮길 수 있는 실천공부와 관련된 글이다. 정이천은 횡거가 주장하는 이론에서 지나침이 있는 것은 『정몽』에 있다고 지적하였는데, 「동명」에 대해서는 그 내용이 밝히는 의미에도 한계가 있고 하학下學 공부의 미진함이 있다고 지적하며 이론적으로 잘 체계화된 「서명」과는 비교할 수 없다고 말한 바 있다. 이천은 장재의 『정몽』이 갖는 이론적 체계나 「동명」이 갖는 실천 공부에 대해서는 비판의 입장을 취하기도 하지만, 「서명」에 대해서는 횡거의 글 중에서 가장 순수한 것으로 철두철미하게 하나로 관통되어 있다고 보았다. 정이천의 문하에서 「동명」에 대해서는 언급을 찾기 어렵지만 「서명」은 문인들을 가르치는 중요한 교재로 활용되는 한편, 리기론적 체계와 리일분수론의 이론의 원형을 제시하는 등 주요하게 다루어졌다.

Ⅲ. 『성리대전』과 「서명」

『성리대전』에서 주돈이의 저술에 이어 장재의 저술을 수록하면서 『정몽』 앞에 「서명」을 배치한 것은 리학체계 속에서 「서명」이 갖는 위상을 단적으로 보여주고 있다. 주자가 『예기』에서 『대학』과 『중용』을 편장하여 독립된 경서로 정립시켰듯이, 주자는 『정몽』「건칭」편에서 「서명」을 분리시켜 「서명」해를 주해함으로써 「서명」을 독립적인 한 책으로 분리시켜 놓았다. 『성리대전』 중 『정몽』 건칭편에서는 「서명」에 해당하는 부분은 모두 생략된 채, 「건칭」편의 나머지 내용만이 수록되어 있다.

「서명」은 『성리대전』에 「서명」과 「정명」 순으로 수록되면서 이후 중국에서의 리학의 전개와 조선 성리학의 주요 주제로 다루어지게 된다. 돌이켜 보면 조선 초기 성리학이 건국이념으로 대두되면서 정주이후 중국 리학의 발전을 집약적으로 소개시켜 준 교재 중 하나가 『성리대전』이다. 성리대전은 명 영락제가 명하여 문목文穆 호광胡廣(1370~1418)[1] 등 40여명의 학자들이 1415년 9월 찬집한 성리학대계로써, 렴계 주돈이의 『태극도설』과 『통서』, 횡거 장재의 「서명」과 『정몽』 등 송대 리학의 주요 잡저들과 함께 성리학을 주제별로 리기, 귀신, 성리, 도통, 성현, 제유 등 13개의 주제로 분류하여 소개한 성리설의 집대성본이다. 『성리대전』은 간행된 지 약 3~4년 뒤인 조선초 태종 18년인 1418년에서 세종 원년인 1419년 사이 조선에 전래되었으며(윤남한, 『조선시대의 양명학 연구』, 집문당 78~79면), 10여년 뒤 세종대에 이르러 조선에서 간행된다. 15세기 『성리대전』은 『사서오경대전』과 함께 성리학의 기본 교재로 활용되었으며, 경연에서 강독되기도 하였다. 16세기에 이르러 『주자대전』과 『주자어류』 등 송명 리학의 교재들이 본격적으로 도입되어 1543년 간행되어 유포되기 전까지는 성리학 입문의 중요한 교재로 활용되었다.(김항수, 16세기 사림의 성리학 이해, 한국사론7., 1981)

16세기 조선성리학에서 「서명」에 대한 독립적인 소개는 하서河西 김인후金麟厚(1510~1560)의 서명사천도西銘事天圖(1556)와 퇴계 이황의 『성학십도聖學十圖』(1568) 중 제2도에 「서명도」를 배열한 것으로부터 본격적으로 다루어졌다고 볼 수 있다. 전자는 그의 잡저 「주역 관상편」과 함께 실전되어 전하지는 않지만 그의 저작 문헌에는 남아 있다. 후자의 경우 퇴계가 임은 정복심의 「서명도」를 『성학십도』에 배치하는 한편, 같은 해 「서명고증강의」(1568)라는 잡저를 남기면서 이후 조선성리학에서 중요한 주제로 다루어지게 되며, 중요한 성리학 입문서로 자리잡게 된다.

1 翰林院 修纂, 文淵閣大學士로서 사서오경대전 및 성리대전의 편수를 주관한 명대의 리학자이다. 호광이 편수를 주관한 사서오경대전과 성리대전은 조선성리학의 기본 교재로 활용되었다.

율곡도 『성학집요聖學輯要』(1575) 「위정」편에서 「서명」에 대한 언급을 하는 한편, 「성현도통」편에서 송대 리학의 도통의 맥락에 횡거 장재를 소개하면서 「서명」의 도덕정치철학을 다루고 있다.

Ⅳ. 「서명」의 구성

「서명」은 『정몽』「건칭」편의 첫 253자를 분리시켜 좌우명으로 삼은 글이다. 성리대전 권4에 수록된 「서명」은 크게 세 부분으로 구분해 볼 수 있다. 「서명」 253자에 대한 주자의 주석과 주자의 제자들과 문인들이 덧붙인 주석을 모아 함께 수록한 첫째 부분, 주자가 「서명」의 주석을 마치며 「서명」에 대하여 통론하며 「서명」의 성격을 정리한 논論과 그에 대한 주해인 둘째 부분, 그리고 뒷부분에 덧붙인 「서명」 총론總論인 셋째 부분이 그것이다. 첫째 부분은 「서명」의 내용을 분석해 보면 253자에 지나지 않는 단문을 「서명」의 특징을 잘 드러내기 위해 다시 두 부분 혹은 세 부분으로 나누어 구분하기도 한다.

乾稱父, 坤稱母. 予玆藐焉, 乃混然中處. a'
故天地之塞, 吾其體, 天地之帥, 吾其性. a" ：A

民吾同胞, 物吾與也.
大君子, 吾父母宗子, 其大臣, 宗子之家相也.
尊高年, 所以長其長, 慈孤弱, 所以幼吾幼.
聖其合德, 賢其秀者也.
凡天下疲癃殘疾惸獨鰥寡, 皆吾兄弟之顚連而無告者也. ：B / 上

于時保之, 子之翼也, 樂且不憂, 純乎孝者也.
違曰悖德, 害仁曰賊.
濟惡者, 不才, 其踐形, 惟肖者也.
知化則善述其事, 窮神則善繼其志.
不愧屋漏爲無忝, 存心養性爲匪懈.
惡旨酒, 崇伯子之顧養, 育英才, 潁封人之錫類.
不弛勞而底豫, 舜其功也,
無所逃而待烹, 申生其恭也.
體其受而歸全者, 參乎, 勇於從而順令者, 伯奇也.
富貴福澤, 將以厚吾之生也, 貧賤憂戚, 庸玉汝於成也.
存吾順事, 沒吾寧也. ：C / 下

「서명」이란 짧은 글에 대해 관심을 가지며, 「서명」을 송대 리학의 대표적 저술 중 하나로 만들게 한 주역으로 정이천을 들 수 있다. 그는 「서명」은 '리는 하나이지만 나누어진 것이 다름을 밝혔다'라고 하며, 「서명」의 내용을 리일분수로 요약하고 있다. 주자는 「서명」을 논하여 말하기를 천지 사이에는 하나의 리일 뿐이지만 음양의 두 기가 교감하여 만물을 조화시키고 나면 만가지 구분이 있게 되어 그 다른 것이 하나임을 알 수 없는데, 「서명」은 바로 만가지로 나누어진 분수가 하나임을 알게 하기 위해 쓰인 글이라고 평가하였다.

주자는 장재의 「서명」은 나와 천지 만물이 원리에 있어 뿌리가 하나인 까닭을 여러 모로 추리하여 밝힌 것이라고 말하였고, 「서명」의 대강은 리일理一이라고 보았다. 전체적으로 보면 리일을 보고, 가로로 끊어 보면 분수를 보게 된다고 하여, 총괄적 시각과 분석적 시각에서 접근하는 두 관점을 제시하기도 하는 한편, 천지로부터 말하면[自天地言之] 그 속에 진실로 본래 분별이 있고, 만가지 다른 것으로부터 보면[自萬殊觀之] 그 속에 또한 본래 분별이 있다고 해석해 주면서 「서명」이 담고 있는 리일분수의 의미를 다양한 관점에서 풀이해 주고 있다.

주자는 「서명」 한 편을 세 부분으로 나누고 있다. 주자의 구분에 의해서 253자를 나누어 보면 건칭부乾稱父부터 오기성吾其性까지 30자를 A, 민오동포民吾同胞부터 무고야자無告者也까지 65자를 B, 우시보지于時保之이하 끝까지 158자를 C로 구분하였다. 주자는 A 부분을 다시 둘로 나누어 첫 세 구절에 해당하는 앞의 15자(a')를 의미상의 제목을 설파하는 것[破義題]으로, 뒤의 15자(a") 천지를 거느리는 것과 채우는 것 두 구절을 마치 원제로 삼은 것 같다며 이 책의 핵심적인 곳[緊要處]이라 풀이해 주었다. 면재 황간은 주자가 제목을 설파한 곳이라고 한 첫 구절(a')을 「서명」의 강령이라 하였다. 백성은 나의 동포이다라는 곳부터 가난하고 외로워도 하소연할 곳이 없는 사람들이다라는 B부분은 「서명」을 통틀어 논한 것[統論]이며, 이에 보존한다 이하인 C부분은 공부하는 것을 말한 것으로 보았다. 이렇게 볼 때 주자가 본 「서명」은 리일분수의 본체론적 핵심과 내용, 구체적 전개 및 수양 문제까지를 총체적인 글이라 할 수 있다.

주자는 「서명」을 바둑판에 비유하기도 하였다. 「서명」의 앞부분은 바둑판과 같고 뒷부분은 사람이 바둑을 두는 것과 같다고 비유하였는데, 「서명」의 내용을 함축적으로 잘 표현하고 있다. 주자의 비유 중 바둑판에 해당하는 것은 A부분이고, 바둑을 두는 것에 해당하는 것은 B+C가 된다. 바둑판은 바둑을 둘 수 있는 바탕으로 천지만물이 생성변화할 수 있는 큰 원칙이라면, 바둑을 두는 것은 구체적으로 생성변화하는 세상의 천지만물을 말하고 있다. 이를 위에서 살펴본 주자의 구분으로 보면 바둑을 두는 것은 통론統論과 공부工夫에 해당한다.

주자는 「서명」을 다른 관점에서 구분하기도 하였는데, 「서명」은 세로로 쪼개 내려가는 도리가 있고, 또 가로로 자르는 도리도 있다고 하여 횡설수설 즉 조리정연하게 체계적으로 잘 짜여진 내용으로 구성되어 있다고 보기도 하였다. 주자는 그 항목으로부터 말하면[自其節目言之] 각기 성과 명을 바르게 하며[各正性命], 그 양을 채우는 것으로부터 말하면[充其量而言之] 유행하여 쉬지 않는다[流行不息]고 「서명」의 요지를 두 관점에서 정리한 제자의 의견에 대해서 동의한 바 있는데, 이 역시 같은 맥락에서 이해할 수 있다.

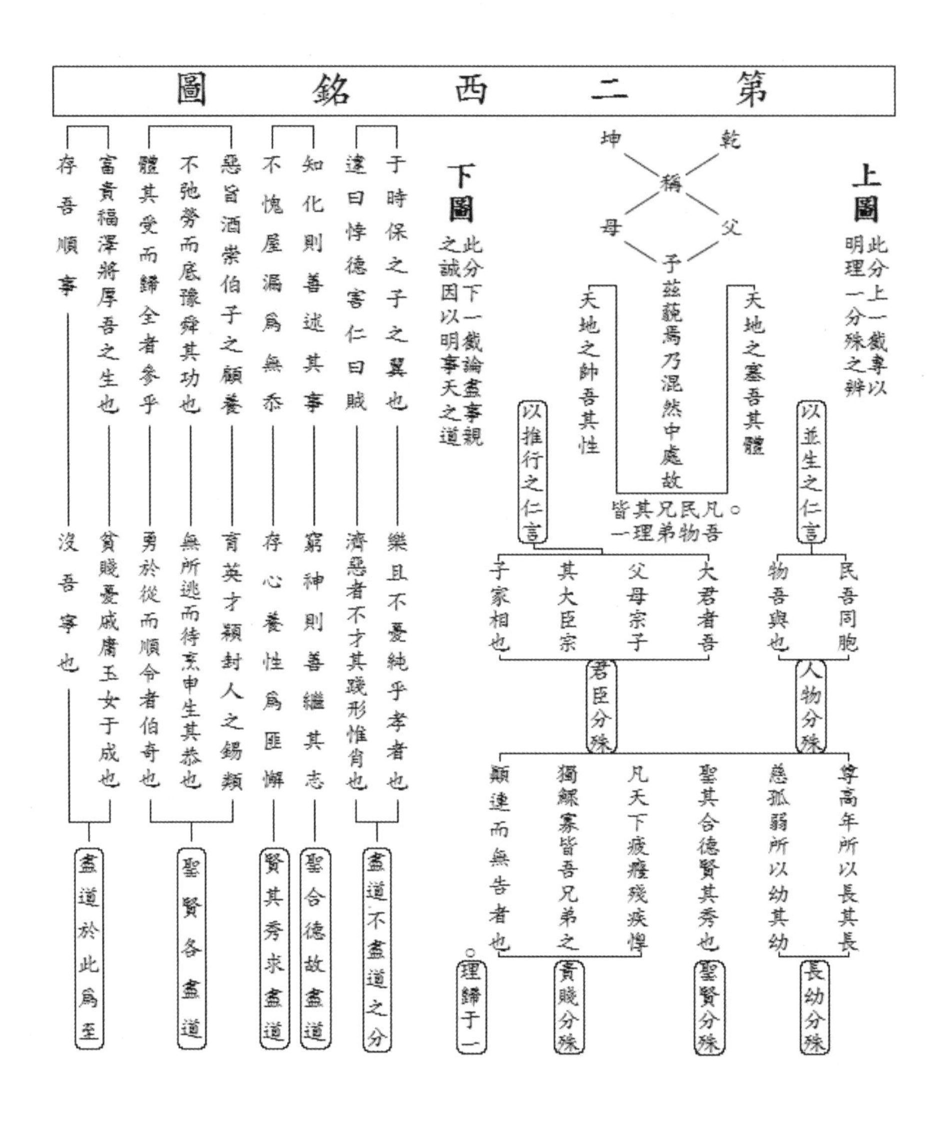

한편 쌍봉雙峰 요로饒魯(1194~1264)는 「서명」의 글을 규모가 매우 크고 조리가 정밀하여 한 마디로 다할 수 있는 것이 아니다. 그러나 큰 뜻은 중간에 두 부분으로 나누는 것에 지나지 않는다. 그의 구분에 의하면 앞부분[A+B]은 사람이 천지의 자식됨을 밝힌 것이며, 뒷부분[C]은 사람이 천지를 섬기는 것이 마땅히 자식이 부모를 섬기는 것과 같이 해야 함을 밝힌 것인데, 「서명」에는 사람의 양지를 통하여 그것을 미루어 넓히게 하려는 까닭이 전제되어 있다. 풀이해 보면 「서명」은 사람의 천지의 자식됨을 밝히고 다시 부모를 섬기는 효도에 근거하여 하늘을 섬기는 도를 밝히는 쌍방적 방식의 서술로 리일과 분수, 분수와 리일을 중첩하여 서술하고 있다.

퇴계 이황(1501~1570)의 『성학십도』 중 제2도 「서명」도는 임은林隱 정복심程復心(1279~1368)의 것을 그대로 수록한 것이다. 이 「서명도」는 상도와 하도로 구분되어 있는데, 정복심의 구분도 요로의 구분과 같으며, 퇴계 역시 이러한 구분에 십분 동의하였다고 볼 수 있다. 퇴계는 상도에 해당하는 A+B부분은 하늘을 섬기는 도리를, 하도에 해당하는 C부분은 어버이를 섬기는 일을 밝혔다고 풀이해 주고 있다.

Ⅴ. 「서명」과 리일분수理一分殊

주지하듯이 「서명」의 가장 대표적 특징은 리일분수에 있다. 이러한 평가는 정이천이 「서명」의 특징이 리일분수에 있다(이정전서, 권8 伊川答楊時問西銘書)고 하고, 주자가 이를 계승하여 「서명」을 별도의 책으로 표장表章하여 주해하면서 「서명」을 리일분수 문제로 풀이하였고, 『성리대전』을 편찬하면서 주자의 「서명해」에 대한 집주들을 독립된 저술처럼 표장한 것에서 비롯되었다.

본래 「서명」에서는 리일분수라는 말이 없다. 그러나 정이천이 「서명」의 핵심 요지를 리일분수로 정리하여 요약하였고, 주자도 정이천의 「서명」 해석 즉 리일분수 - 리는 하나이지만 나누어진 것은 다르다. - 이 한 마디 말로 「서명」의 내용을 다 포괄하였다라고 평가하면서 「서명」은 리일분수적 사유를 대표하는 저작으로 간주된다.

리일분수는 이천이 사람들에게 「서명」의 내용을 쉽게 전하기 위해 사용한 것이고, 주자는 더 나아가 「서명」의 처음부터 마지막까지 구절구절이 다 리일분수를 보여주기 위한 것이라고 하면서, 리일분수의 문제를 다양한 관점과 시각에서 설명하고 있다. 주자는 「서명」의 요점이 천지를 채우고 있는 것 즉 기를 내가 몸으로 삼고, 천지를 거느리는 것을 내가 성으로 삼는다. 그 성은 바로 천지의 리라고 정리하면서 우주본체와 인간을 리와 기로 유비적으로 설명하면서 리일과 분수가 사랑仁으로 관통할 수 있다고 보았다. 주자는 하나로 통합되면서도 만 가지로 다르다면 비록 세상 사람들을 한 집안 사람처럼 간주하더라도 겸애의 폐해에 빠지지 않게 되고, 만 가지로 다르면서 하나로 관통된다면 서로 다르더라도 자신만을 위하는 사사로움에 빠지지 않게 된다. 이것이 「서명」의 큰 뜻이라고 보았다.

「서명」의 리일분수에 대한 해석은 첫째 리기론적 체계로 우주만물의 생성변화에 대한 본체론적 설명으로 풀이되는 한편, 둘째 인간의 도덕적 본질과 현상 세계 속의 지각과 실천의 다양성을 현상 세계 속에서 실현될 수 있는 근거로 제시되며, 셋째 본체론과 인성론을 유비적으로 연결시키되, 군주와 백성의 관계 속에서 도덕정치 구현을 위한 당위성의 근거 등으로 리학적 이론 체계의 중요한 개념으로 정립되었다. 부차적으로는 묵가의 겸애론과 구분된 유가의 리학적 사랑仁의 문제를 다루는 것과 도가와 불교의 출세간-초현실적 실제 이해에 대한 유가적 변호 논리 등의 의미도 포함된 함축적 주제이다.

리일분수를 유론적 관점에서 이해하는 학자들은 리일분수를 이치는 하나이나 본분은 다르다는 것으로 해석하며, 일과 분수의 문제에 전통사회의 계급적 차별을 정당화시키려는 의도가 있다고 풀이하기도 한다. 그러나 「서명」에 나타난 리일분수의 본래 의미는 주자의 해석에 잘 드러나 있다. 주자는 천지 사이에는 하나의 리일 뿐이다. 그러나 건곤의 기에 의해 만 가지로 다름이 생기게 된다. 건을 아버지로 삼고 곤을 어머니로 삼은 것은 생명이 있는 부류는 다 그러하지 않음이 없으니 리일이다. 건칭과 곤칭이라고 한 것이 분수이다. 구절마다 전체적으로 보면 다 리일을 보고, 속에서 가로로 끊어 보면 분수를 보게 된다. 하나로 통합되면서도 만 가지로 다르다면 비록 세상 사람들을 한 집안 사람처럼 간주하더라도 겸애의 폐해에 빠지지 않게 되고, 만 가지로 다르면서 하나로 관통된다면 서로 다르더라도 자신만을 위하는 사사로움에 빠지지 않게 된다. 이것이 「서명」이 시사하는 바라고 보았다.

Ⅵ. 「서명」과 인仁/구인求仁

「서명」은 천지와 사람을 하나의 유기체처럼 보았으며, 한 몸과 같은 유기체 속에서 개별적인 본분의 다름을 이야기 하는 한편 각각의 다름이 전체적 유기성 속에서 자기의 특성을 잘 드러내야 할 뿐만 아니라 각 개별자가 살아 있을 때와 죽을 때 각기 자기 본분을 다하는 것을 말함으로써 분수 속의 구체적 상황들에 들어맞는 리를 찾아야 함을 결론으로 맺고 있다.

「서명」 총론 모두에서 정명도가 「서명」의 말은 매우 순수하여 진, 한대 이래로 학자들이 이르지 못한 것이라고 하였는데, 그 주에 「서명」(정완) 한편은 뜻이 매우 완벽하게 갖추어져 있으므로 바로 인의 체라고 말하고 있다. 「서명」에 담겨진 주제는 요컨대 "천지만물"과 "나"라는 존재와의 일체에서 얻어지는 "인仁"이다. 정명도는 학자는 반드시 먼저 인을 알아야識仁 한다고 전제하였는데, 인은 혼연히 만물과 한 몸이다. 의례지신은 다 인이다. 이 理를 알아서 誠과 敬으로 그것을 보존할 뿐이니 막고 단속할 필요가 없고 궁구하여 찾을 필요도 없다.

정명도는 맹자이후 단절되었던 유가의 도에 대하여 한유韓愈(768~824)의 원도原道가 어느 정도 유학의 道를 말해주고는 있으나, 「서명」에서 밝힌 理에 비할 수는 없을 정도라고 하면서 「서명」을 원도의 조상으로까지 자리매김하고 있다. 한편 정이천은 「서명」의 글은 리를 미루어 의를 보존하는 것이니 이전 성현들이 미처 발견하지 못한 것을 확충한 것이니 맹자의 성선, 양기의 공로와 같다고 평가하며 묵자가 근본을 둘로 하고 구분을 없앤 것과 비교할 수 없다고 보았다.

퇴계는 성학십도 제2도 서명도를 설명하면서 생각건대 성학聖學은 仁을 구하는 데 있다. 모름지기 이 뜻을 깊이 체득하여야 바야흐로 천지 만물과 더불어 일체가 됨이 진실로 이러하다는 경지를 볼 수가 있을 것이라고 하였으며, 율곡 역시 『성학집요』 위정편 중 위정의 근본을 말하는 곳에서 「서명」은 학자들의 仁을 위한 공부요, 오로지 임금이 하는 일만 가리킨 것이 아니지만 임금에게 더욱 절실한 것이라고 구인 공부의 중요성을 강조하고 있다.

퇴계와 율곡이 이해한 「서명」은 임금이 하늘을 아버지로 섬기고, 땅을 어머니로 섬기며, 백성을 형제로 삼고, 만물을 동류로 삼아서, 인심仁心을 충만하게 하여야만 그 직책을 극진히 할 수 있는 지각과 실천 문제인 구인求仁에 초점을 맞추고 있다.

Ⅶ. 조선성리학과 「서명」

「서명」에 대한 대표적 주해서로는 송대 주자의 「서명해西銘解」, 명대 월천月川 조단曹端(1376~1434)의 「서명술해西銘述解」 등을 들 수 있으며, 조선조에서는 실전되어 그 내용은 알 수 없지만 하서 김인후 「서명사천도西銘事天圖」와 퇴계의 『성학십도』 중 「서명도」와 「서명고증강의」를 들 수 있다.

퇴계의 「서명」에 대한 관심은 퇴계가 16세의 어린 나이에 등극(1567)한 선조宣祖(1552~1608)에게 간략한 설명을 덧붙여 10개에 덧붙여진 「서명도」가 군도君道에 가장 절실한 교훈인 동시에 학자들이 지향해야 할 규범을 제시하였기 때문에 조선조의 학자들에게 중요한 성리학 입문서로 자리 잡게 된다.

「서명」에 관한 독립적 저술을 살펴보면 퇴계 이후 조선 후기를 넘어 근대에 이르기까지 지속적으로 집필되었으며, 율곡의 『성학집요』「위정」편 중에서 「서명」을 인용하며 그에 대한 정리 및 해석을 덧붙이는 방식으로 잡저들 속에서 「서명」의 주장을 인용하거나 이론을 소개 혹은 정리해 주는 논의들과 남당 한원진(1682~1751)의 「서명도선생찬유정부독서명후書明道先生贊游定夫讀西銘

後」 등 학자들 사이에서 편지를 통해 「서명」에 대한 해석 상의 논의들과 주석들에 대한 이견들을 쟁점으로 삼아 많은 논의들이 오고 갔음은 쉽게 확인할 수 있다. 「서명」에 대한 보다 적극적인 논의는 「서명」을 주제로 한 잡저들을 통해서 살펴볼 수 있다.

퇴계 이황(1501~1570) 성학십도聖學十圖 제2도 서명도西銘圖
______________________ 서명고증강의西銘考證講義,
하서 김인후(1510~1560) 서명사천도西銘事天圖(失傳)
간재 이덕홍(1541~1596) 서명설西銘說
괴헌 곽재겸(1547-1615) 횡거선생서명도橫渠先生西銘圖
백호 윤휴(1617-1689) 서명西銘
팔우헌 조보양(1709~1788) 서명시중용지리변西銘是中庸之理辨
활효재 박헌가(1713-1772) 서명강설西銘講說
후산 이종수(1722-1797) 서명차의주자해西銘箚疑朱子解 퇴계고증부退溪考證附
이재 황윤석(1729-1791) 서명도西銘圖, 서명총론西銘總論
약재 권병(1723~1772) 서명시중용지리변西銘是中庸之理辨
만우재 금영택(1739-1820) 논서명여중용표리지의論西銘與中庸表裏之義,
______________ 간재집서명설해艮齋集西銘說解
화서 이항로(1792-1868) 서명기의西銘記疑
구강 이의수(1805-1851) 서명설西銘說
정와 김대진(1800-1871) 서명西銘
성재 유중교(1832-1893) 서명구절차제西銘句節次第
호산 박문호(1846-1918) 서명해西銘解
서강 유원중(1861-1942) 독서명설讀西銘說
성재 이인호(1892-1949) 서명차의西銘箚疑
노운 홍전(1804~1865) 서명해西銘解
암거 박영로(1814~1904) 서명집해西銘集解
미강 박승동(조선말기의 학자) 서명야송西銘夜誦
삼우당집(미상?) 서명해西銘解 등

조선성리학에서 「서명」에 관한 잡저들은 「서명」 혹은 「서명도」를 그대로 옮겨 놓고 자신의 의견을 간략히 개진하는 개략적인 소개부터 구인, 리일분수 등 「서명」의 철학적 논의들을 소개하거나 심층적인 의문을 제기하는 저술까지 다양한 방식으로 구성되어 있다.

이러한 잡저들이 갖고 있는 특성은 전체를 다 포함하기도 하지만, 일부의 잡저들에 나타난 공통적인 관심도 포함시켜 정리해 보면 다음과 같은 몇 가지 특징들로 구분해 볼 수 있다.

첫째, 「서명」을 통해 군주의 도덕정치를 구현하려는 글로, 군주 뿐만이 아니라 학자들 역시 백성을 생각하는 위민의 도덕정치를 실현해야 한다는 당위적 논의, 둘째, 성리학적 이론체계인 리일분수와 도덕 실현의 구인求仁을 목적으로 하는 담론, 셋째, 「서명」이 함축하고 있는 구인求仁의 실천 목적을 갖고 있는 리일분수의 이론과 그것이 현실 속에서 실현되는 것들을 『중용』의 리이며, 따라서 「서명」과 『중용』이 표리의 관계에 있음을 밝히는 것이라는 일련의 잡저들, 넷째, 「서명」의 내용과 그 주석들에 관한 의문과 그에 대한 답변을 정리한 차의箚疑 류, 다섯째, 「서명」에 대한 중국 송, 원, 명대의 학자들의 논의와 조선조 학자들의 주석과 차의 등 제반 이론을 모아 정리한 집해集解 류 등으로 정리해 볼 수 있다. 이를 통해서 조선성리학에서 「서명」은 『성리대전』에 소개된 것에서 비롯하여 하서, 퇴계와 율곡 등 조선조의 학자들에 의해 소개된 이후 조선말까지 중요한 주제로 끊임없이 다루어졌음을 확인할 수 있다.

性理大全 研究飜譯 役割 分擔表

卷	書名/大主題	飜譯	校閱	潤文	解題
	序・表	金在烈			尹用男, 金暎鎬
1	太極圖	尹用男			郭信煥
2~3	通書	李哲承			郭信煥
4	西銘	李哲承			李基鏞
5	正蒙 1	李哲承			李基鏞
6	正蒙 2	金炯錫			李基鏞
7~13	皇極經世書	沈義用			洪元植
14~17	易學啓蒙	尹元鉉			李善慶
18~21	家禮	秋琦淵			李迎春
22~23	律呂新書	尹元鉉			李善慶
24~25	洪範皇極內篇	秋琦淵			李迎春
26~27	理氣	李致億			李致億, 金演宰
28	鬼神	尹元鉉			李致億, 金演宰
29~31	性理 1~3	尹元鉉			李致億, 鄭相峯
32~34	性理 4~6	沈義用	共同研究員 李忠九	鄭修卿	李致億, 鄭相峯
35~37	性理 7~9	金炯錫			李致億, 鄭相峯
38	道統・聖賢	尹元鉉			沈義用, 金演宰
39~40	諸儒 1~2	金炯錫			沈義用, 金演宰
41~42	諸儒 3~4	沈義用			沈義用, 金演宰
43~45	學 1~3	李致億			沈義用, 鄭炳碩
46~48	學 4~6	沈義用			沈義用, 鄭炳碩
49~50	學 7~8	金炯錫			沈義用, 鄭炳碩
51	學 9	金昡炅			沈義用, 池俊鎬
52~54	學 10~12	尹元鉉			沈義用, 池俊鎬
55~56	學 13~14	李忠九			沈義用, 池俊鎬
57~58	諸子	金在烈			李忠九, 李相益
59~64	歷代	金在烈			李忠九, 李相益
65	君道	金在烈			李忠九, 李相益
66~69	治道	金在烈			李忠九, 李相益
70	詩・文	金在烈			李忠九, 池俊鎬

性理大全 研究飜譯 研究陣

研究責任者

尹用男 성신여자대학교

共同研究員

郭信煥 숭실대학교
金演宰 공주대학교
李基鏞 연세대학교
李相益 부산교육대학교
李善慶 조선대학교
李迎春 국사편찬위원회
鄭炳碩 영남대학교
鄭相峯 건국대학교
池俊鎬 서울교육대학교
洪元植 계명대학교

專任研究員

李忠九 단국대학교
金在烈 단국대학교
尹元鉉 고려대학교
秋琦淵 성신여자대학교
李哲承 조선대학교
沈義用 숭실대학교
金炯錫 경상대학교
李致億 성균관대학교
金昡炅 한국외국어대학교

研究補助員

鄭修卿 성신여자대학교
宣昌坤 성신여자대학교
金洙廷 성신여자대학교
金炫在 한국고전번역원
朴智惠 서울노일중학교
權處隱 성균관대학교
徐政嬅 동방문화대학원대학교

완역 성리대전 ❶

초판 인쇄 2018년 7월 15일
초판 발행 2018년 8월 10일

역 주 자 | 윤용남 · 이충구 · 김재열 · 윤원현 · 추기연
이철승 · 심의용 · 김형석 · 이치억 · 김현경
펴 낸 이 | 하운근
펴 낸 곳 | 學古房

주 소 | 경기도 고양시 덕양구 통일로 140 삼송테크노밸리 A동 B224
전 화 | (02)353-9908 편집부(02)356-9903
팩 스 | (02)6959-8234
홈페이지 | http://hakgobang.co.kr/
전자우편 | hakgobang@naver.com, hakgobang@chol.com
등록번호 | 제311-1994-000001호

ISBN 978-89-6071-761-9 94150
978-89-6071-760-2 (세트)

값 : 800,000원 (전10책)